고등학교

언어와 매체
자습서

이삼형 교과서편

이 책의
구성과 특징

중단원 도입

- 핵심 질문, 중단원 생각 열기 질문을 통해 이 단원에서 학습할 내용의 실마리를 이끌어 냅니다.
- '중단원 바탕 학습'에서는 학습 목표를 확인하고, 이 단원에서 학습할 내용을 예측합니다.
- 간단한 '맛보기' 문제를 통해 기본적인 학습 내용을 탐구할 수 있습니다.

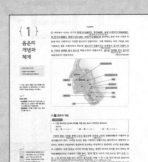

소단원 본문 학습

- 교과서를 꼼꼼히 분석하여 기본 실력을 완성할 수 있도록 제시하였습니다.
- '소단원 학습 포인트', '개념+', '어휘+' 등과 같은 도움 코너를 제시하여 학습에 도움을 받을 수 있습니다.
- '핵심 다지기'를 통해 핵심 내용을 정리하고, '문제로 확인'으로 학습한 내용을 점검할 수 있습니다.

소단원 학습 활동

- 교과서의 '학습 활동'을 모두 수록하여, 스스로 학습할 수 있도록 풀이 팁과 예시 답을 자세하게 제시하였습니다.

소단원 출제 포인트 / 중단원 출제 포인트

- 단원에서 배운 내용을 잘 이해했는지 정리하고 확인할 수 있습니다.
- 간단한 확인 문제를 통해 핵심 내용을 점검할 수 있습니다.

소단원 적중 문제

• 소단원 학습에서 꼭 알아야 할 문제를 출제하였습니다. 이를 통해 배운 내용을 점검하고, 자신의 실력을 평가할 수 있습니다.
• '출제 예감', '심화' 등을 표시하여 효과적으로 내신을 대비할 수 있도록 도움을 받을 수 있습니다.

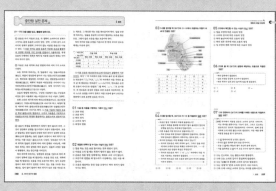

중단원 실전 문제

• '수능형', '서술형', '고난도', '학습 활동 적용' 등 시험에 나올 수 있는 다양한 유형의 문제를 선별하여 실력을 완성할 수 있도록 제시하였습니다.
• 특히 최근 수능 시험의 유형을 반영한 문제를 배치하여 교과서 학습이 수능 대비와 직결될 수 있도록 구성하였습니다.

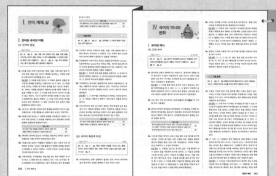

정답과 해설

• 소단원 '문제로 확인'과 '적중 문제', 중단원 '실전 문제'의 정답 및 예시 답을 싣고, 그에 대한 상세한 해설을 담았습니다.

오답 풀이, 고난도 해결 포인트

• 동일한 유형의 문제를 반복하여 틀리지 않도록 오답을 점검하고, 어려운 문제에 도움을 받을 수 있습니다.

이 책의 차례

I 언어, 매체, 삶

II 국어의 탐구와 활용

매체 언어의 탐구와 활용

국어의 역사와 문화

정답 및 해설

I 언어, 매체, 삶

비판적 · 창의적
사고 역량

언어와 매체의
본질 탐구

자료 · 정보
활용 역량

언어와 매체의
특성

문화 향유 역량

한 권 읽기

자기 성찰
· 계발 역량

한 권 읽기

인간은 언어로 사고하고, 소통하고, 문화를 발전시킨다. 또한 언어의 표현력과 전달력을 높이기 위해 다양한 매체가 개발되었는데, 사회관계가 복잡해지고 기술이 발전하면서 그 중요성이 점점 커지고 있다. 이처럼 현대인은 음성과 문자, 매체를 다양하게 활용하여 언어생활을 하고 있다.

이 단원은 언어와 매체의 본질을 이해하고, 국어와 매체 언어를 탐구하기 위한 기초를 다지는 단원이다. 언어가 인간의 사고와 문화를 반영하는 기호 체계이며 국어는 세계 속에서 주요 언어로서의 위상을 지니고 있다는 점과, 매체가 현대 사회에서 중요한 의사소통 수단으로서 특성에 따라 다양한 유형과 소통 방식이 있다는 점을 배운다. 이를 바탕으로 보다 깊은 탐구 과정으로 들어갈 수 있다.

시험에 나오는 대표 유형

- 〈보기〉의 예에서 추정할 수 있는 언어의 특징은?
- (다)의 내용을 뒷받침할 사례로 적절하지 않은 것은?
- 윗글을 읽은 후 짐작할 수 있는 반응으로 적절한 것은?
- ㄱ에 나타난 언어의 특징과 관련된 사례로 적절한 것은?
- 윗글을 바탕으로 〈보기〉를 이해한 내용으로 적절하지 않은 것은?
- 〈보기〉의 ㄱ~ㄷ으로 볼 때, 매체의 목적으로 적절하지 않은 것은?
- (가)의 내용을 다음과 같이 정리할 때, 빈칸에 들어갈 말로 가장 적절한 것은?

1. 언어와 국어의 이해

🔊 **핵심 질문** 언어와 국어에 대한 이해가 왜 중요한가?

≫ 다음은 우리가 일상에서 늘 하고 있는 언어생활을 보여 준다. 만약 인간에게 언어가 없다면 지금처럼 서로 소통하며 다양한 문화를 발전시킬 수 있었을지 자기 생각을 말해 보자.

| 예시 답 | 인간에게 언어가 없었다면 표정이나 몸짓을 통한 비언어적인 의사소통을 했을 것이다. 이러한 비언어적 표현을 활용하여 만들 수 있는 신호는 대략 3천 개에 이른다고 한다. 그러나 이러한 신호가 아무리 발달한다고 해도 언어를 사용하는 것보다 더 정확하고 다양하게 의사를 전달할 수는 없다. 즉 비언어적인 표현은 복잡한 의미를 전달하지 못하며 언어를 이용한 의사소통에 비해 의미를 정확히 전달하는 데 한계가 있어 현재와 같은 인류의 문화를 이룩하지 못했을 것이다.

언어는 인간과 다른 동물을 구별하는 고유한 특징 가운데 하나로, 인간의 사고 및 사회·문화와 밀접하게 관련된다. 국어는 언어의 한 종류로서 언어의 보편적인 특성과 개별 언어로서의 고유 특성도 동시에 가지고 있다.

이 단원에서는 언어의 보편적인 특성과 국어의 고유한 특성을 알아보고, 세계 속에서 한국어의 위상에 대해 살펴보기로 한다. 이를 통해 우리말을 사랑하고 아끼는 태도와 더불어 올바른 국어 생활의 밑바탕을 마련할 수 있다.

소단원	학습 목표	내용
(1) 언어의 본질	인간의 삶과 관련하여 언어의 특성을 이해할 수 있다.	① 언어와 인간 ② 언어의 기호적·구조적 특성
(2) 국어의 특성과 위상	개별 언어로서 국어의 특성과 세계 속에서 한국어의 위상을 이해할 수 있다.	① 국어의 특성 ② 세계 속의 한국

{ 1 } 언어의 본질

① 언어와 인간

언어는 인간의 사고, 사회, 문화와 상호 작용을 주고받는 등 인간의 삶과 분리되어 존재하는 대상이 아니라 인간의 삶과 유기적인 관계를 맺고 있음.

언어와 사고	인간은 언어와 사고의 상호 작용을 통해 언어 능력과 지적 능력이 발달함. 이렇듯 언어와 사고는 밀접한 관계를 맺고 있으므로, 언어는 인간의 사고방식뿐 아니라 세계관에도 영향을 미침.
언어와 사회	인간은 언어를 사용하여 사회적인 관계를 형성하고 유지하며 사회를 발전시킴.
언어와 문화	언어는 그 자체로 문화적 산물이며 그 언어 공동체가 공유하는 문화를 반영함.

② 언어의 기호적·구조적 특성

기호적 특성	• 자의성, 사회성, 역사성, 분절성, 추상성 등이 있음. • 자의성, 사회성, 역사성은 서로 밀접하게 연관되어 있음.
구조적 특성	• 창조성, 체계성, 규칙성 등이 있음. • 언어의 체계성과 규칙성을 토대로 할 때 유한한 기호로써 무한한 표현을 생산하고 해석하는 창조성이 이루어짐.

{ 2 } 국어의 특성과 위상

① 국어의 특성

음운적 특성	예사소리, 된소리, 거센소리가 대립되는 자음 체계를 가짐.
어휘적 특성	• 고유어, 한자어, 외래어의 삼분 체계임. • 의성어, 의태어와 같은 상징어가 풍부하게 발달함. • 색채와 관련된 표현들이 발달함. • 성별, 연령, 상하 관계 등에 따라 친족어와 호칭어들이 섬세하게 분화함.
통사적 특성	• 높임 표현이 발달함. • 기본 어순이 '주어−목적어−서술어'로 이루어짐.
담화적 특성	담화 상황에 따라 어순을 비교적 자유롭게 바꿀 수 있고, 주어나 목적어와 같은 필수 성분을 생략할 수 있음.

② 세계 속의 한국어

• 7천여 개에 달하는 현존하는 언어 중 사용 인구 기준 13위에 해당함.
• 한국의 위상이 높아지면서, 한국어에 관한 세계의 관심과 필요도 커짐.
• 한국어 교육을 지원하면서 한국의 문화를 친근하게 여기도록 만드는 노력이 필요함.

1. 다음 빈칸에 알맞은 말을 쓰시오.

(1) 인간은 언어를 통해 사고하고, 사회생활을 하며 문화를 이룩한다. 이로 볼 때 언어와 사고, (   ), (   )은/는 밀접한 관계를 맺고 있다.

(2) 언어의 구조적 특성에는 (   ), (   ), (   ) 등이 있으며, 이 특성들은 서로 긴밀하게 연관되어 있다.

2. 다음 진술 중 맞는 것에는 ○표, 틀린 것에는 ×표를 하시오.

(1) '언어'와 '사고'는 밀접한 관계를 맺고 있다.   (   )

(2) 국어는 예사소리, 된소리, 거센소리가 대립되는 자음 체계를 가지고 있다.   (   )

(3) 국어는 기본 어순이 '주어−서술어−목적어'로 이루어진다는 점에서 영어, 중국어 등의 언어들과 구분된다. (   )

3. 〈보기〉와 관련된 언어의 기호적·구조적 특성을 쓰시오.

〈보기〉
• 실제 말소리는 연속적인 음파로 나타나지만 우리는 그것을 자음, 모음과 같은 음소로 나누어 인식한다.
• 무지개의 색깔은 연속적이지만 우리말에서는 이를 일곱 가지 색깔로 끊어서 표현한다.

답 1.(1) 사회, 문화, (2) 창조성, 체계성, 규칙성
2.(1) ○, (2) ○, (3) ×
3.언어의 분절성

{1}

언어의 본질

소단원 학습 포인트
- 인간의 삶과 관련하여 언어의 특성 이해하기
- 언어와 사고, 사회, 문화의 관계 이해하기

🐾 독일의 철학자이며 언어학자인 훔볼트는, 언어는 말하는 사람의 문화와 개성을 표현하며, 인간은 본질적으로 언어라는 수단을 통해 세계를 인식한다고 주장하였다. 이런 관점에서 보면, 언어는 그 언어를 사용하는 사람들의 사고, 정신 활동, 공동체의 얼을 담고 있다고 할 수 있다.

가 인간은 아침에 눈을 뜨는 순간부터 밤에 잠을 자는 순간까지 대부분 말이나 글로 소통하며 생활한다. _{인간의 삶에 필수 요소인 언어} 언어가 없는 세상을 상상해 보자. 마음속에 품은 생각을 서로에게 온전히 전할 수 없는 상황이 얼마나 답답하겠는가? 인간의 삶과 언어의 관계, 언어의 기본적인 특성과 삶 속에서 다양하게 나타나는 언어생활의 양상을 공부하여 바람직한 언어생활의 습관을 길러 보자. _{일상적인 언어 활동 현상} ▶의사소통의 필수 요소인 언어의 중요성

나 ❶ 언어와 인간

① 언어와 사고

인간은 언어가 없어도 사고(思考)를 할 수 있을까? _{질문으로 독자의 주의를 환기함.} 언어가 있어야 사고할 수 있는 것인지, 아니면 사고가 있어야 언어를 사용할 수 있는 것인지 분명하진 않지만, **언어와 사고가 밀접한 관계를 맺고 있는 것은 사실이다.** _{언어와 사고의 밀접한 관련성} 실제로 어린아이의 성장 과정을 관찰해 보면, 언어 능력과 지적 능력의 발달이 함께 이루어지는 것을 쉽게 알 수 있다. 언어를 습득하면서 지적 능력이 빠르게 발달하고, 그 영향으로 언어 능력의 수준도 높아지게 된다. _{언어와 사고의 상호 작용을 통해 지적 능력과 언어 능력이 함께 발달함.} 결국 인간은 언어를 도구로 하여 생각하며, 그 결과 사고력과 인지 능력이 점점 발달한다고 할 수 있다. _{언어는 인간의 사고력과 인지 능력 발달의 도구임.} ▶언어는 그 언어를 사용하는 인간의 사고에 영향을 미침.

다 ② 언어와 사회

한 사회가 공동체로서 유지되고 발전하는 데 필요한 것 중 하나가 사회 구성원 간의 의사소통이다. _{사회 공동체의 유지 및 발전 조건} 언어는 이러한 의사소통의 수단이다. 인간은 언어를 사용하여 **사회적인 관계를 형성하고 유지하며 사회를 발전시킨다.** _{언어의 역할} ▶사회 공동체의 유지·발전의 수단이 되는 언어 _{언어의 사회적 기능}

그래서 언어는 지역이나 연령, 성별, 사회 집단 등에 따른 사회적 특성이 드러난다. _{동일 언어의 세부적 변이 요인} 한국인이 사용하는 한국어라고 해서 모두 똑같은 것이 아니다. 예를 들어, '팽이'는 지역에 따라 '패이(강원)', '핑갱이(경북)', '팽데기(경남)', '도로기(제주도)', '뺑도리 _{언어의 사회적 특성을 드러내는 요인 ①} (전북)', '팽구래미(충북)', '세루(평안)', '뽀애(함경)' 등으로 불린다. 같은 '팽이'임에도 지역에 따라 그 형태가 조금씩 다르다. ▶사회의 특성을 반영하는 언어 변이 _{지역 방언의 특성}

또 지역이 같더라도 연령, 성별, 사회 집단 등의 차이로 인해 같은 뜻을 지닌 언어 _{언어의 사회적 특성을 드러내는 요인 ②} 가 형태를 달리하는 예도 있다. 이는 개인의 언어 속에 그가 속한 공동체의 특성이 담겨 있기 때문이다. 같은 말을 사용하는 사람들은 같은 사회의 구성원이라는 공동체 의식을 공유한다. _{동질감, 연대감, 민족성 형성} 또 같은 사회에 속한 사람들은 같은 말을 사용함으로써 공동체 의식을 강화하는 효과를 얻는다. 즉, 언어는 사회와 유기적인 관계를 맺고 있는 것이다. ▶공동체 의식의 공유와 강화에 이바지하는 언어

언어 ⇄ 사회(지역, 연령, 성별, 사회 집단 등)

라 ③ 언어와 문화

<u>언어는 그 자체로 문화적 산물인 동시에 한 문화를 반영하는 거울</u>이라고 할 수 있다. 언어와 문화의 밀접한 관련성
언어는 그 사회의 문화를 나타내기 때문이다. 이처럼 어떤 언어든 그 언어를 사용하는 언어 공동체의 고유한 문화와 밀접하게 관련되어 있다. 예를 들어, '간장, 온돌, 부럼' 우리 고유의 문화를 반영한 단어 예시
등의 단어를 외국인에게 알려 줄 때 한 단어로 간단하게 번역하기는 어렵고, 일일이 그 뜻을 풀어서 설명해야 한다. <u>이 단어들은 우리말에만 있고 다른 나라 말에는 없기 때문 언어 공동체마다 문화가 고유하고 서로 다르기 때문임.</u>
이다. 그런데 『어떤 언어에는 있는 단어가 다른 언어에는 없는 현상은 단순히 특정한 단 『♪ 언어는 언어 공동체의 문화를 담고 있음.
어가 있고 없는 문제가 아니라, 그 언어 공동체가 공유하고 있는 문화와 관련되어 있다. 즉, 다른 나라 언어에 '간장, 온돌, 부럼' 등을 가리키는 단어가 없는 이유는 그 언어 공동체에는 그와 관련된 문화가 없기 때문이다. ▶언어와 문화의 밀접한 관련성

어휘 ⊕
• **산물**: 어떤 것에 의하여 생겨나는 사물이나 현상을 비유적으로 이르는 말.
• **부럼**: 음력 정월 대보름날 새벽에 깨물어 먹는 딱딱한 열매류인 땅콩, 호두, 잣, 밤, 은행 따위를 통틀어 이르는 말. 이런 것을 깨물면 한 해 동안 부스럼이 생기지 않는다고 함.

핵심 다지기

■ **언어와 사고**
언어와 사고의 상호 작용을 통해 언어 능력과 지적 능력이 발달함.
예 어린아이의 성장 과정을 보면 언어를 습득하면서 지적 능력이 빠르게 발달하고, 그 영향으로 언어 능력 수준도 높아짐.

■ **언어와 사회**
• 인간은 언어로 의사소통하며 사회적인 관계를 형성하고 유지하며 사회를 발전시킴.
• 언어는 사회적 요인에 따라 다양하게 변함.
  → 지역 방언과 사회 방언

지역 방언	사회 방언
지역에 따라 언어의 형태를 달리함.	연령, 성별, 사회 집단 등의 차이로 같은 뜻의 언어가 형태를 달리함.

■ **언어와 문화**
• 언어는 그 언어를 사용하는 언어 공동체의 고유한 문화와 긴밀하게 관련되어 있음.
• 문화에 따라 같은 지시물에 대해서 언어적인 차이를 보이기도 함.
  예 '농사짓는 땅'
     영어권 → 크기에 따라 이름이 다름(patch, plantation).
     우리말 → 작물에 따라 다름(밭, 논).
• 언어는 그 언어 공동체의 문화를 다음 세대로 전승하여 축적함.

문제로 확인

정답과 해설 002쪽

출제 예감
01. 윗글을 바탕으로 언어에 대한 설명이 일치하지 <u>않은</u> 것은?
① 언어는 문화 그 자체이면서 문화의 반영체이다.
② 언어를 통해 우리는 사회의 모습을 이해할 수 있다.
③ 언어와 사고 중 어느 것이 먼저인지 분명하진 않다.
④ 지역이 같은 사람들끼리는 똑같은 형태의 언어를 구사한다.
⑤ 언어는 인간의 사고력과 인지 능력을 발달하게 하는 도구이다.

02. 〈보기〉에 나타난 단어의 사회적 변이 요인으로 적절한 것은?

┤ 보기 ├
'팽이'는 강원도에서는 '패이', 경북에서는 '핑갱이', 경남에서는 '팽데기', 제주도에서는 '도로기', 전북에서는 '빵도리', 충북에서는 '팽구래미', 평안도에서는 '세루', 함경도에서는 '뽀애' 등으로 불린다.

① 계층   ② 지역   ③ 연령
④ 성별   ⑤ 사회 집단

서술형
03. 〈보기〉와 같은 현상이 일어나는 까닭을 언어와 문화의 관계를 바탕으로 한 문장으로 서술하시오.

┤ 보기 ├
'간장, 온돌, 부럼' 등의 단어를 외국인에게 알려 줄 때 한 단어로 간단하게 번역하기는 어렵고, 일일이 그 뜻을 풀어서 설명해야 한다.

마 같은 지시물에 대해서 문화에 따라 의미 분화의 기준을 달리하여 언어적인 차이를 보이는 경우도 있다. 예를 들어, 영어에서는 '농사짓는 땅'을 주로 'field'라고 하지만, 크기에 따라 소규모는 'patch', 대규모는 'plantation'으로 구분하여 부른다. 이와 달리 <u>의미 분화의 기준</u>

우리말에서는 작물에 따라 명칭이 다르다. ㉠ <u>농사짓는 땅을 뭉뚱그려서 '밭'이라 하고,</u>
의미 분화의 기준

<u>벼농사를 짓는 땅만 특별히 '논'이라 구별한 것이다.</u> '농사짓는 땅'과 관련해서만 보자면, 영어권에서는 크기가 중요하지만, 우리 문화에서는 작물, 특히 '쌀'이 생산되는 땅
영어권 문화와 우리 문화의 시각 차이를 특정 단어를 통해 확인할 수 있음.
이 중요했음을 알 수 있다.
▶문화에 따른, 동일한 지시물에 대한 언어적 차이

언어는 그 언어를 사용하는 <u>언어 공동체의 문화를 반영</u>하기도 하고 그 언어 공동체의
언어의 문화적 기능 ①
문화를 다음 세대로 전승하여 축적하는 기능도 한다. 언어의 도움 없이 문화를 전승하
언어의 문화적 기능 ②
고 축적하는 것은 상상하기 어려운 일로, 인류 발전의 가장 큰 원동력이라 할 수 있다.

따라서 우리말을 아끼고 가꾸는 것은 우리 문화를 지키고 발전시키는 일이다.
▶인류의 문화 전승과 축적에 이바지하는 언어

바 **2** **언어의 기호적·구조적 특성**

① 언어의 기호적 특성

언어를 구성하는 내용과 형식, 곧 <u>의미와 말소리 사이에는 필연적인 관계가 없는데,</u>
대상을 반드시 그렇게 불러야 할 이유가 없음. - 언어의 자의성
이를 자의성이라 한다. 의미와 말소리의 관계가 자의적이긴 하지만 의사소통을 위해서는 <u>언어 공동체 내에 일정한 약속이 있어야 하는데, 이를 사회성</u>이라 한다. 그런데 근
언어는 언어 공동체의 산물 - 언어의 사회성
본적으로 언어는 자의성이 있으므로 <u>시간이 흐름에 따라 이러한 약속이 달라지기도 하</u>
시간의 흐름에 따라 언어는 달라짐. - 언어의 역사성
<u>는데, 이를 역사성</u>이라 한다. 언어의 기호적 특성 가운데 자의성, 사회성, 역사성은 서로 밀접하게 연관되어 있다.
▶언어의 기호적 특성: 자의성, 사회성, 역사성

언어는 기호이기 때문에 말소리를 있는 그대로 반영하지 않는다. 『실제 말소리는 연
『ᄀ 언어의 분절성
속적인 음파로 나타나지만 우리는 그것을 자음, 모음과 같은 음소로 나누어 인식한다.
공기나 그 밖의 매질(媒質)이 발음체의 진동을 받아서 생기는 파동
의미 면에서도 언어는 연속적으로 이루어져 있는 세계를 불연속적인 것으로 끊어서 반영한다.』 예를 들어, 무지개의 색깔은 연속적이지만 우리말에서는 이를 일곱 가지 색깔로 끊어서 표현한다. 언어 기호의 이러한 특성을 분절성이라고 한다.
▶언어의 기호적 특성: 분절성

언어 기호의 수는 제한되어 있고 실제 세계에 존재하는 대상은 무한하기 때문에 <u>언어</u>
<u>는 대상들 사이의 공통된 속성을 뽑아서 말소리와 의미를 연결</u>한다. 예를 들어, '꽃'이
언어의 추상성
라는 말소리의 의미는 우리가 수많은 종류의 꽃들로부터 공통 속성만을 뽑아내는 과정, 즉 추상화를 통해서 형성된 것이다. 언어 기호의 이러한 특성을 추상성이라고 한다.
▶언어의 기호적 특성: 추상성

사 **② 언어의 구조적 특성**

언어의 구조적 특성에는 <u>창조성, 체계성, 규칙성</u> 등이 있는데, 이 특성들 역시 서로
언어의 구조적 특성
긴밀하게 연관되어 있다.

※ 언어는 그 자체로도 문화이다. 그래서 유네스코에서는 다양한 언어들을 보존하고 각 민족이 자신의 언어에 자긍심을 가질 수 있도록 매년 2월 21일을 '세계 모어(母語)의 날'로 지정하고 있다.

개념➕

언어의 분절성의 예
- 얼굴에서 '이마, 뺨, 턱'을 보면 어디까지가 '이마'이고 어디까지가 '뺨'인지, 그리고 '턱'은 어디부터 어디까지인지를 말하기가 어려움.
- 매년 '송구영신(送舊迎新)'이라 하여 묵은해가 가고 새해가 온다고 생각하지만, 사실 12월 31일과 다음 해 1월 1일 사이의 시간의 흐름에 어떤 분명한 경계가 있는 것은 아님.

인간이 구별해서 사용할 수 있는 기호의 수는 제한되어 있지만 이를 활용하여 무한한
표현을 생산할 수 있다. 이를 **창조성**이라고 한다. 그리고 언어는 음운, 단어, 문장, 담
화 등의 단위마다 일정한 내적 체계를 이루고 있는데, 이를 **체계성**이라 한다. 또한 이
러한 단위들이 아무렇게나 연결되어서 더 큰 단위가 만들어지는 것이 아니라 일정한
구조를 이루도록 규칙이 적용되는데, 이를 **규칙성**이라 한다. 언어의 규칙성은 언어 단
위들이 일정한 체계를 이루고 있는 체계성을 토대로 구현되는 것이며, 이러한 체계성
과 규칙성을 토대로 할 때 유한한 기호로써 무한한 표현을 생산하고 해석하는 창조성
이 이루어진다.

▶언어의 구조적 특성: 창조성, 체계성, 규칙성

※ 언어에 일정한 규칙성이 있는 것은 언어 사용자에게 제약을 가할 수 있으나, 그 규칙만 잘 이해한다면 그것을 활용하여 다양한 방법으로 효과적인 표현을 할 수 있다. 나아가 어법에 맞게 언어를 구사하면 표현하고자 하는 의도에 맞는 정확한 의사소통이 가능하다.

핵심 다지기 / 문제로 확인

■ **언어의 기호적 특성**

언어의 기호적 특성 가운데 자의성, 사회성, 역사성은 서로 밀접하게 연관되어 있다.

자의성	언어를 구성하는 내용과 형식, 곧 의미와 말소리 사이에 필연적인 관계가 없음.
사회성	언어는 의사소통을 위한 공동체 내의 일정한 약속이므로, 어느 한 개인이 마음대로 바꿀 수 없음.
역사성	시간의 흐름에 따라 의미와 말소리의 관계에 대한 사회적 약속이 변하고, 그에 따라 언어가 신생, 성장, 사멸함.
분절성	• 실제 말소리는 연속적인 음파로 나타나지만 우리는 그것을 자음, 모음과 같은 음소로 나누어 인식함. • 언어는 연속적으로 이루어져 있는 세계를 불연속적인 것으로 끊어서 반영함.
추상성	언어 기호의 수는 제한되어 있고 실제 세계에 존재하는 대상은 무한하여서 언어는 대상들 사이의 공통된 속성을 뽑아서 말소리와 의미를 연결함.

■ **언어의 구조적 특성**

창조성	• 인간이 구별해서 사용할 수 있는 기호의 수는 제한되어 있지만, 이를 활용하여 무한한 표현을 생산하고 해석할 수 있음. • 체계성과 규칙성을 토대로 할 때 창조성이 이루어짐.
체계성	• 언어는 음운, 단어, 문장, 담화 등의 단위마다 일정한 내적 체계를 이루고 있음.
규칙성	• 음운, 단어, 문장, 담화 등의 단위들이 아무렇게나 연결되어서 더 큰 단위가 만들어지는 것이 아니라 일정한 구조를 이루도록 규칙이 적용됨. • 규칙성은 체계성을 토대로 구현되는 것임.

출제 예감

04. 윗글을 이해한 것으로 적절하지 <u>않은</u> 것은?

① 언어는 시간의 흐름에 따라 달라지기도 한다.
② 언어의 형식과 내용은 필연적인 연결 관계를 맺고 있다.
③ 언어의 자의성, 사회성, 역사성은 서로 밀접하게 연관되어 있다.
④ 언어는 음운, 단어, 문장, 담화 등의 일정한 내적 체계를 갖추고 있다.
⑤ 언어의 내용과 형식이 언어 공동체 내에 일정한 약속으로 굳어지면 개인이 마음대로 바꿀 수 없다.

05. 〈보기〉에 해당하는 언어의 기호적·구조적 특성으로 적절한 것은?

┌ 보기 ┐
• 체계성과 규칙성을 토대로 이루어진다.
• 언어가 인간만의 고유한 특성임을 보여 준다.
• 인간은 말 잇기 놀이를 하면서 무한한 문장을 자유롭게 만들어 낼 수 있다.
└────┘

① 언어의 사회성 ② 언어의 역사성 ③ 언어의 분절성
④ 언어의 추상성 ⑤ 언어의 창조성

서술형
06. 윗글에서 우리말에 ㉠과 같은 현상이 나타난 이유를 찾아 한 문장으로 서술하시오.

▶ 언어와 사고의 관계를 구체적인 상황에서 이해하는 활동

1. 다음 상황들에서 언어와 사고가 서로 어떤 영향 관계에 있는지 말해 보자.

> ① 한국 사람들은 산도 파랗다고 하고, 물도 파랗다고 하고, 나무도 파랗다고 하며, 보행 신호의 녹색등도 파랗다고 한다.
>
> ② 학생들에게 "배고픈 고양이가 생쥐를 잡았다."라는 문장을 들려주고, 일정 시간이 지난 후 각자가 들은 문장이 무엇이었냐고 묻자, 많은 학생이 "배고픈 고양이가 생쥐를 잡아먹었다."라는 문장을 들었다고 대답하였다.
>
> ③ 크레파스나 수채물감의 특정한 색을 '살색'이라고 불렀던 때가 있었는데, 국가인권위원회에서 이 색깔 이름이 특정 피부색을 가진 인종에게만 해당하기 때문에 인종과 피부색에 대한 차별적 인식을 확대할 수 있다는 이유로 개정을 권고하였다. 이 색깔 이름은 '연주황'으로 바뀌었다가 현재는 '살구색'으로 바뀌었다.

ℵ 언어가 사고에 영향을 주는 경우와 사고가 언어에 영향을 주는 경우를 구분해 본다.

| 예시 답 |
① 산, 물, 나무, 보행 신호 녹색등의 실제 색은 제각각 다르지만, 우리말로는 '파랗다'라는 하나의 단어로 표현한다. 그렇지만 그런 상황을 이상하게 생각하는 사람은 많지 않다. '파랗다'라는 언어가 색에 대한 우리의 사고에 영향을 주는 예라고 할 수 있다.
② '배고픈 고양이'라는 말을 듣고서 학생들은 무의식중에 그 고양이가 생쥐를 잡아먹었을 것이라는 생각을 하게 되었기 때문에 자신들이 '잡아먹었다'라는 말을 들었다고 착각을 하게 된 것이다. 따라서 이 사례는 사고가 언어에 영향을 준 예라고 할 수 있다.
③ 색깔 이름이 특정 피부색에 대한 차별적 인식을 줄 수 있는 상황이므로, 언어가 사고에 영향을 주는 예라고 할 수 있다.

▶ 언어와 문화의 관계를 이해하는 활동

2. 다음 글을 읽고, 아래의 활동을 해 보자.

> 몽골어는 '말[馬]'에 대한 용어가 무척 세분화되어 있다. 같은 말이라도 한 살부터 여섯 살까지 암수에 따라 모두 다르게 부르고, 색깔에 따라서도 무려 50여 가지의 말 이름이 존재하며 말의 다양한 걸음걸이를 나타내는 단어가 100개가 넘는다. 우리말에서도 이러한 현상을 찾아볼 수 있는데, 영어의 'rice'에 해당하는 개념에 대해 우리말은 (   ), (   ), (   ), (   ) 등 세분된 여러 단어로 대응한다.

(1) 괄호에 들어갈 수 있는 단어들을 생각나는 대로 적어 보자.

↳ | 예시 답 | 모, 벼, 쌀, 밥 등

(2) 언어와 문화의 관계 측면에서 위와 같은 현상이 나타나는 까닭을, 위 글에 언급된 단어를 활용하여 설명해 보자.

| 예시 답 | 영어 화자들이 'rice'라는 하나의 단어로만 표현하는 대상을, 우리말 화자들은 '모, 벼, 쌀, 밥' 등 세분된 여러 단어를 사용한다. 이러한 언어 사용의 차이로 인해 동일한 대상물을, 영어 화자들은 하나의 대상물로 인식한 것이고 우리말 화자들은 각기 다른 대상물로 인식하고 있음을 알 수 있다. 즉, '모, 벼, 쌀, 밥' 등을 각각 다른 대상물로 인식하는 것이다. 비슷한 곡류라 할 수 있는 '보리'의 경우에는 그렇지 않은 것과 비교해 볼 때, '쌀'이라는 곡류가 우리 삶과 문화에서 차지하는 중요성이 언어에 반영된 것이라고 이해할 수 있다.

▶제시된 사례에 나타난 언어의 기호적 특성을 파악하는 활동

3. 다음 그림을 활용하여 언어의 자의성에 관해 탐구해 보자.

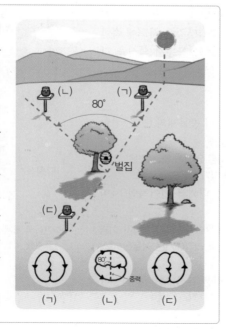

어머니.
Mother.
멍멍!
꼬꼬댁 꼬꼬!
Mutter.
Bow-wow!
Cock-a-doodle-doo!

(1) '자기를 낳아 준 여자'를 언어에 따라 다르게 부르는 현상을 자의성의 측면에서 설명해 보자.

| 예시 답 | 우리말에서 '어머니'라고 부르는 대상을 영어에서는 'mother', 독일어에서는 'mutter'라고 부른다. 동일한 대상을 언어에 따라 다르게 부르는 현상은 의미와 말소리의 관계가 필연적인 것이 아니라 자의적임을 보여 주는 것이다.

(2) 소리를 흉내 내는 의성어도 말소리와 의미 사이의 관계를 자의적이라고 할 수 있는지 말해 보자.

| 예시 답 | 의성어는 실제 세계의 소리를 흉내 낸 것이기 때문에 여느 단어들에 비해 자의성이 약하다고 할 수 있다. 닭 울음소리를 '멍멍'이나 '어흥'과 같은 말소리로 흉내 낼 수는 없을 것이고 실제 닭 울음소리와 유사하게 흉내를 내야 할 것이기 때문이다. 하지만 그렇다고 해서 자의성이 없는 것은 아니다. 언어마다 닭 울음소리에 대한 의성어가 다르고, 개 짖는 소리에 대한 의성어가 다르다는 사실은 의성어 역시 자의적임을 보여 준다.

▶언어의 기호적·구조적 특성을 이해하고 적용해 보는 활동 🗨창의 👥모둠

4. 다음을 읽고, "꿀벌의 의사소통 방식도 인간이 사용하는 언어와 같은 '언어'라고 부를 수 있다"라는 논제로 토론해 보자.

꿀벌은 어디에서 꿀을 발견하면 벌집에 돌아와서 다른 벌들에게 그 사실을 알리는데, 방향, 거리 및 꿀의 품질을 춤을 추어서 비교적 정확하게 알려 준다고 한다. [중략]

꿀벌은 꿀의 방향이 태양과 같은 방향이면 8자의 가운데 선이 수직으로 위를 향하도록 춤을 춘다(ㄱ). 반대로 꿀의 방향이 태양과 정반대 쪽이면 8자의 가운데 선이 수직으로 아래를 향하도록 춤을 춘다(ㄷ). 그 외의 경우(ㄴ)는 벌집과 태양을 잇는 선과 벌집과 꿀의 발견 장소를 잇는 선과의 각도를, 중력을 나타내는 수직선과 8자 춤의 가운데 선과의 각도로 표시한다.

– 김진우, 「동물의 언어」에서

적용하기

개념 ➕
언어의 자의성

말소리와 의미 사이에는 필연적인 관계가 없음. 어떤 의미를 전하기 위하여 모든 언어가 한 가지로 정해진 말소리만을 사용해야 하는 것은 아니며, 각각의 말소리는 우연히 그렇게 결정된 것일 뿐임.

| 예시 답 | • 찬성: 어느 한도 내에서 꿀 소재지의 방향과 거리를 표현하는 등 꿀벌들은 인간처럼 정교하지는 않지만 나름대로 자의성과 창조성이 있는 언어를 사용하고 있다. 따라서 꿀벌에게도 인간이 사용하는 언어와 같은 언어가 있을 수 있다고 생각한다.

• 반대: 꿀벌의 의사소통 방식은 인간이 사용하는 언어와 같은 '언어'라고 부를 수 없다. 벌의 춤은 정보를 전달하는 의사소통적인 기능은 있지만, 인간의 언어와 같은 자의성이나 창조성을 지니지 않기 때문이다. 인간 언어의 자의성은 말소리와 의미, 즉 기호와 대상 사이에는 필연적인 관계가 없다는 것이다. 그러나 꿀벌의 춤은 꿀(먹이)의 위치 및 거리와 전혀 무관하다고 볼 수 없어 인간의 언어와 비교할 때 자의적이라 볼 수 없다. 또한 벌의 춤은 유전적으로 받은 것으로 벌의 통신 방법에는 창조성이 없다.

소단원 출제 포인트

■ 언어와 인간

① 언어와 사고

- 언어와 사고는 서로 (㉠   )한 관계를 맺고 있으며, 상호 작용을 통해 언어 능력과 지적 능력의 발달이 함께 이루어짐.
- 언어와 사고의 밀접한 관계로 인해, 언어는 인간의 사고방식뿐 아니라 세계관에도 영향을 미침.

언어가 사고에 영향을 준 예	'살색'이라는 색깔 이름이 특정 피부색을 가진 인종에게만 해당하기 때문에 차별적 인식을 확대할 수 있다는 이유로 현재는 '살구색'으로 바뀜.
사고가 언어에 영향을 준 예	학생들에게 "배고픈 고양이가 생쥐를 잡았다."라는 문장을 들려주고, 일정 시간이 지난 후 각자가 들은 문장을 묻자 많은 학생이 "배고픈 고양이가 생쥐를 잡아먹었다."라는 문장을 들었다고 대답함.

② 언어와 사회

- 인간은 언어로 의사소통하며 사회적인 관계를 형성하고 유지하며 사회를 발전시킴.
- 언어는 (㉡   )(이)나 연령, 성별, 사회 집단 등에 따른 사회적 특성이 드러남.

지역 방언	사회 방언
지역에 따라 언어의 형태를 달리함. ⓔ '뺑이'는 지역에 따라 '패이(강원)', '핑갱이(경북)', '뺑데기(경남)' 등으로 불림.	연령, 성별, 사회 집단 등의 차이로 같은 뜻의 언어가 형태를 달리함. ⓔ 의료직에서는 '교통사고 환자'를 'TA 환자'라고 함.

- 같은 말을 사용하는 사람들은 같은 사회의 구성원이라는 공동체 의식을 공유하게 되고, 같은 사회에 속한 사람들은 같은 말을 사용함으로써 공동체 의식을 강화함.

③ 언어와 문화

- 언어는 그 언어를 사용하는 언어 공동체의 (㉢   )한 문화와 긴밀하게 관련되어 있음.
  - ⓔ '간장, 온돌, 부럼' 등의 말이 다른 언어에 없는 것은, 그 언어 공동체에는 그러한 문화가 없기 때문임.
- 문화에 따라 동일한 지시물에 대해서 언어적인 차이를 보이기도 함.
  - ⓔ '농사짓는 땅'과 관련하여 영어권에서는 크기에 따라 이름이 다르지만(patch, plantation), 우리말에서는 작물에 따라 다름(밭, 논).
- 언어는 그 언어 공동체의 문화를 다음 세대로 전승하여 (㉣   )함.

■ 언어의 기호적·구조적 특성

① 언어의 기호적 특성

자의성	언어를 구성하는 내용과 형식, 곧 의미와 말소리 사이에 (㉤)인 관계가 없음. ⓔ 우리말에서 '어머니'라고 부르는 대상을 영어에서는 'mother', 독일어에서는 'mutter'라고 부름.
사회성	언어는 의사소통을 위한 공동체 내의 일정한 약속이므로, 어느 한 개인이 마음대로 바꿀 수 없음. ⓔ '길'이라는 의미를 나타내는 말소리 [길]을 누군가가 [골]로 바꾸면, 다른 사람들은 그 말을 '길'이라는 의미로 이해할 수 없음.
역사성	시간의 흐름에 따라 의미와 말소리의 관계에 대한 사회적 약속이 변하고, 그에 따라 언어가 신생, 성장, 사멸함. ⓔ '어리다'는 과거에 '어리석다'라는 뜻이었지만, 지금은 '나이가 적다'라는 뜻으로 씀.
분절성	언어는 연속적으로 이루어져 있는 세계를 (㉥)적인 것으로 끊어서 반영함. ⓔ 무지개의 색깔은 연속적이지만 언어에서는 일곱 가지 색깔로 끊어서 표현함.
추상성	언어 기호의 수는 제한되어 있고 실제 세계에 존재하는 대상은 무한하여서 언어는 대상들 사이의 공통된 속성을 뽑아서 말소리와 의미를 연결함. ⓔ '꽃'이라는 말소리의 의미는 우리가 수많은 종류의 꽃들로부터 공통 속성만을 뽑아내는 과정, 즉 추상화를 통해서 형성됨.

※ 언어의 기호적 특성 가운데 자의성, 사회성, 역사성은 서로 밀접하게 연관되어 있음.

② 언어의 구조적 특성

창조성	인간이 구별해서 사용할 수 있는 (㉧)의 수는 제한되어 있지만, 이를 활용하여 무한한 표현을 생산할 수 있음. ⓔ "나는 학교에 간다."라는 문장을 배운 아이는 "너는 학교에 간다.", "나는 우체국에 간다."와 같이 자신이 이미 알고 있던 말을 결합하여 새로운 문장을 만들어 냄.
체계성	언어는 음운, 단어, 문장, 담화 등의 일정한 내적 체계를 이루고 있음.
규칙성	음운, 단어, 문장, 담화 등의 단위들이 아무렇게나 연결되어서 더 큰 단위가 만들어지는 것이 아니라 일정한 구조를 이루도록 (㉨)이/가 적용됨. ⓔ "나는 학교에 간다."라고 말해야지, "나는 학교한테 간다."나 "학교는 간다, 나를."과 같은 것은 언어 규칙에 어긋나기 때문에 말이 되지 않음.

※ 언어의 체계성과 규칙성을 토대로 할 때 유한한 기호로써 무한한 표현을 생산하고 해석하는 창조성이 이루어짐.

답 ㉠ 밀접, ㉡ 지역, ㉢ 고유, ㉣ 축적, ㉤ 필연적, ㉥ 불연속, ㉧ 기호, ㉨ 규칙

[01-04] 다음 글을 읽고, 물음에 답하시오.

가 한 사회가 공동체로서 유지되고 발전하는 데 필요한 것 중 하나가 사회 구성원 간의 의사소통이다. 언어는 이러한 의사소통의 수단이다. 인간은 언어를 사용하여 사회적인 관계를 형성하고 유지하며 사회를 발전시킨다.

그래서 언어는 지역이나 연령, 성별, 사회 집단 등에 따른 사회적 특성이 드러난다. 한국인이 사용하는 한국어라고 해서 모두 똑같은 것은 아니다.

나 언어는 그 자체로 문화적 산물인 동시에 한 문화를 반영하는 거울이라고 할 수 있다. 언어는 그 사회의 문화를 나타내기 때문이다. 이처럼 어떤 언어든 그 언어를 사용하는 언어 공동체의 고유한 문화와 밀접하게 관련되어 있다. 예를 들어, '간장, 온돌, 부럼' 등의 단어를 외국인에게 알려 줄 때 한 단어로 간단하게 번역하기는 어렵고, 일일이 그 뜻을 풀어서 설명해야 한다. 이 단어들은 우리말에만 있고 다른 나라 말에는 없기 때문이다. 그런데 어떤 언어에는 있는 단어가 다른 언어에는 없는 현상은 단순히 특정한 단어가 있고 없는 문제가 아니라, 그 언어 공동체가 공유하고 있는 문화와 관련되어 있다. 즉, 다른 나라 언어에 '간장, 온돌, 부럼' 등을 가리키는 단어가 없는 이유는 그 언어 공동체에는 그와 관련된 문화가 없기 때문이다.

다 언어는 그 언어를 사용하는 언어 공동체의 문화를 반영하기도 하고 그 언어 공동체의 문화를 다음 세대로 전승하여 축적하는 기능도 한다. 언어의 도움 없이 문화를 전승하고 축적하는 것은 상상하기 어려운 일로, 인류 발전의 가장 큰 원동력이라 할 수 있다. 따라서 우리말을 아끼고 가꾸는 것은 우리 문화를 지키고 발전시키는 일이다.

라 ㉠ 언어를 구성하는 내용과 형식, 곧 의미와 말소리 사이에는 필연적인 관계가 없는데, 이를 자의성이라 한다. 의미와 말소리의 관계가 자의적이긴 하지만 의사소통을 위해서는 언어 공동체 내에 일정한 약속이 있어야 하는데, 이를 사회성이라 한다. 그런데 근본적으로 언어는 자의성이 있으므로 ㉡ 시간이 흐름에 따라 이러한 약속이 달라지기도 하는데, 이를 역사성이라 한다. 언어의 기호적 특성 가운데 자의성, 사회성, 역사성은 서로 밀접하게 연관되어 있다.

01 윗글의 내용과 일치하지 <u>않는</u> 것은?
① 언어는 그 자체가 문화라 할 수 있다.
② 언어는 사회생활을 하는 데 꼭 필요한 요소이다.
③ 언어는 문화를 전승하고 축적하는 수단으로 사용된다.
④ 지역, 연령, 성별, 사회 집단 등 사회적 특성이 달라도 언어의 모습은 같다.
⑤ 우리가 마음대로 사물을 가리키는 단어를 바꿀 수 없는 것은 언어의 사회성 때문이다.

<u>학습 활동 적용</u>
02 ㉠에 설명된 언어의 특성과 관련된 사례로 적절한 것은?
① 사람들은 제한된 기호로 무한한 표현을 만들 수 있다.
② 누군가가 '의자'를 '시계'라고 한다면 의사소통에 혼란이 생길 것이다.
③ 무지개의 색깔은 연속적이지만 언어에서는 일곱 가지 색깔로 끊어서 표현한다.
④ 우리나라에 컴퓨터가 들어온 이후 '컴퓨터'나 '네티즌' 등 새로운 말이 생겨났다.
⑤ 우리말에서 '어머니'라고 부르는 대상을 영어에서는 'mother', 독일어에서는 'mutter'라고 부른다.

<u>수능형</u>
03 ㉡을 고려할 때 언어의 변화 양상이 〈보기〉의 밑줄 친 단어와 유사한 것은?

〈 보기 〉

속담에 '길로 가라니까 뫼로 간다'더니만 편한 방법이 있는데도 고집을 부리는구나. 인공 지능의 시대에 컴퓨터를 두고 손으로 쓰겠다니, 세종대왕께서도 보시면 <u>어여쁘다</u> 하시며 컴퓨터를 백성들에게 보급하라 하실 것이다.

① 온   ② 볼펜   ③ 댓글
④ 즈믄   ⑤ 어리다

서술형 <u>학습 활동 적용</u>
04 〈보기〉와 같은 현상이 나타나는 까닭을, (나)와 (다)를 바탕으로 한 문장으로 서술하시오.

〈 보기 〉

몽골어는 '말[馬]'에 대한 용어가 무척 세분화되어 있다. 같은 말이라도 한 살부터 여섯 살까지 암수에 따라 모두 다르게 부르고, 색깔에 따라서도 무려 50여 가지의 말 이름이 존재하며 말의 다양한 걸음걸이를 나타내는 단어가 100개가 넘는다. 우리말에서도 이러한 현상을 찾아볼 수 있는데, 영어의 'rice'에 해당하는 개념에 대해 우리말은 모, 벼, 쌀, 밥 등 세분된 여러 단어로 대응한다.

{2}
국어의 특성과 위상

소단원 학습 포인트
- 국어의 고유한 특성 알기
- 세계 속 국어의 위상 알기

가 우리가 일상적으로 사용하는 국어, 개별 언어로서 국어의 특성을 이해하고, 지구촌 시대에 한국어가 차지하고 있는 세계 속의 위상을 확인하면서 국어가 발전하는 방안을 모색해 보도록 한다.
▶한국어의 특성과 위상을 확인하고 발전 방안 모색

나 ① 국어의 특성

『자음과 모음을 가지고 있다든지, 단어가 모여서 문장이 된다든지, 주어와 서술어 같
「♪ 언어의 일반적인 특성
은 문장 성분이 있다든지 하는 것은 언어들의 공통적인 특성이라는 점에서 ㉠ 언어의 일반적 특성이라 할 수 있다. 국어도 언어의 일종이기 때문에 이와 같은 일반적 특성이 있다. 그러나 동시에 국어는 다른 언어와 구별되는 개별 언어이기 때문에 국어만의 고유한 특성도 가지고 있다. 국어의 특성은 음운, 어휘, 문장(문법), 담화 등 다양한 측면에서 나타난다.
한국어만의 특성
▶언어의 일반적 특성과 개별 언어인 한국어의 고유한 특성

다 ① 음운적 특성

국어는 예사소리, 된소리, 거센소리가 대립되는 자음 체계를 가지고 있다. 이는 영어
한국어의 음운적 특성
를 포함한 많은 인구어들이 유성음과 무성음이 대립되는 자음 체계를 보이는 것과 구
인도에서 유럽에 걸친 지역에서 쓰이는 언어
별되는 국어의 음운적 특성이다.
▶한국어의 음운적 특성

라 ② 어휘적 특성

해당 언어에 본디부터 있던 말이나 그것에 기초하여 새로 만들어진 말
고유어와 외래어의 이분 체계를 가지는 여타 언어와 달리 우리말의 어휘 체계는 고유
외국에서 들어온 말로 국어처럼 쓰이는 단어
어, 한자어, 외래어의 삼분 체계를 가진다는 점과 의성어, 의태어와 같은 상징어가 풍
한국어의 어휘적 특성 ①   한국어의 어휘적 특성 ②
부하게 발달하여 있는 점 등은 국어의 어휘적 특

성이다. 또한 '노랗다, 노르스름하다, 샛노랗다'

등과 같은 색채와 관련된 표현들이 발달해 있고,
한국어의 어휘적 특성 ③
성별, 연령, 상하 관계 등에 따라 친족어와 호칭
한국어의 어휘적 특성 ④
어들이 섬세하게 분화된 것도 어휘 면에서 주요

한 특징 가운데 하나이다.
▶한국어의 어휘적 특성

너는 노랗고

너는 노르스름해.

마 ③ 통사적 특성

국어는 높임 표현이 발달한 언어이다. ㉡ 담화가 이루어지는 상황에서 문장의 주체
한국어의 통사적 특성 ①
를 높이거나 말을 듣는 상대에 관해 일정한 문법 요소를 체계적으로 활용하여 높이거나 높이지 않는 특성을 보인다. 또 기본 어순이 '주어-목적어-서술어'로 이루어진다는
한국어의 통사적 특성 ②
점에서 영어, 중국어 등과 같이 '주어-서술어-목적어'의 기본 어순을 가지는 언어들과 구분되는 특징을 보인다.
▶한국어의 통사적 특성

ℛ 우리말의 어휘 체계는 어종에 따라 고유어, 한자어, 외래어로 분류한다. 이때 한자어는 엄밀한 의미에서 외래어의 일종이라 할 수 있으나 다른 외래어들과 구별되는 특성이 있어 별도로 분류한다.

개념 ✛
문화와 한국어의 높임 표현
우리나라는 예부터 웃어른을 공경하는 태도가 생활 깊숙이 자리 잡고 있어 높임 표현이 발달함.

(바) ④ 담화적 특성

국어는 '주어-목적어-서술어'의 기본 어순을 따르되 담화 상황에 따라 어순을 비교
적 자유롭게 바꿀 수 있고 주어나 목적어와 같은 필수적인 성분을 생략할 수 있는 특성
〔한국어의 담화적 특성 ①〕
이 있다. 또 말하는 이의 질문이 긍정 질문이냐 부정 질문이냐에 따라 대답을 달리하는
〔한국어의 담화적 특성 ②〕
점에서, 항상 일정하게 대답하는 영어와 구별되는 특성이 있는데, 이 또한 국어에서 나
〔한국어의 담화적 특성 ③〕
타나는 담화적 특성이다.
▶한국어의 담화적 특성

개념 ➕
겸손한 표현의 발달
예부터 겸양을 미덕으로 생각하는 태도를
중시함.
예 차린 건 없지만 많이 드세요.
  아직 부족한 게 많습니다.

(사) **2 세계 속의 한국어**

국제하계언어학연구소가 운영하는 누리집의 자료에 따르면 전 세계에 현존하는 언어
의 수는 대략 7천여 개에 달한다. 이 가운데 가장 많이 사용되는 언어는 약 13억의 사
용 인구를 가진 중국어이다. 그 뒤로는 스페인어, 영어, 아랍어, 힌디어 등의 순서인데,
이 언어들 모두 1억 명 이상이 사용하고 있는 언어이다. 2018년 기준으로 한국어는 사
용자 수에서 13위에 해당하는 것으로 발표되었다. 이는 7천여 개에 달하는 언어의 수를
고려할 때 그 위상이 자못 높다고 할 수 있다. ▶7천여 개의 세계 현존 언어 중 13위인 한국어
어떤 사물이 다른 사물과의 관계 속에서 가지는 위치나 상태

세계 속에서 한국은 경제적인 규모를 비롯한 다양한 측면에서 그 위상이 높아지고 있
으며, 한국어에 대한 세계의 관심과 필요도 커져 한국어의 위상 또한 높아지고 있다.
이에 따라 세계 곳곳에서 한국어 교육을 지원하는 세종학당의 수도 점차 늘어나, 2019년
6월 기준 총 60개국에 179개소의 세종학당이 개설되어 있다. 세종학당은 재외 교포와
외국인들에게 한국어를 가르칠 뿐만 아니라 그들이 한국의 문화를 좀 더 친근하게 여
길 수 있도록 기여한다는 점에서 중요한 외교적 역할을 수행하고 있다.
▶세계 속에서 높아진 한국어의 위상, 세종학당의 외교적 역할

🖥 국제하계언어학연구소
https://www.ethnologue.com

🔍 세종학당
외국어 또는 제2 언어로 한국어를 배우고
자 하는 사람을 대상으로 한국어와 한국
문화를 알리고 교육하는 기관이다.

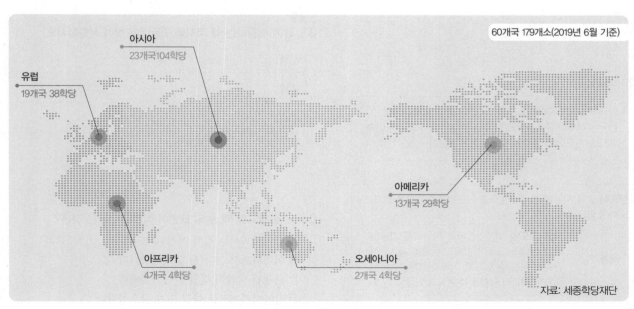

60개국 179개소(2019년 6월 기준)

아시아
23개국104학당

유럽
19개국 38학당

아메리카
13개국 29학당

아프리카
4개국 4학당

오세아니아
2개국 4학당

자료: 세종학당재단

▲ 세계 지도상의 세종학당 위치와 수

■ 국어의 특성

국어도 언어의 일종이므로 언어의 일반적인 특성을 가지며, 다른 언어와 구별되는 국어만의 고유한 특성도 가짐.

언어의 일반적 특성	• 자음과 모음을 가지고 있음. • 단어가 모여서 문장이 됨. • 주어, 서술어 등의 문장 성분이 있음.
국어의 고유한 특성	다른 언어와 구별되는 개별 언어로, 음운, 어휘, 문장, 담화 등에서 국어만의 특성을 가짐.

• 음운적 특성
  – '예사소리–된소리–거센소리'가 대립되는 자음 체계를 가지고 있음.
• 어휘적 특성
  – 고유어, 한자어, 외래어의 삼분 체계임.
  – 의성어, 의태어와 같은 상징어가 풍부하게 발달함.
  – 색채와 관련된 표현들이 발달함.
  – 성별, 연령, 상하 관계 등에 따라 친족어와 호칭어들이 섬세하게 분화함.
• 통사적 특성
  – 높임 표현이 발달함. 담화 상황에서 문장의 주체를 높이거나 말을 듣는 상대를 높이거나 높이지 않는 문법적 특성을 보임.
  – 기본 어순이 '주어–목적어–서술어'로 이루어짐.
• 담화적 특성
  – 담화 상황에서 '주어–목적어–서술어'의 기본 어순을 따르되 상황에 따라 어순을 비교적 자유롭게 바꿀 수 있음.
  – 필요한 경우 주어나 목적어와 같은 필수적인 성분을 생략할 수도 있음.

■ 국어의 위상

• 한국어 사용 인구 순위: 7천여 개 언어 중 13위에 해당함.
• 한국은 경제적 규모를 비롯한 다양한 측면에서 그 위상이 높아지고, 한국어에 관한 세계의 관심과 필요가 커짐.

↓

한국어 교육 지원과 한국의 문화를 친근하게 여기도록 만드는 노력이 필요함.

세종학당	재외 교포와 외국인들에게 한국어를 가르칠 뿐만 아니라 그들이 한국의 문화를 좀 더 친근하게 여길 수 있도록 이바지한다는 점에서 중요한 외교적 역할을 수행하고 있음.

01. 윗글에 나타난 국어의 특성을 이해한 것으로 적절하지 않은 것은?

① 한국어도 언어의 일종이므로 언어의 일반적 특성을 보인다.
② 예사소리, 된소리, 거센소리가 대립되는 자음 체계를 가지고 있다.
③ 우리말의 어휘 체계는 고유어, 한자어, 외래어의 삼분 체계를 가진다.
④ 담화 상황에서는 주어나 목적어와 같은 필수적인 성분을 생략할 수 없다.
⑤ 성별, 연령, 상하 관계 등에 따라 친족어와 호칭어들이 섬세하게 분화하였다.

02. 윗글을 읽고 이끌어낸 반응으로 적절하지 않은 것은?

① 한국어는 한국인들만 사용하는 언어로군.
② 세계 곳곳에서 한국어 교육이 이루어지고 있군.
③ 지구에서 사용하는 언어가 7,000여 개나 되는군.
④ 한국어를 사용하는 인구 순위가 13위나 되다니 그 위상이 높군.
⑤ 외국인들이 한국의 문화를 친근하게 여길 방법을 찾아봐야겠군.

서술형
03. ㉠에 해당하는 세 가지를 윗글에서 찾아 서술하시오.

첫째:

둘째:

셋째:
----

04. ㉡을 참고할 때, 높임 표현이 적절하지 않은 것은?

① 할머니께서는 집에 계십니다.
② 어머니께서 그 책을 읽으셨습니다.
③ 선생님 말씀이 정말 타당하십니다.
④ 할아버지께서는 아직 귀가 밝으십니다.
⑤ 저희 부모님은 들일을 다니거나 집안일을 합니다.

▶ 국어의 특성을 이해하는 활동 창의

1. 다음 영어 문장을 우리말로 어떻게 번역할 수 있을지 자유롭게 써넣어 보고, 이 과정에서 생각할 수 있는 국어의 특성을 말해 보자.

| 예시 답 |

① [나는 너를 사랑해.]

② [사랑해요]

③ [사랑한다.]

④ [나는 너를 사랑한다.]

⑤ [사랑합니다.]

I love you.

⑥ [당신을 사랑해.]

⑦ [너를 사랑해.]

⑧ [사랑해.]

⑨ [당신을 사랑해요.]

⑩ [나는 그대를 사랑합니다.]

| 예시 답 | 항상 일정하게 표현되는 영어와 달리, 맥락에 따라 같은 의미지만 제한된 단어 안에서 형태를 매우 다양하게 번역할 수 있는 특징이 있다. 예를 들어, 동생이 형에게 또는 아버지가 딸에게 영어로는 'I love you.'라고 모두 통하지만, 국어에서는 말하는 이와 듣는 이에 따라 표현이 각양각색으로 나올 수 있다.

▶ 세계화 시대 국어의 발전 방안을 탐구해 보는 활동

2. 다음 글을 읽고, 아래의 활동을 해 보자.

> **가** 1997년에 나온 『케임브리지 언어 백과사전』에 보면 한국어가 13위로 올라 있습니다. 1992년의 통계에 근거하여 우리말의 사용자 수를 6,600만 명으로 잡아 순위를 매긴 결과입니다. 그런데 2000년에 간행된 『사라지는 언어들』에는 1996년도의 한 통계에 따라 한국어를 12위에 올려놓았습니다. 사용자 수를 7,500만 명으로 잡은 결과입니다. [중략] 그래서 저는 기회 있을 때마다 "우리는 언어 대국"이라고 외치곤 하였습니다.
>
> **나** 수년 전 기이하게도 우리 한국어가 앞으로 100년 안에 이 지구상에서 사라질지도 모른다는 이야기를 놓고 설왕설래 소란을 피웠던 일이 있습니다. 얘기인 즉 앞으로 100년 안에 이 지구상에는 10개 언어만 살아남는단다, 그러니 한국어는 멸종될 게 아니냐 하는 것이었습니다. [중략] 6천여 개의 언어라 하지만 대부분의 언어는 매우 영세하지요. 사용자가 1만 명도 안 되는 언어가 50%를 넘으니까요. 사용자가 100만 명 이상인 언어도 고작 283개뿐입니다. 많은 언어가 얼마나 영세한 상태인가를 알면 사실 놀라운 수준이지요.
>
> – 이익섭, 『우리말 산책』에서

(1) (가)에서 언어 순위의 기준을 찾아보고, 그 외에 어떤 기준이 있을지 말해 보자.

| 예시 답 | • (가)의 언어 순위 기준: 그 말의 사용자 수
• 그 외의 기준: 난이도(배우기 쉬운 정도), 역사성(오래된 정도), 과학성, 독창성, 글자체의 미학성(문자 언어의 경우) 등

(2) (나)에서 '한국어의 멸종 위기설'과 그 반박 내용을 찾아 간략히 정리하고, 반박 근거로 추가될 수 있는 내용을 말해 보자.

| 예시 답 | • (나): 대부분의 언어는 매우 영세함. 사용자가 1만 명도 안 되는 언어가 50%를 넘고, 사용자가 100만 명 이상인 언어도 고작 283개뿐임. (가)의 내용을 살펴보면, 세계 속의 한국어는 13위 안에 들고 있음.
• 추가 반박 근거: 한국의 대중문화가 전 세계적으로 한류를 형성하여 한국에 대한 관심과 한국어에 대한 관심도 함께 오르고 있어 앞으로 한국어의 위상은 더 올라갈 것임. 한국어 능력 시험에 응시한 외국인의 수가 해마다 대폭 증가하고 있음.

(3) 자신이나 주변에서 우리말을 가벼이 여기고 홀대하는 사례가 있는지 찾아보고, 이를 개선할 수 있는 태도와 방법에 관해 탐구해 보자. | 예시 답 | (생략)

제재 연구 ✚
• 갈래: 수필
• 제재: 한국어의 위상
• 특징
  – 객관적인 통계 자료를 제시하여 세계 속의 한국어 위치를 보여 줌.
  – 한국어의 특별한 지위를 언급함.

🔖 언어의 순위를 매기는 기준으로 어떤 것이 적절할지 고려한다.

지학이가 알려 줄게
우리말 단어 형성 방법에 맞지 않는 새말을 만들거나, 외래어로만 말하는 언어 양상 등을 찾아보자.

3. 다음 글을 읽고, 아래의 활동을 해 보자.

> 「국어기본법」은 국어의 사용을 촉진하고 국어의 발전과 보전의 기반을 마련하기 위해 기본적인 사항을 규정하고 있다. 이 법률은 국민의 창조적 사고력의 증진과 문화적 삶의 질을 향상하고 민족 문화 발전에 이바지함을 목적으로 2005년부터 시행되었다.
>
> '세종학당재단'은 바로 이 「국어기본법」 제19조 2에 근거하여 외국어 또는 제2 언어로서의 국어 보급을 효율적으로 수행하기 위하여 설립한 공공 기관이다. 세종학당재단은 전 세계를 대상으로 세종학당을 지정하여 운영을 지원하며, 온라인을 통해 한국 문화를 배울 수 있는 누리집(누리 세종학당)을 개발하여 운영하고 있다.

《 「국어기본법」 제3조(정의)
이 법에서 사용하는 용어의 뜻은 다음과 같다.
· '국어'란 대한민국의 공용어로서 한국어를 말한다.
· '한글'이란 국어를 표기하는 우리의 고유 문자를 말한다.
· '국어 능력'이란 국어를 통하여 생각이나 느낌을 표현하고 이해하는 데에 필요한 듣기·말하기·읽기·쓰기 등의 능력을 말한다.

(1) 위 글을 바탕으로 한국어 교육과 한국 문화 보급 사이의 관계에 대해 말해 보자.

ㅣ예시 답ㅣ 한국어를 바르게 유지하고 가꾸기 위해서는 한국어 교육이 필요하다. 그 나라의 언어를 배우면 문화를 함께 알 수 있듯이 한국어 교육은 한국 문화 보급과 상호 보완적 관계이다.

(2) 한국어 교육과 한국 문화의 보급을 위해 '세종학당재단'에서 구체적으로 하는 일을 누리집을 통해 조사해 보자.

ㅣ예시 답ㅣ 온라인과 오프라인으로 한국어와 한국 문화 보급에 관한 사업을 하며 한국어와 한국 문화로 세계와 소통하고자 사업을 추진하고 있다. 구체적으로 세종학당을 운영하고 정보화·홍보 사업, 한국어 교사 양성 등을 하고 있다.

세종학당재단
http://www.ksif.or.kr

(3) (2)에서 조사한 결과 외에 한국어의 위상을 높이기 위해 사회적인 측면에서 어떤 노력이 필요할지 자기 생각을 말해 보자.

ㅣ예시 답ㅣ 기존의 국어 정책이나 관심은 내국인만을 대상으로 하는 정책이 많았다. 해외의 한국어 사용이나 가꾸기에 대한 노력이 필요하다. 따라서 정부 차원에서 해외 한국어 사용자와 초급자의 한국어 교육을 체계적으로 관리하고 지원하는 노력이 필요하다.

▶ **자료를 바탕으로 우리말과 문화가 발전하는 방향을 모색해 보는 활동** 〔인성〕 〔창의〕

4. 다음 자료 글을 바탕으로 앞으로 우리 사회가 어떠한 언어적인 문제를 겪을 수 있을지 생각해 보고, 이를 극복할 방안에 대해 말해 보자.

> 현재 우리나라에는 다양한 이유와 목적으로 전 세계에서 온 외국인들이 각양각색의 모습으로 살고 있다. 다른 문화를 이해하고 존중하며 공동체의 일원으로 받아들이는 성숙한 세계 시민 의식이 더욱 중요해지는 때이다. 이들이 우리 사회의 일원으로서 행복한 삶을 누릴 수 있도록 제도와 의식의 개선이 꾸준히 이루어질 필요가 있다. 또한 실생활에서 서툰 한국어 때문에 차별받거나 불이익을 당하는 일이 없도록 개인과 사회 모두가 배려하고 도움을 베풀어야 할 것이다.

ㅣ예시 답ㅣ 다문화 사회로 접어들면서 국어 이외의 언어가 공용어로 주목받거나 다양한 언어가 혼재되면서 인한 의사소통에 문제가 발생할 수 있다. 다양한 언어를 사용하고 있는 다른 국가들의 사례를 참고할 때 그들은 나름대로 공용어를 지정하여 편의를 도모하면서도 사회 구성원들이 지닌 고유한 언어나 관습을 존중하는 방향으로 정책을 수행하고 있는 모습을 보여 주었다. 예를 들어 중국의 경우 일부 소수 민족의 언어를 보존하고 유지하도록 지원하고 있다. 이러한 사례를 비추어 볼 때, 우리도 다문화 시대에 맞춰 국어를 공용어로 공식 지정하고 사회 구성원들의 각 언어를 존중하는 방향으로 정책적인 방안을 펼치는 것이 필요하다.

소단원 출제 포인트

1 국어의 특성

언어의 일반적 특성	국어만의 고유한 특성
• 언어의 일종이므로 언어의 일반적 특성을 가짐. • 자음과 모음, 문장 성분이 있음. • 단어가 모여 문장이 되는 등의 일반적 특성을 가짐.	• 다른 언어와 구별되는 (㉠) 언어임. • 음운, 어휘, 문장(문법), 담화 등에서 국어만의 특성을 가짐.

① 음운적 특성

> 예사소리, 된소리, (㉡   )이/가 대립되는 자음 체계를 가짐.
> 예 ㄱ-ㄲ-ㅋ / ㄷ-ㄸ-ㅌ

↓

> 영어를 포함한 많은 인구어(인도에서 유럽에 걸친 지역에서 쓰이는 언어)들이 유성음과 무성음이 대립되는 자음 체계를 보이는 것과 구별되는 국어의 음운적 특성임.

② 어휘적 특성

• 고유어, (㉢   ), 외래어의 삼분 체계를 가짐.

고유어	본디부터 우리말에 있었거나 그것을 기초로 새로 만들어진 순우리말 예 어머니, 밥, 가다, 구수하다 등
한자어	중국의 한자를 기반으로 하여 만들어진 말 예 우정(友情), 시계(時計) 등
외래어	외국어로부터 빌려 와서 우리말처럼 쓰는 말 예 버스(bus), 커피(coffee), 피아노(piano) 등

• 의성어, 의태어와 같은 (㉣   )이/가 풍부하게 발달함.
  예 의성어: 멍멍, 우당탕, 퍼덕퍼덕 등
     의태어: 아장아장, 엉금엉금, 번쩍번쩍 등
• 색채와 관련된 표현들이 발달함.
  예 노랗다, 노르스름하다, 샛노랗다 등
• 성별, 연령, 상하 관계 등에 따라 (㉤   )와/과 호칭어들이 섬세하게 분화함.
  예 아버지, 어머니, 여보 등

③ 통사적 특성

• 높임 표현의 발달: 담화 상황에서 문장의 (㉥   )을/를 높이거나 말을 듣는 상대에 관해 일정한 문법 요소를 체계적으로 활용하여 높이거나 높이지 않는 특성을 보임.
• 기본 어순이 '주어-목적어-서술어'로 이루어져 있어, 영어, 중국어 등과 같이 '주어-서술어-목적어'의 기본 어순을 가지는 언어들과 구별됨.

④ 담화적 특성

• '주어-목적어-서술어'의 기본 어순을 따르되 담화 상황에 따라 어순을 비교적 자유롭게 바꿀 수 있음.
• 필요한 경우 주어나 목적어와 같은 (Ⓐ   )인 성분을 생략할 수도 있음.

2 세계 속의 한국어

• 세계 속에서 높아지는 한국어의 위상

> • 한국어의 언어 사용 인구 순위: 7천여 개의 언어 중 (◎   )위
> • 한국은 경제적인 규모를 비롯한 다양한 측면에서 그 위상이 높아지고 있으며, 한국어에 대한 세계의 관심과 필요도 커져 한국어의 위상 또한 높아지고 있음.

> 한국어 교육을 지원하면서 한국의 문화를 친근하게 여기도록 만드는 노력이 필요함.

• 세종학당: 외국어 또는 제2 언어로 한국어를 배우고자 하는 사람을 대상으로 한국어와 한국 문화를 알리고 교육하는 기관
  ➡ 역할: 재외 교포와 외국인들에게 한국어를 가르칠 뿐만 아니라 그들이 한국의 문화를 좀 더 친근하게 여길 수 있도록 이바지한다는 점에서 중요한 외교적 역할을 수행함.

보충자료

한글의 우수성

• 자주적이며 독창적인 문자: 한글은 다양한 학문을 수용하되 우리 실정에 맞게 재창조하였고, 적은 수의 글자를 조합해 다양한 음절을 표현할 수 있도록 제작됨.
• 민주적인 문자: 한글은 기본자에 획을 더하고 합하는 방식으로 글자를 제작하고, 글자와 소리의 관계를 고려하였기 때문에 누구나 쉽게 배울 수 있음.
• 과학적이고 체계적인 문자: 한글은 '상형, 가획, 합용'의 원리를 적용하여 글자의 수를 적게 하면서도 각 글자와 소리의 관계를 쉽게 이해할 수 있도록 제작됨.
• 실용적인 문자: 한글은 적은 수의 음운으로 다양한 글자를 조합하는 것이 가능함.
• 예술적이고 창조적인 문자: 한글은 단순히 문자를 넘어서 한글 서예뿐만 아니라 다양한 분야에서 사용되고 있음.

답 ㉠ 개별, ㉡ 거센소리, ㉢ 한자어, ㉣ 상징어, ㉤ 친족어, ㉥ 주체, Ⓐ 필수적, ◎ 13

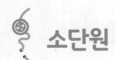
[01-04] 다음 글을 읽고, 물음에 답하시오.

㉮ 국어는 예사소리, 된소리, 거센소리가 대립되는 자음 체계를 가지고 있다. 이는 영어를 포함한 많은 인구어들이 유성음과 무성음이 대립되는 자음 체계를 보이는 것과 구별되는 국어의 음운적 특성이다.

㉯ 고유어와 외래어의 이분 체계를 가지는 여타 언어와 달리 우리말의 어휘 체계는 고유어, 한자어, 외래어의 삼분 체계를 가진다는 점과 의성어, 의태어와 같은 상징어가 풍부하게 발달하여 있는 점 등은 국어의 어휘적 특성이다. 또한 '노랗다, 노르스름하다, 샛노랗다' 등과 같은 색채와 관련된 표현들이 발달해 있고, 성별, 연령, 상하 관계 등에 따라 친족어와 호칭어들이 섬세하게 분화된 것도 어휘 면에서 주요한 특징 가운데 하나이다.

㉰ 국어는 높임 표현이 발달한 언어이다. 담화가 이루어지는 상황에서 ㉠ 문장의 주체를 높이거나 말을 듣는 상대에 관해 일정한 문법 요소를 체계적으로 활용하여 높이거나 높이지 않는 특성을 보인다. 또 기본 어순이 '주어-목적어-서술어'로 이루어진다는 점에서 영어, 중국어 등과 같이 '주어-서술어-목적어'의 기본 어순을 가지는 언어들과 구분되는 특징을 보인다.

㉱ 국어는 '주어-목적어-서술어'의 기본 어순을 따르되 담화 상황에 따라 어순을 비교적 자유롭게 바꿀 수 있고 주어나 목적어와 같은 필수적인 성분을 생략할 수 있는 특성이 있다. 또 말하는 이의 질문이 긍정 질문이냐 부정 질문이냐에 따라 대답을 달리하는 점에서, 항상 일정하게 대답하는 영어와 구별되는 특성이 있는데, 이 또한 국어에서 나타나는 담화적 특성이다.

㉲ 2018년 기준으로 한국어는 사용자 수에서 13위에 해당하는 것으로 발표되었다. 이는 7천여 개에 달하는 언어의 수를 고려할 때 그 위상이 자못 높다고 할 수 있다.

세계 속에서 한국은 경제적인 규모를 비롯한 다양한 측면에서 그 위상이 높아지고 있으며, ㉡ 한국어에 대한 세계의 관심과 필요도 커져 한국어의 위상 또한 높아지고 있다. 이에 따라 세계 곳곳에서 한국어 교육을 지원하는 세종학당의 수도 점차 늘어나, 2019년 6월 기준 총 60개국에 179개소의 세종학당이 개설되어 있다. 세종학당은 재외 교포와 외국인들에게 한국어를 가르칠 뿐만 아니라 그들이 한국의 문화를 좀 더 친근하게 여길 수 있도록 기여한다는 점에서 중요한 외교적 역할을 수행하고 있다.

01 윗글의 내용과 일치하지 <u>않는</u> 것은?
① 우리말에는 의성어나 의태어가 발달하여 있다.
② 영어는 유성음과 무성음이 대립되는 자음 체계를 보인다.
③ 영어는 중국어와 달리 '주어-서술어-목적어'의 기본 어순을 가지고 있다.
④ 우리말은 '주어-목적어-서술어'의 기본 어순을 따르되 담화 상황에 따라 어순을 바꿀 수도 있다.
⑤ 세종학당은 한국어를 배우고자 하는 사람을 대상으로 한국어와 한국 문화를 알리고 교육하는 곳이다.

<u>수능형</u>
02 〈보기〉는 ㉠에 관해 좀 더 탐구한 자료이다. 〈보기〉의 밑줄 친 부분과 관련된 높임 표현이 나타나 있는 것은?

┌─ 보기 ─────────────────────────
한국어의 높임법에는 서술의 주체를 높이는 주체 높임법, 목적어나 부사어를 높이는 객체 높임법, 듣는 사람을 높이거나 낮추는 상대 높임법이 있다.
└────────────────────────────

① 아버지, 할머님께서 <u>오십니다</u>.
② 얘들아, 선생님을 <u>모셔 와야지</u>.
③ 전문가의 충고에 따르길 <u>바랍니다</u>.
④ 어머니께서는 머리가 하얗게 <u>세셨다</u>.
⑤ 부장님께서는 휴일에는 댁에 <u>계십니다</u>.

<u>학습 활동 적용</u>
03 ㉡과 같은 상황에서 우리가 지녀야 할 바람직한 태도로 적절하지 <u>않은</u> 것은?
① 한국어의 우수성을 잘 알고 자부심을 지닌다.
② 다른 언어와 문화도 존중하는 마음을 가진다.
③ 무조건 최대한 많은 사람이 한국어를 쓰도록 권유한다.
④ 한국어뿐 아니라 한국 문화를 세계에 알리고자 노력한다.
⑤ 한국에 거주하는 외국인들을 대상으로 한국어를 쉽고 재미있게 가르쳐 준다.

<u>서술형</u>
04 다음 자료로 알 수 있는 영어와 구별되는 우리말의 담화적 특성을 한 문장으로 서술하시오.

┌────────────────────────────
영어는 일반적으로 긍정이든 부정이든 묻는 내용과 관계없이, 긍정이면 "Yes.", 부정이면 "No."로 대답한다.
└────────────────────────────

[01-04] 다음 글을 읽고, 물음에 답하시오.

가 인간은 언어가 없어도 사고(思考)를 할 수 있을까? 언어가 있어야 사고할 수 있는 것인지, 아니면 사고가 있어야 언어를 사용할 수 있는 것인지 분명하진 않지만, 언어와 사고가 밀접한 관계를 맺고 있는 것은 사실이다. [중략] 인간은 언어를 도구로 하여 생각하며, 그 결과 사고력과 인지 능력이 점점 발달한다고 할 수 있다.

나 한 사회가 공동체로서 유지되고 발전하는 데 필요한 것 중 하나가 사회 구성원 간의 의사소통이다. 언어는 이러한 의사소통의 수단이다. 인간은 언어를 사용하여 사회적인 관계를 형성하고 유지하며 사회를 발전시킨다.

그래서 언어는 지역이나 연령, 성별, 사회 집단 등에 따른 사회적 특성이 드러난다.

다 언어는 그 자체로 문화적 산물인 동시에 한 문화를 반영하는 거울이라고 할 수 있다. 언어는 그 사회의 문화를 나타내기 때문이다. 이처럼 어떤 언어든 그 언어를 사용하는 언어 공동체의 고유한 문화와 밀접하게 관련되어 있다.

라 언어를 구성하는 내용과 형식, 곧 의미와 말소리 사이에는 필연적인 관계가 없는데, 이를 자의성이라 한다. 의미와 말소리의 관계가 자의적이긴 하지만 의사소통을 위해서는 언어 공동체 내에 일정한 약속이 있어야 하는데, 이를 사회성이라 한다. 그런데 근본적으로 언어는 자의성이 있으므로 시간이 흐름에 따라 이러한 약속이 달라지기도 하는데, 이를 역사성이라 한다. 언어의 기호적 특성 가운데 자의성, 사회성, 역사성은 서로 밀접하게 연관되어 있다.

마 인간이 구별해서 사용할 수 있는 기호의 수는 제한되어 있지만 이를 활용하여 무한한 표현을 생산할 수 있다. 이를 창조성이라고 한다. 그리고 언어는 음운, 단어, 문장, 담화 등의 단위마다 일정한 내적 체계를 이루고 있는데, 이를 체계성이라 한다. 또한 이러한 단위들이 아무렇게나 연결되어서 더 큰 단위가 만들어지는 것이 아니라 일정한 구조를 이루도록 규칙이 적용되는데, 이를 규칙성이라 한다. 언어의 규칙성은 언어 단위들이 일정한 체계를 이루고 있는 체계성을 토대로 구현되는 것이며, 이러한 체계성과 규칙성을 토대로 할 때 유한한 기호로써 무한한 표현을 생산하고 해석하는 창조성이 이루어진다.

01 윗글의 제목을 정할 때 가장 적절한 것은?

① 어휘의 체계 ② 언어와 사회
③ 언어의 본질 ④ 언어의 역사성
⑤ 언어의 기호적 특성

02 윗글을 읽고 이해한 내용으로 적절하지 <u>않은</u> 것은?

① 언어는 의사소통의 수단이다.
② 언어의 내용과 형식은 임의로 연결되어 있다.
③ 언어와 사고는 밀접한 관계를 맺으며 상호 작용을 한다.
④ 언어는 음운, 단어, 문장(문법), 담화 등의 단위마다 일정한 내적 체계를 이루고 있다.
⑤ '꽃'이라는 문자는 언어의 내용이고, [꼳]이라는 음성은 언어의 형식이다.

03 다음 중 언어의 구조적 특성에 대한 설명으로 적절하지 <u>않</u>은 것은?

① 자음과 모음이 결합하는 데는 일정한 규칙이 있다.
② 언어의 요소들은 각자 일정한 구조를 창조하며 발달한다.
③ '하늘이 매우 아프자.'라는 문장은 우리말의 체계에 맞지 않는 표현이다.
④ 주어와 서술어, 목적어, 보어 등의 문장 성분의 배열에도 문법 규칙이 있다.
⑤ 인간은 언어를 사용할 때 암기해서 같은 말을 반복하는 것이 아니라 끊임없이 창조한다.

04 〈보기〉와 관련된 언어의 특성을 윗글에서 찾아 각각 쓰시오.

> **보기**
>
> ㄱ. 프랑스 사람들은 침대를 'lit'라고 하지만, 영어권 사람들은 'bed'라고 한다. 그리고 우리말에서는 '침대'라고 한다.
> ㄴ. '원숭이 엉덩이', '빨개'라는 어휘를 시작으로 문장을 만들면, '원숭이 엉덩이는 빨개, 빨간 건 사과, 사과는 맛있어, 맛있으면 바나나, 바나나는 길어.' 등 많은 문장을 이어 만들 수 있다.

[05~07] 다음 글을 읽고, 물음에 답하시오.

가 ㉠국어의 특성은 음운, 어휘, 문장(문법), 담화 등 다양한 측면에서 나타난다.

국어는 예사소리, 된소리, 거센소리가 대립되는 자음 체계를 가지고 있다. 이는 영어를 포함한 많은 인구어들이 유성음과 무성음이 대립되는 자음 체계를 보이는 것과 구별되는 국어의 음운적 특성이다.

나 고유어와 외래어의 이분 체계를 가지는 여타 언어와 달리 우리말의 어휘 체계는 고유어, 한자어, 외래어의 삼분 체계를 가진다는 점과 의성어, 의태어와 같은 상징어가 풍부하게 발달하여 있는 점 등은 국어의 어휘적 특성이다. 또한 '노랗다, 노르스름하다, 샛노랗다' 등과 같은 색채와 관련된 표현들이 발달해 있고, 성별, 연령, 상하 관계 등에 따라 친족어와 호칭어들이 섬세하게 분화된 것도 어휘 면에서 주요한 특징 가운데 하나이다.

다 국어는 높임 표현이 발달한 언어이다. 담화가 이루어지는 상황에서 문장의 주체를 높이거나 말을 듣는 상대에 관해 일정한 문법 요소를 체계적으로 활용하여 높이거나 높이지 않는 특성을 보인다. 또 기본 어순이 '주어-목적어-서술어'로 이루어진다는 점에서 영어, 중국어 등과 같이 '주어-서술어-목적어'의 기본 어순을 가지는 언어들과 구분되는 특징을 보인다.

라 국어는 '주어-목적어-서술어'의 기본 어순을 따르되 담화 상황에 따라 어순을 비교적 자유롭게 바꿀 수 있고 주어나 목적어와 같은 필수적인 성분을 생략할 수 있는 특성이 있다. 또 말하는 이의 질문이 긍정 질문이냐 부정 질문이냐에 따라 대답을 달리하는 점에서, 항상 일정하게 대답하는 영어와 구별되는 특성이 있는데, 이 또한 국어에서 나타나는 담화적 특성이다.

수능형
05 윗글의 서술상 특징으로 가장 적절한 것은?
① 국어의 변천사를 통시적으로 고찰하고 있다.
② 국어가 지닌 특징을 항목별로 나열하고 있다.
③ 국어의 특징이 나타나게 된 원인을 분석하고 있다.
④ 국어와 언어의 일반적 특징을 비교하여 설명하고 있다.
⑤ 국어 생활에서 발생한 문제점과 해결 방안을 제시하고 있다.

고난도
06 윗글의 내용으로 볼 때 ㉠에 해당하지 않는 것은?
① 색채와 관련된 표현들이 발달해 있다.
② 의성어, 의태어와 같은 상징어가 풍부하다.
③ '주어-목적어-서술어'의 기본 어순을 따른다.
④ 친족어와 호칭어들이 섬세하게 분화되어 있다.
⑤ 어휘 체계가 고유어와 한자어로 이루어져 있다.

07 윗글을 읽고 이끌어낸 반응으로 적절하지 않은 것은?
① 영어는 국어와 달리 유성음과 무성음이 대립되는 자음 체계를 보이는군.
② 주어, 서술어 등은 다른 언어들에서도 공통으로 나타나는 문장 성분이로군.
③ 세계 모든 언어의 어순이 '주어-목적어-서술어'로만 이루어진 것은 아니군.
④ 문장의 필수 성분을 생략하는 특성 때문에 국어는 정확한 전달이 어려운 것이군.
⑤ 반 친구에게 '선생님께서 오시래.'라고 하면 우리말 높임 표현에 어긋나는 문장이 되겠군.

서술형 학습 활동 적용
08 〈보기 1〉을 읽고 이를 참고하여 〈보기 2〉의 밑줄 친 가설에 대한 반박 근거를 한 문장으로 서술하시오.

〈보기1〉
국제하계언어학연구소가 운영하는 누리집의 자료에 따르면 전 세계에 현존하는 언어의 수는 대략 7천여 개에 달한다. 이 가운데 가장 많이 사용되는 언어는 약 13억의 사용 인구를 가진 중국어이다. [중략] 2018년 기준으로 한국어는 사용자 수에서 13위에 해당하는 것으로 발표되었다. [중략] 세계 속에서 한국은 경제적인 규모를 비롯한 다양한 측면에서 그 위상이 높아지고 있으며, 한국어에 대한 세계의 관심과 필요도 커져 한국어의 위상 또한 높아지고 있다.

〈보기2〉
수년 전 기이하게도 우리 한국어가 앞으로 100년 안에 이 지구상에서 사라질지도 모른다는 이야기를 놓고 설왕설래 소란을 피웠던 일이 있습니다. 얘기인 즉 앞으로 100년 안에 이 지구상에는 10개 언어만 살아남는단다. 그러니 한국어는 멸종될 게 아니냐 하는 것이었습니다.

[09~12] 다음 글을 읽고, 물음에 답하시오.

가 언어는 그 언어를 사용하는 언어 공동체의 문화를 반영하기도 하고 그 언어 공동체의 문화를 다음 세대로 전승하여 축적하는 기능도 한다. 언어의 도움 없이 문화를 전승하고 축적하는 것은 상상하기 어려운 일로, 인류 발전의 가장 큰 원동력이라 할 수 있다. 따라서 우리말을 아끼고 가꾸는 것은 우리 문화를 지키고 발전시키는 일이다.

나 언어를 구성하는 내용과 형식, 곧 의미와 말소리 사이에는 필연적인 관계가 없는데, 이를 자의성이라 한다. 의미와 말소리의 관계가 자의적이긴 하지만 의사소통을 위해서는 언어 공동체 내에 일정한 약속이 있어야 하는데, 이를 사회성이라 한다. 그런데 근본적으로 언어는 자의성이 있으므로 시간이 흐름에 따라 이러한 약속이 달라지기도 하는데, 이를 역사성이라 한다. 언어의 기호적 특성 가운데 자의성, 사회성, 역사성은 서로 밀접하게 연관되어 있다.

다 언어는 기호이기 때문에 말소리를 있는 그대로 반영하지 않는다. 실제 말소리는 연속적인 음파로 나타나지만 우리는 그것을 자음, 모음과 같은 음소로 나누어 인식한다. 의미 면에서도 언어는 연속적으로 이루어져 있는 세계를 불연속인 것으로 끊어서 반영한다. 예를 들어, (㉠) 언어 기호의 이러한 특성을 분절성이라고 한다.

라 고유어와 외래어의 이분 체계를 가지는 여타 언어와 달리 우리말의 어휘 체계는 고유어, ㉡한자어, 외래어의 삼분 체계를 가진다는 점과 의성어, 의태어와 같은 상징어가 풍부하게 발달하여 있는 점 등은 국어의 어휘적 특성이다. 또한 '노랗다, 노르스름하다, 샛노랗다' 등과 같은 색채와 관련된 표현들이 발달해 있고, 성별, 연령, 상하 관계 등에 따라 친족어와 호칭어들이 섬세하게 분화된 것도 어휘 면에서 주요한 특징 가운데 하나이다.

마 국어는 높임 표현이 발달한 언어이다. 담화가 이루어지는 상황에서 문장의 주체를 높이거나 말을 듣는 상대에 관해 일정한 문법 요소를 체계적으로 활용하여 높이거나 높이지 않는 특성을 보인다. 또 기본 어순이 '주어-목적어-서술어'로 이루어진다는 점에서 영어, 중국어 등과 같이 '주어-서술어-목적어'의 기본 어순을 가지는 언어들과 구분되는 특징을 보인다.

09 윗글의 중심 내용으로 적절하지 않은 것은?

① (가): 언어는 인류의 문화 전승과 축적에 이바지한다.
② (나): 언어의 구조적 특성에는 자의성, 사회성, 역사성이 있다.
③ (다): 언어는 연속적으로 이루어져 있는 세계를 불연속적인 것으로 끊어서 반영한다.
④ (라): 국어는 어휘 체계나 어휘 면에서 다른 언어와 구별되는 특성을 보인다.
⑤ (마): 국어는 높임 표현이나 기본 어순과 같은 통사적인 면에서 고유한 특성을 보인다.

10 (다)의 맥락상 ㉠에 들어갈 예로 적절한 것은?

① 무지개의 색깔은 연속적이지만 언어에서는 일곱 가지 색깔로 끊어서 표현한다.
② '우유'를 갑자기 '토끼'라고 바꾸어 부르면 다른 사람과 의사소통이 되지 않는다.
③ '어리다'는 과거에 '어리석다'라는 뜻이었지만, 지금은 '나이가 적다'라는 뜻으로 쓴다.
④ '꽃'이라는 의미는 수많은 종류의 꽃들로부터 공통 속성을 뽑아내는 과정을 통해 형성된다.
⑤ "나는 학교한테 간다."와 같은 것은 언어 규칙에 어긋나므로 "나는 학교에 간다."라고 말해야 한다.

<u>수능형</u>
11 〈보기〉는 ㉡을 탐구하기 위해 관련 자료를 수집한 것이다. 밑줄 친 말과 대응되는 한자어로 적절하지 않은 것은?

〈 보기 〉
　한자어는 중국의 한자를 기반으로 하여 만들어진 말이다. 대개 개념어, 추상어로서 고유어와 비교할 때 정확하고 분화된 의미를 지녀 하나의 고유어에 다수의 한자어가 대응되는 경우가 많다.

① 나는 그에게 상을 받은 <u>느낌</u>을 물었다. → 소감(所感)
② 기분 나빴지? 나도 그 <u>느낌</u> 알 것 같아. → 기분(氣分)
③ 지난 일들을 되돌아보니 <u>느낌</u>이 새로웠다. → 감회(感懷)
④ 이 시를 읽은 <u>느낌</u>을 말로 표현하기 어렵다. → 감상(感想)
⑤ 오늘은 좋은 일이 생길 것 같은 <u>느낌</u>이 든다. → 감동(感動)

<u>학습 활동 적용</u>
12 〈보기〉와 관련된 언어의 기호적 특성을 찾아 쓰시오.

〈 보기 〉
　우리말에서 '어머니'라고 부르는 대상을 영어에서는 'mother', 독일어에서는 'mutter'라고 부른다.

2. 매체와 매체 언어의 이해

핵심 질문 현대 사회의 의사소통 환경에서 매체는 어떤 역할을 하는가?

≫ 다음은 우리가 의사소통을 위해 활용하는 다양한 매체들이다. 현대 사회에서 매체가 없다면 어떤 현상이 나타날지 자기 생각을 말해 보자.

| 예시 답 | 멀리 떨어진 사람에게, 아득한 훗날의 사람에게, 엄청나게 많은 사람에게 정보를 전달하려면 어떻게 해야 할까? 말뿐 아니라 시각이나 청각 자료도 함께 전달하고 싶다면? 이때 도움이 되는 것이 매체이다.

그리고 이전 시대보다 더욱 매체의 발달과 함께 현대인들의 의사소통은 매체를 통해 이루어지고 있다고 해도 과언이 아니다. 매체를 얼마나 잘 활용하느냐에 따라 사회에서 인정받기도 하는 시대가 왔기 때문이다. 이러한 현대 사회에서 매체가 사라진다면 사람들은 불편함을 넘어서 적응하기 힘든 삶을 살게 될 것이다.

매체는 사람들이 언어적인 정보를 전달하기 위해 활용하는 수단으로, 책, 신문, 전화, 라디오, 텔레비전, 영화, 인터넷, 이동 통신 기기 등이 있다. 매체 언어는 음성이나 문자만으로 이루어진 음성 언어, 문자 언어와 달리 소리, 음성, 이미지, 문자, 동영상 등을 다양하게 포함할 수 있다.

이 단원에서는 매체의 유형과 특성을 알아보고, 현대의 의사소통 현상과 관련하여 매체 언어가 어떤 특성을 보이는지 살펴보기로 한다. 이를 통해 매체를 바라보는 관점을 수립하고 효과적인 매체 활용의 태도를 기를 수 있다.

소단원	학습 목표	내용
(1) 매체의 본질	의사소통의 매개체로서 매체의 유형과 특성을 이해할 수 있다.	1 매체의 개념 2 매체의 유형과 특성
(2) 매체 언어의 특성과 위상	의사소통의 측면에서 현대 사회와 매체 언어의 특성을 이해할 수 있다.	1 매체 언어의 개념 2 매체 언어의 갈래와 특성 3 현대 사회의 소통 현상과 매체

{ 1 } 매체의 본질

1 매체의 개념

• 발신자와 수신자 사이를 연결하는 소통 수단
• 정보와 지식의 유통 속도가 빨라지면서 일반적으로 발전된 기술을 적용해서 정보의 전파력을 크게 높인 수단

2 매체의 유형과 특성

유형	특성
시각 매체	시각적 이미지를 활용하여 정보를 전달하며, 시간의 구애 없이 전체를 보며 해석할 수 있음. 정보 전달 속도가 느림.
청각 매체	청각에 의존하는 전달 매체임. 정보가 제시되는 순서에 따라 해석해야 함.
시청각 매체	음성 언어와 문자 언어의 특성을 모두 지니면서 시각, 청각, 동영상 자료가 유기적으로 조직됨. 전달 속도가 빠르고 현장감 있는 정보를 제공함.
뉴 미디어	인터넷, 이동 통신과 연결된 개방적이고 상호적인 복합 양식 매체임. 신속성, 대량성, 양방향성, 복합 양식성, 복제 가능성, 연결성 등의 특성을 두루 지님.

{ 2 } 매체 언어의 특성과 위상

1 매체 언어의 개념

• 매체를 활용하여 생각, 느낌 등을 표현하거나 전달하는 언어
• 음성, 문자, 소리, 이미지, 동영상 등의 결합체로, 매체 언어로 표현된 실제 텍스트가 매체 자료가 됨.

2 매체 언어의 갈래와 특성

갈래	목적에 따라 크게 정보 전달, 설득, 친교 및 정서 표현 매체로 나뉘고, 뉴스, 다큐멘터리, 광고, 논평, 누리 소통망(SNS), 전자 우편, 만화 등 많은 하위 갈래가 있음.
특성	• 대량성, 구체성, 복합 양식성 등의 특성이 더해짐. • 뉴 미디어는 음성과 문자를 바탕으로 하여 소리, 이미지, 동영상 등이 결합하는 복합 양식성을 강조함.

3 현대 사회의 소통 현상과 매체

사회 규모가 커지고 구성원이 다양해짐.	➡	개인 및 집단 간의 긴밀한 소통 요구에 따라 매체의 중요성도 높아짐.

1. 빈칸에 알맞은 말을 〈보기〉에서 골라 쓰시오.

┌ 보기 ┐
매체, 매체 언어

(1) (   )란 더 빨리 더 많은 사람에게 더 효과적으로 의사를 전달하기 위해 생겨난 의사소통 수단을 가리킨다.

(2) (   )란 매체를 활용하여 생각, 느낌 등을 표현하거나 전달하는 언어를 말한다.

2. 다음 진술 중 맞는 것에는 ○표, 틀린 것에는 ×표를 하시오.

(1) 시각 매체는 시간의 흐름을 따라가며 정보가 제공되는 순서대로 해석해야 하는 특성이 있다. (   )

(2) 라디오와 같은 청각 매체는 정보가 제시되는 순서에 따라 해석해야 하는 전달 매체이다. (   )

(3) 현대에 들어 개인 및 집단 간의 긴밀한 소통 요구가 더욱 커짐에 따라 매체의 중요성도 높아지고 있다.
(   )

3. 〈보기〉의 설명을 만족하는 매체 유형을 쓰시오.

┌ 보기 ┐
• 신속성, 대량성, 양방향성, 복합 양식성, 복제 가능성, 연결성 등의 특성을 두루 지니고 있다.
• 인터넷, 스마트폰, 누리 소통망 서비스(SNS) 등을 가리킨다.

답 1.(1) 매체, (2) 매체 언어
  2.(1) ×, (2) ○, (3) ○
  3.뉴 미디어

{ 1 }

매체의 본질

소단원 학습 포인트
● 매체의 개념 알기
● 매체 유형과 특성 알기

㉮ 기술이 발달하고 의사소통의 양상이 복잡해지면서 매체의 중요성이 점점 높아지고 있다. 특히 미래 사회에서는 교육, 직업, 취미 등 거의 모든 분야의 활동이 매체를 기반으로 이루어질 것으로 예측된다. 따라서 매체의 본질을 이해하고 현대 사회에서 활용되는 여러 매체의 특성을 파악함으로써 바람직한 매체 활동의 기초를 다질 필요가 있다.

▶매체의 본질 이해의 필요성

㉯ **1** 매체의 개념

인간은 무리를 지어 서로 소통하며 살아간다. 로빈슨 크루소처럼 홀로 살아야 하는
_{다니엘 디포의 소설 속 주인공으로 배가 난파되어 무인도에서 28년간 홀로 생활함.}
상황이 되어서도 간절히 누군가와 소통하기를 원한다. 인류 최초의 본격적이고 체계적인 의사소통 수단은 말이었다. 이어서 글이라는 수단이 만들어졌다. 몸짓이나 표정 등
_{음성 언어}　　　　　_{문자 언어}　　　　　　　　　　_{비언어적 표현}
의 다양한 소통 수단이 있지만, 그것들은 보조적 역할을 할 뿐이며, 말과 글을 통해 비로소 인간은 인간답게 살며 문화를 창조하고 문명을 발달시킬 수 있게 되었다.

▶음성 언어와 문자 언어를 통해 발전한 인간의 문화

㉰ 옛날에는 멀리 있는 사람에게 말을 전하려면 누군가의 입을 빌리면 되었고, 글로 쓰려면 붓과 종이 정도만 있으면 되었다. 하지만 사회 규모가 커지고 생활 양식이 복잡해
_{음성 언어와 문자 언어만으로는 한계가 옴.}
지면서 그것만으로는 충분하지 않게 되었다. 더 빨리 더 많은 사람에게 더 효과적으로 의사를 전달할 필요가 생긴 것이다. 그 과정에서 입과 귀, 손과 눈 사이에서 양자를 연결하는 제3의 소통 수단이 생겨났는데, 그것이 **매체**(媒體, media)이다.

▶매체가 나타나고 발달하게 된 이유

㉱ 인간이 의사소통을 위해 몸짓이나 표정, 말처럼 인간의 신체만 이용했다면 별도의 매체가 필요 없었을 것이다. 하지만 글을 기록하거나 전달하려면 무언가 물리적인 실
_{정보의 구성과 유통}
체, 곧 매체가 필요하다. 넓은 의미로는 돌이나 점토판, 파피루스 같은 기록·전달 수단도 소통에 필요한 물리적 실체이므로 매체라 할 수 있다. 하지만 일반적으로 '매체'라고 할 때에는 그보다 더 발전된 기술을 적용해서 정보의 전파력을 크게 높인 수단을 가리
_{정보와 지식의 유통 속도가 빨라지고 파급력도 커짐.}
킨다.

▶의사소통 측면에서 매체의 개념

✎ 점토판과 파피루스
점토판은 점토에 갈대로 글씨를 써서 햇볕에 말린 것으로 고대 이집트 등에서 기록 수단으로 이용되었다.
파피루스는 파피루스라는 식물로 만든 종이를 가리키기도 하고, 파피루스에 적은 고대 문서의 총칭으로 쓰이기도 하는데, 고대 이집트 이래 9세기경까지 기록용 재료로 사용되었다.

▲ 점토판

▲ 파피루스

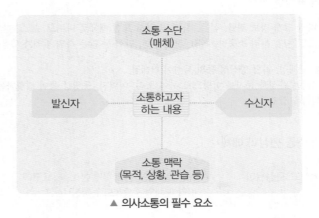
▲ 의사소통의 필수 요소

마 **2** 매체의 유형과 특성

매체의 발전에서 인쇄술의 발명은 가장 중요한 전환점이었다. 그 전까지만 해도 개
〔활판 인쇄술. 책을 대량으로 찍어 낼 수 있게 됨.〕
인 차원에 머물던 소통 범위를 비약적으로 넓혔기 때문이다. 책, 신문, 잡지 등 오늘날
〔대량 생산이 어려웠기 때문에〕   〔□ 인간의 소통과 매체 발달에 영향을 준 기술〕
우리가 인쇄 매체라고 부르는 것들이 모두 인쇄술의 발달로 대중화되었다.
                                        ▶인쇄술의 발달이 매체 발전에 미친 영향

그다음으로 인간의 소통에 기여한 것은 전기, 전자, 통신 기술이다. '똔(·), 쓰(−)'하
는 모스 신호로 정보를 전달하던 초기 형태부터 오늘날의 스마트폰에 이르기까지, 기
술의 발전에 따라 다양한 소통 수단이 나타났다. 전화, 라디오, 텔레비전, 인터넷 등이
그러한 기술이 적용된 대표적 전자 매체이다. ▶전기, 전자, 통신 기술과 전자 매체

바 사진, 녹음, 동영상, 영화 등도 매체에 속하는데, 각 정보의 유형에 따라 시각 매체,
청각 매체, 시청각 매체라고 불린다. 물론 이들 매체에도 전기, 전자 기술이 적용되며,
이를 바탕으로 다른 매체들과 자주 융합하는 모습을 보인다. ▶정보 유형에 따른 매체와 매체 융합
           〔복합 양식적 성격〕

사 이러한 분류가 매체의 물리적인 속성에 바탕을 둔 것이라면 소통 양상으로 매체를
              〔실재적 도구의 속성〕
분류해 볼 수도 있다. 예를 들어, 책이나 텔레비전은 발신자에게서 수신자로 정보가 일
                                    〔단방향 매체〕
방적으로 전달되지만, 전화나 이동 통신 기기는 수신자가 다시 발신자가 되는 양방향
              〔양방향 매체〕
소통이 이루어진다. 또한 전화처럼 개인 대 개인의 소통을 위해 사용되는 매체가 있는
                      〔개인 간 매체〕
가 하면 텔레비전처럼 대중을 상대로 하는 매체도 있다. ▶소통 양상과 전달 범위에 따른 매체 분류
      〔대중 매체〕

아 이처럼 매체는 그 범위가 넓고 형식도 다양하기 때문에 어떤 기준을 선택하느냐에
따라 여러 방식으로 분류할 수 있다. 언론 매체, 방송 매체, 광고 매체, 디지털 매체, 누
리 소통망(SNS) 등의 용어는 모두 목적이나 기능, 방법 등 매체의 특정한 측면에 주목
하여 분류한 것이다. 최근 들어서는 인터넷이나 이동 통신과 연결된 개방적이고 상호
적인 복합 양식 매체를 전통적인 매체와 구별하여 **뉴 미디어**로 정의하고 강조하는 추
세이다. ▶목적과 기능에 따른 매체 분류, 전통적인 매체와 뉴 미디어의 구별

자 매체를 분류하는 이유는 매체 유형에 따라 정보 구성과 소통의 특성이 다르기 때문
                      〔매체 유형별로 미치는 영향이 다르기 때문에〕
이다. 예를 들어, 시각 매체로 전달되는 정보는 시간의 구애 없이 전체를 보며 해석할
수 있지만, 청각 매체의 정보는 시간의 흐름을 따라가며 정보가 제시되는 순서대로 해
석해야 한다. ㉠그림 감상과 ㉡노래 감상을 비교하면 쉽게 이해할 수 있다. 또한 문자,
그림, 동영상 등 다양한 양식의 매체 언어가 한 자료에서 통합되어 사용되는 복합 양식
성도 중요한 특성이 된다. 이처럼 기술이 발달하면서 매체의 종류는 점점 많아지고 그
      〔복합 양식성의 의미〕
특성도 다양해지고 있다. 특히 현대 사회의 대표적 매체인 뉴 미디어는 신속성, 대량
성, 양방향성, 복합 양식성, 연결성 등의 특성을 두루 지닌다. ▶매체 분류 이유와
                                        뉴 미디어의 특성

매체의 분류
• 기록하는 양식에 따라: 인쇄 매체, 전자 매체
• 정보의 유형에 따라: 시각 매체, 청각 매체, 시청각 매체
• 전달 범위에 따라: 개인 간 매체, 대중 매체
• 소통 양상에 따라: 단방향 매체, 양방향 매체
• 목적과 기능에 따라: 언론 매체, 광고 매체, 누리 소통망(SNS) 등

개념 ⊕
뜨거운 미디어와 차가운 미디어
마셜 맥루언(Mashall McLuhan)이 『미디어의 이해』에서 사용한 용어. 그는 정보량이 많아서 수용자가 관여할 여지가 별로 없는 매체를 뜨거운 미디어, 그 반대를 차가운 미디어로 정의함. 영화와 만화를 비교하면 영화가 뜨거운 미디어, 만화가 차가운 미디어가 됨.

시각 매체는 일정한 공간적 틀 안에 의미 있는 정보를 선정해서 배치하는 식이고, 청각 매체는 시작에서 끝에 이르는 시간적 틀 안에 정보를 순서대로 배열하는 식이다.

■ 매체의 필요성

음성 언어와 문자 언어를 통해 발전을 시작한 인간의 문화	→	사회 규모가 커지고 생활 양식이 복잡해지며 더 빨리 더 많은 사람에게 효과적으로 의사를 전달할 필요가 생김.

■ 매체의 개념
• 발신자와 수신자 사이를 연결하는 소통 수단
• 정보와 지식의 유통 속도가 빨라지면서 일반적으로 발전된 기술을 적용해서 정보의 전파력을 크게 높인 수단을 가리킴.

■ 매체의 발전

인쇄술의 발명	개인 차원에 머물던 소통 범위가 비약적으로 넓어짐. 책, 신문, 잡지 등의 인쇄 매체가 대중화됨.
전기, 전자, 통신 기술의 발전	다양한 소통 수단이 나타났으며, 전화, 라디오, 텔레비전, 인터넷, 스마트폰 등의 전자 매체가 발달함.

■ 매체의 분류

기록하는 양식에 따라	인쇄 매체, 전자 매체
정보의 유형에 따라	시각 매체, 청각 매체, 시청각 매체
전달 범위에 따라	개인간 매체, 대중 매체
소통 양상에 따라	• 단방향 매체(인쇄 매체, 라디오, 텔레비전 등) • 양방향 매체(전화, 인터넷, 스마트폰, 누리 소통망(SNS) 등
목적과 기능에 따라	언론 매체, 광고 매체, 누리 소통망(SNS) 등

■ 매체의 유형에 따라 정보 구성과 소통의 특성이 다름.

시각 매체	시간의 구애 없이 전체를 보며 해석할 수 있음.
청각 매체	정보가 제시되는 순서에 따라 해석해야 함.
시청각 매체	전달 속도가 빠르고 현장감 있는 정보를 제공함.
뉴 미디어	신속성, 대량성, 양방향성, 복합 양식성, 복제 가능성, 연결성 등의 특성을 두루 지님.

01. 윗글에 대한 이해로 적절하지 않은 것은?
① 매체란 정보를 효과적으로 전달하기 위한 수단이다.
② 인쇄술의 발명으로 정보의 전파력이 크게 넓어졌다.
③ 점토판이나 파피루스 같은 기록 수단도 매체에 포함된다.
④ 전기, 전자, 통신 기술의 발달로 다양한 전자 매체가 등장하였다.
⑤ 사회 규모가 커지고 생활 양식이 복잡해지면서 매체의 필요성이 감소하였다.

출제 예감
02. 윗글에서 언급한 매체 중 〈보기〉와 같은 특성을 갖는 매체로 적절한 것은?

〈 보기 〉
• 인터넷, 이동 통신과 연결된 개방적이고 상호적인 복합 양식 매체이다.
• 신속성, 대량성, 양방향성, 복합 양식성, 복제 가능성, 연결성 등의 특성을 두루 지니고 있다.

① 봉화　　　　② 책　　　　③ 라디오
④ 텔레비전　　⑤ 누리 소통망(SNS)

03. ㉠과 ㉡에 대한 이해로 거리가 먼 것은?
① ㉠은 시각 매체로 전달되는 정보를 담고 있다.
② ㉠을 감상하는 것은 시간의 구애를 받지 않는다.
③ ㉡은 주로 청각에 의해 전달되는 정보를 담고 있다.
④ ㉡을 감상할 때에는 시간의 흐름을 중요하게 여겨야 한다.
⑤ ㉠과 ㉡을 감상할 때에는 복합 양식성의 특성을 고려해야 한다.

서술형
04. 윗글에서 매체를 분류하는 이유를 찾아 한 문장으로 서술하시오.

▶ 매체의 개념을 이해하는 활동

이해하기

1. 의사소통에 활용하는 수단이나 방법을 분석하며 매체의 개념을 정리해 보자.

(1) 인간이 의사소통을 위해 활용하는 수단이나 방법을 가능한 한 많이 찾아보자.

↳ 몸짓, 음성, 봉화, 책, 광고, 전화, 컴퓨터, 신문, 사진 등

(2) (1)의 결과들을 다음 분류 기준에 따라 적절하게 배치해 보자.

| 예시 답 |

물리적 형태나 특성에 따라 어떤 도구를 활용하는가?	• 인간의 신체: 몸짓, 음성 • 전기가 필요 없는 도구: 봉화, 책, 신문, 사진 • 전기가 필요한 도구: 광고, 전화, 컴퓨터
도구 활용의 목적에 따라 어떻게 정보를 전달하는 데 주력하는가?	• 빨리 전달: … 도구 활용의 목적에 따라 정보를 빨리 전달하는 • 멀리 전달: 데 주력했는지, 정보를 멀리 전달하는 • 널리 전달: 지, 정보를 널리 전달하는 데 주력했는지에 따라 구 분하도록 한다.
전달하는 정보의 특성에 따라 어떤 정보를 전달하는가?	• 시각 정보: 몸짓, 책, 신문, 사진 • 청각 정보: 음성, 전화 • 시청각 정보: 광고, 컴퓨터 • 시각과 청각 이외의 정보: (점자 책)

모둠

(3) 앞의 활동을 바탕으로 매체를 정의하는 문장을 만들고, 각각의 정의가 매체의 어떤 특성을 보여 주는지 모둠별로 토의해 보자.

> 매체는 ___소통하는 당사자들 중간에 위치해 메시지를 실어 나르는 도구 역할을 하는 것___ 이다.

개념 ⊕

매체는 다양한 형태의 물을 담는 그릇에 비유해 볼 수 있음. 오렌지 주스를 마실 때 쓰는 컵과 포도주을 담는 잔이 다른 것과 같이, 그릇은 사용 목적에 따라 모양이 달라짐. 그릇의 모양이 달라지면 이에 담기는 물의 모양과 성격도 달라짐.

▶ 일상생활에서 자신의 매체 활용을 탐색해 보는 활동

적용하기

2. 어제 하루 동안 자신이 사용한 매체에 대해 알아보고, 그 매체에서 어떻게 의사소통이 이루어졌는지 말해 보자.

(1) 하루 동안 자신이 사용한 매체를 정리해 보자.

| 예시 답 |

매체의 종류		각 매체의 특성
• 책 • 스마트폰 • •	⋯>	• 책은 일정한 목적, 내용, 체재에 맞추어 사상, 감정, 지식 등을 글이나 그림으로 표현하여 적거나 인쇄하여 묶어 놓은 매체이다. • 스마트폰은 휴대 전화에 여러 컴퓨터 지원 기능을 추가한 지능형 단말기로, 사용자가 원하는 응용 프로그램을 설치할 수 있는 것이 특징이다.

(2) (1)을 바탕으로 주로 어떤 경우에 매체를 활용했는지 살펴보고, 매체 사용의 목적에 따라 효과적으로 내용을 표현했는지 말해 보자. | 예시 답 | (생략)

지학이가 알려 줄게 자신의 의사소통 목적에 따라 메시지나 텍스트가 어떤 매체에 담겨 있는가를 비판적으로 이해하고, 자신이 매체 자료를 생산할 때에도 어떤 매체를 선택할 것인지 고려하는 것이 중요함을 생각해 보도록 하자.

소단원 출제 포인트

① 매체의 개념

• 매체의 필요성

> 인간은 말과 글 등의 소통 수단을 통해 문화를 (⊙   )하고 문명을 발달시켜 옴.

↓

> 사회 규모가 커지고 생활 양식이 (ⓒ   )해지면서 많은 사람에게 더 빠르고 효과적으로 의사나 정보를 전달할 필요가 생김.

↓

> 입과 귀, 눈과 손을 중개하는 제3의 소통 수단, 즉 (ⓒ   )이/가 필요하게 됨.

• 매체의 등장
생각이나 느낌의 표현과 전달 효과를 높이기 위해 여러 기술을 적용하여 발전시킨 의사소통 수단인 매체가 등장함.

• 의사소통 측면에서의 매체의 개념
발전된 기술을 적용해서 정보와 지식의 유통 속도가 빨라지게 하여 정보의 (ⓔ   )을/를 크게 높인 의사소통 수단

② 매체의 유형과 특성

• 매체의 발전
(ⓔ   )의 발명, 정보 통신 등 기술의 개발을 바탕으로 새로운 매체가 등장함.

인쇄술의 발명	전기, 전자, 통신 기술의 발달
• 인쇄술의 발명으로 개인 차원에 머물던 소통 범위가 비약적으로 넓혀짐. • 인쇄술의 발달로 책, 신문, 잡지 등의 인쇄 매체가 대중화됨.	• 전기, 전자, 통신 기술의 발전에 따라 다양한 (ⓐ) 수단이 나타남. • 전화, 라디오, 텔레비전, 인터넷, 스마트폰 등의 전자 매체가 발달함.

• 매체의 분류

기록하는 양식에 따라	인쇄 매체, 전자 매체
정보의 (ⓐ)에 따라	시각 매체, 청각 매체, 시청각 매체
전달 범위에 따라	개인 간 매체, 대중 매체
소통 양상에 따라	• 단방향 매체(인쇄 매체, 라디오, 텔레비전 등) • 양방향 매체(전화, 인터넷, 스마트폰, 누리 소통망(SNS) 등)
목적과 기능에 따라	언론 매체, 광고 매체, 누리 소통망(SNS) 등

• 매체 유형에 따른 정보 구성과 소통의 특성

유형	종류	특성
시각 매체	책, 잡지, 신문 등	• 일정한 공간적 틀 안에 의미 있는 정보를 선정해서 배치함. • 시각적 이미지를 활용하여 정보를 전달함. • 시간의 구애 없이 전체를 보며 해석할 수 있음. • 정보 전달 속도가 느림.
청각 매체	전화, 라디오, 녹음기 등	• 시작에서 끝에 이르는 시간적 틀 안에 정보를 순서대로 배열함. • 청각에 의존하는 전달 매체임. • 정보가 제시되는 순서에 따라 해석해야 함.
시청각 매체	텔레비전 등	• 음성 언어와 문자 언어의 특성을 모두 지니면서 시각, 청각, 동영상 자료가 유기적으로 조직됨. • 전달 속도가 빠르고 현장감 있는 정보를 제공함.
(ⓞ)	인터넷, 스마트폰, 누리 소통망(SNS) 등	• 인터넷, 이동 통신과 연결된 개방적이고 상호적인 복합 양식 매체임. • 신속성, 대량성, 양방향성, 복합 양식성, 복제 가능성, 연결성 등의 특성을 두루 지님.

답 ⊙ 창조, ⓒ 복잡, ⓒ 매체, ⓔ 전파력, ⓔ 인쇄술, ⓐ 소통, ⓐ 유형, ⓞ 뉴 미디어

[01-04] 다음 글을 읽고, 물음에 답하시오.

㉮ 매체의 발전에서 인쇄술의 발명은 가장 중요한 전환점이었다. 그 전까지만 해도 개인 차원에 머물던 소통 범위를 비약적으로 넓혔기 때문이다. 책, 신문, 잡지 등 오늘날 우리가 인쇄 매체라고 부르는 것들이 모두 인쇄술의 발달로 대중화되었다.

㉯ 그다음으로 인간의 소통에 기여한 것은 전기, 전자, 통신 기술이다. '똔(·), 쓰(-)' 하는 모스 신호로 정보를 전달하던 초기 형태부터 오늘날의 스마트폰에 이르기까지, 기술의 발전에 따라 다양한 소통 수단이 나타났다. 전화, 라디오, 텔레비전, 인터넷 등이 그러한 기술이 적용된 대표적 전자 매체이다. / 사진, 녹음, 동영상, 영화 등도 매체에 속하는데, 각 정보의 유형에 따라 시각 매체, 청각 매체, 시청각 매체라고 불린다.

㉰ 이러한 분류가 매체의 물리적인 속성에 바탕을 둔 것이라면 소통 양상으로 매체를 분류해 볼 수도 있다. 예를 들어, 책이나 텔레비전은 발신자에게서 수신자로 정보가 일방적으로 전달되지만, 전화나 이동 통신 기기는 수신자가 다시 발신자가 되는 양방향 소통이 이루어진다. 또한 전화처럼 개인 대 개인의 소통을 위해 사용되는 매체가 있는가 하면 텔레비전처럼 대중을 상대로 하는 매체도 있다.

㉱ 이처럼 매체는 그 범위가 넓고 형식도 다양하기 때문에 어떤 기준을 선택하느냐에 따라 여러 방식으로 분류할 수 있다. 언론 매체, 방송 매체, 광고 매체, 디지털 매체, 누리 소통망(SNS) 등의 용어는 모두 목적이나 기능, 방법 등 매체의 특정한 측면에 주목하여 분류한 것이다. 최근 들어서는 인터넷이나 이동 통신과 연결된 개방적이고 상호적인 복합 양식 매체를 전통적인 매체와 구별하여 뉴 미디어로 정의하고 강조하는 추세이다.

㉲ 매체를 분류하는 이유는 매체 유형에 따라 정보 구성과 소통의 특성이 다르기 때문이다. 예를 들어, 시각 매체로 전달되는 정보는 시간의 구애 없이 전체를 보며 해석할 수 있지만, 청각 매체의 정보는 시간의 흐름을 따라가며 정보가 제시되는 순서대로 해석해야 한다. 그림 감상과 노래 감상을 비교하면 쉽게 이해할 수 있다. 또한 문자, 그림, 동영상 등 다양한 양식의 매체 언어가 한 자료에서 통합되어 사용되는 복합 양식성도 중요한 특성이 된다. 이처럼 기술이 발달하면서 매체의 종류는 점점 많아지고 그 특성도 다양해지고 있다.

01 윗글을 바탕으로 짐작할 수 있는 내용이 <u>아닌</u> 것은?
① 기술의 발전은 매체의 정보 전파력을 크게 높였다.
② 전화, 라디오, 텔레비전, 인터넷은 대표적인 전자 매체이다.
③ 시각 매체인 책은 시간의 구애 없이 전체를 보며 해석할 수 있다.
④ 청각 매체인 라디오는 정보가 제시되는 순서에 따라 해석해야 한다.
⑤ 모스 신호를 사용하는 전신기는 인터넷, 이동 통신과 연결된 개방적이고 상호적인 복합 양식 매체이다.

수능형
02 윗글을 바탕으로 매체를 분류한 것으로 적절하지 <u>않은</u> 것은?
① 기록 양식에 따라 인쇄 매체와 전자 매체로 분류한다.
② 전달 범위에 따라 개인 매체와 대중 매체로 분류한다.
③ 소통 양상에 따라 전통 매체와 뉴 미디어로 분류한다.
④ 정보의 유형에 따라 시각 매체, 청각 매체, 시청각 매체로 분류한다.
⑤ 목적과 기능 등에 따라 언론 매체, 방송 매체, 광고 매체, 디지털 매체, 누리 소통망으로 분류한다.

03 (가)의 내용을 다음과 같이 정리할 때, 맥락상 빈칸에 들어갈 말로 가장 적절한 것은?

> 인쇄술의 발명 → 대량 인쇄 가능 → (   )의 대중화

① 통신 매체   ② 인쇄 매체   ③ 영상 매체
④ 청각 매체   ⑤ 전자 통신 매체

서술형
04 윗글에서 언급한 매체의 발전에 기여한 기술들을 찾아 한 문장으로 서술하시오.

{ 2 }

매체 언어의 특성과 위상

소단원 학습 포인트
- 매체 언어의 개념 알기
- 매체 언어의 갈래와 특성 이해하기
- 현대 사회의 소통 현상과 관련하여 매체의 특성 이해하기

- 구체성: 대상을 귀나 눈으로 직접 지각할 수 있는 형태로 제시하는 특성
- 대량성: 한 자리에서 목소리나 글자로 전파할 수 있는 범위보다 더 넓게 전달할 수 있는 특성
- 문식성: 좁은 의미로 글자를 읽고 쓸 수 있는 능력. 오늘날에는 문자를 활용하여 사고하고 소통하며 문화를 발전시키는 능력이라는 뜻으로 쓰임.

㋑ 현대 사회에서는 정보의 구성 방식과 소통 양상에 따라 다양한 의사소통이 이루어지고 있다. 그러한 현상의 중심에 매체가 있으며, 매체를 바탕으로 의사소통할 수 있도록 해 주는 매체 언어가 있다. 매체 언어는 음성 언어나 문자 언어와 공통의 특성을 보이는 한편, 그들과 다른 고유한 특성을 지닌다. 매체 언어의 특성을 이해함으로써 현대 사회의 소통 현상에 잘 참여할 수 있다. ▶매체 언어의 이해와 현대 사회 소통 현상 참여

㉯ **1 매체 언어의 개념**

인간의 생각이나 느낌을 표현하거나 전달하는 수단을 언어라고 한다. 매체 언어 역시 하나의 의사소통 수단이다. ▶의사소통 수단인 매체 언어

언어의 기호적·구조적 특성은 매체 언어에도 거의 적용된다. 다만, 매체 언어는 말과 글뿐 아니라 소리, 이미지, 영상 등도 활용하여 의미를 전달하기 때문에 어떤 특성이 강해지거나 약해지기도 하며 새로운 특성이 더해지기도 한다. 예를 들어, 소리나 이미지에 중점을 두면 분절성은 약해지는 대신 감각에 호소하는 경향이 강해진다. 신문 같은 매체는 언어의 선조성에 더해서 편집과 관련한 공간적 특성이 강조되고, 대중 매체 같은 경우에는 대량성이 강조된다. 이처럼 매체가 다양한 만큼 매체 언어도 다양한 특성을 보인다. ▶매체 언어의 특성

모든 인간은 적절한 조건 아래 자연스럽게 언어를 습득한다. 매체 언어도 마찬가지여서, 적절한 환경이 주어지면 모두가 매체 언어를 익힐 수 있는 능력을 갖추고 있다. 이처럼 매체에 익숙해져서 매체로 소통하고 매체를 활용하여 문제를 해결하며 매체 문화를 향유하고 창조할 수 있는 능력을 매체 문식성이라고 한다. 매체 언어를 학습한다는 것도 곧 매체 문식성을 높여 가는 일이다. ▶매체 언어 습득과 매체 문식성

㉰ **2 매체 언어의 갈래와 특성**

매체 언어는 의사소통의 목적에 따라 크게 정보 전달, 설득, 친교 및 정서 표현으로 나뉘고, 갈래마다 세분화된다. 매체와 갈래에 따라 자료의 구성 방식과 소통 특성이 달라진다. 예를 들어, 텔레비전이라는 한 매체 안에서도 뉴스, 예능, 드라마 등의 구성 방식이 다르고, 같은 뉴스 범주 안에서도 신문 뉴스인지 텔레비전 뉴스인지 또는 인터넷 뉴스인지에 따라 구성과 소통 방식이 다르다. ▶매체 언어의 갈래와 자료 구성 및 소통 방식

매체 언어의 특성을 가장 잘 보여 주는 것이 뉴 미디어이다. 뉴 미디어는 음성과 문자, 소리와 이미지, 동영상 등이 복합적으로 엮여 있고, 다양한 전자 매체로 소통되는 경우가 많아서 그에 쓰이는 언어도 전통적인 음성 언어나 문자 언어와 크게 대비되기

때문이다. 예를 들어, 음성 언어는 <u>한번 말하면 사라지지만</u> 매체 언어는 반
음성 언어의 한계
복해서 들을 수 있고, 문자 언어는 <u>억양이나 표정, 몸짓과 같은 준언어적,
비언어적인 표현을 활용하기 어렵지만</u> 매체 언어는 그것들을 자유롭게 사
문자 언어의 한계
용한다. 또한 매체 언어는 전파의 속도와 범위가 기술 발달과 함께 계속 늘
수 있다는 점에서 음성 언어, 문자 언어와 대비된다. ▶매체 언어의 특성

♫ 음성 언어, 문자 언어, 매체 언어의 비교

	음성 언어	문자 언어	매체 언어
정보 전달 수단	음성 + 비언어 · 준언어적 표현	문자	소리, 음성, 이미지, 문자, 동영상 등
시·공간 범위	제한됨.	제한되지 않음.	제한되지 않음.
의사소통의 상황 의존성	높음.	낮음.	유동적임.

라 **3 현대 사회의 소통 현상과 매체**

매체를 바탕으로 한 오늘날의 사회적 공간은 과거보다 이루 말할 수 없이 넓어졌다. 이런 변화에 따라 ㉠ 현대 사회의 소통은 다음과 같은 특징을 지닌다.

첫째는 속도이다. 조선 시대에는 지금의 서울인 한양에서 전라북도의 남원까지 가려면 하루에 백 리씩 쉬지 않고 걸어도 일주일이 걸렸다. 소설 『춘향전』에 남원에서 춘향이 한양의 몽룡에게 편지를 전하는 장면이 있는데, 실제 답장을 받으려면 빨라도 보름이 걸린다. 하지만 현대 사회에서는 전화나 전자 우편 등의 매체를 활용하여 지구 반대편에 있는 친구와도 거의 실시간으로 대화를 나눌 수 있다. 더불어 소통의 속도가 빨라지면 그만큼 발신자와 수신자 사이의 심리적 거리도 줄어든다.
▶현대 사회의 소통 측면의 매체 언어 특징 ① – 빠른 소통의 속도

둘째는 범위이다. 인간의 목소리만으로 일정 범위 이상에 있는 청중과 소통하기는 어렵다. 손으로 쓴 문서도 전달 범위에 한계가 있다. 하지만 책, 신문, 방송, 인터넷 등의 매체가 등장하면서 수만, 수억의 사람과 소통이 가능해졌다. 국내의 한 뮤직비디오는 세계적인 동영상 공유 누리집에서 30억이 넘는 조회 수를 기록했는데, 한 사람이 여러 번 본 것을 고려하더라도 엄청난 숫자이다. 이는 의사소통의 범위와 파급력이 과거와 비교할 수 없이 넓어지고 강해졌다는 뜻이 된다.
▶현대 사회의 소통 측면의 매체 언어 특징 ② – 넓은 범위와 강한 파급력

셋째는 개방성이다. 정보 통신 기술에 힘입은 뉴 미디어는 복합적이고 개방적인 소통 현상을 낳았다. 어떠한 정보든 댓글이나 퍼 나르기, 재가공 등을 통해 커다란 소통 생태계를 형성할 수 있고, 그로 인해 현대인은 대상에 관해 더 상세하고 다양하게 표현하고 전달할 수 있게 되었다. 그 결과 인터넷 등을 통한 지식의 공유, 집단 지성의 발휘 등이 가능해졌다. 하지만 <u>표절이라든지 가짜 뉴스, 개인 정보 침해 현상 등</u> 과거에 드
매체 언어 사용에 따른 부작용
물었던 부작용들도 나타났다. 이러한 현상은 앞에서 말한 속도, 범위와 결합하여 새로운 소통 문화를 만들어 가고 있다.
▶현대 사회의 소통 측면의 매체 언어 특징 ③ – 개방성

개념 ✛
• 오늘날 의사소통 매개체로 활용되는 다양한 매체들은 소리, 음성, 이미지, 문자, 동영상 등이 복합적으로 이뤄진 양식이다.
• 현대 사회 의사소통에서 복합 양식적 특징을 지닌 매체가 가장 많이 활용되고 있다.
• 매체 언어를 사용하는 사용자들은 매체 언어의 긍정적 측면과 부정적 측면을 분별하여 수용할 수 있어야 한다.

■ 매체 언어의 개념
• 매체를 활용하여 생각, 느낌 등을 표현하거나 전달하는 언어
• 음성, 문자, 소리, 이미지, 동영상 등의 결합체로, 매체 언어로 표현된 실제 텍스트가 매체 자료가 됨.

■ 매체 언어의 특징

> 매체 언어는 말과 글뿐 아니라 소리, 이미지, 영상 등으로 의미를 전달하므로 언어의 기호적·구조적 특성 중 어떤 특성이 약해지거나 강해지기도 하며 새로운 특성이 더해지기도 함.

↓

> • 시간적 규칙, 곧 요소의 순서에 의존하는 음성 언어와 달리 공간적 규칙이 강조되기도 함.
> • 대중 매체 같은 경우에는 대량성이 강조됨.
> • 매체 언어를 학습한다는 것은 곧 매체 문식성을 높여 가는 일임.

■ 의사소통의 목적과 기능에 따른 매체 언어의 갈래

정보 전달	뉴스, 다큐멘터리 등
설득	광고, 논평 등
친교	누리 소통망(SNS), 전자 우편, 영상 편지 등
정서 표현	영화, 웹툰, 뮤직비디오 등

• 매체와 매체 언어의 갈래에 따라 자료의 구성 방식과 소통 특성이 달라짐.

■ 현대 사회에 나타난 소통상의 특징

장점	• 속도: 소통의 속도가 빨라지면서 그만큼 발신자와 수신자 사이의 심리적 거리도 줄어들었음. • 범위: 의사소통의 범위와 파급력이 과거와 비교할 수 없이 넓어지고 강해짐. • 개방성: 개방적인 소통 생태계의 형성으로 인터넷 등을 통한 지식의 공유, 집단 지성의 발휘 등이 가능해짐.
단점	부작용으로 표절이라든지 가짜 뉴스, 개인 정보 침해 현상 등의 부작용들이 나타나고 있음.

01. 윗글에서 설명한 매체 언어를 이해한 것으로 적절하지 <u>않은</u> 것은?
① 매체를 활용하여 생각이나 느낌 등을 표현하거나 전달하는 언어이다.
② 음성 언어나 문자 언어와 공통적 특성을 보이기도 하지만 차이점도 있다.
③ 의미를 전달하는 데 말이나 글뿐만 아니라 소리, 이미지, 영상도 활용한다.
④ 매체 언어에서 이미지나 소리를 중점적으로 사용할 경우 언어의 분절성이 강해진다.
⑤ 매체 언어 중 설득을 목적으로 하는 갈래에 해당하는 것으로는 광고, 논평 등을 들 수 있다.

출제 예감
02. ㉠에 나타난 소통상의 특징으로 적절하지 <u>않은</u> 것은?
① 의사소통의 범위와 파급력이 과거에 비해 넓어지고 강해졌다.
② 인터넷 등을 통한 지식의 공유, 집단 지성의 발휘 등이 가능해졌다.
③ 소통의 속도가 빨라지면서 소통자끼리의 심리적 거리가 줄어들었다.
④ 표절이라든지 가짜 뉴스, 개인 정보 침해 등과 같은 부작용들이 나타났다.
⑤ 정보 통신 기술의 발전으로 복합적이지만 폐쇄적인 소통 현상이 만들어졌다.

03. 윗글을 바탕으로 음성 언어, 문자 언어, 매체 언어에 관해 나눈 대화이다. ⓐ~ⓔ 중 바르게 이해하지 <u>못한</u> 것은?

> 찬미: 일반적으로 음성 언어는 한번 입 밖으로 내뱉으면 그대로 사라지지. ⋯⋯⋯⋯⋯ⓐ
> 재범: 맞아. 반면에 매체 언어는 음성 언어와 달리 반복 재생이 가능한 언어야. ⋯⋯⋯⋯ⓑ
> 현호: 그리고 문자 언어는 어조나 몸짓, 표정을 나타내기 어렵지만, 매체 언어는 자유롭게 사용할 수 있어. ⋯⋯⋯⋯⋯⋯⋯⋯ⓒ
> 하연: 그래서 음성 언어는 의사소통의 상황 의존성이 낮고 문자 언어는 높은 거로구나. ⋯⋯⋯⋯ⓓ
> 사랑: 얘기를 종합해 보면 매체 언어는 전자 매체로 소통되는 언어라서 음성이나 문자 언어의 한계를 보완해 주는 언어라고 볼 수 있겠네. ⋯⋯ⓔ

① ⓐ   ② ⓑ   ③ ⓒ
④ ⓓ   ⑤ ⓔ

이해하기

▶음성 언어, 문자 언어, 매체 언어에 대한 이해를 확인하는 활동

1. 괄호를 채우며 음성 언어, 문자 언어, 매체 언어의 관계를 이해해 보자.

| 예시 답 |

① "인간은 언어를 사용하는 동물이다."라는 말이 있다. 이때의 '언어'란 (음성 언어)을/를 가리킨다. 모든 인간은 본능적으로 언어를 습득할 수 있다.

② 인류의 역사에서 언어가 없는 문화권은 없다. 하지만 (문자 언어)이/가 없는 문화권은 아직도 많다. 대부분의 (문자 언어)은/는 일정한 음성 언어를 표기하기 위한 것이다. 즉, 문자 언어는 그에 해당하는 음성 언어를 담고 있다는 뜻이다.

③ 매체의 발달과 함께 (매체 언어)도 발달하였다. 문자 언어에 (음성 언어)이/가 담겨 있듯이, (매체 언어)에는 음성 언어와 문자 언어가 담겨 있다. 곧 매체 언어는 음성, 문자를 중심으로 소리, 이미지, 동영상 등을 활용하여 의미를 표현하고 전달한다.

▶매체 언어의 하위 갈래를 이해하는 활동

2. 현대 사회에서 비중이 큰 매체를 중심으로 매체 언어의 하위 갈래를 생각하며 빈칸에 써 넣어 보자.

| 예시 답 | (생략)

✎ 빈칸을 모두 채우지 않아도 되고, 한 칸에 여러 자료를 써넣을 수도 있다.

매체 \ 목적과 기능	정보 전달	설득	친교	정서 표현
신문	보도 기사			
텔레비전, 라디오		텔레비전 광고, 라디오 광고		
사진				예술 사진
영화				
인터넷과 컴퓨터				
스마트폰			누리 소통망 (SNS)	

개념➕

• **정보 전달 목적**: 실제 사실이나 지식 등의 정보를 수용자에게 전달하기 위함.

• **설득 목적**: 어떠한 관점을 정하여 수용자를 설득시키기 위함.

• **친교 목적**: 생산자와 수용자와 관계를 새롭게 형성하거나, 기존의 관계를 친밀하게 변화시키기 위함.

• **정서 표현 목적**: 생산자와 수용자의 정서적인 교감을 이루기 위함.

적용하기

▶ 매체 언어의 갈래별 특성을 탐구하는 활동

3. 다음 매체 자료를 보고 그들의 특성을 알아보자.

(1) (가)~(라)가 의사소통을 위해 활용한 매체 언어들을 찾아보고, 그들 각각이 지닌 특성을 말해 보자.

ㅣ**예시 답** ㅣ (가), (나), (라)는 자막과 영상을 같이 결합하였고, (다)는 영상을 활용하고 있다. 또한 (가), (나), (라)는 메시지가 일방적으로 전달되지만, (다)는 양방향 소통이 이루어진다.

(2) (가)~(라)가 각각 어떤 목적을 지니고 있는지 파악하고, 그 목적을 위해 소통 과정에서 어떤 점에 유의하였을지 말해 보자.

ㅣ**예시 답** ㅣ 목적에 따라 (가)는 정보 전달, (나)는 설득, (다)는 친교, (라)는 정서 표현 매체로 갈래지을 수 있다. 따라서 (가)는 정보의 정확성과 객관성에, (나)는 주장의 타당성과 근거의 적절성에, (다)는 관계의 상호성에, (라)는 표현의 심미성과 공감 가능성에 유의하였을 것이다.

▶ 실제 사례를 통해 매체 언어가 현대 사회에서 가지는 중요성을 파악하는 활동   창의   모둠

4. 다음 사례를 토의하며, 이로부터 알 수 있는 매체 언어의 특성을 말해 보자.

> ○국의 독자가 △국의 온라인 서점에 접속하여 전자책을 2,000원에 구매했다. 책의 원문 파일은 ☆국의 서버에 저장되어 있다. 이러한 경우에 2,000원의 매출에 대한 세금은 어느 나라에 내야 할까?

- 세금을 낼 나라: ㅣ예시 답ㅣ (생략)
- 그렇게 생각한 까닭:

의사소통에서의 목적과 유의점
- 정보 전달: 정보의 정확성, 정보의 다양성, 정보의 객관성 등
- 설득: 주장의 타당성, 추론의 논리성, 근거의 적절성 등
- 친교: 적절한 관계 설정, 관계의 상호성 등
- 정서 표현: 표현의 심미성, 공감 가능성 등

○국의 독자가 △국에 가서 인쇄된 책을 실제 구매하는 경우와 비교하여 생각한다.

지학이가 알려 줄게
2018년 구글의 과세 의혹 등의 판례 등을 학생들이 조사하여 보고, 실제 종이책을 구매하였을 때와 온라인에서 데이터가 오고 갈 때의 차이점에 대해 서로 토론해 보자. 이를 통해 점차 저작권과 독창성이 모호해지고 있는 현실에서 어떤 방향이 올바를지 각각의 논리와 근거를 생각해 보도록 하자.

소단원 출제 포인트

1 매체 언어의 개념

① 매체 언어의 개념

- (㉠)을/를 활용하여 생각, 느낌 등을 표현하거나 전달하는 언어를 말함.
- 음성, 문자, 소리, 이미지, 동영상 등의 결합체로, 매체 언어로 표현된 실제 텍스트가 매체 자료가 됨.

② 매체 언어의 특징

매체 언어는 말과 글뿐 아니라 소리, 이미지, 영상 등으로 의미를 전달하므로 언어의 기호적·구조적 특성 중 어떤 특성이 약해지거나 강해지기도 하며 새로운 특성이 더해지기도 함.
예 이미지나 소리 중심인 매체 자료
→ 언어의 분절성이 약화되고 구체성이 드러남.

↓

- 시간적 규칙, 곧 요소의 (㉡)에 의존하는 음성 언어와 달리 공간적 규칙이 강조됨.
- 대중 매체 같은 경우에는 (㉢)이/가 강조됨.

↓

- 매체 언어를 학습한다는 것은 곧 매체 문식성을 높여 가는 일임.

- 매체 문식성: 매체에 익숙해져서 매체로 소통하고 매체를 활용하여 문제를 해결하며 매체 문화를 누리고 창조할 수 있는 능력

2 매체 언어의 갈래와 특성

① 매체 언어의 갈래

의사소통의 목적과 기능에 따른 갈래	정보 전달	뉴스, 다큐멘터리 등
	설득	광고, 논평 등
	(㉣)	누리 소통망(SNS), 전자 우편, 영상 편지 등
	정서 표현	영화, 웹툰, 뮤직비디오 등

- 매체와 매체 언어의 갈래에 따라 자료의 구성 방식과 소통 특성이 달라진다.
  예 텔레비전 – 뉴스, 예능, 드라마 등의 구성 방식이 다름.
  뉴스 – 신문 뉴스, 텔레비전 뉴스, 인터넷 뉴스인지에 따라 구성과 소통 방식이 다름.

② 매체 언어의 특성

- 음성 언어, 문자 언어, 매체 언어

	음성 언어	문자 언어	매체 언어
정보 전달 수단	음성+비언어·준언어적 표현	문자	소리, 음성, 이미지, 문자, 동영상 등
시·공간 범위	제한됨.	제한되지 않음.	제한되지 않음.
의사소통의 상황 (㉤)	높음.	낮음.	유동적임.

3 현대 사회의 소통 현상과 매체

사회 규모가 커지고 구성원이 다양해짐.	➡	개인 및 집단 간의 긴밀한 소통 요구에 따라 매체의 중요성도 높아짐.

- 현대 사회 소통상의 특징

기준	특징
속도	소통의 (㉥)이/가 빨라지면서 그만큼 발신자와 수신자 사이의 심리적 거리도 줄어듦. 예 전화나 전자 우편을 활용하여 지구 반대편에 있는 친구와 실시간으로 대화 가능
범위	의사소통의 범위와 (㉦)이/가 과거와 비교할 수 없이 넓어지고 강해짐. 예 책, 신문, 방송, 인터넷 등의 매체가 등장하면서 수만, 수억 명의 사람과 소통이 가능
(㉧)	• 정보 통신 기술에 힘입은 뉴 미디어는 복합적이고 개방적인 소통 현상을 낳음. • 개방적인 소통 생태계의 형성으로 인터넷 등을 통한 지식 공유, 집단 지성의 발휘 등이 가능해짐. • 표절이라든지 가짜 뉴스, 개인 정보 침해 현상 등의 부작용들이 나타남.

답 ㉠ 매체, ㉡ 순서, ㉢ 대량성, ㉣ 친교, ㉤ 의존성, ㉥ 속도, ㉦ 파급력, ㉧ 개방성

소단원 적중 문제

{ 2 } 매체 언어의 특성과 위상

정답과 해설 004쪽

[01-04] 다음 글을 읽고, 물음에 답하시오.

㉮ 현대 사회에서는 정보의 구성 방식과 소통 양상에 따라 다양한 의사소통이 이루어지고 있다. 그러한 현상의 중심에 매체가 있으며, 매체를 바탕으로 의사소통할 수 있도록 해 주는 매체 언어가 있다. 매체 언어는 음성 언어나 문자 언어와 공통의 특성을 보이는 한편, 그들과 다른 고유한 특성을 지닌다. 매체 언어의 특성을 이해함으로써 현대 사회의 소통 현상에 잘 참여할 수 있다.

㉯ 언어의 기호적·구조적 특성은 매체 언어에도 거의 적용된다. 다만, 매체 언어는 말과 글뿐 아니라 소리, 이미지, 영상 등도 활용하여 의미를 전달하기 때문에 어떤 특성이 강해지거나 약해지기도 하며 새로운 특성이 더해지기도 한다. 예를 들어, 소리나 이미지에 중점을 두면 분절성은 약해지는 대신 감각에 호소하는 경향이 강해진다. 신문 같은 매체는 언어의 선조성에 더해서 편집과 관련한 공간적 특성이 강조되고, 대중 매체 같은 경우에는 대량성이 강조된다. 이처럼 매체가 다양한 만큼 매체 언어도 다양한 특성을 보인다.

㉰ 매체 언어는 ㉠의사소통의 목적에 따라 크게 정보 전달, 설득, 친교 및 정서 표현으로 나뉘고, 갈래마다 세분화된다. 매체와 갈래에 따라 자료의 구성 방식과 소통 특성이 달라진다. 예를 들어, 텔레비전이라는 한 매체 안에서도 뉴스, 예능, 드라마 등의 구성 방식이 다르고, 같은 뉴스 범주 안에서도 신문 뉴스인지 텔레비전 뉴스인지 또는 인터넷 뉴스인지에 따라 구성과 소통 방식이 다르다.

㉱ 매체 언어의 특성을 가장 잘 보여 주는 것이 뉴 미디어이다. 뉴 미디어는 음성과 문자, 소리와 이미지, 동영상 등이 복합적으로 엮여 있고, 다양한 전자 매체로 소통되는 경우가 많아서 그에 쓰이는 언어도 전통적인 음성 언어나 문자 언어와 크게 대비되기 때문이다. 예를 들어, 음성 언어는 한번 말하면 사라지지만 매체 언어는 반복해서 들을 수 있고, 문자 언어는 억양이나 표정, 몸짓과 같은 준언어적, 비언어적인 표현을 활용하기 어렵지만 매체 언어는 그것들을 자유롭게 사용한다. 또한 매체 언어는 전파의 속도와 범위가 기술 발달과 함께 계속 늘 수 있다는 점에서 음성 언어, 문자 언어와 대비된다.

㉲ 정보 통신 기술에 힘입은 뉴 미디어는 복합적이고 개방적인 소통 현상을 낳았다. 어떠한 정보든 댓글이나 퍼 나르기, 재가공 등을 통해 커다란 소통 생태계를 형성할 수 있고, 그로 인해 현대인은 대상에 관해 더 상세하고 다양하게 표현

하고 전달할 수 있게 되었다. 그 결과 인터넷 등을 통한 지식의 공유, 집단 지성의 발휘 등이 가능해졌다. 하지만 표절이라든지 가짜 뉴스, 개인 정보 침해 현상 등 과거에 드물었던 부작용들도 나타났다.

<u>수능형</u>

01 윗글을 읽고 난 뒤의 반응으로 적절하지 <u>않은</u> 것은?

① 매체 언어 역시 하나의 의사소통 수단이로군.
② 매체 언어는 시공간 범위가 제한되지 않겠군.
③ 매체가 같으면 구성 방식과 소통 방식도 같겠군.
④ 뉴 미디어는 매체 언어의 특성을 가장 잘 보여 주는 것이로군.
⑤ 현대 사회에서 소통을 잘하려면 매체 언어의 특성을 잘 알아야겠군.

<u>학습 활동 적용</u>

02 〈보기〉의 매체 자료를 ㉠에 따라 분류할 때 바르게 연결한 것은?

⎯ 보기 ⎯

a. 다큐멘터리   b. 공익 광고

	a	b		a	b
①	설득	친교	②	설득	정서 표현
③	정보 전달	친교	④	정보 전달	설득
⑤	친교	정서 표현			

<u>학습 활동 적용</u>

03 윗글을 바탕으로 밑줄 친 부분이 뜻하는 말을 찾아 쓰시오.

> 매체의 발달과 함께 발달한 언어로, <u>이 언어</u>는 음성, 문자를 중심으로 소리, 이미지, 동영상 등을 활용하여 의미를 표현하고 전달한다.

<u>서술형</u>

04 윗글을 바탕으로 음성 언어나 문자 언어와 대비되는 뉴 미디어의 매체 언어의 특성을 세 가지 서술하시오.

[01~04] 다음 글을 읽고, 물음에 답하시오.

가 매체의 발전에서 인쇄술의 발명은 가장 중요한 전환점이었다. 그 전까지만 해도 개인 차원에 머물던 소통 범위를 비약적으로 넓혔기 때문이다. 책, 신문, 잡지 등 오늘날 우리가 인쇄 매체라고 부르는 것들이 모두 인쇄술의 발달로 대중화되었다.

나 (㉠) 인간의 소통에 기여한 것은 전기, 전자, 통신 기술이다. '똔(·), 쓰(–)' 하는 모스 신호로 정보를 전달하던 초기 형태부터 오늘날의 스마트폰에 이르기까지, 기술의 발전에 따라 다양한 소통 수단이 나타났다. 전화, 라디오, 텔레비전, 인터넷 등이 그러한 기술이 적용된 대표적 전자 매체이다.

다 사진, 녹음, 동영상, 영화 등도 매체에 속하는데, 각 정보의 유형에 따라 시각 매체, 청각 매체, 시청각 매체라고 불린다. 물론 이들 매체에도 전기, 전자 기술이 적용되며, 이를 바탕으로 다른 매체들과 자주 융합하는 모습은 보인다.

라 이러한 분류가 매체의 물리적인 속성에 바탕을 둔 것이라면 소통 양상으로 매체를 분류해 볼 수도 있다. (㉡), 책이나 텔레비전은 발신자에게서 수신자로 정보가 일방적으로 전달되지만, 전화나 이동 통신 기기는 수신자가 다시 발신자가 되는 양방향 소통이 이루어진다. 또한 전화처럼 개인 대 개인의 소통을 위해 사용되는 매체가 있는가 하면 텔레비전처럼 대중을 상대로 하는 매체도 있다.

마 (㉢) 매체는 그 범위가 넓고 형식도 다양하기 때문에 어떤 기준을 선택하느냐에 따라 여러 방식으로 분류할 수 있다. 언론 매체, 방송 매체, 광고 매체, 디지털 매체, 누리 소통망(SNS) 등의 용어는 모두 목적이나 기능, 방법 등 매체의 특정한 측면에 주목하여 분류한 것이다. 최근 들어서는 인터넷이나 이동 통신과 연결된 개방적이고 상호적인 복합 양식 매체를 전통적인 매체와 구별하여 ⓐ뉴 미디어로 정의하고 강조하는 추세이다.

바 매체를 분류하는 이유는 매체 유형에 따라 정보 구성과 소통의 특성이 다르기 때문이다. 예를 들어, 시각 매체로 전달되는 정보는 시간의 구애 없이 전체를 보며 해석할 수 있지만, 청각 매체의 정보는 시간의 흐름을 따라가며 정보가 제시되는 순서대로 해석해야 한다. 그림 감상과 노래 감상을 비교하면 쉽게 이해할 수 있다. 또한 문자, 그림, 동영상 등 다양한 양식의 매체 언어가 한 자료에서 통합되어 사용되는 복합 양식성도 중요한 특성이 된다. 이처럼 기술이 발달하면서 매체의 종류는 점점 많아지고 그 특성도 다양해지고 있다. 특히

현대 사회의 대표적 매체인 뉴 미디어는 신속성, 대량성, 양방향성, 복합 양식성, 연결성 등의 특성을 두루 지닌다.

01 윗글을 읽고 답할 수 있는 질문이 **아닌** 것은?
① 인쇄술의 발명이 매체에 미친 영향은 무엇일까?
② 매체를 다양한 기준으로 분류하는 이유는 무엇일까?
③ 목적과 기능에 따라 매체를 분류하면 어떻게 분류될까?
④ 시각 매체 정보와 청각 매체 정보 간의 공통점은 무엇일까?
⑤ 오늘날처럼 다양한 소통 수단을 등장시킨 기술에는 무엇이 있을까?

학습 활동 적용
02 윗글을 바탕으로 '텔레비전'과 같은 매체에 대해 이해한 내용으로 적절하지 **않은** 것은?
① 전기, 전자, 통신 기술이 적용된 전자 매체이다.
② 소통 양상으로 분류하면 양방향 매체에 해당한다.
③ 매체 자료의 유형으로 볼 때 시청각 매체라고 볼 수 있다.
④ 개인 간 소통을 위해 활용되는 것이 아니라 대중을 상대로 한다.
⑤ 발신자에게서 수신자로 정보가 일방적으로 전달되는 매체이다.

03 윗글의 흐름으로 볼 때 ㉠~㉢에 들어갈 말을 바르게 배열한 것은?

	㉠	㉡	㉢
①	그다음으로	예를 들어	이처럼
②	그다음으로	이처럼	예를 들어
③	예를 들어	그다음으로	이처럼
④	예를 들어	이처럼	그다음으로
⑤	이처럼	예를 들어	그다음으로

서술형
04 전통적인 매체와 구별되는 ⓐ가 지니는 정보 구성과 소통의 특성을 한 문장으로 서술하시오.

[05-08] 다음 글을 읽고, 물음에 답하시오.

가 언어의 기호적·구조적 특성은 매체 언어에도 거의 적용된다. 다만, 매체 언어는 말과 글뿐 아니라 소리, 이미지, 영상 등도 활용하여 의미를 전달하기 때문에 어떤 특성이 강해지거나 약해지기도 하며 새로운 특성이 더해지기도 한다.

나 매체 언어는 의사소통의 목적에 따라 크게 정보 전달, 설득, 친교 및 정서 표현으로 나뉘고, 갈래마다 세분화된다. 매체와 갈래에 따라 자료의 구성 방식과 소통 특성이 달라진다. 예를 들어, 텔레비전이라는 한 매체 안에서도 뉴스, 예능, 드라마 등의 구성 방식이 다르고, 같은 뉴스 범주 안에서도 신문 뉴스인지 텔레비전 뉴스인지 또는 인터넷 뉴스인지에 따라 구성과 소통 방식이 다르다.

다 매체 언어의 특성을 가장 잘 보여 주는 것이 뉴 미디어이다. 뉴 미디어는 음성과 문자, 소리와 이미지, 동영상 등이 복합적으로 엮여 있고, 다양한 전자 매체로 소통되는 경우가 많아서 그에 쓰이는 언어도 전통적인 음성 언어나 문자 언어와 크게 대비되기 때문이다. 예를 들어, 음성 언어는 한번 말하면 사라지지만 매체 언어는 반복해서 들을 수 있고, 문자 언어는 억양이나 표정, 몸짓과 같은 준언어적, 비언어적인 표현을 활용하기 어렵지만 매체 언어는 그것들을 자유롭게 사용한다.

라 첫째는 속도이다. 조선 시대에는 지금의 서울인 한양에서 전라북도의 남원까지 가려면 하루에 백 리씩 쉬지 않고 걸어도 일주일이 걸렸다. 소설 『춘향전』에 남원에서 춘향이 한양의 몽룡에게 편지를 전하는 장면이 있는데, 실제 답장을 받으려면 빨라도 보름이 걸린다. 하지만 현대 사회에서는 전화나 전자 우편 등의 매체를 활용하여 지구 반대편에 있는 친구와도 거의 실시간으로 대화를 나눌 수 있다. 더불어 소통의 속도가 빨라지면 그만큼 발신자와 수산지 사이의 (㉠).

둘째는 범위이다. 인간의 목소리만으로 일정 범위 이상에 있는 청중과 소통하기는 어렵다. 손으로 쓴 문서도 전달 범위에 한계가 있다. 하지만 책, 신문, 방송, 인터넷 등의 매체가 등장하면서 수만, 수억의 사람과 소통이 가능해졌다.

셋째는 개방성이다. 정보 통신 기술에 힘입은 뉴 미디어는 복합적이고 개방적인 소통 현상을 낳았다. 어떠한 정보든 댓글이나 퍼 나르기, 재가공 등을 통해 커다란 소통 생태계를 형성할 수 있고, 그로 인해 현대인은 대상에 관해 더 상세하고 다양하게 표현하고 전달할 수 있게 되었다.

05 윗글을 읽고 이끌어 낼 수 있는 반응으로 적절하지 **않은** 것은?
① 매체 언어도 언어의 일종이군.
② 대중 매체와 같은 경우에는 대량성이 강조되겠군.
③ 음성 언어나 문자 언어와 비교할 때 매체 언어는 쓰임이 자유롭군.
④ 매체 언어는 갈래마다 세분화되지만 소통 특성의 일관성은 유지하는군.
⑤ 매체 언어는 매체와 갈래에 따라 자료를 구성하는 방식이 달라질 수 있군.

학습 활동 적용
06 〈보기〉는 영상 통화 장면이다. 윗글을 바탕으로 〈보기〉를 이해한 내용으로 적절하지 **않은** 것은?

〈 보기 〉

① 발신자와 수신자가 상호 소통하고 있다.
② 억양이나 표정, 몸짓을 활용할 수 있다.
③ 시각 매체와 청각 매체가 융합된 매체이다.
④ 주로 개인과 개인 사이의 의사소통에 이용된다.
⑤ 뉴 미디어보다 전달 속도 면에서는 떨어지는 편이다.

07 현대 사회의 소통에 대한 특징으로 적절하지 **않은** 것은?
① 새로운 매체가 등장하면서 수신자의 범위가 넓어졌다.
② 먼 거리에 있는 수신자와도 거의 실시간으로 의사소통할 수 있다.
③ 정보 통신 기술에 힘입어 매체를 단일의 소통 생태계를 유지할 수 있다.
④ 누리 소통망(SNS)과 같은 새로운 매체는 복합적이고 개방적인 소통 현상을 보인다.
⑤ 전통적인 매체와 비교할 때 현대 사회의 매체는 소통의 속도를 매우 빠르게 하였다.

서술형
08 (라)의 맥락을 고려하여 ㉠에 들어갈 현대 사회의 소통 특성을 서술하시오.

[09~11] 다음 글을 읽고, 물음에 답하시오.

㉮ 매체 언어는 의사소통의 목적에 따라 크게 정보 전달, 설득, 친교 및 정서 표현으로 나뉘고, 갈래마다 세분화된다. 매체와 갈래에 따라 자료의 구성 방식과 소통 특성이 달라진다. 예를 들어, 텔레비전이라는 한 매체 안에서도 뉴스, 예능, 드라마 등의 구성 방식이 다르고, 같은 뉴스 범주 안에서도 신문 뉴스인지 텔레비전 뉴스인지 또는 인터넷 뉴스인지에 따라 구성과 소통 방식이 다르다.

㉯ 매체 언어의 특성을 가장 잘 보여 주는 것이 뉴 미디어이다. 뉴 미디어는 음성과 문자, 소리와 이미지, 동영상 등이 복합적으로 엮여 있고, 다양한 전자 매체로 소통되는 경우가 많아서 그에 쓰이는 언어도 전통적인 음성 언어나 문자 언어와 크게 대비되기 때문이다. 예를 들어, 음성 언어는 한번 말하면 사라지지만 매체 언어는 반복해서 들을 수 있고, 문자 언어는 억양이나 표정, 몸짓과 같은 준언어적, 비언어적인 표현을 활용하기 어렵지만 매체 언어는 그것들을 자유롭게 사용한다. 또한 매체 언어는 전파의 속도와 범위가 기술 발달과 함께 계속 늘 수 있다는 점에서 음성 언어, 문자 언어와 대비된다.

㉰ 매체를 바탕으로 한 오늘날의 사회적 공간은 과거보다 이루 말할 수 없이 넓어졌다. 이런 변화에 따라 현대 사회의 소통은 다음과 같은 특징을 지닌다.

첫째는 속도이다. 조선 시대에는 지금의 서울인 한양에서 전라북도의 남원까지 가려면 하루에 백 리씩 쉬지 않고 걸어도 일주일이 걸렸다. 소설 『춘향전』에 남원에서 춘향이 한양의 몽룡에게 편지를 전하는 장면이 있는데, 실제 답장을 받으려면 빨라도 보름이 걸린다. 하지만 현대 사회에서는 전화나 전자 우편 등의 매체를 활용하여 지구 반대편에 있는 친구와도 거의 실시간으로 대화를 나눌 수 있다. [중략]

둘째는 범위이다. 인간의 목소리만으로 일정 범위 이상에 있는 청중과 소통하기는 어렵다. 손으로 쓴 문서도 전달 범위에 한계가 있다. 하지만 책, 신문, 방송, 인터넷 등의 매체가 등장하면서 수만, 수억의 사람과 소통이 가능해졌다. 국내의 한 뮤직비디오는 세계적인 동영상 공유 누리집에서 30억이 넘는 조회 수를 기록했는데, 한 사람이 여러 번 본 것을 고려하더라도 엄청난 숫자이다. 이는 의사소통의 범위와 파급력이 과거와 비교할 수 없이 넓어지고 강해졌다는 뜻이 된다.

셋째는 개방성이다. 정보 통신 기술에 힘입은 뉴 미디어는 복합적이고 개방적인 소통 현상을 낳았다. 어떠한 정보든 댓글이나 퍼 나르기, 재가공 등을 통해 커다란 소통 생태계를 형성할 수 있고, 그로 인해 현대인은 대상에 관해 더 상세하고 다양하게 표현하고 전달할 수 있게 되었다. 그 결과 인터넷 등을 통한 지식의 공유, 집단 지성의 발휘 등이 가능해졌다. 하지만 표절이라든지 가짜 뉴스, 개인 정보 침해 현상 등 과거에 드물었던 부작용들도 나타났다.

09 윗글의 내용과 일치하지 <u>않는</u> 것은?

① 매체 언어는 다양한 전자 매체로 소통되는 경우가 많다.
② 매체 언어에는 음성 언어와 문자 언어가 담겨 있지 않다.
③ 의사소통의 목적과 기능에 따라 매체 언어의 소통 방식이 달라진다.
④ 매체의 영향으로 현대 사회의 사회적 공간은 과거에 비해 많이 넓어졌다.
⑤ 텔레비전 매체 안에서도 다큐멘터리냐 광고냐에 따라 자료의 구성 방식이 다르다.

10 (나)의 내용을 바탕으로 정리한 표 내용 중 적절한 것은?

	음성 언어	문자 언어	매체 언어
정보 전달 수단	음성 + 비언어 · 준언어적 표현	문자	소리, 음성, 이미지, 문자, 동영상 등
시·공간 범위	① 제한되지 않음.	② 제한됨.	③ 제한됨.
의사소통의 상황 의존성	④ 높음.	⑤ 높음.	유동적임.

<u>수능형</u>
11 윗글을 읽고 이끌어 낸 반응으로 적절하지 <u>않은</u> 것은?

① 매체 기술이 발달하면서 매체 언어 역시 발달하여 왔군.
② 매체 언어는 전통적인 음성 언어, 문자 언어와 여러 면에서 대비되는 언어로군.
③ 다양한 매체의 등장으로 전 세계 사람들은 뉴스나 노래, 영화 등을 공유할 수 있게 되었군.
④ 매체를 활용해 멀리 있는 사람과 실시간으로 대화를 나눈다면 그만큼 심리적 거리가 늘어나겠군.
⑤ 매체가 발전하면서 나타나는 부작용들은 현대 사회의 문제점으로 등장하며 새로운 소통 문화를 형성하게 되겠군.

3. 언어와 매체로 읽는 삶

한 권 읽기

🔊 **핵심 질문** 언어문화와 매체 문화의 발전은 독서에 어떤 도움을 줄까?

≫ 다음은 다양한 매체에서 책을 소개하는 모습들이다. 자신이 일상생활에서 책을 읽었던 경험을 바탕으로, 책을 선정하고 읽을 때의 방법과 태도를 말해 보자.

|예시 답| 나는 신문에서 일주일에 한 번씩 소개되는 책 소개 기사를 보고 책을 선택해서 읽는다. 책을 소개하는 기사를 읽다가 관심이 가는 책을 골라서 읽으면서, 기사에서 언급한 내용을 확인하고 기자가 평가하는 수준에까지 내 생각이 이를 수 있는지 생각해 보면서 읽는다.

책은 가장 오랫동안 널리 쓰여 온 매체로서, 인류 문화의 정수를 언어화하여 기록하고 보존하며 전달하는 역할을 한다. 우리는 독서를 통해 지식을 넓히고 정서를 순화하며 사고와 사회생활의 질을 높일 수 있다. 그 과정에서 언어와 매체에 관한 이해가 필요함은 물론이다.

이 단원에서는 매체의 도움을 받아 책을 선정하여 깊이 있게 읽으며, 읽은 결과를 공유하는 활동을 한다. 이를 통해 언어와 매체, 독서의 통합적인 국어 능력을 기를 수 있다.

맛보기

한 권 읽기 단원은 언어문화와 매체 문화에 대한 이해를 바탕으로 하여 실제로 한 권의 책을 읽고, 책을 읽은 체험을 다양한 매체를 통해 공유하도록 설정하였다. 일상생활에서 독서를 하게 되는 계기가 매우 다양하며, 독서 주제를 선정한 후에는 다양한 매체를 통해 그 주제를 조사한 후 책을 선정하는 과정을 보여줄 수 있도록 구성하였다. 하나의 사례를 통해 이러한 과정을 경험한 후, 자신이 비슷한 방식으로 독서 주제와 그에 따른 책을 선정하고 읽으면서 독서 일지를 작성하고 이를 바탕으로 매체를 활용하여 책을 소개하는 활동하도록 한다.

{ 생각 열기 }

주제 탐구	평소 흥미와 관심이 있는 것에 관해 먼저 적어 보고, 그중에서 자신이 감당할 수 있는 주제인지, 탐구할 만한 가치가 있는 따져 본다. 그리고 탐구 주제의 선정 범위를 좁혀 나감.
선정 주제와 소주제 정리	선정한 주제에 관해 아는 것과 알고 싶은 것을 연상하여 적어 보고, 자신이 가장 조사하고 싶은 내용(소주제)를 정한다. 소주제는 목차의 역할을 할 수 있음.
자료 수집	선정한 주제에 대한 자료를 다양한 매체 자료에서 찾음.

{ 책 선정하고 읽기 }

책 선정	• 도서관이나 인터넷을 활용하여 도서를 선정할 수 있음. • 선정 후 자신이 찾고자 한 내용이 해당 책에 있는지 훑어본 후 생각했던 내용이 아니거나 읽기가 너무 어렵다면 다른 도서를 찾아보는 것이 좋음.
책 읽기	읽기 전 정하였던 자신의 탐구 주제와 관심사가 충족되는지 판단하며 독서

{ 책 읽으며 표현하기 }

• 독서 일지 기록: 탐구 주제와 관련된 책을 읽은 후 독서 일지를 작성함. 읽은 일시와 일지 기록 일시, 책 제목, 지은이, 읽은 쪽, 중심 내용, 인상에 남는 부분과 그 까닭, 궁금한 점, 새로 알게 된 점 등을 기록함.

중심 내용	책을 읽는 중 중심 내용이라 생각한 부분에 큰따옴표(" ") 또는 포스트잇 등으로 표시
인상 깊은 부분	책을 읽는 중 인상에 남는 부분과 그 까닭은 중심 내용과 다른 표식으로 느낌표(!) 또는 포스트잇 등으로 표시
궁금한 점	책을 읽는 중 궁금한 점은 물음표(?) 또는 포스트잇 등으로 표시

{ 생각 나누기 }

• 독서 일지 등을 블로그나 학급 게시판 등에 공유하여, 자신이 읽은 책을 소개하며 다른 사람과 의견을 나눔.

책 소개 계획	이용할 매체, 소개할 내용, 소개하는 방법과 소개할 때의 유의점 등을 간략하게 계획
공유하기	• 읽은 책을 매체에 공유할 때는 책의 내용을 중심으로 내용을 구성하되, 각 매체의 특성도 고려함. • 소개할 내용의 성격에 맞는 매체를 선택하는 부분에 유의함.

---

1. 다음 빈칸에 알맞은 말을 쓰시오.

(1) 탐구 주제를 정할 때는 자신이 감당할 수 있는 (   )(인)지, 탐구할 만한 (   )이/가 있는지 따져, 주제의 선정 범위를 좁힌다.

(2) 도서관이나 인터넷 검색을 통해 선정한 주제와 관련된 (   )을/를 수집한다.

2. 다음 진술 중 맞는 것에는 ○표, 틀린 것에는 ×표를 하시오.

(1) 주제와 관련된 도서를 선정할 때는 읽기 어렵더라도 전문적인 책을 선정하는 것이 좋다. (   )

(2) 선정된 책에서 찾고자 한 탐구 주제와 자신의 관심사를 담고 있는지 미리 확인해 봐야 한다. (   )

(3) 독서 일지를 기록할 때는 선정한 책을 통해 얻지 못한 내용을 위주로 기록한다. (   )

(4) 읽은 책을 매체에 공유할 때는 책의 내용을 중심으로 내용을 구성하되, 특정 매체를 일관되게 선택하여 활용하는 것이 좋다. (   )

답 1. (1) 주제, 가치, (2) 자료
2. (1) ×, (2) ○, (3) ×, (4) ×

생각 열기

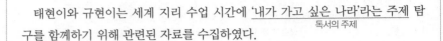

》 언어와 매체의 특성을 이해하고 독서 계획 세우기

▶ 주제를 탐구하면서 다양한 매체 자료를 수집하고 계획을 짜는 활동

1. 다음을 읽고, 언어와 매체 언어의 가치를 바탕으로 독서 활동을 계획해 보자.

> 태현이와 규현이는 세계 지리 수업 시간에 '내가 가고 싶은 나라'라는 주제 탐 _{독서의 주제} 구를 함께하기 위해 관련된 자료를 수집하였다.
>
> 태현: 규현아, 우리가 주제 탐구를 할 나라가 뉴질랜드잖아. 너는 어떤 자료를 찾 아봤어?
>
> 규현: 나는 뉴질랜드에 관한 영상 자료를 찾아봤어. 세계 여러 나라를 직접 돌아 다니며 소개하는 방송 프로그램에 뉴질랜드 편이 있었어.
>
> 태현: 어떤 영상인지 같이 볼까?

> 규현: 어때? 실제 뉴질랜드 영상을 보니 생동감이 전해지지 않아?
> _{영상 자료의 장점}
>
> 태현: 은은하게 들리는 배경 음악도 한몫을 한 것 같아. 또 각 장면에 대해 해설을 해 _{영상 자료에는 영상만이 아니라 다양한 매체가 쓰임. 소리(음악, 음성)와 글자(자막) 등이 화면과} 주는 내레이션하고 자막 덕분에 쉽게 이해되는 것 같아. 아 참, 나는 인터넷 누 _{동시에 쓰인다는 특징이 있음.} 리집을 통해 자료를 찾아봤어.

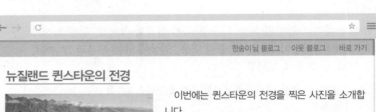

뉴질랜드 퀸스타운의 전경

이번에는 퀸스타운의 전경을 찍은 사진을 소개합 니다.

퀸스타운은 작은 마을이지만 뉴질랜드를 찾는 관 광객들이 많이 들르는 곳입니다. 특히 퀸스타운의 뒷산 중턱에는 곤돌라와 전망대가 있어 퀸스타운을 한눈에 볼 수 있었습니다.

댓글 12개 | 엮인 글 | 글쓰기

 예전에 여기 갔을 때 행글라이더를 탔던 기억이 납니다. 우리나라 광고 중에도 퀸 스타운에서 행글라이더 타는 장면이 있더군요.

 행글라이더를 타셨군요. 그 광고 저도 봤어요.

🎨 탐구 주제를 정할 때 평소 흥미와 관심이 있는 것에 관해 먼저 적어 보고, 그중에서 자신이 감당할 수 있는지, 탐구할 만한 가치가 있는지 따져 보면서 선정의 범위를 좁혀 나간다.

· 영상 자료는 생동감과 현장감 등이 두드러지는 자료이다. 일반적으로 동 영상과 함께 음성 설명과 감상이 제 시된다.

· 인터넷 자료는 소리, 문자, 사진, 동영 상 등이 복합적으로 제시될 수 있다. 다만 인터넷 자료의 특성상 신뢰할 수 있는 정보인지 아닌지를 판단하는 자세가 필요하다.

블로그 글에 댓글을 달 수 있고, 그 댓글에 또 댓글을 달 수 있다는 특징이 드러 남. 인터넷 매체는 다른 매 체와 달리 양방향 의사소통 이 거의 실시간으로 이루어 질 수 있다는 특징을 보임.

규현: 영상 자료와 같은 장소인데 블로그에서 보니 또 색다르네. 댓글을 통해 다른 사람들이 어떻게 생각하는지도 알 수 있고.

태현: 인터넷을 이용할 때의 장점이구나. 그런데 우리가 찾은 영상 자료와 인터넷 <u>댓글을 통해 양방향 의사소통이 가능하다는 점.</u> 자료보다 지리나 문화에 대해 더 전문적인 정보를 알고 싶은데, 너는 어때?

규현: 나도 이렇게 찾다 보니, 뉴질랜드의 지리나 문화를 다룬 책을 찾고 싶더라. 영상 자료와 인터넷 자료보다 더 전문적인 정보를 가지고 있는 매체로서의 책

태현: 그럼 우리 이따가 도서관에 가서 책을 찾아보자.

> 대중적인 매체인 영상 자료나 인터넷 매체의 정보들이 지닌 단점 중 하나로 전문성이 부족하다는 점을 들 수 있음. 전문적인 내용을 담고 있는 다큐멘터리나 누리집, 블로그도 있으나 대체로 전문성이나 학문적 깊이는 부족한 편임.

(1) 태현이와 규현이가 사전에 조사한 각 매체 자료의 특성을 적어 보자.

영상 자료

| 예시 답 | 영상뿐만 아니라 소리(음성, 음악), 문자 등이 함께 쓰여 시청자의 이해를 도움. 영상이 핵심적인 매체이기 때문에 생동감이 넘치지만 의사소통 방식이 제작자에서 시청자로의 일방향적임.

인터넷 자료

| 예시 답 | 정지 영상(사진)과 문자 등이 함께 쓰여 시청자의 이해를 도움. 배경 음악 등을 통해 소리도 함께 쓸 수 있음. 댓글 등을 통해 쌍방향적인 의사소통이 가능하나 전문성이 부족한 편임.

(2) 주제 탐구를 위해 책을 찾아보기로 한 까닭을 적어 보고, 책을 선정할 때 어떤 점을 주로 살펴볼지 말해 보자.

- 책을 찾기로 한 까닭: | 예시 답 | 영상 자료와 인터넷 자료보다 더 전문적인 정보를 알고 싶기 때문이다.
- 선정에서 고려할 점: | 예시 답 | 탐구할 주제에 어울리고, 영상 자료나 인터넷 자료보다 전문적이고 학문적인 정보를 담고 있는가의 여부를 고려해야 한다.

> ✎ 도서관이나 인터넷 검색을 통해 해당 주제와 관련된 책이 있는지 알아본다. 읽고 싶은 책이 있을 때는 반대로 책을 먼저 선정하고 그 책에서 주제를 잡아가는 방식으로 할 수도 있다.

스스로 하기

(3) 자신이 탐구할 주제를 정하고, 그 주제에 관해 아는 것과 알고 싶은 것을 연상하여 적어 보자.
| 예시 답 | 인공 지능에 대한 탐구

> ✎ 각 소주제는 목차의 역할을 할 수 있다.

(4) 주제와 관련해서 자신이 가장 조사하고 싶은 내용(소주제)을 3가지 이상 정해 보자.
| 예시 답 |

↳ 인공 지능의 현재
_____

↳ 인공 지능의 미래
_____

↳ 인공 지능이 인간의 삶에 미치는 영향
_____

책 선정
하고 읽기

≫ 매체 환경과 독서 문화를 고려하여 책을 선정하기

▶ 탐구 주제에 대해 다양한 매체에서 자료를 찾고 책을 선정하고 책 읽기

2. 다음은 태현이와 규현이가 선정한 책의 일부분이다. 이를 읽고 활동을 통해 자신이 읽을 책을 선정하고 읽어 보자.

(1) 태현이와 규현이가 책에서 찾고자 한 내용이 아래의 책에 있는지 확인해 보자.

| 예시 답 |

찾고자 한 내용	있다	없다
뉴질랜드의 지리에 대한 내용		√
뉴질랜드의 문화에 대한 내용	√	

(2) (1)에서 '있다'에 표시한 내용이 무엇인지 간략하게 써 보자.

| 예시 답 | 뉴질랜드는 원주민으로 볼 수 있는 마오리족과 이주민인 유럽인들이 조약을 맺고 사이좋게 잘 살고 있다. 그래서 뉴질랜드에는 마오리족의 춤, 건물, 마오리어 등 마오리족의 문화가 많이 보존되어 있다. 이를 위해 정부 차원에서 각종 지원과 제도를 갖추고 있다.

✎ 주제와 관련된 도서를 선정할 때는 도서관이나 인터넷을 활용할 수 있다. 인터넷 검색을 통해 찾은 책을 살펴보았는데 생각했던 내용이 아니거나 읽기가 너무 어렵다면 책을 바꾸는 것이 좋다.

'원주민'의 사전적 의미는 '그 지역에 본디부터 살고 있는 사람들'이라는 뜻인데, 마오리족도 남태평양 섬에서 이주한 사람들이므로 엄격하게는 원주민이라 할 수 없다는 말임.

마오리족이 유럽인들보다 먼저 살고 있었다는 의미에서 '선주민(先住民)'이라고 한 것임. 그리고 무인도 상태였던 곳에 마오리족이 이주한 것이므로 원주민으로 볼 수도 있다는 뜻임.

원주민 마오리족과 사이좋게 지내는 이주민

마오리족도 약 1,000년 전에 남태평양 섬들에서 뉴질랜드로 이주했으므로 <u>엄격히 따져서는 원주민이라 할 수 없다.</u> 마오리족이 뉴질랜드로 이주하기 전에 그곳에 살았던 종족을 연구한 결과는 거의 없으며, 무인도 상태였을 것으로 추측하고 있다. 그래서 약 200년 전부터 유럽인이 뉴질랜드로 이주했을 때 마오리족은 분명히 <u>뉴질랜드의 선주민 혹은 원주민이었다.</u> 그러나 뉴질랜드로 이주한 유럽인은 마오리족 추장들과 <u>조약을 맺고 같이 사이좋게 살 것을 약속했으며, 지금까지 그렇게 하고 있다.</u>
1840년에 체결된 와이탕이(Waitangi) 조약

마오리족은 춤과 노래를 잘하고 나무, 돌, 뼈를 조각하는 솜씨가 뛰어나다. 그들의 하카(Haka) 춤은 전사들이 출전 전에 추는 춤으로 허벅지를 치고, 발을 쾅쾅 구르면서 큰소리를 지르고, 혓바닥을 길게 내려놓는 등 상대방에게 긴장감을 느끼게 하는 춤이다. 여자들이 추는 포이(Poi) 춤은 방울을 돌리며 낭랑한 목소리로 노래를 부르며 추는 경쾌한 춤이다. 또 마오리족은 모코(Moko)라는 문신을 좋아한다. 남자는 얼굴 전체에, 여자는 입 주위에 한다.

마오리족의 상징 건물은 회의장 건물로 주요 의사 결정과 행사를 여기에서 한다.
화레누아(Wharenua) 또는 마라에(Marae)라고 불림.
삼각형의 맞배지붕에 붉은색 칠을 한 집안으로 들어서면 벽과 홀 중앙에 많은 기둥이 있고, 천장에는 이들 기둥과 연결되는 들보가 있다. 이 모든 기둥과 들보에 사람들이 조각되어 있는데 하나하나가 의미를 갖고 있는 마오리족의 조상이라 한다.

• **맞배지붕**: 건물의 모서리에 추녀가 없이 용마루까지 측면 벽이 삼각형으로 된 지붕.
• **들보**: 칸과 칸 사이의 두 기둥을 건너질러 도리와는 'ㄴ' 자 모양, 마룻대와는 'ㅓ' 자 모양을 이루는 나무.

(3) (1)을 바탕으로 태현이와 규현이가 이 책을 통해서 얻지 못한 내용을 보완하려면 어떻게 하는 것이 좋을지 말해 보자.

여러 매체 자료에서 자신들의 관심사가 충족되었는지 판단해 보고, 어떤 내용의 책을 통해 부족한 점을 채울 것인지 탐색하여 책을 선정한다.

↳ | 예시 답 | '뉴질랜드의 지리'에 대한 정보를 얻지 못했으므로, 이 책의 다른 부분에 지리에 대한 이야기가

있는지 찾아보거나 뉴질랜드 지리를 다룬 다른 책이나 논문, 영상 자료 등을 추가로 찾아 내용을 보완한다.

스스로 하기

(4) 자신이 정한 주제와 관련되는 책을 찾아서 읽을 책을 선정해 보자.

| 예시 답 |

선정한 책	• 제목: 로봇 시대, 인간의 일 • 출판사: 어크로스 • 지은이:
선정한 까닭	책을 소개하는 신문 기사에서 처음 접했는데, 내가 궁금해 하던 인공 지능의 현재와 미래에 대해 여러 가지 사례를 통해 비교적 쉽게 설명해 놓은 책이기 때문에 선정했다.

▲ 마오리 회의장 건물과 그 내부 구조
붉은 색상을 많이 사용하며, 실내 기둥과 벽에 조각이 많다.

뉴질랜드 정부는 마오리족과 공존을 위해 많은 노력을 하고 있다. 마오리족 학생들에게 많은 장학금의 혜택을 주어 공부를 지원하고, 마오리어를 살리기 위해 공식 행사에서 연설을 할 때면 대부분 몇 마디 마오리어로 먼저 이야기하고 난 다음에 영어로 연설을 이어 간다. 안내하는 말을 할 때도 '안녕하십니까?'라는 뜻인 마오리어 'kia ora'라는 말을 하고, 그다음에 안내를 이어 간다. 방송에서도 일정 시간 마오리어 방송이 의무화되어 있다. 마오리족의 문화를 살리기 위해서 박물관마다 마오리족의 문화 자료를 모아 놓은 방을 넓게 만들어 예술품을 전시하며, 축제 때마다 마오리족 춤과 노래를 공연하게 하였다. 뉴질랜드 지명의 대부분이 마오리어로 되어 있어 마오리어만 알면 그 지명이 뜻하는 것을 알 수 있다.

– 조화룡, 『뉴질랜드 지리 이야기』에서

책 읽으며 표현하기

≫ 책을 골라 읽고, 독서 일지 기록하기

▶ 탐구 주제에 대한 책을 읽고 독서 일지를 작성하는 활동

3. 다음은 태현이와 규현이가 읽었던 책을 인터넷 게시판에 작성한 독서 일지이다. 이를 참조하여 자신이 읽은 책에 관해 인터넷 학급 게시판에 독서 일지를 작성해 보자.

독서 일지			책 읽기: 35분	독서 일지 쓰기: 15분

책 제목	뉴질랜드 지리 이야기		읽은 날짜	3. 25.
지은이	조화룡		읽은 쪽	25 ~ 46

중심 내용

* 책을 읽으며 책에 큰따옴표(" ")로 표시해 둔다.

"뉴질랜드로 이주한 유럽인은 마오리족 추장들과 조약을 맺고 같이 사이좋게 살 것을 약속했다."

"뉴질랜드 정부는 마오리족과의 공존·공영을 위해 많은 노력을 하고 있다. "

"마오리족은 춤과 노래를 잘하고, 마오리족의 상징 건물인 회의장 건물에서 주요 의사 결정과 행사를 한다."

인상에 남는 부분과 그 까닭

* 책을 읽으며 책에 느낌표(!)로 표시해 둔다.

! 마오리어를 살리기 위해 공식 행사에서 연설을 할 때 대부분 몇 마디 마오리어로 먼저 이야기하고 난 다음에 영어로 이야기한다. 안내 말을 할 때도 '안녕하십니까?'라는 뜻인 마오리어 'kia ora'라는 말을 하고, 그다음에 안내 말을 이어 간다. 방송 시간에서도 일정 시간 마오리어 방송이 의무화되어 있다.

⋯→ 원주민의 문화를 보존하고 전수하고자 하는 노력이 인상 깊어!

궁금한 점

* 책을 읽으며 책에 물음표(?)로 표시해 둔다.

? 뉴질랜드 지명이 대부분이 마오리어로 되어 있어 마오리어만 알면 그 지명이 뜻하는 것을 알 수 있다.

⋯→ 책에 나오는 뉴질랜드의 지명이 마오리어로 무슨 뜻일까?

새로 알게 된 점 / 새로 품게 된 생각

자연환경이 좋은 나라라고만 생각하고 있었는데, 그 자연을 지키기 위해 무척 노력을 많이 하는 나라라는 점을 알게 되었다.

도로를 하나 건설할 때도 그로 인해 훼손될 식물이나 동물의 환경을 조사하고 그 피해를 최소화하는 방안을 마련하느라 시간이 오래 걸린다는 내용에서 우리나라도 이 점을 배워야겠다는 생각이 들었다.

댓글 12개 | 엮인 글 | 글쓰기   ▽

선생님   낯선 나라의 문화와 지리에 관한 내용이 쉽지만은 않았을 텐데 차분하고 꼼꼼하게 잘 읽었네요. 간략한 역사와 문화, 언어, 지리 등에 대해 깊이 있게 읽음으로써 세계 문화의 한 부분을 이해하는 데 도움이 되겠네요.

| 예시 답 |

독서 일지	책 제목	로봇시대, 인간의 일	읽은 날짜	4월 7일
	지은이	구본권	읽은 쪽	1~47쪽

중심 내용

"앞으로 운전자는 혼잡한 교차로에서 핸들을 붙잡고 사방을 주시하면서 신경을 곤두세워야 하는 피곤한 운전에서 자유로워질 것이다. 자율 주행 기능 덕분에 운전의 즐거움만 선택해서 누릴 수 있을 것이다. 하지만 스스로 운전하는 똑똑한 차를 부린다고 해서 윤리적 판단마저 위임할 수 있는 것은 아니다. 여전히 기계에 맡기지 못하고 사람이 처리해야 하는 과업들이 기다리고 있다."

**인상에 남는
부분과
그 까닭**

! 스스로 운전하는 똑똑한 차를 부린다고 해서 윤리적 판단마저 위임할 수 있는 것은 아니다. 여전히 기계에 맡기지 못하고 사람이 처리해야 하는 과업들이 기다리고 있다.
··· 인공 지능에 의해 자율 주행을 하는 자동차가 보급되면 매우 편할 것이라고만 생각하고, 윤리적 판단의 문제가 남아 있다는 생각을 미처 하지 못했었기 때문이다. 아직 많은 과제가 남아 있다는 생각이 들었다.

궁금한 점

? 유사한 '터널 문제' 사고 실험도 있다. 자율 주행 모드로 운행 중인 당신의 차가 좁은 1차선 터널에 진입하려는 순간 근처에 있던 어린아이가 발을 엇디뎌서 도로 위로 넘어진다. 차가 아이를 피할 시간은 없다. 아이를 치고 터널로 진입하든가, 아니면 터널 입구 암벽에 차를 부딪쳐서 아이를 구하는 대신 자신은 죽거나 다쳐야 한다.
··· 왜 선택지를 두 개만 놓고 고르라고 할까? 당연히 차는 터널 입구 암벽에 차를 부딪쳐야 한다. 이런 상황을 고려하여 차에 안전장치를 보완하여, 암벽에 부딪쳐도 운전자가 살 수 있도록 하는 방안은 고려 대상이 될 수 없을까?

**새로 알게 된
점 / 새로
품게 된 생각**

난 자율 주행 자동차가 인간의 편리함을 위해 개발되는 것이고, 개발이 되면 무척 편리할 것이라고만 생각했다. 그러나 자동차를 개발하는 과정에 고려해야 할 윤리적인 문제가 매우 많다는 것에 놀랐다. 자율 주행 자동차의 개발 동기가 사람의 실수에서 비롯하는 사고를 줄이겠다는 점도 새롭게 알게 되었다.
어떤 식으로는 사람의 생명이 가장 소중하다는 점을 중심에 놓고 자율 주행 자동차가 개발되도록 눈여겨 볼 필요가 있다는 생각을 하게 되었다.

생각 나누기

» 책 읽기를 공유하며 언어와 매체 문화 발전에 참여하기

▶책을 읽은 후 작성한 독서 일지를 매체를 활용하여 공유하는 활동

4. 다음은 태현이와 규현이가 읽은 책을 소개하기 위한 계획과 책을 소개한 부분이다. 아래 활동으로 자신이 읽은 책을 소개해 보고, 다른 사람과 의견을 나눠 보자.

(1) 다양한 매체에 책을 소개하는 계획을 세워 보고, 매체에 책을 소개할 때 유의할 점을 말해 보자.

이용할 매체	블로그
소개할 내용	• 『뉴질랜드 지리 이야기』라는 책의 개략적인 정보 • 지리 또는 문화에서 인상 깊었던 내용과 추천하고 싶은 내용 • 책에 대한 나의 짧은 비평
소개하는 방법	책 표지와 참고 사진 등 이미지, 책과 소개하는 글에 어울리는 배경 음악 등으로 구성한다.
유의할 점	블로그의 특성에 맞게 문장이 길지 않고, 내용이 너무 많지 않게 정리한다.

스스로 하기 | 예시 답 |

이용할 매체	인터넷 블로그
소개할 내용	인공 지능과 자동화, 로봇의 시대를 어떻게 준비하며 맞이해야 하는지에 대한 내용
소개하는 방법	중요하다고 생각하는 부분은 책의 일부분을 사진으로 올리고, 책에 소개된 여러 가지 사례에 해당하는 사진을 함께 올리거나 해당 내용이 있는 인터넷이나 영상을 삽입하거나 연결한다.
유의할 점	핵심적인 내용을 간결하게 정리하여 올리되, 이해를 돕기 위해 첨가하는 자료가 다른 사람의 저작권을 침해하지 않도록 유의한다.

♬읽은 책을 매체에 공유할 때는 책의 내용을 중심으로 내용을 구성하되, 각 매체의 특성을 고려하여야 한다. 특히 소개할 내용에 따라 더 적절한 매체가 있을 수 있으므로 매체의 특성과 소개의 내용을 살펴본 후에 매체를 선택해야 한다.

(2) 계획에 따라 선택한 매체에 읽은 책을 소개하는 글을 써 보자.

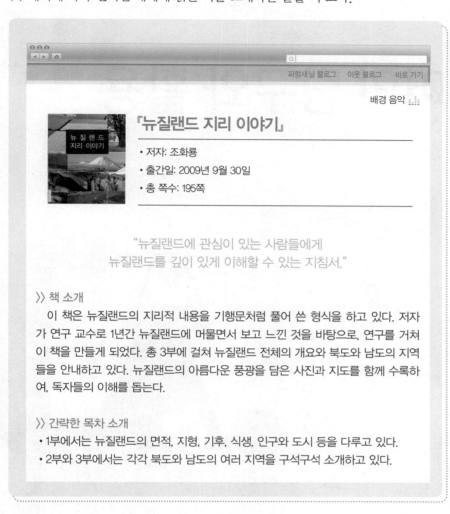

『뉴질랜드 지리 이야기』

• 저자: 조화룡
• 출간일: 2009년 9월 30일
• 총 쪽수: 195쪽

"뉴질랜드에 관심이 있는 사람들에게
뉴질랜드를 깊이 있게 이해할 수 있는 지침서."

>> 책 소개
이 책은 뉴질랜드의 지리적 내용을 기행문처럼 풀어 쓴 형식을 하고 있다. 저자가 연구 교수로 1년간 뉴질랜드에 머물면서 보고 느낀 것을 바탕으로, 연구를 거쳐이 책을 만들게 되었다. 총 3부에 걸쳐 뉴질랜드 전체의 개요와 북도와 남도의 지역들을 안내하고 있다. 뉴질랜드의 아름다운 풍광을 담은 사진과 지도를 함께 수록하여, 독자들의 이해를 돕는다.

>> 간략한 목차 소개
• 1부에서는 뉴질랜드의 면적, 지형, 기후, 식생, 인구와 도시 등을 다루고 있다.
• 2부와 3부에서는 각각 북도와 남도의 여러 지역을 구석구석 소개하고 있다.

블로그는 개인적인 공간이지만 때에 따라서는 대형 미디어 못지않을 정도의 파급력을 가지고 있다. 블로그는 누구나 쉽게 만들 수가 있으며, 다양한 사람들과 소통이 이루어지며, 운영자 본인의 생각에 따라 편집의 자율성이 보장되는 매체이다.

스스로 하기

(3) 친구들의 블로그에 게재된 책 소개나 독서 일지에 댓글을 써 보고, 자신의 블로그에 달린 댓글에 답변하며 읽기 경험을 공유해 보자. |예시 답| (생략)

| 보충자료 |

독서 정보의 수집

현대의 독자들은 한 권의 책을 반복하여 숙독하기보다 다양하고 방대한 정보를 빠르게 검색하여 자신에게 맞는 정보만 취사선택해 읽어야 하는 경우가 많다. 따라서 도서관이나 인터넷 등의 각종 정보원을 통해 독서에 관한 정보를 습득하여 자신에게 맞는 도서를 선택하는 능력이 요구된다. 신문, 잡지, 인터넷 등의 신간 소개와 서평을 활용하면 자신이 원하는 책을 어느 정도 파악할 수 있다. 또 최근에는 인터넷 서점이나 도서관, 출판사, 연구 기관 등에서 독자가 원하는 주제에 관한 서지 정보를 맞춤식으로 제공하고 있으므로 이를 활용하는 것도 바람직하다. 독자는 이러한 정보와 저자, 가격, 출판사, 분량, 책에 대한 독자 반응 등을 살펴 독서의 목적과 자신의 독서 능력, 독서 환경을 고려하여 읽을 책을 선택해야 한다.

II

국어의 탐구와 활용

비판적·창의적 사고 역량	자료·정보 활용 역량	의사소통 역량	문화 향유 역량
∨	∨	∨	∨
국어 사용의 원리 탐구	국어의 규칙 탐구	국어 사용의 원리 탐구	국어의 규칙과 국어 사용의 원리 탐구

매일 쓰는 우리말이지만 정작 우리말이 어떻게 이루어져 있고 어떤 원리로 운용되는지는 잘 알지 못하고 무관심한 것이 현실이다. 사고·문화의 관점에서만 국어의 중요성을 강조할 것이 아니라 우리말을 정확히 아는 데서부터 우리말에 대한 사랑을 시작해야 한다.

이 단원은 국어의 체계와 사용 규칙에 관한 기본적인 지식을 이해하고 그 원리를 탐구해 보는 단원이다. 음운, 단어, 문장, 그리고 담화 순으로 기본 개념과 사용 원리를 공부하고, 이를 바탕으로 올바르고 정확한 국어 생활을 하는 데 목표가 있다. 문법을 단지 외워야 하는 지식으로 받아들이지 않고 실제 국어 생활과 연관 짓고 탐구하도록 하자.

오늘의 요리
〈사과 케이크〉
다양한 재료들이 모여 하나의 케이크로!

사과는 맛이 좋아.

시험에 나오는 대표 유형

- ⓐ~ⓔ에서 이루어지는 조음 방법으로 적절하지 않은 것은?
- (다)를 참고할 때 〈보기〉의 설명에 해당하는 모음으로 적절한 것은?
- 〈보기〉를 참고할 때 밑줄 친 서술어가 사동사가 아닌 것은?
- ㉠을 고려했을 때 그 의미를 정확히 알 수 있는 것은?
- 다음 밑줄 친 부분의 문장 성분이 나머지와 다른 것은?
- 〈보기〉의 예를 통해 탐구한 내용으로 적절하지 않은 것은?
- 다음 대화의 높임 표현을 탐구한 것으로 적절하지 않은 것은?
- 〈보기〉의 피동 표현에 대해 탐구한 내용으로 적절하지 않은 것은?
- 〈보기〉는 사전에 등재된 내용이다. 이에 대한 설명으로 적절하지 않은 것은?

1. 음운

🔊 핵심 질문 음운에 대한 이해가 국어 생활에 어떤 도움을 줄까?

≫ 다음은 블록 조각으로 다양한 사물이나 형태를 만드는 모습이다. 단순한 블록들이 어떻게 복잡하고 다양한 형태를 만들어 낼 수 있는지 말해 보자.

| 예시 답 | 갖가지 모양의 블록을 이용해서 만들고 부수고 또 만들고 하던 어릴 적 경험을 떠올려 보면, 머릿속으로 전체 모형을 그려 보고는 블록들을 이리저리 조립해서 원하는 모형을 만들어 가곤 했었다. 이는 어린아이도 할 수 있는 간단한 놀이지만, 생각해 보면 인간만이 할 수 있는 대단한 놀이가 아닐 수 없다. 블록 하나하나를 보면 그 모양이 매우 단순해서 조립 과정을 통해 완성될 전체 모형에 대한 아무런 단서도 제공하지 않는다. 그림 속에서는 단순하게 생긴 블록들을 결합해서 어떤 모양을 만드는, 거의 무(無)에서 유(有)를 창조하는 창의적인 과정을 거뜬히 수행하고 있다.

어린아이는 단순하게 생긴 블록들을 결합해서 제법 그럴듯한 모양들을 만들어 낸다. 언어도 이와 비슷해서, 인간은 그 자체로 아무 의미가 없는 자음과 모음을 적절하게 결합해서 일정한 의미를 가진 말을 만들어 낸다. 이러한 창조적 과정이 머릿속의 '생각'이라는 설계도를 따라 진행되는 점도 블록 쌓기와 비슷하다.

이 단원에서는 한국어의 기본 단위라 할 수 있는 자음과 모음의 특성 및 체계를 알아보고, 국어 생활에서 그것들이 실제로 발음되는 원리를 살펴보기로 한다. 이를 통해 국어를 정확하게 사용하며 의사소통의 효과를 높일 수 있다.

소단원	학습 목표	내용
(1) 음운의 개념과 체계	국어 음운의 체계와 변동을 탐구하여 올바른 국어 생활을 할 수 있다.	① 음운의 개념 ② 자음 체계 ③ 모음 체계
(2) 음운의 변동		① 교체 ② 탈락 ③ 첨가 ④ 축약

{ 1 } 음운의 개념과 체계

① 음운의 개념

• 말의 뜻을 구별하여 주는 소리의 가장 작은 단위임.

② 자음 체계

조음 위치에 따라	입술소리(순음), 잇몸소리(치조음), 센입천장소리(경구개음), 여린입천장소리(연구개음), 목청소리(후음)
조음 방법에 따라	• 구강음(구강만 이용해서 내는 소리) → 파열음, 파찰음, 마찰음, 유음 • 비강음(구강과 비강을 함께 사용해서 내는 소리) → 비음
소리의 세기에 따라	예사소리(평음) 〈 된소리(경음) 〈 거센소리(격음)
목청의 떨림 여부	울림소리(비음, 유음), 안울림소리(파열음, 마찰음, 파찰음)

③ 모음 체계

혀의 앞뒤 위치에 따라	전설 모음, 후설 모음
혀의 높낮이에 따라	고모음, 중모음, 저모음
입술의 모양에 따라	원순 모음, 평순 모음

{ 2 } 음운의 변동

• 음운 변동: 어떤 음운이 놓이는 환경에 따라 다른 음운으로 바뀌어 소리 나는 현상
• 음운 변동의 유형

교체(交替)	어느 한 음운이 다른 음운으로 바뀌는 현상	• 음절의 끝소리 규칙 • 자음 동화 • 모음 동화 • 구개음화
탈락(脫落)	두 음운이 마주칠 때, 그중의 한 음운이 없어지는 현상	• 자음군 단순화 • 'ㄹ' 탈락 • 'ㅎ' 탈락 • 'ㅡ' 탈락
첨가(添加)	두 음운 사이에 다른 음운이 덧붙는 현상	• 'ㄴ' 첨가
축약(縮約)	두 음운이 하나의 음운으로 줄어드는 현상	• 거센소리되기

1. 다음 빈칸에 알맞은 말을 쓰시오.

(1) 음운은 (　　　　　)을/를 변별해 주는 소리의 최소 단위이다.

(2) 음성은 사람의 발음 기관에서 나는 물리적인 소리이고, 음운은 언어 공동체 구성원들의 머릿속에서 같은 소리로 (　　　　　)하는 추상적인 소리이다.

(3) 음운 변동의 유형에는 교체, 탈락, (　　　　　), 축약이 있다.

(4) 거센소리되기는 (　　　　　)에 의한 음운 변동 현상에 해당한다.

2. 다음 진술 중 맞는 것에는 ○표, 틀린 것에는 ×표를 하시오.

(1) 자음은 입안에서 장애를 받으며 나는 소리이다. (　　　)

(2) 소리의 길이는 비분절 음운에 해당하며, 말의 의미와는 관련이 없다. (　　　)

(3) 'ㅣ' 모음 역행 동화에 의한 발음은 표준 발음으로 인정된다. (　　　)

(4) 음절의 끝소리 규칙은 음운 교체에 의한 변동 현상에 해당한다. (　　　)

3. 최소 대립쌍의 기능을 쓰시오.

답 1.(1) 의미, (2) 인식, (3) 첨가, (4) 자음 축약
2.(1) ○, (2) ×, (3) ×, (4) ○
3.음운을 확인할 수 있다.

{1} 음운의 개념과 체계

소단원 학습 포인트
- 음운의 개념 이해하기
- 국어의 음운 체계 이해하기

🗡 조음 기관의 이름은 자음 체계를 이해하는 과정에서 꼭 필요하므로, 각 기관의 위치와 기능을 살펴보는 것이 좋다.

개념 ✚
발성과 발음
- **발성(發聲)**: 언어로서의 기능은 없는 소리를 내는 것. 노래하기 위해 목을 풀면서 소리를 내는 것 등을 뜻함.
- **발음(發音)**: 의미를 구별해 주는 '말의 소리'를 내는 것

개념 ✚

음향	• 자연에 존재하는 대부분의 소리 • 사람 입에서 나는 소리 중 울음소리, 기침 소리, 재채기 등 • 대부분 비분절적(자음과 모음을 나눌 수 없음.)인 소리
음성	• 사람의 의사 전달 수단으로 발음 기관을 통해 내는 소리 • 분절적 소리. 물리적 다양성이 있는 구체적인 실체

가

허파에서 나오는 공기가 목청[성대(聲帶)], 후두(喉頭), 울대 마개[후두개(喉頭蓋)], 목 안[인두(咽頭)], 입안[구강(口腔)], 코안[비강(鼻腔)]을 통과하는 동안 여러 기관의 작용에 따라 구체적이고 다양한 말소리가 만들어진다. 이때 작용하는 여러 기관을 조음 기관(또는 발음 기관)이라고 하는데, 말소리가 만들어지는 과정에서 공기의 흐름이 조음 기관의 방해를 많이 받으면 <u>자음(子音)</u>이 만들어지고, 별다른 방해를 받지 않으면 <u>모음(母音)</u>이 만들어진다.

말을 할 때 공기가 지나가는 통로
자음의 형성 원리
모음의 형성 원리
▶ 말소리의 형성 원리

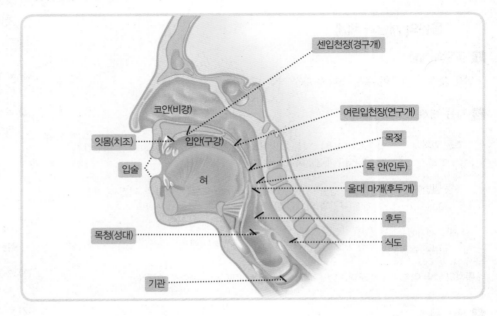

나 **1** 음운의 개념

다가서기
- 다음 짝지어진 단어의 의미를 구별 짓는 요소가 무엇인지 찾아보자.

  |예시 답|
  - 달 – 말 ┄▶ 'ㄷ'과 'ㅁ'
  - 볼 – 벌 ┄▶ 'ㅗ'과 'ㅓ'
  - 설 – 섬 ┄▶ 'ㄹ'과 'ㅁ'

사람의 발음 기관을 통해 나오는 말소리를 자연의 소리인 <u>음향(音響)</u>과 구별하여 <u>음성(音聲)</u>이라 한다. 이러한 음성은 발음 기관에서 만들어지는 물리적이고 경험적인 소리라는 점에서 머릿속에서 동일하게 인식하는 추상적이고 관념적인 소리인 <u>음운(音韻)</u>과 구별된다. 또한 음운은 의미의 차이를 낸다는 점에서 의미의 차이를 내지 못하는 <u>변이음(變異音)</u>과도 구별된다. 『예를 들어, '달'과 '말'은 나머지 구성 요소는 같고 오직 'ㄷ'과 'ㅁ'의 차이에 의해 의미 차이가 생기는데, 이때 'ㄷ'과 'ㅁ'을 각각 하나의 음운이라 한다.』반면 『'고기'에서 두 'ㄱ'의 실제 소리는 [k]와 [g]로 서로 다르지만 우리는 두 소리를 구별하여 의미 차이를 만드는 데 사용할 수 없는데, 이처럼 의미 차이에 기여하지 못하고 하나의 음운에 속하는 소리를 변이음이라 한다.』

음성의 개념
음향의 개념
음운의 예
달과 말은 'ㄷ'과 'ㅁ'을 빼면 다른 요소가 모두 같으므로 그 의미의 차이는 'ㄷ'과 'ㅁ' 때문이라 할 수 있음.
변이음의 예
'고'의 'ㄱ'은 [k], '기'의 'ㄱ'은 [g]로 발음됨.
변이음의 개념
▶ 음성, 음향, 음운, 변이음의 개념

■ 조음 기관

- 인간의 말소리가 만들어질 때 작용하는 인체의 여러 기관을 이르는 말
- 허파에서 나오는 공기가 목청(성대), 후두, 울대 마개(후두개), 목 안(인두), 입안(구강), 코안(비강)을 통과하는 동안 여린입천장(연구개), 센입천장(경구개), 혀, 잇몸(치조), 입술 등의 작용에 따라 다양한 말소리가 만들어짐.

■ 자음과 모음의 형성 원리

자음	공기의 흐름이 조음 기관의 방해를 많이 받으며 만들어짐.
모음	공기의 흐름이 조음 기관의 별다른 방해를 받지 않고 만들어짐.

■ 음성과 음운의 차이

음성	발음 기관에서 만들어지는 물리적이고 경험적인 소리
음운	머릿속에서 동일하게 인식하는 추상적이고 관념적인 소리

※ 음향: 사람의 말소리를 제외한 자연의 모든 소리

■ 음운과 변이음의 차이

음운	의미의 분화, 즉 말의 뜻을 구별해 주는 소리의 가장 작은 단위
변이음	하나의 음운에 속하면서도 의미 차이에 기여하지 못하는 소리 예 '고기'에서 두 'ㄱ'은 동일 음운이면서 실제 발음에서는 [k]와 [g]의 서로 다른 소리로 실현되는데, 이를 변이음이라고 함.

[보충 자료]

상보적 분포

- 각각의 변이음이 실현되는 환경은 서로 배타적인데 이 각각의 변이음이 상보하여 한 음운을 이루기 때문에 이들이 이루는 분포를 상보적 분포라고 부른다.
- 한 쌍의 언어음이나 언어 형식에서, 어느 한쪽은 다른 한쪽이 나타나지 않는 환경에서만 나타나는데, 조사 '을'과 '를'은 앞의 체언이 목적어임을 나타내는 격 조사이나 '을'은 자음 뒤에서만, '를'은 모음 뒤에서만 나타난다.

01. 윗글의 내용과 일치하지 <u>않는</u> 것은?

① 사람의 말소리가 형성되는 기관을 조음 기관, 혹은 발음 기관이라고 한다.
② 자음은 공기의 흐름이 발음 기관의 방해를 많이 받는 과정에서 만들어진다.
③ 조음 기관에는 허파, 목청, 여린입천장, 센입천장, 잇몸, 입술, 코안 등이 있다.
④ 사람의 말소리는 허파에서 나온 공기가 입 밖으로 나오기까지의 과정에서 만들어진다.
⑤ 모음은 공기의 흐름이 지나는 통로에서 조음 기관의 별다른 방해를 받지 않고 만들어진다.

출제 예감

02. 윗글을 바탕으로 〈보기〉의 예를 설명할 때, 적절하지 <u>않은</u> 것은?

〈 보기 〉
ⓐ 밤-범   ⓑ 발-빨-팔   ⓒ 감기[kamgi]

① ⓐ의 'ㅏ'와 'ㅓ'는 음운에 해당한다.
② ⓑ의 'ㅂ', 'ㅃ', 'ㅍ'은 음성에 해당한다.
③ ⓒ의 'ㄱ'은 추상적이고 관념적인 소리이다.
④ ⓒ의 두 말소리인 'ㄱ[k]'과 'ㄱ[g]'은 하나의 음운에 속한다.
⑤ ⓒ의 'ㄱ[k]'과 'ㄱ[g]'은 의미 차이에 기여하지 못하는 변이음이다.

심화 서술형

03. 윗글과 〈보기 1〉을 바탕으로 〈보기 2〉의 빈칸을 〈조건〉에 맞게 채워 넣으시오.

〈 보기 1 〉
'바지'의 'ㅂ'은 목청울림이 없는 소리이고, '아버지'의 'ㅂ'은 목청울림이 있는 소리이다. 영어권 화자들은 '바지'의 'ㅂ'은 안울림소리 /p/로, '아버지'의 'ㅂ'은 울림소리 /b/로 다르게 인식한다. 이는 우리가 두 단어의 /p/와 /b/를 동일한 음운인 /ㅂ/으로 인식하는 것과 차이가 있다.

〈 보기 2 〉
영어의 울림소리와 안울림소리는 국어와 달리 (............
....)

〈 조건 〉
- 울림소리와 안울림소리에 대한 음운 인식을 바탕으로 15자 이내로 서술할 것.

※ '다가서기'에서 나온 '달 – 말', '불 – 별'
은 최소 대립쌍이다.

다 최소 대립쌍

의미 구별에 사용되는 최소의 문법 단위를 음운이라 할 때, **최소 대립쌍을 만들어 봄**
음운의 개념
으로써 음운을 확인할 수 있다. 최소 대립쌍이란, 위에서 예로 든 '달-말'과 같이 단어
를 구성하고 있는 요소 중에서 오직 한 가지 요소에 의해서만 의미가 구별되는 단어의
최소 대립쌍의 개념
짝을 말한다. 이때 차이가 나는 한 가지 요소를 음운이라 한다. ▶음운과 최소 대립쌍의 개념

분절 음운과 비분절 음운

※ 분절 음운을 음소(音素), 비분절 음운
을 운소(韻素)라 하고, 음소와 운소를 합
쳐 음운이라고 한다.

음운은 다시 자음과 모음, 즉 정확히 소리마디의 경계가 그어지는 **분절 음운과 소리**
분절 음운(음소)의 개념
의 장단, 강약, 고저와 같이 소리마디의 경계가 분명히 그어지지 않는 비분절 음운으로
나눌 수 있다. 비분절 음운(운소)의 개념
모든 언어는 분절 음운과 비분절 음운을 활용하여 다양한 의미를 가진
단어를 만들어서 사용하지만, 분절 음운의 구체적인 목록과 체계 및 비분절 음운의 종
류는 언어마다 차이가 있다. ▶분절 음운과 비분절 음운의 구분

[확인하기]

● 다음에서 '말[言]'의 최소 대립쌍인 것과 아닌 것을 구별하고, 최소 대립쌍으로 어떤 것이 더
있는지 생각해 보자.

| 감 | 날 | 달 | 말[馬] | 발 | 설 | 물 | 쌀 | 창 |

| 예시 답 |
● 최소 대립쌍인 것: 날, 달, 말[馬], 발, 물, 쌀
・ 날, 달, 발, 쌀: 초성의 자음(ㅁ, ㄴ, ㄷ, ㅂ, ㅆ)이 의미를 변별해 주는 기능을 하므로 음운(분절 음운)에 해당함.
・ 물: 중성의 모음(ㅏ, ㅜ)이 의미를 변별해 주는 기능을 하므로 음운(분절 음운)에 해당함.
・ 말[馬]: 중성의 모음(ㅏ)의 '길이(장단)'가 의미를 변별해 주는 기능을 하므로 음운(비분절 음운)에 해당함.
● 최소 대립쌍이 아닌 것: 감, 설, 창

라 2 자음 체계

[다가서기]

● 다음을 읽으면서 아래의 활동을 해 보자.

ㄱ 아버지, 어머니, 엄마, 아빠
ㄴ 나는 잠든 아기의 얼굴을 보고 행복한 미소를 지었다.

(1) 코를 막고 읽으면 평소와 달라지는 소리를 찾아보자.
| 예시 답 | 코를 막으면 공기가 코로 들어가 내는 소리, 즉 비음 'ㄴ, ㅁ, ㅇ'이 평소와 다르게 소리난다.

(2) 천천히 읽으면서 두 입술이 닿아 나는 소리를 찾아보자.
| 예시 답 | 두 입술이 닿는 소리는 입술소리(순음) 'ㅂ, ㅃ, ㅍ, ㅁ'이다. 위 문장에서는 ㄱ '버, 머, 엄, 마, 빠',
ㄴ '잠, 보, 복, 미'에서 찾을 수 있다.

개념 ⊕
국어의 자음

```
        자음(총 19개)
         │
    ┌────┴────┐
기본 자음(14개)   된소리(5개)

ㄱ, ㄴ, ㄷ, ㄹ, ㅁ,   ㄲ, ㄸ, ㅃ, ㅆ, ㅉ
ㅂ, ㅅ, ㅇ, ㅈ, ㅊ,
ㅋ, ㅌ, ㅍ, ㅎ
```

자음이 만들어지면서 공기의 흐름에 장애가 일어나는 자리를 **조음 위치**라고 하고,
소리가 나는
장애가 일어나는 방법을 **조음 방법**이라고 한다. 자음은 조음 위치와 조음 방법에 따라
여러 가지 소리로 나뉜다. ▶자음의 분류 기준: 조음 위치, 조음 방법

■ 음운과 최소 대립쌍

• 단어를 구성하고 있는 나머지 요소는 모두 같고 오직 한 가지 요소에 의해서만 의미가 구별되는 단어의 짝을 최소 대립쌍이라고 말함.
　예 '달-말', '볼-별', '설-섬'

• 최소 대립쌍 중에서 차이가 나는 한 가지 요소, 즉 의미의 차이를 만들어 내는 요소를 음운이라고 함.
　예 '밤-잠'과 '발-불'은 각각 '최소 대립쌍'을 이루고 있으며, 이때 'ㅂ'과 'ㅈ', 그리고 'ㅏ'와 'ㅜ'는 의미를 변별하는 기능을 하므로 음운에 해당함.

■ 분절 음운과 비분절 음운

분절 음운 (음소)	• 소리마디의 경계가 정확히 그어지는 음운 • 자음과 모음
비분절 음운 (운소)	• 소리마디의 경계가 정확하게 그어지지 않는 음운 • 말소리의 장단, 고저, 강약

• 분절 음운의 구체적인 목록과 체계 및 비분절 음운의 종류는 언어마다 차이가 있음.
　예 '말[言]'과 '말[馬]'의 차이: 단어를 구성하는 요소 중, 'ㅁ, ㄹ'이 같고 'ㅏ'의 소리의 길이(장단)가 다름. 'ㅏ'를 길게 발음하면 사람의 '말[言]'이 되고, 짧게 발음하면 동물로서의 '말[馬]'이 됨.
　→ 두 말은 말소리의 길이(장단)가 곧 의미를 변별해 주는 음운(비분절 음운)이 됨.

■ 자음의 분류 기준

• 자음은 조음 위치와 조음 방법에 따라 여러 가지 소리로 나뉨.

조음 위치	자음이 만들어지면서 공기의 흐름에 장애가 일어나는 자리
조음 방법	자음이 만들어지면서 공기의 흐름에 장애가 일어나는 방법

보충자료

어감의 분화

음운은 의미를 변별해 주는 기능을 갖고 있지만 어떤 단어들에서는 의미가 달라지지 않고 어감만 달라지는 경우가 있다.

[자음] 된소리로 바뀔 때 더 강하고 단단한 느낌을 주며, 거센소리로 바뀔 때 더 크고 거친 느낌을 줌.
[모음] 양성 모음은 밝고 날카롭고 가벼운 느낌을 주며, 음성 모음은 어둡고 둔하고 크고 무거운 느낌을 줌.

---

04. (다)를 읽고 대답할 수 있는 질문으로 적절하지 않은 것은?

① 음운이란 무엇인가?
② 음운의 기능은 무엇인가?
③ 음운은 어떻게 확인할 수 있을까?
④ 음운의 종류에는 어떤 것이 있는가?
⑤ 음운과 최소 대립쌍의 상반된 기능은 무엇인가?

출제 예감

05. 〈보기 1〉의 '소리'를 이해하기 위한 활동으로 적절한 것을 〈보기 2〉에서 모두 고른 것은?

〈보기 1〉
우리말은 소리가 하나만 바뀌어도 그 뜻이 달라진다.

〈보기 2〉
ㄱ. '쌀'을 '딸'로 바꾸어 본다.
ㄴ. '콩'을 '코'로 바꾸어 본다.
ㄷ. '밤'을 '뱀'으로 바꾸어 본다.
ㄹ. '잠'을 '잣'으로 바꾸어 본다.

① ㄱ, ㄴ　　② ㄱ, ㄷ　　③ ㄱ, ㄴ, ㄹ
④ ㄱ, ㄷ, ㄹ　　⑤ ㄴ, ㄷ, ㄹ

06. 윗글을 바탕으로 〈보기〉의 단어에 대해 이해한 것으로 적절하지 않은 것은?

〈보기〉
몸　물　발[足]　말[馬]　봄　말[言]　밀　절[寺]　밤

① '말[馬]'과 '말[言]'은 소리의 길이라는 비분절 음운에 의해 의미가 분화된다.
② '몸'과 '봄'은 단어를 구성하는 단 한 가지 요소에 의해 의미 차이를 생성하는 최소 대립쌍이다.
③ '발[足]'과 '절[寺]'은 소리마디의 경계가 분명히 그어지지 않는 비분절 음운에 의해 의미가 분화된다.
④ '밤'과 '봄'은 단어를 구성하는 단 하나의 요소 중 모음에 의해 의미 차이를 생성하는 최소 대립쌍이다.
⑤ '물'과 '밀'은 소리마디의 경계가 분명히 그어지는 분절 음운에 의해 의미 차이가 생성되는 최소 대립쌍이다.

07. (라)를 참고할 때 자음의 분류 기준을 두 가지 찾아 쓰시오.

조음 위치에 따른 분류

목청소리 (후음)	목청 사이
여린입천장소리 (연구개음)	혀뿌리 부분과 여린입천장 사이
센입천장소리 (경구개음)	혓바닥과 센입천장 사이
잇몸소리 (치조음)	혀끝과 윗잇몸 사이
입술소리 (순음)	두 입술 사이

조음 방법에 따른 분류

구강음	비강음
파열음, 파찰음, 마찰음, 유음	비음

목청 떨림에 따른 분류

안울림소리	울림소리
파열음, 파찰음, 마찰음	비음, 유음

✎ 'ㅂ, ㄷ, ㅈ, ㄱ'은 울림소리와 울림소리 사이에서 울림소리로 발음된다.
예 행복만[-봉-]

유성음화(울림소리되기)
폐쇄음 'ㄱ, ㄷ, ㅂ'과 파찰음 'ㅈ'이 유성음과 유성음 사이에서 'g', 'd', 'b'로 바뀌는 현상이다. 예 '감기'의 두 번째 음절 'ㄱ'은 유성음 'ㅁ'과 유성음 'ㅣ' 사이에 놓이면 유성음화되어 'g'로 소리난다.

✎ 실제로 소리를 내면서 조음 위치와 조음 방법을 확인한다.

㉤ [㉠]에 따라서는, ⓐ 두 입술에서 나는 **입술소리**[순음(脣音)], ⓑ 혀끝이 윗잇몸에 닿아서 나는 **잇몸소리**[치조음(齒槽音)], ⓒ 혓바닥과 센입천장 사이에서 나는 **센입천장소리**[경구개음(硬口蓋音)], ⓓ 혀뿌리 부분과 여린입천장 사이에서 나는 **여린입천장소리**[연구개음(軟口蓋音)], ⓔ 목청 사이에서 나는 **목청소리**[후음(喉音)] 등으로 나뉜다.
▶ 조음 위치에 따른 자음의 분류

[㉡]에 따라서는, 구강만 이용해서 내는 **구강음**과 비강도 같이 이용해서 내는 **비강음**으로 우선 나뉜다. 구강음에는 허파에서 나오는 공기의 흐름을 완전히 막았다가 터뜨리면서 내는 **파열음**(破裂音), 공기가 나오는 조음 기관의 공간을 좁혀 마찰을 일으키면서 내는 **마찰음**(摩擦音), 파열 후에 마찰을 일으키는 **파찰음**(破擦音), 혀끝을 잇몸에 가볍게 대었다가 떼거나 혀끝을 윗잇몸에 댄 채 공기를 그 양옆으로 흘려 내보내면서 내는 **유음**(流音)이 있다. 비강음은 여린입천장과 목젖을 내려 공기가 코로 들어가도록 하여 내는 소리로, **비음**(鼻音)이 여기에 속한다.
▶ 조음 방법에 따른 자음의 분류

또한 [㉢]에 따라 **예사소리**[평음(平音)], **된소리**[경음(硬音)], **거센소리**[격음(激音)]로 나뉘기도 하고, [㉣]에 따라 **울림소리**[유성음(有聲音)]와 **안울림소리**[무성음(無聲音)]로 나뉘기도 한다. 자음 가운데 비음과 유음은 항상 울림소리로 발음되고, 나머지 자음들은 기본적으로 안울림소리지만 특정한 환경에서는 울림소리로 발음되기도 한다.
▶ 소리의 세기, 목청의 떨림에 따른 자음의 분류

㉥ 조음 위치와 조음 방법을 기준으로 한 현대 국어의 자음 체계는 다음과 같다.

조음 방법 \ 조음 위치		입술소리	잇몸소리	센입천장 소리	여린 입천장 소리	목청소리
파열음	예사소리	ㅂ	ㄷ		ㄱ	
	된소리	ㅃ	ㄸ		ㄲ	
	거센소리	ㅍ	ㅌ		ㅋ	
파찰음	예사소리			ㅈ		
	된소리			ㅉ		
	거센소리			ㅊ		
마찰음	예사소리		ㅅ			ㅎ
	된소리		ㅆ			
비음		ㅁ	ㄴ		ㅇ	
유음			ㄹ			

● 국어의 자음 체계를 참고하여 다음 자음의 조음 위치와 조음 방법을 써 보자.

| 예시 답 |

자음	조음 위치	조음 방법	자음	조음 위치	조음 방법
ㄲ	여린입천장소리	파열음	ㄴ	잇몸소리	비음
ㄹ	잇몸소리	유음	ㅅ	잇몸소리	마찰음
ㅈ	센입천장소리	파찰음	ㅍ	입술소리	파열음

핵심 다지기

■ 조음 위치에 따른 자음의 분류

목청소리(후음)	목청 사이	ㅎ
여린입천장소리 (연구개음)	혀뿌리와 여린입천장 사이	ㄱ, ㄲ, ㅋ, ㅇ
센입천장소리 (경구개음)	혓바닥과 센입천장 사이	ㅈ, ㅉ, ㅊ
잇몸소리 (치조음)	혀끝과 윗잇몸 사이	ㄷ, ㄸ, ㅌ, ㅅ, ㅆ, ㄴ, ㄹ
입술소리(순음)	두 입술 사이	ㅂ, ㅃ, ㅍ, ㅁ

■ 조음 방법에 따른 자음의 분류

파열음	허파에서 나오는 공기의 흐름을 완전히 막았다가 터뜨리면서 내는 소리	ㄱ, ㄲ, ㅋ, ㄷ, ㄸ, ㅌ, ㅂ, ㅃ, ㅍ
파찰음	파열 후에 마찰을 일으키면서 내는 소리	ㅈ, ㅉ, ㅊ
마찰음	공기가 나오는 조음 기관의 공간을 좁혀 마찰을 일으키며 내는 소리	ㅅ, ㅆ, ㅎ
유음	혀끝을 잇몸에 가볍게 대었다가 떼거나, 혀끝을 윗잇몸에 댄 채 공기를 양 옆으로 흘려 내보내면서 내는 소리	ㄹ
비음	여린입천장과 목젖을 내려 공기가 코로 들어가도록 하여 내는 소리	ㄴ, ㅁ, ㅇ

■ 소리의 세기에 따른 자음의 분류

예사소리(평음)	ㄱ, ㄷ, ㅂ, ㅅ, ㅈ
된소리(경음)	ㄲ, ㄸ, ㅃ, ㅆ, ㅉ
거센소리(격음)	ㅋ, ㅌ, ㅍ, ㅊ

■ 목청의 떨림 여부에 따른 자음의 분류

울림소리(유성음)	유음, 비음
안울림소리(무성음)	파열음, 파찰음, 마찰음

08. 윗글의 내용을 포괄할 수 있는 중심 내용으로 가장 적절한 것은?
① 자음의 개념 ② 자음의 체계
③ 자음의 분류 기준 ④ 자음의 대립 관계
⑤ 자음의 음성적 특성

09. ⓐ~ⓔ에서 이루어지는 조음 방법으로 적절하지 않은 것은?
① ⓐ에서는 양 입술을 막았다가 터뜨리면서 소리를 내거나, 비강을 함께 통과하며 소리를 낸다.
② ⓑ에서는 혀끝이 완전히 닿았을 때와 닿지 않았을 때 서로 다른 소리를 낸다.
③ ⓒ에서는 한 번 파열을 일으킨 후에 다시 마찰을 일으키면서 소리를 낸다.
④ ⓓ에서는 목청에서 올라오는 공기의 흐름을 완전히 막았다가 터뜨리면서 소리를 낸다.
⑤ ⓔ에서는 공기가 나오는 공간에는 변화를 일으키지 않으면서 마찰을 일으켜 소리를 낸다.

출제 예감

10. ㉠~㉣에 들어갈 말을 〈보기〉에서 골라 차례대로 나열한 것은?

〈 보기 〉
㉮ 조음 위치   ㉯ 조음 방법
㉰ 소리의 세기   ㉱ 목청의 떨림 여부

① ㉮-㉯-㉰-㉱   ② ㉮-㉯-㉱-㉰
③ ㉯-㉮-㉰-㉱   ④ ㉯-㉮-㉱-㉰
⑤ ㉰-㉯-㉮-㉱

11. 〈보기〉의 빈칸에 들어갈 자음을 써 넣으시오.

〈 보기 〉
마찰음 중에서 '(   )'은/는 예사소리와 된소리의 구분이 없는 안울림소리이다.

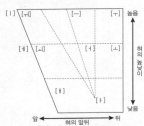

📌 모음 사각도는 모음이 발음될 때에 입 안에서 혀의 최고점 위치를 간략하게 도 표화한 것이다.

사 3 모음 체계

다가서기

● 다음 모음들을 하나씩 천천히 발음하면서 아래의 활동을 해 보자.

| ㅏ ㅑ ㅓ ㅕ ㅗ ㅛ ㅜ ㅠ ㅡ ㅣ |

(1) 소리를 내기 시작할 때와 마칠 때의 입 모양이 서로 달라지는 모음을 찾아보자.
l 예시 답 l • 입 모양이 변하는 모음(이중 모음): ㅑ, ㅕ, ㅛ, ㅠ
　　　　　• 입 모양이 변하지 않는 모음(단모음): ㅏ, ㅓ, ㅗ, ㅜ, ㅡ, ㅣ
(2) 발음할 때 입술 모양이 동그랗게 오므려지는 모음을 찾아보자.
l 예시 답 l ㅗ, ㅜ(발음할 때 입술 모양이 동그랗게 오므려지는 단모음을 원순 모음이라고 함. 'ㅛ, ㅠ'는 부분적으로 입술이 둥글게 되지만 이중 모음이기 때문에 원순 모음이라 하지 않음.)

날숨이 목청을 통과하면서 목청이 떨어 울리게 되면, 그것이 입안에서 공명을 일으
　　　　　　　　　　모음의 형성 원리
키면서 모음이 만들어진다. 모음은 발음하는 동안 입술의 모양과 혀의 위치가 일정한
　　　　　　　　　　　　　　　　　　　　입술이나 혀가 고정되어 움직이지 않는
단모음(單母音)과 발음하는 동안 입술의 모양이나 혀의 위치가 달라지는 **이중 모음**(二
　　　　　　　　　　　　　入술이나 혀가 움직이면서 발음되는
重母音)으로 나뉜다. 단모음은 다시 혀의 위치와 입술의 모양에 따라 여러 갈래로 나뉘
　　　　　　　　　　　　　　　　　　　단모음 분류의 기준
는데, 이때 혀의 위치는 혀의 앞뒤와 혀의 높낮이, 입술의 모양은 입술이 평평한지, 또
　　　　　　　　　　　전설 모음, 후설 모음　고모음, 중모음, 저모음　원순 모음, 평순 모음
는 둥근지를 가리킨다.　　　　　　　　　　　　　　　　　　　▶ 모음의 분류 기준

혀의 위치에 따라서는, 입천장의 중간을 기준으로 혀의 최고점이 앞쪽에 있을 때 발
음되는 모음을 **전설 모음**, 뒤쪽에 있을 때 발음되는 모음을 **후설 모음**이라 한다. 입이
　　　　　ㅣ,ㅔ,ㅐ,ㅟ,ㅚ　　　　　　　　　ㅡ,ㅓ,ㅏ,ㅜ,ㅗ
조금만 열려서 혀의 위치가 입천장 가까이 있는 것을 **고모음** 또는 **폐모음**, 입이 많이
　　　　　　　　　　　　　　　　　　　　　　　ㅣ,ㅟ,ㅡ,ㅜ
열려서 혀의 위치가 낮은 것을 **저모음** 또는 개모음, 그 중간쯤 되는 것을 **중모음**이라
　　　　　　　　　　　　　　ㅐ,ㅏ
한다. 입술 모양에 따라서는, 입술을 둥글게 오므려서 발음하는 모음을 **원순 모음**, 그
　　　　　　　　　　　　　　　　　　　　　　　　　　ㅗ,ㅚ,ㅜ,ㅟ
렇지 않은 모음을 **평순 모음**이라 한다.　　　　　▶ 혀의 위치와 입술 모양을 기준으로 한 단모음의 분류
　　　　　　　　　　　　　　　　　ㅏ,ㅐ,ㅓ,ㅔ
아 혀의 위치와 입술 모양을 기준으로 한 현대 국어의 단모음 체계는 다음과 같다.

(ⓐ) (ⓒ)　　(ⓑ)	전설 모음		후설 모음	
	평순 모음	원순 모음	평순 모음	원순 모음
고모음	ㅣ	ㅟ	ㅡ	ㅜ
중모음	ㅔ	ㅚ	ㅓ	ㅗ
저모음	ㅐ		ㅏ	

▶ 현대 국어의 단모음 체계

이중 모음은 반모음(半母音)과 단모음이 결합하여 이루어진다. 혀가 'ㅣ'의 자리에서 다음 자리로 옮겨 갈 때 발음되는 반모음이 'ǐ [j]'이고, 'ㅗ/ㅜ'의 자리에서 다음 자리로 옮겨 갈 때 발음되는 반모음이 'ㅗ/ㅜ[w]'이다. 반모음은 온전한 모음이 아니므로 반달 표(˘)를 하여, 'ㅗ/ㅜ, ǐ'로 표시한다. 또 반모음은 음성의 성질로 보면 모음과 비슷하지만, 혼자 스스로 음절을 이루지 못하고 다른 모음에 붙어 쓰인다는 측면에서 보면 온전한 모음은 아니다.　　　　　　　　　　　　　　　▶ 이중 모음의 형성 원리와 반모음의 특징

📌 표준 발음법 제4항의 붙임에 따르면 'ㅚ, ㅟ'는 이중 모음으로 발음할 수도 있다.

📌 국어에는 양성 모음과 음성 모음의 대립이 있지만 현대 국어 모음 체계에서 이를 확인하기는 어렵다. 단모음의 경우 'ㅏ, ㅗ'는 양성 모음, 그 이외의 모음은 음성 모음의 성격을 보인다.

📌 소리의 길이
국어에서는 같은 모음을 길게 소리 냄으로써 단어의 뜻을 구별하는 경우가 많다. 이처럼 소리의 길이는 뜻을 구별하여 준다는 점에서 자음이나 모음과 같은 성격을 가진다.
예 말:[言], 말[馬, 斗] / 눈:[雪], 눈[眼]

핵심 다지기

■ 단모음의 분류 기준과 체계

혀의 앞뒤 위치에 따라	전설 모음	ㅣ, ㅔ, ㅐ, ㅟ, ㅚ
	후설 모음	ㅡ, ㅓ, ㅏ, ㅜ, ㅗ
입술 모양에 따라	평순 모음	ㅣ, ㅔ, ㅐ, ㅡ, ㅓ, ㅏ
	원순 모음	ㅟ, ㅚ, ㅜ, ㅗ
혀의 높낮이에 따라	고모음	ㅣ, ㅟ, ㅡ, ㅜ
	중모음	ㅔ, ㅚ, ㅓ, ㅗ
	저모음	ㅐ, ㅏ

■ 단모음과 이중 모음

| 단모음 | • 발음하는 동안 입술 모양과 혀의 위치가 일정함.
• 입술이나 혀가 고정되어 발음됨. | 10개 |
| 이중 모음 | • 발음하는 동안 입술 모양이나 혀의 위치가 달라짐.
• 입술이나 혀가 움직이면서 발음됨. | 11개 |

※ [표준 발음법] 제4항 '붙임'에 따르면, 'ㅚ/ㅟ'는 이중 모음으로 발음할 수도 있다.

■ 단모음과 이중 모음의 형성 원리

| 단모음 | 날숨이 목청을 통과할 때 목청이 떨어 울리게 되면 그것이 입안에서 공명을 일으켜 단모음이 만들어짐. |
| 이중 모음 | 반모음과 단모음이 결합하여 만들어짐.
⑩ 반모음 ㅣ[j] + ㅏ = ㅑ |

■ 반모음의 종류와 특징

| 종류 | • ㅣ[j]: 혀가 'ㅣ'의 자리에서 다음 자리로 옮겨 갈 때 발음됨.
• ㅗ/ㅜ[w]: 혀가 'ㅗ/ㅜ' 자리에서 다음 자리로 옮겨 갈 때 발음됨. |
| 특징 | • 음성의 성질로 보면 모음과 비슷하지만 다른 모음에 붙어 쓰이므로 온전한 모음이 아님.
• 혼자 스스로 음절을 이루지 못함. |

12. (아)의 ⓐ~ⓒ에 들어갈 모음의 분류 기준이 바르게 짝지어진 것은?

	ⓐ	ⓑ	ⓒ
①	혀의 앞뒤	혀의 높이	입의 모양
②	혀의 앞뒤	입술 모양	혀의 높이
③	혀의 높이	혀의 앞뒤	입의 모양
④	혀의 높이	입술 모양	혀의 앞뒤
⑤	입의 모양	혀의 위치	혀의 높이

출제 예감

13. 〈보기〉의 ㉠, ㉡에 해당하는 모음으로 가장 적절한 것은?

┌ 보기 ┐
• ㉠은 혀의 앞쪽에서 발음되며,
  ㉡은 혀의 뒤쪽에서 발음된다.
• ㉠은 입술 모양이 둥글게 오므려서 발음되며,
  ㉡은 입술 모양이 자연스럽게 펴지면서 발음된다.
• ㉠은 입이 조금만 열려서 발음되며,
  ㉡은 혀의 위치가 낮은 상태에서 발음된다.

	㉠	㉡		㉠	㉡
①	ㅣ	ㅜ	②	ㅚ	ㅓ
③	ㅟ	ㅏ	④	ㅔ	ㅗ
⑤	ㅐ	ㅡ			

14. '반모음'에 대한 이해로 적절하지 않은 것은?

① 앞에 오는 단모음과 분리된다는 점에서 하나의 음운으로 취급될 수 있겠군.
② 단모음과 결합하여 이중 모음을 형성하는 역할을 수행할 때만 사용되고 있군.
③ 혀가 'ㅣ'나 'ㅗ/ㅜ'의 자리에서 다음 자리로 옮겨 갈 때 발음되는군.
④ 단독으로 음절을 이루지 못한다는 점에서는 자음과 유사한 특성을 지니고 있군.
⑤ 온전한 모음은 아니지만 음성의 성질로 볼 때는 모음과 비슷하다고 할 수 있겠군.

서술형

15. 윗글을 바탕으로 단모음과 이중 모음의 분류 기준을 30자 내외의 한 문장으로 서술하시오.

이해하기

▶ 국어의 자음 체계를 이해하는 활동

1. 국어의 자음이 조음 위치와 조음 방법에 따라 어떻게 나누어지는지 말해 보자.

ㅣ예시 답ㅣ • 조음 위치: 목청소리, 여린입천장소리, 센입천장소리, 잇몸소리, 입술소리 등으로 나뉜다.
• 조음 방법: 우선 구강만 이용해서 내는 구강음과, 비강도 같이 이용해서 내는 비강음으로 나뉜다. 구강음에는 파열음, 마찰음, 파찰음, 유음이 있고, 비강음에는 비음이 있다.

▶ 국어의 모음 체계를 이해하는 활동

2. 다음 중에서 모음 체계를 세우는 기준이 되는 것을 모두 찾아보자.

① 혀의 앞뒤   ② 음의 길이   ③ 입술 모양   ④ 혀의 높이   ⑤ 음의 세기

ㅣ예시 답ㅣ ① 혀의 앞뒤, ③ 입술 모양, ④ 혀의 높이

개념➕
국어의 단모음 체계

혀의 앞뒤	전설		후설	
혀의 높이 · 입술 모양	평순	원순	평순	원순
고	ㅣ	ㅟ	ㅡ	ㅜ
중	ㅔ	ㅚ	ㅓ	ㅗ
저	ㅐ		ㅏ	

적용하기

▶ 언어에 따른 음운 체계의 차이를 이해하는 활동

3. 다음 그림을 바탕으로 음운 체계에 관해 탐구해 보자.

[방] 주세요.   - 방?   빵?

(1) 그림 속 외국인은 '빵'을 왜 '방'이라고 발음했을지 자기 생각을 말해 보자.

ㅣ예시 답ㅣ 국어와 달리 영어의 경우에는 'ㅂ', 'ㅃ', 'ㅍ'이 의미를 변별하는 기능을 하지 못하기 때문이다. 따라서 영어를 사용하였던 외국인이 우리말은 배웠으나 'ㅂ'과 'ㅃ'을 구별하여 구사하는 데까지는 미치지 못한 것이다.

🎵 영어의 [p], [b]와 국어의 [ㅂ], [ㅃ], [ㅍ] 사이의 대응 관계를 생각해 본다.

(2) 아래에 제시된 국어와 영어의 자음 체계를 고려하여 (1)의 이유를 다시 설명해 보자.

국어			영어	
예사소리	된소리	거센소리	무성음	유성음
ㅂ	ㅃ	ㅍ	p	b

ㅣ예시 답ㅣ 영어에서는 국어와 같이 자음을 예사소리, 된소리, 거센소리로 구분하지 않고 무성음과 유성음으로만 구분한다. 따라서 무성음인 '방'과 '빵'의 첫소리는 영어 화자에게 모두 같은 소리로 들리게 된다.

개념➕
변이음(變異音)
동일 음운이면서 나타나는 자리에 따라 서로 다른 음성으로 실현되는 것. 각각의 변이음이 실현되는 환경은 서로 배타적인데 이 각각의 변이음이 상보하여 한 음운을 이룸.

(3) 우리나라 사람이 외국어를 배울 때, 또는 외국인이 국어를 배울 때 특히 발음하기 어려워하는 소리가 무엇인지 생각해 보고, 그 이유를 음운 체계와 관련지어 설명해 보자.

ㅣ예시 답ㅣ 우리나라 사람들에게 유성음과 무성음은 중요한 음운의 변별적 자질이 아니어서 'b : p / d : t / g : k'의 구별이 어렵다. 또한 'r : l'은 우리말에서는 변이음이어서 'ㄹ'로만 들려 구별하기 어렵다. 한편, 영어 화자인 외국인의 경우 예사소리, 된소리, 거센소리의 구별이 어렵고, 모음 가운데 'ㅡ' 소리를 단모음으로 가지고 있지 않기 때문에 이를 배우기가 어렵다.

▶ 음운 교체에 따른 표현 효과의 차이를 이해하는 활동

4. 다음 활동을 바탕으로 음운 교체에 따른 표현 효과에 대해 알아보자.

(1) 다음 짝지어진 단어들 사이의 표현 효과에 어떤 차이가 있는지 말해 보자.

> • 감감하다 – 깜깜하다 – 캄캄하다   • 알록달록 – 얼룩덜룩

ㅣ예시 답ㅣ 자음의 경우, 소리의 세기가 강해짐에 따라 어둡게 느끼게 된다. 자음의 소리의 세기는 '예사소리<된소리<거센소리'의 순서이다. 따라서 'ㄱ-ㄲ-ㅋ' 순으로 소리가 세짐에 따라 어두운 정도가 심하다고 느끼게 된다. 그리고 모음의 경우 양성 모음보다 음성 모음이 더 크고 어둡게 느껴진다.

(2) 음운 교체 때문에 표현 효과가 달라지는 이유를 자음 체계 또는 모음 체계와 관련하여 설명해 보자.

ㅣ예시 답ㅣ 자음 체계에서는 '예사소리<된소리<거센소리'의 순으로 소리의 세기와 느낌이 달라져 그에 따라 표현의 효과가 달라진다. 모음 체계에서는 '양성 모음(작고 밝은 느낌)<음성 모음(크고 어두운 느낌)'의 순으로 표현 효과가 달라진다.

1 음운의 개념

음운
• 의미 구별에 사용되는 최소의 문법 단위 • 최소 대립쌍을 만들어 봄으로써 확인할 수 있음.

분절 음운(음소)	비분절 음운(운소)
정확히 소리마디의 (ⓐ)가 그어지는 음운, 즉 자음과 모음	소리마디의 경계가 분명히 그어지지 않는 음운, 즉 소리의 강약, 고저, 장단 등

• (ⓑ): 단어를 구성하고 있는 나머지 요소는 모두 같고 오직 한 가지 요소에 의해서만 의미가 구별되는 단어의 짝 ⑩ '달─말', '볼─벌', '설─섬'

• 변이음: (ⓒ) 차이에 기여하지 못하고 하나의 음운에 속하는 소리 ⑩ '고기'의 두 'ㄱ'의 실제 소리는 [k]와 [g]로 서로 다르지만, 한국인은 'ㄱ'으로 인식하여 의미 변별에 기여하지 못함.

2 자음 체계

자음이 만들어지면서 공기의 흐름에 장애가 일어나는 자리를 조음 (ⓓ)(이)라고 하고, 장애가 일어나는 방법을 조음 (ⓔ)(이)라고 함.

• 조음 위치에 따른 자음의 분류

목청소리(후음)	목청 사이에서 나는 소리	ㅎ
여린입천장소리 (연구개음)	혀뿌리와 여린입천장 사이에서 나는 소리	ㄱ, ㄲ, ㅋ, ㅇ
센입천장소리 (경구개음)	혓바닥과 센입천장 사이에서 나는 소리	ㅈ, ㅉ, ㅊ
(ⓕ)소리 (치조음)	혀끝과 윗잇몸 사이에서 나는 소리	ㄷ, ㄸ, ㅌ, ㅅ, ㅆ, ㄴ, ㄹ
입술소리(순음)	두 입술 사이에서 나는 소리	ㅂ, ㅃ, ㅍ, ㅁ

• 조음 방법에 따른 자음의 분류

파열음	허파에서 나오는 공기의 흐름을 완전히 막았다가 터뜨리면서 내는 소리	ㄱ, ㄲ, ㅋ ㄷ, ㄸ, ㅌ ㅂ, ㅃ, ㅍ
(ⓖ)	파열 후에 마찰을 일으키면서 내는 소리	ㅈ, ㅉ, ㅊ
마찰음	공기가 나오는 조음 기관의 공간을 좁혀 (ⓗ)을/를 일으키며 내는 소리	ㅅ, ㅆ, ㅎ

유음	혀끝을 잇몸에 가볍게 대었다가 떼거나, 혀끝을 윗잇몸에 댄 채 공기를 양옆으로 흘려 내보내면서 내는 소리	ㄹ
비음	여린입천장과 목젖을 내려 공기가 코로 들어가도록 하여 내는 소리	ㄴ, ㅁ, ㅇ

• 소리의 세기에 따른 자음의 분류

예사소리(평음)	ㄱ, ㄷ, ㅂ, ㅅ, ㅈ
된소리(경음)	ㄲ, ㄸ, ㅃ, ㅆ, ㅉ
거센소리(격음)	ㅋ, ㅌ, ㅍ, ㅊ

• 목청의 떨림 여부에 따른 자음의 분류

울림소리(유성음)	유음, (ⓘ)
안울림소리(무성음)	파열음, 파찰음, 마찰음

3 모음 체계

• 단모음: 발음하는 동안 입술 모양이나 (ⓙ)의 위치가 일정한 모음

혀의 앞뒤	전설 모음		후설 모음	
입술 모양 혀의 높이	평순 모음	원순 모음	평순 모음	원순 모음
고모음	ㅣ	ㅟ	ㅡ	ㅜ
중모음	ㅔ	ㅚ	ㅓ	ㅗ
저모음	ㅐ		ㅏ	

– 전설 모음: 입천장의 중간점을 중심으로 혀의 최고점이 앞쪽에 있을 때 발음되는 모음

– 후설 모음: 입천장의 중간점을 중심으로 혀의 최고점이 뒤쪽에 있을 때 발음되는 모음

• 이중 모음: 발음하는 동안 입술 모양이나 혀의 위치가 달라지는 모음으로, (ⓚ)와/과 단모음이 결합하여 이루어짐.

반모음	• ㅣ [j]: 혀가 'ㅣ'의 자리에서 다음 자리로 옮겨갈 때 발음됨. • ㅗ/ㅜ [w]: 혀가 'ㅗ/ㅜ' 자리에서 다음 자리로 옮겨갈 때 발음됨.

답 ⓐ 경계, ⓑ 최소 대립쌍, ⓒ 의미, ⓓ 위치, ⓔ 방법, ⓕ 잇몸, ⓖ 파찰음, ⓗ 마찰, ⓘ 비음, ⓙ 혀, ⓚ 반모음

소단원 적중 문제

[01-05] 다음 글을 읽고, 물음에 답하시오.

가 허파에서 나오는 공기가 목청[성대(聲帶)], 후두(喉頭), 울대 마개[후두개(喉頭蓋)], 목 안[인두(咽頭)], 입안[구강(口腔)], 코안[비강(鼻腔)]을 통과하는 동안 여러 기관의 작용에 따라 구체적이고 다양한 말소리가 만들어진다. 이때 작용하는 여러 기관을 조음 기관(또는 발음 기관)이라고 하는데, 말소리가 만들어지는 과정에서 공기의 흐름이 조음 기관의 방해를 많이 받으면 자음(子音)이 만들어지고, 별다른 방해를 받지 않으면 모음(母音)이 만들어진다.

나 사람의 발음 기관을 통해 나오는 말소리를 자연의 소리인 음향(音響)과 구별하여 음성(音聲)이라 한다. 이러한 음성은 발음 기관에서 만들어지는 물리적이고 경험적인 소리라는 점에서 머릿속에서 동일하게 인식하는 추상적이고 관념적인 소리인 음운(音韻)과 구별된다. 또한 음운은 의미의 차이를 낸다는 점에서 의미의 차이를 내지 못하는 변이음(變異音)과도 구별된다. 예를 들어, '달'과 '말'은 나머지 구성 요소는 같고 오직 'ㄷ'과 'ㅁ'의 차이에 의해 의미 차이가 생기는데, 이때 'ㄷ'과 'ㅁ'을 각각 하나의 음운이라 한다. 반면 '고기'에서 두 'ㄱ'의 실제 소리는 [k]와 [g]로 서로 다르지만 우리는 두 소리를 구별하여 의미 차이를 만드는 데 사용할 수 없는데, 이처럼 의미 차이에 기여하지 못하고 하나의 음운에 속하는 소리를 변이음이라 한다.

다 의미 구별에 사용되는 최소의 문법 단위를 음운이라 할 때, 최소 대립쌍을 만들어 봄으로써 음운을 확인할 수 있다. 최소 대립쌍이란, 위에서 예로 든 '달-말'과 같이 단어를 구성하고 있는 요소 중에서 오직 한 가지 요소에 의해서만 의미가 구별되는 단어의 짝을 말한다. 이때 차이가 나는 한 가지 요소를 음운이라 한다.

라 음운은 다시 자음과 모음, 즉 정확히 소리마디의 경계가 그어지는 분절 음운과 소리의 장단, 강약, 고저와 같이 소리마디의 경계가 분명히 그어지지 않는 비분절 음운으로 나눌 수 있다. 모든 언어는 분절 음운과 비분절 음운을 활용하여 다양한 의미를 가진 단어를 만들어서 사용하지만, ㉠분절 음운의 구체적인 목록과 체계 및 비분절 음운의 종류는 언어마다 차이가 있다.

01 윗글을 읽고 '음운'에 대해 이해한 내용으로 적절하지 않은 것은?

① 개인마다 차이가 있다.
② 언어마다 차이가 있다.
③ 관념적이고 추상적인 소리이다.
④ 의미를 변별해 주는 기능이 있다.
⑤ 최소 대립쌍을 만들어 봄으로써 확인할 수 있다.

02 윗글을 바탕으로 〈보기〉의 ⓐ~ⓓ를 설명하였을 때, 적절하지 않은 것은?

〈보기〉
ⓐ 바다에 가고 싶다.
ⓑ 올봄에는 비가 많이 온다.
ⓒ 눈 오는 성탄절을 기대한다.
ⓓ 눈을 크게 뜨고 나를 보아라.

① ⓐ의 'ㅂ'과 ⓑ의 'ㅂ'은 우리말에서 하나의 음운으로 인식된다.
② ⓐ의 'ㅂ'과 ⓑ의 'ㅂ'은 의미를 변별하는 기능을 하지 못한다.
③ ⓐ의 'ㅂ'과 ⓑ의 'ㅂ'은 우리말에서 서로 다른 음성에 해당한다.
④ ⓒ는 소리의 장단을 활용하여 의미의 차이를 드러낸다.
⑤ ⓒ와 ⓓ는 소리마디의 경계가 분명한 음운적 특징을 지니고 있다.

03 윗글을 참고할 때 〈보기〉의 빈칸에 들어갈 숫자로 적절한 것은?

〈보기〉
'송아지'는 (   )개의 음운으로 이루어진 단어이다.

① 3   ② 4   ③ 5   ④ 6   ⑤ 7

04 다음 글과 (나)를 참고하여 'ㄹ'의 음운적 성격에 대해 설명하시오.

유음 'ㄹ'은 모음 앞에서는 'r'의 음가로 발음되고, 자음 앞에서는 'l'의 음가로 발음된다.
⑩ 설악[서락]   대관령[대괄령]

05 다음 상황에서 영어 화자인 외국인이 [방]으로 발음한 이유를 ㉠을 참고하여 한 문장으로 서술하시오.

> 외국인: (슈퍼에 들어와서) 방 주세요.
> 점원: (방? 빵?)

[06-10] 다음 글을 읽고, 물음에 답하시오.

㉮ 자음이 만들어지면서 공기의 흐름에 장애가 일어나는 자리를 조음 위치라고 하고, 장애가 일어나는 방법을 조음 방법이라고 한다. 자음은 조음 위치와 조음 방법에 따라 여러 가지 소리로 나뉜다.

㉯ 조음 위치에 따라서는, 두 입술에서 나는 입술소리[순음(脣音)], 혀끝이 윗잇몸에 닿아서 나는 잇몸소리[치조음(齒槽音)], 혓바닥과 센입천장 사이에서 나는 센입천장소리[경구개음(硬口蓋音)], 혀뿌리 부분과 여린입천장 사이에서 나는 여린입천장소리[연구개음(軟口蓋音)], 목청 사이에서 나는 목청소리[후음(喉音)] 등으로 나뉜다.

㉰ 조음 방법에 따라서는, 구강만 이용해서 내는 구강음과 비강도 같이 이용해서 내는 비강음으로 우선 나뉜다. 구강음에는 허파에서 나오는 공기의 흐름을 완전히 막았다가 터뜨리면서 내는 ㉠ 파열음(破裂音), 공기가 나오는 조음 기관의 공간을 좁혀 마찰을 일으키면서 내는 ㉡ 마찰음(摩擦音), 파열 후에 마찰을 일으키는 ㉢ 파찰음(破擦音), 혀끝을 잇몸에 가볍게 대었다가 떼거나 혀끝을 윗잇몸에 댄 채 공기를 그 양옆으로 흘려 내보내면서 내는 유음(流音)이 있다. 비강음은 여린입천장과 목젖을 내려 공기가 코로 들어가도록 하여 내는 소리로, 비음(鼻音)이 여기에 속한다.

㉱ 또한 소리의 세기에 따라 예사소리[평음(平音)], 된소리[경음(硬音)], 거센소리[격음(激音)]로 나뉘기도 하고, 목청의 떨림 여부에 따라 울림소리[유성음(有聲音)]와 안울림소리[무성음(無聲音)]로 나뉘기도 한다. 자음 가운데 비음과 유음은 항상 울림소리로 발음되고, 나머지 자음들은 기본적으로 안울림소리지만 ㉣ 특정한 환경에서는 울림소리로 발음되기도 한다.

㉲

조음 위치 / 조음 방법		입술소리	잇몸소리	센입천장소리	여린입천장 소리	목청소리
파열음	예사소리	ㅂ	ㄷ		ㄱ	
	된소리	ㅃ	ㄸ		ㄲ	
	거센소리	ㅍ	ㅌ		ㅋ	
파찰음	예사소리			ㅈ		
	된소리			ㅉ		
	거센소리			ㅊ		
마찰음	예사소리		ㅅ			
	된소리		ㅆ			ㅎ
비음		ㅁ	ㄴ		ㅇ	
유음			ㄹ			

06 윗글의 내용과 일치하지 않는 것은?

① 파열음과 마찰음을 각각 비강음과 구강음에 속한다.
② 자음은 조음 위치와 조음 방법에 따라 분류할 수 있다.
③ 구강음과 비강음은 조음 방법에 따른 자음 분류 기준이다.
④ 소리의 세기에 따라 예사소리, 된소리, 거센소리로 나뉘기도 한다.
⑤ 자음은 그 자체로 혹은 음운 환경에 따라 유성음으로 발음되기도 한다.

07 윗글을 바탕으로 〈보기〉에 나타난 자음 분류 기준으로 적절하지 않은 것은?

> ─〈 보기 〉─
> ㉮ ㅅ – ㅆ
> ㉯ ㅁ – ㄹ
> ㉰ ㅁ – ㅍ
> ㉱ ㄱ – ㄷ – ㅂ – ㅈ
> ㉲ ㄷ – ㅈ – ㅅ – ㄴ – ㄹ

① ㉮: 공기 흐름의 장애 여부
② ㉯: 공기의 외부 유출 통로
③ ㉰: 목청 떨림이 있는지의 여부
④ ㉱: 소리를 만들어 내는 위치
⑤ ㉲: 소리를 만들어 내는 방법

08 ㉠~㉢의 조음 위치에 해당하는 부분을 바르게 연결한 것은?

보기

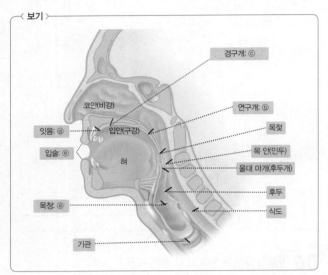

코안(비강)
경구개: ㉢
잇몸: ⓓ
입안(구강)
연구개: ⓑ
목젖
입술: ⓔ
목 안(인두)
혀
울대 마개(후두개)
후두
식도
목청: ⓐ
기관

	㉠	㉡	㉢
①	ⓐ, ⓒ, ⓓ	ⓐ, ⓑ	ⓔ
②	ⓐ, ⓑ	ⓓ, ⓔ	ⓒ
③	ⓑ, ⓓ, ⓔ	ⓐ, ⓓ	ⓒ
④	ⓑ, ⓒ	ⓓ, ⓔ	ⓐ
⑤	ⓒ, ⓔ, ⓐ	ⓑ, ⓑ	ⓓ

09 ㉣에 해당하는 자음으로 적절하지 않은 것은?
① '면접'의 'ㅈ'
② '여가'의 'ㄱ'
③ '만두'의 'ㄷ'
④ '암산'의 'ㅅ'
⑤ '청빈'의 'ㅂ'

10 윗글을 바탕으로 다음 단어들 사이의 표현 효과에 대해 설명하시오.

감감하다 – 깜깜하다 – 캄캄하다

[11-12] 다음 글을 읽고, 물음에 답하시오.

㉮ 날숨이 목청을 통과하면서 목청이 떨어 울리게 되면, 그것이 입안에서 공명을 일으키면서 모음이 만들어진다. 모음은 발음하는 동안 입술의 모양과 혀의 위치가 일정한 단모음(單母音)과 발음하는 동안 입술의 모양이나 혀의 위치가 달라지는 이중 모음(二重母音)으로 나뉜다.

㉯ 혀의 위치에 따라서는, 입천장의 중간을 기준으로 혀의 최고점이 앞쪽에 있을 때 발음되는 모음을 전설 모음, 뒤쪽에 있을 때 발음되는 모음을 후설 모음이라 한다. 입이 조금만 열려서 혀의 위치가 입천장 가까이 있는 것을 고모음 또는 폐모음, 입이 많이 열려서 혀의 위치가 낮은 것을 저모음 또는 개모음, 그 중간쯤 되는 것을 중모음이라 한다. 입술 모양에 따라서는, 입술을 둥글게 오므려서 발음하는 모음을 원순 모음, 그렇지 않은 모음을 평순 모음이라 한다.

11 (나)와 다음 표에 관한 설명 중 적절하지 않은 것은?

혀의 앞뒤 / 입술 모양 / 혀의 높이	전설 모음		후설 모음	
	평순 모음	원순 모음	평순 모음	원순 모음
고모음	ㅣ	ㅟ	ㅡ	ㅜ
중모음	ㅔ	ㅚ	ㅓ	ㅗ
저모음	ㅐ		ㅏ	

① 'ㅣ'를 발음하면서 혀를 서서히 뒤로 빼면 'ㅡ'를 발음할 수 있다.
② 'ㅜ'를 발음하면서 입을 서서히 벌리면 'ㅗ'로 소리가 변화함을 알 수 있다.
③ 'ㅡ'를 발음하면서 입을 서서히 벌리면 'ㅓ-ㅏ'의 소리를 차례로 낼 수 있다.
④ 'ㅣ'를 발음하면서 입을 서서히 벌리면 'ㅔ-ㅐ-ㅏ'의 소리를 차례로 낼 수 있다.
⑤ 'ㅗ'를 발음하면서 혀를 앞쪽으로 이동시키면 'ㅚ'로 소리가 변화함을 알 수 있다.

12 '배낭-베낭'처럼, 현대 국어에서 'ㅔ'와 'ㅐ'가 잘 구별되지 않는 현상에 대한 분석으로 적절하지 않은 것은?
① 'ㅔ'와 'ㅐ'의 발음 위치가 서로 가깝기 때문이다.
② 외래어 표기에서도 비슷한 혼란이 발생할 수 있다.
③ 후설 모음을 정확하게 내지 못해서 생기는 현상이다.
④ 발음할 때 입을 벌리는 정도가 비슷해서 생기는 현상이다.
⑤ 경상도 방언에서 'ㅡ'와 'ㅓ'를 구별하지 못하는 것도 이와 같은 종류의 현상으로 볼 수 있다.

{2}

음운의 변동

소단원 학습 포인트
- 음운 변동의 개념 알기
- 음운 변동의 종류와 예 알기

개념➕

조음 방법에 따른 분류

받침 표기	끝소리 발음
ㄱ, ㄲ, ㅋ	ㄱ
ㄴ	ㄴ
ㄷ, ㅌ, ㅅ, ㅆ, ㅈ, ㅊ, (ㅎ)	ㄷ
ㄹ	ㄹ
ㅁ	ㅁ
ㅂ, ㅍ	ㅂ
ㅇ	ㅇ

[낟]!

가 음운은 그 놓이는 환경에 따라 발음이 달라지는 경우가 있다. 예를 들어, 'ㅊ'의 경우, '차[차]'와 같이 모음 앞에서는 원래의 음가를 유지하지만 '꽃[꼳]'과 같이 받침 위치에 오거나 '꽃만[꼰만]'과 같이 특정한 음운과 연결되면 다른 음운으로 바뀌어 발음된

꼳만(교체) → 꼰만(동화)

다. 어떤 음운이 어느 자리에 놓이느냐에 따라 다른 음운으로 바뀌어 소리 나는 현상을

음운 변동의 개념

음운 변동이라고 한다.

▶음운 변동의 개념

음운 변동은 그 결과에 따라 한 음운이 다른 음운으로 바뀌는 ㉠ **교체(交替)**, 원래 있던 음운이 없어지는 ㉡ **탈락(脫落)**, 없던 음운이 추가되는 ㉢ **첨가(添加)**, 두 개의 음운이 합쳐져서 하나로 되는 ㉣ **축약(縮約)** 등으로 분류할 수 있다.

▶음운 변동의 종류

나 1 교체

한 음운이 다른 음운으로 바뀌는 교체에는 **음절의 끝소리 규칙**과 자음 사이에 일어나는 **자음 동화**, 모음 사이에 일어나는 **모음 동화**, 자음과 모음 사이에 일어나는 **구개음화** 등이 있다.

▶교체의 개념과 종류

> **다가서기**
>
> ● 다음 단어의 발음을 한글로 써 보고, 그 결과를 바탕으로 받침 표기와 실제 발음이 어떻게 다른지 알아보자.
>
> - 밖[박]   - 갓[갇]   - 낮[낟]   - 옻[옫]
> - 부엌[부억]   - 솥[솓]   - 무릎[무릅]
>
> | 예시 답 | 받침 표기와 실제 발음 사이에 차이가 있음을 알 수 있다. 받침의 'ㄲ, ㅋ'은 'ㄱ'으로 발음되고, 'ㅅ, ㅈ, ㅊ, ㅌ'은 'ㄷ'으로 발음되며, 'ㅍ'은 'ㅂ'으로 발음된다.
>
> ● 다음 단어의 표준 발음을 써 보자.
>
> - 먹는다[멍는다]   - 권력[궐력/궐·력]   - 해돋이[해도지]

① ㉠ 음절의 끝소리 규칙

음절의 끝에서는 다음과 같은 교체가 나타난다.

- 밖[박], 부엌[부억]
- 낫[낟], 낮[낟], 낯[낟], 낱[낟]
- 무릎[무릅]

이러한 현상은 'ㅇ'을 제외한 모든 자음이 음절의 처음 위치에서 발음될 수 있는 것과

한 번에 소리 낼 수 있는 소리의 마디

달리, 음절의 끝 위치에서는 'ㄱ, ㄴ, ㄷ, ㄹ, ㅁ, ㅂ, ㅇ'의 7개 자음으로만 발음되는 것

'음절의 끝소리 규칙'에 적용되는 받침소리

과 관련된다.

▶표준 발음법 제8항, 제9항

'ㄱ, ㄴ, ㄷ, ㄹ, ㅁ, ㅂ, ㅇ'이 음절 끝 위치에 있는 경우는 제 음가대로 발음되지만, 여기에 속하지 않는 다른 자음들은 'ㄱ, ㄷ, ㅂ' 중 하나로 교체되어 발음된다. 이러한 현상은 음절의 끝에서 나타나기 때문에 음절의 끝소리 규칙이라고 한다.

▶음절의 끝소리 규칙의 개념

■ 음운 변동의 개념

어떤 음운이 어느 자리에 놓이느냐에 따라 다른 음운으로 바뀌어 소리 나는 현상

■ 음운 변동의 종류

교체	한 음운이 다른 음운으로 바뀌어 발음되는 현상
탈락	원래 있던 음운이 없어져서 발음되지 않는 현상
첨가	원래 존재하지 않았던 음운이 추가되어 발음되는 현상
축약	두 개의 음운이 합쳐져서 하나의 소리로 발음되는 현상

※ 음운 변동으로 인한 발음이 표준어의 발음으로 모두 인정되는 것은 아니다. 허용되는 것만을 모아 놓은 것이 '표준어 규정'의 '표준 발음법'이다.

■ 교체의 종류

음절의 끝소리 규칙	음절의 받침에서 일어남.
자음 동화	자음과 자음 사이에서 일어남.
모음 동화	모음과 모음 사이에서 일어남.
구개음화	자음과 모음 사이에서 일어남.

■ 음절의 끝소리 규칙

• 'ㅇ'을 제외한 모든 자음이 음절의 처음 위치에서 발음될 수 있는 것과 달리, 음절의 끝 위치, 즉 받침에서는 'ㄱ, ㄴ, ㄷ, ㄹ, ㅁ, ㅂ, ㅇ'의 7개 자음으로만 발음되는 현상
• 7개 자음에 속하지 않는 자음은 받침에서 대표음인 'ㄱ, ㄷ, ㅂ' 중 하나로 교체되어 발음됨.

받침 표기	끝소리 발음 (대표음)	예
ㄱ, ㄲ, ㅋ	ㄱ	박[박], 밖[박], 부엌[부엌]
ㄷ, ㅌ, ㅅ, ㅆ, ㅈ, ㅊ, (ㅎ)	ㄷ	낟[낟], 낱[낟], 낫[낟], 났(다)[낟(따)], 낮[낟], 낯[낟], 히읗[히은]
ㅂ, ㅍ	ㅂ	법[법], 숲[숩]

※ 음절의 끝소리 규칙은 받침에서 표기와 실제 발음 사이에 차이가 있음을 보여 준다.

01. ㉠~㉣의 예를 〈보기〉에서 골라 바르게 연결한 것은?

〈 보기 〉
㉮ 국물 → [궁물]
㉯ 좋아 → [조:아]
㉰ 먹히다 → [머키다]
㉱ 눈요기 → [눈뇨기]

	㉠	㉡	㉢	㉣
①	㉮	㉯	㉰	㉱
②	㉮	㉯	㉱	㉰
③	㉯	㉮	㉰	㉱
④	㉰	㉱	㉯	㉮
⑤	㉱	㉯	㉮	㉰

02. 〈보기〉는 ㉤의 내용을 보충하여 정리한 것이다. 이를 참고하여 구체적인 사례를 제시한 것으로 적절하지 <u>않은</u> 것은?

〈 보기 〉
• 국어의 음절 끝소리는 'ㄱ, ㄴ, ㄷ, ㄹ, ㅁ, ㅂ, ㅇ'의 대표음으로 발음된다.
• 음절의 끝소리가 자음과 만날 때에는 'ㄱ, ㄴ, ㄷ, ㄹ, ㅁ, ㅂ, ㅇ'의 대표음으로 발음된다.
• 음절의 끝소리가 모음으로 시작되는 형식 형태소와 만날 때에는 연음된다.
• 음절의 끝소리가 모음으로 시작되는 실질 형태소와 만날 때에는 음절의 끝소리 규칙이 적용된다.
• 'ㅎ'은 음절의 끝소리로 발음될 수 없다.

① '앞'은 [압]으로 발음해야 한다.
② '닭다'는 [닥따]로 발음해야 한다.
③ '맛있다'는 [마싣다]로 발음해야 한다.
④ '놓으면'은 [노으면]으로 발음해야 한다.
⑤ '웃으면'는 [우:스면]으로 발음해야 한다.

03. 다음 중 받침 표기와 실제 발음이 같은 것은?
① 밖   ② 갓   ③ 돌
④ 부엌   ⑤ 무릎

다 ② 자음 동화

대표적인 자음 동화에는 **비음화**(鼻音化)와 **유음화**(流音化)가 있다. 파열음 'ㄷ, ㅂ, ㄱ'이 비음 앞에서 비음 'ㄴ, ㅁ, ㅇ'으로 교체되는 현상이 ㉠비음화이고, 'ㄴ'이 유음 'ㄹ'의 앞이나 뒤에서 'ㄹ'로 교체되는 현상이 유음화이다.

개념 ✛
유음화의 예외
한자어에 '란, 량, 력, 론, 료, 례, 령' 등이 접사처럼 붙은 말은 'ㄴㄹ'을 'ㄴㄴ'으로 발음한다.
• 의견란 → [의견난], 생산량 → [생산냥]

〈비음화〉 → 표준 발음법 제18항

• 닫는다[단는다] 'ㄷ'이 'ㄴ' 앞에서 'ㄴ'으로 변함.
• 잡는다[잠는다] 'ㅂ'이 'ㄴ' 앞에서 'ㅁ'으로 변함.
• 먹는다[멍는다] 'ㄱ'이 'ㄴ' 앞에서 'ㅇ'으로 변함.

〈유음화〉 → 표준 발음법 제20항

• 달님[달림] 'ㄴ'이 'ㄹ' 뒤에서 'ㄹ'로 변함.
• 권력[궐력] 'ㄴ'이 'ㄹ' 앞에서 'ㄹ'로 변함.

▶ 자음 동화의 종류와 예

라 ③ 모음 동화

모음 동화에는 'ㅣ' 모음 역행 동화가 있는데, 후설 모음 'ㅏ, ㅓ, ㅗ, ㅜ'가 뒤에 오는 전설 모음 'ㅣ'의 영향을 받아 각각 'ㅐ, ㅔ, ㅚ, ㅟ'로 바뀌는 현상이다.
전설 모음으로 바뀌므로 '전설 모음화'라고도 함.   혀의 높낮이와 입술 모양은 그대로, 혀의 최고점의 위치만 바뀜.

𝄢 **순행 동화와 역행 동화**
• 순행 동화: 앞 음운이 뒤 음운에 영향을 주어 일어나는 동화. 예 달님
• 역행 동화: 뒤 음운이 앞 음운에 영향을 주어 일어나는 동화. 예 권력

• 아기 → [애기]
• 고기 → [괴기]
• 어미 → [에미]
• 죽이다 → [주기다] → [쥐기다]

'ㅣ' 모음 역행 동화에 의한 발음은 '냄비, 멋쟁이, (불을) 댕기다'와 같이 표준어가 된 일부 단어를 제외하고는 표준 발음으로 인정하지 않는다.
'ㅣ' 모음 역행 동화는 대부분 방언으로 처리함.   ▶ 'ㅣ' 모음 역행 동화의 개념과 특성

마 ④ 구개음화

자음과 모음 사이에 일어나는 동화로 구개음화가 있는데, 실질 형태소의 끝소리 'ㄷ, '구개음화'가 '자음 동화'나 '모음 동화'와 구별되는 점   잇몸소리
ㅌ'이 형식 형태소의 모음 'ㅣ'나 반모음 'ㅣ' 앞에서 구개음인 'ㅈ, ㅊ'으로 바뀌는 현상이다.
센입천장소리   → 표준 발음법 제17항

𝄢 현대 국어의 구개음화는 실질 형태소 뒤에 형식 형태소가 연결되는 환경에서만 일어나고 있다. 예를 들어, '밭이, 닫히다' 등에서는 구개음화가 일어나지만 '빌딩, 잔디, 디디다' 등에서는 구개음화가 일어나지 않는다.

○: 형식 형태소가 특정한 환경임.
• 굳이[구지] [구디] → [구지]
• 닫히다[다치다] [다티(ㄷ+ㅎ: 축약)다] → [다치다]
• 밭이[바치] [바티] → [바치]
• 붙이다[부치다] [부티다] → [부치다]

위를 보면 'ㄷ, ㅌ'이 'ㅈ, ㅊ'으로 바뀌는 것을 알 수 있다. 또 'ㄷ' 뒤에 형식 형태소 '히'가 올 때 'ㅎ'과 결합하여 이루어진 'ㅌ'이 'ㅊ'이 되는 현상을 알 수 있다.

▶ 구개음화의 개념과 예

확인하기

● 받침 위치에서 'ㄱ, ㄷ, ㅂ'으로 교체되는 자음을 모두 찾아보자.

| 예시 답 |
• ㄲ, ㅋ ⋯ ㄱ   • (ㅅ, ㅆ, ㅈ, ㅊ, ㅌ, (ㅎ)) ⋯ ㄷ   • (ㅍ) ⋯ ㅂ

● 다음 단어의 실제 발음을 써 보고, 이때 일어나는 동화의 유형이 무엇인지 아래에서 골라 보자.

[웃는다] → [운는다] 'ㄷ'이 'ㄴ' 앞에서 'ㄴ'으로 변화
• 웃는다[운ː는다] (㉠)   • 신라[실라] (㉡) 'ㄴ'이 'ㄹ' 앞에서 'ㄹ'로 변화
• 받히다[바치다] (㉣)   • 맏이[마지] (㉢) 'ㄷ'이 모음 'ㅣ'와 만나서 'ㅈ'으로 변화
[바티다] → [바치다] 'ㅌ'이 모음 'ㅣ'와 만나서 'ㅊ'으로 변화

| ㉠ 비음화 | ㉡ 유음화 | ㉢ 'ㅣ' 모음 역행 동화 | ㉣ 구개음화 |

■ 자음 동화

종류	의미	예
비음화	파열음 'ㄱ, ㄷ, ㅂ'이 비음 앞에서 비음 'ㅇ, ㄴ, ㅁ'으로 교체되어 발음 나는 현상	먹는다[멍는다], 닫는다[단는다], 잡는대[잠는다]
유음화	'ㄴ'이 유음 'ㄹ'의 앞이나 뒤에서 'ㄹ'로 교체되어 발음 나는 현상	달님[달림], 권력[궐력]

※ 비음화는 '조음 위치'는 그대로이고, '조음 방법'만 바뀜.

	조음 위치	조음 방법
ㄱ → ㅇ	여린입천장소리	파열음 → 비음
ㄷ → ㄴ	잇몸소리	파열음 → 비음
ㅂ → ㅁ	입술소리	파열음 → 비음

■ 모음 동화

- 'ㅣ' 모음 역행 동화: 후설 모음 'ㅏ, ㅓ, ㅗ, ㅜ'가 뒤에 오는 전설 모음 'ㅣ'의 영향을 받아 각각 전설 모음 'ㅐ, ㅔ, ㅚ, ㅟ'로 바뀌는 현상으로, 전설 모음화 현상이라고도 함.
  예 아기 → [애기], 어미 → [에미], 고기 → [괴기], 죽이다 → [주기다] → [쥐기다]
- 'ㅣ' 모음 역행 동화는 혀의 높낮이와 입술 모양은 변하지 않고, 혀의 위치만 바뀜.(후설 → 전설).
- 'ㅣ' 모음 역행 동화에 의한 발음은 '냄비, 멋쟁이, (불을) 댕기다'와 같은 일부 단어를 제외하고는 표준 발음으로 인정하지 않고 방언으로 처리함.
  ※ 'ㅣ' 모음 역행 동화를 표준어로 인정한 경우
  예 서울내기, 시골내기, 풋내기, 신출내기, 소금쟁이, 담쟁이넝쿨, 골목쟁이, 발목쟁이 등

■ 구개음화

- 실질 형태소의 끝소리 'ㄷ, ㅌ'이 형식 형태소의 모음 'ㅣ'나 반모음 'ㅣ' 앞에서 구개음 'ㅈ, ㅊ'으로 바뀌는 현상
- 잇몸소리에서 센입천장소리로 조음 위치가 변함.

유형	예
ㄷ + ㅣ → [지]	굳이 → [구디] → [구지]
ㅌ + ㅣ → [치]	밭이 → [바티] → [바치]
ㄷ + 히 → [티] → [치]	닫히다 → [다티다] → [다치다]

04. 윗글을 바탕으로 〈보기〉의 ㉮~㉺를 이해한 내용으로 적절하지 **않은** 것은?

┌ 보기 ┐
㉮ 먹는→[멍는]   ㉯ 달님→[달림]
㉰ 아기→[애기]   ㉱ 밭이→[바치]
㉲ 옷고름→[옫꼬름]
└─────────────────────────────┘

① ㉮는 파열음이 비음에 동화됨으로써 비음으로 교체되어 발음되고 있는 예이다.
② ㉯는 비음이 유음에 동화됨으로써 유음으로 교체되어 발음되고 있는 예이다.
③ ㉰는 후설 모음이 뒤에 오는 전설 모음에 동화됨으로써 전설 모음으로 교체되어 발음되고 있는 예이다.
④ ㉱는 센입천장에 가까운 곳에서 발음되는 'ㅣ' 모음에 동화됨으로써 음절 끝소리가 센입천장소리로 교체되어 발음되고 있는 예이다.
⑤ ㉲는 파열음이 앞에 있는 마찰음에 동화됨으로써 된소리로 교체되어 발음되고 있는 예이다.

출제 예감

05. 〈보기〉는 ㉠이 일어나는 음운 환경을 구체적으로 정리한 것이다. ㉮~㉺에 들어갈 수 있는 예를 바르게 배열한 것은?

┌ 보기 ┐
- 뒤에 오는 비음의 영향을 받아 비음으로 바뀌어 발음된다.
  예 [㉮   ]
  이때 음절의 끝소리 규칙이 적용되어 발음되는 자음들도 비음화가 적용된다.
  예 [㉯   ]
- 뒤에 오는 유음이 비음의 영향을 받아 비음으로 바뀌어 발음된다.
  예 [㉰   ]
- 상호 간의 영향이 차례대로 일어나 두 자음이 모두 비음으로 발음된다.
  예 [㉱   ]
└─────────────────────────────┘

	㉮	㉯	㉰	㉱
①	밥물	깎는	중력	국력
②	받는다	꽃만	잡는	먹는
③	겁나다	영리	밥물	짓밟는
④	담력	맑는	맏며느리	밖만
⑤	국민	삼라만상	부엌만	섭리

바 **2 탈락**

● 다음 단어의 표준 발음을 써 보자.

| 예시 답 |
• 닭[닥] •많이[마:니] •넋[넉] •좋은[조:은] •값[갑]

탈락은 <u>자음이나 모음이 어떤 환경에서 없어지는 현상</u>으로, 자음군 단순화(子音群單
純化), 'ㄹ' 탈락, 'ㅎ' 탈락, '一' 탈락 등이 대표적이다.
　　　　탈락의 개념
　　탈락의 종류　　　　　　　　　　　　　　　　　　　　　　　　　▶탈락의 개념과 종류

① ㉠ 자음군 단순화
　　표준 발음법 제10항, 제11항
　자음군 단순화는 음절 끝의 겹받침 가운데 하나가 탈락하고 하나만 발음되는 현상으
로, 겹받침 가운데 앞에 있는 자음이 탈락하는 예도 있고 뒤에 있는 자음이 탈락하는
예도 있다.

• 닭[닥], 맑다[막따], 삶[삼:], 젊다[점:따], 읊다[읍따] 겹받침 중 앞 자음이 탈락하는 경우
• 넋[넉], 앉다[안따], 여덟[여덜], 외곬[외골 / 웨골], 핥다[할따], 값[갑] 겹받침 중 뒤 자음이 탈락하는 경우
　　　　　　　　　　　　　　　　　　　　　　　　　　　▶자음군 단순화의 개념과 예

사 **② 'ㄹ' 탈락** → 표준 발음법 제12항 4: 'ㅎ(ㄶ, ㅀ)' 뒤에 모음으로 시작된 어미나 접미사가 결합된 경우에는, ㅎ을 발음하지 않는다.

'ㄹ' 탈락은 <u>동사나 형용사의 어간 말 자음 'ㄹ'이 몇몇 어미 앞에서 탈락하는 현상</u>이다.
　　　　　　　　　　활용하는 과정에서 'ㄹ'이 탈락한 경우

• 놀다[놀:-]: 노니, 논, 놉니다, 노시다, 노오
• 둥글다: 둥그니, 둥근, 둥급니다, 둥그시다, 둥그오　　　　▶'ㄹ' 탈락의 개념과 예

아 **③ 'ㅎ' 탈락** → 표준 발음법 제12항 4: 'ㅎ(ㄶ, ㅀ)' 뒤에 모음으로 시작된 어미나 접미사가 결합된 경우에는, ㅎ을 발음하지 않는다.
　　불규칙 탈락
'ㅎ' 탈락은 <u>동사나 형용사의 어간 말 자음 'ㅎ'이 모음으로 시작하는 어미 앞에서 탈
락하는 현상</u>이다.

• 낳다: 낳아[나아], 낳은[나은]　　　• 좋다: 좋아[조:아], 좋은[조:은]
　　　　　　　　　　　　　　　　　　　　　　　　　　　▶'ㅎ' 탈락의 개념과 예

자 **④ '一' 탈락**
　　모음 탈락의 일종
'一' 탈락은 <u>동사나 형용사의 어간 말 모음 '一'가 모음으로 시작하는 어미 앞에서 탈
락하는 현상</u>이다.

• 아프다: 아파서, 아팠다　　　　　　　　　　　　　　　　▶'一' 탈락의 개념과 예

● 다음 빈칸을 채워서 음운의 탈락 현상을 정리해 보자. | 예시 답 |

탈락 현상	기본형	탈락 현상의 예
'ㄹ' 탈락	멀다	머니, 먼, 멉니다
'ㅎ' 탈락	쌓다	[싸으니], [싸아]
'一' 탈락	쓰다	(쓰니), 써, 썼다

개념+
자음군 단순화의 탈락 규칙

겹받침	환경	탈락 양상과 예
ㄳ, ㄵ, ㄶ, ㄺ, ㄾ, ㅀ, ㅄ	음절 말이나 자음 앞	뒤 자음 탈락 / 넋[넉] 앉다 [안따]
ㄻ, ㅍ	어말 또는 자음 앞	앞 자음 탈락 / 젊다 [점따]
ㄺ	어간 끝 자음이고 뒤에 'ㄱ' 이 올 때	'ㄱ' 탈락 / 읽고 [일꼬]
	그 외	'ㄹ' 탈락 / 읽대[익따]
ㄼ	'밟-'의 'ㄼ'이 자음 앞에 올 때, '넓죽하다, 넓둥글다' 의 'ㄼ'	'ㄹ' 탈락 / 밟다 [밥:따] 넓죽하다 [넙쭈카다]
	그 외	'ㅂ' 탈락 / 넓다 [널따]

𝔑 예전에는 'ㄹ' 탈락 현상이 많았다. 하
지만 '아다 마다', '아니 노지는 못하리라'
등이 오늘날에는 '알다 마다', '아니 놀지
는 못하리라'와 같이 되었다. '따님'에서는
'ㄹ'이 탈락하였지만 '달님, 별님'과 같이
현대에 만들어진 단어는 'ㄹ' 탈락이 일어
나지 않는 것도 같은 예이다.

- **탈락의 개념과 종류**
  - 탈락은 자음이나 모음이 어떤 환경에서 없어지는 현상
  - 자음군 단순화, 'ㄹ' 탈락, 'ㅎ' 탈락, 'ㅡ' 탈락 등이 대표적임.

- **자음군 단순화**
  - 음절 끝소리 겹받침 가운데 하나가 탈락하고 하나만 발음되는 현상
  - 겹받침 가운데 앞에 있는 자음이 탈락하는 경우와 뒤에 있는 자음이 탈락하는 경우로 나뉨.

앞의 자음이 탈락하는 경우	예 닭[닥], 삶[삼ː], 젊대[점ː따]
뒤의 자음이 탈락하는 경우	예 넋[넉], 여덟[여덜], 핥대[할따]

- **'ㄹ' 탈락**
  - 동사나 형용사가 활용하는 과정에서, 어간 말 자음 'ㄹ'이 몇몇 어미 앞에서 탈락하는 현상
  - 예 놀다: 동사의 활용 '놀ː-+-니'가 [노니]로 발음되는 과정에서 'ㄹ'이 탈락함.

- **'ㅎ' 탈락**
  - 동사나 형용사의 어간 말 자음 'ㅎ'이 모음으로 시작하는 어미 앞에서 탈락하는 현상
  - 예 낳다: 낳애[나아], 좋은[조ː은]

  보충자료
  - 받침 'ㅎ, ㄶ, ㅀ'의 'ㅎ'이 모음으로 시작되는 어미나 접미사와 결합할 때에 그 'ㅎ'은 발음하지 않음.
  - 'ㅎ' 탈락은 특정 접미사 앞에서도 일어남.
    - 예 쌓이다[싸이다], 끓이다[끄리다]

- **'ㅡ' 탈락**
  - 동사나 형용사의 어간 말 모음 'ㅡ'가 모음으로 시작하는 어미 앞에서 탈락하는 현상
  - 예 아프다: '아프-+-아서'가 [아파서]로 발음되면서 'ㅡ'가 탈락함.

  모음 탈락의 종류

'ㅡ' 탈락	예 쓰어 → 써
'ㅏ' 탈락	예 흔하지 → 흔치
'ㅓ' 탈락	예 깨어 → 깨
'ㅜ' 탈락	예 푸어 → 퍼
'ㅣ' 탈락	예 바이다 → 바다
동음 탈락	예 가아 → 가

출제 예감

06. 〈보기〉는 ㉠의 탈락 규칙을 명시하고 있는 표준 발음법 규정이다. 이를 참고할 때, 음운 탈락에 의한 발음이 적절하지 **않은** 것은?

〈 보기 〉

표준 발음법 제10항
  겹받침 'ㄳ', 'ㄵ', 'ㄼ, ㄽ, ㄾ', 'ㅄ'은 어말 또는 자음 앞에서 각각 [ㄱ, ㄴ, ㄹ, ㅂ]으로 발음한다.

표준 발음법 제11항
  겹받침 'ㄺ, ㄻ, ㄿ'은 어말 또는 자음 앞에서 각각 [ㄱ, ㅁ, ㅂ]으로 발음한다. 다만, 용언의 어간 말음 'ㄺ'은 'ㄱ' 앞에서 [ㄹ]로 발음한다.

① 앎 → [암ː]
② 없다 → [업ː따]
③ 묽다 → [묵따]
④ 맑고 → [말꼬]
⑤ 읊지 → [을찌]

07. ⓐ~ⓔ의 밑줄 친 단어를 발음할 때 일어나는 음운 변동 중, 음운 탈락에 해당하는 것을 모두 골라 차례로 배열한 것은?

〈 보기 〉

ⓐ 하늘이 참 <u>맑다</u>.
ⓑ 창문을 <u>닫지</u> 마라.
ⓒ <u>신라</u>의 서울은 경주다.
ⓓ 문이 굳게 <u>닫혀</u> 있었다.
ⓔ 김치를 많이 <u>담가</u> 주세요.

① ⓐ, ⓑ
② ⓐ, ⓔ
③ ⓐ, ⓑ, ⓔ
④ ⓑ, ⓒ, ⓔ
⑤ ⓒ, ⓓ, ⓔ

서술형
08. 다음 문장에서 음운 탈락 현상이 나타나 있는 단어를 찾아 구체적으로 설명하시오.

소년은 소녀의 뒷모습을 바라보며 한없이 서 있었다.

차 **3 첨가**

> **다가서기**
>
> ● 다음 단어의 표준 발음을 써 보자.
>
> |예시 답|
>
> • 솜 + 이불 → 솜이불[솜:니불]   • 꽃 + 잎 → 꽃잎[꼰닙]
>
> • 영업 + 용 → 영업용[영엄뇽]   • 맨 + 입 → 맨입[맨닙]

첨가란 일정한 환경에서 없던 음운이 추가되는 음운 현상이다. 두 개의 형태소 또는 단어가 합쳐져서 합성어나 파생어가 될 때 첨가 현상이 나타나는 경우가 있는데, '솜이불[솜:니불], 꽃잎[꼰닙]'은 합성어에서, '영업용[영엄뇽], 맨입[맨닙]'은 파생어에서 'ㄴ' 첨가가 일어난 예이다.

'ㄴ' 첨가는 두 단어를 이어서 한 마디로 발음하는 경우에도 일어난다.

• 한 일[한닐]
• 옷 입다[온닙따]

위의 두 가지 'ㄴ' 첨가 현상은 한 단어 내에서 일어나느냐 두 단어 사이에서 일어나느냐의 차이가 있지만, 앞말의 끝이 자음이고 뒷말의 첫음절 모음이 'ㅣ, ㅑ, ㅕ, ㅛ, ㅠ'인 경우에 일어난다는 공통점이 있다.

▶첨가 현상의 개념과 예

> **확인하기**
>
> ● 다음과 같이 합성어가 만들어질 때 'ㄴ' 첨가 현상이 일어나는 단어를 찾아보자.
>
> |예시 답| ㉠, ㉢
>
> ㉠ 솜 + 이불   ㉡ 들 + 길   ㉢ 색 + 연필   ㉣ 맛 + 집
> → 솜이불[솜니불]   → 들길[들:낄]   → 색연필[생년필]   → 맛집[맏찝]

카 **4 축약**

> **다가서기**
>
> ● 다음 단어의 발음을 써 보자.
>
> |예시 답|
>
> • 좋고 → [조:코]   • 좋다 → [조:타]   • 좋지 → [조:치]
>   ㅎ + ㄱ → ㅋ   ㅎ + ㄷ → ㅌ   ㅎ + ㅈ → ㅊ

'ㄱ, ㄷ, ㅂ, ㅈ'과 'ㅎ'이 서로 만나면 'ㅋ, ㅌ, ㅍ, ㅊ'이 된다. 이처럼 두 음운이 합쳐져서 하나의 음운이 되는 것을 축약(縮約)이라고 한다.

• 좋고 → [조:코]   • 먹히다 → [머키다]
   ㅎ + ㄱ → ㅋ   ㄱ + ㅎ → ㅋ
• 놓다 → [노타]   • 닫히다 → [다티다 → 다치다]
   ㅎ + ㄷ → ㅌ   ㄷ + ㅎ → ㅌ   구개음화
• 쌓지 → [싸치]   • 잡히다 → [자피다]
   ㅎ + ㅈ → ㅊ   ㅂ + ㅎ → ㅍ   ▶축약의 개념과 예

> **확인하기**
>
> ● 다음 단어를 발음할 때 음운이 어떻게 축약되는지 써 보자.
>
> |예시 답|
>
> • 각하 → [가카]   • 고집하다 → [고지파다]
>
> '가카, 고지파다'에서는 각각 'ㄱ', 'ㅂ'과 'ㅎ'이 만나서 'ㅋ', 'ㅍ'으로 축약되는 현상이 일어난다.

개념 ⊕
표준 발음법 제12항
받침 'ㅎ'의 발음은 다음과 같다.
1. 'ㅎ(ㄶ, ㅀ)' 뒤에 'ㄱ, ㄷ, ㅈ'이 결합되는 경우에는, 뒤 음절 첫소리와 합쳐서 [ㅋ, ㅌ, ㅊ]으로 발음한다.
[붙임 1] 받침 'ㄱ(ㄲ), ㄷ, ㅂ(ㄼ), ㅈ(ㄵ)'이 뒤 음절 첫소리 'ㅎ'과 결합되는 경우에도, 역시 두 음을 합쳐서 [ㅋ, ㅌ, ㅍ, ㅊ]으로 발음한다.
[붙임 2] 규정에 따라 'ㄷ'으로 발음되는 'ㅅ, ㅈ, ㅊ, ㅌ'의 경우에도 이에 준한다.

🔎 'ㄱ, ㄷ, ㅂ, ㅈ'과 'ㅎ'의 앞뒤 순서는 아무 상관이 없다.
예 ㅎ+ㄱ→ㅋ
   ㄱ+ㅎ→ㅋ

■ 첨가의 개념
• 일정한 음운 환경에서 없던 음운이 추가되는 현상

■ 'ㄴ' 첨가
'ㄴ' 첨가 현상은 합성어나 파생어에서 앞말의 끝소리가 자음이고 뒷말의 첫음절 모음이 'ㅣ, ㅑ, ㅕ, ㅛ, ㅠ'인 경우에 뒷말의 초성 자리에 'ㄴ'이 첨가되어 '니, 냐, 녀, 뇨, 뉴'로 발음되는 현상을 말한다.
• 합성어: 솜이불[솜:니불] / 꽃잎: [꼳입] → [꼳닙] → [꼰닙]
• 파생어: 맨입[맨닙] / 영업용: [영업용] → [영엄뇽]
• 'ㄴ' 첨가는 두 단어를 이어서 한 마디로 발음하는 경우에도 일어난다.
  예 한 일[한닐], 옷 입대[온닙따]

<표: 보충 자료>

사잇소리 현상

합성어에서 앞말의 끝소리가 울림소리이고, 뒷말의 첫소리가 안울림 예사소리이면 뒤의 예사소리가 된소리로 변하는 현상	예 들+길 → 들길[들:낄]
합성어에서 앞말이 모음으로 끝나고 뒷말이 'ㄴ, ㅁ'으로 시작하면 'ㄴ' 소리가 첨가되어 발음되는 현상	예 아래+마을 → 아랫마을[아랜마을] → 표기는 '아랫마을'이지만, 발음은 [아랜마을]로 'ㄴ' 첨가 현상이 나타남.
합성어에서 앞말이 모음으로 끝나고 뒷말이 모음 'ㅣ'나 반모음 [j]로 시작하면 'ㄴ' 또는 'ㄴㄴ'이 첨가되어 발음되는 현상	예 나무+잎 → 나뭇잎[나문닙]

■ 축약의 개념
• 두 음이 합쳐져서 하나의 음운이 되는 현상

■ 자음 축약(거센소리되기)
• 'ㄱ, ㄷ, ㅂ, ㅈ'과 'ㅎ'이 만나 'ㅋ, ㅌ, ㅍ, ㅊ'으로 줄어드는 현상
  예 좋고 → [조코] (ㅎ+ㄱ=ㅋ)   먹히다 → [머키다] (ㄱ+ㅎ=ㅋ)
     놓다 → [노타] (ㅎ+ㄷ=ㅌ)   잡히다 → [자피다] (ㅂ+ㅎ=ㅍ)
     쌓지 → [싸치] (ㅎ+ㅈ=ㅊ)

---

09. (차)를 참고할 때, 'ㄴ' 첨가가 일어나지 <u>않은</u> 경우로 가장 적절한 것은?

① 담요   ② 콩엿
③ 솜이불   ④ 내복약
⑤ 첫인사

심화

10. 파생어의 형태소 경계에서 'ㄴ' 첨가 현상이 일어난 단어끼리 묶인 것은?

① 홑이불, 막일
② 종착역, 밤길
③ 밭이랑, 많이
④ 나뭇잎, 군입
⑤ 낮일, 빗나가다

11. (카)에서 설명한 음운 현상에 들어갈 수 있는 예로 적절하지 <u>않은</u> 것은?

① 국화 → [구콰]
② 많고 → [만:코]
③ 하얗고 → [하:얀코]
④ 밝히다 → [발키다]
⑤ 닫히다 → [다티다] → [다치다]

서술형

12. 〈보기〉의 첨가 현상이 나타나는 원리를 서술하시오.

┌ 보기 ─────────────────────────────┐
│ • 영업+용 → [영엄뇽]   │
│ • 맨+입 → [맨닙]   │
└──────────────────────────────────┘

┌ 조건 ─────────────────────────────┐
│ • 앞말과 뒷말이 결합할 때의 음운적 환경이 분명히 드러나도록 기술할 것. │
└──────────────────────────────────┘

▶음운 변동의 규칙과 관련된 핵심 개념을 정리하는 활동

1. 다음 괄호에 알맞은 말을 써 보자.

> | 예시 답 |
>
> 어떤 음운이 그 놓이는 환경에 따라 다른 음운으로 바뀌는 현상을 음운 변동이라고 한다. 음운 변동은 기준에 따라 여러 가지로 분류할 수 있는데, 음운 변동의 결과에 따라 한 음운이 다른 음운으로 바뀌는 (교체), 원래 있던 음운이 없어지는 (탈락), 없던 음운이 추가되는 (첨가), 두 개의 음운이 합쳐져서 하나로 되는 (축약) 등으로 분류할 수 있다.

▶실제 단어에서 음운 변동을 확인하는 활동

2. 다음 단어들의 실제 발음을 써 보고, 어떤 음운 변동이 일어나는지 확인해 보자.

| 예시 답 |

단어	실제 발음	음운 변동
설+날	[설 : 랄]	교체
담그- + -아	[담가]	탈락
색+연필	[생년필]	첨가, 교체
읽다	[익따]	탈락, 교체
앞+날	[암날]	교체

▶음운 변동 현상이 나타나는 상황을 이해하는 활동

3. 다음 시의 ㉠~㉣에서 일어난 음운 변동에 대해 말해 보자.

ℛ ㉣은 '맨 처음 공중에 단 사람'에서의 '단'과 비교해 본다.

개념➕
어간 '달-'에 관형사형 어미 '-ㄴ'이 결합했을 때 어간 'ㄹ'이 탈락해서 '단'이 됨.

> 이것은 소리 없는 아우성
> 저 푸른 해원(海原)을 향하여 흔드는
> 영원한 노스탤쟈의 손수건
> 순정은 물결 ㉠같이 바람에 나부끼고
> 오로지 맑고 곧은 이념의 ㉡푯대 끝에
> 애수는 ㉢백로처럼 날개를 펴다
> 아아 누구던가
> 이렇게 슬프고도 애달픈 마음을
> 맨 처음 공중에 ㉣달 줄을 안 그는
>
> — 유치환, 「깃발」
>
> | 예시 답 |
> ㉠ 같이[가치]: 구개음화
> ┌ ㉡ 푯대[표때/푣때]: 첨가, 교체
> │ ㉢ 백로[뱅노]: 교체(자음 동화)
> │ ㉣ 달- + -ㄹ → 달: 'ㄹ' 탈락
> │
> └[표때] → 교체: 때
> [푣때] ┌ 첨가: 없던 음운 'ㄷ' 추가
>   └ 교체: 때

▶ 실제 발음되는 상황을 통해 음운 변동 규칙을 이해하는 활동

4. 다음은 어떤 방언에서 나타나는, 표준어 '닭'이라는 단어의 실제 활용형을 보인 것이다. 다음을 보고 아래의 활동을 해 보자.

(1) '[닥]'과 '[다기]'의 표준 발음이 무엇인지 말해 보고, 표준 발음과 다른 점이 있다면 그 차이를 구체적으로 말해 보자.

| **예시 답** | '닭'이 단독으로 발음되거나 뒤에 자음이 오는 경우에는 '[닥]'으로 발음되는 것이 표준 발음이고, '닭' 다음에 모음이 오는 경우에는 겹받침 중 뒤의 것이 뒤 음절의 첫소리가 되어 겹받침이 모두 발음되는 것이 표준 발음이다. 따라서 '닭이'는 '[달기]'가 표준 발음이다. 표준 발음과 위 방언에서의 차이는 모음 앞에 오는 '닭'의 받침 발음에서 확인할 수 있다.

(2) '[다기]'에 'ㄹ' 발음이 없는 것을 자음군 단순화의 관점에서 설명해 보자.

| **예시 답** | 자음군 단순화는 겹받침 가운데 하나가 발음되지 않는 현상이다. 따라서 '[다기]'에서 'ㄹ' 발음이 없는 것은 자음군 단순화인 것처럼 보인다. 하지만 자음군 단순화가 일어나는 조건은 겹받침 다음에 모음이 오지 않는 경우이므로, 엄밀한 의미에서 '[다기]'와 같이 발음되는 것은 자음군 단순화라고 할 수 없다. 이 방언에서는 '닭'의 기본형이 '닭'이 아니라 '닥'이라고 해야만 '[다기]'로 발음되는 현상을 이해할 수 있다. 따라서 자음군 단순화가 일어날 가능성이 전혀 없다.

개념 ⊕

한글 맞춤법 관련 예와 근거

• **제6항**: 맏이, 굳이, 끝이 등
→ 형식 형태소의 경우는 변이 형태를 인정하여 소리 나는 대로 적지만, 실질 형태소의 경우는 그 본 모양을 밝히어 적는 것이 원칙이므로 [ㅈ, ㅊ]으로 소리 나더라도 'ㄷ, ㅌ'으로 적는다.

• **제7항**: 돗자리, 얼핏, 무릇 등
→ 원래의 형태소가 'ㄷ' 받침을 가지지 않는 것이기 때문에 'ㅅ'으로 적는다. 그러나 '걷잡다, 곧장' 등은 본디 'ㄷ' 받침을 가진 것으로 분석되므로 'ㄷ'으로 받침을 적는다.

• **제26항**: 딱하다, 숱하다 등 / 부질없다, 하염없다 등
→ '-하다'는 규칙적으로 널리 붙는 접미사이므로 이를 밝히어 적는 것이며, '-없다'는 통례에 따라 접미사로 다룬 것이다.

• **제27항**: 웃옷, 홑몸, 굶주리다, 싯누렇다 등
→ 합성어나 파생어인 경우, 그 사이에 발음 변화가 있어도 실질 형태소의 본 모양을 밝히어 적음으로써 그 뜻이 분명히 드러나도록 하는 것이다.

▶ 소리대로 적되 형태소의 원형을 밝혀 적는 한글 맞춤법의 특징을 이해하는 활동

5. 다음은 표기와 발음이 다른 단어들이다. 아래의 한글 맞춤법에서 각 단어와 관련되는 조항을 찾아보고, 올바른 발음을 익혀 활용하도록 하자.

| **예시 답** |

[차카다]	[해도지]	[꼰닙]	[욷어른 → 우더른]
착하다	**해돋이**	**꽃잎**	**웃어른**
제26항	제6항	제27항	제7항

제6항 'ㄷ, ㅌ' 받침 뒤에 종속적 관계를 가진 '-이(-)'나 '-히-'가 올 적에는, 그 'ㄷ, ㅌ'이 'ㅈ, ㅊ'으로 소리 나더라도 'ㄷ, ㅌ'으로 적는다. ─ 구개음화

제7항 'ㄷ' 소리로 나는 받침 중에서 'ㄷ'으로 적을 근거가 없는 것은 'ㅅ'으로 적는다. ─ 'ㄷ' 받침소리

제26항 '-하다'나 '-없다'가 붙어서 된 용언은 그 '-하다'나 '-없다'를 밝히어 적는다. └─접미사─┘

제27항 둘 이상의 단어가 어울리거나 접두사가 붙어서 이루어진 말은 각각 그 원형을 밝히어 적는다. 합성어 파생어

음운의 변동

교체	• 음절의 끝소리 규칙 • 자음 동화(비음화, 유음화) • 모음 동화 • 구개음화
탈락	• 자음군 단순화 • 자음 탈락('ㄹ' 탈락, 'ㅎ' 탈락) • 모음 탈락('ㅡ' 탈락)
첨가	• 'ㄴ' 첨가
축약	• 자음 축약

1 교체

• 한 음운이 다른 음운으로 바뀌는 현상, 즉 어떤 음운이 어느 자리에 놓이느냐에 따라 다른 음운으로 바뀌어 소리 나는 현상을 말함.

음절의 끝소리 규칙	음절의 받침에서 일어남.
자음 동화	자음과 자음 사이에서 일어남.
모음 동화	모음과 모음 사이에서 일어남.
구개음화	자음과 모음 사이에서 일어남.

① 음절의 끝소리 규칙

• 음절의 끝 위치, 즉 (ⓐ   )에서는 'ㄱ, ㄴ, ㄷ, ㄹ, ㅁ, ㅂ, ㅇ'의 7개 자음으로만 발음되는 현상
• 7개 자음에 속하지 않는 자음은 받침에서 (ⓑ   )인 'ㄱ, ㄷ, ㅂ' 중 하나로 교체되어 발음됨.

받침 표기	끝소리 발음 (대표음)
ㄱ, ㄲ, ㅋ	ㄱ
ㄷ, ㅌ, ㅅ, ㅆ, ㅈ, ㅊ, (ㅎ)	(ⓒ)
ㅂ, ㅍ	ㅂ

• 뒤에 오는 음운이 자음이거나 실질 형태소일 경우에는 음절의 끝소리 규칙이 적용됨.
ⓐ 닭다 → [닥따], 옷 안 → [옫 안] → [오단]

• 뒤에 오는 음운이 모음으로 시작되는 형식 형태소일 경우에는 음절 끝소리 규칙이 적용되지 않고 연음됨.
ⓐ 옷이 → [오시]
• 'ㅎ'은 끝소리로 발음될 수 없음.
ⓐ 놓아 → [노아]

② 자음 동화

비음화	파열음 'ㄱ, ㄷ, ㅂ'이 비음 앞에서 비음 'ㅇ, ㄴ, ㅁ'으로 교체되어 발음 나는 현상	ⓐ 먹는대[멍는다], 닫는대[단는다], 잡는대[잠는다]
( )	'ㄴ'이 유음 'ㄹ'의 앞이나 뒤에서 'ㄹ'로 교체되어 발음 나는 현상	ⓐ 달님[달림], 권력[궐력]

※ 비음화의 조음 위치와 조음 방법

	조음 위치(불변)	조음 방법(변화)
ㄱ → ㅇ	여린입천장소리	파열음 → 비음
ㄷ → ㄴ	잇몸소리	파열음 → 비음
ㅂ → ㅁ	입술소리	파열음 → 비음

③ 모음 동화

• 'ㅣ' 모음 (ⓓ   ) 동화: 후설 모음 'ㅏ, ㅓ, ㅗ, ㅜ'가 뒤에 오는 전설 모음 'ㅣ'의 영향을 받아 각각 전설 모음 'ㅐ, ㅔ, ㅚ, ㅟ'로 바뀌는 현상으로, 전설 모음화 현상이라고도 함.

ㅏ→ㅐ	ⓐ 아기 → [애기]
ㅓ→ㅔ	ⓐ 어미 → [에미]
ㅗ→ㅚ	ⓐ 고기 → [괴기]
ㅜ→ㅟ	ⓐ 죽이다 → [주기다] → [쥐기다]

• 'ㅣ' 모음 역행 동화에 의한 발음은 '냄비, 멋쟁이, (불을) 댕기다'와 같은 일부 단어를 제외하고는 표준 발음으로 인정하지 않고 방언으로 처리함.

④ 구개음화

• 실질 형태소의 끝소리 '(ⓔ   )'이/가 형식 형태소의 모음 'ㅣ'나 반모음 'ㅣ' 앞에서 구개음 'ㅈ, ㅊ'으로 바뀌는 현상
• 잇몸소리에서 센입천장소리로 조음 위치가 변함.
ⓐ 굳이[구지], 밭이[바치], 닫히다[다치다], 붙이다[부치다]

소단원 출제 포인트

② 탈락

- 탈락은 자음이나 모음이 어떤 환경에서 없어지는 현상
- 자음군 단순화, 'ㄹ' 탈락, 'ㅎ' 탈락, 'ㅡ' 탈락 등이 대표적임.

① 자음군 단순화

- 음절 끝소리 (Ⓐ   ) 가운데 하나가 탈락하고 하나만 발음되는 현상
- 겹받침 가운데 앞에 있는 자음이 탈락하는 경우와 뒤에 있는 자음이 탈락하는 경우로 나뉨.

앞의 자음이 탈락하는 경우	예 닭[닥], 삶[삼ː], 젊다 [점ː따]
뒤의 자음이 탈락하는 경우	예 넋[넉], 여덟[여덜], 핥다[할따]

② 'ㄹ' 탈락

- 동사나 형용사가 활용하는 과정에서, 어간 말 자음 'ㄹ'이 몇몇 어미 앞에서 (Ⓑ   )하는 현상
  예 놀다: 동사의 활용 '놀ː-+-니'가 [노니]로 발음되는 과정에서 'ㄹ'이 탈락함.

③ 'ㅎ' 탈락

- 동사나 형용사의 어간 말 자음 '(Ⓒ   )'이/가 모음으로 시작하는 어미 앞에서 탈락하는 현상
  예 낳다: 낳아[나아], 좋은[조은]

> **보충자료**
> - 받침 'ㅎ, ㄶ, ㅀ'의 'ㅎ'이 모음으로 시작되는 어미나 접미사와 결합할 때에는 그 'ㅎ'은 발음하지 않음.
> - 'ㅎ' 탈락은 특정 접미사 앞에서도 일어남.
>   예 쌓이다[싸이다], 끓이다[끄리다]

④ 'ㅡ' 탈락

- 동사나 형용사의 어간 말 모음 'ㅡ'가 모음으로 시작하는 어미 앞에서 탈락하는 현상
  예 아프다: '아프-+-아서'가 [아파서]로 발음되면서 'ㅡ'가 탈락함.

③ 첨가

- 일정한 환경에서 없던 음운이 추가되는 현상
- 'ㄴ' 첨가
  - 합성어나 (Ⓔ   )에서 앞말의 끝이 자음이고 뒷말의 첫음절 모음이 'ㅣ, ㅑ, ㅕ, ㅛ, ㅠ'인 경우에 뒷말의 초성 자리에 'ㄴ'이 첨가되어 '니, 냐, 녀, 뇨, 뉴'로 발음되는 현상

합성어	예 솜이불[솜ː니불] 꽃잎: [꼳입]→[꼳닙]→[꼰닙]
파생어	예 맨입[맨닙] 영업용: [영업용]→[영엄뇽]

- 'ㄴ' 첨가는 두 단어를 이어서 (Ⓕ   ) 마디로 발음하는 경우에도 일어남.
  예 한 일[한닐], 옷 입다[온닙따]

> **보충자료**
>
> **사잇소리 현상**
>
> | 합성어에서 앞말의 끝소리가 울림소리이고, 뒷말의 첫소리가 안울림 예사소리이면 뒤의 예사소리가 된소리로 변하는 현상 | 예 들 + 길: 들길[들낄] |
> |---|---|
> | 합성어에서 앞말이 모음으로 끝나고 뒷말이 'ㄴ, ㅁ'으로 시작하면 'ㄴ' 소리가 첨가되어 발음되는 현상 | 예 아래+마을: 아랫마을[아랜마을] → 표기는 '아랫마을'이지만, 발음은 [아랜마을]로 'ㄴ' 첨가 현상이 나타남. |
> | 합성어에서 앞말이 모음으로 끝나고 뒷말이 모음 'ㅣ'나 반모음 [j]로 시작하면 'ㄴ' 또는 'ㄴㄴ'이 첨가되어 발음되는 현상 | 예 나무+잎: 나뭇잎 [나문닙] → 표기는 '나뭇잎'이지만, 발음은 [나문닙]으로 'ㄴㄴ' 첨가 현상이 나타남. |

④ 축약

- 음운이 합쳐져서 하나의 음운이 되는 현상
- 'ㄱ, ㄷ, ㅂ, ㅈ'과 'ㅎ'이 서로 만나 'ㅋ, ㅌ, ㅍ, ㅊ'으로 줄어듦.
  예 좋고 → [조코] (ㅎ+ㄱ=ㅋ)
    먹히다 → [머키다] (ㄱ+ㅎ=ㅋ)
    놓다 → [노타] (ㅎ+ㄷ=ㅌ)
    잡히다 → [자피다] (ㅂ+ㅎ=ㅍ)
    쌓지 → [싸치] (ㅎ+ㅈ=ㅊ)

답 ㉠ 받침, ㉡ 대표음, ㉢ㄷ, ㉣ 유음화, ㉤ 역행, ㉥ ㄷ, ㅌ, Ⓐ 겹받침, Ⓑ 탈락, Ⓒ ㅎ, Ⓔ 파생어, Ⓕ 한

소단원 적중 문제

[01~04] 다음 글을 읽고, 물음에 답하시오.

가 음운은 그 놓이는 환경에 따라 발음이 달라지는 경우가 있다. 예를 들어, 'ㅊ'의 경우, '차[차]'와 같이 모음 앞에서는 원래의 음가를 유지하지만 '꽃[꼳]'과 같이 받침 위치에 오거나 '꽃만[꼰만]'과 같이 특정한 음운과 연결되면 다른 음운으로 바뀌어 발음된다. 어떤 음운이 어느 자리에 놓이느냐에 따라 다른 음운으로 바뀌어 소리 나는 현상을 음운 변동이라고 한다.

나 음운 변동은 그 결과에 따라 한 음운이 다른 음운으로 바뀌는 교체(交替), 원래 있던 음운이 없어지는 탈락(脫落), 없던 음운이 추가되는 첨가(添加), 두 개의 음운이 합쳐져서 하나로 되는 축약(縮約) 등으로 분류할 수 있다.

다 한 음운이 다른 음운으로 바뀌는 교체에는 ㉠음절의 끝소리 규칙과 자음 사이에 일어나는 자음 동화, 모음 사이에 일어나는 모음 동화, 자음과 모음 사이에 일어나는 구개음화 등이 있다.

음절의 끝에서는 다음과 같은 교체가 나타난다.

- 밖[박], 부엌[부억]
- 낫[낟], 낮[낟], 낯[낟], 낱[낟]
- 무릎[무릅]

이러한 현상은 'ㅇ'을 제외한 모든 자음이 음절의 처음 위치에서 발음될 수 있는 것과 달리, 음절의 끝 위치에서는 'ㄱ, ㄴ, ㄷ, ㄹ, ㅁ, ㅂ, ㅇ'의 7개 자음으로만 발음되는 것과 관련된다.

'ㄱ, ㄴ, ㄷ, ㄹ, ㅁ, ㅂ, ㅇ'이 음절 끝 위치에 있는 경우는 제 음가대로 발음되지만, ㉡여기에 속하지 않는 다른 자음들은 'ㄱ, ㄷ, ㅂ' 중 하나로 교체되어 발음된다. 이러한 현상은 음절의 끝에서 나타나기 때문에 음절의 끝소리 규칙이라고 한다.

라 대표적인 자음 동화에는 비음화(鼻音化)와 유음화(流音化)가 있다. 파열음 'ㄷ, ㅂ, ㄱ'이 비음 앞에서 비음 'ㄴ, ㅁ, ㅇ'으로 교체되는 현상이 비음화이고, 'ㄴ'이 유음 'ㄹ'의 앞이나 뒤에서 'ㄹ'로 교체되는 현상이 유음화이다.

〈비음화〉	〈유음화〉
• 닫는다[단는다]	• 달님[달림]
• 잡는다[잠는다]	• 권력[궐력]
• 먹는다[멍는다]	

01 윗글을 통해 알 수 있는 질문이 <u>아닌</u> 것은?
① 음운 변동이란 무엇인가?
② 음절 끝소리 규칙이란 무엇인가?
③ 음운 변동의 종류에는 무엇이 있는가?
④ 음운 교체의 종류에는 무엇이 있는가?
⑤ 음운 탈락의 예외 경우는 무엇인가?

<u>수능형</u>
02 윗글을 바탕으로 〈보기〉의 음운 변동을 이해하고 ⓐ, ⓑ에 나타난 음운 변동의 예를 추가하고자 할 때, 그 예로 적절하지 <u>않은</u> 것은?

〈보기〉

남루 [남:누]   신라 [실라]
      ⓐ   ⓑ

	ⓐ	ⓑ
①	밥물	칼날
②	섭리	천리
③	백로	진리
④	받는다	속는다
⑤	임진란	광한루

03 다음 밑줄 친 말 중, ㉠을 적용하여 발음해야 할 사례에 해당하지 <u>않는</u> 것은?
① 아저씨, 제발 <u>꽃</u> 좀 사주세요.
② 집에 가서 <u>낫</u>과 숫돌을 가져 와라.
③ 비가 오자 <u>연못</u>이 물로 가득 채워졌다.
④ 국이 다 끓었으니 <u>솥뚜껑</u>을 열어 놓아라.
⑤ 장독에 뚜껑을 <u>덮기</u> 위해 옥상에 올라갔다.

<u>학습 활동 적용</u>
04 ㉡에 해당하는 자음을 쓰고, 그것이 음절의 끝소리에서 발음되는 대표음을 쓰시오.

소단원 적중 문제

05 〈보기〉에 나타난 음운 현상을 설명한 것으로 적절하지 않은 것은?

> ┌ 보기 ┐
> ⓐ 키읔[키윽]
> ⓑ 옷[옫], 있다[읻따], 쫓다[쫃따]
> ⓒ 솥[솓], 앞[압], 뱉다[밷:따]
> ⓓ 빚다[빋따], 꽃[꼳], 덮다[덥따]

① ⓐ: 음절 끝의 받침 'ㅋ'이 'ㄱ'으로 교체되어 발음된다.
② ⓑ: 받침 'ㅅ, ㅆ, ㅊ'은 원래 음가대로 발음된다.
③ ⓒ: 받침 'ㅌ, ㅍ'은 음절 끝에서 각각 'ㄷ', 'ㅂ'으로 교체된다.
④ ⓓ: 받침 'ㅈ, ㅊ'은 'ㄷ', 'ㅍ'은 'ㅂ'으로 교체되어 발음된다.
⑤ ⓐ~ⓓ: 이 현상들은 음절의 끝에서 나타나며, 음절 끝의 받침은 'ㄱ, ㄷ, ㅂ' 중 하나로 교체되어 발음된다.

[06-11] 다음 글을 읽고, 물음에 답하시오.

> **가** 모음 동화에는 ㉠'ㅣ' 모음 역행 동화가 있는데, 후설 모음 'ㅏ, ㅓ, ㅗ, ㅜ'가 뒤에 오는 전설 모음 'ㅣ'의 영향을 받아 각각 'ㅐ, ㅔ, ㅚ, ㅟ'로 바뀌는 현상이다.
>
> • 아기 → [애기]   • 어미 → [에미]
> • 고기 → [괴기]   • 죽이다 → [주기다] → [쥐기다]
>
> 'ㅣ' 모음 역행 동화에 의한 발음은 '냄비, 멋쟁이, (불을) 댕기다'와 같이 ㉡표준어가 된 일부 단어를 제외하고는 표준 발음으로 인정하지 않는다.
> **나** 자음과 모음 사이에 일어나는 동화로 ㉢구개음화가 있는데, 실질 형태소의 끝소리 'ㄷ, ㅌ'이 형식 형태소의 모음 'ㅣ'나 반모음 'ㅣ' 앞에서 구개음인 'ㅈ, ㅊ'으로 바뀌는 현상이다.
>
> • 굳이[구지]   • 밭이[바치]
> • 닫히다[다치다]   • 붙이다[부치다]
>
> 위를 보면 'ㄷ, ㅌ'이 'ㅈ, ㅊ'으로 바뀌는 것을 알 수 있다. 또 'ㄷ' 뒤에 형식 형태소 '히'가 올 때 'ㅎ'과 결합하여 이루어진 'ㅌ'이 'ㅊ'이 되는 현상을 알 수 있다.
> **다** ㉣탈락은 자음이나 모음이 어떤 환경에서 없어지는 현상으로, 자음군 단순화(子音群單純化), 'ㄹ' 탈락, 'ㅎ' 탈락, 'ㅡ' 탈락 등이 대표적이다.
> 자음군 단순화는 음절 끝의 겹받침 가운데 하나가 탈락하고 하나만 발음되는 현상으로, 겹받침 가운데 앞에 있는 자음이 탈락하는 예도 있고 뒤에 있는 자음이 탈락하는 예도 있다.
>
> • 닭[닥], 맑다[막따], 삶[삼:], 젊다[점:따], 읊다[읍따]
> • 넋[넉], 앉다[안따], 여덟[여덜], 외곬[외골 / 웨골], 핥다[할따], 값[갑]
>
> **라** 'ㄹ' 탈락은 동사나 형용사의 어간 말 자음 'ㄹ'이 몇몇 어미 앞에서 탈락하는 현상이다.
>
> • 놀다[놀:-]: 노니, 논, 놉니다, 노시다, 노오
> • 둥글다: 둥그니, 둥근, 둥급니다, 둥그시다, 둥그오
>
> **마** 'ㅎ' 탈락은 동사나 형용사의 어간 말 자음 'ㅎ'이 모음으로 시작하는 어미 앞에서 탈락하는 현상이다.
>
> • 낳다: 낳아[나아], 낳은[나은]
> • 좋다: 좋아[조:아], 좋은[조:은]
>
> **바** 'ㅡ' 탈락은 동사나 형용사의 어간 말 모음 'ㅡ'가 모음으로 시작하는 어미 앞에서 탈락하는 현상이다.
>
> • 아프다: 아파서, 아팠다

06 윗글로 미루어 알 수 있는 사실이 아닌 것은?
① 자음군 단순화는 음운 변동 현상 중 탈락에 해당한다.
② 같은 음운도 놓이는 환경에 따라 달리 발음될 수 있다.
③ 구개음화는 실질 형태소 뒤에 형식 형태소가 연결되는 환경에서 일어난다.
④ 'ㅡ' 탈락은 체언의 어간 말 모음 'ㅡ'가 모음으로 시작하는 어미 앞에서 탈락하는 현상이다.
⑤ 'ㅣ' 모음 역행 동화에 의한 발음은 표준어로 인정된 일부 단어 외에는 표준 발음으로 인정하지 않는다.

07 ㉠의 예로 적절하지 않은 것은?
① 가랑이 → [가랭이]
② 소금장이 → [소금쟁이]
③ 당기시오 → [당기시요]
④ 먹이다 → [머기다] → [메기다]
⑤ 잡히다 → [자피다] → [재피다]

08 ⓛ에 해당하지 <u>않는</u> 것은?

① 신출나기 → 신출내기
② 아지랑이 → 아지랭이
③ 골목장이 → 골목쟁이
④ 담장이넝쿨 → 담쟁이넝쿨
⑤ 동당이치다 → 동댕이치다

09 다음 밑줄 친 부분 중 ⓒ의 사례로 적절하지 <u>않은</u> 것은?

① 손에 물을 <u>묻히다</u>[무치다].
② 콘크리트를 <u>굳히다</u>[구치다].
③ 우스갯소리를 <u>곧이듣다</u>[고지듣따].
④ 어제 앞마당에 <u>잔디</u>[잔티]를 심었다.
⑤ 벌떡 일어서면서 <u>미닫이</u>[미:다지]를 열었다.

<u>수능형 학습 활동 적용</u>
10 〈보기〉는 (나)를 바탕으로 ⓔ에 관해 탐구한 내용이다. 밑줄 친 말 중 〈보기〉의 예로 볼 수 없는 것은?

> ──〈 보기 〉──
> 음운 탈락 현상은 자음 탈락과 모음 탈락으로 나눌 수 있다. 자음 탈락에는 자음군 단순화, 'ㄹ' 탈락, 'ㅎ' 탈락이 있으며, 모음 탈락에는 'ㅡ' 탈락, 동음 탈락 등이 있다. 그 중 'ㅎ' 탈락과 자음군 단순화는 표기에 반영되지 않는다. 그러나 예외적으로 표기에 반영되는 예도 있다.

① '그를 <u>따라</u> 교회에 갔다.'에서 '따라'는 'ㅡ' 탈락으로, 표기에 반영된다.
② '그녀는 혼자 시장에 <u>갔다</u>.'에서 '갔다'는 동음 탈락으로, 표기에 반영된다.
③ '허공을 <u>나는</u> 새가 부럽다.'에서 '나는'은 'ㄹ' 탈락으로, 표기에 반영된다.
④ '오늘은 너에게 참 <u>좋은</u> 날이다.'에서 '좋은'은 'ㅎ' 탈락으로, 표기에 반영되지 않는다.
⑤ '그의 집에는 아무도 <u>없다</u>.'에서 '없다'는 자음군 단순화로, 예외적으로 표기에 반영된다.

11 윗글을 참고하여 다음 빈칸에 들어갈 말을 3어절로 쓰시오.

> '구개음화' 현상은 자음 동화나 모음 동화처럼 음운의 동화 현상에 해당하지만, 음운 환경으로 볼 때는 자음 동화나 모음 동화와 달리 (   )에서 일어난다.

<u>고난도</u>
12 음운 변동 현상 중 '탈락'을 탐구한 내용으로 적절하지 <u>않</u>은 것은?

① 'ㅎ' 탈락은 표기에 반영되지 않는군.
② 'ㄹ' 탈락과 'ㅡ' 탈락은 표기에 반영되는군.
③ 자음군 단순화는 음절의 끝소리 규칙에 포함되는군.
④ 'ㅡ' 탈락은 주로 용언의 활용 과정에서 나타나는군.
⑤ '널찍하다'는 자음군 단순화가 표기에 반영된 예외적 사례로 볼 수 있군.

13 〈보기〉의 ⓐ와 ⓑ에 나타난 음운 변동 현상을 각각 쓰시오.

> ──〈 보기 〉──
> ⓐ 닭[닥], 맑다[막따], 삶[삼:]
> ⓑ 놀다: 노니, 논, 놉니다, 노시다, 노오

[01-09] 다음 글을 읽고, 물음에 답하시오.

㉮ 음운은 다시 자음과 모음, 즉 정확히 소리마디의 경계가 그어지는 분절 음운과 소리의 장단, 강약, 고저와 같이 소리마디의 경계가 분명히 그어지지 않는 비분절 음운으로 나눌 수 있다. ㉠모든 언어는 분절 음운과 비분절 음운을 활용하여 다양한 의미를 가진 단어를 만들어서 사용하지만, 분절 음운의 구체적인 목록과 체계 및 비분절 음운의 종류는 언어마다 차이가 있다.

㉯ 자음은 조음 위치와 조음 방법에 따라 여러 가지 소리로 나뉜다.

조음 위치에 따라서는, 두 입술에서 나는 입술소리[순음(脣音)], 혀끝이 윗잇몸에 닿아서 나는 잇몸소리[치조음(齒槽音)], 혓바닥과 센입천장 사이에서 나는 센입천장소리[경구개음(硬口蓋音)], 혀뿌리 부분과 여린입천장 사이에서 나는 여린입천장소리[연구개음(軟口蓋音)], 목청 사이에서 나는 목청소리[후음(喉音)] 등으로 나뉜다.

조음의 방법에 따라서는, 구강만 이용해서 내는 구강음과 비강도 같이 이용해서 내는 비강음으로 우선 나뉜다. [중략]

또한 소리의 세기에 따라 예사소리[평음(平音)], 된소리[경음(硬音)], 거센소리[격음(激音)]로 나뉘기도 하고, 목청의 떨림 여부에 따라 울림소리[유성음(有聲音)]와 안울림소리[무성음(無聲音)]로 나뉘기도 한다. ㉡자음 가운데 비음과 유음은 항상 울림소리로 발음되고, 나머지 자음들은 기본적으로 안울림소리지만 특정한 환경에서는 울림소리로 발음되기도 한다.

㉰ 날숨이 목청을 통과하면서 목청이 떨어 울리게 되면, 그것이 입안에서 공명을 일으키면서 모음이 만들어진다. 모음은 발음하는 동안 입술의 모양과 혀의 위치가 일정한 단모음(單母音)과 발음하는 동안 입술의 모양이나 혀의 위치가 달라지는 이중 모음(二重母音)으로 나뉜다. 단모음은 다시 혀의 위치와 입술의 모양에 따라 여러 갈래로 나뉘는데, 이때 혀의 위치는 혀의 앞뒤와 혀의 높낮이, 입술의 모양은 입술이 평평한지, 또는 둥근지를 가리킨다.

혀의 위치에 따라서는, 입천장의 중간을 기준으로 혀의 최고점이 앞쪽에 있을 때 발음되는 모음을 전설 모음, 뒤쪽에 있을 때 발음되는 모음을 후설 모음이라 한다. 입이 조금만 열려서 혀의 위치가 입천장 가까이 있는 것을 고모음 또는 폐모음, 입이 많이 열려서 혀의 위치가 낮은 것을 저모음 또

는 개모음, 그 중간쯤 되는 것을 중모음이라 한다. 입술 모양에 따라서는, 입술을 둥글게 오므려서 발음하는 모음을 원순 모음, 그렇지 않은 모음을 평순 모음이라 한다.

혀의 위치와 입술 모양을 기준으로 한 현대 국어의 단모음 체계는 다음과 같다.

혀의 앞뒤 / 입술 모양 / 혀의 높이	전설 모음		후설 모음	
	평순 모음	원순 모음	평순 모음	원순 모음
고모음	ㅣ	ㅟ	ㅡ	ㅜ
중모음	ㅔ	ㅚ	ㅓ	ㅗ
저모음	ㅐ		ㅏ	

㉢이중 모음은 반모음(半母音)과 단모음이 결합하여 이루어진다. 혀가 'ㅣ'의 자리에서 다음 자리로 옮겨 갈 때 발음되는 반모음이 'ㅣ[j]'이고, 'ㅗ/ㅜ'의 자리에서 다음 자리로 옮겨 갈 때 발음되는 반모음이 'ㅗ/ㅜ[w]'이다. 반모음은 온전한 모음이 아니므로 반달표(˘)를 하여, 'ㅗ/ㅜ, ㅣ'로 표시한다. 또 반모음은 음성의 성질로 보면 모음과 비슷하지만, 혼자 스스로 음절을 이루지 못하고 다른 모음에 붙어 쓰인다는 측면에서 보면 온전한 모음은 아니다.

01 다음 중 자음을 구분하는 기준이 <u>아닌</u> 것은?
① 조음 방법
② 조음 위치
③ 혀의 위치
④ 소리의 세기
⑤ 목청의 떨림

02 윗글로 미루어 알 수 있는 사실이 <u>아닌</u> 것은?
① 말을 하는 것은 숨을 들이쉬는 것과 관련이 있다.
② 자음을 소리 낼 때는 목청이 떨리지 않는 경우가 많다.
③ 순음은 입을 벌린 상태에서는 제대로 소리 나지 않는다.
④ 코감기에 걸렸을 때 말소리가 이상해지는 것은 비음 때문이다.
⑤ 모음은 발음하는 동안 입술 모양이나 혀의 위치가 달라지기도 한다.

03 (나)를 참고할 때 〈보기〉의 ⓐ~ⓔ에서 조음되는 자음이 바르게 연결된 것은?

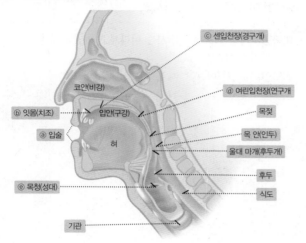

	ⓐ	ⓑ	ⓒ	ⓓ	ⓔ
①	ㅁ	ㄷ	ㅈ	ㄱ	ㅇ
②	ㅁ	ㅅ	ㅈ	ㅇ	ㅎ
③	ㅂ	ㄴ	ㅅ	ㄱ	ㅇ
④	ㅂ	ㄹ	ㅅ	ㅇ	ㅎ
⑤	ㅍ	ㅌ	ㅈ	ㅎ	ㅇ

수능형
04 (다)를 참고할 때, 〈보기〉의 ㉮~㉺ 중 적절하지 않은 것은?

┌─ 보기 ┐
• 모음은 발성 기관에서 어떻게 발음되는가?
→ 날숨이 목청을 통과할 때 목청이 떨어 울리면서 입안에 공명을 일으키는 과정에서 만들어진다. ·········· ㉮
• 이중 모음은 어떤 방식으로 만들어지는가?
→ 주로 단모음 뒤에 반모음이 결합되어 만들어지나, 반모음 뒤에 단모음이 결합되어 이루어지는 경우도 있다. ····· ㉯
• 국어의 단모음은 어떤 체계를 이루고 있는가?
→ 국어의 단모음은 혀의 위치와 높이, 그리고 입술 모양에 따라 10개의 단모음 체계로 이루어져 있다. ······· ㉰
• 반모음의 조음 방법과 특성은 무엇인가?
→ 국어의 반모음은 혀가 'ㅣ'나 'ㅗ/ㅜ' 자리에서 다음 자리로 이동하는 과정에서 발음된다. ················· ㉱
→ 국어의 반모음은 다른 모음과 달리 혼자 하나의 음절을 이루지 못한다. ················· ㉲
└────────────────────────┘

① ㉮ ② ㉯ ③ ㉰ ④ ㉱ ⑤ ㉲

05 (다)에서 확인할 수 있는 사실이 아닌 것은?
① 입술 모양에 따른 모음의 명칭
② 소리의 길이에 따른 모음의 명칭
③ 혀의 높낮이에 따른 모음의 명칭
④ 혀의 전후 위치에 따른 모음의 명칭
⑤ 입 모양의 변화 여부에 따른 모음의 명칭

06 (다)로 볼 때 〈보기〉의 설명에 해당하는 모음으로 적절한 것은?

┌─ 보기 ┐
• 혀의 앞쪽에서 발음된다.
• 입술 모양을 둥글게 오므려서 발음한다.
• 혀의 위치가 입의 중간 높이에 있을 때 발음된다.
└────────────────────────┘

① ㅣ ② ㅔ ③ ㅗ
④ ㅚ ⑤ ㅟ

고난도
07 ㉠과 관련하여 〈보기〉의 과제를 이해한 내용으로 적절하지 않은 것은?

┌─ 보기 ┐
[과제] 국어에서 비분절 음운은 소리의 길이로 나타나며, 이는 의미를 분화시키는 기능이 있다. 그리고 긴소리는 일반적으로 단어의 첫음절에서만 나타나며, 둘째 음절 이하에 오게 되면 짧은소리로 발음된다. 다음 예를 통해 비분절 음운을 좀 더 알아보자.

• ⓐ말 한마디에 천 냥 빚도 갚는다.
• 우리 ⓑ말은 한자와 달리 표음 문자이다.
• 오늘 ⓒ밤에는 하늘의 별이 유난히 밝게 빛난다.
• 가을 숲속에선 ⓓ밤이 비 오듯 우수수 떨어져 내렸다.
└────────────────────────┘

① ⓐ는 긴소리로, ⓑ는 짧은소리로 발음된다.
② ⓐ와 ⓓ는 소리의 길이가 동일하게 발음된다.
③ ⓑ는 '눈[眼]'과 동일한 소리의 길이로 발음된다.
④ ⓑ는 '군밤'의 '밤'과 소리의 길이가 서로 다르다.
⑤ ⓒ와 ⓓ에 나타난 소리의 길이는 의미를 분화시킨다.

08 ⓒ과 관련하여 다음 빈칸에 들어갈 말로 적절하지 <u>않은</u> 것은?

> 국어의 자음이 '울림소리'로 발음되는 경우는 비음과 유음이 올 때이다. 그 외에도 (　　　　　)에 오는 안울림소리는 울림소리로 발음된다.

① 모음과 모음 사이
② 자음 'ㄴ'과 모음 사이
③ 자음 'ㄹ'과 모음 사이
④ 자음 'ㅎ'과 모음 사이
⑤ 자음 'ㅇ'과 모음 사이

09 ⓒ과 관련하여 〈보기〉의 설명에 해당하는 것은?

> 〈 보기 〉
> 이중 모음은 모두 반모음이 앞에 위치하며 나는 소리이다. 그러나 이중 모음 중에는 이러한 체계에서 벗어나 있는 것도 있다. 즉 이중 모음을 이루고 있는 두 개의 모음 중 앞의 것이 반모음인지 뒤의 것이 반모음인지 판단이 어려울 정도로 발음의 변이가 심한 것이다.

① ㅑ
② ㅒ
③ ㅝ
④ ㅙ
⑤ ㅢ

10 〈보기〉를 활용하여 단모음과 이중 모음을 구분하는 원리를 한 문장으로 설명하시오.

> 〈 보기 〉
> 입술 모양, 혀의 위치

11 〈보기〉의 빈칸에 들어갈 모음으로 적절한 것은?

> 〈 보기 〉
> **표준 발음법 제4항**
> 'ㅏ, ㅐ, ㅓ, ㅔ, ㅗ, ㅚ, ㅜ, ㅟ, ㅡ, ㅣ'는 단모음으로 발음한다.
> [붙임] '(　,　)'는 이중 모음으로 발음할 수 있다.

① ㅏ, ㅓ
② ㅗ, ㅚ
③ ㅐ, ㅔ
④ ㅚ, ㅟ
⑤ ㅜ, ㅟ

12 다음 대화에서 외국인이 '뿔'을 [불]로 발음하는 이유가 무엇인지 탐구하여 서술하시오.

> 미국인: (사슴을 보며) 어, 사슴 머리에 [불] 났네.
> 한국인: [뿔]이요?
> 미국인: 네, [불]이요.

13 〈보기〉의 탐구 과제를 수행한 내용 중 적절하지 <u>않은</u> 것은?

> 〈 보기 〉
> [탐구 과제]
> '최소 대립쌍'의 개념을 이용하여 국어의 음운을 확인하기
>
> [과제 수행]
> • '달'과 '살'의 의미 차이를 이용해 음운 'ㄷ, ㅅ'을 확인할 수 있다. ······ ㉠
> • '볼'과 '불'의 의미 차이를 이용해 음운 'ㅗ, ㅜ'를 확인할 수 있다. ······ ㉡
> • '밥'과 '방'의 의미 차이를 이용해 음운 'ㅂ, ㅇ'을 확인할 수 있다. ······ ㉢
> • '말'과 '풀'의 의미 차이를 이용해 음운 'ㅁ, ㅍ'을 확인할 수 있다. ······ ㉣
> • '캄캄'과 '감감'의 의미 차이를 이용해 음운 'ㅋ, ㄱ'을 확인할 수 있다. ······ ㉤

① ㉠
② ㉡
③ ㉢
④ ㉣
⑤ ㉤

[14-22] 다음 글을 읽고, 물음에 답하시오.

㉮ 음절의 끝에서는 다음과 같은 교체가 나타난다.

- 밖[박], 부엌[부억]
- ㉠□낟], □낟], □낟], □낟]
- 무릎[무릅]

이러한 현상은 'ㅇ'을 제외한 모든 자음이 음절의 처음 위치에서 발음될 수 있는 것과 달리, 음절의 끝 위치에서는 'ㄱ, ㄴ, ㄷ, ㄹ, ㅁ, ㅂ, ㅇ'의 7개 자음으로만 발음되는 것과 관련된다.

'ㄱ, ㄴ, ㄷ, ㄹ, ㅁ, ㅂ, ㅇ'이 음절 끝 위치에 있는 경우는 제 음가대로 발음되지만, 여기에 속하지 않는 다른 자음들은 'ㄱ, ㄷ, ㅂ' 중 하나로 교체되어 발음된다. 이러한 현상은 음절의 끝에서 나타나기 때문에 음절의 끝소리 규칙이라고 한다.

㉯ 대표적인 자음 동화에는 비음화(鼻音化)와 유음화(流音化)가 있다. 파열음 'ㄷ, ㅂ, ㄱ'이 비음 앞에서 비음 'ㄴ, ㅁ, ㅇ'으로 교체되는 현상이 비음화이고, 'ㄴ'이 유음 'ㄹ'의 앞이나 뒤에서 'ㄹ'로 교체되는 현상이 유음화이다.

〈비음화〉	〈유음화〉
• 닫는다[단는다]	• 달님[달림]
• 잡는다[잠는다]	• 권력[궐력]
• 먹는다[멍는다]	

모음 동화에는 ㉡'ㅣ' 모음 역행 동화가 있는데, 후설 모음 'ㅏ, ㅓ, ㅗ, ㅜ'가 뒤에 오는 전설 모음 'ㅣ'의 영향을 받아 각각 'ㅐ, ㅔ, ㅚ, ㅟ'로 바뀌는 현상이다.

- 아기 → [애기]   • 어미 → [에미]
- 고기 → [괴기]   • 죽이다 → [주기다] → [쥐기다]

'ㅣ' 모음 역행 동화에 의한 발음은 '냄비, 멋쟁이, (불을) 댕기다'와 같이 표준어가 된 일부 단어를 제외하고는 표준 발음으로 인정하지 않는다.

㉰ 자음과 모음 사이에 일어나는 동화로 구개음화가 있는데, 실질 형태소의 끝소리 'ㄷ, ㅌ'이 형식 형태소의 모음 'ㅣ'나 반모음 'ㅣ' 앞에서 구개음인 'ㅈ, ㅊ'으로 바뀌는 현상이다.

- 굳이[구지]   • 밭이[바치]
- 닫히다[다치다]   • 붙이다[부치다]

위를 보면 'ㄷ, ㅌ'이 'ㅈ, ㅊ'으로 바뀌는 것을 알 수 있다.

또 'ㄷ' 뒤에 형식 형태소 '히'가 올 때 'ㅎ'과 결합하여 이루어진 'ㅌ'이 'ㅊ'이 되는 현상을 알 수 있다.

㉱ 첨가란 일정한 환경에서 없던 음운이 추가되는 음운 현상이다. 두 개의 형태소 또는 단어가 합쳐져서 합성어나 파생어가 될 때 첨가 현상이 나타나는 경우가 있는데, '솜이불[솜:니불], 꽃잎[꼰닙]'은 합성어에서, '영업용[영엄뇽], 맨입[맨닙]'은 파생어에서 'ㄴ' 첨가가 일어난 예이다.

'ㄴ' 첨가는 두 단어를 이어서 한 마디로 발음하는 경우에도 일어난다.

- 한 일[한닐]   • 옷 입다[온닙따]

위의 두 가지 'ㄴ' 첨가 현상은 한 단어 내에서 일어나느냐 두 단어 사이에서 일어나느냐의 차이가 있지만, 앞말의 끝이 자음이고 뒷말의 첫음절 모음이 'ㅣ, ㅑ, ㅕ, ㅛ, ㅠ'인 경우에 일어난다는 공통점이 있다.

㉲ 'ㄱ, ㄷ, ㅂ, ㅈ'과 'ㅎ'이 서로 만나면 'ㅋ, ㅌ, ㅍ, ㅊ'이 된다. 이처럼 두 음운이 합쳐져서 하나의 음운이 되는 것을 축약(縮約)이라고 한다.

• 좋고 → [조:코]	• 먹히다 → [머키다]
• 놓다 → [노타]	• 닫히다 → [다티다 → 다치다]
• 쌓지 → [싸치]	• 잡히다 → [자피다]

14 윗글로 미루어 알 수 있는 사실이 <u>아닌</u> 것은?

① 비음화와 유음화는 자음 동화에 속한다.

② 우리말에서는 음절의 끝 위치에서 7개의 자음으로만 발음된다.

③ 유음화는 'ㄴ'이 유음 'ㄹ'의 앞이나 뒤에서 'ㄹ'로 교체되는 현상이다.

④ 두 음운이 합쳐져서 하나의 음운이 되는 음운 현상을 구개음화라고 한다.

⑤ '냄비', '멋쟁이' 등 표준어가 된 일부 단어를 제외하고 'ㅣ' 모음 역행 동화에 의한 발음은 표준 발음으로 인정하지 않는다.

고난도

15 윗글을 바탕으로 〈보기〉의 과제를 해결한 것으로 적절하지 <u>않은</u> 것은?

〈 보기 〉

[과제] 다음은 '음운 변동'의 몇 가지 용례를 제시한 것이다. 제시된 용례가 보여 주는 다양한 음운 변동에 대해 알아보자.

ⓐ 히읗[히읃]   ⓑ 아비[애비]
ⓒ 같이[가치]   ⓓ 달님[달림]
ⓔ 굳히다[구치다]   ⓕ 밥먹다[밤먹따]
ⓖ 눈요기[눈뇨기]

① ⓐ는 음절의 끝소리에서 'ㅎ'이 제 음가대로 발음되지 않는 현상을 보여 주는 예이다.

② ⓐ, ⓑ, ⓒ는 '교체', ⓓ, ⓕ는 '축약', ⓔ는 '탈락', ⓖ는 '첨가' 현상을 보여 주는 예이다.

③ ⓑ는 음운 변동 현상 중 모음에서, ⓓ, ⓕ는 자음에서 일어나는 '동화' 현상을 보여 주는 예이다.

④ ⓒ, ⓔ는 음운 변동이 일어나면서 'ㅣ' 모음 앞에 있는 자음의 조음 위치가 바뀌는 현상을 보여 주는 예이다.

⑤ ⓔ는 두 음운이 합쳐져서 하나가 될 때, ⓖ는 두 어근이 합쳐져서 하나가 될 때 일어나는 현상을 보여 주는 예이다.

16 (다)에서 설명한 음운 현상에 해당하는 예로 적절하지 <u>않은</u> 것은?

① 같이 → [가치]

② 해돋이 → [해도지]

③ 피붙이 → [피부치]

④ 장미꽃이 → [장미꼬치]

⑤ 팥이라서 → [파치라서]

17 〈보기〉는 (라)에 나타난 음운 첨가 현상을 보충하여 정리한 것이다. 이를 설명하는 데 활용하기 위한 예로 적절하지 <u>않은</u> 것은?

〈 보기 〉

ⓐ 합성어나 파생어에서 앞말의 끝이 자음이고 뒷말의 첫 음절 모음이 'ㅣ' 모음이나 'ㅣ' 선행 이중 모음이 오면 'ㄴ'이 첨가되어 발음된다.

ⓑ 합성어에서 앞말의 끝소리가 울림소리이고, 뒷말의 첫 소리가 안울림 예사소리이면 뒤의 예사소리가 된소리로 변하여 발음된다.

ⓒ 합성어에서 앞말이 모음으로 끝나고 뒷말이 'ㄴ, ㅁ'으로 시작하면 'ㄴ' 소리가 첨가되어 발음된다.

ⓓ 합성어에서 앞말의 음운과 상관없이 뒷말의 모음이 'ㅣ, ㅑ, ㅕ, ㅛ, ㅠ'로 시작하면 'ㄴ' 또는 'ㄴㄴ'이 첨가되어 발음된다.

① '헛일', '한여름'은 ⓐ를 설명하는 데 활용할 수 있다.

② '산길', '촛불'은 ⓑ를 설명하는 데 활용할 수 있다.

③ '빗물', '콧날'은 ⓒ를 설명하는 데 활용될 수 있다.

④ '집일', '홋일'은 ⓓ를 설명하는 데 활용할 수 있다.

⑤ '먹다'는 ⓑ를, '신여성'은 ⓓ를 설명하는 데 활용할 수 있다.

수능형

18 (라)를 참조하여 〈보기〉에서 'ㄴ' 첨가가 일어난 사례를 바르게 찾아 제시한 것은?

〈 보기 〉

선생님: 일정한 환경에서 없던 음운이 추가되는 음운 현상을 첨가라고 배웠습니다. 두 개의 형태소 또는 단어가 합쳐져서 합성어나 파생어가 될 때 첨가 현상이 나타나는 경우가 있고, 두 단어를 이어서 한 마디로 발음하는 경우에도 일어납니다. 'ㄴ' 첨가 현상이 일어난 사례를 적어봅시다.

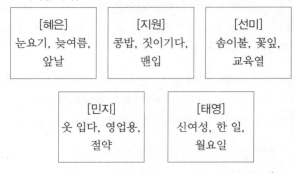

| [혜은]
눈요기, 늦여름,
앞날 | [지원]
콩밥, 짓이기다,
맨입 | [선미]
솜이불, 꽃잎,
교육열 |

| [민지]
옷 입다, 영업용,
절약 | [태영]
신여성, 한 일,
월요일 |

① 혜은   ② 지원   ③ 선미

④ 민지   ⑤ 태영

19 〈보기〉를 고려할 때, ㉠의 □에 들어갈 수 있는 단어의 끝소리 자음으로 적절하지 <u>않은</u> 것은?

〈보기〉

㉠의 □에 들어갈 수 있는 1 음절 단어의 끝소리 자음은 초성에서와는 달리 받침으로 쓰일 수 있는 자음이 제한되어 있다.

① ㅅ   ② ㅈ   ③ ㄸ
④ ㅊ   ⑤ ㅌ

학습 활동 적용

20 ㉡과 관련하여 〈보기〉를 이해한 것으로 적절하지 <u>않은</u> 것은?

〈보기〉

㉮ 손잡이 → [손재비], 먹이다 → [메기다]
㉯ 삿기 → [새끼], 차비 → [채비]

① ㉮는 음운 변동 이전의 원형대로 쓰고 읽어야 한다.
② ㉯는 음운 변동 이후의 어형대로 쓰고 읽어야 한다.
③ '내리다'는 ㉮와 같이 표준 발음으로 인정되지 않는다.
④ ㉮와 ㉯는 모음과 모음 사이에서 음운 변동이 일어난다.
⑤ ㉮와 ㉯는 음운 변동 과정에서 혀의 위치가 변화한다.

서술형

21 다음 설명을 참고하여 '비음화'의 과정에서 일어나는 발음 기관의 변화 양상에 대해 서술하시오.

'비음화'의 음운 변동 과정은 다음과 같다.

비음 앞에서   ㄱ → ㅇ
               ㄷ → ㄴ   으로 발음된다.
               ㅂ → ㅁ

수능형

22 〈보기〉의 음운 현상에 대해 이해한 내용으로 적절하지 <u>않은</u> 것은?

〈보기〉

㉮ 받침 'ㄱ, ㄷ, ㅂ'은 'ㄴ, ㅁ' 앞에서 [ㅇ, ㄴ, ㅁ]으로 발음한다.
[붙임] 두 단어를 이어서 한 마디로 발음하는 경우에도 이와 같다.
㉯ 'ㄴ'은 'ㄹ'의 앞이나 뒤에서 [ㄹ]로 발음한다.
[붙임] 첫소리 'ㄴ'이 'ㅀ', 'ㄾ' 뒤에 연결되는 경우도 이에 준한다.

① '국물'을 [궁물]로 발음하는 것은 ㉮를 적용한 것이다.
② ㉮로 보아, '문을 닫는 아이'에서 '닫는'은 [단는]으로 발음해야 한다.
③ ㉮의 [붙임]으로 보아, '밥 먹는다'는 [밤멍는다]로 발음해야 한다.
④ '신라'를 [실라]로 발음하는 것은 ㉯를 적용한 것이다.
⑤ ㉯의 [붙임]으로 보아, '벽을 뚫는 소리'에서 '뚫는'은 [뚤는]으로 발음해야 한다.

수능형

23 다음 문장의 밑줄 친 단어의 표준 발음으로 알맞지 <u>않은</u> 것은?

① 학습지 구독을 <u>다달이</u> 하였다.
                [다다리]
② 넌 도대체 왜 이리 <u>어미</u> 속을 썩이냐?
                [에미]
③ 할아버지, 생신을 진심으로 <u>축하</u>드립니다.
                        [추카]
④ 땅에서 <u>백로</u>는 흰 날개를 펼치며 날아올랐다.
        [뱅노]
⑤ 철수야, <u>만날 사람</u>이 누구인지 기대되지 않아?
        [만날싸람]

2. 단어와 품사

🔊 **핵심 질문** 단어를 적절하고 풍부하게 사용하려면 어떻게 해야 할까?

≫ 다음은 주변에서 흔히 볼 수 있는 간판들이다. 여기에 제시된 상점의 이름이나 상품 이름이 어떻게 만들어졌을지 말해보고, 빈 간판에 적절한 이름을 지어서 넣어 보자.

| 예시 답 | 예를 들어 '맵시걸'로 옷을 파는 상점 이름은, 아름답고 보기 좋은 모양새를 뜻하는 순우리말 '맵시'와 소녀를 뜻하는 영어 'girl'을 붙여 '아름답고 보기 좋은 모양새의 여성복 판매장'을 뜻할 수 있다.

어떤 대상이나 개념을 표현하려면 그에 맞는 단어가 있어야 한다. 거꾸로 적절한 단어가 없으면 자기 생각이나 느낌을 제대로 표현할 수 없다. 인간은 새로운 대상이나 개념이 생겨날 때마다 새로운 단어로 그것들을 표현해 왔다. 새말은 해당 언어의 단어 형성 규칙을 지키면서 대상이나 개념을 잘 나타내는 방향으로 만들어진다.

이 단원에서는 단어의 특성에 따른 품사, 단어의 구조와 새말을 만드는 원리, 그리고 단어와 단어 사이의 의미 관계에 대해 알아보기로 한다. 이를 통해 어휘력과 표현력을 기르고 지식과 사고의 폭을 넓힐 수 있다.

소단원	학습 목표	내용
(1) 단어의 품사와 특성	국어의 품사와 품사에 따른 단어의 특성을 탐구하여 바른 국어 생활을 할 수 있다.	① 체언 ② 용언 ③ 수식언 ④ 관계언 ⑤ 독립언
(2) 단어의 짜임과 새말 형성	단어의 짜임과 새말의 형성 과정을 탐구하고 이를 국어 생활에 활용할 수 있다.	① 형태소와 단어 ② 단어의 구조 ③ 단어의 형성
(3) 단어의 의미 관계와 어휘 사용	단어의 의미 관계를 탐구하고 이를 적절한 어휘 사용에 활용할 수 있다.	① 단어 의미의 유형 ② 단어 간의 의미 관계

맛보기

1. 다음 빈칸에 알맞은 말을 쓰시오.

(1) 여러 문장 사이의 관계를 나타내는 기능을 하는 품사는 (   )이다.

(2) '다만 놀라울 따름이다.'에서 '따름'은 (   )이/가 없는 품사이다.

(3) 합성어는 어근과 어근의 결합으로 이루어진 단어이며, (   )은/는 어근에 접사가 붙어 이루어진 단어이다.

{1} 단어의 품사와 특성

- 품사의 개념: 단어들을 성질이 공통된 것끼리 모아 갈래를 지어 놓은 것
- 품사의 분류
  - 분류 기준: 형태, 의미, 기능

체언	명사, 대명사, 수사	예 손, 서울, 학교, 것 / 이것, 저기, 나, 우리 / 하나, 첫째
용언	동사, 형용사	예 뛰다, 걷다, 먹다, 잡다 / 고요하다, 이러하다
수식언	관형사, 부사	예 새, 헌, 이, 그, 세, 다섯 / 매우, 못, 다행히, 과연
관계언	조사	예 이/가, 에, 와/과, 하고, 만, 도, 부터
독립언	감탄사	예 앗, 네(대답)

2. 다음 진술 중 맞는 것에는 ○표, 틀린 것에는 ×표를 하시오.

(1) '가을바람이 산들산들 분다.'에서 '분다'는 문장에서 쓰일 때 그 형태가 변화한다. (   )

(2) '공부하다'는 '공부하-+-다'로 형태소를 분석할 수 있다. (   )

(3) '일꾼, 덮개'에 쓰인 접사는 품사를 전성시키는 기능을 한다. (   )

(4) '푸르다-푸르죽죽하다'는 감각어의 발달에 따라 형성된 유의어이다. (   )

{2} 단어의 짜임과 새말 형성

단어 ─ 단일어 : 어근
     └ 복합어 ─ 합성어 : 어근 + 어근
              └ 파생어 : 어근 + 접사 / 접사 + 어근

3. '유의 관계'의 개념을 쓰시오.

4. '잘하다'의 합성 방법을 쓰시오.

{3} 단어의 의미 관계와 어휘 사용

유의 관계	말소리는 다르지만 의미가 비슷한 관계	예 가끔, 더러, 이따금, 때로
반의 관계	단어가 의미의 짝을 이루어 대립하는 관계	예 아저씨 : 아주머니
상하 관계	단어가 다른 단어를 포함하거나 포함되는 관계	예 직업 〉 작가 〉 시인

답 1.(1) 조사, (2) 자립성, (3) 파생어
2.(1) ○, (2) ×, (3) ×, (4) ○
3.말소리는 다르지만 의미가 비슷한 관계이다.
4.부사어 '잘'과 서술어 '하다'가 결합하여 형성되었다.

{1}

단어의 품사와 특성

소단원 학습 포인트

• 품사의 개념과 종류, 특징 이해하기

🐍 문장에서 단어의 형태가 변하지 않고 쓰이면 불변어, 변하여 쓰이면 가변어라고 한다.

🐍 **서술격 조사**
서술격 조사는 관계언에 속하지만 다른 조사와는 달리 형태가 변한다는 점에서 가변어에 속한다.

가 성질이 공통된 단어들끼리 모아 갈래를 지은 것을 품사(品詞)라고 한다. 품사는 **형태**, _{품사의 개념} 기능, 의미의 세 기준에 따라 분류된다. ▶품사의 개념과 분류 기준
_{품사의 분류 기준}
　첫째, 단어는 형태 기준에 따라 형태가 변하지 않는 불변어와 형태가 변하는 가변어
로 분류된다. '손, 우리, 매우' 등의 단어는 형태가 변하지 않으므로 불변어에 속하고, _{불변어, 가변어} _{명사, 대명사, 부사 등은 형태를 바꾸지 않음.}
'먹−, 예쁘−' 등은 '먹고/먹으니/먹으면, 예쁘고/예뻐서/예쁜'과 같이 형태가 변하므로
_{용언은 활용에 따라 형태가 변함.}
가변어에 속한다. ▶형태 기준에 따른 품사 분류
　둘째, 단어는 기능 기준에 따라 주로 주어, 목적어, 보어 등으로 쓰이는 체언, 서술 _{체언, 용언, 수식언, 관계언, 독립언} _{명사, 대명사, 수사}
어로 쓰이는 용언, 다른 성분을 수식하는 수식언, 여러 성분 사이의 관계를 나타내주는 _{동사, 형용사} _{관형사, 부사}
관계언, 독립적으로 쓰이는 독립언으로 나뉜다. ▶기능 기준에 따른 품사 분류
_{조사} _{감탄사}
　셋째, 단어는 의미 기준에 따라 비슷한 특성을 가진 것끼리 분류된다. 의미 기준에 _{명사, 대명사, 수사, 동사, 형용사, 관형사, 부사, 조사, 감탄사}
따라 대상의 이름을 나타내는 명사, 명사를 대신하여 쓰이는 대명사, 대상의 수량이나
순서를 나타내는 수사, 대상의 움직임을 나타내는 동사, 대상의 성질이나 상태를 나타
내는 형용사, 주로 체언을 수식하는 관형사, 주로 용언이나 관형사, 다른 부사 등을 수
식하는 부사, 주로 체언에 붙어 다른 성분과의 관계를 나타내는 조사, 말하는 사람의
놀람이나 느낌, 부름 등을 나타내는 감탄사로 나뉜다. ▶음절의 끝소리 규칙의 개념
　형태, 기능, 의미를 기준으로 품사를 분류해 보면 다음과 같다.

단어 조사가 포함된다는 점에 주의	불변어	체언	명사
			대명사
			수사
		수식언	관형사
			부사
		독립언	감탄사
		관계언	조사
	가변어	용언	동사
			형용사

▶형태, 기능, 의미에 따른 품사의 분류

나 **1** 체언: 명사, 대명사, 수사

> **다가서기**
>
> • 다음 글에 쓰인 단어 가운데 아래의 조건에 해당하는 단어들을 찾아 써 보자.
>
> > 　안녕, 건우야. 여기에 쪽지를 남긴 이유는 나와 자리를 바꿔 줄 수 있을지 물어보려
> > 고. 너와 나는 둘 다 앉은키가 비슷하니까 괜찮을 것 같은데 너의 생각도 말해 줘.
>
> **예시 답**
> • 대상의 이름으로 쓰이는 단어: 건우, 쪽지, 이유, 자리, 수, 앉은키, 것, 생각
> • 대상의 이름을 대신하여 가리킬 때 쓰이는 단어: 여기, 나, 너
> • 사물의 수량이나 순서를 가리킬 때 쓰이는 단어: 둘

문장에서 주로 주어가 되는 자리에 오며, 때로는 목적어나 보어가 되는 자리에도 오는 부류의 단어들을 **체언(體言)**이라고 한다. 이들은 조사와 결합할 수 있으며 일반적으로 형태의 변화가 없다. 체언에는 **명사(名詞)**, **대명사(代名詞)**, **수사(數詞)**의 세 가지가 있다. 명사는 체언 중에서 가장 일반적인 부류로서, 구체적인 대상의 이름이라는 점에서 다른 체언과 구별된다. 대명사는 명사를 대신하여 대상을 가리킬 때 쓰이는 체언이고, 수사는 사물의 수량이나 순서를 가리킬 때 쓰이는 체언이다.

▶체언의 개념과 종류

<small>체언의 개념 / 체언의 특징 / 체언의 종류 / 명사의 개념 / 대명사의 개념 / 수사의 개념</small>

개념 ✛
체언의 일반적 특징
• 조사와 결합한다.
• 형태가 고정되어 있다.
• 관형어의 수식을 받는다.
• 복수형을 취할 수 있다.(명사, 대명사)

핵심 다지기

문제로 확인
정답과 해설 011쪽

■ **품사의 개념**
단어들을 성질이 공통된 것끼리 모아 갈래를 지어 놓은 것을 말함.

■ **품사의 분류**
① 형태에 따른 분류

불변어	형태가 변하지 않는 단어	체언, 수식언, 독립언, 관계언 예 손, 우리, 매우
가변어	형태가 변하는 단어	용언, 서술격 조사 예 먹-(먹고/먹으니/먹으면), 예쁘-(예쁘고/예뻐서/예쁜), 이다(이고, 이니)

② 기능 기준에 따른 분류

체언	주로 주어나 목적어로 쓰임.	명사, 대명사
용언	주로 서술어로 쓰임.	동사, 형용사
수식언	주로 다른 성분을 수식함.	관형사, 부사
관계언	여러 성분 사이의 관계를 나타내 줌.	조사
독립언	독립적으로 쓰임.	감탄사

③ 의미에 따른 분류: 명사, 대명사, 수사, 동사, 형용사, 관형사, 부사, 조사, 감탄사

■ **체언의 개념과 종류**
문장에서 주로 주어가 되는 자리에 오며, 때로는 목적어나 보어가 되는 자리에도 오는 부류의 단어들을 말함.

명사	구체적인 대상의 이름을 가리키는 체언
대명사	명사를 대신하여 대상을 가리키는 체언
수사	사물의 수량이나 순서를 가리키는 체언

출제 예감
01. 윗글을 바탕으로 〈보기〉의 밑줄 친 단어를 설명한 것으로 적절하지 **않은** 것은?

보기
ㄱ. 그 사람은 새 구두를 신었다.
ㄴ. 온 산에 철쭉꽃이 활짝 피었다.
ㄷ. 그녀가 혼자서 산책길을 걷는다.
ㄹ. 그 남자가 여자에게 눈길을 보낸다.
ㅁ. 아! 드디어 기다리던 방학이 왔구나.

① ㄱ의 '새'는 체언을 수식하는 기능을 한다.
② ㄴ의 '철쭉꽃'은 형태가 변하지 않는 불변어이다.
③ ㄷ의 '걷는다'는 동작을 나타내는 서술어로 쓰인다.
④ ㄹ의 '에게'는 형태의 변화를 통해 용언을 수식한다.
⑤ ㅁ의 '아!'는 화자의 느낌을 나타내는 독립적 성분이다.

02. **체언**의 특징으로 적절하지 **않은** 것은?
① 단어의 형태가 고정되어 있다.
② 조사나 관형사와 결합할 수 있다.
③ 주로 주어, 목적어, 보어로 쓰인다.
④ 명사, 대명사, 수사의 세 가지가 있다.
⑤ 문장 속에서의 기능에 따라 분류된 품사이다.

03. 윗글을 참조하여 다음 문장에 대한 두 물음에 답하시오.

> 자연을 좋아하는 사람이 진짜 시인이다.

(1) 불변어에 해당하는 단어의 수를 쓰시오. ＿＿＿＿＿＿
(2) 가변어에 해당하는 조사를 찾아 쓰시오. ＿＿＿＿＿＿

☞ 고유 명사였던 것이 보통 명사가 되는 경우가 있다. '호치키스(Hotchkiss)'는 원래 '스테이플러(stapler)'의 상표명이었는데, 흔히 스테이플러를 달리 이르는 말로 사용되고 있다.

개념⊕
의존 명사는 자립적으로 쓰일 수 없지만 자립 형태소인 명사로 분류 함.
• 근거
 – 관형어의 수식이 가능함.
 – 조사와 결합이 가능함.
• 의존 명사의 예: 따름, 줄, 채, 만큼, 듯, 지, 나위, 턱, 뿐, 터, 때문, 마련, 셈, 만, 뻔, 척, 자루, 명, 마리 등

개념⊕
대명사 '우리'의 특수성
'우리'는 어원상 '울'이라는 울타리와 같은 개념에서 온 말로, '우리'는 1인칭의 복수인데도 불구하고 화자 자신만 지칭하는 것이 가능함. 예 <u>우리</u> 아빠는 멋져.
• 1·2·3인칭을 모두 포함할 수 있음. 예 <u>우리</u> 대한민국은 민주 공화국입니다.
• 청자를 제외한 1·3인칭만 지시가 가능함. 예 오락실 갈래? 아니, <u>우리</u>는 안 가.

자기
「명사」① 자기 자신. 예 <u>자기</u> 방치, <u>자기</u>를 극복하다. ② (철학)자아.
「대명사」앞에서 이미 말하였거나 나온 바 있는 사람을 도로 가리키는 삼인칭 대명사. 예 누나는 <u>자기</u> 일에 최선을 다한다.

☞ **대명사 '당신(當身)'의 다의적 의미**
① 청자를 가리키는 2인칭 대명사. '하오' 할 자리에 쓴다. 예 <u>당신</u>은 누구시오?
② 부부 사이에서, 상대편을 높여 이르는 2인칭 대명사. 예 <u>당신</u>, 요즘 직장에서 피곤하시죠?
③ 맞서 싸울 때 상대편을 낮잡아 이르는 2인칭 대명사. 예 <u>당신</u>이 뭔데 참견이야.
④ 3인칭 재귀칭 '자기'를 아주 높여 이르는 말. 예 할아버지께서는 생전에 <u>당신</u>의 장서를 소중히 다루셨다.

다 ① 명사

[다가서기]

● 다음 문장에 쓰인 단어 가운데 꾸미는 말이 있어야만 쓰이는 명사를 찾아보자.

> 그는 밀가루로 된 것이면 뭐든지 좋아한다.

| 예시 답 | '것'(의존 명사 '것'은 명사이므로 자립 형태소이지만, 그 앞에 반드시 관형어가 있어야 한다.)

명사 중 어떤 속성을 지닌 대상들에 두루 쓰이는 이름을 보통 명사라고 하고, 특정한 (보편적으로 적용됨) 하나의 개체를 다른 개체와 구별하기 위해 붙인 이름을 고유 명사라고 한다. 대표적으로 (단일한 대상에 적용됨) 인명, 지역명, 상호 등이 고유 명사에 속한다.

• "순이야, 방에 들어가서 오빠 좀 깨워라."
  고유 명사 보통 명사   보통 명사

또한 혼자서 자립적으로 쓰일 수 있는 명사를 자립 명사라고 하고, 반드시 그 앞에 꾸미는 말, 즉 관형어가 있어야만 쓰일 수 있는 명사를 의존 명사라고 한다.
관형사 / 체언 + 관형격 조사 / 용언의 관형사형 / 용언의 명사형 + 관형격 조사   ▶명사의 종류와 각각의 개념

• "저기 보이는 것이 바다입니까?"
          의존 명사 자립 명사

라 ② 대명사

[다가서기]

● 다음 글에서 명사를 대신하여 대상을 가리키는 대명사를 모두 찾아보자.

> '나'에 주격 조사 '가'나 보격 조사 '가'가 붙을 때의 형태
> 나는 그렇게 말하진 않았다. 다만 내가 지금 그 사건을 다시 생각하는 이유는, 그것으로 우리는 제각기 자기 특유의 창을 통해 인생을 들여다보는 버릇이 있다는 걸 알 수 있기 때문이다. 지금 본 것은 사이즈를 통해서 온 세상을 들여다보는 사람의 경우였다.
> – 앨프리드 가드너, 「모자 철학」에서

● 다음 문장에서 앞뒤 맥락을 고려하여 괄호에 들어갈 공통된 말을 써넣어 보자.

> 철수는 ( )이/가 가겠다고 했다. 그는 뭐든지 ( ) 고집대로 해야 한다.

| 예시 답 | 제, 자기

대명사는 명사를 대신하여 대상을 가리키는 말로 사용되는 체언이다. 대명사에는 지 (대명사의 개념) 시 대명사와 인칭 대명사가 있다. 지시 대명사에는 '이것, 그것, 저것' 등과 같이 사물을 (대명사의 종류) 가리키는 것과 '여기, 거기, 저기' 등과 같이 장소를 가리키는 것이 있으며, 인칭 대명사 (사물 대명사)   (처소 대명사) 는 1인칭, 2인칭, 3인칭 등으로 나뉜다.

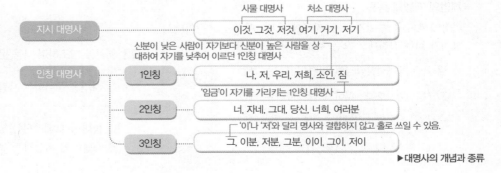

▶대명사의 개념과 종류

대명사에는 모르는 사물이나 사건을 가리키는 **미지칭**(未知稱), 정해지지 아니한 사
<u>가리킴을 받는 지시 대상이 무엇인지 정확하게 모를 때</u>
람, 물건, 방향, 장소 따위를 가리키는 **부정칭**(不定稱), 앞에 한 번 나온 체언을 다시 나
<u>특정한 지시 대상이 아닐 때</u>
타내는 **재귀칭**(再歸稱) 등이 있다. '<u>무엇, 누구, 어디</u>'와 같은 대명사는 주로 의문문에서
<u>미지칭</u>으로 쓰이고, '<u>무엇이든, 누구든, 어디든</u>'에서와 같이 부정칭으로 쓰이기도 한다.
<u>부정칭과 미지칭은 특정 대상의 지시 여부에 따라 구분됨.</u>
재귀 대명사라고도 하는 재귀칭에는 '저, 자기, 당신' 등이 있는데, <u>주로 3인칭 주어로</u>
<u>선행 명사구가 3인칭 유정 명사여야 함.</u>
<u>쓰인 명사나 명사구를 다시 가리키는 데에 쓰인다.</u>   ▶미지칭, 부정칭, 재귀칭의 개념과 특성
<u>재귀 대명사의 쓰임</u>

핵심 다지기   문제로 확인

■ 명사

사용 범위	보통 명사	어떤 속성을 지닌 대상들에 두루 쓰이는 이름	예 오빠, 하늘, 나무
	고유 명사	특정한 하나의 개체를 다른 개체와 구별하기 위해 붙인 이름 (인명, 지역명, 상호 등)	예 순이, 청계천
자립성 여부	자립 명사	혼자서 자립적으로 쓰일 수 있는 명사	예 바다, 세종대왕
	의존 명사	앞에 관형어가 있어야만 쓰일 수 있는 명사	예 것, 따름, 줄, 만큼, 채

※ 의존 명사 중에는 개, 마리, 켤레, 원, 킬로미터 등과 같이 셈의 단위로 쓰이는 것들이 있는데, 이를 단위성 의존 명사라고 함.

■ 대명사

지시 대명사	사물 대명사	예 이것, 그것, 저것
	처소 대명사	예 여기, 거기, 저기
인칭 대명사	1인칭	예 나, 저, 우리, 저희, 소인, 짐
	2인칭	예 너, 자네, 그대, 당신, 너희, 여러분
	3인칭	예 그, 이분, 저분, 그분, 이이, 그이, 저이

※ '그'는 '이'나 '저'와 달리 명사와 결합하지 않고 홀로 쓰일 수 있음.

미지칭	모르는 사물이나 사건을 가리키는 대명사	예 누구, 무엇, 어디
부정칭	정해지지 않은 사람, 물건, 방향 장소 등을 가리키는 대명사	예 누구든, 무엇이든, 어디든
재귀칭	앞에 한 번 나온 체언을 다시 가리킬 때 쓰는 대명사(재귀 대명사)	예 저, 당신

※ 미지칭 대명사는 주로 의문문에서 쓰이며, 재귀칭 대명사는 주로 3인칭 주어로 쓰인 명사나 명사구를 다시 가리킬 때 쓰임.

04. 윗글을 바탕으로 〈보기〉의 ㄱ~ㄷ에 대해 설명한 것으로 적절하지 <u>않은</u> 것은?

〈보기〉
ㄱ. "<u>수지</u>야, 공부 좀 해라."
ㄴ. "네가 지금 보는 <u>것</u>이 들판이야."
ㄷ. 우리 학교 정원에 <u>꽃</u>이 만발하였다.
ㄹ. 진수는 <u>자기</u> 생각만 옳다고 주장한다.

① ㄱ의 '수지'는 고유 명사이고, ㄴ의 '들판'은 보통 명사이다.
② ㄴ의 '것'은 의존 명사에 해당하며, 다른 성분과 함께 쓰인다.
③ ㄴ의 '것'은 그 앞에 반드시 관형사가 와야 쓰일 수 있다.
④ ㄷ의 '꽃'은 관형어의 수식을 받을 수도, 안 받을 수도 있다.
⑤ ㄹ의 '자기'는 3인칭 주어로 쓰인 명사를 다시 가리키는 재귀칭 대명사이다.

출제 예감
05. 〈보기〉는 대명사의 다양한 용례이다. 윗글을 참조하여 그 의미를 탐구할 때, 적절하지 <u>않은</u> 것은?

〈보기〉
• ⓐ <u>우리</u> 같이 가자.   • ⓑ <u>우리</u>는 너희와 달라.
• ⓒ <u>제</u>가 하겠습니다.   • 중이 ⓓ <u>제</u> 머리 못 깎는다.
• ⓔ <u>당신</u>은 너무 잘 생겼어요.   • 어머니는 ⓕ <u>당신</u>의 꿈을 다 접으셨죠.
• ⓖ <u>누가</u> 시끄럽게 하거니?   • ⓗ <u>누구</u>든 오면 다 받아 줄게.

① ⓐ는 청자를 포함하고, ⓑ는 청자를 배제한다.
② ⓒ는 1인칭 낮춤말이고, ⓓ는 3인칭 낮춤말이다.
③ ⓔ는 2인칭 높임말로, ⓕ는 3인칭 높임말로 사용된다.
④ ⓖ는 미지칭 대명사로, 주로 의문문에서 사용된다.
⑤ ⓗ는 부정칭 대명사로, 모르는 사물이나 사건을 가리킨다.

마 ③ **수사**
국어의 수사는 일반적으로 고유어 계열과 한자어 계열로 구분됨.

> **다가서기**
> ● 다음 짝지어진 문장의 뜻이 비슷하도록 괄호에 적절한 고유어나 한자어를 써 보자.
>
> • 하나에 셋을 더하면 넷이다.
> ≒ (일)에 (삼)을/를 더하면 (사)(이)다. → 한자어계
> • 우리의 이념은 (첫째)은/는 진리이고 (둘째)은/는 정의이다. → 고유어계
> ≒ 우리의 이념은 제일(第一)은 진리이고 제이(第二)는 정의이다. → 한자어계

<table>
<tr><td colspan="3">※ 양수사와 서수사</td></tr>
</table>

	양수사	서수사
고유어 계열	1~99까지 ⓔ 하나, 둘	'–째'를 붙임. ⓔ 첫째
한자어 계열	모두 가능함. ⓔ 일, 천	'제'를 붙임. ⓔ 제일

사물의 수량이나 순서를 나타내는 단어들을 수사라고 한다. 수사에는 수량을 나타
_{수사의 개념}
내는 양수사(量數詞)와 순서를 나타내는 서수사(序數詞)가 있다. '하나, 둘, 셋, 일, 이,
_{고유어계} _{한자어계}
삼' 등은 양수사이고, '첫째, 둘째, 셋째, 제일, 제이, 제삼' 등은 서수사이다.
_{고유어계} _{한자어계} ▶수사의 개념과 종류

> **확인하기**
> ● 다음 글에서 아래에 해당하는 단어들을 찾아 써 보자.
>
> 오랜만에 놀이공원에 놀러 간 민수는 친구 셋과 함께 트램펄린을 타고 놀았다. 그의 마음은 가벼운 구름과 같을 따름이었다.
>
> | 예시 답 |
> • 고유 명사: 민수　　　　　• 대명사: 그
> • 의존 명사: 따름　　　　　• 수사: 셋

개념 ⊕
수사의 특성
• 대명사는 일반적으로 관형사의 꾸밈을 받을 수 없는 것과 비교하여, 수사는 특이한 환경에서 관형사 '이, 그, 저'의 꾸밈을 받는 경우가 있다. ⓔ 저 둘이 한 편이야.
• 접두사나 접미사가 붙을 수 있다. ⓔ 제일(第一), 둘째
• 조사가 붙지 않으면 부사의 성격을 띠게 된다. ⓔ 나는 사과를 하나 먹었다.

바 **2 용언: 동사, 형용사**

> **다가서기**
> ● 다음 글에서 서술어로 사용된 단어를 찾아 아래의 〈조건〉에 해당하는 단어와 그렇지 않은 단어로 구분해 보자.
>
> 발끝에 차이는 자갈, 길가에 아무렇게나 자란 코스모스, 그런 것들이 하나하나 신
> _{동사} _{형용사} _{동사}
> 선하게 그의 마음을 끌었다.
> _{형용사} _{동사}
>
> > **조건**
> > • 움직임이나 작용을 나타내는 단어일 것.
> > • 현재 시제에서 '–ㄴ다' 또는 '–는다'가 연결되는 단어일 것. ⓔ 가–ㄴ다, 먹–는다
> > • 명령형이나 청유형이 가능한 단어일 것. ⓔ 가–라 / 가–자, 먹–어라 / 먹–자

<table>
<tr><td colspan="3">※ 동사와 형용사의 차이점</td></tr>
</table>

	동사	형용사
의미	동작이나 움직임	성질이나 상태
현재 시제 평서형	–ㄴ다/ –는다	–다
명령형. 청유형	활용 가능	활용 불가
목적의 어미 '–러'나 의도의 어미 '–려'	결합 가능	결합 불가

문장의 주어를 서술하는 말을 **용언**(用言)이라고 한다. 용언 가운데 주어의 움직임이
_{용언의 개념}
나 작용을 나타내는 단어의 부류를 **동사**(動詞)라고 하고, 주어의 성질이나 상태를 나타
_{동사의 개념} _{형용사의 개념}
내는 단어의 부류를 **형용사**(形容詞)라고 한다.
▶용언의 개념과 종류

동사와 형용사는 의미상 차이가 있을 뿐만 아니라 시제에 따라서 연결되는 어미가 다
_{동사와 형용사의 의미적, 문법적 구분 기준}
르고, 명령문이나 청유문으로 활용할 때에도 차이가 있다. '가다, 먹다, 뛰다' 등은 동사
에 속하고, '예쁘다, 고요하다, 향기롭다' 등은 형용사에 속한다. ▶동사와 형용사의 차이점

■ 수사의 개념과 종류

사물의 수량이나 순서를 가리킬 때 쓰이는 체언임.

양수사	수량을 나타내는 수사	• 고유어계: 1~99까지 　예 하나, 둘, 셋 • 한자어계: 모두 가능함. 　예 일, 이, 삼
서수사	순서를 나타내는 수사	• 고유어계: '-째'를 붙임. 　예 첫째, 둘째, 셋째 • 한자어계: '제'를 붙임. 　예 제일, 제이, 제삼

※ '백하나, 백다섯' 혹은 '백일, 백오'와 같이 고유어 계열의 양수사 중 '101' 이상은 '한자어+고유어'나 한자어만으로 사용됨.

■ 용언의 개념과 종류

• 문장의 주어를 서술하는 기능을 가진 말
• 동사와 형용사의 구분

	동사	형용사
개념	주어의 움직임이나 작용을 나타내는 단어의 부류	주어의 성질이나 상태를 나타내는 단어의 부류
차이점	• 기본형에 현재 시제 선어말 어미 '-는-/-ㄴ-', 관형사형 어미 '-는'이 결합 • 명령형 어미 '-어라/-아라'나 청유형 어미 '-자', 목적을 나타내는 어미 '-러'와 의도를 나타내는 어미 '-려'와 결합	• 형용사는 동사 결합 사례들과 같이 결합할 수 없음.
공통점	• 조사가 붙을 수 있음. • 부사의 수식을 받음. • 문장에서 서술어가 쓰임. • 문장에서 그 쓰임에 따라 형태가 변함.(본용언, 보조 용언)	

|참고| **용언의 갈래**

• 문장 안의 쓰임에 따라: 본용언, 보조 용언

본용언	보조 용언
• 홀로 쓰일 수 있음. • 주체의 동작이나 상태를 나타냄.	• 홀로 쓰일 수 없음. • 본용언의 독특한 의미를 부여함.

• 활용의 규칙성에 따라: 규칙 용언, 불규칙 용언

---

06. 용언에 대한 설명으로 적절하지 <u>않은</u> 것은?

① 동사와 형용사는 의미상의 차이가 있다.
② 문장의 주어를 서술하는 기능을 지니고 있다.
③ 동사는 주어의 움직임이나 작용을 나타내는 단어이다.
④ 형용사는 주어의 성질이나 상태를 나타내는 단어이다.
⑤ 동사와 형용사는 시제에 따라 연결되는 어미가 같다.

출제 예감
07. 윗글을 읽고 〈보기〉를 이해한 것으로 적절하지 <u>않은</u> 것은?

〈보기〉
┌ ㄱ. 실내의 불빛이 <u>밝다</u>.
└ ㄴ. 어느새 날이 <u>밝았다</u>.
┌ ㄷ. 그는 키가 한창 <u>크는</u> 시기다.
└ ㄹ. 나는 키가 <u>큰</u> 사람을 좋아한다.
┌ ㅁ. 아침에 혼자 국기를 <u>달았다</u>.
└ ㅂ. 파인애플 맛이 매우 <u>달았다</u>.

① ㄱ의 '밝다'와 ㄹ의 '크다'는 의미 차원에서 모두 형용사에 해당한다.
② ㄴ의 '밝다'와 ㄷ의 '크다'는 의미 차원에서 모두 동사에 해당한다.
③ ㅁ의 '달다'는 ㅂ의 '달다'와 달리 주어의 움직임을 나타내고 있으므로 동사이다.
④ ㄱ의 '밝다'는 주어의 상태를, ㅂ의 '달다'는 주어의 성질을 나타내고 있다.
⑤ ㄴ의 '밝다'는 주어의 작용을, ㄷ의 '크다'는 주어의 움직임을 나타내고 있다.

서술형　고난도
08. 관형사 '저'와 함께 대명사와 수사가 사용된 다음 문장들을 읽고, 수사의 특성이 무엇인지 파악하여 〈조건〉에 맞게 서술하시오.

• *저 너희가 사이좋은 단짝 친구니?
• 저 둘이 늘 같이 다니는 단짝이다.
• *저 <u>첫째</u>, 최선을 다해 공부해야 한다.
　　　　　　　　　　　　　　* 비문법적인 표현

〈조건〉
• 대명사, 양수사, 서수사의 특성을 비교하여 대등하게 연결된 이어진문장으로 쓸 것.
• 35자 내외로 쓸 것.

사 ① 동사

다가서기

● 다음 시에 쓰인 동사 가운데 아래의 조건에 해당하는 동사들을 찾아보자.

> 황소들이 끙끙대며 책이 실린 수레를 / 화형장으로 끌고 왔을 때, 가장 뛰어난 작가의
>   피동사
> 한 사람으로서 / 추방된 어떤 시인이 분서 목록을 들여다보다가 / 자기의 책들이 누락된
>   피동사
> 것을 알고 / 깜짝 놀랐다. 그는 화가 나서 나는 듯이   – 베르톨트 브레히트, 「분서」에서
>   피동사

• 움직임이 주어하고만 관련되는 동사: **| 예시 답 |** 끙끙대다, 실리다, 오다, 추방되다, 누락되다, 놀라다, 나다, 날다
• 움직임이 주어 이외에 목적어와도 관련되는 동사: **| 예시 답 |** 끌다, 들여다보다, 알다

동사는 기준에 따라 몇 가지로 분류할 수 있다. 먼저 '뛰다, 걷다, 가다, 놀다, 끙끙대다'처럼 <u>움직임이 그 주어에만 관련되는</u> **자동사**와 '끌다, 누르다, 건지다, 태우다'처럼
                                  자동사의 개념
<u>움직임이 다른 대상, 즉 목적어에 미치는</u> **타동사**로 분류할 수 있다. 그리고 '먹다, 앉다'
                              타동사의 개념
처럼 어떤 동작을 자기 스스로 행하는 **주동사**와 '먹이다, (㉠)'처럼 남에게 어떤 동작
을 하게 하는 **사동사**로 분류할 수도 있다. 또 '잡다, 밀다'처럼 움직임이 스스로의 힘으
                 어근에 사동 접사가 결합되어 파생됨.
로 이루어지는 **능동사**와 '잡히다, (㉡)'처럼 움직임이 남의 동작이나 행위에 의해서
이루어지는 **피동사**로 분류할 수도 있다.
             어근에 피동 접사가 결합되어 파생됨.

〈자동사〉 뛰다, 걷다, 가다, 놀다, 끙끙대다	**〈주동사〉** 먹다, 앉다	**〈능동사〉** 잡다, 밀다
〈타동사〉 끌다, 누르다, 건지다, 태우다	**〈사동사〉** 먹이다, 앉히다	**〈피동사〉** 잡히다, 밀리다

▶ 동사의 종류와 각각의 개념

② 형용사

다가서기

● 다음 문장에서 [ ] 속 형용사 자리에 들어갈 수 있는 형용사를 모두 적어 보자.

> 우리 교실 분위기는 [어떻다].
>   지시 형용사

| 예시 답 | 어둡다, 침침하다, 음침하다, 훤하다, 깨끗하다, 밝다 등 – 성상 형용사

형용사가 들리는구나.
예쁘다.
고요하다.

형용사에는 '고요하다, 달다, 예쁘다, 향기롭다'처럼 <u>성질이나 상태를 나타내는</u> **성상**
                                   성질 + 상태
형용사와, '이러하다, 그러하다, 저러하다, 어떠하다'처럼 지시성을 나타내는 **지시 형용**
사가 있다. 대명사가 명사를 대신하여 쓰일 수 있는 것처럼 <u>지시 형용사가 성상 형용사</u>
<u>를 대신하여 쓰일 수도 있다.</u>
      지시 형용사의 쓰임

개념 ✚

형용사의 배열 순서
일반적으로 지시 형용사는 성상 형용사에 앞서 배열됨.

⑩ 저렇게 예쁜 하늘
    지시   성상
   형용사 형용사

• 그 사람은 아주 <u>행복하다</u>. 나도 <u>그렇다</u>.
               성상 형용사   지시 형용사

▶ 형용사의 종류와 각각의 개념

■ 동사

자동사	움직임이 그 주어에만 관련되는 동사	예	뛰다, 걷다, 가다, 놀다, 살다
타동사	움직임이 다른 대상, 즉 목적어에 미치는 동사	예	잡다, 누르다, 건지다, 태우다
주동사	어떤 동작을 자기 스스로 행하는 동사	예	먹다, 앉다
사동사	남으로 하여금 어떤 동작을 하게 하는 동사	예	먹이다, 앉히다
능동사	움직임이 스스로의 힘으로 이루어지는 동사	예	잡다, 밀다
피동사	움직임이 남의 동작이나 행위에 의해서 이루어지는 동사	예	잡히다, 밀리다

보충 자료

주어, 목적어 이외에 필수적으로 부사어를 요구하는 타동사가 있다. 이러한 동사는 타동사에만 있는 것이 아니라 자동사에도 있다.

- 타동사: 삼다, 주다, 여기다, 일컫다, 이르다, 부르다, 만들다, 의논하다 등
  - 예 그는 친구에게 선물을 <u>주었다</u>.
  - ※ 서술어 '주었다'는 주어, 목적어 이외에 부사어 '친구에게'를 필수적으로 요구함.
- 자동사: 되다, 변하다, 지다 등
  - 예 물이 얼음으로 <u>변하였다</u>.
  - ※ 서술어 '변하였다'는 주어 이외에 부사어 '얼음으로'를 필수적으로 요구함.

■ 형용사

성상 형용사	성질이나 상태를 나타내는 형용사	예	고요하다, 달다, 예쁘다, 향기롭다
지시 형용사	지시성을 나타내는 형용사	예	이러하다, 그러하다, 저러하다, 어떠하다

참고　지시 형용사의 쓰임

지시 형용사는 성상 형용사를 대신하여 쓰일 수도 있음.
예 한국의 가을은 <u>아름답다</u>. 일본의 가을도 <u>그렇다</u>.
　　　　　성상 형용사　　　　　　지시 형용사

---

09. 동사와 형용사의 구분을 위한 답변으로 적절하지 <u>않은</u> 것은?

	항목	동사	형용사
①	현재 시제 선어말 어미 '-ㄴ(는)-'의 결합이 가능한가?	예	아니오
②	현재 시제 관형사형 어미 '-(으)ㄴ'의 결합이 가능한가?	아니오	예
③	의도나 목적의 어미 '-러', '-려'의 결합이 가능한가?	예	아니오
④	명령형 어미 '-어라', 청유형 어미 '-자'의 결합이 가능한가?	예	아니오
⑤	동작의 진행형인 '-고 있다.'의 결합이 가능한가?	아니오	예

10. ㉠과 ㉡에 들어갈 수 있는 동사로 바르게 짝지어진 것은?

	㉠	㉡
①	밀리다	묻히다
②	앉히다	밀리다
③	살리다	앉히다
④	쫓기다	입히다
⑤	들리다	읽히다

출제 예감

11. 〈보기〉를 참조할 때, 밑줄 친 서술어가 사동사가 <u>아닌</u> 것은?

> **보기**
>
> 동사 중에는 그 형태가 사동사처럼 보이지만 실제로는 사동 접미사가 결합되지 않은 타동사인 경우도 있다. 이를 판별하기 위해서는 문장 속에서 그 맥락을 살펴보아야 한다.

① 준혁이는 시골집에서 소를 <u>먹이며</u> 산다.
② 영희 엄마가 영희에게 밥을 <u>먹이고</u> 있다.
③ 인부들이 길을 <u>넓히는</u> 작업을 하고 있었다.
④ 고수부지에서 아이들이 연을 <u>띄우고</u> 있었다.
⑤ 엄마가 거실에서 아기를 <u>놀린</u> 채 책을 보고 있다.

12. 윗글을 읽고 〈보기〉의 빈칸에 들어갈 동사의 종류를 쓰시오.

> **보기**
>
> '영수가 피자를 먹었다.'의 서술어인 '먹다'는 '누나가 영수에게 피자를 먹이다.'의 사동사 '먹이다'에 대하여는 (　　　)(으)로, '피자가 영수에게 먹히다.'의 피동사 '먹히다'에 대하여는 (　　　)(으)로 볼 수 있습니다.

자 ③ **용언의 활용**

> **다가서기**
>
> ● 다음 대화가 성립되도록 밑줄 친 부분의 형태를 다양한 활용형으로 바꾸어 보고, 아래의 활동을 해 보자.
>
>
>
> 할아버지, 저희 잘 도착했어요.
>
> 그래, 주말인데 고생 <u>많다</u>.
>
> 　　　　　　　　　　　어간
> (1) '많다'가 활용할 때 형태가 변하지 않고 고정된 부분을 확인해 보자.
> | **예시 답** | '많다'는 '많았다, 많구나, 많았군' 등으로 다양하게 형태가 바뀔 수 있다. 여기서 형태가 고정된 부분은 '많–'이다.
>
> 　　　　　　　　　　　　　　　　　　　　　어미　　　　　　　　　　　　　어말 어미
> (2) 형태가 변하는 부분 가운데 항상 <u>단어 끝에만 오는 형태소</u>와 <u>단어 끝에 올 수 없는</u>
> 　　<u>형태소</u>를 구별해 보자. 　　| **예시 답** | '많았다'의 경우에 항상 단어의 끝에만 오는 형태소는 '–다'이며
> 　　선어말 어미　　　　　　　　　　　　　　단어 끝에 올 수 없는 형태소는 '–았–/–었–'이다.

어근과 어간
· 어근: 단어의 구성 요소를 말할 때 접사와 같이 거론되는 개념.
· 어간: 용언의 활용에서 어미와 같이 거론되는 개념.

용언은 문장 속에서 사용될 때 여러 형태로 나타난다. 이때 형태가 변하지 않고 고정
　　　　　　　　　　　　　　　　　　　　　용언의 활용
된 부분을 **어간**(語幹)이라 하고, 어간 뒤에 결합하는 다양한 형태들을 **어미**(語尾)라고
　　　　　　　　용언을 활용의 관점에서 바라볼 경우에 실질 형태소는 어간이고 형식 형태소는 어미이다.
한다. 예를 들어, '많네, 많았어, 많았겠군'에서 '많–'이 어간이고, '–네, –았–, –어, –
겠–, –군'이 어미이다. 이처럼 어간에 어미가 결합하는 것을 활용(活用)이라 한다.
　　　　　　　　　　　　　　　　　　　　　　　　　　　　　　　▶어간과 어미의 개념

차

많았겠군			
많–	–았– 과거	–겠– 추측	–군
어간	어미		
	선어말 어미		어말 어미

[용언 구조 도표]
용언
├─ 어간
└─ 어미
　　├─ 어말 어미
　　│　├─ 종결 어미
　　│　├─ 연결 어미
　　│　└─ 전성 어미
　　└─ 선어말 어미 (시제, 높임 등)

어미는 그것이 나타나는 자리에 따라 **어말 어미**(語末語尾)와 **선어말 어미**(先語末語
　　　　　　　　　　　　　　　　　　　　　　　　　　　　　어미의 구분
尾)로 나뉜다. 어말 어미는 단어의 끝자리에 들어가고, 선어말 어미는 어말 어미의 앞
　　　　　　　　　　　　　　　　　　　　　　　　　　선어말 어미는 어말 어미에 앞선다는 의미임.
자리에 들어간다. 용언이 활용할 때 어말 어미는 반드시 있어야 하지만, 선어말 어미는
때에 따라 있을 수도 있고 없을 수도 있으며, 둘 이상의 선어말 어미가 올 수도 있다.
　　　　　　　　　　　　　　　　　　　　　　　　　　　▶위치에 따른 어미의 분류
어말 어미는 기능에 따라 **종결 어미**(終結語尾), **연결 어미**(連結語尾), **전성 어미**(轉成
　　　　　　　　　　　　　　　　　　　　　　　　　　　　어말 어미의 분류
語尾)로 나뉜다.

용언의 활용 종류
· 규칙 활용: 용언이 활용할 때 어간과 어미의 형태가 규칙적인 경우.
· 불규칙 활용: 용언이 활용할 때 어간 또는 어미의 형태 변화가 불규칙한 경우.

㉠ 한국의 가을 하늘은 맑{다, 구나, 니?}
　　　　　　　　　　　　　　종결 어미
㉡ 바람이 불{면, 어서} 우리는 연을 날렸다.
　　　　연결 어미
㉢ 나는 네가 최선을 다하는 사람이 되기를 바란다.
　　　　　　　　　　　　전성 어미
㉣ 우리의 청춘이 아름답게 피었다.
　　　　　　전성 어미
　　　　　　　　　　　　　　　　　　　　　　　　　▶기능에 따른 어말 어미의 분류

종결 어미는 문장을 끝맺어 주는 기능을 하는 어미인데, ㉠에 쓰인 '-다', '-구나', '-
니' 등이 여기에 속한다. 연결 어미는 앞 문장과 뒤 문장을 연결하는 기능을 하는 어미
로, ㉡에 쓰인 '-면', '-어서' 등이 여기에 속한다. 전성 어미는 용언의 서술 기능을 다
른 기능으로 바꾸어 주는 어미로, ㉢의 '-는', '-기', ㉣의 '-게' 등이 여기에 속한다.
▶어말 어미의 기능과 예

핵심 다지기   문제로 확인

■ 용언의 활용

형태가 고정된 어간에 여러 어미가 결합하여 다양한 형태
로 나타나는 현상

어간	용언이 활용할 때에 형태가 변하지 않고 고정된 부분
어미	어간 뒤에 결합하는 다양한 형태들 • 어말 어미: 단어의 끝자리에 들어가는 어미로, 선어말 어미와 달리 반드시 있어야 함. • 선어말 어미: 어말 어미의 앞자리에 들어가는 어미로, 높임이나 시제 등을 나타내며, 때에 따라 있을 수도 있고 없을 수도 있으며, 둘 이상의 선어말 어미가 올 수도 있음.

■ 어말 어미의 체계

종결 어미	문장을 끝맺어 주는 기능을 하는 어미 (평서형, 감탄형, 의문형, 명령형, 청유형)
연결 어미	앞 문장과 뒷 문장을 연결해 주는 기능을 하는 어미 • 대등적 연결 어미: 두 문장을 대등적으로 이어 주는 연결 어미 예 형은 밥을 먹고, 동생은 라면을 먹는다. • 종속적 연결 어미: 앞 문장을 뒤의 문장에 종속시키는 연결 어미 예 바람이 불어서 우리는 연을 날릴 수 있었다. • 보조적 연결 어미: 본용언과 보조 용언을 이어 주는 연결 어미 예 나는 아이스크림을 다 먹어 버렸다.
전성 어미	용언의 서술 기능을 다른 기능으로 바꾸어 주는 어미 • 명사형 전성 어미 예 그 사업은 성공하기 어렵다. • 관형사형 전성 어미 예 최선을 다하는 사람이 되어라. • 부사형 전성 어미 예 우리의 청춘이 아름답게 피었다.

■ 규칙 활용과 불규칙 활용

규칙 활용	용언이 활용할 때 어간과 어미의 형태가 규칙적인 경우	예 씻+어 → 씻어
불규칙 활용	용언이 활용할 때 어간 또는 어미의 형태가 불규칙적으로 활용되는 경우	예 듣+어 → 들어 이르+어 → 이르러 파랗+아 → 파래

출제 예감

13. 다음 문장에 나타난 용언의 쓰임을 〈보기〉와 같이 정리하였
다. ⓐ~ⓔ 중 적절하지 않은 것은?

> 흙냄새가 향기로워서 고향을 떠나기가 싫었겠군.

〈보기〉

어간	동사 어간	ⓐ 떠나-
	형용사 어간	ⓑ 향기롭-, 싫-
어미	어말 어미	종결 어미	-군.
		연결 어미	ⓒ -어서
		전성 어미	ⓓ -기가
	선어말 어미	ⓔ -었-, -겠-

① ⓐ   ② ⓑ   ③ ⓒ   ④ ⓓ   ⑤ ⓔ

14. 다음 설명을 참조할 때, ㉮~㉱의 예를 〈보기〉에서 골라 바
르게 배열한 것은?

> 용언의 활용은 규칙 활용과 불규칙 활용으로 나눌 수
> 있다. ㉮규칙 활용은 용언이 문장에서 활용될 때 어간
> 과 어미가 바뀌지 않고 규칙적으로 활용되는 것을 말하
> 며, 불규칙 활용은 용언이 문장에서 활용될 때 어간과
> 어미가 바뀌면서 불규칙적으로 활용되는 것을 말한다.
> 불규칙 활용은 ㉯어간이 바뀌는 것, ㉰어미가 바뀌는
> 것, ㉱어간과 어미가 모두 바뀌는 것으로 나눌 수 있다.

〈보기〉

ㄱ. 같이 손 씻고 밥 먹자.
ㄴ. 그는 집을 지어 이사를 간다.
ㄷ. 자정에 이르러 집에 도착했다.
ㄹ. 엄마, 가을이 되니 하늘이 파래.

	㉮	㉯	㉰	㉱
①	ㄱ	ㄴ	ㄷ	ㄹ
②	ㄱ	ㄴ	ㄹ	ㄷ
③	ㄴ	ㄱ	ㄷ	ㄹ
④	ㄴ	ㄱ	ㄹ	ㄷ
⑤	ㄷ	ㄴ	ㄹ	ㄱ

확인하기

● 다음 문장에서 용언을 모두 찾아보고, 그 용언의 어간과 어미를 빈칸에 써 보자.

> 그때는 나이도 <u>어리고</u> 경험도 <u>없어서</u> <u>맡은</u> 일을 <u>완수하기</u>가 <u>어려웠다</u>.

| 예시 답 |

어간	동사 어간		맡-, 완수하-
	형용사 어간		어리-, 없-, 어렵-
어미	어말 어미	종결 어미	-다
		연결 어미	-고, -어서
		전성 어미	-은, -기

카 3 수식언: 관형사, 부사

다가서기

● 다음 글에서 뒤에 오는 말을 수식하거나 한정하기 위하여 첨가하는 단어를 골라 사전에서 찾아보자.

> 동사의 관형사형
> 새해가 되면 내가 <u>가장</u> <u>먼저</u> 하는 일은 <u>새</u> 달력에 우리 <u>네</u> 식구의 생일을 <u>표시하는</u> 것이다.
> 부사 관형사 관형사 동사의 관형사형

(1) 해당 단어와 동일한 형태로 사전에서 찾을 수 있는 단어를 써 보자.
| 예시 답 | 가장, 먼저, 새, 네

(2) 해당 단어의 기본형으로 사전에서 찾아야 하는 단어를 써 보자.
| 예시 답 | 하는(하다), 표시하는(표시하다)

※ 부사는 용언이나 문장 이외에 '너무'와 같이 관형사나 부사를 수식하거나 '바로'와 같이 명사를 수식하는 것도 있다.

다른 말을 수식하는 기능을 하는 단어를 <u>수식언(修飾言)</u>이라고 한다. 수식언에는 '새
수식언의 개념
[新], 모든'과 같이 체언, 주로 명사를 수식하는 **관형사(冠形詞)**와 '더, 가장, 못'이나 '과연, 그리고'와 같이 용언이나 문장을 수식하는 것을 본래의 기능으로 하는 **부사(副詞)**가 있다.

▶ 수식언의 개념과 종류

타 ① 관형사

다가서기

● 다음 문장에서 항상 명사를 수식하는 기능을 하는 단어에 밑줄을 쳐 보자.

• <u>헌</u> 옷이 있어야 <u>새</u> 옷이 있다. | 예시 답 | 헌, 새
• <u>저</u> 거리에는 항상 사람이 많다. | 예시 답 | 저
• 그녀는 물을 연거푸 <u>석</u> 잔을 마셨다. | 예시 답 | 석

※ 관형사 가운데에는 원래부터 관형사였던 것도 있고, 용언의 활용형이 관형사로 굳어진 것도 있다. 예를 들어, '헌'과 '다른'이 동사 '헐다'와 형용사 '다르다'의 관형사형이 관형사로 굳어진 것의 경우이다.

관형사는 <u>형태가 변하지 않는 점</u>에서 용언과 구별되고, <u>조사와 결합하지 않는 점</u>에
관형사의 특징 ①: 불변어에 속함.   관형사의 특징 ②
서 체언과 구별되는 특성이 있다.

관형사에는 **성상 관형사, 지시 관형사, 수 관형사**가 있다. '<u>새</u> 옷, <u>헌</u> 책, <u>순</u> 살코기'에
의미 기준에 따른 분류
서 밑줄 친 '새, 헌, 순'은 사물의 성질이나 상태를 나타내는 성상 관형사이고, '<u>이</u> 의자,

그 사람, 저 자전거'에서 밑줄 친 '이, 그, 저'는 어떤 대상을 가리키는 지시 관형사이다.

'세 사람, 연필 다섯 자루, 일곱째 딸, 제삼(第三) 회 대회'에서 밑줄 친 '세, 다섯, 일곱째, 제삼'은 수량이나 순서와 같은 수 개념을 나타내는 수 관형사이다. ▶관형사의 특징과 종류

■ **수식언의 개념과 종류**

다른 말을 수식하는 기능을 하는 단어를 수식언이라고 함.

관형사	체언. 주로 명사를 수식함.
부사	주로 용언을 수식하나, 그 외에도 관형사, 부사, 문장을 수식하기도 하며, 심지어는 명사를 수식할 때도 있음.

■ **관형사**

• 관형사의 특징
 – 형태가 변하지 않는 불변어에 속하여, 가변어인 용언과 구별됨.
 – 조사와 결합하지 않아 체언과 구별됨.

• 관형사의 종류

성상 관형사	사물의 성질이나 상태를 나타내는 관형사
지시 관형사	어떤 대상을 가리키는 관형사
수 관형사	수량이나 순서와 같은 수 개념을 나타내는 관형사

• 관형사의 배열 순서
 관형사는 지시 관형사, 수 관형사, 성상 관형사의 순으로 배열됨. ㉮ 저 두 새 집

• 관형사의 형성
 관형사 가운데에는 원래부터 관형사였던 것도 있으나, 용언의 활용형이 관형사로 굳어진 것도 있음.
 ㉮ • 헌: '헐다'의 관형사형 '헌'이 관형사로 굳어짐.
 • 다른: '다르다'의 관형사형 '다른'이 관형사로 굳어짐.

보충 자료

관형사와 용언의 관형사형
㉠ 다른 사람과 의견이 다르다.
㉡ 저 선물은 어제 준 것과 다른 물건이다.
➡ ㉠의 '다른'은 관형사로, 뒤에 오는 체언을 수식함. ㉡의 '다른'은 용언의 관형사형으로, 주어에 대한 서술 기능을 하면서 뒤에 오는 체언을 수식함.

관형사와 대명사
㉠ 그 구두는 아무 옷이나 잘 어울린다.
㉡ 내가 왔을 때는 아무도 없었다.
➡ ㉠의 '아무'는 조사가 붙지 않았으므로 '옷'을 수식하는 관형사이지만, ㉡의 '아무'는 조사가 붙었으므로 대명사(부정칭 대명사)임.

15. 〈보기〉의 ㄱ~ㄹ를 탐구한 것으로 적절하지 <u>않은</u> 것은?

〈 보기 〉
ㄱ. 저 헌 책을 가져 오렴.
ㄴ. 이(그, 저) 사람이 내 조카예요.
ㄷ. 그녀는 사과 한 개를 집었다.
ㄹ. 그는 모든 나쁜 사건에 연루되었다.

① ㄱ의 '헌'은 사물의 상태를 나타내는 성상 관형사이다.
② ㄱ는 성상 관형사가 지시 관형사 뒤에 놓인다는 사실을 보여 준다.
③ ㄴ의 지시 관형사는 대상과 화자, 대상과 청자의 거리를 만든다.
④ ㄷ의 '한'은 의존 명사 앞에서 순서를 나타내는 수 관형사이다.
⑤ ㄹ은 관형사와 자립 명사 사이에는 다른 말이 끼일 수 있음을 보여 준다.

16. 〈보기 1〉의 ㉠과 품사가 같은 것을 〈보기 2〉에서 모두 고른 것은?

〈 보기 1 〉
• 그는 ㉠ 다른 애들보다 공부를 잘 한다.
• 그 두 사람은 성격이 ㉡ 다른 친구들이다.

 ㉠과 ㉡은 형태가 동일한 단어임에도 불구하고 품사는 서로 다르다. ㉠은 '해당되는 것 이외의 '의 뜻으로, 비교 항목이 없이 체언을 꾸며 주는 수식 기능만을 가지고 있으며, ㉡은 '비교가 되는 두 대상이 서로 같지 아니하다.'의 뜻을 지닌 용언 '다르다'의 활용형으로, 비교 항목이 나타나 있으며, 서술어의 기능도 함께 지니고 있다.

〈 보기 2 〉
• ⓐ 적은 금액이라도 꼭 받아야 하네.
• 선재는 어제 ⓑ 새 가구를 구입하였다.
• ⓒ 예쁜 얼굴이 여름 햇볕에 검게 탔다.
• ⓓ 온 세상이 하얀 눈으로 아름답게 덮였다.

① ⓐ, ⓑ 　② ⓐ, ⓒ 　③ ⓑ, ⓓ
④ ⓐ, ⓑ, ⓓ 　⑤ ⓑ, ⓒ, ⓓ

파 ② 부사

다가서기

- 다음 문장의 밑줄 친 부사가 무엇을 수식하고 있는지 찾아보자.
  | 예시 답 |
  - <u>바로</u> 눈앞에 있는데도 <u>못</u> 찾았다. — 성분 부사
  - 초행이었지만 <u>다행히</u> 올바른 길을 찾을 수 있었다. — 문장 부사
  - 사람들은 비를 <u>간절히</u> 기다렸다. <u>그러나</u> 비는 내리지 않았다.
    　　　　　　　　성분 부사　　　앞 문장과 뒤 문장을 연결(문장 부사)

✎ 접속 부사는 대체로 문장 부사에 속하지만 '및'과 같은 접속 부사의 경우에는 문장을 이어 주는 구실을 하지 않으므로 문장 부사에 속하지 않는다.

부사는 문장에서 하는 역할에 따라 **성분 부사와 문장 부사로 나뉜다.** '바로, 못, 간절
　　　　　　　　　　분류 기준　　　　　　　　　　수식의 대상에 따른 차이　　　　　부정 부사
히'는 문장의 어느 한 성분만을 수식하므로 성분 부사라고 하며, '다행히, 그러나'는 문
성상 부사
장 전체를 수식하므로 문장 부사라고 한다. 문장 부사는 '다행히'와 같이 말하는 이의
　　　　　　　　　　　　　　　　　　　　　　　　　양태 부사　접속 부사
태도를 나타내는 **양태 부사**와 '그러나'와 같이 앞 문장과 뒤 문장을 이어 주는 **접속 부**
'과연, 설마, 제발' 등
사로 나뉜다.
　　　　　　　　　　　　　　　　　　　　　　　　　　　　▶성분 부사와 문장 부사의 구분

　성분 부사는 그 의미에 따라서, '어떻게'라는 방식으로 용언 등을 꾸미는 ㉠ **성상 부**
　　　　　　　　　　분류 기준
사, '이리, 그리, 저리'와 같이 특정 내용을 가리키는 **지시 부사**, '못, 아니/안'과 같이 부
정의 뜻을 가진 **부정 부사**로 나뉠 수 있다. 성상 부사 가운데 '아삭아삭, 사뿐사뿐'과 같
이 사물의 소리나 모양을 흉내 내는 부사들을 **의성 부사, 의태 부사**라고 한다.
　　　　　　　　　　　　　　　　　　　　둘을 합쳐 상징 부사라고 하기도 함.　▶성분 부사의 종류와 개념

확인하기

- 다음 대화에서 수식언을 찾아 관형사와 부사로 구분해 보자.

| 예시 답 | ・관형사: 이, 새　・부사: 안(아니), 바로, 먼저, 더

개념 ✛

먼저
- 「명사」 시간적으로나 순서상으로 앞선 때. 예 먼저의 일은 네가 이해해라. / 그녀의 말투는 먼저보다 훨씬 부드러워졌다.
- 「부사」 시간적으로나 순서상으로 앞서서. 예 나 먼저 나갈게. / 씻기 전에 밥 먼저 먹어라.

■ 부사

부사는 문장에서 하는 역할에 따라 다음과 같이 나눌 수 있음.

성분 부사	문장의 어느 한 성분만을 수식함.
문장 부사	문장 전체를 수식함.

• 성분 부사

성상 부사	• '어떻게'라는 방식으로 용언 등을 꾸미는 부사 • 소리를 흉내 내는 의성 부사와 모양을 흉내 내는 의태 부사 포함.	예 매우, 바로, 깨끗이, 아삭아삭, 사뿐사뿐
지시 부사	특정 내용을 가리키는 부사	예 이리, 그리, 저리
부정 부사	부정의 뜻을 가진 부사	예 못, 아니/안

• 문장 부사

양태 부사	화자의 태도를 나타내는 부사	예 다행히, 과연, 설마, 제발
접속 부사	앞의 체언이나 문장의 뜻을 뒤의 체언이나 문장에 이어 주면서 뒤의 말을 꾸며 주는 부사	예 그러나, 따라서

보충 자료

부사의 특징

• 부사는 문장 속에서 체언을 수식하기도 한다.

   예 일이 이렇게 된 것은 <u>바로</u> 당신 때문이야.

• '별로, 여간, 그리, 통, 전혀' 등의 부사는 부정의 표현과 어울려 쓰인다.

   예 나는 그녀에게 <u>전혀</u> 관심이 없다.

• '벌써', '아까' 등의 부사는 부정의 표현과 어울리지 않는다.

   예 그는 벌써 퇴근하지 않았다.(×)

• '매우, 아주, 꽤' 등의 부사는 주로 형용사와 어울려 쓰인다. 따라서 동사에 쓰이는 명령형이나 청유형과는 어울리지 않는다.

   예 매우 잘 먹는다. / *먹어라. / *먹자.

• '설마, 어찌, 하물며' 등의 부사는 주로 의문형과 어울려 쓰인다.

   예 하물며 똑똑한 당신이 그 일을 감당하지 못하겠습니까?

---

17. 윗글의 내용과 일치하지 <u>않는</u> 것은?

① 지시 부사는 특정 내용을 가리키는 부사이다.

② 의성 부사나 의태 부사는 성상 부사에 속한다.

③ 성분 부사는 문장의 어느 한 성분만을 수식한다.

④ 부정 부사는 지시 부사와 함께 성분 부사에 속한다.

⑤ 성분 부사는 꾸밈을 받는 말에 따라 세 가지로 분류된다.

> 출제 예감

18. 윗글을 읽고 〈보기〉의 밑줄 친 말을 이해한 것으로 옳지 <u>않은</u> 것은?

┌─ 보기 ─────────────────────────┐
• 작년에는 눈이 ⓐ 자주 내렸다.
• 너는 ⓑ 저리 가 있어라.
• 그녀들은 고기를 ⓒ 너무 많이 먹는다.
• ⓓ 제발 저의 마음을 잊지 말아 주세요.
• 그는 지쳤다. ⓔ 그러나 포기하지 않았다.
└────────────────────────────────┘

① ⓐ와 ⓑ는 모두 의미상 성상 부사에 속한다.

② ⓑ와 ⓒ는 수식하는 문장 성분이 서로 다르다.

③ ⓓ는 말하는 이의 심리적 태도를 드러낸다.

④ ⓔ는 앞뒤 문장을 이어 주는 접속 부사이다.

⑤ ⓓ와 ⓔ는 문장 전체를 꾸미는 부사의 종류에 속한다.

19. 다음 중 ㉠에 해당하지 <u>않는</u> 것은?

① 제발 <u>저리</u> 좀 가 있어라.

② 하늘에서 새가 <u>훨훨</u> 날아간다.

③ 그는 <u>매우</u> 부지런하고 성실해요.

④ 여기서는 시간이 <u>천천히</u> 흐르는군요.

⑤ 버스가 <u>갑자기</u> 멈추면서 승객들이 넘어졌다.

> 서술형

20. 〈보기〉에 나타난 ㉮와 ㉯의 차이를 〈조건〉에 맞게 서술하시오.

┌─ 보기 ─────────────────────────┐
• 내일 ㉮ <u>혹은</u> 모레 만남을 가졌으면 좋겠어.
• 그는 멋있어. ㉯ <u>더구나</u> 말솜씨까지 뛰어나더군.
└────────────────────────────────┘

┌─ 조건 ─────────────────────────┐
• ㉮와 ㉯의 품사의 기능을 중심으로 그 차이를 서술할 것.
• '㉮는 ~ 이며, ㉯는 ~ 이다.'의 형태로 서술할 것.
└────────────────────────────────┘

> **다가서기**
>
> ● 다음 밑줄 친 조사에 따라 문장의 의미가 어떻게 달라지는지 말해 보자.
>
> | 소크라테스는 { 철학을 / 철학만 / 철학도 } 잘한다.
>
> | **예시 답** | 을: 중립적 / 만: 한정, 나머지는 배제 / 도: 역시, 나머지도 포함

✎ 조사는 체언에 직접 붙거나 다른 조사 뒤에 붙는다. 때로는 용언의 활용형 뒤에 붙기도 하고 문장 뒤에 붙기도 한다.

　　국어에는 <u>주로 체언 뒤에 붙어서 다양한 문법적 관계를 나타내거나</u> <u>의미를 더해 주</u>
격 조사　　　　　　　　　　　　　　　　　　　　　　　보조사
는 의존 형태소가 있는데, 이를 **조사**(助詞)라고 한다. 조사는 그 기능과 의미에 따라 **격**
조사, 보조사, 접속 조사로 분류한다. 예를 들어, '을'은 앞에 오는 체언이 목적어라는
　　　　조사의 종류
문법적 관계를 나타내는 ㉠ **격 조사**이고, '만'은 앞말에 '한정'의 뜻을, '도'는 '역시'의 뜻
　　　　　체언이 문장 안에서 일정한 자격을 가지도록 해 줌.
을 더해 주는 ㉡ **보조사**이다. '레몬과 귤'에서 '과'는 두 단어를 연결해 주는 기능을 하는
　　　체언 뒤에 붙어 특별한 의미를 덧붙여 줌.　　　　　　　　　접속 조사
㉢ **접속 조사**에 속한다.　　　　　　　　　　　　　　　　　▶조사의 개념과 종류

거 **①** 격 조사

> **다가서기**
>
> ● 다음 문장에서 체언과 조사를 분석하여 빈칸을 채워 보자.
>
> | 아버지께서 부엌에서 동생의 간식을 만드신다. | | | | |
> |---|---|---|---|---|
> | 아버지 + 께서 | 부엌 + 에서 | 동생 + 의 | 간식 + 을 | 만드신다 |
> | 주어 | 부사어 | 관형어 | 목적어 | 서술어 |
> | 께서: 주격 조사 | 에서: 부사격 조사 | 의: 관형격 조사 | 을: 목적격 조사 | 동사 |
>
> | 물이 얼음이 된다. | | |
> |---|---|---|
> | 물 + 이 | 얼음 + 이 | 된다 |
> | 주어 | 보어 | 서술어 |
> | 이: 주격 조사 | 이: 보격 조사 | 동사 |
>
> | 철수야, 오늘이 한글날이니? | | |
> |---|---|---|
> | 철수 + 야 | 오늘 + 이 | 한글날 + 이니 |
> | 독립어 | 주어 | 서술어 |
> | 야: 호격 조사 | 이: 주격 조사 | 이니: 서술격 조사 |

지학이가 알려 줄게

'이니'가 서술격 조사일까?
'이니'는 '이다'의 활용형으로 볼 수 있기 때문에 서술격 조사로 처리할 수 있어.

　　<u>앞에 오는 체언이 문장 안에서 일정한 자격을 가지도록 해 주는 조사</u>를 **격 조사**(格助
　　　　　　　　　　격 조사의 개념
詞)라고 한다. 격 조사에는 '이/가'와 같이 주어가 되게 하는 **주격 조사**, '을/를'과 같이
목적어가 되게 하는 **목적격 조사**, '의'와 같이 관형어가 되게 하는 **관형격 조사**, '이/가'

✎ '다가서기'에서 '물이'의 '이'는 문장 안에서 체언이 서술어의 주어임을 표시하는 주격 조사이고, '얼음이'의 '이'는 문장 안에서 체언이 보어임을 표시하는 보격 조사이다.

와 같이 보어가 되게 하는 **보격 조사** 등이 있다. 그 밖에 '에, 에서, 에게'와 같이 부사어
가 되게 하는 **부사격 조사**, '아/야'와 같이 독립어의 일종인 부름말이 되게 하는 **호격 조**
사 등도 격 조사에 속한다. 특히 체언을 서술어가 되게 하는 '이다'는 **서술격 조사**라고
하는데, 마치 동사나 형용사처럼 활용한다.
서술격 조사는 다른 조사들(불변어)과 달리 가변어에 속함.　　　　　　　▶격 조사의 개념과 종류

■ 조사의 개념

조사는 주로 체언 뒤에 붙어서 다양한 문법적 관계를 나타내거나, 특별한 의미를 더해 주거나, 두 단어를 연결해 주는 기능을 하는 의존 형태소임.

■ 조사의 특성

• 조사는 때로 용언이나 부사 뒤, 혹은 문장 뒤에 붙기도 함.
  예 그는 성실하지는 않다. (용언 뒤)
  그는 너무도 성실하다. (부사 뒤)
  어떻게 사느냐가 중요하다. (문장 뒤)
• 관형사나 감탄사 뒤에는 붙을 수 없음.
• 다른 조사와 겹쳐서 쓰일 수 있음.
  예 오직 당신만을 사랑하오.
• 활용하지 않음(서술격 조사 '이다'는 활용함.).
• 일부 의존 명사는 격 조사와 결합할 때 제약을 받기도 함.
  예 너무 정신없이 집을 나선 바람에 준비물을 잊고 왔다.
  (의존 명사 '바람'에는 부사격 조사 '에'만 붙을 수 있음.)

■ 조사의 종류

격 조사	주로 체언 뒤에 붙어서 다양한 문법적 관계를 나타냄. 예 '을'은 앞에 오는 체언이 목적어라는 문법적 관계를 나타내는 격 조사
보조사	주로 체언 뒤에 붙어서 특별한 의미를 더해 주는 역할을 함. 예 '만'은 앞말에 '한정'의 뜻을, '도'는 '역시'의 뜻을 더해주는 보조사
접속 조사	두 단어를 같은 자격으로 연결해 주는 역할을 함. 예 '와'는 두 단어를 대등하게 이어 주는 역할을 하는 접속 조사

■ 격 조사

앞에 오는 체언이 문장 안에서 일정한 자격을 가지도록 해 주는 조사

	주격	목적격	관형격	보격	부사격	호격	서술격
격 조사	이/가, 께서	을/를	의	이/가	에, 에게, 에서	아/야	이다
자격	주어	목적어	관형어	보어	부사어	부름말	서술어

※ 보격 조사는 서술어 '되다', '아니다' 앞에 쓰여 앞에 오는 체언이 보어가 되게 함.
※ 서술격 조사는 다른 조사들과 달리 가변어에 속하며, 동사나 형용사처럼 활용함.

21. 윗글을 통해 해결할 수 있는 물음이 아닌 것은?
① 조사의 기본 개념은 무엇인가?
② 조사는 어떤 방법으로 형성되는가?
③ 조사는 어떤 기준에 의해 분류되는가?
④ 조사의 종류에는 어떤 것들이 있는가?
⑤ 조사가 문장 속에서 하는 역할은 무엇인가?

출제 예감
22. (하)의 ㉠~㉢에 해당하는 조사를 〈보기〉에서 찾아 바르게 연결한 것은?

〈보기〉
• 혜지는 학교㉮에서 열심히 공부한다.
• 나는 커피㉯와 샌드위치를 좋아한다.
• 사람㉰마다 좋아하는 이상형이 다르다.

	㉠	㉡	㉢
①	㉮	㉯	㉰
②	㉮	㉰	㉯
③	㉯	㉮	㉰
④	㉯	㉰	㉮
⑤	㉰	㉯	㉮

서술형
23. 〈보기〉의 밑줄 친 조사 '이'의 그 기능과 의미에 따라 나누어 설명하시오.

〈보기〉
ㄱ. 선생님이 말씀하신다.
ㄴ. 살인범은 인간이 아니다.

서술형
24. 〈보기〉의 예문을 참조하여 서술격 조사와 다른 조사의 차이를 조건에 맞게 설명하시오.

〈보기〉
• 은주는 대학생이다.(/이니/이므로)
• 저 꽃은 백합이다.(/*다.)
• 안중근은 열사이다.(/이시다.)
• 사슴은 동물이다.(/이었다.)
                    * 비문법적인 표현

〈조건〉
• '다른 조사는~이지만, 서술격 조사 '이다'는~이다.'의 형태로 서술할 것.
• '가변어'와 '불변어'를 포함하여 서술할 것.

② 보조사

다가서기

● 다음 문장에서 밑줄 친 조사들이 구체적으로 어떠한 의미를 더해 주는지 말해 보자.
|예시 답|

• 소설만 읽지 말고 시도 읽어라.   '만': '한정'의 의미, '도': '역시'의 의미
• 인생은 짧고, 예술은 길다.   '은': 기존 문장의 명제적 의미 외에 '대조'의 의미
• 오늘은요, 학교에서 재미있는 노래를 배웠어요.   '요': '청자에 대한 존대'의 의미

'요'
① '오늘은요'와 같이 체언이나 부사어, 연결 어미 따위의 뒤에 붙는 '요'는 보조사이다.
② '배웠어요'와 같은 구성에 쓰이는 '요'는 종결 어미 뒤에 붙는 보조사로 처리하기도 하고, '-어요' 전체를 종결 어미로 처리하기도 한다.

앞말에 특별한 뜻을 더해 주는 조사를 <u>보조사(補助詞)</u>라고 한다. '만'은 앞말에 '한정'
문법적 관계를 나타내 주지는 않음.   특수 조사라고도 함.
의 뜻을, '도'는 '역시'의 뜻을, '은'은 '대조'의 뜻을 더해 준다. '요'는 '상대 높임'을 나타
내며, <u>어절이나 문장의 끝에 결합하는 독특한 성격을 가진다.</u> 그 밖에 '마저, 부터, 까
보조사 '요'의 특이한 성질   '도'와 마찬가지로 '역시'의 의미를 지님.
지, 조차' 등과 같이 각각의 고유한 뜻을 더해 주는 다양한 보조사들이 있다.
                                                              ▶보조사의 개념과 예

• 부터: 어떤 일이나 상태 따위에 관련된 범위의 시작임을 나타냄.
• 까지: 어떤 일이나 상태 따위에 관련된 범위의 끝임을 나타냄.
• 조차: 이미 어떤 것이 포함되고 그 위에 더함의 뜻을 나타냄. 일반적으로 예상하기 어려운 극단의 경우까지 양보하여 포함함을 나타냄.

③ 접속 조사

다가서기

● 다음 문장의 밑줄 친 '와'를 대신할 수 있는 조사를 찾아보자.

> 이번 가을에는 철수와 영희가 돌아오겠지.

|예시 답| '랑'이나 '하고'와 같은 접속 조사가 들어갈 수 있다.

나도 데려가!

'와/과', '하고', '(이)랑' 등과 같이 두 단어를 같은 자격으로 이어 주는 구실을 하는 조
                                                        접속 조사의 개념
사를 <u>접속 조사(接續助詞)</u>라고 한다. '와/과'는 문어에서 잘 쓰이지만, '하고'와 '(이)랑'
                                                        접속 조사의 문체에 따른 쓰임
은 구어에서 잘 쓰인다.   • '와/과'– 격식체, 문어체
                        • '(이)랑,' 하고'– 비격식체, 구어체   ▶접속 조사의 개념과 예

개념 ⊕
보조사 '란'
어떤 대상을 특별히 집어서 화제로 삼을 때 쓰임.
보조사 '나'
마음에 차지 아니하는 선택, 또는 최소한 허용되어야 할 선택이라는 뜻을 나타냄.

확인하기

● 다음 문장에서 체언과 조사를 분석하여 빈칸을 채워 보자.
|예시 답|

친구야, '포기'란 배추를 셀 때나 하는 말이다.						
친구 + 야	'포기' + 란	배추 + 를	셀	때 + 나	하는	말 + 이다
야: 호격 조사	란: 보조사	를: 목적격 조사		나: 보조사		이다: 서술격 조사

● 다음 노랫말의 밑줄 친 조사를 다른 조사로 바꾸어 보고, 의미가 어떻게 달라지는지 말해 보자.

> 나의 노래가 별이 되어 뜬 밤하늘 아래.

|예시 답| '나의 노래마저 별로 되어 뜬 밤하늘 아래'로 바꾼 경우
'노래가'의 '가'를 보조사 '마저'로 바꾸어 하나 남은 노래마저 그 위에 더하는 느낌을 주고, '별이'의 '이'를 조사 '로'로 바꾸어 변화의 결과를 나타내고 있다.

■ 보조사
• 앞말에 특별한 뜻을 더해 주는 조사
• 보조사의 종류

보조사	의미	예
은/는	대조	국어는 좋은데 수학은 싫다.
만, 뿐	한정, 단독	나만 그걸 몰랐구나.
도	역시	너도 먹었잖아.
부터	시작	너부터 해라.
까지, 마저, 조차	극단	쌈짓돈까지 빼앗아갔다.
(이)야	특수	너야 합격했겠지.
(이)나/(이)나마	불만	에어컨은 커녕 선풍기나 있었으면 좋겠다.
마는/그려/그래	감탄	그가 갔다마는 / 갔네그려 / 갔구만그래
요	상대 높임	오늘은요, 학교에서 노래를 배웠어요.

• 보조사 '요'는 일반적으로 어절이나 문장의 끝에 결합함. 그러나 모든 문장 성분에 다 나타날 수 있음.
  예 내가요 지금요 집에를요 가야만요 하거든요.

|참고| **보조사의 특징**
• 격 조사를 생략시킴.
  예 너도 간다.(주격 조사 '(네)가' 생략)
• 보조사의 앞 혹은 뒤에 격 조사가 나타나기도 함.
  예 나만의 비밀이다. 교실에서는 조용히 해라.
  (보조사 + 격 조사)   (격 조사 + 보조사)

■ 접속 조사
두 단어를 같은 자격으로 이어 주는 구실을 하는 조사

	와/과	(이)랑, 하고
쓰임	주로 문어에서 쓰임. (격식체)	주로 구어에서 쓰임. (비격식체)

---

25. 다음 중 보조사에 해당하는 것은?

① 영철이는 선화보다 민서를 더 좋아한다.
② 신이시여, 우리에게 힘과 용기를 주소서.
③ 오늘 여행 가신 아버님께서 돌아오십니다.
④ 우리는 사소한 문제로 같이 간 일행과 다투었다.
⑤ 너조차 그런 터무니없는 거짓말에 속아 넘어 가다니.

출제 예감

26. 윗글을 참조할 때, 〈보기〉에 대한 이해로 적절하지 <u>않은</u> 것은?

〈 보기 〉
ㄱ. 나는 백화점에 가서 구두랑 모자랑 원피스를 샀다.
ㄴ. 나는 철수랑 영희랑 영수를 집에 초대했다.

① ㄱ의 '랑'은 '구두'와 '모자'와 '원피스'를 동등한 자격으로 이어 준다.
② ㄱ과 ㄴ의 '랑'은 주로 일상 속의 구어에서 사용된다.
③ ㄱ과 ㄴ의 '랑'은 모두 '하고'로 대체하여 사용할 수 있다.
④ ㄱ과 ㄴ의 '랑'을 '와'로 대체하여 쓰는 경우는 주로 문어에서 발견된다.
⑤ ㄱ의 '랑'은 '구두'와 '모자'에게 부사어의 역할을, ㄴ의 '랑'은 '나'에게 주어의 역할을 부여한다.

27. 윗글을 참조하여 〈보기〉를 이해한 것으로 적절하지 <u>않은</u> 것은?

〈 보기 〉
㉠ 다 알고 있는 사실을 너만 몰랐구나.
㉡ 이번 공무원 시험에 너도 합격했더라.
㉢ 국어는 재미있지만 수학은 재미없어요.
㉣ 저는요. 할머니네 집에 가야만 하거든요.
㉤ 에어컨은 고사하고 선풍기나 있었으면 좋겠다.

① ㉠의 보조사 '만'은 많은 사람들 중에 오직 '너' 한 사람만 몰랐다는 사실을 통해 '단독'과 '한정'의 의미를 더해 준다.
② ㉡의 보조사 '도'는 합격한 사람들 속에 '너'도 포함되어 있다는 사실을 통해 '역시'의 의미를 더해 준다.
③ ㉢의 보조사 '는'은 국어는 재미있고 수학은 재미없다는 사실을 통해 '차이' 혹은 '대조'의 의미를 더해 준다.
④ ㉣의 보조사 '요'는 할머니에 대한 존경을 표시하고 있다는 사실을 통해 '객체 높임'의 의미를 더해 준다.
⑤ ㉤의 보조사 '나'는 심한 무더위 속에서 에어컨도 선풍기도 없다는 사실을 통해 '불만'의 의미를 더해 준다.

러 **5 독립언: 감탄사**
화자의 부름, 느낌, 놀람이나 대답을 나타내는 단어

다가서기

● 다음 괄호에 들어갈 만한 단어로 무엇이 적당할지 적어 보자.

( ), 버스 놓쳤다.

( ), 철수다.

| 예시 답 | 앗, 아이고 / 어머, 저런 → 상황에 대한 느낌을 나타내는 감탄사가 쓰일 수 있다.

♬ "학생"하고 부르는 말도 감탄사일까? "학생"이라고 부를 때에, '학생'은 부르는 말로만 쓰이는 단어가 아니므로, 감탄사가 아니라 명사이다.

'앗', '어머'처럼 느낌을 나타내는 말, '야', '여보'처럼 부르는 말, '응', '네'처럼 대답하는 말로 쓰이면서, 다른 성분들에 비하여 비교적 독립성이 있는 단어를 **감탄사**(感歎詞)라고 한다. 감탄사는 문장 속의 다른 성분에 얽매이지 않고 독립성이 있으므로 **독립언**(獨立言)이라고 한다.
감탄사의 특징

▶감탄사의 개념과 특징

개념 ⊕
감탄사로 인정하지 않는 경우
• 부사+보조사 ⓐ 빨리도
• 용언의 어간+감탄형 어미 ⓐ 왔구나.
• 사람 이름+호격 조사 ⓐ 영희야!
• 문장의 첫머리에 놓인 제시어나 표제어 ⓐ <u>청춘</u> 이는 듣기만 하여도 가슴이 설레는 말이다.

확인하기

● 다음의 느낌을 나타내는 다양한 감탄사를 찾아보자.
| 예시 답 |
• 기쁨: 허어, 옳다
• 슬픔: 저런, 아이고
• 놀라움: 앗, 어머나
• 화냄: 에끼, 흥
• 한숨: 아뿔사, 후유
• 뉘우침: 아

[보충자료]

관형사, 부사, 감탄사의 공통점과 차이점

	관형사	부사	감탄사
공통점	• 문장에서 쓰일 때 변하지 않는 불변어이다. • 독립된 품사이므로 다른 성분과 띄어 써야 한다.		
차이점	• 기능상 체언을 수식한다. • 항상 체언에 의존하여 사용된다. • 조사와 결합하여 쓰이지 않는다. • 문장 속에서 관형어로 사용된다.	• 기능상 용언을 수식한다. • 단독으로 문장을 형성할 수 있다. • 조사와 결합하여 쓰일 수 있다. • 문장 속에서 부사어로 사용된다.	• 주로 독립적으로 쓰인다. • 단독으로 문장을 이룰 수 있다. • 조사와 결합하여 쓸 수 없다.

감탄사와 다른 품사와의 구별

• 조사와의 결합이 가능하면 감탄사가 아니다.
  ⓐ <u>참말!</u> 벌써 봄이구나.(감탄사)   <u>참말</u>만 해라.(명사)
  <u>어디,</u> 그건 그렇지 않아.(감탄사)   <u>어디</u>로 갈까요?(대명사)
• 활용이 가능하면 감탄사가 아니다.
  ⓐ <u>옳소,</u> 나도 찬성이요.(감탄사)   당신 말이 <u>옳소.</u>(형용사)
  <u>좋아,</u> 네 말대로 하자.(감탄사)   나는 네가 <u>좋아.</u>(형용사)

■ 독립언의 개념

문장 속의 다른 성분에 얽매이지 않고 독립성이 있는 단어로, 감탄사가 여기에 해당함.

■ 감탄사

• 화자의 느낌이나 놀람, 그리고 의지 등을 직접 나타내거나, 부름이나 대답을 나타내는 단어
• 문장 속의 다른 성분에 얽매이지 않고 독립성이 있는 단어임.

감정 감탄사	놀람, 느낌	아, 아차, 어머, 저런, 허허, 에끼, 흥, 후유, 아뿔사
의지 감탄사	화자의 의지	쉬, 자, 그렇지, 아서라, 글쎄, 옳지, 천만에, 아니
호응 감탄사	부름, 대답	여보, 여보세요, 얘, 그래, 오냐, 응
구습 감탄사	입버릇	아, 뭐, 그, 저, 응

• 감탄사의 특성

- • 활용하지 않음(형태 불변).
- • 조사가 붙을 수 없음.
- • 문장에서 다른 성분과 연관성을 갖지 않고 독립적으로 쓰임.
- • 주로 문장 앞에 놓이지만, 경우에 따라 문장 중간이나 문장 끝에 올 수 있음(자리 옮김이 비교적 자유로움.).

출제 예감

28. 〈보기〉의 ⓐ~ⓔ에 대한 설명으로 적절하지 않은 것은?

┌─ 보기 ─
• ⓐ 저런, 정말 안 됐군요.
• ⓑ 글쎄, 틀림없다니까요.
• ⓒ 네, 정말 어처구니가 없네요.
• ⓓ 여보! 우리 아이가 1등 했어요.
• ⓔ 저, 옛날에 그런 사람이 있긴 있었어요.
└─

① ⓐ는 화자의 감정이 개입된 감탄사이다.
② ⓑ는 화자의 정서적 충격이 반영된 감탄사이다.
③ ⓒ는 물음에 대한 대답을 나타내는 감탄사이다.
④ ⓓ는 상대방에 대한 부름을 나타내는 감탄사이다.
⑤ ⓔ는 화자의 입버릇이 반영되어 쓰이는 감탄사이다.

29. 〈보기〉의 예를 통해 탐구한 내용으로 적절하지 않은 것은?

┌─ 보기 ─
ㄱ. 좋아, 네 말대로 하자. ⋯ 감탄사
　　나는 네가 좋아. ⋯ 형용사

ㄴ. 어디, 그건 그렇지 않아요. ⋯ 감탄사
　　어디로 갈까요? ⋯ 대명사

ㄷ. 저, 거시기, 죄송합니다만, 부탁 좀 들어주세요.
　　　　　　　　　　　　　　　　　　⋯ 감탄사
　　자네도 기억하지? 우리 동창, 거시기 말이야.
　　　　　　　　　　　　　　　　　　⋯ 대명사

ㄹ. 아, 드디어 눈이 소복소복 쌓이네. ⋯ 감탄사
　　갑자기, 아니, 왜 그러십니까? ⋯ 감탄사
　　왜 대답들이 없어, 응? ⋯ 감탄사
└─

① 조사의 결합이 가능하면 감탄사가 아니다.
② 동일한 형태가 다른 품사로 쓰이기도 한다.
③ 문장 속에서 활용이 가능하면 감탄사가 아니다.
④ 감탄사는 문장 속에서 다른 성분과의 연관성을 갖는다.
⑤ 감탄사는 문장의 앞, 중간, 끝에 자유롭게 위치할 수 있다.

고난도
30. 〈보기〉를 참고할 때 다음 중 감탄사로 볼 수 있는 것은?

┌─ 보기 ─
'부사＋보조사'의 형태로 이루어진 단어, '용언의 어간＋감탄형 어미'의 형태로 이루어진 단어, '명사＋호격조사'의 형태로 이루어진 단어, 문장의 첫머리에 놓인 제시어나 표제어 등은 감탄의 뜻이 있을지라도 감탄사로 볼 수 없다.
└─

① 신지야! 이번 주말에 영화 같이 볼까?
② 겨우 한 시간이라니, 정말 빨리도 왔네.
③ 엊그제가 봄이었는데 벌써 가을이 왔구나.
④ 그렇지! 이제 그만 하고 서로 화해하도록 하게.
⑤ 청춘, 우리 모두에게 영원히 잊을 수 없는 삶이여.

서술형
31. 상대를 부르는 말로 쓰인 '어이!'와 '학생!'의 품사를 각각 어떻게 분류하는 것이 타당할지 한 문장으로 설명하시오.

┌─ 조건 ─
"'어이!'는 ～로 분류하고, '학생!'은 ～로 분류하는 것이 타당하다.' 꼴로 서술할 것.
└─

이해하기

▶품사 분류의 다양한 기준을 확인해 보는 활동

1. 다음 괄호에 알맞은 말을 아래에서 찾아 써넣어 보자.

| 예시 답 |

> 성질이 공통된 단어들끼리 모아 갈래를 지은 것을 품사라고 한다. 품사는 (기능), (의미), (형태)의 세 기준에 따라 분류된다.

> 기능   어종   의미   지역   형태

개념⊕

품사 분류 기준
• 문장 속에서 단어가 담당하는 기능
• 문장 속의 일정한 자리에서 단어가 보이는 형태
• 단어가 나타내는 의미

개념⊕

의존 명사의 단어 자격
의존 명사는 꾸미는 말이 있어야만 한다는 점에서 단어의 자격을 갖추지 못한 점도 있지만, 꾸미는 말의 꾸밈을 받을 수 있다는 점과 격 조사가 붙을 수 있다는 문법적 성질이 자립 명사와 같다. 즉, 자립성도 없고 실질적인 의미도 지니지 않지만, 품사를 분류하는 기준에서 문법적 성질을 중요시했기 때문에 단어의 자격을 준 것이다.

▶품사의 체계와 각 품사의 예를 들어 보는 활동

2. 다음 품사 분류표의 빈칸에 알맞은 용어를 써넣고, 그 예를 찾아 써 보자.

| 예시 답 |

품사		하위분류	예
체언	명사	보통 명사 / 고유 명사	손, 발, 사람 / 철수, 영희, 서울
		자립 명사 / 의존 명사	책, 연필, 학교 / 것, 수, 줄
	대명사	지시 대명사	이것, 그것, 저것, 여기, 거기, 저기
		인칭 대명사	나, 우리, 너, 너희, 이분, 그분, 저분
	수사	양수사 / 서수사	하나, 둘, 삼 / 첫째, 둘째, 제삼
용언	동사	자동사	뛰다, 걷다, 가다, 놀다, 살다
		타동사	먹다, 잡다, 던지다, 살리다
	형용사	성상 형용사	고요하다, 달다, 예쁘다, 향기롭다
		지시 형용사	이러하다, 그러하다, 저러하다
수식언	관형사	성상 관형사	새, 헌, 순
		지시 관형사	이, 그, 저
		수 관형사	세, 다섯, 일곱째, 제삼(第三)
	부사	성분 부사	매우, 못, 이리, 저리
		문장 부사	다행히, 과연, 그러나, 그리고
관계언	조사	격 조사	이/가, 을/를, 에, 의, 야, 이다
		접속 조사	와/과, (이)랑, 하고
		보조사	만, 도, 은/는, 마저, 부터, 까지
독립언	감탄사	–	여보, 앗, 네(대답)

▶ 용언의 품사 구분의 기준을 탐구해 보는 활동

3. 다음 활동을 통해 동사와 형용사를 구분하는 기준이 무엇인지 탐구해 보자.

(1) 다음 문장의 괄호에 '크다'라는 용언의 활용형을 적절하게 써넣어 보자.

| 예시 답 |

> ㉠ 와, 저 선수는 진짜 키가 (크다).
> ㉡ 아이들은 따뜻한 말 한마디에 (큰다).
> ㉢ 난 키가 (큰) 사람보다 생각이 (큰) 사람이 좋아.
> ㉣ 한창 (크는) 분야라서 지원자가 많다.

(2) (1)의 문장들에 사용된 '크다'가 모두 같은 의미를 나타내는지 확인해 보고, 그 결과를 바탕으로 '크다'를 두 부류로 나누어 보자.

| 예시 답 | 위의 ㉠과 ㉢에 있는 '크다'와 '큰'은 상태를 나타내는 의미를 가지고 있고(형용사), ㉡과 ㉣에 있는 '큰다'와 '크는'은 상태의 변화를 나타내는 의미(≒자라다)를 가지고 있다(동사).

(3) (2)에서의 분류에 따라 '크다'의 품사가 달라질 수 있는지 말해 보자.

> | 예시 답 | ㉠과 ㉢의 '크다'는 현재형으로 활용하는 경우 어간에 직접 '-다'가 붙거나 '-(으)ㄴ'이 붙지만, ㉡과 ㉣의 '크다'는 현재형으로 활용하는 경우 어간에 '-ㄴ다'가 붙거나 '-는'이 붙는다. 전자와 후자는 (2)에서 본 바와 같이 의미에서도 차이가 있고, 활용형에서도 차이가 있다. 전자는 형용사의 의미와 활용형을 보이고, 후자는 동사의 의미와 활용형을 보이므로, 각각 그 품사를 형용사와 동사로 보아야 한다.

🏃 동사 '가다'와 형용사 '예쁘다'의 활용형을 비교해서 그 차이를 적용해 본다.

개념 ⊕
기본형에 현재 시제 선어말 어미 '-는-/-ㄴ-', 관형사형 어미 '-는'이 결합할 수 있으면 동사이고, 결합할 수 없으면 형용사이다.

▶ 단어의 기능 및 의미에 따라 품사를 구분해 보는 활동

4. 다음 문장에서 밑줄 친 단어의 품사를 표준국어대사전에서 찾아 괄호에 써 보고, 형태가 같은데도 품사가 다른 이유를 말해 보자.

| 예시 답 |

(1)
> ㉠ 노력한 만큼 성과를 거두었다. – 관형어의 수식을 받음.　　　　(의존 명사)
> ㉡ 명주는 무명만큼 질기지 못하다. – 명사 뒤에 붙어서 의미를 더함.　(조사)

(2)
> ㉠ 여덟에 둘을 더하면 열이 된다. – 조사와 연결됨.　　(수사)
> ㉡ 열 길 물속은 알아도 한 길 사람 속은 모른다. – 명사를 수식함.　(관형사)

(3)
> ㉠ 초저녁부터 달이 휘영청 밝았다. – 상태　　(형용사)
> ㉡ 내일 아침 날이 밝는 대로 떠나겠노라 했다. – 상태의 변화　(동사)

(4)
> ㉠ 안경을 바꿨더니 한결 지적으로 보인다. – 조사와 연결됨.　　(명사)
> ㉡ 아이의 가족들은 사려가 깊고 지적 수준이 높습니다.　(관형사)
> 　　　　　　　　　　– 명사를 수식함.

| 예시 답 | 품사는 형태, 기능, 의미를 중심으로 분류된다. 위의 (1)~(4)는 형태가 같지만 기능이나 의미의 차이가 있으므로, 이를 고려하여 품사를 다르게 설정한 예들이다.

개념 ⊕

	활용상의 차이점
동사	현재: -는다 감탄: -는구나 명령: -어라 청유: -자
	읽는다, 읽는구나, 읽어라, 읽자 …
형용사	현재: -다 감탄: -구나 *명령: -어라(×) *청유: -자(×)
	희다, 희구나, *희어 라(×), *희자(×) …
서술격 조사	현재: -다 감탄: -로구나 *명령: -어라(×) *청유: -자(×)
	(책)이다, (책)이로구 나, *(책)이어라(×), *(책)이자(×) …

*비문법적인 표현

▶자료를 바탕으로 관계언을 탐구해 보는 활동

5. 다음 글을 바탕으로 관계언에 관해 탐구해 보자.

> ### 자기소개서
>
> 어린 시절 누구나 그림 그리는 것을 좋아합니다. ㉠ <u>저도 어렸을 때부터 그림 그리는 것을 좋아했습니다.</u> 다만 친구들이 장난감으로 노는 것, 그림 그리는 것을 모두 좋아할 때, ㉡ <u>저는 그림 그리는 것만 좋아했습니다.</u> 다른 친구들이 장난감으로 상상을 펼칠 때 ㉢ <u>저는 종이와 연필로 제 상상을 표현하였습니다.</u> 그림은 저에게 이런 존재입니다. 그러나 항상 그림이 좋았던 것은 아닙니다. 그림이 놀이가 아니라 공부가 되었을 때는 계속 그림을 그려도 좋을지 고민하기도 했습니다. 그런 시간이 지난 후 내가 좋아하는 그림을 더 잘하기 위해서는 공부가 필요하다는 것을 깨닫게 되었습니다. ㉣ <u>그림에 대한 저의 열정은 이렇게 성장하였습니다.</u>

(1) ㉠～㉣에서 체언 뒤에 붙어 다른 말과의 문법적 관계를 나타내는 말을 모두 찾고, 그 말들이 담당하고 있는 기능에 따라 분류해 보자.

앞말이 다른 말에 대해 갖는 일정한 자격을 나타내는 말	두 단어를 같은 자격으로 이어 주는 구실을 하는 말	어떤 특별한 의미를 더해 주는 말
→ △ (격 조사)	→ □ (접속 조사)	→ ○ (보조사)

| 예시 답 |
㉠ 저<u>도</u> 어렸을 때<u>부터</u> 그림 그리는 것<u>을</u> 좋아했습니다.
㉡ 저<u>는</u> 그림 그리는 것<u>만</u> 좋아했습니다.
㉢ 저<u>는</u> 종이<u>와</u> 연필<u>로</u> 제 상상<u>을</u> 표현하였습니다.
㉣ 그림<u>에</u> 대한 저<u>의</u> 열정<u>은</u> 이렇게 성장하였습니다.

(2) 다음 〈보기〉의 문장과 ㉠, ㉡의 의미를 각각 비교해 보고, ㉠과 ㉡에 '도'나 '만'을 사용한 까닭을 정리해 보자.

> **보기**
>
> • 저는 어렸을 때부터 그림 그리는 것을 좋아했습니다.
> • 저는 그림 그리는 것을 좋아했습니다.

> | 예시 답 | ㉠의 '저도'는 앞 문장 '어린 시절 누구나 그림 그리는 것을 좋아합니다'를 살펴보면 맥락상 '누구나'에 자신 '역시' 포함되는 뜻을 더해 주고 있다. ㉡의 '것만'은 '그림 그리는'에 '한정'의 뜻을 더해 주고 있다. 이처럼 보조사 '도'나 '만'을 사용하여 앞 말에 특별한 뜻을 더해 주고 있다.

ℜ 일반적으로 조사는 그 기능과 의미에 따라 격 조사, 접속 조사, 보조사로 나뉜다.

개념⊕

• 는⁰¹ 「조사」
– ((받침 없는 체언이나 부사어, 연결 어미 '-아', '-게', '-지', '-고' 합성 동사의 선행 요소 따위의 뒤에 붙어)) 어떤 대상이 다른 것과 대조됨을 나타내는 보조사. 예 사과는 먹어도 배는 먹지 마라.
– ((받침 없는 체언 뒤에 붙어)) 문장 속에서 어떤 대상이 화제임을 나타내는 보조사. 예 나는 학생이다.
– ((받침 없는 체언이나 부사어, 일부 연결 어미 뒤에 붙어)) 강조의 뜻을 나타내는 보조사. 예 아무리 바쁘더라도 식사는 해야지.

• –는⁰³ 「어미」
(('있다', '없다', '계시다'의 어간, 동사 어간 또는 어미 '-으시-', '-겠-' 뒤에 붙어)) 앞말이 관형어 구실을 하게 하고 이야기하는 시점에서 볼 때 사건이나 행위가 현재 일어남을 나타내는 어미. 예 웃는 얼굴 / 네가 생각이 있는 사람이냐? / 모르겠는 사람이 있으면 손을 들어라.

소단원 출제 포인트

품사

• 성질이 공통된 단어들끼리 모아 갈래를 지어 놓은 것

형태	기능	(ⓐ)
불변어	체언(주어, 목적어, 보어 등으로 쓰임.)	명사(대상의 이름을 나타냄.)
		대명사(명사를 대신하여 쓰임.)
		수사(수량이나 순서를 나타냄.)
	수식언(다른 성분을 수식함.)	관형사(주로 체언을 수식함.)
		부사(주로 용언이나 관형사, 다른 부사 등을 수식함.)
	독립언(독립적으로 쓰임.)	감탄사(화자의 놀람, 느낌, 부름 등을 나타냄.)
	관계언(여러 성분 사이의 관계를 나타냄.)	조사(주로 체언에 붙어 다른 성분과의 관계를 나타냄.)
(ⓑ)	용언(서술어로 쓰임.)	동사(대상의 움직임을 나타냄.)
		형용사(대상의 성질이나 상태를 나타냄.)

1 체언: 명사, 대명사, 수사

• 문장에서 주로 (ⓒ)이/가 되는 자리에 오며, 때로는 목적어나 보어가 되는 자리에도 오는 부류의 단어
• 조사와 결합할 수 있으며 일반적으로 형태의 변화가 없음.

① 명사: 구체적인 대상의 이름이라는 점에서 다른 체언과 구별됨.

사용 범위	보통 명사	어떤 속성을 지닌 대상들에 두루 쓰이는 이름 예 오빠, 하늘, 건물
	고유 명사	특정한 하나의 개체를 다른 개체와 구별하기 위해 붙인 이름(인명, 지역명, 상호 등) 예 순이, 청계천, 한국 대학교
자립성 여부	자립 명사	혼자서 자립적으로 쓰일 수 있는 명사 예 바다, 가로등
	의존 명사	반드시 그 앞에 꾸미는 말(관형어)이 있어야만 쓰일 수 있는 명사 예 것, 따름, 줄, 뿐, 수

② (ⓓ): 명사를 대신하여 대상을 가리키는 말로 사용되는 체언

지시 대명사	사물을 가리키는 대명사 예 이것, 그것, 저것	
	장소를 가리키는 대명사 예 여기, 거기, 저기	
인칭 대명사	1인칭	화자가 자신을 가리키는 대명사 예 나, 저, 우리, 저희, 소인, 짐(朕)
	2인칭	화자가 청자를 가리키는 대명사 예 너, 자네, 그대, 당신, 너희, 여러분
	3인칭	화자와 청자 이외의 사람을 가리키는 대명사 예 그, 이분, 저분, 그분, 이이, 그이, 저이

– 미지칭 대명사: 모르는 사물이나 사건을 가리키는 대명사 예 누구, 어디
– 부정칭 대명사: 특정한 지시 대상이 아닐 때 쓰는 대명사 예 누구든, 어디든, 아무데
– 재귀칭 대명사: 앞에 한 번 나온 (ⓔ)을/를 다시 나타내는 대명사 예 저, 자기, 당신

③ 수사: 사물의 수량이나 순서를 나타내는 단어들. 복수형을 취할 수 없고, 특이한 환경에서 관형사 '이, 그, 저' 등의 꾸밈을 받을 수 있음.

	양수사	(ⓕ)
정의	수량을 나타내는 수사	순서를 나타내는 수사
고유어 계열	1~99까지 예 하나, 둘	'-째'를 붙임. 예 첫째
한자어 계열	모두 가능함. 예 일, 이	'제(第)'를 붙임. 예 제일(第一)

2 용언: 동사, 형용사

• 문장의 주어를 서술하는 말
• 주어의 움직임이나 작용을 나타내는 단어의 부류를 동사, 주어의 성질이나 상태를 나타내는 단어를 형용사라고 함.
• 동사와 형용사의 차이점

	의미	현재 시제 평서형	명령형, 청유형	목적의 어미 '-러', 의도의 어미 '-려'
동사	동작이나 움직임	-ㄴ다/-는다	활용 가능	결합 가능
형용사	성질이나 상태	-다	활용 불가	결합 불가

소단원 출제 포인트

① **동사**

자동사	움직임이 그 주어에만 관련되는 동사 예 뛰다, 걷다, 가다, 놀다
(ⓢ)	움직임이 다른 대상, 즉 목적어에 미치는 동사 예 잡다, 누르다, 건지다, 태우다
주동사	어떤 동작을 자기 스스로 행하는 동사 예 먹다, 앉다
사동사	남으로 하여금 어떤 동작을 하게 하는 동사 예 먹이다, 앉히다
능동사	움직임이 스스로의 힘으로 이루어지는 동사 예 잡다, 밀다
(ⓞ)	움직임이 남의 동작이나 행위에 의해서 이루어지는 동사 예 잡히다, 밀리다

② **형용사**

성상 형용사	성질이나 상태를 나타내는 형용사 예 고요하다, 달다, 예쁘다, 향기롭다
지시 형용사	(ⓩ)을/를 나타내는 형용사 예 이러하다, 그러하다, 저러하다, 어떠하다

③ **용언의 활용**: 용언이 문장 속에서 사용될 때 형태가 변하지 않고 고정된 (ⓧ   )에 다양한 형태들의 어미가 결합하는 것을 말함.

어간	용언이 활용할 때 형태가 고정되어 변하지 않는 부분		
어미	선어말 어미		어말 어미의 앞자리에 들어가는 어미
	어말 어미	종결 어미	문장을 끝맺어 주는 기능을 하는 어미. 평서형, 의문형, 감탄형, 명령형, 청유형 종결 어미가 있음.
		연결 어미	앞 문장과 뒤 문장을 연결하는 기능을 하는 어미. 대등적, 종속적, 보조적 연결 어미가 있음.
		전성 어미	용언의 서술 기능을 다른 기능으로 바꾸어 주는 어미. 명사형, 관형사형, 부사형 전성 어미가 있음.

③ **수식언: 관형사, 부사**

• 다른 말을 (ⓐ   )하는 기능을 하는 단어
• 체언에서 주로 명사를 수식하는 관형사와 용언이나 관형사, 부사, 문장 등을 수식하는 부사가 수식언에 속함.

① **관형사**: 형태가 변하지 않으며, (ⓔ   )와/과 결합하지 않음.

성상 관형사	사물의 성질이나 상태를 나타내는 관형사 예 새 옷, 헌 책, 순 살코기
지시 관형사	어떤 대상을 가리키는 관형사 예 이 의자, 그 사람, 저 자전거
수 관형사	수량이나 순서와 같은 수 개념을 나타내는 관형사 예 세 사람, 연필 다섯 자루, 일곱째 딸, 제삼(第三)회 대회

② **부사**: 형태가 변화하지 않으며, 격 조사와 결합하지 않음. 그러나 '자꾸만', '아직도' 등처럼 보조사와는 결합하는 특성이 있음.

성분 부사	성상 부사	'어떻게'라는 방식으로 용언 등을 꾸미는 부사 예 매우, 잘, 바로
	지시 부사	특정 대상을 가리키는 부사 예 이리, 그리, 내일, 오늘
	부정 부사	부정의 뜻을 가진 부사 예 못, 아니/안
문장 부사	양태 부사	화자의 태도를 나타내는 부사 예 다행히, 과연, 설마
	접속 부사	앞 문장과 뒤 문장을 이어 주는 부사 예 그러나, 따라서

4 **관계언: 조사**

• 문장에 쓰인 단어들의 관계를 나타내는 기능을 하는 조사를 이르는 말
① **격 조사**: 체언이나 체언 구실을 하는 말 뒤에 붙어서 앞말이 문장 안에서 갖는 일정한 자격을 나타내는 조사. 주격 조사('이/가', '께서', '에서'), 목적격 조사('을/를'), 관형격 조사('의'), 보격 조사('이/가'), 부사격 조사('에', '에서', '(으)로', '와/과', '보다'), 호격 조사('~아, ~야'), 서술격 조사('이다(이고, 이니, 이면, 이지)') 등이 속함.
② (ⓜ   ): 앞말에 특별한 의미를 더해 주는 조사
③ **접속 조사**: 두 단어를 같은 자격으로 이어 주는 구실을 하는 조사. '와', '과', '하고', '(이)나', '(이)랑' 등이 있음.

5 **독립언: 감탄사**

• 문장 속의 다른 성분에 얽매이지 않고 (ⓞ   )(으)로 쓰이는 감탄사를 이르는 말
• 형태가 변하지 않고, 주로 문장 앞에 놓이지만 경우에 따라 문장 중간이나 문장 끝에 올 수 있음.

답 ㉠ 의미, ㉡ 가변어, ㉢ 주어, ㉣ 대명사, ㉤ 체언, ㉥ 서수사, ⓢ 타동사, ⓞ 피동사, ⓩ 지시성, ⓧ 어간, ⓐ 수식, ⓔ조사, ⓜ 보조사, ⓞ 독립적

소단원 적중 문제

[01-04] 다음 글을 읽고, 물음에 답하시오.

㉮ 문장에서 주로 주어가 되는 자리에 오며, 때로는 목적어나 보어가 되는 자리에도 오는 부류의 단어들을 체언(體言)이라고 한다. 이들은 조사와 결합할 수 있으며 일반적으로 형태의 변화가 없다. 체언에는 명사(名詞), 대명사(代名詞), 수사(數詞)의 세 가지가 있다. 명사는 체언 중에서 가장 일반적인 부류로서, 구체적인 대상의 이름이라는 점에서 다른 체언과 구별된다. 대명사는 명사를 대신하여 대상을 가리킬 때 쓰이는 체언이고, 수사는 사물의 수량이나 순서를 가리킬 때 쓰이는 체언이다.

㉯ 명사 중 어떤 속성을 지닌 대상들에 두루 쓰이는 이름을 보통 명사라고 하고, 특정한 하나의 개체를 다른 개체와 구별하기 위해 붙인 이름을 고유 명사라고 한다. 대표적으로 인명, 지역명, 상호 등이 고유 명사에 속한다.

또한 혼자서 자립적으로 쓰일 수 있는 명사를 자립 명사라고 하고, 반드시 그 앞에 꾸미는 말, 즉 관형어가 있어야만 쓰일 수 있는 명사를 의존 명사라고 한다.

㉰ 대명사는 명사를 대신하여 대상을 가리키는 말로 사용되는 체언이다. 대명사에는 지시 대명사와 인칭 대명사가 있다. 지시 대명사에는 '이것, 그것, 저것' 등과 같이 사물을 가리키는 것과 '여기, 거기, 저기' 등과 같이 장소를 가리키는 것이 있으며, 인칭 대명사는 1인칭, 2인칭, 3인칭 등으로 나뉜다.

대명사에는 모르는 사물이나 사건을 가리키는 ㉠ 미지칭(未知稱), 정해지지 아니한 사람, 물건, 방향, 장소 따위를 가리키는 ㉡ 부정칭(不定稱), 앞에 한 번 나온 체언을 다시 나타내는 ㉢ 재귀칭(再歸稱) 등이 있다. '무엇, 누구, 어디'와 같은 대명사는 주로 의문문에서 미지칭으로 쓰이고, '무엇이든, 누구든, 어디든'에서와 같이 부정칭으로 쓰이기도 한다. 재귀 대명사라고도 하는 재귀칭에는 '저, 자기, 당신' 등이 있는데, 주로 3인칭 주어로 쓰인 명사나 명사구를 다시 가리키는 데에 쓰인다.

㉱ 사물의 수량이나 순서를 나타내는 단어들을 수사라고 한다. 수사에는 수량을 나타내는 양수사(量數詞)와 순서를 나타내는 서수사(序數詞)가 있다. '하나, 둘, 셋, 일, 이, 삼' 등은 양수사이고, '첫째, 둘째, 셋째, 제일, 제이, 제삼' 등은 서수사이다.

01 윗글에 나타난 문단 간의 관계로 가장 적절한 것은?

① (가)-(나)-[(다)/(라)]
② (가)-[(나)/(다)]-(라)
③ (가)-[(나)/(다)/(라)]
④ [(가)/(나)]-(다)-(라)
⑤ [(가)/(나)/(다)]-(라)

02 ㉠~㉢에 해당하는 용례를 보여 주는 문장을 〈보기〉에서 찾아 바르게 짝지은 것은?

> **보기**
> ㄱ. 누구를 보고 싶으세요?
> ㄴ. 아무 말도 하지 못했어요.
> ㄷ. 혜지는 자기 이름도 못 쓴다.

	㉠	㉡	㉢
①	ㄱ	ㄴ	ㄷ
②	ㄱ	ㄷ	ㄴ
③	ㄴ	ㄱ	ㄷ
④	ㄴ	ㄷ	ㄱ
⑤	ㄷ	ㄴ	ㄱ

수능형

03 윗글을 바탕으로 〈보기〉의 ⓐ~ⓓ를 통해 알 수 있는 품사의 성격으로 적절하지 않은 것은?

> **보기**
> ⓐ 그분은 인자한 성품의 소유자이다.
> ⓑ 저 셋이 늘 몰려다니는 아이들이다.
> ⓒ 나는 친구 집에서 귤을 하나 먹었다.
> ⓓ 우리 목표는 첫째는 자유요, 둘째는 정의다.

① ⓐ로 보아, 대명사는 조사가 붙지 않으면 품사의 성격이 달라진다.
② ⓑ로 보아, 문장 속에서 수사는 특정 관형사의 꾸밈을 받을 수 있다.
③ ⓑ와 ⓓ로 보아, 수사는 사물의 수량을 나타내거나 대상의 순서를 나타낸다.
④ ⓒ로 보아, 수사는 조사를 붙여 쓰지 않을 수도 있다.
⑤ ⓓ로 보아, 수사에는 접미사가 붙어 특정한 기능을 수행할 수 있다.

소단원 적중 문제

04 다음 문장에서 명사, 대명사, 수사에 해당하는 단어를 각각 찾아 쓰시오.

> 우리의 이념은 첫째는 진리이고 둘째는 정의이다.

05 밑줄 친 단어들 중 의존 명사가 <u>아닌</u> 것은?
① 나는 사탕을 한 <u>개</u> 샀다.
② 살다 보면 그럴 <u>수</u>도 있지.
③ 그를 만난 <u>지</u>도 꽤 오래되었다.
④ 이제 믿을 것은 오직 실력<u>뿐</u>이다.
⑤ 그저 당신을 만나러 왔을 <u>따름</u>입니다.

서술형 학습 활동 적용
06 〈보기〉의 두 문장에 쓰인 '열'의 각각의 품사를 밝히고, 형태가 같은데도 품사가 <u>다른</u> 근거를 설명하시오.

> ㄱ. 여덟에 둘을 더하면 열이 된다.
> ㄴ. 열 길 물속은 알아도 한 길 사람 속은 모른다.

[07-11] 다음 글을 읽고, 물음에 답하시오.

㉮ 문장의 주어를 서술하는 말을 용언(用言)이라고 한다. 용언 가운데 주어의 움직임이나 작용을 나타내는 단어의 부류를 동사(動詞)라고 하고, 주어의 성질이나 상태를 나타내는 단어의 부류를 형용사(形容詞)라고 한다.

㉯ 동사는 기준에 따라 몇 가지로 분류할 수 있다. 먼저 '뛰다, 걷다, 가다, 놀다, 끙끙대다'처럼 움직임이 그 주어에만 관련되는 자동사와 '끌다, 누르다, 건지다, 태우다'처럼 움직임이 다른 대상, 즉 목적어에 미치는 타동사로 분류할 수 있다. 그리고 '먹다, 앉다'처럼 어떤 동작을 자기 스스로 행하는

주동사와 '(㉠)'처럼 남에게 어떤 동작을 하게 하는 사동사로 분류할 수도 있다. 또 '잡다, 밀다'처럼 움직임이 스스로의 힘으로 이루어지는 능동사와 '(㉡)'처럼 움직임이 남의 동작이나 행위에 의해서 이루어지는 피동사로 분류할 수도 있다.

㉰ 용언은 문장 속에서 사용될 때 여러 형태로 나타난다. 이때 형태가 변하지 않고 고정된 부분을 어간(語幹)이라 하고, 어간 뒤에 결합하는 다양한 형태들을 어미(語尾)라고 한다. 예를 들어, '많네, 많았어, 많았겠군'에서 '많-'이 어간이고, '-네, -았-, -어, -겠-, -군'이 어미이다. 이처럼 어간에 어미가 결합하는 것을 활용(活用)이라 한다.

㉱ 어미는 그것이 나타나는 자리에 따라 어말 어미(語末語尾)와 선어말 어미(先語末語尾)로 나뉜다. 어말 어미는 단어의 끝자리에 들어가고, 선어말 어미는 어말 어미의 앞자리에 들어간다. 용언이 활용할 때 어말 어미는 반드시 있어야 하지만, 선어말 어미는 때에 따라 있을 수도 있고 없을 수도 있으며, 둘 이상의 선어말 어미가 올 수도 있다.

㉲ 어말 어미는 기능에 따라 종결 어미(終結語尾), 연결 어미(連結語尾), 전성 어미(轉成語尾)로 나뉜다.

> ㉠ 한국의 가을 하늘은 맑[다, 구나, 니?]
> ㉡ 바람이 불[면, 어서] 우리는 연을 날렸다.
> ㉢ 나는 네가 최선을 다하는 사람이 되기를 바란다.
> ㉣ 우리의 청춘이 아름답게 피었다.

종결 어미는 문장을 끝맺어 주는 기능을 하는 어미인데, ㉠에 쓰인 '-다', '-구나', '-니' 등이 여기에 속한다. ㉯연결 어미는 앞 문장과 뒤 문장을 연결하는 기능을 하는 어미로, ㉡에 쓰인 '-면', '-어서' 등이 여기에 속한다. ㉰전성 어미는 용언의 서술 기능을 다른 기능으로 바꾸어 주는 어미로, ㉢의 '-는', '-기', ㉣의 '-게' 등이 여기에 속한다.

07 윗글에 설명된 내용으로 적절하지 <u>않은</u> 것은?
① 용언의 개념과 종류
② 동사와 형용사의 종류
③ 어말 어미의 종류와 기능
④ 용언의 어간, 어미, 활용의 개념
⑤ 위치와 기능에 따른 어미의 분류

08 ㉮와 ㉯에 들어갈 수 있는 동사를 바르게 나열한 것은?

	㉮	㉯
①	먹이다	잡히다
②	묻히다	밀리다
③	살리다	앉히다
④	쫓기다	입히다
⑤	들리다	읽히다

수능형
09 〈보기〉는 ㉰의 종류를 예문으로 제시한 것이다. ⓐ~ⓓ에 대한 설명으로 적절하지 <u>않은</u> 것은?

〈보기〉
• 그는 바다를 좋아하ⓐ고 난 산을 좋아한다.
• 나는 그를 좋아했ⓑ지만 그는 강아지를 좋아했다.
• 가는 말이 고ⓒ와야 오는 말이 곱다.
• 동생이 내 빵을 먹ⓓ어 버렸어요.

① ⓐ와 ⓑ는 대등적 연결 어미로 기능한다.
② ⓒ는 ⓑ와 달리 종속적 연결 어미로 기능한다.
③ ⓒ와 ⓓ는 모두 보조적 연결 어미로 기능한다.
④ ⓒ는 ⓓ와 달리 앞 문장이 뒷 문장에 종속된다.
⑤ ⓓ는 본용언과 보조 용언을 연결해 주는 기능을 한다.

10 ㉱와 관련하여 〈보기〉의 자료를 읽고, ㉠~㉢에 해당하는 예를 ⓐ~ⓒ에서 찾아 바르게 짝지은 것은?

〈보기〉
전성 어미는 ㉠명사형 전성 어미, ㉡관형사형 전성 어미, ㉢부사형 전성 어미로 나눌 수 있다.

• 그 문제는 처리하ⓐ기가 어렵다.
• 열심히 공부하ⓑ는 학생이 되어라.
• 하늘에는 뭉게구름이 포근하ⓒ게 떠 있었다.

	㉠	㉡	㉢
①	ⓐ	ⓑ	ⓒ
②	ⓐ	ⓒ	ⓑ
③	ⓑ	ⓐ	ⓒ
④	ⓑ	ⓒ	ⓐ
⑤	ⓒ	ⓐ	ⓑ

서술형
11 〈보기〉의 ⓐ와 ⓑ에 나타난 동사의 종류를 밝히고, 그 이유를 서술하시오.

〈보기〉
• 진수가 학교에 ⓐ간다.
• 은희가 책을 ⓑ읽는다.

〈조건〉
• 각 문장에 제시된 단어를 활용하여 이유를 서술할 것.
• 'ⓐ는 ~ 때문에 ~이고, ⓑ는 ~ 때문에, ~이다.' 꼴로 서술할 것.

수능형
12 〈보기〉는 동사와 형용사에 관해 탐구한 내용이다. 〈보기〉에 대한 학생의 반응으로 적절하지 <u>않은</u> 것은?

〈보기〉
ⓐ (1) 그녀는 *예쁜다. / (2) 그녀는 *예쁘려 한다.
ⓑ (1) 내내 *안녕하세요. / (2) 친구야, *안녕해라.
ⓒ (1) 희망을 품는다. / (2) 희망을 품으려 한다.
ⓓ (1) 우리 모두 *건강하자. / (2) 그는 *건강하고 있다.
ⓔ (1) 애들아, 사과 먹자. / (2) 사과를 먹고 있다.
*비문법적인 표현

① ⓐ-(1)과 ⓒ-(1)을 비교해 보니 형용사에는 현재 시제를 나타내는 '-ㄴ-'이 쓰일 수 없군.
② ⓐ-(2)와 ⓒ-(2)를 비교해 보니 의도의 의미를 나타내는 '-려'는 동사에만 쓰일 수 있군.
③ ⓑ-(1)과 ⓓ-(1)을 보니 명령이나 청유의 의미를 가지는 어미는 형용사와 결합할 수 없네.
④ ⓑ-(2)와 ⓓ-(2)를 보니 명령이나 진행의 의미를 가지는 어미는 형용사와 결합할 수 없어.
⑤ ⓓ와 ⓔ를 비교해 보니 청유나 진행의 의미를 나타내는 어미는 주어의 유무에 따라 그 결합 가능성이 결정되는군.

13 〈보기〉의 밑줄 친 각 단어의 품사에 대한 설명으로 적절하지 <u>않은</u> 것은?

> ─ 보기 ─
> 오늘은 풍경화 한 장을 ⓐ <u>그림</u>.
> 그 ⓑ <u>그림</u>을 못 ⓒ <u>사서</u> 조금 화가 남.

① ⓐ는 앞에 목적어를 동반하고 있으므로 용언으로 볼 수 있다.
② ⓐ는 동사 '그리다'의 동작성이 있으므로 용언으로 볼 수 있다.
③ ⓑ는 부사의 수식을 받을 수 있으므로 체언이다.
④ ⓑ는 뒤에 조사가 붙은 것으로 보아 체언으로 볼 수 있다.
⑤ ⓒ는 활용할 수 있으므로 용언으로 볼 수 있다.

수능형
14 〈보기〉를 참고할 때, 밑줄 친 단어가 보조 용언으로 사용된 것은?

> ─ 보기 ─
> 본용언은 실질적인 뜻을 나타내고, 보조 용언은 본용언과 연결되어 그것의 뜻을 보충하는 역할을 한다.
> 📝 사람들이 모두 <u>가</u> <u>버렸다</u>.
>   본용언 + 보조 용언

① 영화는 밥을 먼저 먹고 <u>보자</u>.
② 영희는 낮잠을 자고 <u>일어났다</u>.
③ 철수와 운동장에서 놀고 <u>왔다</u>.
④ 봄에는 제주도로 여행을 가고 <u>싶다</u>.
⑤ 날씨도 좋으니 잠시 여기 있다 <u>가자</u>.

[15-19] 다음 글을 읽고, 물음에 답하시오.

㉠ 국어에는 ⓐ <u>주로 체언 뒤에 붙어서 다양한 문법적 관계를 나타내거나 의미를 더해 주는 의존 형태소</u>가 있는데, 이를 조사(助詞)라고 한다. 조사는 그 기능과 의미에 따라 격조사, 보조사, 접속 조사로 분류한다. 예를 들어, '을'은 앞에 오는 체언이 목적어라는 문법적 관계를 나타내는 격 조사이고, '만'은 앞말에 '한정'의 뜻을, '도'는 '역시'의 뜻을 더해 주는 보조사이다. '레몬과 귤'에서 '과'는 두 단어를 연결해 주는 기능을 하는 접속 조사에 속한다.

㉡ ㉮ <u>앞에 오는 체언이 문장 안에서 일정한 자격을 가지도록 해 주는 조사를 격 조사(格助詞)라고 한다.</u> 격 조사에는 '이/가'와 같이 주어가 되게 하는 주격 조사, '을/를'과 같이 목적어가 되게 하는 목적격 조사, '의'와 같이 관형어가 되게 하는 관형격 조사, '이/가'와 같이 보어가 되게 하는 보격 조사 등이 있다. 그 밖에 '에, 에서, 에게'와 같이 부사어가 되게 하는 부사격 조사, '아/야'와 같이 독립어의 일종인 부름말이 되게 하는 호격 조사 등도 격 조사에 속한다. 특히 체언을 서술어가 되게 하는 '이다'는 서술격 조사라고 하는데, 마치 동사나 형용사처럼 활용한다.

㉢ ㉯ <u>앞말에 특별한 뜻을 더해 주는 조사를 보조사(補助詞)라고 한다.</u> '만'은 앞말에 '한정'의 뜻을, '도'는 '역시'의 뜻을, '은'은 '대조'의 뜻을 더해 준다. '요'는 '상대 높임'을 나타내며, 어절이나 문장의 끝에 결합하는 독특한 성격을 가진다. 그 밖에 '마저, 부터, 까지, 조차' 등과 같이 각각의 고유한 뜻을 더해 주는 다양한 보조사들이 있다. '와/과', '하고', '(이)랑' 등과 같이 ㉰ <u>두 단어를 같은 자격으로 이어 주는 구실을 하는 조사를 접속 조사(接續助詞)라고 한다.</u> '와/과'는 문어에서 잘 쓰이지만, '하고'와 '(이)랑'은 구어에서 잘 쓰인다.

㉣ 부사는 문장에서 하는 역할에 따라 성분 부사와 문장 부사로 나뉜다. '바로, 못, 간절히'는 문장의 어느 한 성분만을 수식하므로 성분 부사라고 하며, '다행히, 그러나'는 문장 전체를 수식하므로 문장 부사라고 한다. 문장 부사는 '다행히'와 같이 말하는 이의 태도를 나타내는 양태 부사와 '그러나'와 같이 앞 문장과 뒤 문장을 이어 주는 접속 부사로 나뉜다.

㉤ 성분 부사는 그 의미에 따라서, '어떻게'라는 방식으로 용언 등을 꾸미는 성상 부사, '이리, 그리, 저리'와 같이 특정 내용을 가리키는 지시 부사, '못, 아니/안'과 같이 부정의 뜻을 가진 부정 부사로 나뉠 수 있다. 성상 부사 가운데 '아삭아삭, 사뿐사뿐'과 같이 사물의 소리나 모양을 흉내 내는 부사들을 의성 부사, 의태 부사라고 한다.

15 윗글의 각 문단의 중심 내용과 거리가 먼 것은?

① (가): 조사의 개념과 종류
② (나): 격 조사의 개념과 종류
③ (다): 보조사와 접속 조사의 차이점
④ (라): 문장 속의 역할에 따른 부사의 분류
⑤ (마): 의미에 따른 성분 부사의 분류

16 ㉮~㉰를 바탕으로 〈보기〉의 조사를 분류할 때, 가장 적절한 것은?

〈 보기 〉
- 밥ⓐ이나 빵을 주세요.
- 그는 친구ⓑ와 놀았다.
- 은지ⓒ야, 전시회에 가자.
- 붓ⓓ하고 먹을 가져오너라.
- 내일은 학교에 꼭 가야 하거든ⓔ요.
- 그 여자는 과일ⓕ과 커피를 좋아한다.

	㉮	㉯	㉰
①	ⓐ, ⓑ	ⓒ, ⓓ	ⓔ, ⓕ
②	ⓐ, ⓒ	ⓑ, ⓕ	ⓓ, ⓔ
③	ⓑ, ⓒ	ⓐ, ⓔ	ⓓ, ⓕ
④	ⓑ, ⓒ	ⓐ, ⓓ	ⓔ, ⓕ
⑤	ⓒ, ⓔ	ⓐ, ⓓ	ⓑ, ⓕ

수능형
17 〈보기〉는 ㉠과 관련하여 조사의 위치에 대해 탐구한 내용이다. ⓐ~ⓔ의 구체적인 예로 적절하지 <u>않은</u> 것은?

〈 보기 〉
조사는 주로 체언 뒤에 붙지만 때로는 다양한 성분 뒤에 붙어 문법적인 역할을 수행하기도 한다.

ⓐ 용언+격 조사(혹은 보조사)
ⓑ 부사+격 조사(혹은 보조사)
ⓒ 문장+격 조사(혹은 보조사)
ⓓ 격 조사+격 조사(혹은 보조사)
ⓔ 보조사+보조사(혹은 격 조사)

① ⓐ: 그는 예쁘지는 않지만 영리하다.
② ⓑ: 그녀는 너무도 성실하다.
③ ⓒ: 어떤 방법으로 해결하느냐가 관건이다.
④ ⓓ: 이제 당신만을 사랑하며 살겠소.
⑤ ⓔ: 너마저도 날 실망시키다니.

서술형
18 〈보기〉에서 밑줄 친 부분의 문법적 기능을 한 문장으로 서술하시오.

〈 보기 〉
올해도 우리 학교<u>에서</u> 우승하였다.

서술형
19 다음 용례를 보고 성분 부사와 문장 부사의 차이를 쓰시오.

- 다행히 그는 완치되었다. → 그는 다행히 완치되었다.(○)
- 그는 노래를 잘 부른다. → 그는 잘 노래를 부른다.(×)

20 〈보기〉의 문장들에서 밑줄 친 조사의 기능에 대한 탐구 결과로 적절하지 <u>않은</u> 것은?

〈 보기 〉
- 너희 둘이ⓐ서 왔니?
- 이건 너ⓑ한테 주는 편지야.
- 영희ⓒ야말로 우수한 학생이지.
- 정부ⓓ에서 결과를 발표하였다.
- 어제 라면ⓔ이랑 떡이랑 잔뜩 먹었다.

① ⓐ: 출발지를 의미하는 부사격 조사 '에서'의 변이 형태이다.
② ⓑ: '너'라는 일정하게 제한된 범위를 나타내는 격 조사이다.
③ ⓒ: '영희'를 강조하여 확인하는 뜻을 나타내는 보조사이다.
④ ⓓ: '발표하다'라는 행위 주체가 '정부'임을 표시하고 있다.
⑤ ⓔ: '라면'과 '떡'을 대등하게 연결해 주는 조사이다.

단어의 짜임과 새말 형성

소단원 학습 포인트

- 단어의 짜임 이해하기
- 새말의 형성 과정 탐구하기
- 국어 생활에 적용하기

♫ 한글 맞춤법에서 문장의 각 단어는 띄어 씀을 원칙으로 한다고 했으므로, 어절과 단어는 원리적으로 일치해야 한다. 다만 조사는 단어이지만 그 앞말에 붙여 쓴다고 했으므로, 어절과 단어의 차이는 오직 조사와 관련해서만 생긴다고 볼 수 있다.

개념⊕
- 조사는 의존 형태소이지만 단어로 인정함. 왜냐하면, 조사는 어미와 달리 선행하는 체언과 쉽게 분리될 수 있기 때문임.
- 한자는 각 글자가 의미를 지니고 있으므로 한 음절을 하나의 형태소로 봄.

㉮ 새로운 개념이나 사물이 생겨나면 그것을 가리키는 새말이 필요하다. 새말을 올바르게 만들어 쓰고 이해하기 위해서는 단어의 짜임과 형성 방법을 알고 이를 목적에 맞게 적절히 활용하여야 한다.
　　새말이 만들어지는 이유
▶새말 형성 이유와 국어 생활 적용

㉯ 1 형태소와 단어

다가서기

● 다음은 윤동주의 시 「눈 오는 지도」의 첫 연이다. 밑줄 친 부분을 더 작은 단위로 분석하여 빈칸을 채워 보자.

> 눈이 녹으면 남은 발자국 자리마다 꽃이 피리니, 꽃 사이로 발자국을 찾아 나서면 일 년 열두 달 하냥 내 마음에는 눈이 내리리라.
>
> – 윤동주, 「눈 오는 지도」에서

| 예시 답 |

꽃 사이로 발자국을 찾아 나서면									

어절 단위로 분석 →㉠

꽃	사이로		발자국을			찾아		나서면	

단어 단위로 분석 →㉡

꽃	사이	로	발자국		을	찾아		나서면	

형태소 단위로 분석 →㉢

| 꽃 | 사이 | 로 | 발 | 자국 | 을 | 찾- | -아 | 나- | 서- | -면 |

㉠은 띄어쓰기가 된 단위와 칸의 수가 같으므로 빈칸에 들어갈 내용은 '발자국을'과 '나서면'인데, 이처럼 띄어 쓰는 단위를 **어절**(語節)이라고 한다. ㉡은 ㉠의 어절을 더 작은 단위로 분석한 것인데, '사이로'를 '사이'와 '로'로 분석한 것에 비추어 볼 때 '발자국을'는 '발자국'과 '을'로 분석할 수 있다. 이처럼 어절을 자립하여 쓰일 수 있는 부분과
　　　　　　　　　　　　　　　　　　　　　명사와 조사로 분석
조사로 분석하였을 때, 분석된 각각을 **단어**(單語)라고 한다. ㉢은 단어를 다시 더 작은 단위로 분석한 것인데, '찾아'는 '찾-', '-아'로, '나서면'은 '나-', '서-', '-면'으로 분석할 수 있다. ㉢에서와 같이 의미를 가진 것 가운데 가장 작은 언어 단위를 **형태소**(形態素)라고 한다.
　　　　　　　　의미를 가진 가장 작은 말의 단위. 음운과 구별이 필요함. 음운은 말의 의미를 구별해 주는 가장 작은 소리의 단위임.
▶어절, 단어, 형태소의 개념

어절은 띄어쓰기 단위와 일치함.

발자국을는 '발자국'과 '을'로 분석할 수 있다.

꽃 사이로 발자국을 찾아 나서면										
㉠ 어절	꽃	사이로		발자국을			찾아		나서면	
㉡ 단어	꽃	사이	로	발자국		을	찾아		나서면	
㉢ 형태소	꽃	사이	로	발	자국	을	찾-	-아	나-	서-	-면

조사는 줄표를 붙이지 않지만, 어미는 그 특성에 따라 줄표를 붙임.

다 형태소 가운데는 <u>다른 말의 도움 없이 혼자 쓰일 수 있는 형태소</u>도 있고, 반드시 다
   자립 형태소
른 말에 기대어서만 쓰일 수 있는 형태소도 있다. 즉, **자립** 형태소는 앞뒤에 다른 형태
   의존 형태소
소가 직접 연결되지 않아도 문장에서 쓰일 수 있지만, **의존** 형태소는 앞이나 뒤에 적어
   자립성은 문장에서 실현되는 여부로 판단함.   명사, 대명사, 수사
도 하나의 형태소가 연결되어야만 문장에서 쓰일 수 있다. 체언, 수식언, 독립언으로
   관형사, 부사   감탄사
분류되는 형태소들은 자립 형태소이고, 용언의 어간과 어미, 조사, 접사로 분류되는 형
   동사, 형용사
태소들은 의존 형태소이다.   ▶자립 형태소와 의존 형태소의 개념

♀ 핵심 다지기 ♀

■ 어절, 단어, 형태소의 개념
- 어절: 단어를 띄어 쓰는 단위로, 띄어쓰기 단위와 일치함.
- 단어: 어절을 더 작은 단위로 분석한 것인데, 어절을 자립하여 쓰일 수 있는 부분과 조사로 분석하였을 때, 분석된 각각을 말함.
- 형태소: 단어를 더 작은 단위로 분석하였을 때, 의미를 가진 것 가운데 가장 작은 언어 단위
  ※ 음운은 말의 의미를 구별해 주는 가장 작은 소리의 단위이고, 형태소는 의미를 가진 가장 작은 말의 단위임.

■ 형태소의 분류

자립성 유무에 따라	자립 형태소
	의존 형태소
의미의 유형에 따라	실질 형태소
	형식 형태소

■ 자립성 유무에 따른 형태소 구분
- 자립 형태소

> – 다른 말의 도움 없이 혼자 쓰일 수 있는 형태소
> – 앞뒤에 다른 형태소가 직접 연결되지 않아도 문장에 쓰일 수 있음.
> – 체언, 수식언, 독립언으로 분류되는 형태소들이 속함.

- 의존 형태소

> – 반드시 다른 말에 기대어서만 쓰일 수 있는 형태소
> – 앞이나 뒤에 적어도 하나의 형태소가 연결되어야만 문장에서 쓰일 수 있음.
> – 용언의 어간과 어미, 조사, 접사로 분류되는 형태소들이 속함.

문제로 확인
정답과 해설 015쪽

01. 윗글의 내용과 일치하지 <u>않는</u> 것은?
① 없던 개념이나 사물이 생겨나면 그것을 가리킬 새말이 필요하다.
② 어절과 단어는 조사와 관련된 차이를 빼고는 원리적으로 일치한다.
③ 의미를 가진 것 가운데 가장 작은 언어의 단위를 형태소라고 한다.
④ 단어는 어절에서 자립하여 쓰일 수 있는 부분과 조사로 분석된 각각을 말한다.
⑤ 의존 형태소는 앞이나 뒤에 다른 형태소가 직접 연결되지 않아도 문장에 쓰일 수 있다.

02. (나)를 바탕으로 〈보기〉의 문장을 형태소 분석했을 때, 단어 분석 단위와 일치하는 것끼리 묶은 것은?

┌ 보기 ┐

내 백골이 한 방에 누웠다.									
나	의	백	골	이	한	방	에	눕(누우)	-었-	-다

① 나, 의, 한, 방
② 나, 의, 이, 한, 방, 에
③ 나, 의, 백, 골, 한, 방, 눕
④ 나, 의, 백, 골, 이, 한, 방, 에, 눕
⑤ 나, 의, 백, 골, 이, 한, 방, 에, 눕, -었-, -다

03. 〈보기〉에 대한 설명으로 적절하지 <u>않은</u> 것은?

┌ 보기 ┐
> 나의 삶은 내가 만든다.

① 문장의 개수는 1개이다.
② 어절의 개수는 4개이다.
③ 단어의 개수는 4개이다.
④ 음절의 개수는 9개이다.
⑤ 형식 형태소의 개수는 6개이다.

라 형태소는 실질적인 의미를 가진 **실질 형태소**와 문법적인 의미를 가진 **형식 형태소**
(실질적인 의미) _(문법적인 의미)_
로 분류할 수도 있다. 체언, 수식언, 독립언, 용언의 어근으로 분류되는 형태소는 실질
형태소라 할 수 있고, 체언이나 용언에 연결되어 문법적 의미를 표시하는 조사나 어미,
그리고 단어 형성에 참여하는 접사는 형식 형태소라 할 수 있다. 형식 형태소는 문법적
의미를 나타내므로 문법 형태소라 부르기도 한다. ▶실질 형태소와 형식 형태소의 개념

예를 들어, '발자국을 찾아 나서면'을 다음과 같이 나눌 수 있다.

기준	종류	개념	예
자립성 유무에 따라	자립 형태소	혼자 쓰일 수 있는 형태소	발, 자국
	의존 형태소	반드시 다른 말에 붙어 쓰이는 형태소	을, 찾-, -아, 나-, 서-, -면
의미의 유형에 따라	실질 형태소	실질적인 의미를 가진 형태소	발, 자국, 찾-, 나-, 서-
	형식 형태소	문법적인 의미만을 가진 형태소	을, -아, -면

▶형태소 분류의 예시

확인하기

● 다음 노랫말의 밑줄 친 부분을 형태소로 분석해 보자. |예시 답|

너와 나의 모습도 변해 가고
<u>오늘은 걷더라도 내일은 달려갈래.</u>

자립 형태소	오늘, 내일
의존 형태소	은, 걷-, -더라도, 은, 달리-, -어, 가-, -ㄹ래
실질 형태소	오늘, 걷-, 내일, 달리-, 가-
형식 형태소	은, -더라도, 은, -어, -ㄹ래

※ '내일(來日)'의 한자어 형태소 분석
┌하나의 실질 형태소로 인식할 때: 내일
└각각의 실질 형태소로 인식할 때: 내, 일

마 **2 단어의 구조**

① 어근과 접사

다가서기

● 다음과 같이 단어를 분석할 때, 각 구성 요소들의 의미가 무엇인지 적어 보자.
|예시 답|

단어	구성 요소	의미
군말	군-	쓸데없는. 가외로 더한. 덧붙은 → 일부 명사 앞에 붙어 뜻을 더함.
	말	사람의 생각이나 느낌 따위를 표현하고 전달하는 데 쓰는 음성 기호
지우개	지우-	쓴 글씨나 그린 그림, 흔적 등을 지우개나 천 따위로 보이지 않게 없애다.
	-개	사람, 간단한 도구 → 일부 동사 뒤에 붙어 뜻을 더하고 명사를 만듦.

단어를 이루는 형태소 가운데 실질적인 의미를 나타내는 중심 부분을 **어근(語根)**이
(실질 형태소)
라 하고, 어근에 붙어 그 뜻을 제한하는 주변 부분을 **접사(接辭)**라고 한다. 예를 들어,
(형식 형태소)
'군말'의 '말'은 어근이고 '군-'은 접사이며, '지우개'의 '지우-'는 어근이고 '-개'는 접사
이다. '군-'처럼 <u>어근 앞에 붙을 때는 **접두사**라고 하고, '-개'처럼 어근 뒤에 붙을 때는</u>
(접사의 종류)
<u>접미사라고 한다.</u> ▶어근과 접사(접두사, 접미사)의 개념

[왼쪽 여백 메모]

✎ 예를 들어 '건넜다'라는 단어를 분석하면 '건너-+-었-+-다'가 된다. 따라서 의존 형태소로만 이루어진 단어인데, '건너-'는 실질 형태소, '-었-, -다'는 형식 형태소로 분석할 수 있다.

개념⊕
형태소는 대체로 자립 형태소와 실질 형태소가 겹치는 경우가 많지만 항상 그러한 것은 아님.
예 • '꽃'은 자립적이므로 자립 형태소이고 또한 실질적 의미를 지니므로 실질 형태소임.
• 반면에 '맑다'의 경우에 '맑-'은 실질적 의미를 지니므로 실질 형태소이지만 용언의 어간이어서 어미가 없이는 홀로 쓰일 수는 없으므로 의존 형태소임.

✎ 단어의 형성에서는 어근과 접사, 용언의 활용에서는 어간과 어미로 부른다. 예를 들어, '먹이'는 어근과 접사가 결합했다고 하고, '먹다'는 어간과 어미가 결합했다고 한다.

개념⊕
접두사와 관형사의 구별
• 접두사는 결합하는 어근이 제한되지만 관형사는 크게 제한되지 않는다.
예 덧신, 덧버선, 덧집*, 덧마당* (접두사)
새 신, 새 버선, 새 집, 새 마당 (관형사)
• 접두사와 어근 사이에는 다른 말이 삽입될 수 없지만, 관형사는 삽입될 수 있다.
예 덧 큰 신*, 덧 작은 버선* (접두사)
새 큰 신, 새 작은 버선 (관형사)
* 비문법적인 표현

바 ② 직접 구성 성분

다가서기

● 다음 밑줄 친 단어를 두 조각으로 한 번만 나누어 보자.

> 아이는 동네 <u>놀이터</u>에서 <u>미끄럼틀</u>을 타고 놀고 있었다.

| 예시 답 | 놀이 + 터, 미끄럼 + 틀

한 번만 나누어 나온 구성 요소를 직접 구성 성분이라고 한다. 예를 들어, '놀이터'라는 단어를 직접 구성 성분으로 나누면 '놀이'와 '터'로 분석할 수 있다. '놀이터'의 직접 구성 성분이 '놀이'와 '터'이므로 '놀이터'라는 단어는 어근과 어근이 합쳐져서 만들어진
합성어
단어이다.
▶ 단어의 직접 구성 성분 분석

♫ 직접 구성 성분은 형태소가 모여 단어를 이루거나 단어가 모여 구나 문장을 만들 때 모두 활용되는 개념이다. 예를 들어, '예쁜 아기 모자'와 같은 구성은, 직접 구성 성분이 '예쁜 아기'와 '모자'인지 '예쁜'과 '아기 모자'인지에 따라 그 의미 해석이 달라진다.

♀ 핵심 다지기 ♀   문제로 확인

- **의미의 유형에 따른 형태소 구분**
- 실질 형태소
  - 실질적인 의미를 가진 형태소
  - 체언, 수식언, 독립언, 용언의 어근으로 분류되는 형태소들이 속함.

- 형식 형태소(문법 형태소)
  - 문법적인 의미를 가진 형태소
  - 체언이나 용언에 연결되어 문법적 의미를 표시하는 조사나 어미, 그리고 단어 형성에 참여하는 접사 등이 속함.

- **어근**
- 단어를 이루는 형태소 가운데 실질적인 의미를 나타내는 중심 부분

- **접사**
- 단어를 이루는 형태소 가운데 어근에 붙어 그 뜻을 제한하는 주변 부분
- 접사의 종류

접두사	어근 앞에 붙는 접사 ⑩ 군-(접두사) + 말(어근)
접미사	어근 뒤에 붙는 접사 ⑩ 지우-(어근) + -개(접미사)

※ '지우개'의 경우처럼, 접미사가 동사를 명사로 바꾸는 문법적인 변화를 일으킬 수 있음.

- **직접 구성 성분**
- 단어를 한 번만 나누어 나온 구성 요소
- 직접 구성 성분을 분석함으로써 단어의 뜻을 더 쉽게 해석할 수 있음. ⑩ 놀이터(놀이 + 터), 미끄럼틀(미끄럼 + 틀)

04. 윗글을 통해 알 수 있는 내용으로 적절하지 <u>않은</u> 것은?

① 어근은 실질적인 의미를 나타내는 중심 부분이다.
② 합성어는 어근과 어근이 합쳐져서 만들어진 단어이다.
③ 두 형태소인 어근과 접사가 결합하여 단어를 형성한다.
④ 접두사는 어근의 앞에 붙어 문장 성분을 바꾸는 역할을 한다.
⑤ 접사는 어근의 앞에 위치하기도 하고 뒤에 위치하기도 한다.

출제 예감
05. 〈보기〉의 과제 해결 내용 중, 적절하지 <u>않은</u> 것은?

┌ 보기 ─────────────────
[학습 활동 과제]
● 다음 문장을 단어와 형태소로 분석해 보자.

> 진주는 나에게 손수건을 주었다.

[과제 해결]
ㄱ. 단어: 진주, 는, 나, 에게, 손, 수건, 을, 주었다
ㄴ. 자립 형태소: 진주, 나, 손, 수건
ㄷ. 의존 형태소: 는, 에게, 을, 주-, -었-, -다
ㄹ. 실질 형태소: 진주, 나, 손, 수건, 주-
ㅁ. 형식 형태소: 는, 에게, 을, -었-, -다
└─────────────────────

① ㄱ   ② ㄴ   ③ ㄷ   ④ ㄹ   ⑤ ㅁ

06. 다음 제시된 단어를 두 조각으로 한 번만 나누어 보자.

> 새파랗다

개념⊕
단어 형성 방법에 따른 단어의 구분
┌ 단일어(어근)
└ 복합어
　├ 파생어(어근＋접사 / 접사＋어근)
　└ 합성어(어근＋어근)

㉢ 3 단어의 형성

하나의 어근으로만 이루어진 단어를 ㉮ **단일어**(單一語), 둘 이상의 어근으로 이루어 졌거나 어근과 접사로 이루어진 단어를 **복합어**(複合語)라고 한다. 복합어 가운데 직접

　　　　　　　　　　　　　　　　　　　　　　　단어를 두 조각으로 한 번만 나누었을 때
구성 성분이 어근만으로 이루어진 단어를 **합성어**(合成語)라고 하고, 어근에 접사가 결
　　　　　　　　　　　　　　어근＋어근
합되어 이루어진 단어를 **파생어**(派生語)라고 한다.
　　　어근＋접사 / 접사＋어근　　　▶단일어와 복합어의 구분과 복합어의 종류(합성어, 파생어)

① 합성어

다가서기

● 다음 상황을 보고 여학생의 의문점에 대한 적절한 답을 말해 보자.

|예시 답| '우리나라' 와 '우리말'은 한 단어 로 굳어진 것으로 보 아 사전에 등재하지만 '우리 집'은 구로 보기 때문에 사전에 등재하 지 않는다.

✎ **단어와 구의 구별**
구인 경우에는 중간에 쉬거나 다른 단어 를 넣을 수 있지만, 단어인 경우에는 그럴 수 없다. 하지만 이런 기준만으로 단어와 구를 구별하기 어려울 수가 있으므로 국 어사전에 단어로 올랐는지를 확인하는 것 이 좋다.

개념⊕
합성어와 구의 구별
• 합성어: 하나의 단어이기 때문에 중간 에 다른 말이 끼어 들어갈 수 없다.
　⑳ 큰집: 큰아버지 집(큰 우리 집(×))
　　작은형: 맏형이 아닌 형(작은 우리 형(×))
• 구(句): 둘 이상의 단어가 모여 절이나 문장의 일부분을 이루는 토막. 중간에 다른 말이 끼어 들어갈 수 있으며, 띄어 쓴다.
　⑳ 큰 집: 크기가 큰 집(큰 우리 집(○))
　　작은 형: 키가 작은 형(작은 우리 형 (○))

파생 접사 없이 어근과 어근이 직접 합쳐져서 만들어진 단어를 합성어라고 한다. 이
　　　　　　　　　　　　　합성어의 개념
때 '밤낮, 새해, 본받다, 뛰어가다'와 같이 어근과 어근의 결합이 문장에서와 같은 방식
　　　　　　　　　　　　　　　　　명사＋명사, 관형어＋명사, 주어＋서술어, 목적어＋서술어 등
으로 이루어진 것을 **통사적 합성어**, '덮밥, 높푸르다'와 같이 단어 형성에서만 나타나는
　　　　　　　　　　　　　　　　　　　용언 어간＋명사, 부사＋명사, 용언 어간＋용언 어간 등
방식으로 이루어진 것을 **비통사적 합성어**라고 한다.
　　　　　　　　　　　　　　　　　　　　　　　　　▶합성어의 개념과 종류

합성어 가운데에는 구(句)와 구별하기 어려운 경우가 있다. 예를 들어, '우리나라, 우 리말, 우리글'은 원래 구였던 것이 한 단어로 굳어진 것으로 보아 합성어로 분류하지만,
한 단어이므로 붙여 씀.
'우리 마을, 우리 집, 우리 아빠, 우리 누나' 등은 여전히 구로 구성된 것으로 분류한다.
　　　　두 단어이므로 띄어 씀.　　　　　　　　　　　　　　　　▶구와 변별하기 어려운 합성어

■ 단어 형성 방법에 따른 단어 구분
• 단일어: 하나의 어근으로만 이루어진 단어
• 복합어: 둘 이상의 어근으로 이루어졌거나 어근과 접사로 이루어진 단어

| 합성어 | 직접 구성 성분이 어근만으로 이루어진 단어(둘 이상의 실질 형태소가 결합 📌 집안, 돌다리 |
| 파생어 | 어근(실질 형태소)에 접사가 결합하여 이루어진 단어 📌 부채+ㅡ질, 덮ㅡ+ㅡ개, 덧ㅡ+버선 |

■ 합성어

| 통사적 합성어 | 어근과 어근의 연결이 일반적인 문장 구조에서 확인되는 배열법과 같은 방식으로 이루어진 합성어 → 명사 + 명사, 관형사 + 명사, 주어 + 서술어, 목적어 + 서술어, 부사어 + 용언 등 📌 밤낮: 밤 + 낮(명사 + 명사) 새해: 새 + 해(관형사 + 명사) 본받다: 본 + 받다(목적어 + 서술어) 뛰어가다: 뛰ㅡ+ㅡ어+가다(용언의 어간 + 연결 어미 + 용언) |
| 비통사적 합성어 | 어근과 어근의 연결이 국어의 자연스러운 어순이나 결합 방식에 어긋나는 방식으로 이루어진 합성어 → 용언의 어간 + 명사, 부사 + 명사, 용언의 어간 + 용언의 어간 등 📌 덮밥: 덮ㅡ+밥(용언의 어간 + 명사, 관형사형 어미 누락) 높푸르다: 높ㅡ+푸르다(용언의 어간 + 용언의 어간, 연결 어미 누락) |

■ 합성어와 구(句)의 구별
• 합성어는 한 단어이므로 붙여 쓰고, 구는 두 단어이므로 띄어 씀.
• 합성어 중 구와 구별이 어려운 경우도 있음.
　📌 '우리나라, 우리말, 우리글': 합성어
　　'우리 마을, 우리 집, 우리 아빠, 우리 누나': 구

[보충 자료]

합성어와 구(句)의 변별 기준	
분리성	합성되는 두 어근 사이에 다른 성분이 들어갈 수 있으면 구(句)이고, 그렇지 않으면 합성어임.
휴지 (休止)	합성어는 한 단어이므로 이어서 발음하지만, 구(句)는 두 단어이므로 중간에 휴지(쉼)를 둠.
의미 변화	두 어근이 결합할 때 그 의미가 그대로 유지되면 구(句)이고, 그렇지 않으면 합성어임.
사전 등재	한 단어로 합해진 형태로 사전에 오르면 합성어이고, 그렇지 않으면 구임.

07. '합성어'에 대한 설명으로 적절한 것을 〈보기〉에서 골라 바르게 묶은 것은?

〈 보기 〉
ㄱ. 둘 이상의 어근만으로 이루어진 단어이다.
ㄴ. 둘 이상의 자립 형태소로 이루어진 단어이다.
ㄷ. 둘 이상의 실질 형태소로 이루어진 단어이다.
ㄹ. 둘 이상의 형식 형태소로 이루어진 단어이다.

① ㄱ, ㄴ　② ㄱ, ㄷ　③ ㄴ, ㄷ　④ ㄴ, ㄹ　⑤ ㄷ, ㄹ

[출제 예감]
08. 다음 중 단어의 형성법이 나머지와 다른 하나는?
① 꽃잎　　② 집안　　③ 덧버선
④ 물난리　⑤ 부엌일

[출제 예감]
09. 〈보기〉의 ⓐ~ⓔ 중, ㉮의 예에 해당하는 것은?

〈 보기 〉
　ⓐ부슬비 내리는 가을 ⓑ저녁의 고독도 알고, ⓒ함박눈 펄펄 날리는 겨울 아침의 고독도 안다. 나무는 파리 움쭉 않은 한여름 ⓓ대낮의 고독도 알고, 별 얼고 돌 우는 동짓달 ⓔ한밤의 고독도 안다.

① ⓐ　　② ⓑ　　③ ⓒ　　④ ⓓ　　⑤ ⓔ

10. 〈보기〉를 참조할 때, 밑줄 친 단어 중 통사적 합성어가 아닌 것은?

〈 보기 〉
　'명사+명사, 관형어+명사, 용언의 어간+보조적 연결 어미+용언, 주어+서술어, 목적어+서술어, 부사어+용언' 등의 꼴에서 확인되는 것처럼 어근과 어근의 연결이 우리말의 일반적인 단어 배열법과 일치하거나, 일반적인 문장 구조에서 확인되는 배열법과 같은 방식으로 이루어진 합성어를 통사적 합성어라고 한다. 그리고 우리말의 일반적인 단어 배열법과 불일치하거나, 어근과 어근의 연결이 국어의 자연스러운 어순이나 결합 방식에 어긋나는 방식으로 이루어진 합성어를 비통사적 합성어라고 한다.

① 새가 하늘을 날아간다.
② 젊은이는 삶을 잘 모른다.
③ 가을 하늘이 저 멀리 높푸르다.
④ 노동으로 점철된 삶이 너무 힘들다.
⑤ 그는 부대를 지휘하며 앞서서 길을 걷는다.

아 ② 파생어

[다가서기]

● 다음 짝을 지은 두 단어를 비교하여 의미나 문법의 측면에서 다른 점이 무엇인지 말해 보자.
　　　　　　　　　　　| 예시 답 |
• 기침: 헛기침
• 바늘: 바느질
• 많다: 많이

• '헛기침'은 '기침'에 '헛−'이라는 접두사가 결합하여 '이유 없는', '보람 없는'이라는 의미를 더하여 '일부러 하는 기침'이라는 점에서 '기침'보다 좁은 의미를 가진다.
• '바느질'은 '바늘'에 '−질'이라는 접미사가 결합하여 '그 도구를 가지고 하는 일'이라는 뜻을 더하였다.
• '많이'는 '많다'에 접미사 '−이'가 붙어 형용사가 부사로 파생되는 문법적 변화가 일어났다.

어근에 파생 접사가 붙어서 만들어진 단어를 파생어라고 한다.
　　　　　　　　파생어의 개념

〈접두사가 붙어서 만들어진 파생어〉　　군침, 새파랗다 ← 접두 파생어

〈접미사가 붙어서 만들어진 파생어〉　　구경꾼, 얼음 ← 접미 파생어

接두사 '개−'
'개살구, 개떡' 등에 쓰인 '개−'는 '야생 상태의' 또는 '질이 떨어지는' 정도의 뜻을 가진 접두사이다.

접두사는 어근의 의미를 제한함으로써 어근과 파생어의 의미에 차이를 만드는 기능을 한다. '헛기침'의 '헛−'이 그러한 예이다. 접미사는 접두사와 마찬가지로 어근의 의미를 제한하기도 하지만 문법적인 변화를 일으키기도 한다. 예를 들어, 명사 '바늘'에 접미사 '−질'이 붙어서 어근과 파생어의 의미 차이가 생기기도 하고, 형용사 '많−'에 접미사 '−이'가 붙어서 부사가 되는 것과 같이 문법적인 변화가 일어나는 예도 있다.
　　　　　　　　　접두사의 기능
　　　　　　　　　접미사의 기능
　어근의 의미를 제한함.
　단어의 품사를 바꿈.
　　　　　　　　　　　　　　　　　　　　　▶접두사와 접미사의 기능

[확인하기]

● 다음 파생어를 대상으로 각 빈칸에 적절한 내용을 채워 보고, 접사의 기능을 확인해 보자.
| 예시 답 |

파생어	파생어의 내부 구조			어근과 파생어의 차이	
	접두사	어근	접미사	뜻	문법
군침	군−	침		공연히 입안에 도는 침.	변화 없음.
치솟다	치−	솟−		위쪽으로 힘차게 솟다.	변화 없음.
나무꾼		나무	−꾼	땔나무를 하는 사람	변화 없음.
사랑스럽다		사랑	−스럽−	생김새나 행동이 사랑을 느낄 만큼의 귀여운 데가 있다.	명사 → 형용사
믿음		믿−	−음	어떤 사실이나 사람을 믿는 마음	동사 → 명사
웃기다		웃−	−기−	웃게 하다.	주동사 → 사동사

관형사와 접두사의 구별

	접두사	관형사
단어의 자격	×(풋고추)	○ (새 책)
분리성	×(*풋 매운 고추)	○ (새 문법 책)
뒷말의 제한성	○(*풋포도)	×(새 옷, 새 시계)
용언과의 어울림	○(덧붙이다)	×(새 책: 체언)

* 비문법적인 표현

■ 파생어
• 파생어란 어근에 파생 접사가 붙어서 만들어진 단어
• 접두 파생어

개념	예
어근의 앞에 접두사가 붙어서 만들어진 파생어	• 군침(군－＋침) → '공연히' 입안에 도는 침이라는 의미로 제한됨. • 새파랗다(새－＋파랗다) → '매우' (파랗다)는 의미를 더함. • 헛기침(헛－＋기침) → '일부러 하는 기침'이라는 의미로 제한됨.('기침'보다 좁은 의미를 지님.) • 치솟다(치－＋솟다) → '위쪽으로 '힘차게' 솟다'라는 의미를 더함. • 개살구(개－＋살구) → '야생 상태의' 혹은 '질이 떨어지는' 살구라는 의미로 제한됨.

• 접미 파생어

개념	예
어근의 뒤에 접미사가 붙어서 만들어진 파생어	• 바느질(바늘＋－질) → 그 도구를 가지고 하는 일이라는 의미를 지님. • 나무꾼(나무＋－꾼) → 그 물건을 해 오는 사람이라는 의미를 지님. • 얼음(얼－＋－음) → 동사를 명사로 파생시킴. • 웃기다(웃－＋－기－＋－다) → 주동사를 사동사로 파생시킴. • 많이(많－＋－이) → 형용사를 부사로 파생시킴. • 사랑스럽다(사랑＋－스럽다) → 명사를 형용사로 파생시킴. • 믿음(믿－＋－(으)ㅁ) → 동사를 명사로 파생시킴.

■ 접두사와 접미사의 기능

접두사	어근의 의미를 제한하여 어근과 파생어의 의미에 차이를 만드는 역할을 함.
접미사	어근의 의미를 제한하거나, 문법적인 변화(품사의 전성)를 일으키는 역할을 함.

11. '어근'에 대한 설명으로 적절하지 <u>않은</u> 것은?
① 접사와 결합하여 파생어를 만든다.
② 다른 어근과 결합하여 합성어를 만든다.
③ 복합어에서 의미의 중심이 되는 부분을 말한다.
④ 접두사와 결합할 때 그 의미가 제한되지 않는다.
⑤ 접미사와 결합할 때 그 의미가 제한되기도 한다.

12. 〈보기〉를 참조할 때 복합어의 성격이 <u>다른</u> 하나는?

〈보기〉
'복합어'에는 어근과 어근의 결합에 의한 합성어와 어근과 접사의 결합에 의한 파생어가 있다.

① 온갖: 온 + 갖
② 부슬비: 부슬 + 비
③ 누비옷: 누비－ + 옷
④ 정들다: 정 + 들다
⑤ 늦추다: 늦－ + －추－ + －다

13. 합성어와 파생어에 대한 설명으로 적절하지 <u>않은</u> 것은?
① 파생어가 되면서 단어의 품사가 바뀌기도 한다.
② 합성어의 품사를 결정하는 것은 맨 앞의 어근이다.
③ 합성어와 파생어는 모두 둘 이상의 형태소로 이루어진다.
④ 파생 접사는 어근의 앞에 붙을 수도 있고 뒤에 붙을 수도 있다.
⑤ 합성어 중에는 국어 단어의 일반적인 배열법을 벗어난 예도 있다.

서술형
14. 다음 과제를 탐구한 내용 중 빈칸에 들어갈 탐구 내용을 서술하시오.

[과제] '어근 + 접미사'의 결합에 의해 파생어가 만들어질 때, 접미사의 기능을 다음의 예를 제시하면서 설명해 보자.

파생어: 주먹질, 높이

[탐구 내용]
• '주먹질'은 어근 '주먹'에 접미사 '－질'이 붙어 좋지 않은 행위에 비하하는 뜻을 더함으로써 어근의 의미를 제한하고 있다.
• '높이'는 _____
_____

자 4 새말 만들기

다가서기

● '시간 여행을 가능하게 해 주는 기계'를 발명했다고 가정하고, 자기 나름대로 멋지게 이름을 지어 보자. 또 그 이름에 대해 설명해 보자.

↳ **예시 답** | 므랍, 시간이동기, 타임머신 등

개념 ⊕

• **신어**: 새로 생겨나서 그다지 시일이 경과되지 않은 새말. 이는 언어 사회의 물질적·사회적 변동에 따라 새로운 개념이 등장하였을 때, 이를 표현해야 할 필요성에 의해서 만들어지거나, 이미 존재하는 개념이라고 하더라도 그것을 표현하던 어휘의 표현력이 감소했을 때 그것을 보강하거나 신선한 맛을 낼 필요성에 의해 만들어짐. 신어는 자국의 조어 방식에 따라 새로 만들어 쓰는 신조어(新造語)와 외국의 말을 빌려 쓰는 차용어(借用語)로 나뉨.

어휘 ⊕

국립국어원에서 선정한 순화어
• 그린슈머 → 녹색 소비자
• 네티즌 → 누리꾼
• 리얼 버라이어티 → 생생예능
• 리플 → 댓글
• 메신저 → 쪽지창
• 뷰파인더 → 보기창
• 스카이라운지 → 하늘쉼터
• 아우라 → 기품
• 언론플레이 → 여론몰이
• 웰빙 → 참살이
• 카메오 → 깜짝출연
• 투잡 → 겹벌이
• 팝업창 → 알림창

사회가 발전함에 따라 새로운 개념과 사물이 생기면 그것을 가리킬 새말이 필요해진다. 【새말이 생성되는 원인】 예를 들어, 시간 여행을 가능하게 해 주는 기계를 새로 만들었다면, 그 기계는 예전에 없던 물건이기 때문에 새로운 이름이 필요하다. ▶새말이 만들어지는 배경

새말은 완전히 새로운 소리를 사용해서 만들 수도 있고, 단어 형성법에 기대어 만들 【새말이 만들어지는 방식 ①】 수도 있다. 그래서 시간 여행을 가능하게 해 주는 기계의 이름을 '므랍'이라고 지을 수도 있고, ㉠'시간이동기'라고 지을 수도 있을 것이다. 전자는 완전히 새로운 소리를 사용해서 만든 것인데, 이름만으로는 무슨 의미인지 잘 드러나지 않는 것이 단점이다. 후 【방식 ①의 단점】 자는 '시간이동'이라는 합성어를 만들고 여기에 기계를 뜻하는 접미사 '-기(機)'를 붙여서 파생어를 만든 것인데, 이 경우에는 흔히 쓰이고 있는 단어들의 의미를 활용한 것이므로 새말의 적절성에 관한 논란이 있을 수 있다는 단점이 있다. 【방식 ②의 단점】 ▶새말이 만들어지는 방식과 새말 만들기의 어려움

새말의 길이가 긴 경우에는 축약(縮約)을 통해 짧게 만드는 경우도 있다. 그릇 하나에 짬뽕과 짜장면을 반씩 담아 먹는 음식을 '짬짜면'이라고 부르는 것도 축약의 예라고 【음절 단위로 축약됨】 할 수 있다. 『외국에서 만들어진 개념이나 사물을 들여오는 경우』에는 외국말을 그대로 『ㄱ: 차용어가 쓰이게 되는 경우』 빌려 쓰는 차용어(借用語)가 활용되기도 한다. '므랍'이나 '시간이동기'와 같은 새말을 만드는 대신 '타임머신'을 쓰는 것이 그런 예이다. ▶축약과 차용어 활용의 예

실제 생활에서 새말을 만들어 쓰는 경우는 새로운 상품, 가게, 동호회 등의 이름에서 흔히 볼 수 있다. 새로운 개념과 사물의 등장에 따라 새말이 생기는 것은 자연스러운 현상이지만, 새말을 아무렇게나 만들거나 무차별적으로 외국어로부터 차용하는 것은 바람직하지 않다. 『새말을 만들 때에는 우리말의 단어 형성법에 맞도록 해야 하고, 차용어는 되도록 우리말로 만들어 쓰는 것이 좋다.』 『ㄴ: 새말을 만들 때의 유의점』 ▶새말을 만들 때의 유의점

확인하기

● 차용어 '텔레비전'을 대신할 새말을 다양하게 만들어 보자.
│ 예시 답 │
• 완전히 새로운 소리로 만들기: '랍므' 등 의미 없는 소리
• 합성어로 만들기: '바보상자', '영상수신기' 등
• 파생어로 만들기: '영상기', '화면기' 등

■ 새말 만들기

• 새말의 형성 배경과 개념

| 배경 | 사회가 발전함에 따라 새로운 개념과 사물이 생기면 그것을 가리킬 새말이 필요해짐. |

↓

| 개념 | 새로 생긴 말 또는 새로 귀화한 외래어를 말하며 '신어', '신조어'라고도 함. |

• 새말을 만드는 방법

방법		예
완전히 새로운 소리를 사용해서 만드는 방법	정착되기 전까지는 이름만으로는 무슨 의미인지 잘 드러나지 않음.	예 므랍
단어 형성법에 기대어 있던 말을 활용해서 만드는 방법	이미 있던 단어들의 의미가 개입하여 이름의 적절성 여부를 둘러싸고 논란이 있을 수 있음.	예 시간이동기, 초시간 여행선
축약을 통해 짧게 만드는 방법	새말의 길이가 긴 경우 짧게 만드는 방법 (※ 영어의 경우 자음과 모음 단위로 축약이 이루어지는 경우가 많고, 우리말에서는 주로 음절 단위로 축약이 이루어짐.)	예 짬짜면(짬뽕-짜장면)
차용어로 만들어지는 방법	외국에서 만들어진 개념이나 사물을 들여올 때 외국말을 그대로 빌려 씀.	예 타임머신(time machine)

■ 새말을 만드는 바람직한 태도

• 차용어가 너무 많아지는 것은 바람직하지 않으므로 가능하면 우리말로 새말을 만들어야 함.

• 새말을 만들 때에는 우리말의 단어 형성법에 맞도록 만들어야 함.

15. 윗글에서 설명한 내용과 거리가 먼 것은?

① 새말의 생성 방식

② 새말이 생성되는 원인

③ 새말을 만들어 쓰는 사례

④ 새말을 만들 때의 유의점

⑤ 새말의 사회·문화적 기능

16. 새말을 만드는 방식이 ㉠과 가장 유사한 것은?

① '몰래카메라'처럼 기존의 단어를 결합시키는 방식

② '물갈이'처럼 기존의 의미를 확장하여 사용하는 방식

③ '도우미'처럼 기존 어근에 파생법을 적용해 만드는 방식

④ '나홀로족'처럼 기존의 단어를 결합시키고 접미사를 붙여 만드는 방식

⑤ '아점(아침과 점심 사이의 식사)'처럼 기존의 단어의 중요 어휘부만 뽑아 만드는 방식

출제 예감

17. 윗글을 읽고 〈보기〉를 이해한 것으로 적절하지 않은 것은?

┌ 보기 ┐
ㄱ. 새벗, 해마루
ㄴ. 핵꿀잼, 댓글
ㄷ. 뇌섹남, 지못미, 핵꿀잼
ㄹ. 리플, 네티즌
└───────┘

① '새벗'과 '해마루'는 우리말의 단어 형성법에 맞지 않는 새말이군.

② '뇌섹남'과 같은 새말은 원래의 말이 지닌 음절을 줄여서 만들었군.

③ '지못미'는 '강퇴(강제 퇴장)'나 '맛저(맛있는 저녁)'와 같은 방법으로 지어진 새말이군.

④ '핵꿀잼'은 한자어와 우리말을 붙여 만든 새말이군.

⑤ '리플', '네티즌' 등은 외국말을 그대로 빌려 쓴 차용어이므로 우리말로 순화하는 것이 좋겠군.

18. 〈보기〉에서 설명한 것과 같은 방식으로 만든 새말에 해당하는 것은? (정답 2개)

┌ 보기 ┐
'맛저'는 '맛있는 저녁'에서 각 어절의 앞 글자만을 따서 축약하여 만든 말이다.
└───────┘

① 베댓   ② 꿀성대   ③ 볼매남

④ 누리꾼   ⑤ 나홀로족

서술형

19. 윗글을 바탕으로 새말을 만들 때 필요한 바람직한 자세를 두 가지로 요약하여 서술하시오.

이해하기

▶ 단어 형성의 기본 개념을 확인하는 활동

1. 단어의 짜임과 관련된 기본 개념을 정리해 보자.

| 예시 답 |

형태소	의미를 가진 가장 작은 말의 단위
어근, 접사	• 어근: 단어의 구성 요소 가운데 실질적인 의미를 나타내는 중심 부분 • 접사: 어근에 붙어 그 뜻을 제한하거나 문법적인 변화를 일으키는 주변 부분
직접 구성 성분	단어를 두 조각으로 한 번만 나누어 나온 구성 요소

✎ 단어의 구성 요소는 어근과 접사이다.

▶ 단어의 체계와 각각의 구성 방식을 확인하는 활동

2. 단어의 짜임과 관련하여 다음 빈칸을 채워 보자.

| 예시 답 |

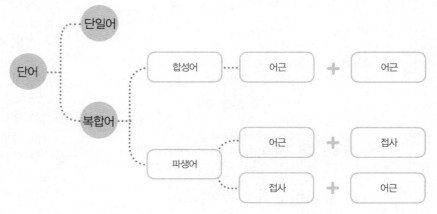

적용하기

▶ 한자어의 형태소 분석을 탐구하는 활동

✎ 의미를 가진 가장 작은 단위를 형태소라고 할 때, '학교'를 형태소라고 할 수 있을지 생각해 본다.

3. 다음 활동을 통해 단어를 구성하고 있는 한자(漢字)를 각각 형태소로 인정할 수 있는지 탐구해 보자.

(1) 다음 단어들을 참고하여 '학교(學校)'라는 단어를 더 작은 단위로 분석할 수 있는지 확인해 보자.

개학(開學)	휴학(休學)	방학(放學)	학원(學院)	면학(勉學)
개교(開校)	휴교(休校)	폐교(廢校)	등교(登校)	하교(下校)

| 예시 답 | 첫 줄에 있는 단어들로부터 '배우다, 공부하다' 정도의 의미를 가진 요소 '학(學)'을 분석할 수 있고, 둘째 줄에 있는 단어들로부터 '배움의 장소' 정도의 의미를 가진 요소 '교(校)'를 분석할 수 있다. 따라서 '학교'는 '학'과 '교'라는 더 작은 단위로 분석이 가능하다.

개념 ⊕

한자와 형태소
'휴(休)'라는 한자를 모르는 경우에도 '휴가, 휴일, 연휴' 등의 단어에서 '휴'가 '쉬다'의 의미인 것을 알 수 있으므로 이때의 '휴'는 하나의 형태소 자격을 가짐.

(2) (1)의 결과를 바탕으로 '학교'를 구성하고 있는 '학(學)'과 '교(校)'를 형태소라고 할 수 있는지 말해 보자.

↳ | 예시 답 | 한자 '학(學)'과 '교(校)'를 알지 못했더라도 (1)에서 본 것과 같이 단어들과의 관계를 통해 '학'과 '교'를 분석할 수 있으며, 분석된 각 요소는 의미를 가진 가장 작은 말의 단위이므로 형태소라고 할 수 있다.

▶ 단어의 직접 구성 성분 분석을 통해 의미의 핵심 요소와 품사 결정 요소를 탐구하는 활동

4. 다음 단어들을 직접 구성 성분으로 분석하고, 분석된 성분 가운데 단어의 품사를 결정하는 것이 무엇인지 탐구해 보자.

ㅣ예시 답ㅣ

단어	직접 구성 성분	의미의 핵심 요소	품사 결정 요소
큰형	큰, 형	큰, 형	형
본받–	본, 받–	본, 받–	받–
굽이치–	굽이, 치–	굽이, 치–	치–
구두닦이	구두, 닦이	구두, 닦이	닦이

ㅣ예시 답ㅣ 의미의 핵심 요소는 어근이 되고, 품사를 결정하는 요소는 항상 단어의 마지막 위치에 온다.

🖐 직접 구성 성분은 단어를 크게 둘로 나누었을 때 나타나는 성분이다.

지학이가 알려 줄게

'닦이'는 '닦'에 명사화 접미사 '–이'가 붙은 명사이기 때문에 의미의 핵심 요소로 볼 수 있어.

▶ 언어 실태를 조사하고 분석해 봄으로써 우리말 가꾸기의 태도를 형성하는 활동

5. 다음은 국립국어원의 「2014년 신어 조사 보고서」의 일부를 보인 것이다. 아래 활동을 통해 새말에 관해 탐구해 보자.

새말	구조	뜻
맛저	맛있는 + 저녁	'맛있는 저녁'을 줄여 이르는 말
베댓	best + 댓글	다른 사람의 추천을 많이 받은 댓글
할빠	할아버지 + 아빠	손주를 직접 양육하는 할아버지

참고 누리집
• 국립국어원
www.korean.go.kr
• 국립국어원 우리말샘
https://opendict.korean.go.kr

(1) 친구들 사이에서 사용되는 새말에 어떤 것이 있는지 찾아서 위 표와 같이 정리해 보자.

ㅣ예시 답ㅣ

새말	구조	뜻
인생템	인생(人生) + item	평생 쓰고 싶을 정도로 자신에게 가장 잘 맞는 물건을 이르는 말
탕진잼	탕진(蕩盡) + 재미(잼)	소소하게 낭비하며 느끼는 재미
어깨 깡패	어깨 + 깡패(–牌)	넓고 탄탄한 어깨를 비유적으로 이르는 말
꿀성대	꿀 + 성대(聲帶)	감미로운 목소리 또는 그런 목소리의 사람을 비유적으로 이르는 말

(2) 위에서 작성한 표를 다른 모둠과 바꾸어 보고, 이러한 신어를 사용하는 것의 장단점에 관해 이야기해 보자.

• 장점: ㅣ예시 답ㅣ 같은 어휘를 사용하는 집단 사람들끼리 사용하면 그만큼 친근감을 느낄 수 있다. 현재에도 새로운 말들이 계속 생기거나 변화형이 생기는 것으로 보아, 국어의 변화가 현재 진행 중임을 알 수 있다.

• 단점: ㅣ예시 답ㅣ 현재는 표준어로 인정받지 못한 말들이며, 그 어휘를 모르는 사람들은 말을 이해하기 어렵다. 국어 어휘에 외국어의 활용 빈도가 높아져 우리말에 대한 훼손이 우려된다.

🗣모둠

(3) 바람직한 언어생활을 위해 새말을 만들 때 유의해야 할 점을 친구들과 이야기해 보자.

ㅣ예시 답ㅣ 새로운 말이 만들어졌을 때, 우리말 단어 형성법에 맞는지 어긋나는지를 먼저 확인하고 차용어를 활용하기보다는 우리말에 그 의미를 가진 말이 있는지 어울리는 말이 있는지를 먼저 생각해야 한다. 규범에 맞게 바른말을 쓰고, 누구나 알 수 있게 쉬운 말로 새말을 만들어 쓰는 것이 바람직한 언어생활에 도움을 줄 수 있다.

개념➕

최근 신어의 생성 양상은 누리 소통망 서비스(SNS)의 폭발적인 사용 증가와 다양한 매체를 통한 의사소통의 증가와 깊은 상관관계가 있는데, 의사소통의 계층이 폭넓어지고 언어의 경제성과 유희성을 추구하는 현실도 신어 증가의 중요한 요인이 되었음.

소단원 출제 포인트

1 형태소와 단어

• **어절**: 띄어 쓰는 단위로, (㉠   ) 단위와 일치함.
• **단어**: 어절을 더 작은 단위로 분석한 것인데, 어절을 자립하여 쓰일 수 있는 부분과 (㉡   )(으)로 분석하였을 때, 분석된 각각을 말함.
• **(㉢   )**: 단어를 더 작은 단위로 분석하였을 때, 의미를 가진 것 가운데 가장 작은 언어 단위

기준	종류	특징
자립성 유무	자립 형태소	• 다른 말의 도움 없이 혼자 쓰일 수 있는 형태소 • 앞뒤에 다른 형태소가 직접 연결되지 않아도 문장에 쓰일 수 있음. • 체언, 수식언, 독립언으로 분류되는 형태소들이 속함.
	의존 형태소	• 반드시 다른 말에 기대어서만 쓰일 수 있는 형태소 • 앞이나 뒤에 적어도 하나의 형태소가 연결되어야만 문장에서 쓰일 수 있음. • 용언의 어간과 어미, 조사, 접사로 분류되는 형태소들이 속함.
의미의 유형	(㉣)	• 실질적인 의미를 가진 형태소 • 체언, 수식언, 독립언, 용언의 어근으로 분류되는 형태소들이 속함.
	형식 형태소	• (㉤)인 의미를 가진 형태소 • 체언이나 용언에 연결되어 문법적 의미를 표시하는 조사나 어미, 그리고 단어 형성에 참여하는 접사 등이 속함.

2 단어의 구조

① 어근과 접사

• **어근**: 단어를 이루는 형태소 가운데 실질적인 의미를 나타내는 중심 부분
• **접사**: 단어를 이루는 형태소 가운데 (㉥   )에 붙어 그 뜻을 제한하는 주변 부분

접두사	어근 앞에 붙는 접사 예 군–(접두사) + 말(어근)
접미사	어근 뒤에 붙는 접사 예 지우–(어근) + –개(접미사)

② 직접 구성 성분

• 단어를 (Ⓐ   ) 번만 나누어 나온 구성 요소
• 직접 구성 성분을 분석함으로써 단어의 뜻을 더 쉽게 해석할 수 있음. 예 놀이터(놀이 + 터), 미끄럼틀(미끄럼 + 틀)

3 단어의 형성

• **단일어**: 하나의 (㉦   )(으)로만 이루어진 단어이다.
• **복합어**: 둘 이상의 어근으로 이루어졌거나 어근과 접사로 이루어진 단어로, 합성어와 파생어가 있다.

① 합성어: 직접 구성 성분이 어근만으로 이루어진, 즉 둘 이상의 실질 형태소가 결합하여 만들어진 단어

통사적 합성어	어근과 어근의 결합이 문장에서와 같은 방식으로 이루어진 것
비통상적 합성어	어근과 어근의 결합이 단어 형성에서만 나타나는 방식으로 이루어진 것

② 파생어: 어근(실질 형태소)에 접사가 결합하여 이루어진 단어

접두 파생어	어근의 앞에 접두사가 붙어서 만들어진 것 → 접두사의 역할: 어근의 의미를 제한하여 어근과 파생어의 의미에 차이를 만듦.
접미 파생어	어근의 뒤에 접미사가 붙어서 만들어진 것 → 접미사의 역할: 어근의 의미를 제한하거나, 문법적인 변화(품사의 전성)를 일으킴.

4 새말 만들기

• **새말의 형성 배경**: 사회가 발전함에 따라 새로운 개념과 사물이 생기면 그것을 가리킬 새말이 필요해짐.
• **새말을 만드는 방법**

완전히 새로운 소리를 사용해서 만드는 방법	정착되기 전까지는 이름만으로는 무슨 의미인지 잘 드러나지 않음.	예 므랍
단어 형성법에 기대어 있던 말을 활용해서 만드는 방법	이미 있던 단어들의 의미가 개입하여 이름의 적절성 여부를 둘러싸고 논란이 있을 수 있음.	예 시간이동기, 초시간 여행선
(㉧)을/를 통해 짧게 만드는 방법	새말의 길이가 긴 경우 짧게 만드는 방법	예 짬짜면(짬뽕–짜장면)
차용어로 만들어지는 방법	외국에서 만들어진 개념이나 사물을 들여올 때 외국말을 그대로 빌려 씀.	예 타임머신 (time machine)

• **새말의 만드는 바람직한 태도**: 우리말 단어 형성법에 맞도록 만들고, (㉨   )보다는 되도록 우리말로 새말을 만들어야 함.

답 ㉠ 띄어쓰기, ㉡ 조사, ㉢ 형태소, ㉣ 실질 형태소, ㉤ 문법적, ㉥ 어근, Ⓐ 한, ㉦ 어근, ㉧ 축약, ㉨ 차용어

소단원 적중 문제

[01-05] 다음 글을 읽고, 물음에 답하시오.

가 ㉠은 띄어쓰기가 된 단위와 칸의 수가 같으므로 빈칸에 들어갈 내용은 '발자국을'과 '나서면'인데, 이처럼 띄어 쓰는 단위를 어절(語節)이라고 한다. ㉡은 ㉠의 어절을 더 작은 단위로 분석한 것인데, '사이로'를 '사이'와 '로'로 분석한 것에 비추어 볼 때 '발자국을'는 '발자국'과 '을'로 분석할 수 있다. 이처럼 어절을 자립하여 쓰일 수 있는 부분과 조사로 분석하였을 때, 분석된 각각을 단어(單語)라고 한다. ㉢은 단어를 다시 더 작은 단위로 분석한 것인데, '찾아'는 '찾-', '-아'로, '나서면'은 '나-', '서-', '-면'으로 분석할 수 있다. ㉢에서와 같이 ⓐ의미를 가진 것 가운데 가장 작은 언어 단위를 형태소(形態素)라고 한다.

꽃 사이로 발자국을 찾아 나서면

㉠ 어절	꽃	사이로		발자국을		찾아		나서면		
㉡ 단어	꽃	사이	로	발자국	을	찾아		나서면		
㉢ 형태소	꽃	사이	로	발	자국	을	찾-	-아	나-	서-	-면

나 형태소 가운데는 다른 말의 도움 없이 혼자 쓰일 수 있는 형태소도 있고, 반드시 다른 말에 기대어서만 쓰일 수 있는 형태소도 있다. 즉, 자립 형태소는 앞뒤에 다른 형태소가 직접 연결되지 않아도 문장에서 쓰일 수 있지만, 의존 형태소는 앞이나 뒤에 적어도 하나의 형태소가 연결되어야만 문장에서 쓰일 수 있다. 체언, 수식언, ⓑ독립언으로 분류되는 형태소들은 자립 형태소이고, 용언의 어간과 어미, 조사, 접사로 분류되는 형태소들은 의존 형태소이다.

형태소는 실질적인 의미를 가진 실질 형태소와 문법적인 의미를 가진 형식 형태소로 분류할 수도 있다. 체언, 수식언, 독립언, 용언의 어근으로 분류되는 형태소는 실질 형태소라 할 수 있고, 체언이나 용언에 연결되어 문법적 의미를 표시하는 조사나 어미, 그리고 단어 형성에 참여하는 접사는 형식 형태소라 할 수 있다. 형식 형태소는 문법적 의미를 나타내므로 문법 형태소라 부르기도 한다.

※ [01-02번] 윗글과 〈보기〉를 바탕으로 다음 물음에 답하시오.

〈 보기 〉

우리 맏아들이 집에 찾아온 날

어절	우리	맏아들이		집에		찾아온				날
단어	우리	맏아들	이	집	에	찾아온				날
형태소	우리	맏-	아들	이	집	에	찾-	-아-	-오-	-ㄴ	날

01 윗글과 〈보기〉를 통해 알 수 있는 내용으로 적절하지 않은 것은?

① 형태소를 이루는 최소의 단위는 음절이다.
② 어간과 어미, 접사는 모두 형태소 단위이다.
③ 형태소는 의미상으로 더 이상 나눌 수 없다.
④ 조사는 하나의 단어이면서 하나의 형태소이다.
⑤ 용언은 어간에 어미가 붙어 하나의 단어가 형성된다.

02 형태소와 단어의 공통점으로 가장 적절한 것은?

① 자립하여 쓸 수 있다.
② 문법적인 의미를 중시한다.
③ 의미를 가진 말의 단위이다.
④ 실질적인 의미를 지니고 있다.
⑤ 의미상으로 더 이상 쪼갤 수 없다.

03 다음 문장의 형태소를 분석한 결과로 적절하지 않은 것은?

영희가 먹은 수박이 매우 달았다.

① '영희', '수박'은 자립 형태소이자 실질 형태소이다.
② '가', '이'는 의존 형태소이자 형식 형태소이다.
③ '매우'는 자립 형태소이자 형식 형태소이다.
④ '먹-', '달-'은 의존 형태소이자 실질 형태소이다.
⑤ '-은', '-았-', '-다'는 의존 형태소이자 형식 형태소이다.

<u>서술형</u> 학습 활동 적용
04 〈질문〉에 대한 〈대답〉을 ⓐ를 고려하여 한 문장으로 서술하시오.

[질문] '휴학(休學)'을 더 작은 단위의 형태소로 분석할 수 있는가?
[대답] ....

소단원 적중 문제

05 다음 문장에서 밑줄 친 부분 중 ⓑ의 기능을 하는 것은?
① 봄에는 <u>진달래</u>가 붉게 피어난다.
② 여름에는 나무들이 <u>푸르게</u> 산을 덮는다.
③ 가을에는 알록달록 단풍이 수를 놓는다.
④ 겨울에는 온 산이 흰 눈으로 <u>가득해진다</u>.
⑤ <u>우와</u>! 한국의 사계절은 정말로 아름답군요.

[06-14] 다음 글을 읽고, 물음에 답하시오.

⑦ 단어를 이루는 형태소 가운데 실질적인 의미를 나타내는 중심 부분을 어근(語根)이라 하고, 어근에 붙어 그 뜻을 제한하는 주변 부분을 접사(接辭)라고 한다. 예를 들어, '군말'의 '말'은 어근이고 '군-'은 접사이며, '지우개'의 '지우-'는 어근이고 '-개'는 접사이다. '군-'처럼 어근 앞에 붙을 때는 접두사라고 하고, '-개'처럼 어근 뒤에 붙을 때는 접미사라고 한다.

④ 한 번만 나누어 나온 구성 요소를 직접 구성 성분이라고 한다. 예를 들어, '놀이터'라는 단어를 직접 구성 성분으로 나누면 '놀이'와 '터'로 분석할 수 있다. '놀이터'의 직접 구성 성분이 '놀이'와 '터'이므로 '놀이터'라는 단어는 어근과 어근이 합쳐져서 만들어진 단어이다.

④ 하나의 어근으로만 이루어진 단어를 단일어(單一語), 둘 이상의 어근으로 이루어졌거나 어근과 접사로 이루어진 단어를 복합어(複合語)라고 한다. 복합어 가운데 직접 구성 성분이 어근만으로 이루어진 단어를 합성어(合成語)라고 하고, 어근에 접사가 결합되어 이루어진 단어를 파생어(派生語)라고 한다.

④ 파생 접사 없이 어근과 어근이 직접 합쳐져서 만들어진 단어를 합성어라고 한다. 이때 '밤낮, 새해, 본받다, 뛰어가다'와 같이 어근과 어근의 결합이 문장에서와 같은 방식으로 이루어진 것을 통사적 합성어, '덮밥, 높푸르다'와 같이 단어 형성에서만 나타나는 방식으로 이루어진 것을 비통사적 합성어라고 한다.

④ 합성어 가운데에는 구(句)와 구별하기 어려운 경우가 있다. 예를 들어, '우리나라, 우리말, 우리글'은 원래 구였던 것이 한 단어로 굳어진 것으로 보아 합성어로 분류하지만, '우리 마을, 우리 집, 우리 아빠, 우리 누나' 등은 여전히 구로 구성된 것으로 분류한다.

④ 어근에 파생 접사가 붙어서 만들어진 단어를 파생어라고 한다.
〈접두사가 붙어서 만들어진 파생어〉 군침, 새파랗다
〈접미사가 붙어서 만들어진 파생어〉 구경꾼, 얼음

[A] 접두사는 어근의 의미를 제한함으로써 어근과 파생어의 의미에 차이를 만드는 기능을 한다. '헛기침'의 '헛-'이 그러한 예이다. 접미사는 접두사와 마찬가지로 어근의 의미를 제한하기도 하지만 문법적인 변화를 일으키기도 한다. 예를 들어, 명사 '바늘'에 접미사 '-질'이 붙어서 어근과 파생어의 의미 차이가 생기기도 하고, 형용사 '많-'에 접미사 '-이'가 붙어서 부사가 되는 것과 같이 문법적인 변화가 일어나는 예도 있다.

06 윗글의 내용과 일치하지 않는 것은?
① 합성어와 파생어는 복합어에 속한다.
② 단어를 이룰 때 어근의 앞에 붙는 접사를 접두사라고 한다.
③ 단어를 한 번만 나누어 나온 구성 요소를 직접 구성 성분이라 한다.
④ 우리말의 합성어 가운데에는 구(句)와 구별하기 어려운 경우가 있다.
⑤ 어근은 단어를 이루는 형태소 가운데 그 뜻을 제한하는 형식적인 의미를 나타낸다.

07 [A]를 참조할 때, 〈보기〉의 ⓐ~ⓔ에 들어갈 예로 적절하지 않은 것은?

> **보기**
> [접두사] • 어근의 의미를 제한함.
>   예 헛기침, (ⓐ)
> [접미사] • 어근의 의미를 제한함.
>   예 바느질, (ⓑ), (ⓒ)
>   • 문법적 변화(품사의 전성)를 일으킴.
>   예 많이, (ⓓ), (ⓔ)

① ⓐ: 덧버선　② ⓑ: 깨뜨리다　③ ⓒ: 높다랗다
④ ⓓ: 나무꾼　⑤ ⓔ: 출렁거리다

08 윗글을 바탕으로 〈보기〉의 ㄱ~ㅁ을 이해한 것으로 적절하지 <u>않은</u> 것은?

─〈 보기 〉─
ㄱ. 새해
ㄴ. 산들바람
ㄷ. 정들다
ㄹ. 접칼
ㅁ. 스며들다

① ㄱ: 어근과 어근이 '용언의 어간＋명사'의 형태로 결합됨으로써 국어의 문장 연결 형태와 일치하지 않으므로 비통사적 합성어에 해당한다.

② ㄴ: 어근과 어근이 '부사＋명사'의 형태로 결합됨으로써 국어의 문장 연결 형태와 일치하지 않으므로 비통사적 합성어에 해당한다.

③ ㄷ: 어근과 어근이 '주어＋서술어'의 형태로 결합됨으로써 국어의 문장 연결 형태와 일치하고 있으므로 통사적 합성어에 해당한다.

④ ㄹ: 어근과 어근이 두 어근을 이어 주는 관형사형 전성 어미가 없이 결합됨으로써 국어의 문장 연결 형태와 일치하지 않으므로 비통사적 합성어에 해당한다.

⑤ ㅁ: 어근과 어근이 두 어근을 이어 주는 보조적 연결 어미에 의해 결합됨으로써 국어의 문장 연결 형태와 일치하고 있으므로 통사적 합성어에 해당한다.

10 〈보기〉에서 선생님이 제시한 과제를 해결한 것으로 적절하지 <u>않은</u> 것은?

─〈 보기 〉─
선생님: '어근'과 '접사'는 단어 형성법에서 사용되는 용어로, 이때 접사는 어근에 붙어 새말을 형성하는 파생 접사로 기능하게 된다. 또 '어간'과 '어미'는 용언의 활용법에서 사용되는 용어로, 문장 속에서 '어간 ＋ 어미'의 형태로 활용된다. 또 '어근'에는 품사가 분명한 규칙적 어근과 품사가 분명하지 않은 불규칙적 어근이 있다. 이를 참조하여 다음 단어를 분석해 보도록 하자.

[과제]
씻기다, 사랑하다, 깨끗하다

• '사랑하다'의 어근은 '사랑'이며, 어간은 '사랑하-'이다.
 ·· ㉠
• '사랑'은 규칙적 어근이며, '깨끗'은 불규칙적 어근이다.
 ·· ㉡
• '깨끗하다'는 문장 속에서 '깨끗-＋-하다'의 형태로 활용된다.
 ·· ㉢
• '씻기다'의 '-기-'는 용언의 어근 '씻-'에 붙은 파생 접사이다.
 ·· ㉣
• '사랑하다'는 어근에 파생 접사 '-하-'가 결합되어 형성된 단어이다.
 ·· ㉤

① ㉠   ② ㉡   ③ ㉢   ④ ㉣   ⑤ ㉤

09 〈보기〉를 참조하여 합성어와 파생어가 만들어질 때의 형태소 결합 방식을 서술하시오.

[합성어] 높-＋푸르다 → 높푸르다
[파생어] 먹-＋-히-＋-다 → 먹히다

----

11 윗글을 바탕으로 합성어와 구에 대해 설명한 것으로 적절하지 <u>않은</u> 것은?

① 합성어는 한 단어이고 구는 두 단어 이상이다.

② 합성어도 구와 같이 앞의 어근이 뒤의 어근을 꾸며 주는 경우가 있다.

③ '돌아가다'가 '죽다'의 의미라면 구이고, '돌아서 가다'의 의미라면 합성어로 보아야 한다.

④ '우리글'은 '우리'와 '글'의 뜻이 각각 나타나기보다 '한글'을 이르는 말로 쓰이므로 합성어로 보아야 한다.

⑤ '뜯어먹다'가 '남의 재물 따위를 졸라서 얻거나 억지로 빼앗아 가지다.'의 의미로 쓰였을 때는 합성어로 보아야 한다.

서술형

12 복합어를 직접 구성 성분으로 분석할 때 합성어와 파생어의 차이를 조건에 맞게 설명하시오.

〈 조건 〉
· '합성어는 ~ 단어이고, 파생어는 ~ 단어이다.'의 형태로 서술할 것.
· 대등하게 연결된 이어진문장으로 서술할 것.

수능형

13 ⓐ~ⓒ에 들어갈 수 있는 예가 바르게 짝지어진 것은?

〈 보기 〉
　　합성어는 의미에 따라 대등 합성어, 종속 합성어, 융합 합성어로 나누기도 한다. '앞뒤, (ⓐ)'는 어근이 대등하게 본래의 뜻을 유지하며 이루어진 대등 합성어이다. '손수건, (ⓑ)'는 한쪽의 어근이 다른 한쪽의 어근을 수식하며 이루어진 종속 합성어이다. '(ⓒ), 춘추(春秋)'는 어근들이 완전히 하나로 융합하여 원래 각각의 어근이 가진 의미를 잃고 새로운 의미를 나타내는 융합 합성어이다.

	ⓐ	ⓑ	ⓒ
①	뛰놀다	나가다	밤낮
②	길바닥	이슬비	가다가다
③	들고나다	돌다리	덮밥
④	우짖다	뛰놀다	들고나다
⑤	등산	굶주리다	손아래

고난도

14 윗글과 관련된 〈보기〉의 설명을 읽고 그 예를 조사하였다. 이 중, '지배적 접사'에 의해 품사가 바뀐 단어로만 묶인 것은?

〈 보기 〉
　　'접사'에는 어근의 의미를 제한하는 한정적 접사와, 품사를 바꾸어 문법적 변화를 일으키는 지배적 접사가 있다.

① 놀이, 덮개, 학생답다, 많이
② 모가지, 벌이, 밟히다, 교통로
③ 풋사랑, 짜임새, 선생님, 낚시질
④ 맨손, 짜임새, 지우개, 깨뜨리다
⑤ 가난뱅이, 출렁거리다, 까맣다, 마주

15 다음 중 접두사가 결합하여 만들어진 단어에 해당하는 것은?

① 믿음　　　　　　② 웃기다
③ 나무꾼　　　　　④ 치솟다
⑤ 사랑스럽다

16 다음 중 우리말 단어의 형성에 관한 설명으로 적절하지 <u>않은</u> 것은?

① 단일어는 하나의 어근으로 이루어져 있다.
② 합성어에는 두 개 이상의 어근이 있어야 한다.
③ 파생어는 어근에 접사가 결합하여 만들어진 단어이다.
④ 접두사는 어근의 의미를 제한하면서 문장 성분의 변화를 일으킨다.
⑤ 단어가 생성될 때 어근과 어근 사이에 다른 요소가 들어갈 수도 있다.

17 다음 단어 중 형성된 성격이 <u>다른</u> 것은?

① 군밤　　　　　　② 군말
③ 군불　　　　　　④ 군식구
⑤ 군더더기

[18~21] 다음 글을 읽고, 물음에 답하시오.

㉮ 사회가 발전함에 따라 새로운 개념과 사물이 생기면 그것을 가리킬 새말이 필요해진다. 예를 들어, 시간 여행을 가능하게 해 주는 기계를 새로 만들었다면, 그 기계는 예전에 없던 물건이기 때문에 새로운 이름이 필요하다.

㉯ 새말은 완전히 새로운 소리를 사용해서 만들 수도 있고, 단어 형성법에 기대어 만들 수도 있다. 그래서 시간 여행을 가능하게 해 주는 기계의 이름을 '므랍'이라고 지을 수도 있고, '시간이동기'라고 지을 수도 있을 것이다. 전자는 완전히 새로운 소리를 사용해서 만든 것인데, 이름만으로는 무슨 의미인지 잘 드러나지 않는 것이 단점이다. 후자는 '시간이동'이라는 합성어를 만들고 여기에 기계를 뜻하는 접미사 '-기(機)'를 붙여서 파생어를 만든 것인데, 이 경우에는 흔히 쓰이고 있는 단어들의 의미를 활용한 것이므로 새말의 적절성에 관한 논란이 있을 수 있다는 단점이 있다.

㉰ 새말의 길이가 긴 경우에는 축약(縮約)을 통해 짧게 만드는 경우도 있다. 그릇 하나에 짬뽕과 짜장면을 반씩 담아 먹는 음식을 '짬짜면'이라고 부르는 것도 축약의 예라고 할 수 있다. 외국에서 만들어진 개념이나 사물을 들여오는 경우에는 외국말을 그대로 빌려 쓰는 차용어(借用語)가 활용되기도 한다. '므랍'이나 '시간이동기'와 같은 새말을 만드는 대신 '타임머신'을 쓰는 것이 그런 예이다.

㉱ 실제 생활에서 새말을 만들어 쓰는 경우는 새로운 상품, 가게, 동호회 등의 이름에서 흔히 볼 수 있다. 새로운 개념과 사물의 등장에 따라 새말이 생기는 것은 자연스러운 현상이지만, 새말을 아무렇게나 만들거나 무차별적으로 외국어로부터 차용하는 것은 바람직하지 않다. 새말을 만들 때에는 우리말의 단어 형성법에 맞도록 해야 하고, 차용어는 되도록 우리말로 만들어 쓰는 것이 좋다.

18 윗글을 읽고 알 수 있는 내용으로 적절하지 <u>않은</u> 것은?

① 동호회 등의 이름을 지을 때 새말이 만들어진다.
② 새로운 개념과 사물의 출현을 통해 새말이 형성된다.
③ 새로운 상품명이나 가게 이름에서 새말을 발견할 수 있다.
④ 사회 발전에 따라 새말이 생기는 것은 자연스러운 현상이다.
⑤ 새말을 만들 때 외국말을 그대로 빌려 쓰는 차용어가 활용되어야 한다.

19 〈보기〉의 ㉯과 같은 원리에 의해 만들어진 말로 가장 적절한 것은?

┌─ 보기 ┐

새말 만들기 원리
[명사] + 값 = ㉮ [명사]가 갖는 가치, 가격
            ㉯ [명사]의 행위 결과 발생한 가격

└────────┘

① 책값   ② 겹값   ③ 나잇값
④ 외상값   ⑤ 담뱃값

20 〈보기〉의 예를 보고 보일 수 있는 반응으로 적절하지 <u>않은</u> 것은?

┌─ 보기 ┐

• 베프: 베스트 프렌드 / • 포샵: 포토샵
• 엄친아: 엄마 친구 아들.
• 댓글: '대답하다'의 '대'와 글이 결합한 말, '리플'의 순화어
• 누리꾼: '네티즌'의 순화어. '누리'와 '꾼'이 결합한 말.
• 엄지족: '엄지'와 '족'(부족, 무리)이 결합한 말.
• 알파걸: 남성을 능가하는 능력을 가진 엘리트 여성. 하버드대 교수인 댄 킨들러의 『새로운 여자의 탄생-알파걸』에서 처음 정의된 말.

└────────┘

① 현재 국어의 변화가 빠르게 진행되고 있군.
② 누구나 쉽게 알 수 있는 새말을 만들어 써야 하겠군.
③ 국어의 통사적 합성법에 어긋나게 만들어진 새말도 있군.
④ 외국어의 활용 빈도가 높아져 우리말의 훼손이 우려되는군.
⑤ 차용어를 우리말로 바꾸어 쓰려는 노력이 전혀 보이지 않는군.

<u>서술형</u>
21 〈보기〉와 같은 새말이 만들어진 방식을 설명하시오.

┌─ 보기 ┐

나홀로족

└────────┘

{3}

단어의 의미 관계와 어휘 사용

소단원 학습 포인트
- 단어의 의미 관계 탐구하기
- 적절한 어휘 사용에 활용하기

다의어와 동음이의어

다의어	동음이의어
• 원래부터 하나의 단어	• 기원이 다른 둘 이상의 단어
• 의미적 유연성이 있음.	• 의미적 유연성이 없음.

사전적 의미
글자 그대로 사전에 등재된 의미이다. 뜻이 하나인 단어의 경우에는, 그 뜻이 곧 사전적 의미이며 중심적 의미이다. 다의어의 경우에는 중심적 의미와 주변적 의미가 모두 사전적 의미이다.

개념 ➕
중심적 의미와 사전적 의미
중심적 의미와 사전적 의미는 서로 다른 개념이다. 앞서 단어의 중심적 의미가 확장되면 주변적 의미가 된다고 하였다. 그런데 주변적 의미가 자주 사용되어 사전에 등재될 정도이면 이러한 주변적 의미도 사전적 의미에 포함된다. 반면에 함축적 의미는 일반적으로 사전에 실리지 않는다.

144 Ⅱ. 국어의 탐구와 활용

가 말과 글을 이해하려면 단어의 의미를 정확히 알 필요가 있다. 단어의 의미를 정확하게 이해하게 되면 맥락에 따라 어휘를 적절하게 활용할 수 있으며, 단어 간의 관계를 논리적으로 이해할 수 있다. 이러한 이해는 적절하고 창의적인 국어 생활에 도움이 된다.
▶단어의 의미 관계 탐구와 적절한 어휘 사용의 필요성

나 **1** 단어 의미의 유형

┌─ **다가서기** ──────────────────────────┐

● 다음은 '들다'라는 단어의 다양한 의미이다. 각 의미에 알맞은 짧은 문장을 만들어 보자.

| 예시 답 |

㉠ 밖에서 속이나 안으로 향해 가거나 오거나 하다.
↳ 숲속에 드니 공기가 훨씬 맑았다.

㉡ 방이나 집 따위에 있거나 거처를 정해 머무르게 되다.
↳ 하숙집에 든 지도 벌써 삼 년이 지났다.

㉢ 수면을 취하기 위한 장소에 가거나 오다.
↳ 그는 자리에 들어서도 책을 보았다.

㉣ 어떤 일이나 기상 현상이 일어나다.
↳ 올해도 풍년이 들었다.

㉤ 나이가 많아지다.
↳ 그는 요즘 부쩍 나이가 많이 들어 보인다.

㉥ 버릇이나 습관이 몸에 배다.
↳ 좋은 생활 습관이 들면 자기 발전에 도움이 된다.

㉦ 식물의 뿌리나 열매가 속이 단단한 상태가 되다.
↳ 벼의 알이 알차게 들었다.

└──────────────────────────────────────┘

일반적으로 하나의 단어가 여러 개의 의미로 쓰이는 경우가 많다. 예를 들어 '들다'라는 동사처럼 일상에서 자주 사용하는 말들은 여러 가지 상황에서 다양한 의미로 사용된다. 이처럼 여러 개의 의미를 지니고 있는 단어를 **다의어(多義語)**라고 하는데, 다의어의
_{다의어의 개념}
의미는 **중심적 의미와 주변적 의미**로 나뉜다. '들다'의 경우 ㉠의 '밖에서 속이나 안으로
_{다의어의 의미 구분}
향해 가거나 오거나 하다.'는 가장 기본적이고 핵심적인 의미이므로 중심적 의미라고
하며, 그 밖(㉡~㉦)은 중심적 의미가 확장된 의미이므로 주변적 의미라고 한다.
_{중심적 의미의 개념}   _{주변적 의미의 개념}   ▶다의어의 개념과 중심적 의미, 주변적 의미의 구분

어떤 단어가 지니고 있는 가장 기본적이고 객관적인 의미를 **사전적(辭典的) 의미**라
_{사전적 의미의 개념}   _{설명문이나 논설문과 같은 논리적인 글에서 흔히 사용됨.}
고 하고, 사전적 의미에 덧붙여서 연상이나 관습 등에 의하여 형성되는 의미를 **함축적**
_{함축적 의미의 개념}
(含蓄的) 의미라고 한다.

• 산(山) ┌─ 사전적 의미: 평지보다 높이 솟아 있는 땅의 부분.
        └─ 함축적 의미: 고향에 대한 그리움, 진취적인 기상, 삶의 고난과 역경 등

특히 시와 같은 문학 작품의 경우, 주로 함축적 의미에 의지하여 작품을 창작하거나 감상하곤 한다.
▶사전적 의미와 함축적 의미

데 한편 우리는 사람들이 하는 말만 듣고도 그 사람의 출신 지역, 사회적 지위, 교양 수준 등을 알 수가 있다. 이렇게 말이 그것을 사용하는 사람의 사회적 환경과 관련되는 의미를 전달할 때 이를 사회적(社會的) 의미라고 한다. 여러 단어 가운데 어떤 단어를 선택하느냐에 따라 이러한 사회적 의미가 달라질 수 있다.

(위 첨자: 말하는 이의 사회적 환경 / 사회적 의미의 개념)

▶사회적 의미

핵심 다지기

■ **다의어의 의미 구분**
• 다의어: 일반적으로 하나의 단어에는 여러 개의 의미가 결합되는 경우가 많은데, 이처럼 여러 개의 의미를 지닌 단어
• 다의어의 의미 구분

중심적 의미	가장 기본적이고 핵심적인 의미
주변적 의미	중심적 의미가 확장된 의미

※ 동음이의어(同音異議語): 동음이의어는 다의어와 달리, 소리는 같으나 의미의 유연성이 전혀 없는 단어로, 이는 국어사전에도 독립된 표제어로 올림.

• 다의어에서 중심적 의미와 주변적 의미는 모두 사전에 등재된 사전적 의미임.

■ **사전적 의미**
• 사전에 등재된 의미로, 어떤 낱말이 지니고 있는 가장 기본적이고 객관적인 의미로, 지시적 의미라고도 함.

■ **함축적 의미**
• 사전적 의미에 덧붙어서 연상이나 관습 등에 의하여 형성되는 의미임.
• 연상적 의미, 내포적 의미라고도 함.
• 특히 시와 같은 문학 작품의 경우, 주로 함축적 의미에 의지하여 작품을 창작하거나 감상함.

■ **사회적 의미**
• 말을 사용하는 사람의 사회적 환경, 즉 출신 지역, 사회적 지위, 교양 수준 등과 관련되는 의미임.
• 여러 단어들 가운데 어떤 단어를 선택하느냐에 따라 사회적 의미가 달라질 수 있음.

문제로 확인

정답과 해설 019쪽

출제 예감

01. 〈보기〉는 사전에 등재된 내용이다. 이에 대한 설명으로 적절하지 않은 것은?

┌─〈보기〉─────────────────
손⁰¹ [명사]
　1. 사람의 팔목 끝에 달린 부분.
　2. 손가락(손끝의 다섯 개로 갈라진 부분).
　3. 일손.

손⁰² [명사]
　1. 다른 곳에서 찾아온 사람.
　2. 여관이나 음식점 따위의 영업하는 장소에 찾아온 사람.
　3. 지나가다가 잠시 들른 사람.
└──────────────────────

① '손⁰¹'과 '손⁰²'는 동음이의어 관계에 있다.
② '손⁰¹'-1, 2, 3은 의미적 유연성이 존재한다.
③ '손⁰²'-1, 2, 3은 '손⁰¹'에서 확장된 의미이다.
④ '손⁰¹'과 '손⁰²'는 각각 세 가지의 의미를 지닌 다의어이다.
⑤ '손⁰¹'-1은 중심적 의미이며, '손⁰¹'-2, 3은 주변적 의미이다.

출제 예감

02. 다음 밑줄 친 단어가 중심적 의미로 사용된 것은?

① 결혼식장에서 방명록에 이름을 <u>썼다</u>.
② 그녀는 직접 노래도 부르고 곡도 <u>쓴다</u>.
③ 그는 요즘 다큐멘터리 소설을 <u>쓰고</u> 있다.
④ 대학에 들어가려면 대학 입학 원서를 <u>써야</u> 한다.
⑤ 자신이 생각한 바를 정확하게 <u>쓰는</u> 것이 중요하다.

서술형
03. 다의어와 동음이의어의 차이를 의미적 유연성의 측면에서 한 문장으로 서술하시오.

라 또한 우리는 자신의 심리적 상태나 상대에 대한 감정 등을 표현하기 위하여 같은 단
<u>정서적 의미에서 주로 드러나는 것</u>
어라도 다양한 어조를 실어서 말을 할 때도 있다. 예를 들어, 화자가 "여보세요."라는
<u>억양</u>
말을 했을 때 심리 상태에 따라 그 어조 등이 달라지기 때문에 청자는 화자가 '기분이
<u>화자의 정서나 심리를 표현함.</u>
좋지 않구나.', '무엇인가 아쉬운 것이 있나 보다.' 등의 느낌, 즉 정서적(情緒的) 의미를

읽어 낼 수 있다.   ▶정서적 의미

마 그 밖에 주제적(主題的) 의미와 반사적(反射的) 의미도 있다. 주제적 의미는 화자가
<u>서로 반대되는 개념이 아님을 주의해야 함.</u>
특별히 드러내고자 하는 의미로, 어순을 바꾸거나 특정 부분을 강조하여 발음함으로써
<u>의도를 나타내는</u>   <u>주제적 의미를 드러내는 방법</u>
드러낸다. 반사적 의미는 어떤 말을 사용할 때 그 말의 원래 뜻과는 아무런 관계없이
<u>같은 표현이 사람들의 반응에 따라 달리 전달되는 의미</u>
나타나는 특정한 의미이다. 예를 들어, '한송이(韓松伊)'라는 이름은 원래의 뜻과 관계
없이 꽃과 관련된 의미, 긍정적 의미를 불러일으키게 된다.   ▶주제적 의미와 반사적 의미
<u>특징 의미</u>

확인하기

● 신체 부위를 가리키는 단어 가운데에는 다의어가 많다. '머리'라는 단어를 활용하여 이를 확인
해 보자.

(1) '머리'의 중심적 의미는 무엇인지 말해 보자.
Ⅰ예시 답Ⅰ 사람이나 동물의 목 위의 부분. 눈, 코, 입 따위가 있는 얼굴을 포함하며 머리털이 있는 부분을 이른다.

(2) '머리'의 주변적 의미로 무엇이 있는지 말해 보자.
Ⅰ예시 답Ⅰ 생각하고 판단하는 능력, 한자에서 글자의 윗부분에 있는 부수, 단체의 우두머리, 사물의 앞이나 위, 일의
시작이나 처음, 어떤 때가 시작될 무렵, 한쪽 옆이나 가장자리, 일의 한 차례나 한 판, 음표 머리 등이 있다.

(3) 국어사전에서 '머리'를 찾아서 다양한 의미를 확인하고, (1), (2)에서 자신이 생각한 의미
와 비교해 보자. <mark>지학이가 알려 줄게</mark>
국어 사전에는 중심적 의미와 주변적 의미가 모두 실려 있으니까, 각자 생각해 보았던 의미
와 비교해 보자!

● 다음 단어들의 사전적 의미와 함축적 의미를 비교해 보자.

엄마, 어머니, 어머님, 모친

Ⅰ예시 답Ⅰ 위의 단어들은 모두 '자기를 낳아 준 여자'를 이르거나 부르
는 말로 사전적 의미는 동일하다. 그러나 단어에서 느껴지는 친근함이
나 거리감 등의 함축적 의미가 서로 다르다. 예를 들어, '엄마'는 매우
친근하고 포근한 느낌이 들지만, 모친은 '엄마'라는 말에 비해서 그러한
함축적 의미가 덜하다.

바 **2 단어 간의 의미 관계**

① 유의 관계

다가서기

● 다음 문장에서 밑줄 친 단어 대신 쓸 수 있는 단어를 써 보자.
• 나는 그 사람의 소식을 <u>가끔</u> 듣는다. Ⅰ예시 답Ⅰ 더러, 이따금, 간혹, 때로, 간간이
• 이불 위에 놓인 수가 참 <u>곱다</u>. Ⅰ예시 답Ⅰ 예쁘다, 아름답다

우리말은 말소리는 다르지만 의미가 서로 비슷한 유의어(類義語)가
<u>유의어의 개념</u>
풍부한 편이다. 이러한 단어들을 서로 유의 관계(類義關係)에 있다고
<u>유의어들이 이르는 의미 관계</u>
말한다. 유의 관계는 두 개 이상의 단어들이 무리를 이루고 있는 경우
가 많다.   ▶유의어와 유의 관계의 개념과 예

왼쪽 여백 내용:

⚲ "나는 너를 사랑해."라고 말하는 것과
"나는 사랑해, 너를."이라고 말하는 것은
차이가 있다. 두 번째 문장의 경우 다른
사람이 아닌 '너를' 사랑한다는 주제적 의
미가 드러난다.

어휘➕

'엄마' 사전적 의미
• 엄마: 어린아이의 말로, 어머니를 이르
거나 부르는 말.
• 어머니: 자기를 낳아 준 여자를 이르거
나 부르는 말.
• 어머님: 어머니의 높임말.
• 모친: 어머니를 정중히 이르는 말.

⚲ 유의 관계에 있는 두 단어의 의미 차이
를 파악하기 위해서는 우선 같은 문장 안
에 유의어들을 차례로 넣어 그 의미를 비
교해 보는 것이 좋다.

때로   간간이
드문드문   더러
이따금   간혹
왕왕   가끔   혹간

■ 정서적 의미

개념	말하는 이의 감정이나 심리가 반영된 의미
특징	화자의 심리적 상태에 따라 말의 어조, 세기 등이 달라질 수 있고, 이에 따라 전달되는 의미의 차이가 나타남.

■ 주제적 의미

개념	화자가 특별히 드러내고자 하는 의도가 반영된 의미
특징	어순을 바꾸거나 특정 부분을 강조하여 발음함으로써 드러냄. 예 '그는 가난하지만 행복하다.' → '그는 행복하지만 가난하다.' 어순을 바꿈으로써 '가난함'을 더 강조하려는 화자의 의도, 즉 주제를 효과적으로 드러냄.

■ 반사적 의미

• 어떤 말을 사용할 때 그 말의 원래 뜻과는 아무런 관계없이 나타나는 특정한 의미
　예 '한송이(韓松伊)'라는 이름은 원래의 뜻과 관계없이 꽃과 관련된 특정한 의미, 즉 긍정적 의미를 불러일으킴.

■ 유의 관계

• 유의어: 말소리는 다르지만 의미가 서로 비슷한 단어들의 관계로, 유의 관계에 있는 단어
• 유의 관계는 두 개 이상의 단어들이 무리를 이루고 있는 경우가 많음.
　예 가끔-더러-이따금-드문드문-때로-간혹-혹간-간간이-왕왕

보충자료

우리말에 유의어가 발달한 이유
• 고유어와 함께 한자어나 외래어가 함께 사용됨.
　예 가락-선율(旋律)-멜로디(melody) / 아내-처-와이프
• 높임법이 발달되어 있음.
　예 나-저-본인-이 사람 / 이름-성명-존함-함자
• 감각어가 발달되어 있음.
　예 노랗다-노릇하다-노르께하다-노르스름하다-노르무레하다
• 국어 순화의 영향으로 새말이 생성됨.
　예 고수부지-둔치 / 페이지-쪽 / 삼각형-세모꼴
• 금기어에 대해 완곡어가 생성됨.
　예 죽다-돌아가다 / 변소-화장실, 뒷간, 해우소

04. 윗글을 참조할 때, 〈보기〉의 ㄱ~ㅁ에 해당하는 의미를 이해한 것으로 적절하지 않은 것은?

〈보기〉
ㄱ. 컴컴할 머리에 겨우 중심사에 당도하였다.
ㄴ. 4층에 사는 것을 싫어하는 사람이 참 많아요.
ㄷ. (인상을 찌푸리며) "계집이라니요? 말 삼가세요."
ㄹ. (냉소적 어조로) "시원하시겠네요! 하시고 싶은 말 다 하셔서."
ㅁ. 분명히 말하는데 이번에는 절대로 당신한테 양보하지 않을 겁니다.

① ㄱ에서 '머리'는 신체의 일부를 지칭하는 의미로 사용되고 있으므로 사전적 의미에 해당한다.
② ㄴ에서 '4층'은 원래의 뜻과 상관없이 부정적인 의미를 떠올리게 하고 있으므로 반사적 의미에 해당한다.
③ ㄷ에서 오늘날 '계집'은 여자를 낮잡아 이르는 말로 쓰이고 있으므로 사회적 의미에 해당한다.
④ ㄹ에서 '시원하시겠네요!'라는 말은 음성적 변조를 통해 비꼼의 의미를 드러내고 있으므로 정서적 의미에 해당한다.
⑤ ㅁ에서 '절대로'라는 말을 강조하여 발음함으로써 화자의 의도가 특별히 드러나고 있으므로 주제적 의미에 해당한다.

05. 다음 '다리'의 의미 관계로 가장 적절한 것은?

• 산을 넘어 왔더니 다리가 아프다.
• 딸이 좋아하는 개가 다리를 다쳤다.
• 책상이 너무 낡아 다리가 부러졌다

① 유의 관계　　② 다의 관계　　③ 반의 관계
④ 상하 관계　　⑤ 동음이의 관계

06. 〈보기〉의 밑줄 친 부분과 관련된 유의 관계로 볼 수 있는 것은?

〈보기〉
　우리말은 유의어가 발달되어 있다. 그 이유는 다양한 고유어의 쓰임과 함께 한자어나 외래어가 많이 사용되고 있으며, 높임법과 감각어가 발달되어 있기 때문이다. 또 국어 순화의 영향으로 새말이 만들어지거나 <u>금기어에 대해 완곡어가 만들어져 사용되는 것</u>도 그 원인으로 볼 수 있다.

① 모발 : 헤어　　　　　② 어머니 : 모친
③ 쥐 : 서생원　　　　　④ 뛰다 : 달리다
⑤ 푸르다 : 푸르스름하다

개념 ➕

하나의 단어에 여러 개의 단어들이 대립
하는 경우
• 뛰다 ↔
 (철수가) 걷다 / (땅값이) 내리다
• 열다 ↔
 (서랍을) 닫다 / (수도꼭지를) 잠그다 /
 (자물쇠를) 채우다
• 벗다 ↔
 (옷을) 입다 / (모자, 안경을) 쓰다 /
 (신발, 양말을) 신다 / (장갑을) 끼다

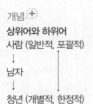

지학이가 알려 줄게

'총각: 처녀'의 반의 관계를 알기 쉽게 보여줘.
총각: [+성인][−결혼]
　　　[+인간][+남성]　｝한 개의 의미
처녀: [+성인][−결혼]　요소만 다름.
　　　[+인간][−남성]
···→ 반의 관계가 성립됨.

(사) ② 반의 관계

[다가서기]

● 다음 단어들을 '낮'과 '밤'처럼 의미가 대립되도록 짝을 지어 보고, 의미의 차이를 일으키는 요소가 무엇인지 말해 보자.

> 아저씨　총각　아주머니　처녀

| 예시 답 | 아저씨 : 아주머니, 총각 : 처녀 − 성별 차이

둘 이상의 단어가 의미상 서로 짝을 이루어 대립하는 경우를 **반의 관계(反義關係)**라
　　　　　　　　　　　　　반의 관계의 개념　　　　　　　　　　　　　　　　　반의어들이 서로 갖는 의미 관계
고 하며, 이러한 관계에 있는 단어들을 **반의어(反義語)**라고 한다. ㉠ 반의 관계에 있는
두 단어는『오직 한 개의 의미 요소만 다르고 나머지 요소들은 모두 공통된다.』예를 들
　　　　　　　　『 』 의미 자질 분석이 유용함. 두 가지 이상의 요소(자질)가 대립되면 반의 관계가 될 수 없음.
어, '총각 : 처녀'는 '미혼'이고 '성인'이라는 의미 요소를 공통으로 가지고 있으면서 '성
별'에서만 대립을 이루기 때문에 반의 관계인 반면, '총각'과 '아주머니'는 '성별' 이외에
'결혼' 여부에서도 대립을 이루기 때문에 반의 관계가 아니다.

　　• <u>작</u>은 것부터 <u>큰</u> 것이 이루어진다.　　• 여기에 집을 지으려면 <u>아래</u>보다는 <u>위</u>가 좋다.
　　　　　　　　　　　　　　　　　　　　　　　　　　　　　　　　　▶반의 관계와 반의어의 개념과 예

(아) ③ 상하 관계

[다가서기]

● 다음 단어들의 의미 관계를 고려하여 빈칸에 적절한 단어들을 채워 보자.
| 예시 답 |

직업	공무원	대통령, 시장, 경찰, ……
	작가	시인, 소설가, 화가, 작곡가, 극작가, ……
	연예인	가수, 개그맨, 영화 배우, ……

개념 ➕

상위어와 하위어
사람 (일반적, 포괄적)
　↓
남자
　↓
청년 (개별적, 한정적)

한쪽이 <u>의미상 다른 쪽을 포함하거나 다른 쪽에 포함되는</u> 의미 관계를 **상하 관계(上
　　　　　　상위어　　　　　　　　　　　하위어　　　　　　　　상위어와 하위어가 이루는 의미 관계
下關係)**라고 한다. 이때 포함하는 단어가 **상위어(上位語)**, 포함되는 단어가 **하위어(下位
語)**이다. 예를 들어, '직업'과 '작가'에서는 '직업'이 상위어이고 '작가'가 하위어이며, '작
가'와 '시인'에서는 '작가'가 상위어이고 '시인'이 하위어이다. 상하 관계를 형성하는 단어
들은 상위어일수록 일반적이고 포괄적인 의미를 지니며, 하위어일수록 **개별적이고 한**
　　　　　　　　　　　　　　　　　　　단어를 이루는 의미 요소가 적음. 예 남자: 사람, 남성
정적인 의미를 지닌다.
단어를 이루는 의미 요소가 많아짐. 예 총각: 사람, 남성, 성인, 미혼　　　▶상하 관계의 개념과 상위어, 하위어의 개념 및 특징

[확인하기]

● 단어 간의 유의 관계와 반의 관계를 고려하여 밑줄 친 단어 대신 쓸 수 있는 말을 찾아보자.

> 그 사람은 마음 씀씀이가 참 <u>예쁘다</u>.

| 예시 답 | • 유의 관계: 아름답다, 곱다
　　　　　　• 반의 관계: 고약하다, 밉다

● 다음 빈칸에 들어갈 적절한 단어를 찾아보자.
| 예시 답 |

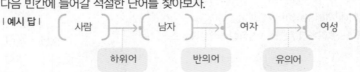

■ 반의 관계

• 반의어: 반의 관계에 있는 단어들
• 반의 관계: 둘 이상의 단어에서 의미가 서로 짝을 이루어 대립하는 단어들의 의미 관계
• 반의 관계에 있는 두 단어는 오직 한개의 의미 요소만 다르고 나머지 요소들은 모두 공통됨.

> 예 총각: [+성인][+미혼][+인간][+남성]
> 처녀: [+성인][+미혼][+인간][−남성]
> 아주머니: [+성인][−미혼][+인간][−남성]

↓

> • '총각'과 '처녀'는 '성(性)'이라는 단 한 개의 의미 요소(자질)만 다르므로 반의 관계로 볼 수 있음.
> • '총각'과 '아주머니'는 '성(性)'과 '혼인 여부' 두 개의 의미 요소가 다르므로 반의 관계로 볼 수 없음.

※ 단어의 의미 자질(요소) 분석을 통해 두 단어 사이의 반의 관계를 확인할 수 있음.
• 다의어의 경우 여러 개의 단어와 반의 관계를 형성하기 때문에 문맥에 따라 적절한 반의어를 선택할 수 있어야 함.

예	뛰다	↔	(철수가) 걷다 / (물가가) 내리다 / (심장이) 멈추다
	열다	↔	(문을) 닫다 / (입을) 다물다 / (자물쇠를) 잠그다
	벗다	↔	(옷을) 입다 / (모자를) 쓰다 / (안경을) 끼다

■ 상하 관계

• 한쪽이 의미상 다른 쪽을 포함하거나 다른 쪽에 포함되는 의미 관계

| 상위어 | 포함하는 단어 |
| 하위어 | 포함되는 단어 |

• 상하 관계와 상위어·하위어

| 일반적, 포괄적 의미 | | 개별적, 한정적 의미 |
| 상위어 ← | 상하 관계를 형성하는 단어들 | → 하위어 |

• 상위어는 단어를 이루는 의미 요소(자질)가 적고, 하위어는 단어를 이루는 의미 요소(자질)이 많아짐.
  예 직업: 작가 → '직업'이 상위어이고, '작가'가 하위어임.
  작가: 시인 → '작가'가 상위어이고, '시인'이 하위어임.
→ 상하 관계에서 상하(上下)는 상대적 개념인데, 예로 '작가'는 '직업'의 하위어이면서 '시인'의 상위어가 되는 것을 들 수 있음.
• 상위어가 가지고 있는 특성은 하위어는 자동적으로 가짐.

07. 윗글에서 설명한 내용이 <u>아닌</u> 것은?
① 단어들의 다양한 의미 유형
② 상의어와 하의어의 의미 범위
③ 반의 관계와 상하 관계의 개념
④ 반의어가 성립할 수 있는 요건
⑤ 의미를 중심으로 한 단어들의 관계

08. ㉠을 고려할 때, 〈보기〉의 의미 자질과 가장 유사한 것은?

〈보기〉

단어 / 의미 요소	총각	처녀
[인간]	+	+
[남성]	+	−
[성인]	+	+
[젊음]	+	+
[결혼]	−	−

① 교사 : 학생   ② 기혼 : 미혼   ③ 주인 : 손님
④ 소년 : 소녀   ⑤ 부모 : 자식

출제 예감

09. 윗글을 참조할 때, 〈보기〉의 ⓐ와 ⓑ의 의미 관계와 가장 유사한 것은?

〈보기〉
시(詩)는 ⓐ소설이나 수필과 같은 산문으로 쓰인 ⓑ문학과 달리 자연이나 인생에 대하여 일어나는 감흥과 사상 따위를 함축적이고 운율적인 언어로 표현한 글로, 음악적 요소와 회화적인 이미지를 통해 독자의 상상력을 자극하여 깊은 감명을 던져 주는 것을 목적으로 한다.

① 자두 : 과일   ② 접경 : 경계   ③ 팽창 : 수축
④ 자동차 : 엔진   ⑤ 철학 : 사회학

10. 윗글을 읽고 다음 빈칸에 들어갈 말을 쓰시오.

➡ 제시된 상하 관계의 예를 통해 상위어와 하위어는 (   )인 개념임을 알 수 있다.

이해하기

▶단어의 의미와 관련된 핵심 개념을 확인하는 활동

1. 다음 용어에 알맞은 설명을 찾아 연결해 보자.

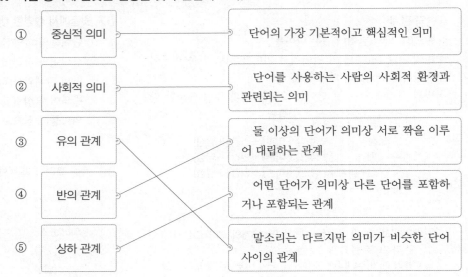

적용하기

▶유의어의 정확한 의미를 변별하는 활동

2. 다음 각 문장의 괄호 안에 '벌써'와 '이미'를 넣어서 자연스러운 문장이 되는지 점검해 보고, 이를 바탕으로 두 단어의 의미 차이가 무엇인지 말해 보자.

| 예시 답 |

점검 대상 문장	벌써	이미
상점의 문은 (　　　) 닫혀 있었다.	○	○
많은 사람들이 (　　　) 집으로 돌아갔다.	○	○
그 친구도 (　　　) 어린아이가 아니다.	(○)	○
(　　　) 일어서려고?	○	×

지학이가 알려 줄게

'벌써'가 이 문장에서 어색할 수 있는데?
※ 국립국어원 답변: '벌써'를 '이미 오래 전에'의 의미로 쓴다면 '그 친구는 벌써 어린아이가 아니다.'와 같이 쓸 수도 있습니다. 다만, 이 표현보다는 '그 친구는 이미 어린아이가 아니다.'라는 표현이 더 자연스럽습니다. 두 표현 모두 문법적으로 문제는 없습니다.

| **예시 답** | 두 단어 모두 '다 끝나거나 지난 일'을 가리키는 의미가 있지만 '벌써'는 '예상보다 빠르게 어느새'라는 의미도 있다.

▶반의 관계의 특성을 탐구하는 활동

3. 다음 활동을 통해 반의 관계에 대해 탐구해 보자.

(1) 하나의 단어에 여러 개의 단어들이 의미상 대립하는 경우도 있다. 다음 단어들의 반의어를 둘 이상씩 찾아보자.

| 예시 답 |

⚝ 단어의 의미가 여럿인 경우 그 의미에 따라 반의어가 달라지므로, 구체적인 예문을 만들고 그 예문 속에서 반의어를 생각해 본다.

가다 ─ 오다, 서다, 멈추다, (모임에) 빠지다

벗다 ─ 입다, 끼다, 신다, 쓰다, (책임을) 지다

(2) (1)의 결과를 바탕으로 반의어가 여러 개 존재하는 이유를 말해 보자.

↳ | **예시 답** | 한 단어가 다양한 의미를 가지고 있으면 그 다양한 의미 각각에 대해 반의어가 존재하기 때문이다.

4. 다음 활동을 통해 단어 의미의 확대에 관해 탐구해 보자.

(1) 아래의 각 문장에서 단어 '손'의 의미를 찾아보고, 중심적 의미와 주변적 의미로 나누어 보자.

> ㉠ 할머니는 손자의 손에 용돈을 쥐어 주었다.
> ㉡ 그 일을 다 하려니 손이 부족하다.
> ㉢ 마을 사람들의 손을 빌리지 않고는 가을걷이를 할 수가 없다.
> ㉣ 일의 성패는 네 손에 달려 있다.
> ㉤ 그 사람들 손에 놀아나지 않도록 조심해야 한다.

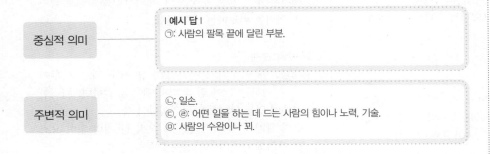

중심적 의미	| 예시 답 | ㉠: 사람의 팔목 끝에 달린 부분.

주변적 의미	㉡: 일손. ㉢, ㉣: 어떤 일을 하는 데 드는 사람의 힘이나 노력, 기술. ㉤: 사람의 수완이나 꾀.

(2) (1)의 결과를 바탕으로 '손'의 의미가 확대되는 과정에 관해 설명해 보자.

\| 예시 답 \| 신체의 일부를 나타내는 기본적인 의미에서 손을 주로 사용하는 영역의 일들에까지 점점 추상화되는 과정을 밟고 있다.

5. '집'이라는 단어를 대상으로 유의 관계, 반의 관계, 상하 관계에 있는 단어들을 다양하게 연상하여 써 보자.

\| 예시 답 \|

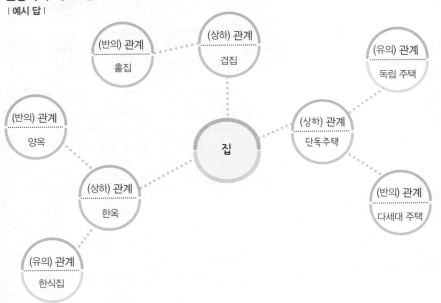

---

᠔ 신체의 일부인 '손'의 의미로부터 조금씩 의미가 추상화되는 상황을 고려한다.

개념 ⊕
표제어를 통한 이해

> 달다⁰¹
> 1. 물건을 일정한 곳에 걸거나 매어 놓다.
> 2. 물건을 일정한 곳에 붙이다.
> 3. 어떤 기기를 설치하다.
>
> 달다⁰²
> 1. 꿀이나 설탕의 맛과 같다.
> 2. 입맛이 당기도록 맛이 있다.
> 3. 흡족하여 기분이 좋다.

· 표제어 '달다⁰¹'과 '달다⁰²'는 각각 의미의 유연성이 깊은 세 개의 의미를 지닌 '다의어'임.
· 표제어 '달다⁰¹'과 '달다⁰²'의 1번은 중심적 의미, 2, 3번은 주변적 의미임.
· 표제어 '달다⁰¹'과 '달다⁰²'는 음은 같으나 의미의 유연성이 전혀 없는 '동음이의어'임.

개념 ⊕
· **유의 관계**: 단어들이 서로 비슷한 뜻을 가지고 있는 경우
· **반의 관계**: 단어들이 서로 대립되는 의미를 가지는 경우
· **상하 관계**: 어느 한 단어가 다른 단어의 의미에 포함되는 경우

소단원 출제 포인트

① 단어 의미의 유형

• 다의어의 의미 구분
다의어는 두 가지 이상의 뜻을 가진 단어로, 의미적 (㉠　　)을/를 지니고 있음.

중심적 의미	단어의 가장 기본적이고 핵심적인 의미 예 '다리': 사람이나 짐승의 몸통 아래에 붙어서 몸을 받치며 서거나 걷거나 뛰게 하는 부분
주변적 의미	단어의 중심적 의미가 확장된 의미 예 '책상 다리', '지겟다리'의 '다리': 물건의 하체 부분

[보충 자료]

동음이의어

소리는 같으나 뜻이 다른 단어를 동음이의어(同音異議語)라고 한다. 동음이의어는 다의어와 달리 어휘들 사이에 아무런 의미상의 연관이 존재하지 않는다.
예 손(手) : 손(孫) : 손(客)
→ 손(手)과 손(孫), 그리고 손(客) 사이에는 의미상의 관련이 전혀 없음.

• 사전적 의미와 함축적 의미

사전적 의미	단어가 지니고 있는 가장 (㉡　　)적이고 객관적인 의미 예 '산': 평지보다 높이 솟아 있는 땅의 부분.
(㉢　　) 의미	단어의 사전적 의미에 덧붙어서 연상이나 관습 등에 의하여 형성되는 의미 예 '산': 고향에 대한 그리움, 진취적인 기상, 삶의 고난과 역경 등

• 사회적 의미
말이 그것을 사용하는 사람의 사회적 (㉣　　)와/과 관련되는 의미를 전달하는 단어의 의미

• 정서적 의미
말하는 이의 심리나 감정이 반영된 의미이다. 어조나 세기 등이 달라질 수 있고, 이에 따라 전달되는 의미의 차이가 나타날 수 있음.

• 주제적 의미와 반사적 의미

주제적 의미	화자가 특별히 의도를 드러내고자 하는 의미로, 어순을 바꾸거나 특정 부분을 강조하여 발음하기도 함.
(㉤　　) 의미	어떤 말을 사용할 때 그 말의 원래 뜻과는 아무런 관계없이 나타나는 특정한 의미로, 같은 표현이 사람들의 반응에 따라 달리 전달될 수 있음.

② 단어 간의 의미 관계

① 유의 관계
• 개념: 말소리는 다르지만 의미가 서로 비슷한 (㉥　　) 간의 관계
• 유의 관계는 두 개 이상의 단어들이 무리를 이루는 경우가 많음.
　예 가끔–더러–이따금–드문드문–때로–간혹–혹간–간간이–왕왕
• 유의 관계에 있는 두 단어의 의미 차이를 파악하기 위해서는 우선 같은 문장 안에 유의어들을 차례로 넣어 그 의미를 비교하는 것이 좋음.

② 반의 관계
• 개념: 둘 이상의 단어가 의미상 서로 짝을 이루어 (㉦　　)하는 단어 간의 의미 관계를 말하며, 이러한 관계에 있는 단어들을 반의어라고 함.
• 반의 관계에 있는 두 단어는 오직 한 개의 의미 요소만 다르고 나머지 요소들은 모두 공통됨.
　예 총각 : 처녀 → '성별' 대립. 반의 관계(○)
　　총각 : 아주머니 → '성별', '결혼 여부' 대립. 반의 관계(×)
• 다의어의 경우 여러 개의 단어와 반의 관계를 형성하기 때문에 문맥에 따라 적절한 반의어를 선택해야 함.
　예 '뛰다' ↔ (철수가) 걷다 / (물가가) 내리다 / (심장이) 멈추다
　　'열다' ↔ (문을) 닫다 / (입을) 다물다 / (자물쇠를) 잠그다
　　'벗다' ↔ (옷을) 입다 / (모자를) 쓰다 / (안경을) 끼다

③ 상하 관계
• 개념: 한쪽이 의미상 다른 쪽을 포함하거나 다른 쪽에 포함되는 의미 관계

상위어	• 상하 관계에서 포함하는 단어 • 상위어일수록 일반적이고 포괄적인 의미를 지님.
하위어	• 상하 관계에서 포함되는 단어 • 하위어일수록 개별적이고 (㉧　　)적인 의미를 지님.

→ 상위어는 단어를 이루는 의미 요소가 적고, 하위어는 단어를 이루는 의미 요소가 많아짐.
• 상하 관계에서 상하(上下)는 (㉨　　) 개념임.
　예 직업–작가–시인: '작가'는 '직업'의 하위어이면서 '시인'의 상위어임.
• 상위어가 가지는 특성은 하위어도 자동적으로 가짐.

답 ㉠ 유연성, ㉡ 기본, ㉢ 함축적, ㉣ 환경, ㉤ 반사적, ㉥ 유의어, ㉦ 대립, ㉧ 한정, ㉨ 상대적

소단원 적중 문제

[01-05] 다음 글을 읽고, 물음에 답하시오.

가 말과 글을 이해하려면 단어의 의미를 정확히 알 필요가 있다. 단어의 의미를 정확하게 이해하게 되면 맥락에 따라 어휘를 적절하게 활용할 수 있으며, 단어 간의 관계를 논리적으로 이해할 수 있다. 이러한 이해는 적절하고 창의적인 국어 생활에 도움이 된다.

나 일반적으로 하나의 단어가 여러 개의 의미로 쓰이는 경우가 많다. 예를 들어 '들다'라는 동사처럼 일상에서 자주 사용하는 말들은 여러 가지 상황에서 다양한 의미로 사용된다. 이처럼 여러 개의 의미를 지니고 있는 단어를 다의어(多義語)라고 하는데, 다의어의 의미는 ㉠중심적 의미와 주변적 의미로 나뉜다. '들다'의 경우 '밖에서 속이나 안으로 향해 가거나 오거나 하다.'는 가장 기본적이고 핵심적인 의미이므로 중심적 의미라고 하며, 그 밖은 중심적 의미가 확장된 의미이므로 주변적 의미라고 한다.

다 어떤 단어가 지니고 있는 가장 기본적이고 객관적인 의미를 ㉡사전적(辭典的) 의미라고 하고, 사전적 의미에 덧붙어서 연상이나 관습 등에 의하여 형성되는 의미를 함축적(含蓄的) 의미라고 한다. 특히 시와 같은 문학 작품의 경우, 주로 함축적 의미에 의지하여 작품을 창작하거나 감상하곤 한다.

라 한편 우리는 사람들이 하는 말만 듣고도 그 사람의 출신 지역, 사회적 지위, 교양 수준 등을 알 수가 있다. 이렇게 말이 그것을 사용하는 사람의 사회적 환경과 관련되는 의미를 전달할 때 이를 사회적(社會的) 의미라고 한다. 여러 단어 가운데 어떤 단어를 선택하느냐에 따라 이러한 사회적 의미가 달라질 수 있다.

마 또한 우리는 자신의 심리적 상태나 상대에 대한 감정 등을 표현하기 위하여 같은 단어라도 다양한 어조를 실어서 말을 할 때도 있다. 예를 들어, 화자가 "여보세요."라는 말을 했을 때 심리 상태에 따라 그 어조 등이 달라지기 때문에 청자는 화자가 '기분이 좋지 않구나.', '무엇인가 아쉬운 것이 있나 보다.' 등의 느낌, 즉 정서적(情緖的) 의미를 읽어 낼 수 있다.

바 그 밖에 주제적(主題的) 의미와 반사적(反射的) 의미도 있다. 주제적 의미는 화자가 특별히 드러내고자 하는 의미로, 어순을 바꾸거나 특정 부분을 강조하여 발음함으로써 드러낸다. 반사적 의미는 어떤 말을 사용할 때 그 말의 원래 뜻과는 아무런 관계없이 나타나는 특정한 의미이다. 예를 들어, '한송이(韓松伊)'라는 이름은 원래의 뜻과 관계없이 꽃과 관련된 의미, 긍정적 의미를 불러일으키게 된다.

01 윗글의 내용과 일치하지 **않는** 것은?
① 함축적 의미는 연상이나 관습 등에 의해 형성된다.
② 다의어는 여러 개의 의미를 지니고 있는 단어이다.
③ 중심적 의미가 확장된 의미를 주변적 의미라고 한다.
④ 정서적 의미는 화자의 정서나 심리가 반영된 의미이다.
⑤ 주제적 의미는 청자의 뜻이 더 강조되어 반영된 의미이다.

02 다음 밑줄 친 단어 중 ㉠으로 사용된 것은?
① 그녀는 마음을 독하게 먹었다.
② 이 고기에는 칼이 잘 먹지 않는다.
③ 그는 개가 짖는 소리에 겁을 먹었다.
④ 체육 대회에서 우리 반이 일 등을 먹었다.
⑤ 점심시간에 엄마가 싸 준 도시락을 먹었다.

<u>수능형</u>
03 윗글을 참조하여 〈보기〉를 이해한 것으로 적절하지 **않은** 것은?

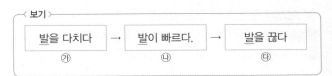

① ㉮의 '발'은 중심적 의미이며, ㉯와 ㉰의 '발'은 주변적 의미이다.
② ㉮~㉰에 나타난 '발'의 문맥적 의미로 볼 때, '발'은 다의어에 해당한다.
③ '장지문에 발[簾]이 걸려 있다.'의 '발'은, ㉮의 '발'과 동음이의어의 관계에 있다.
④ ㉮의 '발'의 의미는, ㉯와 ㉰에서 비유에 의해 함축성을 지니면서 그 범위가 확장되고 있다.
⑤ ㉮~㉰에 나타난 '발'의 쓰임을 볼 때, 중심적 의미와 주변적 의미는 일대일의 대응 관계를 이루고 있다.

04 다음 밑줄 친 단어 중 ㉡의 예로 적절한 것은?
① 내 죽으면 한 개 <u>바위</u>가 되리라.
② 물 먹은 별이 반짝, 보석처럼 박힌다.
③ 갓 피어난 연꽃잎에 <u>이슬</u>이 맺혀 있다.
④ 사랑만이 <u>겨울</u>을 이기고 봄을 기다릴 줄 안다.
⑤ 나무는 제자리에 선 채로 흘러가는 천 년의 <u>강물</u>이다.

05 〈보기〉에서 '엄마'가 '혜은'의 말에서 파악한 의미로 적절한 것은?

〈보기〉

혜은: 다녀왔습니다.
엄마: 학교에서 무슨 일 있었니?
혜은: 아니에요.
엄마: 그런데 목소리가 왜 그러니?

① 주변적 의미　　　　② 사전적 의미
③ 함축적 의미　　　　④ 정서적 의미
⑤ 반사적 의미

[06-10] 다음 글을 읽고, 물음에 답하시오.

㉮ 우리말은 말소리는 다르지만 의미가 서로 비슷한 유의어(類義語)가 풍부한 편이다. 이러한 단어들을 서로 유의 관계(類義關係)에 있다고 말한다. 유의 관계는 두 개 이상의 단어들이 무리를 이루고 있는 경우가 많다.

㉯ 둘 이상의 단어가 의미상 서로 짝을 이루어 대립하는 경우를 반의 관계(反義關係)라고 하며, 이러한 관계에 있는 단어들을 반의어(反義語)라고 한다. 반의 관계에 있는 두 단어는 오직 한 개의 의미 요소만 다르고 나머지 요소들은 모두 공통된다. 예를 들어, '총각 : 처녀'는 '미혼'이고 '성인'이라는 의미 요소를 공통으로 가지고 있으면서 '성별'에서만 대립을 이루기 때문에 반의 관계인 반면, '총각'과 '아주머니'는 '성별' 이외에 '결혼' 여부에서도 대립을 이루기 때문에 반의 관계가 아니다.

㉰ 한쪽이 의미상 다른 쪽을 포함하거나 다른 쪽에 포함되는 의미 관계를 상하 관계(上下關係)라고 한다. 이때 포함하는 단어가 상위어(上位語), 포함되는 단어가 하위어(下位語)이다. 예를 들어, '직업'과 '작가'에서는 '직업'이 상위어이고 '작가'가 하위어이며, '작가'와 '시인'에서는 '작가'가 상위어이고 '시인'이 하위어이다. 상하 관계를 형성하는 단어들은 상위어일수록 일반적이고 포괄적인 의미를 지니며, 하위어일수록 개별적이고 한정적인 의미를 지닌다.

06 윗글을 통해 알 수 있는 내용을 〈보기〉와 같이 정리할 때, 적절한 것을 모두 고른 것은?

〈보기〉

· 유의 관계
　㉠ 유의 관계는 두 개 이상의 단어들이 무리를 이루고 있는 경우가 많다.
　㉡ 우리말은 말소리가 달라도 그 의미는 서로 비슷한 유의어가 풍부한 편이다.
· 반의 관계
　㉢ 반의어는 의미의 자질 분석을 통해 그 관계를 확인할 수 있다.
· 상하 관계
　㉣ 상위어는 하위어에 비해 단어를 이루는 의미 요소가 많다.

① ㉠, ㉡　　　② ㉠, ㉢　　　③ ㉡, ㉣
④ ㉠, ㉡, ㉢　　　⑤ ㉡, ㉢, ㉣

<u>수능형</u>
07 윗글을 참조할 때, 유의어와 반의어가 짝지어진 것으로 적절하지 **않은** 것은?

	단어	유의어	반의어
①	(마음을) 담다	나타내다	덜다
②	(시계가) 가다	작동하다	서다
③	(기계가) 서다	멈추다	가다
④	(물가가) 뛰다	오르다	내리다
⑤	(기가) 죽다	시들다	살아나다

08 〈보기〉의 ⓐ~ⓔ 중 적절하지 **않은** 것은?

〈보기〉

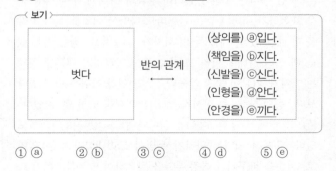

① ⓐ　　② ⓑ　　③ ⓒ　　④ ⓓ　　⑤ ⓔ

<u>서술형</u>
09 다음 ㉮와 ㉯의 단어 간의 관계를 한 문장으로 설명하시오.

㉮ 요리하다 : 데치다　　㉯ 자동차 : 엔진

10 윗글을 바탕으로 반의 관계에 대해 탐구한 내용으로 가장 적절한 것은?

① '총각'과 '처녀'가 반의 관계가 성립하는 것은 다른 의미 요소는 모두 공통되고 '성별' 요소만 다르기 때문이다.

② '형'과 '여동생'이 반의 관계가 성립하는 것은 다른 의미 요소는 모두 공통되고 '서열' 요소만 다르기 때문이다.

③ '넓다'와 '짧다'가 반의 관계가 성립하는 것은 다른 의미 요소는 모두 공통되고 '길이' 요소만 다르기 때문이다.

④ '손녀'와 '할아버지'가 반의 관계가 성립하는 것은 다른 의미 요소는 모두 공통되고 '나이' 요소만 다르기 때문이다.

⑤ '아주머니'와 '총각'이 반의 관계가 성립하는 것은 다른 의미 요소는 모두 공통되고 '성별'과 '나이' 요소가 다르기 때문이다.

11 단어의 유의 관계를 고려할 때 밑줄 친 단어를 괄호 안의 단어로 바꾸어 쓸 수 없는 것은?

① 그녀는 키가 작은(적은) 편이다.

② 그녀는 목소리가 참 맑다(깨끗하다).

③ 그녀는 늘(언제나) 우리 집에 놀러 왔다.

④ 그녀는 넉넉한(부유한) 집에서 태어났다.

⑤ 그녀는 바이올린에 재미(흥미)를 느꼈다.

12 〈보기〉의 단어와 관련된 의미 관계를 설명한 것으로 적절하지 않은 것은?

┌─ 보기 ─────────────────────────┐
집⁰¹「명사」

1 사람이나 동물이 추위, 더위, 비바람 따위를 막고 그 속에 들어 살기 이하여 지은 건물.

2 가정을 이루고 생활하는 집안.

3 칼, 벼루, 총 따위를 끼거나 담아 둘 수 있게 만든 것.
└────────────────────────────────┘

① '집'은 다의어로서, **1**은 중심적 의미이고, **2**와 **3**은 주변적 의미이다.

② '사옥(舍屋)'은 '집' **1**의 의미와 유의 관계에 있는 말이다.

③ '한옥'과 '아파트'는 '집' **1**의 의미와 상하 관계에 있는 말이다.

④ "그녀는 가난한 집 딸이었다."에서 '집'은 중심적 의미로 쓰였다.

⑤ "칼을 잘 닦은 후 집에 넣어 보관해라."에서 '집'은 **3**의 의미로 쓰였다.

13 〈보기〉의 과제를 수행한 것으로 적절하지 않은 것은?

┌─ 보기 ─────────────────────────┐
[과제] '가다'가 들어간 예문을 찾아 쓰고, 그 문장에 사용된 '가다'의 유의어와 반의어를 정리하시오.
└────────────────────────────────┘

	예문	유의어	반의어
①	액자가 왼쪽으로 좀 간 것 같다.	편벽되다	올바르다
②	전깃불이 가서 들어오지 않는다.	꺼지다	켜지다
③	저 시계는 가는 거야, 마는 거야?	작동하다	멈추다
④	작심삼일이라고 며칠이나 가겠니?	유지하다	변하다
⑤	아버지는 아침 일찍 서울에 가셨다.	이동하다	머무르다

14 〈보기 1〉과 〈보기 2〉를 참고할 때, ⓐ와 ⓑ를 활용한 설명으로 적절하지 않은 것은?

┌─ 보기1 ─────────────────────────┐
일반적으로 하나의 단어가 여러 개의 의미로 쓰이는 경우가 많다. 예를 들어 '들다'라는 동사처럼 일상에서 자주 사용하는 말들은 여러 가지 상황에서 다양한 의미로 사용된다. 이처럼 여러 개의 의미를 지니고 있는 단어를 ⓐ다의어(多義語)라고 하는데, 다의어의 의미는 중심적 의미와 주변적 의미로 나뉜다.
└────────────────────────────────┘

┌─ 보기2 ─────────────────────────┐
소리는 같으나 뜻이 다른 단어를 ⓑ동음이의어(同音異義語)라고 한다.
└────────────────────────────────┘

① '눈이 내린다', '눈이 빨갛다'에서 '눈'은 의미 연관성이 없는 동음이의어이다.

② '쏘다'는 '한 마디 톡 쏘다'와 '대포를 쏘다'의 경우, 관련성이 있으면서 의미의 차이가 있으니 다의어이다.

③ '감다'는 '머리를 감다'와 '눈을 감다'에서 발음은 같지만, 의미가 다르므로 동음이의어이다.

④ '밀다'는 '등을 슬쩍 밀다'에서는 힘을 주어 움직이게 한다는 뜻이고, '김 후보를 밀다'에서는 지지한다는 뜻이므로 동음이의어이다.

⑤ '귀'는 '사람의 귀'를 지칭할 때와 '거울의 한 귀가 깨지다'에서 '모가 난 물건의 모서리'를 의미하는 '귀'가 있으니 다의어이다.

[01-04] 다음 글을 읽고, 물음에 답하시오.

㉮ 성질이 공통된 단어들끼리 모아 갈래를 지은 것을 품사(品詞)라고 한다. 품사는 형태, 기능, 의미의 세 기준에 따라 분류된다.

㉯ 첫째, 단어는 형태 기준에 따라 형태가 변하지 않는 불변어와 형태가 변하는 가변어로 분류된다. '손, 우리, 매우' 등의 단어는 형태가 변하지 않으므로 불변어에 속하고, '먹-, 예쁘-' 등은 '먹고/먹으니/먹으면, 예쁘고/예뻐서/예쁜'과 같이 형태가 변하므로 가변어에 속한다.

㉰ 둘째, 단어는 기능 기준에 따라 주로 주어, 목적어, 보어 등으로 쓰이는 체언, 서술어로 쓰이는 용언, 다른 성분을 수식하는 수식언, 여러 성분 사이의 관계를 나타내주는 관계언, 독립적으로 쓰이는 독립언으로 나뉜다.

㉱ 셋째, 단어는 의미 기준에 따라 비슷한 특성을 가진 것끼리 분류된다. 의미 기준에 따라 대상의 이름을 나타내는 명사, 명사를 대신하여 쓰이는 대명사, 대상의 수량이나 순서를 나타내는 수사, 대상의 움직임을 나타내는 동사, 대상의 성질이나 상태를 나타내는 형용사, 주로 체언을 수식하는 관형사, 주로 용언이나 관형사, 다른 부사 등을 수식하는 부사, 주로 체언에 붙어 다른 성분과의 관계를 나타내는 조사, 말하는 사람의 놀람이나 느낌, 부름 등을 나타내는 감탄사로 나뉜다.

㉲ 문장에서 주로 주어가 되는 자리에 오며, 때로는 목적어나 보어가 되는 자리에도 오는 부류의 단어들을 체언(體言)이라고 한다. 이들은 조사와 결합할 수 있으며 일반적으로 형태의 변화가 없다. 체언에는 명사(名詞), 대명사(代名詞), 수사(數詞)의 세 가지가 있다. 명사는 체언 중에서 가장 일반적인 부류로서, 구체적인 대상의 이름이라는 점에서 다른 체언과 구별된다. 대명사는 명사를 대신하여 대상을 가리킬 때 쓰이는 체언이고, 수사는 사물의 수량이나 순서를 가리킬 때 쓰이는 체언이다.

㉳ 명사 중 어떤 속성을 지닌 대상들에 두루 쓰이는 이름을 보통 명사라고 하고, 특정한 하나의 개체를 다른 개체와 구별하기 위해 붙인 이름을 고유 명사라고 한다. 대표적으로 인명, 지역명, 상호 등이 고유 명사에 속한다.
• "순이야, 방에 들어가서 오빠 좀 깨워라."

또한 혼자서 자립적으로 쓰일 수 있는 명사를 자립 명사라고 하고, 반드시 그 앞에 꾸미는 말, 즉 관형어가 있어야만 쓰일 수 있는 명사를 의존 명사라고 한다.

01 윗글의 내용과 일치하지 않는 것은?
① 품사는 그 의미에 따라 아홉 가지로 나뉜다.
② 조사는 문장에 쓰인 단어들의 관계를 나타낸다.
③ 단어의 형태가 바뀌는 품사는 동사와 형용사이다.
④ 명사는 나타내는 대상의 범위에 따라 분류할 수 있다.
⑤ 관형사와 대명사는 다른 성분을 수식하는 역할을 한다.

<u>수능형</u>
02 윗글을 바탕으로 〈보기〉의 밑줄 친 말을 이해한 것으로 적절하지 않은 것은?

┌ 보기 ┐
ㄱ. 그는 몹시 화가 나 있다.
ㄴ. 바람이 세차게 불고 있다.
ㄷ. 여름이 되니 날씨가 덥다.
ㄹ. 어머나! 이게 얼마만이니?
ㅁ. 나는 그녀에게 말을 걸었다.
└─────────────────────┘

① ㄱ의 '몹시'는 불변어이다.
② ㄴ의 '바람'은 그 기능상 체언에 속한다.
③ ㄷ의 '덥다'는 주어를 서술하는 품사이다.
④ ㄹ의 '어머나'는 다른 성분에 얽매이지 않는다.
⑤ ㅁ의 '에게'는 문장 속에서 형태 변화가 일어난다.

<u>고난도</u>
03 윗글을 읽고 〈보기〉에 나타난 단어들을 그 기능에 따라 분류할 때, 적절하지 않은 것은?

┌ 보기 ┐
아, 어느덧 가을이 왔다. 파릇한 나뭇잎이 서서히 마른 잎으로 변해 간다.
└─────────────────────┘

	분류	용례
①	체언	가을, 나뭇잎, 잎
②	용언	왔다, 변해, 간다
③	수식언	어느덧, 파릇한, 서서히, 마른
④	독립언	아
⑤	관계언	이, 으로

04 다음 ㉠과 ㉡의 밑줄 친 단어의 품사 차이를 설명하시오.

> (ㄱ) ㉠ 주는 <u>만큼</u> 받아 온다.
> ㉡ 나도 당신<u>만큼</u> 할 수 있다.
> (ㄴ) ㉠ 이 환자는 <u>정서적으로</u> 불안하다.
> ㉡ 의사와 환자는 <u>정서적</u> 교감이 필요하다.

05 감탄사의 특성을 설명한 것으로 적절하지 <u>않은</u> 것은?

① 형태가 변하지 않는 불변어이다.
② 감탄사와 동일한 형태가 다른 품사로 쓰이는 경우도 있다.
③ 다른 품사보다 맥락 의존적인 성격을 강하게 지니고 있다.
④ 일반적으로 문장 앞에 놓이지만 경우에 따라 문장 중간이나 끝에 올 수도 있다.
⑤ 화자의 무의식적인 감정 표현이 드러나기 때문에 의식적인 표현에는 사용되지 않는다.

[06~10] 다음 글을 읽고, 물음에 답하시오.

㉮ 새로운 개념이나 사물이 생겨나면 그것을 가리키는 새말이 필요하다. 새말을 올바르게 만들어 쓰고 이해하기 위해서는 단어의 짜임과 형성 방법을 알고 이를 목적에 맞게 적절히 활용하여야 한다.

㉯ 단어를 이루는 형태소 가운데 실질적인 의미를 나타내는 중심 부분을 어근(語根)이라 하고, 어근에 붙어 그 뜻을 제한하는 주변 부분을 접사(接辭)라고 한다. 예를 들어, '군말'의 '말'은 어근이고 '군-'은 접사이며, '지우개'의 '지우-'는 어근이고 '-개'는 접사이다. '군-'처럼 어근 앞에 붙을 때는 접두사라고 하고, '-개'처럼 어근 뒤에 붙을 때는 접미사라고 한다.

㉰ 하나의 어근으로만 이루어진 단어를 단일어(單一語), 둘이상의 어근으로 이루어졌거나 어근과 접사로 이루어진 단어를 복합어(複合語)라고 한다. ㉠ 복합어 가운데 직접 구성성분이 어근만으로 이루어진 단어를 합성어(合成語)라고 하고, 어근에 접사가 결합되어 이루어진 단어를 파생어(派生語)라고 한다.

㉱ 파생 접사 없이 어근과 어근이 직접 합쳐져서 만들어진 단어를 합성어라고 한다. 이때 '밤낮, 새해, 본받다, 뛰어가다'와 같이 어근과 어근의 결합이 문장에서와 같은 방식으로 이루어진 것을 통사적 합성어, '덮밥, 높푸르다'와 같이 단어형성에서만 나타나는 방식으로 이루어진 것을 비통사적 합성어라고 한다.

㉲ 합성어 가운데에는 구(句)와 구별하기 어려운 경우가 있다. 예를 들어, '우리나라, 우리말, 우리글'은 원래 구였던 것이 한 단어로 굳어진 것으로 보아 합성어로 분류하지만, '우리 마을, 우리 집, 우리 아빠, 우리 누나' 등은 여전히 구로 구성된 것으로 분류한다.

㉳ 어근에 파생 접사가 붙어서 만들어진 단어를 파생어라고 한다.

> 〈접두사가 붙어서 만들어진 파생어〉 군침, 새파랗다
> 〈접미사가 붙어서 만들어진 파생어〉 구경꾼, 얼음

접두사는 어근의 의미를 제한함으로써 어근과 파생어의 의미에 차이를 만드는 기능을 한다. '헛기침'의 '헛-'이 그러한 예이다. 접미사는 접두사와 마찬가지로 어근의 의미를 제한하기도 하지만 문법적인 변화를 일으키기도 한다. 예를 들어, 명사 '바늘'에 접미사 '-질'이 붙어서 어근과 파생어의 의미 차이가 생기기도 하고, 형용사 '많-'에 접미사 '-이'가 붙어서 부사가 되는 것과 같이 문법적인 변화가 일어나는 예도 있다.

06 윗글을 바탕으로 이끌낼 수 있는 설명으로 적절하지 <u>않은</u> 것은?

① 접사는 어근에 붙어 그 뜻을 제한한다.
② 새말은 새로운 개념이나 사물이 생기면 만들어진다.
③ 복합어는 둘 이상의 어근으로 이루어졌거나 어근과 접사로 이루어진다.
④ 합성어는 직접 구성 성분이 어근과 어근이 합쳐져서 만들어진 단어이다.
⑤ 접두사는 접미사와 마찬가지로 어근의 의미를 제한하기도 하지만 문법적인 변화를 일으키기도 한다.

07 ㉠을 참조할 때, 단어 형성 방식이 나머지와 <u>다른</u> 하나는?

① 곧잘: 곧+잘
② 첫사랑: 첫+사랑
③ 검버섯: 검-+버섯
④ 뛰놀다: 뛰-+ 놀다
⑤ 더욱이: 더욱+-이

수능형 고난도
08 〈보기 1〉의 ㉠, ㉡에 해당하는 단어를 〈보기 2〉의 밑줄 친 단어에서 골라 바르게 짝지은 것은?

〈 보기 1 〉
'-(으)ㅁ'이나 '-기'는 명사화 파생 접미사로 쓰이거나, 명사형 전성 어미로 쓰인다. 전자는 품사를 바꾸는 기능을 하지만 후자는 품사를 바꾸는 기능을 하지 않는다. ㉠명사화 파생 접미사가 붙은 명사는 서술성이 없으며, 관형어의 수식을 받을 수 있다. 반면 ㉡명사형 전성 어미가 붙은 명사는 본래의 품사, 즉 동사나 형용사가 지닌 서술성을 갖고 있으며, 부사어의 수식을 받거나 선어말 어미가 쓰일 수 있다.

〈 보기 2 〉
ㄱ. 산을 자주 <u>보기</u>가 지겹나요?
ㄴ. 인간의 <u>삶</u>이란 대체 무엇일까요?
ㄷ. 학교에서 <u>말하기</u>를 잘 가르치고 있군요.
ㄹ. 대학 진학을 포기하지 <u>않았음</u>을 보여 주어라.

	㉠	㉡			㉠	㉡
①	ㄱ, ㄴ	ㄷ, ㄹ		②	ㄱ, ㄷ	ㄱ, ㄴ
③	ㄴ, ㄷ	ㄱ, ㄹ		④	ㄴ, ㄹ	ㄱ, ㄷ
⑤	ㄷ, ㄹ	ㄱ, ㄴ				

09 단어의 형성 방식이 〈보기〉와 같은 것끼리 짝지어진 것은?

〈 보기 〉
(어근 + 어근) + 접사

① 새로, 군밤
② 밤나무, 개고생
③ 가리개, 뛰놀다
④ 미닫이, 절름발이
⑤ 풋사과, 고집쟁이

서술형
10 다음을 읽고 빈칸에 들어갈 말을 쓰시오.

'통사'란 문장 성분들이 모여 문장을 구성하는 데 쓰이는 모든 규칙을 말한다. 가령 관형어+체언(혹은 용언의 관형사형+체언), 본용언+본용언(혹은 본용언+보조 용언), 주어(혹은 목적어, 부사어)+서술어 등이다. 이러한 통사 규칙에 부합하는 방식으로 형성된 합성어가 통사적 합성어이며, 통사 규칙에 어긋난 방식으로 형성된 합성어가 비통사적 합성어이다.

통사적 합성어	비통사적 합성어
⑩ 큰집, 돌아가다, 힘들다	⑩ 덮밥, 여닫다, 부슬비

↓

용례로 볼 때, 통사 규칙에 부합하는 방식으로 합성어가 만들어졌는지는 (ⓐ) 여부, (ⓑ) 여부, '주어(목적어, 부사어)+서술어'의 방식에 의한 결합 여부에 달려 있다.

[11-14] 다음 글을 읽고, 물음에 답하시오.

㉮ 일반적으로 하나의 단어가 여러 개의 의미로 쓰이는 경우가 많다. 예를 들어 '들다'라는 동사처럼 일상에서 자주 사용하는 말들은 여러 가지 상황에서 다양한 의미로 사용된다. 이처럼 여러 개의 의미를 지니고 있는 단어를 다의어(多義語)라고 하는데, 다의어의 의미는 중심적 의미와 주변적 의미로 나뉜다. '들다'의 경우 '밖에서 속이나 안으로 향해 가거나 오거나 하다.'는 가장 기본적이고 핵심적인 의미이므로 중심적 의미라고 하며, 그 밖의 의미는 중심적 의미가 확장된 의미이므로 주변적 의미라고 한다.

㉯ 어떤 단어가 지니고 있는 가장 기본적이고 객관적인 의미를 사전적(辭典的) 의미라고 하고, 사전적 의미에 덧붙어서 연상이나 관습 등에 의하여 형성되는 의미를 함축적(含蓄的) 의미라고 한다.

- 산(山) ┌ 사전적 의미: 평지보다 높이 솟아 있는 땅의 부분.
         └ 함축적 의미: 고향에 대한 그리움, 진취적인 기상, 삶의 고난과 역경 등

특히 시와 같은 문학 작품의 경우, 주로 함축적 의미에 의지하여 작품을 창작하거나 감상하곤 한다.

㉰ 우리말은 말소리는 다르지만 의미가 서로 비슷한 유의어(類義語)가 풍부한 편이다. 이러한 단어들을 서로 유의 관계(類義關係)에 있다고 말한다. 유의 관계는 두 개 이상의 단어

들이 무리를 이루고 있는 경우가 많다.

라 둘 이상의 단어가 의미상 서로 짝을 이루어 대립하는 경우를 반의 관계(反義關係)라고 하며, 이러한 관계에 있는 단어들을 반의어(反義語)라고 한다. 반의 관계에 있는 두 단어는 오직 한 개의 의미 요소만 다르고 나머지 요소들은 모두 공통된다. 예를 들어, '총각 : 처녀'는 '미혼'이고 '성인'이라는 의미 요소를 공통으로 가지고 있으면서 '성별'에서만 대립을 이루기 때문에 반의 관계인 반면, '총각'과 '아주머니'는 '성별' 이외에 '결혼' 여부에서도 대립을 이루기 때문에 반의 관계가 아니다.

마 한쪽이 의미상 다른 쪽을 포함하거나 다른 쪽에 포함되는 의미 관계를 상하 관계(上下關係)라고 한다. 이때 포함하는 단어가 상위어(上位語), 포함되는 단어가 하위어(下位語)이다. 예를 들어, '직업'과 '작가'에서는 '직업'이 상위어이고 '작가'가 하위어이며, '작가'와 '시인'에서는 '작가'가 상위어이고 '시인'이 하위어이다. 상하 관계를 형성하는 단어들은 상위어일수록 일반적이고 포괄적인 의미를 지니며, 하위어일수록 개별적이고 한정적인 의미를 지닌다.

11 다음 문장의 밑줄 친 말에서 확장된 의미를 담고 있는 것이 아닌 것은?

> 길에는 차가 없어 한적했다.

① 내가 살아온 길은 험난했다.
② 농촌 생활에 제법 길이 들었다.
③ 스승의 길이 어찌 편안하리요?
④ 배움의 길에는 늘 고생이 뒤따른다.
⑤ 그는 출장 가는 길에 고향에 들렀다.

<u>수능형</u>
12 〈보기〉의 밑줄 친 단어들의 관계와 일치하지 않는 것은?

┌ 보기 ┐
• 우리는 아침에 <u>밥</u>을 먹었다.
• 아버님, <u>진지</u> 드십시오.
• 삼촌은 제사상에 정성스런 <u>메</u>를 올렸다.
• 임금께서는 <u>수라</u>를 드신 후 후원으로 나가셨다.
└──────────────────────────────┘

① 잔치-연회-파티   ② 변소-화장실-해우소
③ 가다-오다-이동하다   ④ 아버지-부친-춘부장
⑤ 노랗다-노르게하다-노르스름하다

13 다음 단어 간의 관계와 다른 하나는?

> 감상(感傷) : 감상(感想) : 감상(鑑賞)

① 시를 쓰다-붓글씨를 쓰다
② 밭이 되었다-밥을 먹어라
③ 김이 어리다-나이가 어리다
④ 철 좀 들어라-철길이 녹슬다
⑤ 옷에 땀이 배다-아이를 배다

<u>서술형</u> <u>고난도</u>
14 다음 설명을 읽고 〈보기〉의 빈칸에 들어갈 말을 한 문장으로 쓰시오.

플로베르는 "한 가지 사물을 정확히 표현하려면 단 하나의 정확한 단어를 사용해야 한다."라고 주장하였다. 이것이 바로 그 유명한 일물일어설(一物一語說)이다. 다음 유의어의 쓰임을 보자.

• 너의 ⓐ<u>근본</u>이 미천한 만큼 각별히 주의하도록 하라.
• 어느 누구도 이 괴상한 소문의 ⓑ<u>근원</u>을 알지 못했다.
• 자연 친화는 오랜 세월 동안 우리 문학의 ⓒ<u>근간</u>을 이루었다.

→ 여기서 ⓐ에는 '근원', '근간'은 사용할 수 없으며, ⓑ에는 '근본', '근간'은 사용할 수 없다. 또 ⓒ에는 '근본', '근원'은 사용할 수 없다.

┌ 보기 ┐
│   │
└──────────────────────────────┘

따라서 비슷한 의미를 지닌 유의어의 경우는 뜻이 완전히 같은 동의어와 달리 각 어휘의 뜻을 정확히 이해하고 문맥과 상황에 어울리는 적절한 어휘를 선택하여 사용해야 한다.

3. 문장과 문법 요소

🔊 : 핵심 질문 정확하고 효과적인 문장을 사용하려면 어떻게 해야 할까?

≫ 다음은 외계인을 만나면 어떤 상황이 벌어질지 상상해 본 장면이다. 만일 외계어–한국어 사전이 있다면 단어만으로 외계인의 말을 알아들을 수 있을까? 그때 느끼는 의사소통의 어려움은 왜 생기는지 그 이유를 말해 보자.

|예시 답| 사전이 있다면 외계인이 하는 말을 알아듣는 데 분명히 큰 도움이 될 것이다. 그러나 사전만으로 완전한 의사소통을 하기는 어렵다. 영어 사전이 있어도 영어 공부를 하지 않으면 안 된다는 것을 경험적으로 알고 있지 않은가. 사전은 단어들을 중심으로 그 뜻을 설명하는 책인데, 단어는 결국 문장을 통해 실현되며 문장의 구조나 문법 요소와 같은 문법적 질서 속에서 그 의미를 전달한다. 따라서 사전에 나타나 있는 단어의 의미만으로는 실제로 실현되는 문장을 이해하고 의사소통을 하기가 쉽지 않다.

한국어든 외국어든 심지어 외계어든, 우리가 말을 하고 이를 통해 의사소통을 할 수 있다는 것은 단지 단어만 아는 것이 아니라 단어들을 엮어서 문장을 만들어 표현하고 이해할 줄 안다는 뜻이다. 제대로 의사소통을 하기 위해서는 단어들을 연결해서 구, 절, 문장과 같은 더 큰 단위를 만들어 내는 규칙을 알아야 한다.

이 단원에서는 여러 구성 요소들이 모여서 만들어지는 문장의 짜임에 대해 알아보고, 문장의 의미를 구체화하는 데 기여하는 문법 요소의 종류와 기능을 탐구하기로 한다. 이를 통해 정확하고 바른 문장, 효과적이고 적절한 문장을 구사하는 힘을 기를 수 있다.

소단원	학습 목표	내용
(1) 문장의 성분	문장의 짜임을 탐구하여 정확하고 상황에 맞는 문장을 사용할 수 있다.	① 주성분 ② 부속 성분 ③ 독립 성분
(2) 문장의 짜임		① 홑문장과 겹문장 ② 안은문장과 안긴문장 ③ 이어진문장
(3) 문법 요소	문법 요소들의 개념과 표현 효과를 탐구하고 실제 국어 생활에 활용할 수 있다.	① 문장 종결 표현 ② 높임 표현 ③ 시간 표현 ④ 피동 표현 ⑤ 사동 표현 ⑥ 부정 표현

{ 1 } 문장의 성분

• 문장 성분: 문장 안에서 일정한 문법적 기능을 하는 각 부분

주성분(문장을 이루는 데 골격이 됨.)	서술어, 주어, 목적어, 보어
부속 성분(주로 주성분의 내용을 수식함.)	관형어, 부사어
독립 성분	독립어

{ 2 } 문장의 짜임

홑문장	주어와 서술어가 한 번만 나타나는 문장
겹문장	주어와 서술어가 두 번 이상 나타나는 문장 • 안은문장: 다른 문장 속에 들어가 하나의 성분처럼 쓰이는 홑문장을 포함한 문장 • 이어진문장: 홑문장과 홑문장이 대등하거나 종속적으로 이어지는 문장

{ 3 } 문법 요소

종결 표현	문장의 유형: 평서문, 의문문, 명령문, 청유문, 감탄문 등
높임 표현	화자가 청자(상대방)를 높이거나 낮추어 말하는 상대 높임법, 서술의 주체를 높이는 주체 높임법, 목적어나 부사어가 지시하는 대상, 즉 서술의 객체를 높이는 객체 높임법
시간 표현	• 발화시와 사건시의 관계에 따라 과거 시제, 현재 시제, 미래 시제로 나뉨. • 동작상: 시간의 흐름 속에서 그 동작이 진행되고 있는지, 완결된 것인지를 표현하는 것.
피동 표현, 사동 표현	• 피동 표현: 다른 주체에 의해 동작이 이루어지거나 영향을 받는 표현으로, 피동사나 '-되다', '-어지다'에 의해 실현됨. • 사동 표현: 주어가 다른 사람에게 하도록 시키는 표현으로, 사동사나 '-시키다', '-게 하다'에 의해 실현됨.
부정 표현	부정 부사 '안', '못'과 부정 용언 '아니하다', '못하다'를 사용하여 부정의 의미를 표현함.
인용 표현	다른 사람의 말이나 글을 끌어다 쓰는 것으로 직접 인용 표현과 간접 인용 표현으로 나뉨.

1. 다음 빈칸에 알맞은 말을 쓰시오.

(1) 문장 안에서 일정한 문법적 기능을 하는 각 부분들을 (   )(이)라고 한다.

(2) 주로 주성분의 내용을 수식하는 성분에는 (   )와/과 (   )이/가 있다.

(3) 서술어의 동작 대상이 되는 문장 성분을 (   )(이)라고 한다.

(4) 다른 문장 성분과는 직접적인 관련이 없는 문장 성분은 (   )(이)다.

2. 다음 진술 중 맞는 것에는 ○표, 틀린 것에는 ×표를 하시오.

(1) 홑문장에는 주어와 서술어가 두 번 이상 나타난다.   (   )

(2) 겹문장의 종류에는 안은문장과 이어진문장이 있다.   (   )

(3) 홑문장들이 대등하거나 종속적으로 연결되면 이어진문장이다.

(   )

3. 다음 설명에 해당하는 문법 요소를 쓰시오.

(1) 화자가 어떤 대상이나 상대에 대하여 높고 낮은 정도에 따라 언어적으로 구별하여 표현하는 방법

(   )

(2) 주어가 다른 사람에게 하도록 시키는 표현   (   )

(3) 다른 사람의 말이나 글을 끌어다 쓰는 표현   (   )

답 1.(1) 문장 성분, (2) 관형어, 부사어, (3) 목적어,
　　　(4) 독립어
　　2.(1) ×, (2) ○, (3) ○
　　3.(1) 높임 표현, (2) 사동 표현, (3) 인용 표현

【1】

문장의 성분

소단원 학습 포인트
- 문장 성분의 개념 이해하기
- 주성분, 부속 성분, 독립 성분 알기

🪶 문법 단위
- 어절: 띄어쓰기 단위와 일치. 대체로 단어와 일치하며 체언에 조사가 연결된 것도 포함.
- 구: 둘 이상의 어절이 어울려 주어, 서술어 관계를 이루지 않는 문법 단위.
- 절: 둘 이상의 어절이 어울려 주어, 서술어 관계를 이루는 문법 단위.
- 문장: 의미상 완결된 내용을 갖추고 형식상 문장이 끝났음을 나타내는 표지를 갖춘, 하나 이상의 절로 이루어진 문법 단위.

개념 ➕
서술어의 자릿수
서술어가 그 성격에 따라서 필요로 하는 문장 성분들의 개수
- **한 자리 서술어**: 주어 하나만 필수적으로 요구하는 서술어
  예 소녀는 <u>착하다</u>.(주어)
- **두 자리 서술어**: 주어 이외에 목적어나 부사어, 또는 보어를 필수적으로 요구하는 서술어
  예 눈이 얼음이 <u>되었다</u>.(주어, 보어)
  우정은 보석과 <u>같다</u>.(주어, 부사어)
- **세 자리 서술어**: 주어, 목적어, 부사어의 세 가지 성분을 필수적으로 요구하는 서술어
  예 아버지께서 우리에게 **빵을** <u>주셨다</u>.(주어, 부사어, 목적어)

㉮ 문장 안에서 일정한 문법적 기능을 하는 각 부분들을 문장 성분(文章成分)이라고 한다. _{문장 성분의 개념} 문장 성분은 문장을 이루는 데 골격이 되는 주성분, 주로 주성분의 내용을 수식하는 _{서술어, 주어, 목적어, 보어} 부속 성분, 다른 문장 성분과는 직접적인 관련이 없는 독립 성분으로 나뉜다. 주성_{독립어} 분에는 서술어, 주어, 목적어, 보어가 있고, _{관형어, 부사어} 부속 성분에는 관형어와 부사어가 있으며, 독립 성분에는 독립어가 있다. ▶문장 성분의 개념과 종류

㉯ 1 주성분: 서술어, 주어, 목적어, 보어

> **┏ 다가서기 ┓**
> - 다음 용언을 이용하여 짧은 문장을 지어 보자.
>
> | |예시 답| 영희가 매우 예쁘다. | 먹다
희정이가 밥을 먹었다. | 되다
물이 얼음이 되었다. |
> |---|---|---|---|
> | | 예쁘다 | | |

  서술어(敍述語)는 주어의 동작, 상태, 성질 따위를 설명하는 문장 성분이다. 일반적_{서술어의 개념} 으로 국어 문장은 서술어의 종류에 따라 '무엇이 어찌한다.', '무엇이 어떠하다.', '무엇_{주어} _{동사에 기댄 문장} _{형용사에 기댄 문장} 이 무엇이다.'의 유형으로 나뉘는데, 여기서 '어찌한다', '어떠하다', '무엇이다'에 해당하_{서격 조사에 기댄 문장} 는 것이 서술어이다. ▶서술어의 개념과 종류

  주어(主語)는 문장에서 동작 또는 상태나 성질의 주체를 나타낸다. '무엇이 어찌한_{주어의 개념} 다.', '무엇이 어떠하다.', '무엇이 무엇이다.'에서 '무엇이'에 해당하는 성분이 주어이다. 주어는 체언 또는 체언 구실을 하는 구나 절에 주격 조사 '이/가', '께서'가 붙어 나타나_{명사, 대명사, 수사} _{일반적으로 사용할 경우} _{높임을 나타내는 경우} 는데, 때로는 주격 조사가 생략될 수도 있고 보조사가 붙을 수도 있다. 다음 예의 밑줄 친 부분은 모두 주어이다.
_{일반적인 주격 조사 '이/가'가 붙은 경우} _{주격 조사가 생략된 경우}
- {<u>철수가 / 철주 / 철수도</u>} 도서관에 가고 없는데…….┐_{보조사 '도'가 붙은 경우}
- <u>착한 철수는</u> 도서관에 가고 없는데……._{구에 보조사 '는'이 붙은 경우}
- <u>선생님께서는</u> 도서관에 가고 안 계신데……. ▶주어의 개념과 실현 방법
_{높임을 표현하는 주격 조사 '께서'와 보조사 '는'이 붙은 경우}

  '먹다'라는 서술어는 반드시 체언에 '을/를'이 결합한 성분을 요구하는 타동사로, 이처_{목적어(동작의 대상)} 럼 서술어의 동작 대상이 되는 문장 성분이 바로 목적어(目的語)이다. 타동사가 서술어_{목적어의 개념} 로 쓰일 때는 목적어가 필요하다. 목적격 조사 '을/를'은 생략될 수도 있고, '을/를' 대신_{자동사가 서술어로 쓰일 때는 목적어가 필요 없음.} 에 특정한 의미를 더하여 주는 보조사가 붙기도 한다.
_{주격 조사의 경우와 마찬가지로 처리할 수 있음.}
- 나는 {<u>과일을 / 과일 / 과일도</u>} 좋아해. ▶목적어의 개념과 실현 방법

  보어(補語)는 서술어 '되다, 아니다'가 필수적으로 요구하는 문장 성분 가운데 주어가_{보어의 개념} 아닌 것을 말한다. 보어에는 보격 조사 '이/가'가 붙는데, 이때의 보격 조사는 생략될 수도 있고 보조사가 붙을 수도 있다.
_{보격 조사 '이'가 붙은 경우}
- 그는 <u>학생이</u> 아니다. / · 계절은 어느덧 <u>봄이</u> 되었습니다. ▶보어의 개념과 실현 방법

● 다음 문장에서 주성분으로 무엇이 있는지 확인해 보자.

|예시답|

지난 일요일에 저는 사촌 동생과 함께 극장에서 재미있는 영화를 보았어요.
　　　　　　주어　　　　　　　　　　　　　　　　　　　목적어　서술어

핵심 다지기　　　　　　　　　　　　　　　　　　　　　　　　　　　**문제로 확인**

정답과 해설 022쪽

■ 문장 성분의 개념 및 종류

- 개념: 문장 안에서 일정한 문법적 기능을 담당하는 각 부분
- 종류

주성분	문장을 이루는 데 골격이 되는 성분 → 서술어, 주어, 목적어, 보어
부속 성분	주로 주성분의 내용을 수식하는 성분 → 관형어, 부사어
독립 성분	다른 문장 성분과는 직접적인 관련이 없는 성분 → 독립어

■ 주성분

- 서술어: 주어의 동작(어찌한다), 상태(어떠하다), 성질(무엇이다) 등을 설명하는 기능을 하는 문장 성분
  - 예 영희가 밥을 먹는다.(어찌하다 → 동사)
    영희가 예쁘다.(어떠하다 → 형용사)
    영희가 중학생이다.(무엇이다 → 명사+조사)
- 주어: 문장에서 동작 또는 상태나 성질의 주체를 나타내는 문장 성분
  - 체언이나, 체언 구실을 하는 구나 절에 주격 조사 '이/가', '께서'가 붙어 나타남.
  - 주격 조사는 생략될 수도 있고 보조사가 붙을 수도 있음.
    - 예 (형이/형/형까지) 경기장에 갔다.
- 목적어: 서술어의 동작 대상이 되는 문장 성분. 타동사가 서술어로 쓰일 때 목적어가 필요함.
  - 목적격 조사 '을/를'은 생략될 수도 있고, '을/를' 대신에 특정한 의미를 더하여 주는 보조사가 붙기도 함.
    - 예 나는 (농구를/농구/농구도) 잘해.
- 보어: 서술어 '되다, 아니다'가 필수적으로 요구하는 문장 성분 가운데 주어가 아닌 것
  - 예 구름이 비가 되었다. / 그는 화가가 아니다.
  - 보격 조사 '이/가'는 생략될 수도 있고, '이/가'대신에 보조사가 붙기도 함.

---

01. 문장 성분에 대한 설명으로 적절하지 않은 것은?

① 문장 안에서 문법적 기능을 담당하는 각 부분이다.
② 주성분은 문장을 이루는 기초가 되는 역할을 한다.
③ 관형어와 부사어는 주성분을 수식하는 역할을 한다.
④ 서술어, 주어, 목적어, 보어는 문장의 주성분에 해당한다.
⑤ 독립어는 주성분과 부속 성분의 내용을 수식하는 역할을 한다.

02. 다음 밑줄 친 부분의 문장 성분이 나머지와 다른 것은?

① 나도 춤을 배운다.　　② 청년은 사업가가 되었다.
③ 아까 윤이가 잠을 잤다.　　④ 진수 벌써 집에 갔니?
⑤ 친절한 할머니께서 음식을 갖다 주셨다.

출제 예감

03. 〈보기〉의 자료를 바탕으로 '목적어'에 대해 탐구했을 때 적절하지 않은 것은?

┌ 보기 ┐
ㄱ. 인형을 아기가 보았다.
ㄴ. 할아버지께서는 서예도 잘하신다.
ㄷ. 침대에 누운 아가의 볼이 새빨갛다.
ㄹ. 조카는 동물 중에서 원숭이를 좋아한다.
└──────┘

① ㄱ과 ㄹ을 보면, 목적어의 위치는 고정적이지 않아.
② ㄱ과 ㄹ을 보면, 목적격 조사 형태는 앞말과 관계가 있어.
③ ㄱ과 ㄹ을 보면, 목적어는 동작을 나타내는 서술어의 대상으로 쓰여.
④ ㄴ을 보면 목적어는 생략될 수도 있어.
⑤ ㄷ을 보면 목적어가 필요 없는 문장도 있어.

서술형

04. 〈보기〉의 자료를 참고하여 '서술어'는 문장에서 어떤 기능을 하는 성분인지 서술하시오.

┌ 보기 ┐
ㄱ. 강아지가 사료를 먹는다.
ㄴ. 강아지가 매우 귀엽다.
ㄷ. 강아지는 포유류이다.
└──────┘

다 **2 부속 성분: 관형어, 부사어**

다가서기

- 다음 문장에서 밑줄 친 부분이 수식하는 것은 무엇인지 찾아보자.
  | 예시 답 |

내가 나에게 조금 더

따뜻하고 너그러워지는

동그란 마음
체언 '마음'을 꾸밈.
활짝 웃어 주는 마음
용언 '웃어'를 꾸밈.

남에게 주기 전에
용언 '주는'을 꾸밈.
내가 나에게 먼저 주는

위로의 선물이라네
체언 '선물'을 꾸밈.

– 이해인, 「나를 위로하는 날」에서

제재 연구 ⊕
- **갈래**: 현대시, 자유시
- **성격**: 서정적
- **제재**: 위로
- **주제**: 자신에게 주는 위로의 선물
- **특징**
  – 간결하고 평이한 시어를 사용하여 쉽게 읽힘.
  – 시적 화자의 삶의 태도가 드러남.

관형어와 부사어는 다른 말을 수식하는 문장 성분이다. 관형어는 체언을 수식하고,
_{주어, 목적어, 보어}
부사어는 주로 용언을 수식한다. ▶관형어와 부사어의 개념 및 기능
_{동사, 형용사}

관형어(冠形語)가 체언을 수식하는 방법은 여러 가지이다. 관형사는 그대로 관형어가 되고, 체언에 관형격 조사 '의'가 결합되어 관형어로 쓰이거나 용언의 관형사형이 관형어로 쓰이는 경우도 흔하다. 이때 관형격 조사는 생략되기도 한다.

- 아기가 <u>새</u> 옷을 입었다.
  _{관형사}   ┌─── 관형격 조사 생략
- 소녀는 {<u>시골의 / 시골</u>} 풍경을 좋아한다.
  _{체언 +관형격 조사 '의'}
- 철수는 <u>예쁜</u> 꽃을 샀다. ▶관형어의 실현 방법
  _{용언의 관형사형}

부사어(副詞語)는 부사가 부사어로 된 것, 용언의 부사형이 부사어로 된 것, 체언과 조사의 결합이 부사어로 된 것 등이 있다.
_{체언 +부사격 조사 '에'}
- 지하철을 타면 <u>더 빠르게</u> <u>학교에</u> 갈 수 있습니다.
  _{부사 용언의 부사형}

부사어는 주로 용언을 수식하지만 관형어나 다른 부사어, 문장을 수식하기도 하고
_{성분 부사어}   _{문장 부사어}
문장이나 단어를 이어 주기도 한다.
_{접속 부사어}

- 코스모스가 <u>참</u> 예쁘다.
- 그들은 <u>아주</u> 오랜 친구 사이였다.
- 연이 <u>매우</u> 높이 나는구나.
- <u>과연</u> 그 아이는 똑똑하구나.
- <u>그러나</u> 희망이 아주 사라진 것은 아니다.
- 나는 생각한다. <u>고로</u> 존재한다.
▶부사어의 실현 방법

위 문장에서 '참, 아주, 매우'는 각각 서술어, 관형어, 부사어와 같이 문장 속의 특정한 성분을 수식하므로 성분 부사어라고 하고, '과연'은 문장 전체를 수식하므로 문장 부사어라고 한다. 문장 부사어에는 접속 부사어도 있는데, '그러나, 고로'와 같이 문장을 이어 주는 부사어가 여기에 속한다. ▶부사어의 종류

개념 ⊕
부사어의 특징
- 보조사를 취할 수 있음.
  ⓔ 하루가 빨리도 간다.
- 문장 부사어는 자리 옮김이 비교적 자유로움.
  ⓔ 과연 그 사과는 빨갛구나.
    그 사과는 과연 빨갛구나.
- 부사어는 관형어와 달리 단독으로 쓰일 수도 있음.
  ⓔ 이곳에 자주 오세요? 아니 가끔.

개념 +

제시어의 성분

제시어란 어떤 문장 성분을 강조하기 위해 그 성분 자체나 그와 대등한 성분을 문장의 앞에 내세우는 말로, 이때의 제시어는 독립어가 됨.

예 사랑, 그것도 아름다운 일이다.

라 3 독립 성분: 독립어

다가서기

● 다음 문장에서 다른 성분과 직접적인 관련을 맺지 않는 성분을 찾아보자.

> • 청춘, 이는 듣기만 하여도 가슴이 설레는 말이다.
> • 소년이여, 그 멋진 목소리로 세상에 소리쳐.

| 예시 답 | 청춘, 소년이여

독립어(獨立語)는 문장의 어느 성분과도 직접적인 관련이 없는 문장 성분이다. 독립
                    독립어의 개념
어도 엄연히 문장 안의 다른 성분과 어울려 문장을 이루기는 하지만, 특정 성분과 구조
적인 상관관계가 없기 때문에 독립어라고 한다. 일반적으로 감탄사와, 체언에 호격 조
                                                     앗, 아아, 어머나   아/야, 이여/이시여
사가 결합된 형태 등이 독립어가 된다.

확인하기

● 다음 문장에서 독립어를 찾아 밑줄을 쳐 보자.
| 예시 답 |

> • 아, 달이 밝다.
> • 예, 맞습니다.
> • 에구, 왜 그리도 내 속을 몰라주니?
> • 철수야, 학교 가자!

개념 +

독립어와 종결 어미의 호응

독립어는 문장의 다른 성분과 직접적인 관련을 맺지 않지만 호격어의 경우 뒤에 오는 문장의 종결 어미와 호응하는 경우가 있음.

> (가) *철수야, 이리 오세요.
> (나) *할아버지, 이리 앉아라.
>   *비문법적인 문장

→ 부르는 말에 따라 뒤에 오는 종결 어미의 상대 높임법이 달라짐.

핵심 다지기

문제로 확인

■ **부속 성분**
• 관형어: 체언 앞에서 체언을 수식하는 문장 성분

관형사	예 아기가 새 옷을 입었다.
체언+관형격 조사 '의'	예 소녀는 (시골의/시골) 풍경을 좋아한다.
용언의 관형사형	예 철수는 예쁜 꽃을 샀다.
관형절	예 철수가 온다는 말을 들었다.

05. 다음 문장에 쓰인 관형어의 형태를 잘못 파악한 것은?
① 콩쥐가 헌 신발을 신었다.
　　　　[관형사]
② 윤이는 자연의 소리를 좋아한다.
　　　　　[명사+조사]
③ 소녀는 아름다운 머릿결을 가졌다.
　　　　　[용언의 관형사형]
④ 교복이 젖어 친구 체육복을 빌려 입었다.
　　　　　　[명사+조사 생략]
⑤ 이 세상의 모든 어린이는 교육 받을 권리가 있다.
　　　　　[용언의 관형사형]

- 부사어: 주로 용언을 수식하지만 관형어나 다른 부사어, 문장 전체를 수식하기도 하며, 문장이나 단어를 이어 주기도 함.

성분 부사어	용언 수식	예 코스모스가 참 예쁘다.
	관형어 수식	예 그는 아주 새 옷을 입었다.
	부사어 수식	예 연이 매우 높이 난다.
문장 부사어		'설마, 확실히, 부디' 등과 같이 말하는 사람의 심리적 태도를 나타내는 부사들이 주가 됨. 예 과연 그 아이는 똑똑하구나.
접속 부사어	문장 접속	예 그러나 희망이 사라진 것은 아니다.
	단어 접속	예 정치, 경제 및 문화가 발달하여야 선진국이다.

– 부사어의 형태: 부사어는 부사가 그대로 부사어로 쓰이거나, 체언이나 용언의 명사형에 부사격 조사가 결합되어 쓰임.

【보충자료】

부사격 조사의 종류

처소	도구	시간	자격	비교	원인	동반
에, 에서, 에게, 로	로	에	로	와/과, 보다	로, 에	와/과, 하고

※ '에서'가 단체를 나타내는 명사 뒤에 붙을 경우 주격 조사로 쓰이기도 함.

- 부사어는 일반적으로 문장에서 반드시 필요한 성분은 아니지만, 문장을 구성하는 데 꼭 필요한 부사어도 있음.

'같다, 다르다, 비슷하다, 닮다' 등의 서술어	'체언+와/과'로 된 부사어를 필수적으로 요구 예 군자는 소인과 다르다. 영수는 명희와 닮았다.
넣다, 두다, 주다, 드리다, 던지다, 다가서다' 등의 서술어	'체언+에/에게'로 된 부사어를 필수적으로 요구 예 나는 철수에게 선물을 주었다. 아이는 연못에 돌을 던졌다.
'되다, 삼다' 등의 서술어	'체언+(으)로'로 된 부사어를 필수적으로 요구 예 물이 얼음으로 되었다. 그는 고아를 양자로 삼았다.

■ 독립 성분
- 독립어: 문장의 어느 성분과도 직접적인 관련이 없는 문장 성분

감탄사	예 아, 에구, 이봐, 예 등
체언+ 호격 조사	예 • 철수야, 학교 가자! • 철수, 이리 좀 와 봐(호격 조사 생략)
제시어	예 명경(明鏡), 세상에 거울처럼 두려운 물건이 없다.

출제 예감

06. ⓐ~ⓔ 중 관형어로만 묶은 것은?

〈보기〉
내가 나에게 ⓐ 조금 더
따뜻하고 ⓑ 너그러워지는
ⓒ 동그란 마음 / ⓓ 활짝 웃어 주는 마음
남에게 주기 전에 / 내가 나에게 먼저 주는
ⓔ 위로의 선물이라네

① ⓐ, ⓑ, ⓒ　　② ⓐ, ⓓ, ⓔ
③ ⓑ, ⓒ, ⓔ　　④ ⓑ, ⓓ, ⓔ
⑤ ⓒ, ⓓ, ⓔ

07 관형어와 부사어의 차이를 지적한 것으로 적절하지 않은 것은?
① 관형어는 과거 등 시간 표현이 가능하나 부사어는 불가능하다.
② 관형어는 단독으로 문장을 형성할 수 없으나 부사어는 가능하다.
③ 관형어는 문장 수식 기능이 없으나 부사어는 문장 수식 기능이 있다.
④ 관형어는 보조사와 결합할 수 있으나 부사어는 보조사와 결합할 수 없다.
⑤ 관형격 조사는 '의' 하나이나 부사격 조사는 '에, 로, 보다, 와' 등 매우 다양하다.

08. 다음 밑줄 친 부분의 문장 성분을 말한 것으로 적절하지 않은 것은?
① 철수는 시골 풍경을 좋아한다. ➡ 관형어, 목적어
② 할머니는 산에 핀 꽃을 사랑하신다. ➡ 부사어, 관형어
③ 철수야, 숙제는 했니? 예, 여기 있습니다. ➡ 주어, 독립어
④ 설마 태풍이 우리 마을을 지나가지는 않겠지? ➡ 부사어, 관형어
⑤ 나는 미술 과제를 더 멋있게 제출하고 싶었다. ➡ 부사어, 부사어

서술형
09. 〈보기〉의 문장을 통해 알 수 있는 부사어의 기능을 서술하시오.

〈보기〉
ㄱ. 나는 생각한다. 고로 존재한다.
ㄴ. 끝났다. 그러나 희망이 사라진 것은 아니다.

학습활동

이해하기

▶ 각 문장 성분의 개념을 확인하는 활동

1. 다음 설명에 해당하는 문장 성분이 무엇인지 빈칸에 적어 보자.

| 예시 답 |

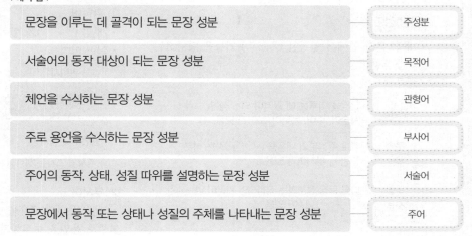

문장을 이루는 데 골격이 되는 문장 성분	주성분
서술어의 동작 대상이 되는 문장 성분	목적어
체언을 수식하는 문장 성분	관형어
주로 용언을 수식하는 문장 성분	부사어
주어의 동작, 상태, 성질 따위를 설명하는 문장 성분	서술어
문장에서 동작 또는 상태나 성질의 주체를 나타내는 문장 성분	주어

※ 문장 성분은 조사 등과 같은 형식적 표지에 의해 결정된다는 점을 고려한다.

적용하기

▶ 문장 성분을 판단할 때 격 조사의 역할에 대해 생각해 보는 활동

2. 다음 짝지어진 문장 간의 의미를 비교하면서 밑줄 친 부분의 문장 성분이 무엇인지 괄호에 적어 보자.

| 예시 답 |

(1) 나는 <u>학교에</u> 갔다.   (부사어)
　　나는 <u>학교를</u> 갔다.   (목적어)
　　나는 <u>학교로</u> 갔다.   (부사어)

(2) 나는 선물을 <u>철수에게</u> 주었다.   (부사어)
　　나는 선물을 <u>철수를</u> 주었다.   (목적어)

(3) 물이 <u>얼음이</u> 되었다.   (보어)
　　물이 <u>얼음으로</u> 되었다.   (부사어)
　　　　필수적 부사어 – '되다'가 두 자리 서술어이기 때문임.

※ 같은 품사라도 문장 안에서의 기능이 다르면 문장 성분이 달라진다.

▶ 품사와 문장 성분을 구분해 보는 활동

3. 다음 문장에서 밑줄 친 부분의 품사와 문장 성분은 무엇인지 괄호에 적어 보자.

| 예시 답 |

(1)
　　동사를 수식함.
　　㉠ <u>바로</u> 오너라.   (부사 / 부사어)
　　㉡ 그건 <u>바로</u> 너의 책임이다.   (부사 / 부사어)
　　　　대명사를 수식함.

(2)
　　주격 조사 '가' 또는 보조사 '는'이 생략된 형태임.
　　㉠ <u>여기</u> 참 조용하지?   (대명사 / 주어)
　　㉡ <u>여기</u> 놓아라.   (대명사 / 부사어)
　　　　부사격 조사 '에'가 생략된 형태임.

※ (1) 바로
㉠에서 '바로'는 동사인 '오너라'를 수식하고 있고, ㉡에서 '바로'는 대명사인 '너'를 수식하고 있다. '바로'는 부사로서 주로 용언을 수식하는 기능을 하지만, ㉡에서와 같이 체언을 수식하는 경우도 있다. 이때의 '바로'는 대명사를 수식한다는 점에서 관형사로 볼 수도 있겠으나 일반적으로 부사로 인정하면서 체언 수식의 기능을 한다고 보는, 품사 고정의 입장을 취하고 있다. 이러한 단어로는 '오직, 다만, 단지' 등이 있다.
(2) 여기
'여기'는 본래 지시 대명사인데 ㉠에서는 서술어 '조용하지'의 주어로 쓰였으므로 주격 조사 '가' 또는 보조사 '는'이 생략된 형태로 볼 수 있고, ㉡에서는 서술어 '놓아라'를 수식하므로 부사격 조사 '에'가 생략된 부사어로 볼 수 있다.

소단원 출제 포인트

문장 성분

• 개념: 문장 안에서 일정한 (㉠   ) 기능을 담당하는 각각 부분

• 종류

주성분	• 문장을 이루는 데 골격이 되는 성분 • 서술어, 주어, 목적어, 보어가 있음.
부속 성분	• 주로 주성분의 내용을 (㉡)하는 성분 • 관형어, 부사어가 있음.
독립 성분	• 다른 문장 성분과는 직접적인 관련이 없는 성분 • (㉢)이/가 있음.

1 주성분

① 서술어

• 개념: (㉣   )의 동작, 상태, 성질 따위를 설명하는 문장 성분

• 서술어의 종류에 따른 유형
– 무엇이 <u>어찌하다</u>, 무엇이 <u>어떠하다</u>, 무엇이 <u>무엇이다</u>.

② 주어

• 개념: 문장에서 (㉤   ) 또는 상태나 성질의 주체를 나타내는 문장 성분

• 실현 방법
– 체언(명사, 대명사, 수사) 또는 체언 구실을 하는 구나 절에 주격 조사 '이/가', '께서'가 붙어 나타남.
– 주격 조사가 생략될 수도 있고 보조사가 붙을 수도 있음.
　㉠ {철수가 / 철수 / 철수도} 도서관에 갔다.

③ 목적어

• 개념: 서술어의 동작 대상이 되는 문장 성분

• 특징: (㉥   )이/가 서술어로 쓰일 때에는 목적어가 필요함.

• 실현 방법
– 목적격 조사 '을/를'이 붙어 나타남.
– 목적격 조사 '을/를'은 생략될 수도 있음.
– '을/를' 대신에 특정한 의미를 더하여 주는 보조사가 붙기도 함. ㉠ 나는 {과일을 / 과일 / 과일도} 좋아해.

④ 보어

• 개념: 서술어 '되다, 아니다'가 필수적으로 요구하는 문장 성분 가운데 주어가 아닌 것
　㉠ 그는 <u>학생이</u> 아니다. / 계절은 어느덧 <u>봄이</u> 되었습니다.

• 실현 방법
– 보격 조사 '이/가'가 붙음.
– 보격 조사 '이/가'는 생략될 수도 있음.
– '이/가' 대신에 (㉦   )이/가 붙기도 함.
　㉠ 형이 {바보가 / 바보 / 바보는} 아니다.

2 부속 성분

① 관형어

• 개념: (㉧   )을/를 수식하는 문장 성분

• 실현 방법

관형사	㉠ 아기가 <u>새</u> 옷을 입었다.
체언＋관형격 조사 '의'	㉠ 소녀는 (시골의/시골) 풍경을 좋아한다.　관형격 주사 '의'는 생략되기도 함.
용언의 관형사형	㉠ 철수는 <u>예쁜</u> 꽃을 샀다.

※ 관형격 조사는 생략되기도 함.

② 부사어

• 개념: 용언의 내용을 한정하는 문장 성분

• 주로 용언을 수식하지만 관형어나 다른 부사어, 문장 전체를 수식하기도 하며, 문장이나 단어를 이어 주기도 함.

• 실현 방법
– 부사가 부사어로 된 것
– 용언의 부사형이 부사어로 된 것
– 체언과 조사의 결합이 부사어로 된 것

• 종류

(㉨)	서술어, 관형어, 부사어 등과 같이 문장 속의 특정한 성분을 수식함. ㉠ 코스모스가 <u>참</u> 예쁘다. 　그들은 <u>아주</u> 오랜 친구 사이였다. 　연이 <u>매우</u> 높이 나는구나.
문장 부사어	• 문장 전체를 수식함. ㉠ <u>과연</u> 그 아이는 똑똑하구나. • 문장을 이어주는 접속 부사도 있음. ㉠ 나는 생각한다. <u>고로</u> 존재한다.

3 독립 성분

① 독립어

• 개념: 문장의 어느 성분과도 직접적인 관련이 없는 문장 성분(특정 성분과 구조적인 상관관계가 없음.)

• 실현 방법

(㉩)	㉠ 아, 에구, 어머나 등
체언＋ 호격 조사	㉠ • <u>철수야</u>, 학교 가자! • <u>철수</u>, 이리 좀 와 봐.(호격 조사 생략) • <u>신이시여</u>, 자비를 베푸소서.
제시어	㉠ <u>청춘</u>, 이는 듣기만 하여도 가슴이 설레는 말이다.

답 ㉠ 문법적, ㉡ 수식, ㉢ 독립어, ㉣ 주어, ㉤ 동작, ㉥ 타동사, ㉦ 보조사, ㉧ 체언, ㉨ 성분 부사어, ㉩ 감탄사

소단원 적중 문제

[01~04] 다음 글을 읽고, 물음에 답하시오.

㉮ 문장 안에서 일정한 문법적 기능을 하는 각 부분들을 문장 성분이라고 한다. 문장 성분은 문장을 이루는 데 골격이 되는 주성분, 주로 주성분의 내용을 수식하는 부속 성분, 다른 문장 성분과는 직접적인 관련이 없는 독립 성분으로 나뉜다. 주성분에는 서술어, 주어, 목적어, 보어가 있고, 부속 성분에는 관형어와 부사어가 있으며, 독립 성분에는 독립어가 있다.

㉯ 서술어(敍述語)는 주어의 동작, 상태, 성질 따위를 설명하는 문장 성분이다. 일반적으로 국어 문장은 서술어의 종류에 따라 '무엇이 어찌한다.', '무엇이 어떠하다.', '무엇이 무엇이다.'의 유형으로 나뉘는데, 여기서 '어찌한다', '어떠하다', '무엇이다'에 해당하는 것이 서술어이다.

주어(主語)는 문장에서 동작 또는 상태나 성질의 주체를 나타낸다. '무엇이 어찌한다.', '무엇이 어떠하다.', '무엇이 무엇이다.'에서 '무엇이'에 해당하는 성분이 주어이다. 주어는 체언 또는 체언 구실을 하는 구나 절에 주격 조사 '이/가', '께서'가 붙어 나타나는데, 때로는 주격 조사가 생략될 수도 있고 보조사가 붙을 수도 있다. 다음 예의 밑줄 친 부분은 모두 주어이다.

'먹다'라는 서술어는 반드시 체언에 '을/를'이 결합한 성분을 요구하는 타동사로, 이처럼 서술어의 동작 대상이 되는 문장 성분이 바로 목적어(目的語)이다. 타동사가 서술어로 쓰일 때는 목적어가 필요하다. 목적격 조사 '을/를'은 생략될 수도 있고, '을/를' 대신에 특정한 의미를 더하여 주는 보조사가 붙기도 한다.

보어(補語)는 서술어 '되다, 아니다'가 필수적으로 요구하는 문장 성분 가운데 주어가 아닌 것을 말한다.

㉰ 관형어(冠形語)가 체언을 수식하는 방법은 여러 가지이다. ⓐ관형사는 그대로 관형어가 되고, ⓑ체언에 관형격 조사 '의'가 결합되어 관형어로 쓰이거나 ⓒ용언의 관형사형이 관형어로 쓰이는 경우도 흔하다. 이때 ⓓ관형격 조사는 생략되기도 한다.

부사어는 주로 용언을 수식하지만 관형어나 다른 부사어, 문장을 수식하기도 하고 문장이나 단어를 이어 주기도 한다. 서술어, 관형어, 부사어와 같이 문장 속의 특정한 성분을 수식하므로 성분 부사어라고 하고, '문장 전체를 수식하는 것은 문장 부사어라고 한다. 문장 부사어에는 접속 부사어도 있는데, 문장을 이어 주는 부사어가 여기에 속한다.

㉱ 독립어도 엄연히 문장 안의 다른 성분과 어울려 문장을 이루기는 하지만, 특정 성분과 구조적인 상관관계가 없기 때문에 독립어라고 한다. 일반적으로 감탄사와, 체언에 호격 조사가 결합된 형태 등이 독립어가 된다.

01 윗글을 통해 알 수 있는 내용이 <u>아닌</u> 것은?

① 부사어는 문장을 이어 주는 기능도 한다.
② 서술어가 피동사일 때 목적어가 필요하다.
③ 감탄사는 문장 안에서 독립어로 기능한다.
④ 국어 문장의 유형은 서술어의 종류에 따라 나뉜다.
⑤ 관형어나 부사어는 문장에서 수식하는 기능을 한다.

학습 활동 적용
02 윗글을 참고하여 〈보기〉의 문장에서 문장 성분을 찾은 것으로 적절하지 <u>않은</u> 것은?

〈 보기 〉
　참, 지난 일요일에 친구와 극장에서 재미있는 영화를 보았어요.

① 서술어의 동작 대상이 되는 문장 성분: 영화를
② 체언을 수식하는 문장 성분: 지난, 친구와, 재미있는
③ 주로 용언을 수식하는 문장 성분: 일요일에, 극장에서
④ 어느 성분과도 직접적인 관련이 없는 문장 성분: 참
⑤ 주어의 동작, 상태, 성질 따위를 풀이하는 기능을 하는 문장 성분: 보았어요

03 윗글을 참고하여 〈보기〉를 이해한 것으로 적절하지 <u>않은</u> 것은?

〈 보기 〉
ㄱ. 철수가 선생님이 되었다.
ㄴ. 우리 형이 과일은 먹는다.
ㄷ. 설마 너도 집에 가는 것은 아니겠지?
ㄹ. 청춘, 이는 듣기만 하여도 가슴이 설레는 말이다.

① ㄱ은 주성분만으로 이루어진 문장이다.
② ㄴ의 '과일은'은 보조사가 붙은 목적어이다.
③ ㄴ의 '우리'는 주어인 '형'을 수식하는 부속 성분이다.
④ ㄷ의 '설마'는 문장 전체를 수식하는 문장 부사어이다.
⑤ ㄹ의 '청춘'은 주격 조사가 생략된 주어이다.

소단원 적중 문제

04 ⓐ～ⓓ의 형태로 쓰인 관형어를 연결한 것으로 적절하지 <u>않은</u> 것은?

① ⓐ: 철수가 <u>흰</u> 운동화를 신었다.
② ⓑ: 나는 <u>형의</u> 시계를 잠깐 동안 빌렸다.
③ ⓒ: 김 선생은 마당이 <u>넓은</u> 집에서 산다.
④ ⓒ: 명절에 <u>먹을</u> 음식은 시원한 곳에 보관해라.
⑤ ⓓ: 소녀는 <u>시골</u> 풍경을 좋아한다.

수능형
05 〈보기〉를 바탕으로 주어에 대해 탐구한 내용으로 적절하지 <u>않은</u> 것은?

┌─ 보기 ┐
　　㉠ 철수가 도서관에 가자고 찾아왔다. ㉡ 어머니께서 점심으로 먹으라고 김밥을 싸 주셨다. ㉢ 막상 도서관에 오니 배가 고파 밥부터 먹었다. ㉣ 우리가 자꾸 말을 하자 옆에 있는 ㉤ 사람들이 눈치를 줬다. ㉥ "우리 지금부터 조용히 하자!"라고 쪽지에 써서 철수에게 보여 주었다. 풀이 죽은 표정을 짓는 ㉦ 철수가 조금 귀여웠다.
└─────────┘

① ㉠과 ㉡을 비교해 보면, 서술어의 자릿수에 따라 주격 조사의 형태가 달라진다.
② ㉠, ㉣, ㉦을 볼 때, 주어는 '무엇이 어찌하다/어떠하다'에서 '무엇이'에 해당한다.
③ ㉠과 ㉤을 비교해 보면, 앞말의 형태에 따라 주격 조사가 달리 쓰인다.
④ ㉢으로 볼 때 문맥상 주어를 알 수 있을 경우에는 주어가 생략되는 경우도 있다.
⑤ ㉣과 ㉥을 보면 주격 조사는 생략되는 경우도 있다.

학습 활동 적용
06 다음 문장의 밑줄 친 부분과 문장 성분과 <u>다른</u> 것은?

┌─────────┐
　　그 책을 <u>여기</u> 놓아라.
└─────────┘

① <u>여기에</u> 문제의 심각성이 있다.
② <u>여기</u> 아주 고요하고 아름답지?
③ <u>여기보다</u> 저기가 더 좋아 보이지?
④ <u>여기로</u> 온 것은 역시 잘한 일이라고 생각했다.
⑤ 이렇게 떠나가면 우린 <u>여기</u> 남아서 어떻게 살라는 것이요?

[07-08] 다음 시를 읽고, 물음에 답하시오.

┌─────────────────────────┐
　　내가 나에게 조금 더
　　따뜻하고 ⓐ <u>너그러워지는</u>
　　ⓑ <u>동그란</u> 마음
　　㉠ <u>활짝</u> 웃어 주는 마음

　　남에게 주기 전에
　　내가 나에게 먼저 주는
　　ⓒ <u>위로의</u> 선물이라네

　　　　　　　　　　　　　– 이해인, 「나를 위로하는 날」에서
└─────────────────────────┘

07 밑줄 친 부분 중 ㉠과 같은 문장 성분이 <u>아닌</u> 것은?

① 코스모스가 참 예쁘다.
② 과연 그 아이는 똑똑하구나.
③ 나는 생각한다. 고로 존재한다.
④ 그들은 아주 오랜 친구 사이였다.
⑤ 지하철을 타면 더 빠르게 학교에 갈 수 있습니다.

서술형
08 ⓐ～ⓒ는 문장 안에서 어떤 문법적 기능을 하는지 서술하시오.

┌─ 조건 ┐
　　• ⓐ～ⓒ의 문장 성분을 밝힐 것.
└─────────┘

학습 활동 적용
09 〈보기〉와 같이 문장 성분을 바꾸어도 문법적인 문장이 되는 예가 <u>아닌</u> 것은?

┌─ 보기 ┐
　　나는 <u>학교에</u> 갔다. → 나는 <u>학교를</u> 갔다.
└─────────┘

① 그는 겨우 <u>버스에</u> 탔다.
② 너 이 시간에 <u>어디에</u> 가니?
③ 나는 책을 <u>철수에게</u> 주었다.
④ 그가 나에게 어려운 부탁을 했다.
⑤ 그는 막 출발하려는 <u>기차에</u> 탔다.

10 밑줄 친 부분과 같은 문장 성분의 특성을 바르게 말한 것은?

> 나는 친구 책을 잠시 빌렸다.

① 문장의 주성분에 해당한다.
② 보조사를 취하는 경우가 있다.
③ 격 조사가 생략될 경우가 있다.
④ 주로 동사나 형용사를 수식한다.
⑤ 서술어에 따라 필수 성분이 될 수도 있다.

11 밑줄 친 부분의 문장 성분이 같은 것끼리 짝지어진 것은?

① ㄱ. 은행잎이 <u>노랗게</u> 물들었다.
　 ㄴ. <u>노란</u> 은행잎을 밟으며 걸었다.
② ㄱ. <u>진희가</u> 간식을 먹는다.
　 ㄴ. 하계 봉사단장으로는 <u>진희가</u> 적당하다.
③ ㄱ. 할아버지께서는 <u>등산만</u> 하셨다.
　 ㄴ. 여러 운동 중에서 <u>등산만</u> 효과적이었다.
④ ㄱ. 인수가 <u>가수가</u> 되었다.
　 ㄴ. <u>가수가</u> 노래를 부르자 사람들이 환호했다.
⑤ ㄱ. <u>저런</u>, 강아지가 병아리를 잡았네.
　 ㄴ. <u>저런</u> 사람을 책임자로 뽑았다니 믿을 수 없군.

12 〈보기〉를 바탕으로 문장 성분에 대해 탐구한 내용으로 적절한 것은?

> ─ 보기 ─
> ㄱ. 형이 집에서 잠을 잔다.
> ㄴ. 오래된 것이 더 귀하다.
> ㄷ. 누나가 아름다운 노래를 부른다.
> ㄹ. 정우가 드디어 요리사가 되었다.
> ㅁ. 토끼가 거북이보다 늦게 도착했다.

① ㄱ에서 필수적인 문장 성분은 모두 세 개이다.
② ㄴ을 보면 관형어가 생략될 수 없는 경우도 있다.
③ ㄷ의 '부르다'는 주어 외에 부사어도 필요로 하는 서술어이다.
④ ㄹ의 주어는 '요리사가'이다.
⑤ ㅁ에 사용된 문장 성분은 '주어, 관형어, 부사어, 서술어'이다.

13 다음 밑줄 친 부사어의 기능이 나머지와 다른 하나는?

① 인내심이 <u>바로</u> 나의 강점이다.
② 이번 회의엔 <u>꼭</u> 참석해 주세요.
③ 잡은 거라고는 <u>겨우</u> 피라미밖에 없었다.
④ 작년보다 자전거 경주 참가자가 <u>무려</u> 갑절이나 많아졌다.
⑤ 그는 관중 앞에서 자신이 <u>한낱</u> 웃음거리로 전락한 것을 알았다.

서술형

14 다음 문장에서 밑줄 친 부분이 필수적인 문장 성분인 이유를 서술하시오.

> 동생은 <u>나에게</u> 책을 주었다.

> ─ 조건 ─
> • 문장 성분을 구체적으론 밝혀 서술할 것.

고난도

15 〈보기〉에서 (가)와 (나)의 밑줄 친 문장 성분을 비교하여 그 특징을 탐구한 결과로 적절하지 <u>않은</u> 것은?

문장 성분	예문
(가)	• <u>하얀</u> 구름이 바람에 흘러간다. • 삼촌이 <u>헌</u> 도자기를 물려 주셨다. • 미영이가 <u>아빠</u> 신발을 닦아 드렸다. • <u>소녀의</u> 소망은 가수가 되는 것이다.
(나)	• 엄마는 <u>제일</u> 먼저 아기의 상태를 살핀다. • 삼촌이 <u>아주</u> 헌 도자기를 물려 주셨다. • 아저씨는 고아를 <u>양자로</u> 삼았다. • 부모님을 <u>자주</u> 찾아뵈어라. • <u>부디</u> 건강하시기 바랍니다.

① (가)는 체언을 수식하나 (나)는 다양한 문장 성분을 수식한다.
② (가)는 바로 뒤에 오는 성분을 수식하나 (나) 중에는 문장 전체를 수식하는 것도 있다.
③ (가)는 조사를 취하지만 (나)는 조사를 취하지 않는다.
④ (가)는 (나)를 수식하지 않지만 (나)는 (가)를 수식하는 경우가 있다.
⑤ (가)와 (나)는 둘 다 부속 성분이나 (나) 중에는 문장에서 필수적으로 요구하는 것이 있다.

{2}

문장의 짜임

소단원 학습 포인트

- 문장의 짜임 탐구하기
- 홑문장과 겹문장, 안은문장, 이어진문장 알기

```
          문장
       ┌────┴────┐
     홑문장      겹문장
            ┌────┴────┐
         안은문장   이어진문장
```

가 **1 홑문장과 겹문장**

다가서기

- 다음 문장에서 주어와 서술어 관계가 몇 번 나타나는지 괄호에 적어 보자.

		예시 답
㉠ 꽃이 예쁘다.		(1)번
㉡ 우리 집 정원에 드디어 장미꽃이 피었어.		(1)번
㉢ 이것은 장미꽃이고, 저것은 국화꽃이야.		(2)번
㉣ 그는 아직도 우리가 돌아왔다는 걸 몰라.		(2)번

사건이나 상태는 기본적으로 주어와 서술어로 표현된다. 주어와 서술어의 관계가 한 번 나타나면 홑문장, 두 번 이상 나타나면 겹문장이 된다. 따라서 겹문장은 주술 관계가 두 개 이상이다.   ▶홑문장과 겹문장의 구분 방법

· 꽃이   예쁘다.   · 이것은   장미꽃이고,   저것은   국화꽃이야.
  주어 + 서술어   주어 +   서술어   주어 +   서술어

㉠과 같이 간단한 문장은 물론이고, ㉡과 같이 관형어나 부사어가 많아도 주어와 서술어가 한 번만 나타나면 홑문장이다. ㉢과 ㉣은 주어와 서술어가 두 번씩 나타나므로
<u>홑문장과 겹문장의 구별에 유의할 점</u>
겹문장이다. ㉢은 홑문장과 홑문장이 이어진 겹문장이므로 이어진문장이라고 하고, ㉣은 전체 문장이 홑문장을 안고 있는 겹문장이므로 안은문장이라고 한다. 이때 안은문
<u>홑문장을 절의 형식으로 안고 있음.</u>   <u>안긴문장을 안고 있는 문장</u>
장 속에 안겨 있는 홑문장은 안긴문장이라고 한다.   ▶홑문장과 겹문장의 예와 겹문장의 종류
         <u>안은문장 속에 안겨 있는 문장</u>

확인하기

- 다음 문장들이 홑문장인지 겹문장인지 판단하고, 겹문장은 이어진문장과 안은문장으로 나누어 보자. |예시 답|

  · 나는 나만의 삶을 나만의 방식으로 산다. → 홑문장
      주어   서술어
  · 어느새 겨울이 와서 바람이 차다.   · 그는 자기를 도와준 사람을 끝내 몰랐다.
         주어 서술어 주어 서술어   주어   관형절   서술어
  → 겹문장(이어진문장)   → 겹문장(안은문장)

나 **2 안은문장과 안긴문장**

다른 문장 속에 들어가 하나의 성분처럼 쓰이는 문장을 안긴문장이라고 하며, 안긴
                      <u>절이 하나의 문장 성분으로 기능함.</u>
문장을 포함한 문장을 안은문장이라고 한다. 안긴문장은 하나의 '절'이 되는데, 이는 명
사절, 관형절, 부사절, 서술절, 인용절의 다섯 가지로 나뉜다.   ▶안은문장과 안긴문장의
         <u>안긴문장의 종류</u>   개념과 종류

① **명사절을 가진 안은문장**

다가서기

- 괄호 안의 용언을 적절한 활용형으로 바꾸어 보자.
  |예시 답|
  · (그 일을 하다)가 쉽지 않다. ⋯▶ <u>그 일을 하기</u>가 쉽지 않다.
  · 우리는 (그가 정당했다)을 깨달았다. ⋯▶ 우리는 <u>그가 정당했음</u>을 깨달았다.
  · 지금은 (집에 가다)에 이른 시간이다. ⋯▶ 지금은 <u>집에 가기</u>에 이른 시간이다.

명사절은 <u>명사형 어미 '-(으)ㅁ', '-기'</u>가 붙어서 만들어지며, 문장에서 주어, 목적어,
_{명사절 만드는 명사형 어미}
부사어 등 다양한 기능을 한다. '그 일을 <u>하기</u>가 쉽지 않다.'의 명사절은 주어 기능을 하
고, '우리는 <u>그가 정당했음</u>을 깨달았다.'의 명사절은 목적어 기능을 하며, '지금은 집에
<u>가기</u>에 이른 시간이다.'의 명사절은 부사어 기능을 한다.
▶명사절의 실현 방법과 문장에서의 기능

확인하기

● 다음에서 명사절을 찾아, 문장 속에서 각각 어떤 기능을 하는지 탐구해 보자.

| 예시 답 |
· 이 책은 <u>내가 읽기</u>에는 너무 어렵다.   · 내 일을 <u>돕기</u> 싫거든 간섭이나 하지 말아요.
    <u>부사어 기능</u>   <u>주어 기능</u>
· 나는 <u>그가 노력하고 있음</u>을 잘 알고 있다.
             <u>목적어 기능</u>

✎ 전성 어미
용언의 어간에 붙어 다른 품사의 기능을 수행할 수 있게 해 주는 어미. 명사형 어미, 관형사형 어미, 부사형 어미 등이 있다.

개념⊕
명사형 어미
· -(으)ㅁ: 사건이 완료된 때에 쓰임.
· -기: 사건이 완료되지 않은 때에 쓰임.

핵심 다지기

■ 문장의 구조에 따른 분류

· **홑문장**: 주어와 서술어의 관계가 한 번만 나타나는 문장
  @ 꽃이 예쁘다.
· **겹문장**: 주어와 서술어의 관계가 두 번 이상 나타나는 문장

이어진 문장	홑문장과 홑문장이 이어진 문장 @ 이것은 장미꽃이고, 저것은 국화꽃이야.
안은 문장	전체 문장이 홑문장을 안고 있는 문장. 이때 안겨 있는 홑문장을 '안긴문장'이라고 함. @『그는 <u>자기가 도와준</u> 사람을 끝내 몰랐다.』 ♪ ⌐안은문장 <u>안긴문장</u>

■ 안은문장과 안긴문장

안긴문장은 하나의 '절'이 되는데, 이는 크게 명사절, 관형절, 부사절, 서술절, 인용절의 다섯 가지로 나뉨.

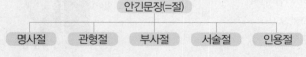

안긴문장(=절) — 명사절 / 관형절 / 부사절 / 서술절 / 인용절

■ 명사절을 가진 안은문장

· **명사절**: 명사형 어미 '-(으)ㅁ', '-기'가 붙어서 명사의 자리에 쓰일 수 있는 절
· **명사절의 기능**: 문장에서 주어, 목적어, 부사어 등 다양한 기능을 함.
  @ · 그 일을 하기가 쉽지 않다. → 주어
  · 우리는 <u>그가 정당했음</u>을 깨달았다. → 목적어
  · 지금은 <u>집에 가기</u>에 이른 시간이다. → 부사어
· **명사형 어미**: '-(으)ㅁ/-기'는 용언의 어간에 붙어 명사와 같은 기능을 수행하게 함.
  @ 밥을 먹다 → 밥을 먹음(먹기)
  꽃이 예쁘다 → 꽃이 예쁨(예쁘기)

01. 문장의 짜임에 대한 설명으로 적절하지 않은 것은?
① 안은문장 속에 안긴문장을 '절'이라고도 한다.
② 홑문장을 안고 있는 문장을 안은문장이라고 한다.
③ 안긴문장은 전체 문장 속에서 하나의 성분처럼 쓰인다.
④ 홑문장은 주어와 서술어의 관계가 두 번 이상 나타난다.
⑤ 홑문장과 홑문장이 연결된 겹문장을 이어진문장이라고 한다.
`출제 예감`

02. 〈보기〉의 자료를 이해한 내용으로 적절한 것은?

> ─ 보기 ─
> ㄱ. 기린은 목이 길다.
> ㄴ. 기린은 목이 길고 다리도 길다.
> ㄷ. 아이는 기린의 목이 더 길기를 원했다.

① ㄱ은 주어와 서술어의 관계가 한 번 나타난다.
② ㄴ은 절을 안고 있다.
③ ㄴ의 '길고'와 '길다'의 주어는 모두 '기린'이다.
④ ㄷ의 안긴문장은 명사형 어미 '-기'가 붙어서 만들어졌다.
⑤ ㄷ은 주어와 서술어의 관계가 여러 번 나타나는 이어진 문장이다.

03. 다음 중 안긴문장이 부사어의 역할을 하고 있는 것은?
① 색깔이 희기가 눈과 같다.
② 나는 그가 돌아오기를 기다린다.
③ 가을은 책을 읽기에 좋은 계절이다.
④ 제비는 꽃이 피는 남쪽으로 떠났다.
⑤ 왕자는 장미꽃이 아름답다는 것을 알고 있다.

<u>서술형</u>
04. 다음 문장에서 명사절을 찾아 문장 속에서 어떤 기능을 하는지 서술하시오.

> 아버지와 어머니는 언제나 자식들이 행복하기를 바란다.

개념 ✚

관형절의 종류

• **관계 관형절**: 관형절의 수식을 받는 체언이 관형절 속의 일정한 성분이 되는 관형절
  예) 이 책은 내가 읽은 책이다. → 내가 책을 읽었다.(목적어의 역할)

• **동격 관형절**: 관형절의 수식을 받는 체언과 동일한 의미를 갖는 관형절
  예) 철수가 온다는 소식을 들었다. (소식 = 철수가 온다.)

다 ② **관형절을 가진 안은문장**

> **다가서기**
>
> ● 다음 문장이 자연스러운 문장이 되도록 괄호 안의 용언을 적절한 활용형으로 바꾸어 보자.
>
> | 예시 답 |
> • 이 책은 (내가 읽다) 책이다. ···▶ 이 책은 <u>내가 읽은</u> 책이다.
> • (몸에 좋다) 약이 입에 쓰다. ···▶ <u>몸에 좋은</u> 약이 입에 쓰다.

관형절은 <u>안은문장 안에서 관형어 기능을 하는 절로서</u>, 관형사형 어미 '–(으)ㄴ',
　　　　　　　　관형절의 개념　　　　　　　　　　　　　　　　　　　　　　　　　과거
'–는', '–(으)ㄹ', '–던'이 붙어서 만들어진다. 이 요소들은 각각 표현하는 시제가 서로
　현재　　미래　　　과거
다르다.
　　　　　　　　　　　　　　　　　　　　　　　　　　　　　　　▶관형절의 개념과 실현 방법

> **확인하기**
>
> ● 다음 문장에서 관형절을 찾아 밑줄을 쳐 보자.
>
> | 예시 답 |
> • <u>철수가 온다는</u> 소식을 들었다.
> • <u>네가 좋아할</u> 일이 생겼다.

개념 ✚

• **부사 파생 접미사**
어근에 붙어 품사를 부사로 바꾸는 문법적 변화를 일으키는 접미사.
예) 형은 글씨를 빨리 쓴다.
　　동생은 규칙을 엄격히 지킨다.
　···▶ 형용사 '빠르다'의 어근 '빠르–'에 부사 파생 접미사 '–이'가 붙고, 형용사 '엄격하다'의 어근 '엄격–'에 부사 파생 접미사 '–히'가 붙어 형용사를 부사로 만들어 줌. 품사는 부사, 성분은 부사어임.

• **부사형 전성 어미**
용언의 서술 기능을 부사어로 바꾸어 주는 어미. 품사는 변하지 않고 성분만 바뀜.
예) 형은 글씨를 빠르게 쓴다.
　　동생은 규칙을 엄격하게 지킨다.
　···▶ '형용사 빠르다'와 '엄격하다'의 어간 '빠르–'와 '엄격하–'에 전성 어미 '–게'가 붙어 성분을 부사어로 만들어 줌. 품사는 형용사, 성분은 부사어임.

라 ③ **부사절을 가진 안은문장**

> **다가서기**
>
> ● 다음 문장이 자연스러운 문장이 되도록 괄호 안의 용언을 적절한 형태로 바꾸어 보자.
>
> | 예시 답 |
> • 그는 (아는 것도 없다) 잘난 척을 한다.
>   ···▶ 그는 <u>아는 것도 없이</u> 잘난 척을 한다.
> • 철수는 (발에 땀이 나다) 뛰었다.
>   ···▶ 철수는 {<u>발에 땀이 나게</u> / <u>발에 땀이 나도록</u>} 뛰었다.

그는
(아는 것도 없다)
잘난 척을 한다.

부사절은 <u>절 전체가 부사어의 기능을 하는 것</u>을 말하는데, 서술어를 수식하는 기능
　　　　　　　　　　부사절의 개념
을 한다. 위의 두 문장에는 '아는 것도 없다.'와 '발에 땀이 나다.'라는 문장들이 안겨 있
는데, '–이', '–게', '–도록' 등이 붙어서 부사절이 된다.　　　　　　▶부사절의 개념과 실현 방법
　　　　　　부사화 접미사　　부사형 어미

> **확인하기**
>
> ● 다음 문장에서 부사절을 찾아 밑줄을 쳐 보자.
> | 예시 답 |
> • 비가 <u>소리도 없이</u> 내린다.
> • 꽃송이가 <u>눈이 부시게</u> 피어났다.

■ 관형절을 가진 안은문장

• 관형절: 관형사형 어미 '-(으)ㄴ', '-는', '-(으)ㄹ', '-던' 등이 붙어서 만들어진 절
• 관형절의 기능: 안은문장 안에서 체언을 수식하는 관형어의 기능을 함.
• 관형사형 어미에 따라 관형절이 표현하는 시제가 다름.

-(으)ㄴ	과거	예 이것은 내가 읽은 책이다.
-는	현재	예 이것은 내가 읽는 책이다.
-(으)ㄹ	미래	예 이것은 내가 읽을 책이다.
-던	과거(미완)	예 이것은 내가 읽던 책이다.

※ 관형사형 어미 '-(으)ㄴ'과 '-(으)ㄹ'의 시간 의미는 형용사와 결합할 때 달라짐.

-(으)ㄴ	현재	예 키가 작은 학생이 오고 있다.
-(으)ㄹ	추측	예 이 강은 물이 깊을 것이다.

■ 부사절

• 부사절: 부사형 접미사 '-이', 부사형 어미 '-게, -도록, -듯이' 등이 붙어서 만들어진 절
• 부사절의 기능: 안은문장 안에서 서술어를 수식하는 부사어의 기능을 함.
　예 • 비가 소리도 없이 내린다.
　　 • 철수는 발에 땀이 나게 뛰었다.
　　 • 우물물은 이가 시리도록 차갑다.
　　 • 영희는 하늘을 날듯이 기뻤다.

보충자료

혼동되는 부사절
예 꽃이 예쁘게 피었다.
위 문장은 홑문장일까 아니면 겹문장일까? 위 문장은 '예쁘게'의 주어인 '꽃이' 생략되어 있는 것으로 볼 수 있다. 따라서 '꽃이 예쁘다.'라는 홑문장이 부사절로 안긴 겹문장인 것이다. 이처럼 부사형 어미 '-게'는 절의 주어가 생략되어 성질, 상태 등을 나타내는 보통의 부사어처럼 쓰이는 어미이다.

예 얼굴빛이 아침과 달리 어두웠다.
'-이'가 이끄는 부사절은 그것이 결합하는 서술어가 '다르다, 같다, 없다'로만 한정되어 있어, '달리, 같이, 없이'로만 나타난다.

---

05. 다음 중 관형절을 만드는 어미가 아닌 것은?
① -는　　　　② -(으)ㄴ　　　　③ -던
④ -(으)ㄹ　　　⑤ -(으)ㅁ

06. 다음 중 관형절을 안고 있는 문장은?
① 보기 좋은 떡이 맛도 있다.
② 모기가 소리도 없이 물었다.
③ 영수는 아파서 병원에 갔다.
④ 농부들은 농사가 잘 되기를 바란다.
⑤ 나는 철수의 말이 옳다고 생각했다.

07. 밑줄 친 절의 기능이 나머지와 다른 것은?
① 그녀는 눈이 부시게 예뻤다.
② 눈이 소리 없이 쌓이고 있었다.
③ 영수는 얼굴이 동그란 소녀를 보았다.
④ 우리 팀은 해가 지도록 등산을 했다.
⑤ 공을 향해 영희는 새가 날듯이 솟아올랐다.

출제 예감
08. 〈보기〉의 ⓐ~ⓔ에 대한 설명으로 적절하지 않은 것은?

┌─ 보기 ─
• 강물은 ⓐ 발이 시리도록 차가웠다.
• 나는 ⓑ 쥐를 잡은 고양이를 보았다.
• 하늘에는 ⓒ 고운 무지개가 떴다.
• 그는 ⓓ 남의 도움 없이 집을 지었다.
• 이 길은 ⓔ 내가 산책하던 길이다.
└─

① ⓐ은 안은문장의 부사어로 쓰이고 있다.
② ⓑ은 뒤에 오는 체언을 수식하는 관형절이다.
③ ⓒ은 서술어 '떴다'를 수식하는 부사절이다.
④ ⓓ은 접미사 '-이'가 붙어 부사절을 형성하고 있다.
⑤ ⓔ은 관형사형 어미 '-던'이 붙어 만들어진 관형절로 과거 시제를 표현하고 있다.

서술형
09. 〈보기〉의 ㄱ~ㄷ에 사용된 안긴문장의 공통점을 모두 찾아 서술하시오.

┌─ 보기 ─
ㄱ. 네가 좋아하는 음식이 왔다.
ㄴ. 지금 듣는 노래는 딱 내 취향이다.
ㄷ. 나는 영수가 귀국한다는 소식을 들었다.
└─

마 ④ 서술절을 가진 안은문장

다가서기

● 다음 문장을 보고, 아래의 활동을 해 보자.

> • 토끼는 앞발이 <u>짧다.</u>
> • 철수는 용기가 <u>부족하다.</u>

(1) 각 문장에서 '짧은 것'과 '부족한 것'이 무엇인지 찾아보자.
| 예시 답 | 짧은 것: 앞발, 부족한 것: 용기

(2) 밑줄 친 서술어의 직접적인 주어가 무엇인지 말해 보자.
| 예시 답 | 밑줄 친 서술어는 사실상 '앞발'과 '용기'라는 말을 풀이하므로 '앞발'과 '용기'가 주어인 듯하다.

(3) '토끼는'과 '철수는'의 상태 또는 성질이 어느 부분에 표현되고 있는지 말해 보자.
| 예시 답 | '앞발이 짧다'와 '용기가 부족하다'는 문장 전체가 '토끼는'과 '철수는'의 상태나 성질을 풀이하고 있다.

✎ 서술절을 가진 안은문장의 구조
코끼리가 코가 길다.
　주어　　주어　서술어
　　　　　　　서술절

절 전체가 서술어의 기능을 하는 것을 서술절이라고 한다. 서술절을 가진 안은문장
_{다른 절과 마찬가지로 문장 성분(서술어)의 기능을 함.}
은 한 문장에 주어가 두 개 있는 것처럼 보인다. 이때 앞에 나오는 주어를 제외한 나머
_{서술절은 다른 절과는 달리 품사 이름이 절의 명칭이 아님.}
지 부분이 서술절에 해당한다. 서술절은 특별한 표지가 따로 없다는 점에서 다른 안긴
_{서술절의 특징 – 전성 어미나 접미사 등이 결합하지 않음.}
문장과 차이를 보인다. '토끼는 앞발이 짧다.'에서 '앞발이'의 서술어는 '짧다'이고, '토끼
는'의 서술어 기능을 하는 서술절은 '앞발이 짧다'이다.
▶서술절의 개념과 특징

확인하기

● 다음 문장에서 서술절을 찾아 밑줄을 쳐 보자.
| 예시 답 |
• 그 사람은 <u>손이 무척 커.</u>
• 철수는 <u>머리가 좋고,</u> 영희는 <u>음악적 재능이 있다.</u>
　　　　　안은문장　　　　　　　　　안은문장
　　　　　　　　　이어진문장

바 ⑤ 인용절을 가진 안은문장

다가서기

● 다음 문장에서 다른 사람의 말을 인용한 부분을 찾아보자.
| 예시 답 |
• 기환은 당황한 어조로 "이게 무슨 일이지?"라고 말하였다. – 직접 인용
• 철수는 자기가 직접 확인하겠다고 약속했다. – 간접 인용

개념⊕
'절'이 만들어지는 방법
• 명사절, 관형절: 전성 어미가 붙어서 이루어짐.
• 부사절: 접사나 전성 어미가 붙어서 이루어짐.
• 인용절: 안긴문장에 조사가 붙어 이루어짐.
• 서술절: 절을 이루는 표지가 따로 없음.

다른 사람의 말이나 글을 인용한 것이 절의 형식으로 안기는 경우가 있는데, 이를 인
_{인용절의 개념}
용절이라고 한다. 인용절은 주어진 문장에 조사 '고, 라고'가 붙어서 만들어진다. 주어
_{인용절의 실현 방법}
진 문장을 그대로 직접 인용하는 직접 인용절의 경우, 받침 없는 말 뒤에는 '라고'가, 받
침 있는 말 뒤에는 '이라고'가 붙는다. 말하는 사람의 표현으로 바꾸어서 간접 인용하는
간접 인용절에는 주로 '고'가 종결 어미 '–다, –냐, –라, –자, –마' 따위 뒤에 붙는다.
▶인용절의 개념과 실현 방법

확인하기

● 다음 문장의 인용절에 밑줄을 치고, 적절한 조사를 괄호 안에 써넣어 보자.
| 예시 답 |
• 영수는 다급한 목소리로 <u>"얼른 도망가."</u>(라고) 소리쳤다.
• <u>"빗소리가 듣기 좋군."</u>(이라고) 나직하게 말했다.
• 민수는 내 귀에다 조용히 <u>나가자</u>(고) 속삭였다.

인용절
뒤로 가자!

■ 서술절을 가진 안은문장

• 서술절: 절 전체가 서술어의 기능을 하는 것
• 서술절을 가진 안은문장은 한 문장에 주어가 두 개 있는 것처럼 보이는데, 이때 앞에 나오는 주어를 제외한 나머지 부분이 서술절에 해당함.
• 서술절은 다른 절들과는 달리, 별도의 어미가 붙을 필요 없이(→절 표지가 없음.) 그냥 절 자체로 서술절이 됨.
  예) <u>토끼는</u> 〈앞발이 짧다〉
      주어   주어 서술어
             서술절

■ 인용절을 가진 안은문장

• 인용절: 다른 사람의 말이나 글을 인용한 것이 절의 형식으로 안긴 것
• 주어진 문장에 인용격 조사 '고', '(이)라고'가 붙어 만들어짐.

직접 인용절	• 주어진 문장을 그대로 직접 인용함.
	• 조사 '라고'가 받침 없는 말 뒤에 붙고, 받침 있는 말 뒤에는 '이라고'가 붙음.
	  예) 철수가 "너 먼저 먹어."라고 말했다.
	• '하고'가 붙어 이루어질 수도 있음.
	  예) 소리가 "쿵!" 하고 울렸다.

간접 인용절	• 주어진 문장을 말하는 사람의 표현으로 바꾸어서 인용함. • 주로 '고'가 종결 어미 '-다', '-냐', '-라', '-자', '-마' 등의 뒤에 붙음. 예) 철수는 영희에게 너 먼저 먹으라고 말했다.

보충자료

'보어'와 '서술절의 주어' 구분

예) (가) 영희가 화가 되었다.
    (나) 영희가 머리가 길다.

(가)와 (나)는 모두 주어가 두 개, 서술어가 한 개인 문장으로 문장 구조가 같아 보인다. 그러나 문장 성분에서 서술어 '되다, 아니다' 앞에 오는 '이, 가'는 앞말을 보어로 만들어 주는 보격 조사라고 배웠음을 기억하자. 보어와 서술절의 주어는 모두 주격 조사가 붙으므로 혼동하기 쉬워 이들을 구분하는 문제가 자주 출제된다. 이때 서술어가 '되다, 아니다'인지를 확인하면 쉽게 구분할 수 있다. 즉, 서술어 '되다, 아니다' 앞에 오는 문장 성분은 보어이고, 나머지 서술어의 앞에 오는 문장 성분은 서술절의 주어이다.

10. 〈보기〉의 밑줄 친 부분에 대한 이해가 적절하지 <u>않은</u> 것은?

〈 보기 〉
> 코끼리가 <u>코가 길다.</u>

① 서술절임을 알려주는 표지가 따로 없군.
② 서술격 조사 '이다'가 붙어 절을 이루는군.
③ 서술어로 미루어 볼 때 '코가'는 보어가 아니군.
④ 서술어 부분에 절이 들어가 서술어 기능을 하는군.
⑤ 안은문장의 주어와 나란히 있어 주어가 두 개 있는 것처럼 보이는군.

출제 예감

11. 밑줄 친 안긴문장의 유형이 나머지와 <u>다른</u> 하나는?

① 장미는 <u>꽃이 예쁘다.</u>
② 민정이가 <u>마음이 넓다.</u>
③ 종일 비가 와서 <u>땅이 질다.</u>
④ 성미가 급한 영수는 <u>말이 빠르다.</u>
⑤ 철수는 속이 터질 정도로 <u>행동이 느리다.</u>

12. 〈보기〉와 같은 종류의 절을 가진 문장은?

〈 보기 〉
> 엄마는 나에게 빨리 가라고 외치셨다.

① 우리는 그를 만난 기억이 없다.
② 농부들은 비가 오기를 기다렸다.
③ 그들은 집도 없이 떠돌며 살았다.
④ 영희는 철수가 산 빵을 먹으며 함께 공부했다.
⑤ 오빠는 나에게 저 집에 누가 사느냐고 물었다.

출제 예감

13. 〈보기〉의 ⓐ와 ⓑ에 들어갈 말을 쓰시오.

〈 보기 〉
> 직접 인용을 간접 인용으로 바꿀 때나 간접 인용을 직접 인용으로 바꿀 때는 인용절 속의 어미, 인용 조사, 대명사, 지시 표현, 시간 표현 등에 변화가 생길 수 있다.
>
> | 직접 인용 | 형이 어제 "내일 내 방 좀 청소해 줄래?"라고 물었다. |
> |---|---|
>
> ↓
>
> | 간접 인용 | 형이 어제 오늘 (ⓐ) 좀 청소해 (ⓑ) 물었다. |
> |---|---|

개념➕

대등하게 연결된 이어진문장의 특징
• 앞 문장과 뒤 문장의 구조가 대칭됨.
• 앞 문장과 뒤 문장의 순서를 서로 바꿀 수 있음.
• 앞 문장과 뒤 문장의 서술어가 동일할 경우에는 선행절의 서술어를 생략할 수 있음.
  예 영수는 학교에, 민수는 도서관에 갔다.

사 3 이어진문장

이어진문장은 홑문장 두 개가 이어지는 방법에 따라 대등하게 연결된 이어진문장과 종속적으로 연결된 이어진문장으로 나뉜다.
실질적으로는 두 문장의 의미 관계에 따른 구분
▶이어진문장의 종류

① 대등하게 연결된 이어진문장

다가서기

● 다음 두 문장을 적절한 연결 어미를 활용하여 의미 관계가 대등하도록 이어 보자.
|예시 답|
• 철수는 채소를 좋아한다. + 민수는 고기를 좋아한다.
  ↳ 철수는 채소를 {좋아하고 / 좋아하지만} 민수는 고기를 좋아한다.

의미 관계가 대등한 두 홑문장이 이어지는 문장을 대등하게 연결된 이어진문장이라고 한다. 이어진문장을 구분하는 기준
대등하게 이어지는 문장에서 앞 절과 뒤 절은 나열, 대조 등의 의미 관계를 이룬다. '철수는 채소를 좋아하고, 민수는 고기를 좋아한다.'에서는 나열의 의미 관계, '철수는 채소를 좋아하지만, 민수는 고기를 좋아한다.'에서는 대조의 의미 관계가 확인된다.
대등적 연결 어미
▶대등하게 연결된 이어진문장의 개념과 선·후행절의 의미 관계

확인하기

● 다음은 대등하게 연결된 이어진문장들이다. 연결 어미에 따라 문장의 의미가 어떻게 달라지는지 말해 보자.
• 절약은 부자를 만들고, 절제는 사람을 만든다. → 나열
  절약은 부자를 만들지만, 절제는 사람을 만든다. → 대조
• 인생은 짧고, 예술은 길다. → 나열   인생은 짧지만, 예술은 길다. → 대조
|예시 답| 위의 문장들은 연결 어미 '-고'를 사용하여 두 문장을 나열하는 의미 관계를 갖고 있지만, 아래의 문장들은 연결 어미 '-지만'을 사용하여 두 문장이 서로 대조되는 의미 관계를 지닌다.

개념➕

연결 어미의 종류
이어진문장에서 두 절이 이어질 때 사용되는 연결 어미는 앞 절의 끝에 결합되어 나타난다.
• 대등적 연결 어미: 두 절을 대등한 자격으로 이어 주는 연결 어미
• 종속적 연결 어미: 앞 절을 뒤 절에 종속적으로 이어 주는 연결 어미
• 보조적 연결 어미: 본용언을 보조 용언에 이어 주는 연결 어미

아 ② 종속적으로 연결된 이어진문장

다가서기

● 다음 괄호 안에 있는 문장의 용언을 적절한 활용형으로 바꾸어 두 문장을 자연스럽게 이어 보자.
|예시 답|
• (비가 오다), 길이 질다. ⋯▶ 비가 와서 길이 질다. (원인)
• (아침 일찍 떠나다), 미리 준비를 해 두었다. ⋯▶ 아침 일찍 떠나려고 미리 준비를 해 두었다. (의도)
• (경기에 지다), 우리는 정당하게 싸워야 한다. ⋯▶ 경기에 지더라도 우리는 정당하게 싸워야 한다. (양보)

앞 절과 뒤 절의 의미가 독립적이지 못하고 종속적인 문장을 종속적으로 연결된 이어진문장이라고 한다. 이때 앞 절과 뒤 절의 의미 관계에 따라 다양한 종속적 연결 어미가 사용된다. 예를 들면, '-(아)서'는 원인, '-(으)면'은 조건, '-(으)려고'는 의도, '-는데'는 상황, '-(으)ㄹ지라도'는 양보의 의미를 띠고 있다.
종속적 연결 어미의 예
▶종속적으로 연결된 이어진문장의 개념과 종속적 연결 어미의 예

확인하기

● 다음 문장에서 앞 절과 뒤 절을 종속적으로 이어 주는 요소가 무엇인지 찾아보고, 어떠한 의미 관계로 이어지고 있는지 구체적으로 설명해 보자.
|예시 답|
• 사랑받고 싶다면 사랑하라. –다면(조건)
• 이 책은 읽을수록 새로운 감동을 준다. –을수록(조건, 점점 더하거나 덜해지는 상황)
• 저는 속을지언정 남을 속여서는 못쓴다. –을지언정(양보, 뒤 절의 일을 강조하기 위해 앞 절의 일을 인정함.)

■ 대등하게 연결된 이어진문장

• 개념: 앞 절과 뒤 절이 동등한 자격으로 이어진 문장
• '-고', '-며', '-나', '-지만', '-거나' 등의 대등적 연결 어미로 이어짐.

나열	예 밥을 먹고 국도 먹는다.
선택	예 밥을 먹거나 국을 먹는다.
대조	예 나는 밥은 먹지만 국은 먹지 않는다.

• 특징
  – 앞 절과 뒤 절의 구조가 대칭됨.
  – 앞 절과 뒤 절의 순서를 서로 바꿀 수 있음.
  – 앞 절과 뒤 절의 서술어가 동일할 경우에는 앞 절의 서술어를 생략할 수 있음.
    예 영수는 학교에, 민수는 도서관에 갔다.

■ 종속적으로 연결된 이어진문장

• 개념: 앞 절과 뒤 절의 의미가 독립적이지 못하고 종속적으로 이어진 문장
• 종속적으로 연결된 이어진문장에서 앞 절과 뒤 절이 갖는 의미 관계에 따라 다양한 연결 어미가 사용됨.

원인	-(어/아)서	예 눈이 내려서 길이 미끄럽다.
조건	-(으)면	예 봄이 오면 꽃이 핀다.
의도	-(으)려고	예 아침에 떠나려고 미리 준비했다.
상황	-는데	예 비가 오는데 날도 어두워진다.
양보	-(으)ㄹ지라도	예 경기에 지더라도 우리는 정당하게 싸워야 한다.

보충자료

'이어진문장'의 구분

대등하게 연결된 이어진문장	종속적으로 연결된 이어진문장
• 앞 절과 뒤 절을 바꾸어도 의미 차이가 없음. 예 산이 높고 물이 깊다. = 물이 깊고 산이 높다.	• 앞 절과 뒤 절을 바꾸면 의미가 달라지거나 비문이 됨. 예 해가 지면 달이 뜬다. ≠ 달이 뜨면 해가 진다.
• 앞 절을 뒤 절 속으로 이동할 수 없음. 예 산이 높고 물이 깊다. → 물이 산이 높고 깊다.(×)	• 앞 절을 뒤 절 속으로 이동할 수 있음. 예 해가 지면 달이 뜬다. → 달이 해가 지면 뜬다.(○)
• 보조사 '-은/는'이 자유롭게 결합할 수 있음. 예 산은 높고 물은 깊다.(○)	• 앞 절에 '-은/는'이 자유롭게 결합할 수 없음. 예 해는 지면 달이 뜬다.(×)

14. '이어진문장'에 대한 설명으로 적절하지 <u>않은</u> 것은?

① 주어와 서술어가 두 번 이상 나타난다.
② 홑문장들이 이어질 때는 연결 어미가 사용된다.
③ 앞 절과 뒤 절이 나열, 대조 등의 의미 관계를 가지면 대등하게 연결된 이어진문장이다.
④ 앞 절과 뒤 절의 의미가 독립적이지 못하면 종속적으로 연결된 이어진문장이다.
⑤ 앞 절과 뒤 절이 종속적으로 이어질 때는 -(어/아)서, '-거나', '-는데' 등의 연결 어미가 사용된다.

서술형

15. 〈보기〉는 어떤 유형의 문장인지 판단하고, 그렇게 생각한 이유를 서술하시오.

┌─ 보기 ─
발이 너무 시려서 나는 냇물을 건너지 못했다.
└─────

16. 다음 중 이어진문장의 성격이 나머지와 <u>다른</u> 하나는?

① 발이 커져서 철수는 신발을 새로 샀다.
② 음악을 들으려고 지영이는 라디오를 켰다.
③ 무슨 일이 있더라도 오늘 안에 이 일을 끝내야 한다.
④ 우리가 산의 정상에 오르려면 더 열심히 걸어야 한다.
⑤ 그것은 잘한 일이기는 하나 자랑할 만한 일은 아니다.

출제 예감

17. 〈보기〉의 문장을 탐구한 결과로 적절하지 <u>않은</u> 것은?

┌─ 보기 ─
ㄱ. 운동을 하려고 체육관에 갔다.
ㄴ. 운동을 오래 해서 체력이 강하다.
ㄷ. 운동은 하지만 음식 조절은 못 한다.
ㄹ. 운동을 많이 하면 심신이 건강해진다.
ㅁ. 운동을 하고 있는데 조카가 놀아 달라고 조른다.
└─────

① ㄱ은 앞 절과 뒤 절이 '나열'의 의미 관계로 대등하게 연결된 이어진문장이다.
② ㄴ은 앞 절과 뒤 절이 '원인'의 의미 관계로 종속적으로 연결된 이어진문장이다.
③ ㄷ은 앞 절과 뒤 절이 '대조'의 의미 관계로 대등하게 연결된 이어진문장이다.
④ 앞 절과 뒤 절이 ㄹ은 '조건', ㅁ은 '상황'의 의미 관계로 종속적으로 연결된 이어진문장이다.
⑤ ㄱ~ㅁ은 모두 두 개의 홑문장들이 이어진 겹문장이다.

이해하기

▶ 문장 구조의 유형과 개념을 확인하는 활동

1. 문장의 짜임새에 따라 문장을 분류하고, 기본적인 개념을 정리해 보자.

| 예시 답 |

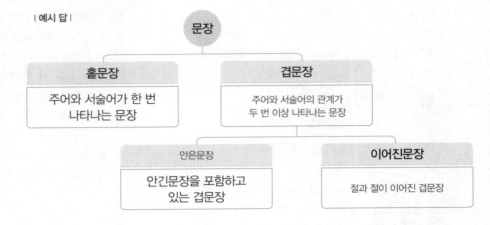

▶ 안은문장 속의 안긴문장의 종류를 파악하는 활동

2. 다음 문장에서 안긴문장을 찾아 밑줄을 긋고 무슨 절인지 써 보자.

- 철수가 <u>그 어려운 일을 해냈음</u>이 분명하다. (명사절)
- 선생님께서는 늘 나에게 <u>용기를 가지라</u> 말씀하셨다. (인용절)
- 그 사람은 <u>마음이 참 넓더군.</u> (서술절)

적용하기

▶ 안긴문장을 본래의 완결된 문장으로 고쳐 보는 활동

3. 다음 안은문장에서 관형절을 찾아 주어와 서술어를 갖춘 완결된 문장으로 바꾸어 보자.

| 예시 답 |

- 어제 <u>핀</u> 꽃이 벌써 시들었어. ⋯⋯▶ 꽃이 어제 피었다.
- 철수가 <u>책임지고 준비한</u> 행사가 무사히 끝났어. ⋯⋯▶ 철수가 행사를 책임지고 준비했다.

✎ 용언의 관형사형은 대개 관형절의 서술어가 된다. 이 서술어의 성격에 따라 나머지 문장 성분을 문맥에서 회복할 수 있다.

▶ 종속적으로 연결된 이어진문장을 부사절로 파악할 가능성을 탐구해 보는 활동

4. 종속적으로 연결된 이어진문장과 부사절을 가진 안은문장의 관계에 관해 탐구해 보자.

- <u>눈이 와서</u> 길이 미끄럽다.   - 길이 <u>눈이 와서</u> 미끄럽다.

✎ 종속절을 부사절로 처리하면, 이어진문장에는 대등하게 연결된 이어진문장만 남게 된다.

(1) 각 문장에 사용된 '눈이 와서'는 문법적으로 어떤 역할을 하고 있는지 알아보자.

| 예시 답 | '눈이 와서 길이 미끄럽다.'는 종속적으로 연결된 이어진문장, '길이 눈이 와서 미끄럽다.'는 부사절을 가진 안은문장으로 처리하고 있다.

(2) 만약 두 문장의 '눈이 와서'를 종속절과 부사절 가운데 한 가지로 처리한다면 어느 쪽이 좋을지 말해 보자.

| 예시 답 | '눈이 와서'가 어떤 위치에 있더라도 동일하게 설명하는 것이 바람직할 수 있다. 이 경우 '비가 <u>소리도 없이</u> 내린다.'와 '<u>소리도 없이</u> 비가 내린다.'에서 '소리도 없이'를 부사절로 처리하는 것과 동일하게 처리하는 것이 좋을 듯하다. 최근의 국어학 연구에서도 종속적으로 연결된 이어진문장을 부사절로 처리하는 것이 적절하다는 주장이 설득력을 얻고 있다.

5. 다음 글을 읽고, 문장의 길이와 짜임에 따른 표현 효과에 관해 탐구해 보자.

> 글을 쓸 때에 문장의 길이를 조절함으로써 표현 효과를 높일 수 있다. ㉠짧고 단순한 홑문장은 빨리 진행되는 변화를 나타내거나 대상과 생각을 뚜렷하게 전달하는 데 알맞으며 강조의 효과가 있다. 둘 이상의 절로 이루어진 겹문장은 관찰되는 대상이나 마음속에서 일어나는 느낌과 생각을 상세히 전달하고 논리적인 관계를 설명하는 데 적절하다.

(1) 다음은 학생이 쓴 글의 일부이다. ㉠의 효과를 주기 위해 아래 문장을 바꾸어 써 보고, 문장 짜임의 변화가 어떤 효과를 주는지 말해 보자.

> 갑자기 엄마가 보고 싶어서 무작정 버스를 타고 엄마 회사로 가, 환하게 웃는 표정으로 사무실 문을 열었지만, 엄마는 사무실에 없었다.

| **예시 답** | 갑자기 엄마가 보고 싶었다. 무작정 버스를 타고 엄마 회사로 갔다. 환하게 웃는 표정으로 사무실 문을 열었다. 엄마는 사무실에 없었다. → 전체를 하나의 문장으로 말할 때보다 짧은 네 개의 문장으로 나누었을 때 문장의 호흡이 짧아지면서 사건의 흐름과 인물의 감정이 좀 더 효과적으로 전달된다.

(2) 다음 두 작품의 각 부분에서 문장의 길이와 짜임이 어떻게 다른지 비교해 보고, 그에 따른 표현 효과의 차이를 이야기해 보자.

> 그야 주인의 직업이 직업이라 결코 팔리지 않는 유화 나부랭이는 제법 넉넉하게 사면 벽에 가 걸려 있어도, 소위 실내 장식이라고는 오직 그뿐으로, 원래가 삼백 원 남짓한 돈을 가지고 시작한 장사라, 뭐 찻집답게 꾸며보려야 꾸며질 턱도 없이, 차탁과 의자와 그러한 다방에서의 필수품들까지도 전혀 소박한 것을 취지로, 축음기는 자작(子爵)이 기부한 포터블을 사용하기로 하는 등 모든 것이 그러하였으므로, 물론 그러한 간략한 장치로 뭐 어떻게 한밑천 잡아보겠다든지 하는 그러한 엉뚱한 생각은 꿈에도 가져 본 일 없었고, 한 동리에 사는 같은 불우한 예술가들에게도, 장사로 하느니보다는 오히려 우리들의 구락부와 같이 이용하고 싶다고 그러한 말을 해, 그들을 감격시켜주었던 것이요, ……. — 박태원, 「방란장 주인」에서

> 그러한 어떤 날, 소년은 전에 소녀가 앉아 물장난을 하던 징검다리 한가운데에 앉아 보았다. 물 속에 손을 잠갔다. 세수를 하였다. 물 속을 들여다보았다. 검게 탄 얼굴이 그대로 비치었다. 싫었다. [중략] 허수아비가 서 있었다. 소년이 새끼줄을 흔들었다. 참새가 몇 마리 날아간다. 참, 오늘은 일찍 집으로 돌아가 텃논의 참새를 봐야 할 걸, 하는 생각이 든다.
> "아, 재밌다!"
> 소녀가 허수아비 줄을 잡더니 흔들어 댄다. 허수아비가 대고 우쭐거리며 춤을 춘다. 소녀의 왼쪽 볼에 살포시 보조개가 패었다.
> 저만치 허수아비가 또 서 있다. 소녀가 그리로 달려간다. 그 뒤를 소년도 달렸다. — 황순원, 「소나기」에서

| **예시 답** | 왼쪽 작품은 문장이 계속 이어지는 형태로 이야기를 전개하고 있다. 오른쪽 작품의 경우 주로 문장의 길이가 짧고, 홑문장으로 구성되어 있다. 일반적인 글의 경우 문장의 흐름이 너무 길면 독자에게 주제를 전달할 때 불리하므로 간략하게 문단을 구성하지만, 문학 작품에서는 장르나 사건의 흐름에 따라 유연하게 문단을 구성한다. 왼쪽 작품의 경우 문장을 계속 이어 붙여 실제로 주인공이 말하는 것처럼 구어로 써서 독자에게 실제감을 더해 주는 효과를 주었다. 오른쪽 작품의 경우 관찰자가 주인공을 바라보며 문장의 길이와 짜임을 짧게짧게 하여 사건을 서술하고 있는데, 이는 독자의 호흡도 짧게 끊어 장면의 흐름을 빠르게 조절하는 효과를 가지고 있다.

개념➕

문단의 구성

하나의 문단은, 각 문단이나 그것으로 구성하는 문장의 길이에 따라 차이가 있을 수는 있지만, 일반적으로 4~6개 정도의 문장으로 이루어진다. 그리고 여기에서 사용되는 문장들은 한 가지 생각을 말해 주는 것들로 이루어져야 효과적으로 의사를 전달할 수 있다. 이 하나의 생각을 '소주제'라고 표현하기도 하고 '화제'라고 부르기도 한다. 이를 소주제라고 부르는 이유는 그 글의 전체적인 주제와 구분하기 위한 방편이다.

하나의 문단이 전달력이 좋으려면 반드시 하나의 소주제만 있는 것이 효과적이다. 둘 이상의 소주제가 존재하게 되면 그 문단을 통해 말하고자 하는 바가 독자에게 명확하게 다가오지 않게 되기에, 이 부분은 상당히 중요한 요소이다.
— 금동철, 「비판적 읽기와 논리적 글쓰기」

소단원 출제 포인트

1 홑문장과 겹문장

- 홑문장: 주어와 (⊙   )의 관계가 한 번만 나타나는 문장
  <u>예</u> <u>꽃이</u> <u>예쁘다</u>./ <u>흰 꽃이</u> 들판에 가득 <u>피었다</u>.
- 겹문장: 주어와 서술어의 관계가 두 번 이상 나타나는 문장

이어진 문장	홑문장과 홑문장이 이어진 문장 예 <u>인생은</u> <u>짧고</u>, <u>예술은</u> <u>길다</u>.
(ⓒ)	전체 문장이 홑문장을 안고 있는 문장. 이때 안겨 있는 홑문장을 '안긴문장'이라고 함. 예 그는 <u>자기가 도와준</u> 사람을 끝내 몰랐다. 안긴문장

2 안은문장과 안긴문장

① 명사절을 가진 안은문장
- 명사형 어미 '-(으)ㅁ', '-기'가 붙어서 (ⓒ   )의 자리에 쓰일 수 있는 절
- 명사절은 문장에서 주어, 목적어, 부사어 등 다양한 기능을 함.
  <u>예</u> <u>그 일을 하기가</u> 쉽지 않다. → 주어
  우리는 <u>그가 정당했음을</u> 깨달았다. → 목적어
  지금은 <u>집에 가기에</u> 이른 시간이다. → 부사어

② 관형절을 가진 안은문장
- 관형사형 어미 '-(으)ㄴ', '-는', '-(으)ㄹ', '-던'이 붙어서 만들어진 절
- 관형절은 안은문장 안에서 체언을 수식하는 관형어의 기능을 함.
- 관형사형 어미에 따라 표현하는 (ⓔ   )이/가 다름.

-(으)ㄴ	과거	예 이것은 내가 <u>읽은</u> 책이다.
-는	현재	예 이것은 내가 <u>읽는</u> 책이다.
-(으)ㄹ	미래	예 이것은 내가 <u>읽을</u> 책이다.
-던	과거(미완)	예 이것은 내가 <u>읽던</u> 책이다.

③ 부사절을 가진 안은문장
- 부사형 접미사 '-이', 부사형 어미 '-게, -도록, -듯이' 등이 붙어서 만들어진 절
- 부사절은 안은문장 안에서 (ⓜ   )을/를 수식하는 부사어의 기능을 함. 예 비가 <u>소리도 없이</u> 내린다.

④ 서술절을 가진 안은문장
- 절 전체가 서술어의 기능을 하는 것
- 서술절을 안은 문장은 한 문장에 주어가 두 개 있는 것처럼 보이는데, 이때 앞에 나오는 (ⓗ   )을/를 제외한 나머지 부분이 서술절에 해당함.

- 서술절은 다른 절들과는 달리 절 표지가 없음.
  <u>예</u> <u>토끼는</u> <u>앞발이</u> <u>짧다</u>
  　　주어　주어　서술어
  　　　　서술절

⑤ 인용절을 가진 안은문장
- 다른 사람의 말이나 글을 인용한 것이 절의 형식으로 안긴 것
- 주어진 문장에 인용격 조사 '고', '(이)라고'가 붙어 만들어짐.

직접 인용절	• 주어진 문장을 그대로 (ⓐ) 인용함. • 주로 '라고'가 받침 없는 말 뒤에 붙고, 받침 있는 말 뒤에는 '이라고'가 붙음. 　예 철수가 "너 먼저 먹어."라고 말했다. • '하고'가 붙어 이루어질 수도 있음. 　예 소리가 "쿵!" 하고 울렸다.
간접 인용절	• 주어진 문장을 말하는 사람의 표현으로 바꾸어서 인용함. • 주로 '고'가 종결 어미 '-다', '-냐', '-라', '-자', '마' 등의 뒤에 붙음. 　예 철수는 영희에게 너 먼저 먹으라고 말했다.

3 이어진문장

① 대등하게 연결된 이어진문장
- 앞 절과 뒤 절이 (ⓞ   )한 자격으로 이어진 문장
- '-고', '-며', '-나', '-지만', '-거나' 등의 대등적 연결 어미로 이어짐.

나열	예 밥을 <u>먹고</u> 국도 먹는다.
선택	예 밥을 <u>먹거나</u> 국을 먹는다.
대조	예 나는 밥은 <u>먹지만</u> 국은 먹지 않는다.

② 종속적으로 연결된 이어진문장
- 앞 절과 뒤 절의 의미가 독립적이지 못하고 종속적으로 이어진 문장
- 종속적으로 이어진 문장에서 앞 절과 뒤 절이 갖는 의미 관계에 따라 다양한 연결 어미가 사용됨.

원인	-(어/아)서	예 눈이 <u>내려서</u> 길이 미끄럽다.
조건	-(으)면	예 봄이 <u>오면</u> 꽃이 핀다.
의도	-(으)려고	예 일찍 <u>떠나려고</u> 준비하였다.
상황	-는데	예 비가 <u>오는데</u> 날도 어두워진다.
(ⓩ)	-(으)ㄹ지라도	예 경기에 <u>지더라도</u> 우리는 정당하게 싸워야 한다.

답 ⊙ 서술어, ⓒ 안은문장, ⓒ 명사, ⓔ 시제, ⓜ 서술어, ⓗ 주어, ⓐ 직접, ⓞ 동등, ⓩ 양보

소단원 적중 문제

[01~04] 다음 글을 읽고, 물음에 답하시오.

가 다른 문장 속에 들어가 하나의 성분처럼 쓰이는 문장을 안긴문장이라고 하며, 안긴문장을 포함한 문장을 안은문장이라고 한다. 안긴문장은 하나의 '절'이 되는데, 이는 명사절, 관형절, 부사절, 서술절, 인용절의 다섯 가지로 나뉜다.

나 ㉠명사절은 명사형 어미 '-(으)ㅁ', '-기'가 붙어서 만들어지며, 문장에서 주어, 목적어, 부사어 등 다양한 기능을 한다. '그 일을 하기가 쉽지 않다.'의 명사절은 주어 기능을 하고, '우리는 그가 정당했음을 깨달았다.'의 명사절은 목적어 기능을 하며, '지금은 집에 가기에 이른 시간이다.'의 명사절은 부사어 기능을 한다.

다 관형절은 안은문장 안에서 관형어 기능을 하는 절로서, 관형사형 어미 '-(으)ㄴ', '-는', '-(으)ㄹ', '-던'이 붙어서 만들어진다. ㉡이 요소들은 각각 표현하는 시제가 서로 다르다.

라 • 그는 아는 것도 없이 잘난 척을 한다.
    • 철수는 발에 땀이 나게 뛰었다.
  부사절은 절 전체가 부사어의 기능을 하는 것을 말하는데, 서술어를 수식하는 기능을 한다. 위의 두 문장에는 '아는 것도 없다.'와 '발에 땀이 나다.'라는 문장들이 안겨 있는데, '-이', '-게', '-도록' 등이 붙어서 부사절이 된다.

마 절 전체가 서술어의 기능을 하는 것을 서술절이라고 한다. 서술절을 가진 안은문장은 한 문장에 주어가 두 개 있는 것처럼 보인다. 이때 앞에 나오는 주어를 제외한 나머지 부분이 서술절에 해당한다. 서술절은 특별한 표지가 따로 없다는 점에서 다른 안긴문장과 차이를 보인다. '토끼는 앞발이 짧다.'에서 '앞발이'의 서술어는 '짧다'이고, '토끼는'의 서술어 기능을 하는 서술절은 '앞발이 짧다'이다.

바 다른 사람의 말이나 글을 인용한 것이 절의 형식으로 안기는 경우가 있는데, 이를 인용절이라고 한다. 인용절은 주어진 문장에 조사 '고, 라고'가 붙어서 만들어진다. 주어진 문장을 그대로 직접 인용하는 직접 인용절의 경우, 받침 없는 말 뒤에는 '라고'가, 받침 있는 말 뒤에는 '이라고'가 붙는다. 말하는 사람의 표현으로 바꾸어서 간접 인용하는 간접 인용절에는 주로 '고'가 종결 어미 '-다, -냐, -라, -자, -마' 따위 뒤에 붙는다.

01 윗글의 내용과 일치하지 **않는** 것은?
① 관형사형 어미들이 표현하는 시제는 서로 다르다.
② 부사절 외에 명사절도 서술어를 수식하는 기능을 한다.
③ 인용절은 문장 속에서 주어, 목적어, 부사어 등의 기능을 한다.
④ 서술절은 절을 이루는 표지가 따로 없으며 주어가 두 개인 것처럼 보인다.
⑤ 안긴문장은 하나의 '절'이 되어 다른 문장 속에서 하나의 성분으로 기능한다.

학습 활동 적용
02 다음 중 ㉠을 가지고 있는 문장이 **아닌** 것은?
① 우리는 그가 정당했음을 깨달았다.
② 철 이른 눈이 소리도 없이 내린다.
③ 지금은 집에 가기에 어려운 시간이다.
④ 여름에 겨울옷을 준비하기가 어려웠다.
⑤ 철수가 그 어려운 일을 해냈음이 분명하다.

학습 활동 적용
03 다음 중 ㉡의 예로 사용하기에 적절하지 **않은** 문장은?
① 공을 차던 아이가 내 동생이다.
② 밥을 먹는 도중에 손님이 왔다.
③ 이 강은 물이 매우 깊을 것이다.
④ 어제 내가 본 영화는 재미있었다.
⑤ 영희가 할 일이 산처럼 쌓여 있다.

수능형
04 윗글을 읽고 〈보기〉의 문장을 탐구한 결과로 적절하지 **않은** 것은?

> **보기**
> ⓐ: 민희는 성격이 매우 소탈하다.
> ⓑ: 민희는 꽃이 피기를 기다렸다.
> ⓒ: 민희는 꽃이 핀 정원을 산책했다.
> ⓓ: 민희는 동생에게 밥을 빨리 먹자고 했다.
> ⓔ: 민희는 말도 없이 도서관으로 가 버렸다.

① ⓐ의 안긴문장은 안은문장의 서술어에 해당한다.
② ⓑ의 안긴문장은 안은문장의 목적어 기능을 한다.
③ ⓒ의 안긴문장은 안은문장의 체언을 수식한다.
④ ⓓ의 안긴문장은 안은문장의 주어가 한 말을 인용한 것이다.
⑤ ⓔ의 안긴문장은 안은문장의 부사어를 수식한다.

소단원 적중 문제

수능형

05 〈보기〉의 내용을 참고하여 밑줄 친 절의 특성을 파악했을 때 옳지 <u>않은</u> 것은?

〈 보기 〉

　　다른 문장 속에 들어가 하나의 성분처럼 쓰이는 문장을 안긴문장이라고 하며, 안긴문장을 포함한 문장을 안은문장이라고 한다. 안긴문장은 하나의 '절'이 되는데, 이는 명사절, 관형절, 부사절, 서술절, 인용절의 다섯 가지로 나뉜다.

ㄱ. 명사절: 명사형 어미 '-(으)ㅁ', '-기'가 붙어서 만들어지며, 문장에서 주어, 목적어, 부사어 등 다양한 기능을 한다.
ㄴ. 서술절: 절 전체가 서술어의 기능을 한다.
ㄷ. 관형절: 관형사형 어미 '-(으)ㄴ', '-는', '-(으)ㄹ', '-던'이 붙어서 만들어지며, 문장에서 관형어 역할을 한다.
ㄹ. 부사절: 문장에서 서술어를 수식하는 부사어 역할을 한다.
ㅁ. 인용절: 다른 사람의 말이나 글을 인용한 것이 절의 형식으로 안기는 경우이다.

① <u>꽃이 피기</u>가 매우 어렵다. ➡ 명사형 어미 '-기'가 붙어 주어의 역할을 하는 명사절이다.
② 아주머니는 <u>정이 많으시다</u>. ➡ 절이 전체 문장의 서술어 역할을 하고 있으므로 서술절이다.
③ 지수는 <u>털이 긴</u> 강아지를 키운다. ➡ 관형사형 어미 '-ㄴ'이 붙어 명사인 강아지를 수식하는 관형절이다.
④ 유정이는 <u>학교까지 걸어갈</u> 생각이 없다.
　➡ 서술어인 '생각이 없다'를 수식하고 있는 부사절이다.
⑤ 영수가 <u>다급한 목소리로 빨리 뛰어가라고</u> 소리쳤다.
　➡ 영수의 말을 간접적으로 인용한 인용절이다.

06 다음 문장 중 관형절로 안기는 과정에서 주어가 생략된 경우가 <u>아닌</u> 것은?

① 어제 핀 꽃이 벌써 시들었어.
② 형이 공원에 간 동생을 찾았다.
③ 영수가 간호사가 된 누나와 병원에 갔다.
④ 나는 산에 간 현수와 진수에게 전화를 했다.
⑤ 철수가 책임지고 준비한 행사가 무사히 끝났어.

서술형

07 〈보기〉의 ⓐ, ⓑ에 들어 있는 절의 종류와 기능을 각각 한 문장으로 서술하시오.

〈 보기 〉

ⓐ: 지금은 집에 가기에 이른 시간이다.
ⓑ: 철수는 발에 땀이 나게 뛰었다.

[08~10] 다음 글을 읽고, 물음에 답하시오.

　　이어진문장은 홑문장 두 개가 이어지는 방법에 따라 대등하게 연결된 이어진문장과 종속적으로 연결된 이어진문장으로 나뉜다.

　　의미 관계가 대등한 두 홑문장이 이어지는 문장을 대등하게 연결된 이어진문장이라고 한다. 대등하게 이어지는 문장에서 앞 절과 뒤 절은 나열, 대조 등의 의미 관계를 이룬다. '낮말은 새가 듣고, 밤말은 쥐가 듣는다.'에서는 나열의 의미 관계, '낮말은 새가 듣지만, 밤말은 쥐가 듣는다.'에서는 대조의 의미 관계가 확인된다.

　　앞 절과 뒤 절의 의미가 독립적이지 못하고 종속적인 문장을 종속적으로 연결된 이어진문장이라고 한다. 이때 앞 절과 뒤 절의 의미 관계(원인, 조건, 의도, 상황, ㉠양보)에 따라 다양한 종속적 연결 어미가 사용된다.

08 윗글을 참고할 때 문장이 이어진 방법이 나머지와 <u>다른</u> 하나는?

① 잠이 와서 영수는 침대에 누웠다.
② 책을 보려고 지호는 책상에 앉았다.
③ 어떤 일이 생기더라도 야구 경기를 보아야 한다.
④ 내가 원하는 일을 하려면 더 열심히 공부해야 한다.
⑤ 그것은 잘한 일이기는 하지만 자랑할 만한 일은 아니다.

수능형

09 문장의 앞 절과 뒤 절의 의미 관계가 ㉠에 해당하는 것은?

① 길이 좁으니 차가 못 다닌다.
② 네가 오면 내가 출발할 수 있다.
③ 일찍 떠나려고 미리 준비를 해 두었다.
④ 날씨가 추우니까 외투를 입고 나가거라.
⑤ 비가 올지라도 우리는 계획대로 출발한다.

서술형

10 〈보기〉의 문장에서 앞 절과 뒤 절을 이어 주는 요소를 찾고, 어떤 의미 관계로 이어지고 있는지 구체적으로 서술하시오.

〈 보기 〉

영희가 다시 시작하려면 희망을 가져야 한다.

학습 활동 적용

11 〈보기 1〉과 같이 문장의 길이를 조절했을 때의 표현 효과를 〈보기 2〉에서 모두 고른 것은?

─〈 보기 1 〉─

갑자기 엄마가 보고 싶어서 무작정 버스를 타고 엄마 회사로 가, 환하게 웃는 표정으로 사무실 문을 열었지만, 엄마는 사무실에 없었다.

➡ 갑자기 엄마가 보고 싶었다. 무작정 버스를 타고 엄마 회사로 갔다. 환하게 웃는 표정으로 사무실 문을 열었다. 하지만 엄마는 사무실에 없었다.

─〈 보기 2 〉─

ㄱ. 내용이나 생각을 강조하는 효과가 있다.
ㄴ. 느낌이나 생각을 상세히 전달할 수 있다.
ㄷ. 빨리 진행되는 변화를 나타낼 때 효과적이다.
ㄹ. 대상의 논리적인 관계를 설명하는 데 적절하다.
ㅁ. 대상과 생각을 뚜렷하게 전달할 때 효과적이다.

① ㄱ, ㄴ, ㄹ
② ㄱ, ㄷ, ㅁ
③ ㄴ, ㄷ, ㄹ
④ ㄴ, ㄷ, ㅁ
⑤ ㄷ, ㄹ, ㅁ

12 〈보기〉의 문장에 대한 설명으로 옳지 <u>않은</u> 것은?

─〈 보기 〉─

자전거를 선물한 산타 할아버지는 바로 엄마셨다.

① 안은문장은 관형절을 안고 있다.
② 안긴문장 속에 다시 종속절이 들어 있다.
③ 안은문장의 필수 성분 구조는 '주어+서술어'이다.
④ 안긴문장의 필수 성분 구조는 '주어+목적어+서술어'이다.
⑤ 안긴문장에서 생략된 주어는 전체 문장의 주어와 동일하다.

13 〈보기〉의 ⓒ에 대한 설명으로 적절한 것은?

─〈 보기 〉─

ⓐ 새가 다리가 부러졌다. + ⓑ 소년이 새를 고쳐 주었다.
➡ ⓒ 소년이 다리가 부러진 새를 고쳐 주었다.

① ⓐ가 ⓑ에 관형절로 안기면서 ⓐ의 주어가 생략되었다.
② ⓐ가 ⓑ에 관형절로 안기면서 ⓑ의 주어가 생략되었다.
③ ⓐ가 ⓑ에 명사절로 안기면서 ⓐ의 목적어가 생략되었다.
④ ⓐ가 ⓑ에 명사절로 안기면서 ⓑ의 목적어가 생략되었다.
⑤ ⓐ가 ⓑ에 서술절로 안기면서 ⓐ의 주어가 생략되었다.

수능형

14 〈보기〉의 문장 성분과 문장 구조에 대한 설명으로 옳지 <u>않은</u> 것은?

─〈 보기 〉─

ㄱ. 그 사람은 손이 무척 크다.
ㄴ. 형이 드디어 아빠가 되었다.
ㄷ. 우리는 그가 정당했음을 깨달았다.
ㄹ. 철수는 채소를 좋아하고, 민수는 고기를 좋아한다.

① ㄱ은 보어가 없고, ㄴ은 보어가 있다.
② ㄴ은 목적어가 없고, ㄷ은 목적어가 있다.
③ ㄱ과 ㄴ은 부사어가 있고, ㄷ과 ㄹ은 부사어가 없다.
④ ㄱ과 ㄴ은 주어와 서술어의 관계가 한 번만 나타나고, ㄷ과 ㄹ은 주어와 서술어의 관계가 두 번 이상 나타난다.
⑤ ㄷ은 절이 전체 문장 속에 안겨 있고, ㄹ은 두 개의 절이 대등한 관계로 이어져 있다.

15 〈보기〉의 ⓐ~ⓔ에 대한 설명으로 옳지 <u>않은</u> 것은?

─〈 보기 〉─

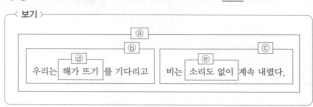

① ⓐ는, ⓑ와 ⓒ가 나열의 의미 관계로 대등하게 연결된 이어진문장이다.
② ⓑ는, '우리는'의 서술어인 ⓓ를 안고 있는 절이다.
③ ⓑ와 ⓒ는, 각각 '주어+서술어'의 관계가 두 번씩 나타난다.
④ ⓓ와 ⓔ는 '주어+서술어의 관계'가 한 번만 나타난다.
⑤ ⓔ는, '내렸다'를 수식하는 부사어 역할을 하면서 ⓒ에 안겨 있다.

서술형 학습 활동 적용

16 〈보기〉의 ⓐ~ⓑ에 사용된 '꽃이 피어서'는 문법적으로 어떤 역할을 하고 있는지 서술하시오.

─〈 보기 〉─

ⓐ: 꽃이 피어서 마음이 흥겹다.
ⓑ: 마음이 꽃이 피어서 흥겹다.

{3}

문법 요소

소단원 학습 포인트
• 문법 요소의 개념과 표현 효과 알기

🔎 문장의 종류는 의미나 기능이 아니라 형식에 의해 결정된다. 예를 들어, "집에 안 가니?"라는 문장이 "이제 집에 가라."의 뜻인 경우에도, 문장의 종류는 명령문이 아니라 의문문이다.

개념 ➕

특수한 상황에 사용되는 명령형 어미
명령형 종결 어미 '-(으)라'는 특수한 상황에서만 사용된다. 매체를 통한 간접적 상황이나 명령의 내용만을 강하게 전달하려는 상황에서 주로 사용하는 어미로 '해라체'가 아닌 '하라체'라고 부르는 종결 어미이다.
🅔 • 자유가 아니면 죽음을 달<u>라</u>.
  • 정부는 즉시 고용 문제를 해결하<u>라</u>.

🟠 국어에는 다양한 문법적 의미를 표현하기 위하여 그에 맞는 문법 요소들이 잘 발달하여 있다. 적절하고 효율적인 국어 생활을 위해서는 이러한 문법 요소들의 개념과 표현 효과를 정확히 이해하는 것이 필요하다.

나 1 문장 종결 표현

다가서기

● 다음 괄호에 동사 '씻다'를 넣어서 다양한 문장을 만들어 보자.

| **예시 답** | 씻었어(씻었니)?, 씻어야지. / 씻어(씻어라).

　말하는 사람은 자기 생각이나 느낌을 어떻게 표현할 것인가에 따라 다양한 종결 표현을 사용할 수 있다. (문장 종결 표현의 기능) 국어의 문장은 종결 표현 방식에 따라 대체로 평서문, 의문문, 명령문, 청유문, 감탄문으로 나뉜다. (문장 종결 표현의 종류) 화자가 청자에게 특별히 요구하는 바 없이 단순하게 진술하는 문장을 평서문, (평서형 종결 어미 사용 예 -다) 화자가 청자에게 질문하여 대답을 요구하는 문장을 의문문, (의문형 종결 어미 사용 예 -느냐/-냐) 화자가 청자에게 어떤 행동을 하도록 강하게 요구하는 문장을 명령문, (명령형 종결 어미 사용 예 -(아/어)라) 화자가 청자에게 어떤 행동을 함께하도록 요청하는 문장을 청유문, (청유형 종결 어미 사용 예 -자) 화자가 청자를 별로 의식하지 않거나 거의 독백하는 어조로 자기의 느낌을 표현하는 문장을 감탄문이라고 한다. (감탄형 종결 어미 사용 예 -구나) ▶문장 종결 표현의 기능과 종류

　의문문에는 ⓐ 일정한 설명을 요구하는 설명 의문문, 단순히 긍정이나 부정의 대답을 요구하는 판정 의문문, 굳이 대답을 요구하지 않고 서술이나 ⓑ 명령의 효과를 내는 수사 의문문이 있다. ▶의문문의 종류

확인하기

● 다음 문장이 억양을 달리하면 다양한 문장 유형이 되는 점을 확인해 보자.
| 예시 답 |
• 밥 먹어.
밥 먹어↘(평서문), 밥 먹어↗(의문문), 밥 먹어→(명령문)

• 집에 가.
집에 가↘(평서문), 집에 가↗(의문문), 집에 가→(명령문)
└ 두 문장은 문장의 끝을 내리면 평서문이 되고, 문장의 끝을 올리면 의문문이 되며, 평탄한 억양으로 발음하면 명령문이 된다. 억양으로는 청유문과 감탄문이 될 수 없다.

■ **문장의 종결 표현**

• 종결 표현은 화자의 의도에 따라 달라지는데, 종결 어미를 통해 이루어짐.

• 종결 어미의 형태에 따라 평서문, 의문문, 명령문, 청유문, 감탄문으로 분류됨.

■ **종결 표현 방식에 따른 문장의 종류**

평서문	화자가 청자에게 특별히 요구하는 바 없이 단순하게 진술하는 문장 📵 이를 닦고 잔다.
의문문	화자가 청자에게 질문하여 대답을 요구하는 문장 📵 이를 닦고 자니?
명령문	화자가 청자에게 어떤 행동을 하도록 강하게 요구하는 문장 📵 이를 닦고 자라.
청유문	화자가 청자에게 어떤 행동을 함께하도록 요청하는 문장 📵 이를 닦고 자자.
감탄문	화자가 청자를 별로 의식하지 않거나 거의 독백하는 어조로 자기의 느낌을 표현하는 문장 📵 윤이가 이제 이를 닦고 자는구나!

■ **의문문의 종류**

설명 의문문	구체적인 정보나 설명을 요구함. 📵 너는 지금 무엇을 먹고 있니? → '무엇'에 대한 설명이 필요함.
판정 의문문	단순히 긍정이나 부정의 대답을 요구함. 📵 너 지금 집이니? → '예/아니요'라는 대답이 필요함.
수사 의문문	굳이 대답을 요구하지 않고 서술이나 명령의 효과를 냄. 📵 똑바로 서지 못하겠니? → 대답을 요구하지 않고 행동의 교정을 위해 의문 형식으로 표현함.

01. 문장의 종결 표현에 대한 설명으로 적절하지 <u>않은</u> 것은?

① 화자의 의도에 따라 종결 표현은 달라진다.

② 국어 문장은 종결 표현 방식에 따라 유형이 나뉜다.

③ 감탄문은 화자가 독백하는 어조로 자기의 느낌을 표현할 때 사용한다.

④ 화자가 청자에게 어떤 행동을 함께 하기를 요청하는 문장은 명령문이다.

⑤ 평서문은 화자가 청자에게 특별히 요구하는 바 없이 단순하게 진술한다.

02. 종결 표현에 따라 나눈 문장의 종류로 바르지 <u>않은</u> 것은?

① 영희가 아직 학교에 있니? ➡ 의문문

② 영희가 아직 학교에 있다. ➡ 평서문

③ 영희가 아직도 학교 남아 있구나! ➡ 감탄문

④ 영희야, 학교에 남아 함께 공부해라. ➡ 명령문

⑤ 영희야, 공부할 것이 있으니 학교에 남을래? ➡ 청유문

출제 예감

03. 〈보기〉에서 ⓐ와 ⓑ에 해당하는 적절한 예를 고른 것은?

┌─ 보기 ─
(집에서 가족회의를 하는 상황)
아빠: ㉠ 이번 여름 여행은 언제, 어디로 가면 좋을까?
아들: 전 8월 둘째 주가 좋아요. 여름엔 역시 바다지요.

(엄마와 꽃구경을 간 상황)
엄마: ㉡ 어쩜 이렇게 예쁠 수 있지?
아들: 장미꽃이 색이 정말 다양하네요.

(버스 안에서 할머니가 서 있는 상황)
엄마: 할머니 계신데 ㉢ 얼른 일어나지 못하겠어?
지영: 앗, 미처 보지 못했어요.

(동생이랑 통화하는 상황)
누나: ㉣ 배가 너무 고픈데 올 때 떡볶이 좀 사올 수 있니?
동생: 좋지. 계산은 누나가 할 거지?
└─

	ⓐ	ⓑ		ⓐ	ⓑ		ⓐ	ⓑ
①	㉠	㉡	②	㉠	㉢	③	㉡	㉢
④	㉡	㉣	⑤	㉢	㉣			

<u>서술형</u>

04. 다음 문장을 의문문으로 말하려면 억양을 어떻게 해야 하는지 서술하시오.

> 똑바로 서.

다 2 높임 표현

다가서기

● 다음 문장을 올바른 표현으로 고쳐 보자.

• 아빠, 친구들이 선생님한테 선물 줬어. ···▶ | **예시 답** | 아빠, 친구들이 선생님께 선물 드렸어요.

개념

상대 높임법	화자가 청자에 대하여 높이거나 낮추어 말하는 방법
주체 높임법	주어가 가리키는 인물, 즉 문장의 주체를 높이는 방법
객체 높임법	목적어나 부사어가 지시하는 대상, 즉 서술의 객체를 높이는 방법

화자가 어떤 대상이나 상대에 대하여 언어적으로 높고 낮은 정도를 구별하여 표현하는 방식이나 체계를 높임법이라고 한다. 높임법은 높임의 대상에 따라 상대 높임법, 주체 높임법, 객체 높임법으로 나뉜다.
(높임법의 개념.)
(주로 종결어미로 실현됨.)
(주로 선어말 어미로 실현됨.)
(주로 특수 어휘와 조사로 실현됨.)
▶높임법의 개념과 종류

① 상대 높임법

다가서기

● 화자와 청자의 상대적인 높낮이 관계를 고려하여 빈칸에 적절한 활용형을 채워 보자.

예시 답	하십시오체	하오체	하게체	해라체
평서법	갑니다	가(시)오	가네, 감세	간다
의문법	갑니까?	가(시)오?	가는가?, 가나?	가냐?, 가니?
명령법	가십시오	가(시)오	가게	가라, 가거라
청유법	(가시지요)	갑시다	가세	가자
감탄법	–	가는구려	가는구면	가는구나

개념

간접 높임
주체 높임법에서 높여야 할 대상의 신체 부분, 소유물, 생각 등과 관련된 말에도 '-(으)시-'를 결합하여 간접적으로 높이는 것임.

⚘ 격식체는 의례적 용법으로 심리적인 거리감을 나타내는 데 반하여, 비격식체는 정감 있고 격을 덜 차리는 표현이다. 따라서 상황에 따라 격식체와 비격식체를 적절히 선택해서 말해야 한다.

상대 높임법은 화자가 청자에 대하여 높이거나 낮추어 말하는 방법이다. 상대 높임법은 종결 표현으로 실현되는데, 크게 격식체와 비격식체로 나뉜다. 격식체는 높임의 순서에 따라 하십시오체, 하오체, 하게체, 해라체로 나뉘고, 비격식체는 해요체와 해체로 나뉜다.
(상대 높임법의 개념)
▶상대 높임법의 개념과 종류

		평서법	의문법	명령법	청유법	감탄법
격식체	하십시오체	합니다	합니까?	하십시오	(하시지요)	–
	하오체	하오	하오?	하오, 하구려	합시다	하는구려
	하게체	하네, 함세	하는가?, 하나?	하게	하세	하는구면
	해라체	한다	하냐?, 하니?	해라	하자	하는구나
비격식체	해요체	해요, 하지요	해요?, 하지요?	해요, 하지요	해요, 하지요	해요, 하지요
	해체(반말)	해, 하지	해?, 하지?	해, 하지	해, 하지	해, 하지

개념

'해요체'의 '요'의 품사
'해 → 해요'처럼 '요'는 문장이 끝난 뒤에 덧붙어 상대를 높이는 표현이다. 이때의 '요'는 종결 어미가 아니라 보조사에 해당한다.

확인하기

● 동사 '앉다'의 활용형으로 다음 빈칸을 채워 보자.

예시 답		평서법	의문법	명령법	청유법
격식체	하십시오체	앉습니다	앉습니까?	앉으십시오	(앉으시지요)
	해라체	앉는다	앉냐?, 앉니?	앉아라	앉자
비격식체	해요체	앉아요, 앉지요	앉아요?, 앉지요?	앉아요, 앉지요	앉아요, 앉지요
	해체(반말)	앉아, 앉지	앉아?, 앉지?	앉아, 앉지	앉아, 앉지

■ 높임 표현
• 높임 표현의 개념: 화자가 어떤 대상이나 상대에 대하여 언어적으로 높고 낮은 정도를 구별하여 표현하는 방식이나 체계
• 높임법의 종류: 상대 높임법, 주체 높임법, 객체 높임법

■ 상대 높임법의 개념
화자가 청자를 높이거나 낮추어 말하는 방법
• 상대 높임법의 실현 방법
일정한 종결 어미를 선택하여 사용함으로써 실현됨.

■ 상대 높임법의 종류
• 격식체
– 격식을 갖추어 말해야 하는 자리에서 사용하는 표현
– 공적인 자리에서 많이 사용함.
– 단정하고 객관적인 느낌을 줌.
– 높임의 순서에 따라 '하십시오체, 하오체, 하게체, 해라체'로 나뉨.

하십시오체	가십니다, 가십니까?, 가십시오, 가시지요
하오체	가(시)오, 가(시)오?, 가(시)오, 갑시다, 가는구려
하게체	가네(감세), 가는가(가나)?, 가게, 가세, 가는구먼
해라체	간다, 가냐(가니)?, 가라(가거라), 가자, 가는구나

• 비격식체
– 격식을 차리지 않는, 편안하고 자연스럽게 말해야 하는 자리에서 사용하는 표현
– 부드럽고 주관적인 느낌을 줌.
– 높임의 순서에 따라 '해요체'와 '해체'로 나뉨.

| 해요체 | 가요(가지요), 가요(가지요)?, 가요(가지요), |
| 해체 | 가(가지), 가(가지?) |

겸양 표현
겸양 표현은 주체나 상대를 높이는 것이 아니라 자기 자신을 낮추면서 상대방에게 공손한 태도를 보이는 표현이다. 선어말 어미 '–옵/(으)오/사오–' 등으로 실현되며, 특수한 어휘 '저, 저희, 소자(小子)' 등으로 실현되기도 한다.
예 사뿐히 밟고 가시옵소서.
다름이 아니오라
당신을 믿사오니

출제 예감
05. 높임 표현에 대한 설명으로 적절하지 <u>않은</u> 것은?
① 높임 표현의 유형을 나누는 기준은 높임의 대상이다.
② 높임 표현은 상대방이 누구인지에 따라 달라진다.
③ 높임 표현은 화자와 청자가 한 공간에 있는 대화 장면에서만 사용된다.
④ 높임법이란 언어적으로 높고 낮은 정도를 구별하여 표현하는 방식이다.
⑤ 화자의 의도나 화자가 느끼는 심리적 거리에 따라서 높임 표현이 달라진다.

06. 상대 높임법에 대한 설명으로 적절하지 <u>않은</u> 것은?
① 주로 종결 어미를 통해 실현된다.
② 격식체는 보통 사적인 장소에서 사용된다.
③ 비격식체는 부드럽고 주관적인 느낌을 준다.
④ 화자가 청자에 대해 높이거나 낮추어 말하는 방법이다.
⑤ '하게체', '해라체', '해체'는 청자를 낮추어 말할 때 쓰인다.

07. 다음 대화의 높임 표현을 탐구한 것으로 적절하지 <u>않은</u> 것은?

동생: ⓐ 누나, 아직 택배 안 왔어?
누나: 몰라. 나도 조금 전에 집에 왔어. ⓑ 엄마, 오늘 택배 오지 않았어요?
엄마: 아직 안 왔어. ⓒ 어머니, 저녁 진지 드세요.
할머니: 오냐. ⓓ 애비도 어서 오게.
아빠: ⓔ 예, 아버님은 어디 가셨습니까?

① ⓐ: 동생이 누나에게 낮춤말인 '해체'를 쓴 것은 심리적 거리가 가깝기 때문이야.
② ⓑ: 누나는 엄마에게 비격식체인 '해요체'를 써서 높이고 있어.
③ ⓒ: 엄마는 할머니께 '해요체'를 쓰면서 '진지, 드시다' 등 높임을 나타내는 어휘도 함께 사용하고 있어.
④ ⓓ: 할머니는 아빠에게 낮춤 표현인 '하게체' 중 청유법을 사용하였군.
⑤ ⓔ: 아빠는 격식체에서 높임의 순서가 가장 높은 '하십시오체'를 사용하고 있어.

서술형
08. 다음 문장을 〈조건〉에 맞는 상대 높임 표현으로 고쳐 쓰시오.

환절기에는 감기에 걸리지 않도록 조심한다.

〈조건〉
• 격식을 갖춘 상황에 적절한 상대 높임법을 사용할 것.
• 청자를 보통으로 높이는 청유법으로 쓸 것.

라 ② 주체 높임법

다가서기

● 다음 문장에서 높임 표현과 관련하여 잘못된 곳을 찾아 바로잡아 보자.
| 예시 답 |
• 선생님은 벌써 도착했어.
  ↳ 선생님께서 벌써 도착하셨어.
• 할아버지는 매일 이 시간이면 낮잠을 자.
  ↳ 할아버지께서는 매일 이 시간이면 낮잠을 주무셔.

개념 ⊕
'있다'의 높임 표현
'있다'의 높임 표현 중 '계시다'는 주체를 직접적으로 높이는 경우에 쓰이고, '있으시다'는 주체를 간접적으로 높이는 경우에 쓰임.

주어가 가리키는 인물, 즉 문장에서 서술의 주체를 높이는 방법을 **주체 높임법**이라
주체 높임법의 개념
고 한다. 주체 높임법은 일반적으로 용언의 어간에 선어말 어미 '-(으)시-'가 붙어 표
주체 높임의 선어말 어미
현되지만, '계시다', '잡수시다' 등 특수한 어휘로 표현되기도 한다. 또 주격 조사 '께서'
가 쓰이기도 하고, 주어인 명사에 '-님'이 덧붙기도 한다.
'높임'의 뜻을 더하는 접미사

• 선생님께서 벌써 도착하셨어. ── 선어말 어미 '-(으)시-'의 활용
• 할아버지께서는 매일 이 시간이면 낮잠을 주무셔.
  주격 조사 '께서'   특수 어휘 '주무시다'   ▶주체 높임법의 개념과 실현 방법

높여야 할 인물과 밀접한 관계에 있는 대상이 문장의 주어인 경우에도 '-(으)시-'가
간접 높임
사용된다. 아래에서 '타당하십니다'와 '밝으십니다'에 '-(으)시-'가 사용된 것은, 주어인
'말씀'과 '귀'가 높임의 대상인 '선생님'과 '할머니'와 밀접한 관계를 맺고 있기 때문이다.

• 선생님 말씀이 타당하십니다.
• 할머니께서는 아직 귀가 밝으십니다.
                                          ▶간접 높임의 사용

말씀
• 남의 말을 높여 이르는 말.
  ⓐ 아버님 말씀도 옳으신 데가 있어요.
• 자기의 말을 낮추어 이르는 말.
  ⓐ 이 말씀만 올리고 물러나겠습니다.

주체를 직접 높이는 것을 직접 높임이라고 하고, 주체와 밀접하게 관련된 대상을 높
직접 높임의 개념
임으로써 주체를 간접적으로 높이는 것을 간접 높임이라고 한다. '선생님께서 벌써 도
간접 높임의 개념   '선생님'을 직접 높임.
착하셨어.'는 직접 높임의 예이고, '선생님 말씀이 타당하십니다.'는 간접 높임의 예이
다.   '말씀'을 높임으로써 '선생님'을 간접적으로 높임.
                                          ▶직접 높임과 간접 높임의 비교

확인하기

● 다음 문장에서 주체 높임법에 어긋나는 부분을 찾아 바로잡아 보자.
| 예시 답 |
• 철수야, 선생님께서 너 지금 교무실로 오시래.   오시래 → 오라셔
                                    '철수'를 높이는 표현이 됨.
• 손님, 사용 중에 불편한 점이 계시면 언제든 연락 주십시오.   계시면 → 있으시면
                                    '불편한 점'을 높이는 표현이 됨.
• 고객님, 이 적금의 이율이 제일 높으세요.   높으세요 → 높아요
                                    '적금의 이율'을 높이는 표현이 됨.

고객님, 이 적금의 이율이 제일 높으세요.

■ **주체 높임법의 개념**

주체 높임법은 주어가 가리키는 인물, 즉 문장의 주체를 높이는 방법임.

  예 할아버지께서는 매일 이 시간이면 낮잠을 주무셔.
      문장의 주체(주어)

■ **주체 높임법의 실현 방법**

• 용언의 어간에 선어말 어미 '-(으)시-'를 붙임.
  예 신문을 보시는 분이 우리 선생님이다.
• 높임을 나타내는 특수한 어휘를 사용함.
  예 할아버지께서 진지를 댁에서 드신다고 합니다.
    – 계시다, 편찮으시다, 주무시다, 잡수시다/드시다 등
    – 진지(밥), 댁(집), 연세/춘추(나이), 약주(술), 성함/존함 (이름)
• 주격 조사 '께서'가 쓰이기도 하고, 주어 명사에 '-님'이 덧붙기도 함.
  예 • 할아버지께서는 댁에서 주무시고 계신다.
      • 회원님은 추가 할인을 받으실 수 있어요.

■ **주체 높임법의 종류**

직접 높임	주체를 직접 높이는 것 예 선생님께서 벌써 도착하셨어. → 주체인 '선생님'을 높임.
간접 높임	주체의 신체, 소유물, 생각 등 밀접하게 관련된 대상을 높임으로써 주체를 간접적으로 높이는 것 예 • 선생님 말씀이 타당하십니다. → '선생님의 말씀'을 높임. • 사장님의 인사 말씀이 있으시겠습니다. • 큰아버지는 살림이 넉넉하시다. • 선생님, 가방이 무거우시죠? • 할머니의 머리는 하얗게 세셨다.

보충 자료

압존법(壓尊法)

• 개념: 듣는 이를 고려하여 뚜렷한 높임의 대상인 주체를 높이지 않는 표현 방법
• 말하는 이의 입장에서 서술의 주체는 높여야 할 대상이지만, 듣는 이가 주체보다 더 높은 대상일 때는 '-(으)시-'를 붙이지 않는 것이 원칙임. 하지만 '-(으)시-'를 붙이는 것도 허용하고 있음.
  예 할아버지, 아버지가 돌아왔어요.
  ➡ 주체가 말하는 이에게는 아버지이므로 높여야 할 대상이지만, 듣는 이인 할아버지에게는 아들이므로 '돌아오셨어요'라고 높이지 않음.

09. 주체 높임법에 대한 설명으로 적절하지 <u>않은</u> 것은?

① 문장의 주어를 높이는 표현이다.
② 용언의 어간에 '-(으)시-'가 붙어 실현된다.
③ '계시다' 등의 특수한 어휘로 표현되기도 한다.
④ 조사 '이/가' 대신 '께'를 사용하여 주체를 높인다.
⑤ 높임 대상의 소유물이나 신체를 높여 간접적으로 대상을 높이기도 한다.

<!-- 출제 예감 -->
10. 〈보기〉의 ㄱ~ㅁ에 대한 설명으로 적절하지 <u>않은</u> 것은?

┌ 보기 ┐
> ㄱ. 할머니께서 내일 미술관에 가신다.
> ㄴ. 할아버지께서는 연세가 많으십니다.
> ㄷ. 아버지는 발이 크신데 잘 맞을까요?
> ㄹ. 선생님께서 문제를 쉽게 내신다고 했어.
> ㅁ. 저는 아버지의 뜻을 명심하고 따르겠습니다.

① ㄱ은 '께서'와 '가시다'를 사용하여 주체인 할머니를 높이고 있다.
② ㄴ은 '께서'와 '연세', '많으시다'를 사용하여 주체인 '할아버지'를 높이고 있다.
③ ㄷ은 '아버지'가 높임의 대상이므로 그 신체의 일부인 '발'이 주어로 올 때도 '크시다'를 사용하여 높이고 있다.
④ ㄹ은 '께서'와 '내신다'를 사용하여 주체인 '선생님'을 높이고 있다.
⑤ ㅁ은 '저'라는 낮춤말을 씀으로써 주체인 '아버지'를 높이고 있다.

<!-- 출제 예감 -->
11. 다음 중 간접 높임이 사용된 문장으로 적절한 것은?

① 어머니께서 요리를 하셨다.
② 선생님, 점심 진지 잡수셨나요?
③ 할머니께서는 아직 귀가 밝으십니다.
④ 어머니께서는 아직 주무시는 중이다.
⑤ 선미야, 아버지께서 너 거실로 나오라고 하셨어.

12. 〈보기〉의 밑줄 친 문장에서 주체 높임법에 어긋나는 부분을 찾아 그 이유를 서술하고 바로잡아 쓰시오.

> 손님: 아기 옷은 몇 층에 있지요?
> 점원: 고객님, 그 매장은 3층에 <u>있으십니다.</u>

마 ③ 객체 높임법

> **다가서기**
>
> ● 다음 문장에서 '친구'를 '선생님'으로 바꾸면 문장의 나머지 부분이 어떻게 달라져야 하는지 알아보자.
> | 예시 답 |
> ・ 나도 그 친구에게 선물을 줬어.
>   ↳ 나도 그 선생님(께) 선물을 (드렸어).

목적어나 부사어가 지시하는 대상, 즉 문장에서 서술의 객체를 높이는 방법을 객체 높임법이라고 한다. _{객체 높임법의 개념} 객체 높임법은 어미를 사용하는 주체 높임법이나 상대 높임법과 달리 특수한 어휘를 사용해서 표현한다. _{어미를 통해 실현되지 않음.} 그리고 객체 높임법에서는 조사 '에게' 대신 '께'를 사용하기도 한다. _{객체 높임을 실현하는 높임 부사격 조사}

다음은 일반적인 표현과 객체 높임법이 사용된 표현이다.

・ 나는 <u>친구에게</u> 과일을 주었다. ⋯▶ 나는 <u>선생님께</u> 과일을 <u>드렸다.</u>
              높임 부사격 조사 ┘   └ 특수 어휘 '드리다'
・ 나는 <u>동생을 데리고</u> 병원으로 갔다. ⋯▶ 나는 <u>아버지를 모시고</u> 병원으로 갔다.
                              특수 어휘 '모시다'   ▶객체 높임법의 개념과 실현 방법

> **확인하기**
>
> ● 다음 문장의 밑줄 친 부분을 객체 높임법이 실현된 형태로 바꾸어 보자.
> | 예시 답 |
> ・ 과장님, 여러 번 찾아왔었는데 만나 <u>보기</u>가 참 어렵더군요. 보기 → 뵙기
> ・ 선생님, <u>물을</u> 게 있어요. 물을 → 여쭐

바 ③ 시간 표현

> **다가서기**
>
> ● 다음 대화에서 밑줄 친 문장에 의해 표현된 <u>동작이 일어난 시점</u>과 <u>말하는 시점</u>의 선후 관계를 말해 보자. _{사건시} _{발화시}
>
> | | |
> |---|---|
> | 지원: 나 어제 야구 보러 갔다가 텔레비전에 나왔는데 봤어? | |
> | 승연: 자꾸 말 시키지 마. <u>나 지금 공부해.</u> | | 예시 답 | 동작이 일어난 시점과 말하는 시점이 동일함. (현재 시제) 사건시=발화시 |
> | 지원: 에이, 어제 야구 봤느냐까? | |
> | 승연: <u>어제도 공부했어.</u> | | 예시 답 | 동작이 일어난 시점이 말하는 시점보다 앞섬. (과거 시제) 사건시>발화시 |
> | 지원: 오늘 나랑 야구 보러 갈래? | |
> | 승연: <u>오늘도 공부할 거야.</u> | | 예시 답 | 말하는 시점이 동작이 일어난 시점보다 앞섬. (미래 시제) 사건시<발화시 |

어떤 동작이나 상태가 과거에 일어난 일인지, 현재 일어나고 있는 일인지, 혹은 앞으로 일어날 일인지를 언어적으로 표현하는 문법 범주를 시제(時制)라고 한다. _{시제의 개념} 시제는 화자가 말하는 시점인 발화시(發話時)를 기준으로 동작이나 상태가 일어나는 시점인 사건시(事件時)와 선후 관계를 따져 과거 시제, 현재 시제, 미래 시제로 나누는 것이 일반적이다. _{시제 구분의 기준}

※ 발화시를 기준으로 하는 절대 시제와 달리 사건시를 기준으로 하는 시제를 상대 시제라고 한다. 예를 들어 '철수는 사과를 먹고 영희는 배를 먹었다.'에서 '먹고'가 현재 시제로 표현된 것은 '먹었다'의 사건시인 과거를 기준으로 하는 상대 시제에서 현재이기 때문이다.

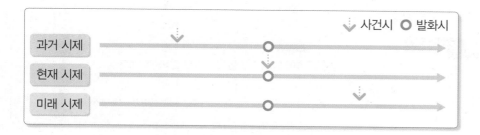

개념 ➕

시제와 시간
자연에 존재하는 시간은 연속적인 것이어서 나눌 수 없음. 그러나 시제는 시간의 흐름 속에 어떤 사건이나 사실이 일어난 시간선상의 위치를 인위적으로 구분하여 표현하는 문법적인 기능임.

핵심 다지기

문제로 확인

■ **객체 높임법**

문장의 목적어나 부사어가 지시하는 대상, 즉 서술의 객체를 높이는 방법

예 나는 그 <u>선생님께</u> 선물을 <u>드렸어</u>. → 객체인 '선생님'을 높임.
　　　　부사어 ■ → 높임을 표현하는 어휘

영희가 어머니를 <u>모시고</u> 시장에 갔다.
　　목적어 → 객체인 '어머니'를 높임.

• 실현 방법
– '뵙다', '드리다', '여쭈다/여쭙다', '모시다' 등의 특수한 어휘를 사용함.
– 부사격 조사 '에게' 대신 '께'를 사용함.

　예 이 문제는 선생님께 <u>여쭤</u> 봐야지.
　　시골에 가서 할아버지를 <u>뵙고</u> 오너라.

> **보충자료**
>
> **높임의 제약**
> • 객관적 서술일 때는 높임을 쓸 필요가 없다.
> 　예 퇴계는 조선 시대의 뛰어난 성리학자였다.
> • 개별적 친근감을 표시할 때는 '-시-'를 넣어 줄 수 있다.
> 　예 퇴계는 조선 시대의 뛰어난 성리학자셨다.

■ **시간 표현**

• 시제: 어떤 동작이나 상태가 과거에 일어난 일인지, 현재 일어나고 있는 일인지, 혹은 앞으로 일어날 일인지를 언어적으로 표현하는 것을 '시제(時制)'라고 함.

> 시제는 말하는 시점인 '발화시'를 기준으로 동작이나 상태가 일어나는 시점인 '사건시'와 선후 관계를 따져 과거 시제, 현재 시제, 미래 시제로 나누는 것이 일반적임.

⬇

> • 과거 시제: 사건시가 발화시보다 앞서 있는 것
> 　예 나는 어제 빵을 먹<u>었</u>다.
> • 현재 시제: 사건시와 발화시가 일치하는 것
> 　예 지금은 떡을 먹<u>는</u>다.
> • 미래 시제: 사건시가 발화시보다 뒤에 놓이는 것
> 　예 내일은 밥을 먹<u>을 것</u>이다.

13. 〈보기〉에서 객체 높임법에 대한 설명으로 옳은 것끼리 묶은 것은?

> **보기**
>
> ㉠ 부사격 조사 '께'를 사용한다.
> ㉡ 서술어에 객체를 높이는 어미를 사용한다.
> ㉢ 특수한 어휘를 사용하여 높임을 실현한다.
> ㉣ 문장에서 목적어나 부사어를 높이는 방법이다.
> ㉤ 화자가 상대를 높이는 표현을 씀으로써 실현된다.

① ㉠, ㉡, ㉢　　② ㉠, ㉢, ㉣　　③ ㉠, ㉢, ㉤
④ ㉠, ㉢, ㉣, ㉤　　⑤ ㉡, ㉢, ㉣, ㉤

 출제 예감

14. 다음 중 객체 높임법이 사용된 문장으로 적절한 것은?
① 할아버지께서 어제 댁에 가셨다.
② 형이 어머니를 모시고 고향에 다녀왔다.
③ 내일 선생님한테 시험 범위를 물어봐야겠다.
④ 아버지께서 모으신 우표를 나에게 물려 주셨다.
⑤ 할머니께서는 우리에게 늘 성실하게 살라고 하셨다.

15. 시제에 대해 나눈 대화 중 내용이 적절하지 <u>않은</u> 것은?

> 지영: 시제란 어떤 동작이나 상태가 일어난 시간적 위치를 언어적으로 표현한 것이야. ·················①
> 은우: 동작이나 상태가 일어나는 시점을 사건시라고 하지. ···································②
> 미영: 화자가 말하는 시점은 발화시라고 해 ··········③
> 은탁: 현재 시제는 사건시와 발화시가 일치해. ·······④
> 유진: 사건시가 발화시보다 앞서 있으면 미래 시제야. ···
> ·······················⑤

16. 다음 문장에서 높임을 표현하기 위해 사용된 요소를 모두 찾아 쓰시오.

> 우리는 아저씨께 선물을 직접 드렸다.

<table>
<tr>
<td valign="top" width="30%">

개념➕
과거 시제의 표현 방법
• 선어말 어미 '-았-/-었-', '-더-'를 사용함.
• 동사에서 관형사형 어미 '-(으)ㄴ'을 사용함.
• 용언이나 서술격 조사에서 관형사형 어미 '-던'을 사용함.
• 시간 부사어를 사용함.

</td>
<td valign="top">

사 ① 과거 시제

┌─ **다가서기** ─────────────────────────────┐
● 다음 문장의 밑줄 친 부분을 문맥에 맞게 적절한 활용형으로 바꾸어 보자.
|예시 답|
• 우리는 어제 그 영화를 <u>보다</u>. ⋯ 보았다
• 오다가 철수를 봤는데, 철수가 도서관으로 <u>들어가다</u>. ⋯ 들어갔다/들어가더라
└────────────────────────────────────┘

</td>
</tr>
</table>

과거 시제는 사건시가 발화시보다 앞서 있는 시제이다. 과거 시제를 표현하는 방법으로 선어말 어미 '-았-/-었-', '-더-'를 사용하는 방법, 동사에서 관형사형 어미 '-(으)ㄴ'을 사용하는 방법, 용언이나 서술격 조사에서 관형사형 어미 '-던'을 사용하는 방법, _{동사에서도 사용함.} '어제', '옛날'과 같은 시간 부사어를 사용하는 방법 등이 있다. ▶과거 시제의 개념과 실현 방법

선어말 어미 '-았-/-었-'을 두 번 사용한 '-았었-/-었었-'은 발화시보다 전에 발생했으며 현재와 단절된 사건을 표현하는 데 쓰여 '-았-/-었-'과 의미 차이를 보인

_{'엇그제', '아까' 등}

<u>대과거 – 과거의 어느 시점보다 더 앞선 시점에서 과거의 시점까지 계속됨을 나타냄.</u>
다. 선어말 어미 '-더-'가 사용된 표현은 단순한 과거가 아니라 과거 어느 때의 일이나 경험을 돌이켜 회상하는 의미를 나타낸다. ▶과거 시제 선어말 어미 '-았었-/-었었-'과 '-더-'의 의미

<table>
<tr>
<td valign="top" width="30%">

개념➕
'-(으)ㄴ'의 경우 동사 어간에 붙을 때에만 과거 시제이고, 형용사 어간이나 서술격 조사에 붙으면 현재 시제가 됨.
예 밝은 조명[밝+으ㄴ: 현재 시제]
직업이 의사인 분이 누구십니까? [의사+이+ㄴ: 현재 시제]

</td>
<td valign="top">

┌─ **확인하기** ─────────────────────────────┐
● 다음 문장의 밑줄 친 부분을 시제 표현이 적절하도록 바꾸어 보자.
|예시 답|
• 아침에 전화했더니 안 <u>받는다</u>. ⋯ 받았다/받더라
• 아까 네가 <u>먹는</u> 우유는 유통기한을 넘긴 것이었어. ⋯ 먹은
• 그렇게 <u>예쁜</u> 영희가 지금 이렇게 변하다니. ⋯ 예쁘던/예뻤던
• 우리가 처음 만났던 곳은 <u>서울역이겠어</u>. ⋯ 서울역이야/서울역이었다
└────────────────────────────────────┘

</td>
</tr>
</table>

아 ② 현재 시제

┌─ **다가서기** ─────────────────────────────┐
● 다음 괄호에 들어갈 적절한 활용형을 아래에서 찾아보자.

"여우야, 여우야, 뭐 하니?"
"밥 (|예시 답| ㉠ 먹는다)."

㉠ 먹는다   ㉡ 먹더라   ㉢ 먹겠다   ㉣ 먹었다
└────────────────────────────────────┘

현재 시제는 발화시와 사건시가 일치하는 시제이다. 동사에서는 선어말 어미 '-는-/-ㄴ-'과 관형사형 어미 '-는'을 써서 현재 시제를 표현하고, 형용사와 서술격 조사에서는 선어말 어미는 쓰지 않고 관형사형의 경우 어미 '-(으)ㄴ'을 써서 표현한다. '지금' 등의 시간 부사어로 현재 시제를 표현할 수도 있다. ▶현재 시제의 개념과 실현 방법

_{'현재' 등}

<table>
<tr>
<td valign="top" width="30%">

✎ **현재 시제의 표현 방법**
• 동사에서 선어말 어미 '-는-/-ㄴ-'과 관형사형 어미 '-는'을 사용함.
• 형용사나 서술격 조사에서 선어말 어미는 쓰지 않고 관형사형의 경우 어미 '-(으)ㄴ'을 사용함.
• 시간 부사어를 사용함.

</td>
<td valign="top">

┌─ **확인하기** ─────────────────────────────┐
● 과거 시제가 사용된 다음 글을 현재 시제로 바꾸어 보자.
|예시 답|
• 어제도 머릿속은 온통 뒤죽박죽이었다.
  ↳ 오늘도 머릿속은 온통 뒤죽박죽이다.
└────────────────────────────────────┘

</td>
</tr>
</table>

- 어제 내 모습은 누구보다 예뻤다.
  ↳ 오늘 내 모습은 누구보다 예쁘다.
- 그녀는 그 말을 듣자마자 눈앞이 캄캄해지는 걸 느꼈다.
  ↳ 그녀는 그 말을 듣자마자 눈앞이 캄캄해지는 걸 느낀다.

■ **과거 시제**

- 개념: 사건시(사건이 일어난 시점)가 발화시(말하는 시점)보다 앞서 있는 시제
- 실현 방법
  - 일반적으로 선어말 어미 '-았-/-었-'을 사용함.
    예 동생이 전화를 받았다. / 코스모스가 활짝 피었구나.
  - 선어말 어미 '-았었-/-었었-'은 발화시보다 전에 발생하여 현재와는 단절된 사건을 표현하는 데 쓰임.
    예 전에는 그 사람이랑 차만 같이 마셨었어.
  - 선어말 어미 '-더-'를 사용함. 이 경우 단순한 과거가 아니라 과거 어느 때의 일이나 경험을 돌이켜 회상하는 의미를 나타냄. 예 어제 식당에서 그 사람이랑 같이 밥 먹고 있더라.
  - 동사에서 관형사형 어미 '-(으)ㄴ'을 사용함.
    예 그 사람은 잊은 지 오래되었어.
  - 형용사나 서술격 조사에서 과거 시제를 나타낼 때는 관형사형 어미 '-던'을 사용함.
    예 푸르던 산이 이렇게 황폐해졌다.
  - '어제', '옛날'과 같은 시간 부사어를 사용함.

■ **현재 시제**

- 개념: 사건시와 발화시가 일치하는 시제
- 현재 시제의 표현 방법
  - 동사에서는 선어말 어미 '-는-/-ㄴ-'과 관형사형 어미 '-는'을 사용함.
    예 강아지가 지금 잠을 잔다./ 누나는 방에서 책을 읽는다.
  - 형용사와 서술격 조사에서는 선어말 어미는 쓰지 않고 관형사형의 경우 어미 '-(으)ㄴ'을 사용함.
    예 이 산에는 큰 나무가 자란다.
  - '지금'과 같은 시간 부사어를 사용함.
    예 지금 운동장에서 공 차는 저 아이들은 몇 학년이야?

> **보충 자료**
> - 보편적인 사실을 말할 때도 현재 시제를 사용함.
>   예 사람은 누구나 죽는다. (보편적인 사실)
> - 미래의 일이라도 확정적인 일이라고 판단하면 현재 시제를 사용함. 예 난 이번 주말에 제주도에 간다.

17. 과거 시제에 대한 설명으로 적절하지 <u>않은</u> 것은?
① 발화시보다 사건시가 앞서 있는 시제이다.
② 과거 시제 선어말 어미 '-았-/-었-'을 사용한다.
③ 동사와 형용사 등의 용언에는 관형사형 어미 '-(으)ㄴ'을 사용한다.
④ 과거의 어느 때를 회상하는 의미를 나타낼 때는 '-더-'를 사용한다.
⑤ 서술격 조사에서 과거 시제를 나타낼 때는 관형사형 어미 '-던'을 사용한다.

출제 예감

18. 밑줄 친 부분이 과거 시제에 해당하지 <u>않는</u> 것은?
① 이것은 내가 <u>그린</u> 그림이다.
② 우리는 그 영화를 함께 <u>보았다</u>.
③ 덩치가 <u>작던</u> 아이가 지금은 이렇게 컸다.
④ 집에 아버지가 아끼시던 도자기가 <u>있었었다</u>.
⑤ 그가 매일 공원에서 노래를 <u>부르는</u> 사람이다.

심화
19. 〈보기〉에서 현재 시제에 대한 설명으로 옳은 것을 모두 고른 것은?

> 〈 보기 〉
> ㄱ. 서술격 조사에서는 선어말 어미를 쓰지 않는다.
> ㄴ. 보편적인 사실을 말할 때도 현재 시제를 사용한다.
> ㄷ. '지금', '현재' 등의 시간 부사어로 표현할 수도 있다.
> ㄹ. 서술격 조사에서는 관형사형의 경우 어미 '-(으)ㄴ'을 써서 표현한다.
> ㅁ. 형용사에서는 선어말 어미 '-는-/-ㄴ-'을 써서 현재 시제를 표현한다.

① ㄱ, ㄴ, ㄷ   ② ㄱ, ㄷ, ㅁ
③ ㄱ, ㄴ, ㄷ, ㄹ   ④ ㄱ, ㄴ, ㄹ, ㅁ
⑤ ㄱ, ㄴ, ㄷ, ㄹ, ㅁ

[다가서기]

● 다음 대화의 마지막 문장이 자연스러운 표현이 되도록 밑줄 친 동사의 적절한 활용형을 모두 선택해 보자. |예시 답| ㉢, ㉣

> 김 부장: 어제 부탁한 일은 다 끝냈어요?
> 박 과장: 아직 못 끝냈습니다. 내일 아침까지는 <u>마무리하다</u>.
>   미래

㉠ 마무리하고 있습니다. – 현재(진행상)   ㉡ 마무리했습니다. – 과거
㉢ 마무리하겠습니다.   ㉣ 마무리할 겁니다.

미래 시제는 사건시가 발화시보다 나중인 시제이다. 미래 시제를 표현하는 데 주로 선어말 어미 '-겠-'을 사용하고, 관형사형 어미 '-(으)ㄹ'과 의존 명사 '것'이 결합된 '-(으)ㄹ 것'도 널리 사용된다. 또 미래 시제를 나타내는 관형사형 어미로는 '-(으)ㄹ'이 사용된다. '내일'과 같은 시간 부사어를 써서 미래 시제를 표현할 수도 있다.
                                          '모레', '장차', '곧' 등

• 내일 집으로 <u>가겠습니다</u>.   • 내일이면 물건을 받아 볼 수 <u>있을 것입니다</u>.
• 영수는 <u>떠날</u> 사람이라는 걸 잊지 마라.   ▶미래 시제의 개념과 실현 방법

'-겠-'과 '-(으)ㄹ 것'은 『미래 시제를 나타내는 것 이외에 ㉠ 추측이나 의지 등을 표현하기도 한다.』
                                  『 ㉠ '-겠-', '-(으)ㄹ 것'의 의미

> 지원: 지금은 행사가 다 끝났겠죠? 다음에는 꼭 가겠습니다.
>   (추측)   (의지)
> 승연: 저도 그때는 꼭 갈 것입니다.
>   (의지)

                                                  ▶'-겠-'과 '-(으)ㄹ 것'의 양태적 의미

[확인하기]

● 다음 문장에서 '-겠-'이 나타내는 의미가 무엇인지 말해 보자.
• 이 정도 공연장이면 3천 명은 수용하겠습니다. |예시 답| 추측
• 이번 계약은 반드시 성사시키겠습니다.   • 동생은 낚시하러 가겠다고 한다.
               |예시 답| 의지 |예시 답| 미래, 의지
• 나라면 그 문제의 정답을 쉽게 알겠다.   • 어서 나가자, 학교에 늦겠다.
              |예시 답| 가능성이나 능력 |예시 답| 추측

차 ④ **동작상**

[다가서기]

● 다음 대화에 이어질 적절한 답을 모두 찾아보고, 각각의 의미가 어떻게 다른지 생각해 보자.

|예시 답| ㉠, ㉡, ㉣. ㉠은 단순한 현재, ㉡은 현재 진행, ㉢은 확인되지 않은 상황에 대한 추측, ㉣은 현재 완료의 상태의 의미를 나타낸다. ㉢은 자신의 상황에 대한 추측을 하는 것은 일반적인 자연스러운 상황은 아님을 알 수 있다.

> ㉠ 밥 먹어.
> ㉡ 밥 먹고 있어.
> ㉢ 글쎄, 공부하겠지?
> ㉣ 그냥 책상 앞에 앉아 있어.

시간 표현과 관계가 깊은 문법 범주로 **동작상**(動作相)이 있다. 동작상은 발화시를 기준으로 동작이 일어나는 모습을 표현하는 것으로, 대표적인 것으로 **진행상, 완료상** 등이 있다. 국어에서는 다음 예처럼 주로 보조 용언을 사용하여 동작상을 표현한다.

<u>동작상의 개념</u>
보조 용언과 연결 어미를 통해 실현됨.

〈진행상〉
• 이제야 밥을 먹고 있다.   • 빨래가 다 말라 간다.
　　　　'-고 있다'　　　　　　　　'-아 가다'

〈완료상〉
• 자장면을 다 먹어 버렸다.   • 지현이는 지금 의자에 앉아 있다.
　　　　'-어 버리다'　　　　　　　　　　'-아 있다'

▶동작상의 개념, 종류, 실현 방법

확인하기

• 다음 밑줄 친 부분은 어떤 동작상을 나타내고 있는지 말해 보자.

• 그녀는 밥을 다 <u>먹고서</u> 집을 나섰다. → 완료상

  ↳ |**예시 답**| 연결 어미인 '-고서'를 통해 먹는 동작이 완료되었음.

• 영희는 밥을 다 <u>먹어 간다.</u> → 진행상

  ↳ |**예시 답**| 연결 어미와 보조 용언인 '-어 가다'를 통해 먹는 동작이 진행되고 있음.

개념⊕

'-고 있다'의 중의적 의미
'철수는 가방을 매고 있다.'에서 '-고 있다'는 가방을 매고 난 후의 결과 상태 지속을 나타내는 완료상으로 해석될 수도 있고, 진행상으로 해석하여 가방을 매는 동작 중임을 나타낸다고도 볼 수 있음.

핵심 다지기

문제로 확인

■ **미래 시제**
• 개념: 사건시가 발화시보다 나중인 시제
• 실현 방법
• 주로 선어말 어미 '-겠-'을 사용함.
  예 이 일은 내일까지 마무리하겠습니다.
• 관형사형 어미 '-(으)ㄹ'과 의존 명사 '것'이 결합된 '-(으)ㄹ 것'도 널리 사용함.
  예 이 일은 내일까지 마무리할 것입니다.
• 관형사형 어미로는 '-(으)ㄹ'을 사용함.
• '내일'과 같은 시간 부사어를 사용함.
• '-겠-'과 '-(으)ㄹ 것'은 미래 시제를 나타내는 것 이외에 추측이나 의지 등을 표현하기도 함.
  예 지금은 행사가 다 끝났겠죠? (추측)
  　　저도 그때는 꼭 갈 것입니다. (의지)

■ **동작상**
• 개념: 발화시를 기준으로 동작이 일어나는 모습을 표현하는 것
• 동작상의 종류

진행상	• 동작이 진행되고 있음을 표현함. • '-고 있다', '-어 가다' 등의 보조 용언과 '-으면서'와 같은 연결 어미를 사용함. 　예 이제야 밥을 먹고 있다.(현재, 진행상) 　　 영희는 어제 집에서 밥을 먹고 있었다.(과거, 진행상)
완료상	• 일이 끝나고 결과가 지속됨을 표현함. • '-어 버리다', '-아/-어 있다' 등의 보조 용언과 '-고서'와 같은 연결 어미를 사용함. 　예 자장면을 다 먹어 버렸다. 　　 윤이는 지금 의자에 앉아 있다.

20. 〈보기〉에서 미래 시제를 표현하는 방법을 모두 고른 것은?

〈보기〉
ㄱ. 선어말 어미 '-겠-'
ㄴ. 선어말 어미 '-더-'
ㄷ. 관형사형 어미 '-(으)ㄹ'
ㄹ. 동사에서 관형사형 어미 '-(으)ㄴ'
ㅁ. 관형사형 어미와 의존 명사가 결합된 '-(으)ㄹ 것'

① ㄱ, ㄴ, ㄷ　　　② ㄱ, ㄷ, ㅁ　　　③ ㄱ, ㄹ, ㅁ
④ ㄱ, ㄴ, ㄹ, ㅁ　　⑤ ㄱ, ㄷ, ㄹ, ㅁ

출제 예감

21. 밑줄 친 말이 ㉠의 경우에 해당하지 **않는** 것은?
① 어서 나가자, 학교에 <u>늦겠다.</u>
② 내일 시험을 <u>볼</u> 과목은 국어이다.
③ 지금쯤 역에는 기차가 <u>도착했겠지.</u>
④ 우리는 꼭 세계 여행을 <u>갈 것입니다.</u>
⑤ 이번 계약은 반드시 <u>성사시키겠습니다.</u>

22. 동작상에 대한 설명으로 적절하지 **않은** 것은?
① 사건시가 발화시보다 앞서 있다.
② 주로 보조 용언을 통해 실현된다.
③ 동작이 일어나는 모습을 나타내는 문법 기능이다.
④ 진행상은 어떤 사건이 특정 시간 구간 내에서 계속 이어지고 있음을 나타낸다.
⑤ 완료상은 어떤 사건이 끝났거나 끝난 후의 결과 상태가 지속되고 있음을 나타낸다.

카 4 피동 표현

다가서기

● 다음 상황을 표현하는 문장이 되도록 괄호를 채워 보자.

- 영희가 물고기를 잡았다.
- (물고기가) (영희에게) 잡혔다.
  　　　　　　　/영희한테

주어가 동작을 제힘으로 하는 것을 **능동(能動)**이라 하고, 주어가 다른 주체에 의해서 동작을 당하는 것을 **피동(被動)**이라 한다. '영희가 물고기를 잡았다.'의 경우 주어인 '영희'가 스스로 동작을 하는 것이므로 능동문이고, '물고기가 영희에게 잡혔다.'의 경우 주어인 '물고기'가 다른 주체인 '영희'에 의해 '잡는' 동작을 당하는 것이므로 피동문이다. 이때 '잡다'는 능동사, '잡히다'는 피동사이다.　　　　　▶능동문과 피동문의 개념

_{피동의 개념}

피동사는 능동사 어근에 피동 접미사 '-이-, -히-, -리-, -기-'가 붙어서 만들어진다.「능동문이 피동문으로 바뀔 때 능동문의 주어는 피동문의 부사어가 되고, 능동문의 목적어는 피동문의 주어가 된다. 피동문의 부사어에는 '에게/에'가 주로 사용되고 '에 의해(서)'가 사용되기도 한다.」

피동 접미사 '-히'가 결합되어 피동사로 파생됨
피동 접미사(짧은 피동)
「 」능동문이 피동문으로 변형될 때 일어나는 과정

한편 피동문은 피동 접미사 '-되다'에 의해서 만들어지기도 하고 '-어지다'에 의해서 만들어지기도 한다.

파생적 피동(짧은 피동)　　　*통사적 피동(긴 피동)*

- 안건이 만장일치로 <u>가결되었다</u>.　　　● 이 펜은 글씨가 잘 <u>써진다</u>.

짧은 피동

㉠ 피동사에 의한 피동문을 **파생적 피동문**이라고 하고, '-어지다'에 의한 피동문을 **통사적 피동문**이라고 한다.　　　▶피동문의 실현 방법과 종류

긴 피동

확인하기

● 다음 문장들을 피동문으로 바꾸어 보고, 이때 각 문장 성분들이 어떻게 변화하는지 구체적으로 설명해 보자.

| 예시 답 |

- 모기가 철수를 물었다. ⋯⋯ 철수가 {모기에게/모기한테} 물렸다.
- 나는 파랑새가 지저귀는 소리를 들었다. ⋯⋯ 파랑새가 지저귀는 소리가 {나에게/나한테} 들렸다.

타 5 사동 표현

다가서기

● 다음 상황을 표현하는 문장이 되도록 괄호를 채워 보자.

| 예시 답 |
- 미소가 웃다.
- 민수가 (미소를) 웃기다.

🧷 피동문을 사용하는 이유
- 능동의 주어가 불분명할 때
- 능동의 주어가 너무나 분명해 굳이 밝힐 필요가 없을 때
- 피동 주어에 초점이 놓일 때

개념 ➕
피동문의 특성
피동문은 주어로 나타나는 피동주에 초점이 가기 때문에 동작주의 동작성이 잘 드러나지 않음. 예를 들어 '사람이 개에 물렸다.'라는 문장에서는 피동주인 '사람'에 초점이 가게 되어 동작주인 '개'의 행위가 적극적으로 표현되지 않는 것임.

개념 ➕
피동문과 우리말 가꾸기
국어의 피동 표현은 그 자체로 부자연스러운 것은 아니지만 영어 등의 영향으로 불필요한 피동 표현이 많으므로 꼭 필요한 경우에만 사용해야 한다.
⑩ • 이 책은 그에 의해 만들어졌다.
　　→ 그가 이 책을 만들었다.
　• 이름이 불려지자 그는 벌떡 일어났다.
　　→ 이름이 불리자 그는 벌떡 일어났다.

주어가 동작을 직접 하는 것을 **주동**(主動)이라 하고, 주어가 남에게 동작을 하도록
<u>주동의 개념</u>
시키는 것을 **사동**(使動)이라 한다. '미소가 웃다.'라는 문장은 주어인 '미소'가 직접 웃는
<u>사동의 개념</u>
동작을 하는 것이므로 주동문이고, '민수가 미소를 웃기다.'라는 주어인 '민수'가 '미소'

를 웃게 하였으므로 사동문이다. 이때 '웃다'는 주동사, '웃기다'는 사동사이다.

▶주동과 사동의 개념

핵심 다지기

문제로 확인

■ **피동 표현**

• **능동과 피동의 개념**

능동	• 주어가 동작을 제 힘으로 하는 것 • 능동사가 서술어로 쓰인 문장을 능동문이라고 함. 예 영희가 물고기를 <u>잡았다</u>.
피동	• 주어가 다른 주체에 의해 동작을 당하는 것 • 피동사가 서술어로 쓰인 문장을 피동문이라고 함. 예 물고기가 영희에게 <u>잡혔다</u>.

• **피동문의 실현 방법**

– 능동문이 피동문으로 바뀔 때 능동문의 주어는 피동문의
부사어가 되고, 능동문의 목적어는 피동문의 주어가 됨.

– 피동문의 부사어에는 '에게/에'가 주로 사용되고 '에 의해
(서)'가 사용되기도 함.

예 <u>고양이가</u>   <u>쥐를</u>   <u>물었다</u>. (능동문)
　　주어　　　목적어　　능동사

<u>쥐가</u>   <u>고양이에게</u>   <u>물렸다</u>. (피동문)
주어　　　부사어　　　피동사

• **피동문의 종류**

파생적 피동	능동사의 어근+피동 접미사(-이-, -히-, -리-, -기-) 예 멀리 철수가 <u>보인다</u>. 쥐가 고양이에게 <u>잡혔다</u>.
	서술성을 가진 일부 체언+'-되다' 예 안건이 <u>가결되었다</u>.
통사적 피동	용언(동사, 형용사)의 어간+'-어지다' 예 이 펜은 잘 <u>써진다</u>.
	용언(동사, 형용사)의 어간+'-게 되다' 예 곧 사실이 <u>드러나게 된다</u>.

■ **사동 표현**

• **주동과 사동의 개념**

주동	• 주어가 동작을 직접 하는 것 • 주동사가 서술어로 쓰인 문장을 주동문이라고 함. 예 미소가 <u>웃다</u>.
사동	• 주어가 남에게 동작을 하도록 시키는 것 • 사동사가 서술어로 쓰인 문장을 사동문이라고 함. 예 민수가 미소를 <u>웃기다</u>.

23. 피동 표현에 대한 설명으로 적절하지 <u>않은</u> 것은?

① 주어가 다른 주체에 의해서 동작을 당하는 것이다.

② 능동문을 피동문으로 바꿀 때 능동문의 부사어는 피동
문의 주어가 된다.

③ 능동문을 피동문으로 바꿀 때 능동문의 주어는 피동문
의 부사어가 된다.

④ '-어지다', '-게 되다'로 만들어지는 피동문을 통사적
피동문이라고 한다.

⑤ 피동사는 능동사 어근에 접미사 '-이-, -히-, -리-,
-기-'가 붙어서 만들어진다.

출제 예감

24. 〈보기〉의 피동 표현에 대해 탐구한 내용으로 적절하지 <u>않은</u>
것은?

보기

ㄱ. 강아지에게 손을 물렸다.

ㄴ. 새로 산 책상이 못에 긁혔다.

ㄷ. 그녀의 노랫소리는 간드러졌다.

ㄹ. 집이 완전히 새로운 가구로 바뀌어 있었다.

ㅁ. 이 건물을 지을 때 새로운 재료가 사용되었다.

① ㄱ에는 피동 접미사 '-리-'를 사용한 피동 표현이 쓰였다.

② ㄴ에는 피동 접미사 '-히-'를 사용한 피동 표현이 쓰였다.

③ ㄷ에는 '-어지다'를 사용한 피동 표현이 쓰였다.

④ ㄹ에는 피동 접미사 '-이-'를 사용한 피동 표현이 쓰였다.

⑤ ㅁ에는 피동 접미사 '-되다'를 사용한 피동 표현이 쓰였다.

25. ㉠을 참고할 때, 피동문의 유형이 나머지와 <u>다른</u> 하나는?

① 새로 산 컵이 깨졌다.

② 해가 지고 날이 어두워졌다.

③ 동생이 사과하여 화난 마음이 풀어졌다.

④ 할아버지께서는 병으로 손이 떨게 되었다.

⑤ 강을 사이에 두고 새로 마을이 형성되었다.

파 사동사는 주동사 어근에 사동 접미사 '-이-, -히-, -리-, -기-, -우-, -구-, -추-' 등이 붙어서 만들어진다.『주동문이 사동문으로 바뀔 때, 사동문의 주어는 새로 도입된다. 그리고 주동문의 용언이 형용사나 자동사이면 주동문의 주어가 사동문의 목적어가 되며, 주동문의 용언이 타동사이면 주동문의 주어가 사동문의 부사어가 되고 주동문의 목적어는 그대로 목적어가 된다. 주동문의 주어가 변한 사동문의 부사어에는 주로 '에, 에게'가 붙으며, '로 하여금'이 쓰이기도 한다.』

한편 사동문은 '차를 정지시켰다. / 정지하게 했다.'처럼 사동 접미사 '-시키다'에 의해서 만들어지기도 하고 '-게 하다'에 의해서 만들어지기도 한다. 사동사에 의한 사동문을 **파생적 사동문**이라고 하고, '-게 하다'에 의한 사동문을 **통사적 사동문**이라고 한다.

▶사동문의 실현 방법과 종류

확인하기

• 다음 주동문을 파생적 사동문과 통사적 사동문으로 바꾸어 보자.
|예시 답|
• 물이 유리잔에 가득 찼다.
↳ 친구가 _물을 유리잔에 가득 채웠다._
친구가 _물을/물이 유리찬에 가득 차게 했다._
• 철수가 책을 읽는다.
↳ 어머니가 _철수에게 책을 읽힌다._
어머니가 _철수에게 책을 읽게 한다._

6 부정 표현

다가서기

• 다음을 참조하여 제시된 문장의 부정 표현을 만들어 보자.

나는 그를 <u>만났다</u>. ┈▸ 나는 그를 <u>안</u> 만났다. / 나는 그를 <u>못</u> 만났다.

|예시 답|
• 영희는 서울 가는 기차를 탔다. ┈▸ 영희는 서울 가는 기차를 안 탔다. / 영희는 서울 가는 기차를 못 탔다.

부정 부사 '안, 못'과 부정 용언 '아니하다', '못하다'를 사용하여 부정 표현을 만들 수 있다. 앞의 방식으로 만들어진 부정문을 **짧은 부정문**, 뒤의 방식으로 만들어진 부정문을 **긴 부정문**이라고 한다. 명령문에서는 '-지 마/마라'를 사용하고, 청유문에서는 '-지 말자'를 사용한다.

• 나는 그를 못 만났다. / 만나지 <u>못했다</u>.   • 그를 만나지 <u>마라</u>.
• 나는 그를 안 만났다. / 만나지 <u>않았다</u>.   • 그를 만나지 <u>말자</u>.

▶부정 표현의 실현 방법과 종류

부정문에서는 부정의 범위가 어디까지인지 쉽게 확정하기 어렵다. 아래 문장에서 '안'과 '아니하다'가 부정하는 내용은 '철수'일 수도 있고, '책'일 수도 있으며, '읽다'일 수도 있다.

• 철수가 책을 <u>안</u> 읽었다.   • 철수가 책을 <u>읽지 않았다</u>.

▶부정 표현의 중의성

● 다음 대화를 활용하여 밑줄 친 '안'과 '못'의 의미 차이를 설명해 보자.

지원: 너 아직 숙제 <u>못</u> 했니? 승연: <u>못</u> 한 게 아니라 <u>안</u> 한 거야.	**｜예시 답｜** '못'은 능력 부정을 나타내고 '안'은 의지 부정을 나타낸다. 위 발화에서 '못 하다'는 숙제를 하려고 했으나 할 능력이나 여건이 되지 않는다는 능력의 부정을 드러내고, '안 하다'는 숙제를 할 능력은 있지만 숙제할 의지나 의향이 없었다는 의지 부정을 드러내고 있다.

■ **사동문의 실현 방법**

• 주동문의 용언이 형용사나 자동사인 경우: 주동문의 주어가 사동문의 목적어가 되고, 사동문의 주어는 새로 도입됨.

  예 길이 넓다. (주동문)
    주어 서술어(형용사)

    사람들이 길을 넓혔다. (사동문)
    주어   목적어 서술어(사동사)

• 주동문의 용언이 타동사인 경우
  – 주동문의 주어가 사동문의 부사어가 되고, 주동문의 목적어는 그대로 목적어가 되며, 사동문의 주어는 새로 도입됨.
  – 주동문의 주어가 변한 사동문의 부사어에는 주로 '에, 에게'가 붙으며, '로 하여금'이 쓰이기도 함.

  예 철수가 책을 읽는다. (주동문)
    주어   목적어 서술어(타동사)

    선생님이 철수에게 책을 읽힌다. (사동문)
    주어   부사어   목적어 서술어(사동사)

■ **사동문의 종류**

파생적 사동	용언의 어근+사동 접미사(-이-, -하-, -리-, -기-, -우-, -구-, -추-) 예 엄마가 아기에게 밥을 먹였다.
	서술성을 가진 일부 체언+'-시키다' 예 그는 일부러 업무를 지연시켰다.
통사적 사동	용언의 어간+'-게 하다' 예 엄마가 철수에게 책을 읽게 한다.

■ **부정 표현**

• 언어 내용의 의미를 부정하는 문법 기능을 수행하는 문장
• 주로 부정 부사 '안, 못'과 부정 용언 '아니하다(않다), 못하다'에 의해 실현됨.

짧은 부정문	부정 부사 '안, 못'을 사용한 표현 예 나는 그를 안 만났다.
긴 부정문	• 부정 용언 '아니하다, 못하다'를 사용한 표현 예 나는 그를 만나지 않았다. • 명령문에서는 '-지 마/마라'를 사용하고, 청유문에서는 '-지 말자'를 사용함. 예 그를 만나지 마라.

26. 사동문에 대한 설명으로 적절하지 <u>않은</u> 것은?

① 주어가 남에게 동작을 시키는 문장이다.
② 주동사가 형용사이면 주동문의 주어는 사동문의 목적어가 된다.
③ 주동사가 타동사이면 주동문의 주어는 사동문의 부사어가 된다.
④ 주동문이 사동문으로 바뀔 때 사동문의 목적어는 새로 도입된다.
⑤ 주동문의 주어가 변한 사동문의 부사어에는 주로 '에, 에게'가 붙으며, '로 하여금'이 쓰이기도 한다.

27. 윗글을 참고하여 〈보기〉의 부정 표현을 탐구한 내용으로 적절하지 <u>않은</u> 것은?

〈보기〉

지영: 요즘 이 게임이 재미있다던데 넌 ㉠안 하니?
유민: ㉡안 하는 게 아니라 ㉢못 하는 거야.
지영: 그건 또 무슨 소리야?
유민: 과제 발표를 아직 ㉣준비하지 못했거든.
지영: 아직도 ㉤못 했다고? 발표가 내일인데 어쩌려고!

① ㉠, ㉡, ㉢, ㉤은 부정 부사를 사용하여 만들어진 부정문이야
② ㉡에서 '안'이 사용된 부정 표현은 '하고 싶지 않다'는 뜻으로 해석할 수 있겠어.
③ ㉢에서 '못'이 사용된 부정 표현은 '적절하지 않은 상황이라 할 수 없다'는 뜻으로 해석할 수 있겠군.
④ ㉣은 부정 용언을 사용하여 만들어진 부정문이야
⑤ ㉣과 ㉤을 비교해 보면, 긴 부정문이냐 짧은 부정문이냐에 따라 의미 차이가 크다는 것을 알 수 있어.

28. 〈보기〉를 파생적 사동문과 통사적 사동문으로 나누시오.

〈보기〉

ㄱ. 농부가 잡초를 태우고 있다.
ㄴ. 아버지께서 민수에게 책을 읽히셨다.
ㄷ. 누나가 철수에게 노래를 부르게 했다.
ㄹ. 영철이가 담 아래로 몸을 숨겼다.
ㅁ. 아버지는 어려운 형편에도 삼촌들을 모두 교육시켰다.

다가서기

● 다음 문장의 밑줄 친 부분 다음에 연결되는 조사를 괄호에 써 보자.
| 예시 답 |
㉠ 그중 하나가 나서서 "내가 바로 홍길동이다."(라고) 소리쳤다.

㉡ 아까는 배가 불러서 못 먹겠다(고) 하더니?

배불러.

개념 ✛

직접 인용절과 간접 인용절의 문법적 차이

· 직접 인용절은 그 자체가 완전한 문장이므로 문장의 끝에 억양이나 휴지 등이 나타날 수 있으나, 간접 인용절은 그렇지 않다.

· 직접 인용절과 달리, 간접 인용절은 문장 종결법, 상대 높임법이 중화된다.
  예 철호는 선생님께 "먼저 들어갑니다." 라고 했다. → 철호는 선생님께 먼저 들어간다고 했다.

· 간접 인용절은 인용을 하는 화자가 자신의 관점에서 말하는 것이므로 인칭, 시간 표현, 지시 표현 등에서 직접 인용절과 차이가 난다.

– 인칭 예 철호는 "나는 직접 그녀를 만나고 싶다."라고 말했다. → 철호는 자기가 직접 그녀를 만나고 싶다고 말했다.

– 시간 표현 예 철호는 어제 "오늘 떠나고 싶다."라고 했다. → 철호는 어제 떠나고 싶다고 했다.

– 지시 표현 예 미국에 간 철호는 "난 이곳이 맘에 들어."라고 했다. → 미국에 간 철호는 자기는 그곳이 맘에 든다고 했다.

다른 사람의 말이나 글을 끌어다 쓰는 것을 <u>인용</u>이라고 한다. 인용 표현은 <u>직접 인용 표현과 간접 인용 표현</u>으로 나눌 수 있다.　　　　▶인용 표현의 개념과 종류
〔인용의 개념〕
〔인용 표현의 종류〕

<u>직접 인용 표현은 다른 사람의 말이나 글을 원래의 형식과 내용 그대로 유지한 채 인용하는 것이다.</u> 표기할 때는 해당 인용절에 큰따옴표를 붙이고, <u>인용절 다음에 조사 '라고'를 쓴다.</u> 위 문장 중 ㉠에서 직접 인용절인 "내가 바로 홍길동이다."가 큰따옴표로 표시되어 있으므로 그 뒤에 조사 '라고'를 써야 한다.　　　　▶직접 인용 표현의 개념과 표현 방법
〔직접 인용 표현의 개념〕
〔직접 인용의 표현 방법〕

<u>간접 인용 표현은 다른 사람의 말이나 글을 인용할 때 그 형식은 유지하지 않고 그 내용만 이해하여 자신의 말로 바꾸어 인용하는 방법이다.</u> <u>간접 인용절 다음에는 조사 '고'를 쓴다.</u> 간접 인용 표현을 할 경우에는 의미만 동일하다면 원래 표현의 형식을 자유롭게 바꾸어도 큰 문제가 없다. 위 문장 중 ㉡에서 간접 인용절은 '배가 불러서 못 먹겠다'인데, 말하는 사람에 의해 바뀐 표현이기 때문에 원래의 표현을 정확히 알 수 없다. "밥 먹은 지 얼마 안 돼서 못 먹겠다.", "배불러서 못 먹겠어.", "배도 부르고 피곤하기도 해서 못 먹겠네." 등이 모두 원래의 표현일 수 있다.　　　　▶간접 인용 표현의 개념과 표현 방법
〔간접 인용 표현의 개념〕
〔간접 인용의 표현 방법〕
〔문장의 내용에 대해 화자의 관점으로 바꾸어 말하는 것이기 때문에〕

직접 인용 표현은 원래의 말이나 글을 그대로 가져오면 되지만, 간접 인용 표현은 말하는 사람이 자신의 말로 바꾼 것이기 때문에 <u>지시 표현, 높임 표현, 시간 표현, 문장 종결 표현 등을 상황에 맞게 적절히 바꾸어야 한다.</u> 예를 들어, '철수가 "제가 가겠습니다."라고 말했다.'라는 직접 인용문을 간접 인용문으로 바꾸면 '철수가 자기가 가겠다고 말했다.'로 되는 것과 같이 지시 표현, 높임 표현, 문장 종결 표현 등에서 변화가 생긴다.
〔간접 인용 표현을 사용할 때 주의해야 할 문법 요소〕
　　　　▶간접 인용 표현 시 문법 요소의 변화

✎ 직접 인용을 간접 인용으로 바꿀 때는 지시 표현, 높임 표현, 시간 표현, 문장 종결 표현 등에 유의해야 한다.

확인하기

● 다음 문장 속에 있는 직접 인용 표현에 밑줄을 치고, 이를 간접 인용 표현으로 바꾸어 보자.
| 예시 답 |

· 그 사람은 <u>"제가 범인입니다."</u>라고 주장하였다.
　↳　그 사람은 자기가 범인이라고 주장하였다.

· 처음 바다를 본 그녀는 <u>"정말 넓구나!"</u>라고 혼잣말을 했다.
　↳　처음 바다를 본 그녀는 (바다가) 정말 넓다고 혼잣말을 했다.

· 선생님께서 화가 많이 나셔서 <u>"너, 오늘 수업 끝나고 남아!"</u>라고 하셨어.
　↳　선생님께서 화가 많이 나셔서 (그날) 나에게 수업이 끝나고 남으라고 하셨어.

· 사과나무 밑에서 그는 <u>"사과는 왜 아래로 떨어지나?"</u>라고 말하였다.
　↳　사과나무 밑에서 그는 사과가 왜 아래로 떨어지느냐고 말하였다.

■ 인용 표현
• 인용 개념: 다른 사람의 말이나 글을 끌어다 쓰는 것

■ 인용 표현의 종류
• 인용 표현의 종류
① 직접 인용 표현
• 다른 사람의 말이나 글을 원래의 형식과 내용을 그대로 유지한 채 인용하는 것
• 표현 방법: 해당 인용절에 큰따옴표를 하여 표시하고, 인용절 다음에 조사 '라고'를 씀.
　⑩ 주인이 "독에 물을 가득 채워라."라고 명령했다.
② 간접 인용 표현
• 다른 사람의 말이나 글을 인용할 때 그 형식은 유지하지 않고 내용만 끌어다가 자신의 말로 바꾸어 표현하는 것
• 표현 방법
　– 간접 인용절 다음에 조사 '고'를 씀.
　　⑩ 주인이 독에 물을 가득 채우라고 명령했다.
　– 지시 표현, 높임 표현, 시간 표현, 종결 표현 등을 상황에 맞게 적절하게 바꾸어 씀.
　　⑩ 아들이 어제 저에게 "내일 집에 계십시오."라고 말했습니다.
　　→ 아들이 어제 저에게 오늘 집에 있으라고 말했습니다.
　　(시간 표현, 높임 표현을 상황에 맞게 바꿈.)

보충 자료

직접 인용절과 간접 인용절의 문법적 차이

① 직접 인용절은 그 자체가 완전한 문장이므로 문장의 끝에 억양이나 휴지 등이 나타날 수 있으나, 간접 인용절은 그렇지 않다.
② 직접 인용절과 달리, 간접 인용절은 문장 종결법, 상대 높임법이 중화된다.
　⑩ 철호는 선생님께 "먼저 들어갑니다."라고 했다.
　→ 철호는 선생님께 먼저 들어간다고 했다.
③ 간접 인용절은 인용을 하는 화자가 자신의 관점에서 말하는 것이므로 인칭, 시간 표현, 지시 표현 등에서 직접 인용절과 차이가 난다.

인칭	철호는 "나는 직접 그녀를 만나고 싶다."라고 말했다. → 철호는 자기가 직접 그녀를 만나고 싶다고 말했다.
시간 표현	철호는 어제 "오늘 떠나고 싶다."라고 했다. → 철호는 어제 떠나고 싶다고 했다.
지시 표현	미국에 간 철호는 "난 이곳이 맘에 들어."라고 했다. → 미국에 간 철호는 자기는 그곳이 맘에 든다고 했다.

29. 인용 표현에 대한 설명으로 적절하지 <u>않은</u> 것은?
① 다른 사람의 말이나 글을 끌어다 쓰는 표현이다.
② 직접 인용 표현은 큰따옴표로 표시한다.
③ 간접 인용 표현은 말하는 사람이 자신이 말로 바꾸어 표현한다.
④ 직접 인용절 다음에는 조사 '고'를, 간접 인용절 다음에는 조사 '라고'를 쓴다.
⑤ 간접 인용 표현을 할 경우에는 의미만 동일하면 표현 형식을 자유롭게 바꾸어도 된다.

30. 직접 인용을 간접 인용으로 바꿀 때 유의할 점이 <u>아닌</u> 것은?
① 지시 표현　　　　　② 높임 표현
③ 시간 표현　　　　　④ 부정 표현
⑤ 문장 종결 표현

출제 예감

31. 다음 문장을 간접 인용 표현으로 바꾼 것 중 적절하지 <u>않은</u> 것은?
① 영희는 "제가 당번입니다."라고 말하였다.
　➡ 영희는 자기가 당번이라고 말하였다.
② 공주가 어제 저에게 "내일은 왕궁으로 오세요."라고 말했습니다.
　➡ 공주가 어제 저에게 오늘은 왕궁으로 오라고 말했습니다.
③ 송이는 어제 나에게 "모레는 숙제 같이 하자."라고 했다.
　➡ 송이는 어제 나에게 내일 숙제 같이 하자고 했다.
④ 어제 누나는 "네 노트북을 내 방에 갖다 놔."라고 말했다.
　➡ 어제 누나는 내 노트북을 자기 방에 갖다 놓으라고 말했다.
⑤ 어머니께서 어제 동생에게 도시락을 주시며 "오늘은 밥을 남기지 마라!"라고 하셨다.
　➡ 어머니께서 어제 동생에게 도시락을 주시며 오늘은 밥을 남기지 말라고 하셨다.

32. 〈보기〉의 직접 인용 표현은 간접 인용 표현으로, 간접 인용 표현은 직접 인용 표현으로 바꾸어 쓰시오.

┌─〈 보기 〉─────────────
ㄱ. 영화가 어제 "나는 내일 여기에서 과제를 할 거야."라고 말했다.
ㄴ. 어제는 누나가 영수의 방을 보더니 오늘 손님이 올 것이니 깨끗하게 치우라고 말했다.
└────────────────────

이해하기

▶ 다양한 문법 요소의 기본 개념을 확인하는 활동

1. 다음 괄호에 알맞은 말을 아래에서 찾아 써넣어 보자.

(1) 높임의 대상이 누구인지에 따라 높임 표현을 몇 가지로 나눌 수 있는지 설명해 보자.

| 예시 답 | • 상대 높임법: 화자가 청자에 대하여 높이거나 낮추어 말하는 방법 • 주체 높임법: 주어가 가리키는 인물, 즉 문장의 주체를 높이는 방법 • 객체 높임법: 목적어나 부사어가 지시하는 대상, 즉 서술의 객체를 높이는 방법

(2) '시간'과 '시제'의 차이는 무엇인지 설명해 보자.

| 예시 답 | 시간을 언어적으로 표현하는 것을 시제라고 한다. 시간은 누구에게나 같은 것이지만, 언어에 따라 시제 표현은 다를 수 있다.

(3) 피동과 사동의 개념을, 예를 들어 간단히 설명해 보자.

| 예시 답 | • 피동: "도둑이 경찰에게 붙잡혔다."와 같이 주어가 다른 주체에 의해서 동작을 당하는 것을 말한다.
• 사동: "엄마가 아기에게 우유를 먹인다."와 같이 주어가 남에게 동작을 하도록 시키는 것을 말한다.

(4) 직접 인용 표현과 간접 인용 표현의 형식상 차이점을 말해 보자.

| 예시 답 | 직접 인용 표현은 다른 사람의 말이나 글을 원래의 형식과 내용 그대로 유지한 채 인용하여 해당 인용절에 큰따옴표를 붙이고, 인용절 다음에 조사 '라고'를 쓴다. 간접 인용 표현은 다른 사람의 말이나 글을 인용할 때 그 형식은 유지하지 않고 내용만 이해하여 자신의 말로 바꾸어 인용하고, 간접 인용절 다음에는 조사 '고'를 쓴다.

적용하기

▶ 문장 종결 표현의 특징을 이해하는 활동

2. 다음 대화를 활용하여 명령문과 청유문의 공통점과 차이점을 알아보자.

> ㉠ "사이좋게 나눠 먹어." → 명령문
> ㉡ "네. 얘들아, 얼른 먹자." → 청유문
> ㉢ "선생님도 잡수세요." → 명령문
> ㉣ "그래. 나도 좀 먹자." → 청유문
>   = 선생님

(1) 위 대화에서 명령문과 청유문을 구분해 보자.

| 예시 답 | • 명령문: ㉠, ㉢ • 청유문: ㉡, ㉣

(2) 화자가 청자에게 어떤 행동을 하도록 요구하는 문장을 찾아보자.

| 예시 답 | 명령문은 명확히 청자에게 먹는 행동을 하도록 요구하고 있다. 청유문의 경우에도 청자에게 어떤 행동을 하도록 요구하고 있는데, ㉡의 경우 아이들에게 먹도록 요구하고 있고, ㉢의 경우 선생님도 같이 먹을 것을 권유하고 있고, ㉣의 경우 아이들에게 선생님(나)이 자신이 먹을 수 있도록 협조할 것을 요구하고 있다. 따라서 명령문과 청유문은 모두 청자에게 어떤 행동을 하도록 요구하는 문장이라고 할 수 있다.

(3) 화자도 같이 행동하는 경우와 그렇지 않은 경우를 구분해 보자.

| 예시 답 | 명령문은 청자가 행동하기를 요구하는 문장이고, 청유문은 청자와 화자가 함께 행동하기를 요구하는 문장이다.

(4) 위 활동의 결과를 아래 표에 ○, × 표시로 정리하고, 이를 바탕으로 명령문과 청유문의 공통점과 차이점을 말해 보자.

	청자에게 행동을 요구함.	화자도 같이 행동
명령문	○	×
청유문	○	○

▶ 주체 높임법의 자연스러운 실현 방법을 탐구하는 활동

3. 다음 문장에서 '가다'와 '그러다'의 주어가 모두 '선생님'일 때, 주체 높임의 선어말 어미 '-(으)시-'가 어떻게 붙는 것이 자연스러운지 말해 보자.

> • 선생님께서 직접 가시겠다고 그랬어요.
> • 선생님께서 직접 가겠다고 그러셨어요.
> • 선생님께서 직접 가시겠다고 그러셨어요.

| 예시 답 | '가다'와 '그러다'가 모두 선생님에 의해 이루어진 별개의 두 행위를 표현하는 것이라면 각각에 높임법이 실현되는 것이 옳다. 따라서 셋째 문장이 가장 자연스럽고 올바른 표현이다. 행위의 주체가 달라지면 높임 표현도 달라진다. 예를 들어 "선생님께서 직접 가신다고 철수가 그랬어요.", "철수가 직접 간다고 선생님께서 그러셨어요." 등의 문장과 비교하면 그 차이를 알 수 있다.

↗ 화자와 청자에게 미치는 효과를 나누어 생각해 본다.

지학이가 도와줄게

㉢을 명령문으로 볼 수 있을까?
'-세요'는 '-시어요/-셔요'와 같은 말로, 해요할 자리에 쓰여, 설명·의문·명령·요청의 뜻을 나타내지. ㉢과 같이 '-(으)세요'의 경우, 명령을 나타내는 표현으로 볼 수 있어. '-아/어요'체가 비격식체이므로 명령 표현도 청유와 같이 부드럽게 느껴지기도 해. 근데 비격식체의 명령과 청유는 구분이 어려운 점이 있어. 발화 상황이나 문맥에 따라 발화의 의도를 더 정확하게 파악할 수 있다는 것을 기억해줘.

| 예시 답 |
명령문과 청유문의 공통점과 차이점

	명령문	청유문
공통점	화자가 청자에게 어떤 행동을 하도록 요구함.	
차이점	청자가 행동하기를 요구함.	청자와 화자가 함께 행동하기를 요구함.

▶ 사동문의 의미 차이를 탐구해 보는 활동

4. 다음 각 상황에 알맞은 문장을 아래에서 선택하고, 그 결과를 바탕으로 파생적 사동문과 통사적 사동문의 의미 차이를 말해 보자.

(㉠)   (㉡)

> ㉠ 아빠가 은주에게 양말을 신겼다.
> ㉡ 아빠가 은주에게 양말을 신게 했다.

| 예시 답 | 파생적 사동문은 통사적 사동문에 비해 좀 더 직접적인 의미를 가진다. 즉, ㉠은 아빠가 은주의 양말을 직접 신겨 주는 행위를 뜻하는 경우가 많은 반면, ㉡은 직접 신겨 주지는 않고 단지 양말을 신으라고 말만 하거나 양말을 준비해 주는 등의 행동을 뜻하는 경우가 많다.

▶ 판정 의문문의 특징과 국어의 표현 방식을 연계하여 이해하는 활동

5. 판정 의문문에 부정 표현이 없을 때와 있을 때 대답하는 방법이 어떻게 다른지 생각해 보고, 그 이유를 말해 보자.

> ㉠ 집에 가니?   ㉡ 집에 안 가니?

| 예시 답 | 예를 들어 ㉡과 같은 판정 의문문에 대해, 청자는 집에 가면 "아니, 집에 가.", 집에 안 가면 "응, 안 가."와 같이 대답하게 된다. 이처럼 우리말에서는 의문문에 부정 표현이 있으면 그 부정 표현 자체에 대해 '예', '아니요'로 정확히 응답하는 것이 올바른 표현이다. 이는 의문문에 부정 표현이 있든 없든 상관없이 자기중심적으로 '예', '아니요'로 대답하는 영어식 방법과는 차이가 있다.

▷ 영어와 다른 점을 비교해서 생각해 본다.

▶ 문장 종결 표현에 따른 표현 효과의 차이를 이해하는 활동

6. 다음 광고를 보고, 문장의 종결 표현에 따라 그 표현 효과가 어떻게 달라지는지 탐구해 보자.

(1) 광고의 목적을 고려하여 광고 속 평서문 대신 의문문이나 명령문을 만들어 보자. | 예시 답 | • 의문문: 머그잔을 사용하는 건 어때요?
• 명령문: 머그잔을 쓰시오.

> 머그잔을 잡으면 모두가 좋아요.

(2) (1)의 결과를 원래의 광고 문구와 비교하여 그 표현 효과의 차이에 대해 모둠별로 이야기해 보자.

| 예시 답 | 명령문으로 바꾼 문구는 원래의 광고 문구보다 내용적인 측면에서 보다 직접적인 면이 있다. 하지만 광고라는 매체 특성을 고려할 때 내용을 직접적으로 명확히 전달한다고 해서 그 표현 효과가 더 좋다고 말할 수는 없다. 광고를 보거나 듣고 그 의미를 생각하는 과정 등의 측면을 고려할 때 간접적인 방식이 더 효과적이거나 호소력을 가질 수 있기 때문이다. 따라서 광고 문구는 매체의 특성을 살려 어떠한 표현을 사용하는 것이 목적하는 효과를 거두기에 적절한지 충분히 고려한 후 표현해야 한다.

1 문장 종결 표현

• 개념: 종결 표현은 (㉠   )의 의도에 따라 달라지는데, 종결 어미를 통해 이루어짐.
• 종류: 종결 어미의 형태에 따라 평서문, 의문문, 명령문, 청유문, 감탄문으로 분류됨.

평서문	화자가 청자에게 특별히 요구하는 바 없이 단순하게 진술하는 문장 예 밥을 먹는다.
(㉡)	화자가 청자에게 질문하여 대답을 요구하는 문장 예 밥을 먹니?
명령문	화자가 청자에게 어떤 행동을 하도록 강하게 요구하는 문장 예 밥을 먹어라.
청유문	화자가 청자에게 어떤 행동을 함께하도록 요청하는 문장 예 밥을 먹자.
감탄문	화자가 청자를 별로 의식하지 않거나 거의 독백하는 어조로 자기의 느낌을 표현하는 문장 예 밥을 먹는구나!

• 의문문의 종류

설명 의문문	구체적인 정보나 설명을 요구함. 예 지금 무엇을 먹고 있니? → '무엇'에 대한 설명 필요
판정 의문문	단순히 긍정이나 부정의 대답을 요구함. 예 너 지금 집이니? → '예/아니요'라는 대답 필요
수사 의문문	굳이 대답을 요구하지 않고 서술이나 명령의 효과를 냄. 예 똑바로 서지 못하겠니? → 대답을 요구하지 않고 행동의 교정을 위해 의문 형식으로 표현

2 높임 표현

• 개념: 화자가 어떤 대상이나 상대에 대하여 언어적으로 높고 낮은 정도를 구별하여 표현하는 방식이나 체계
• 종류: 높임의 대상에 따라 구분됨.

> – 상대 높임법
> – 주체 높임법
> – 객체 높임법

① 상대 높임법
• 개념: 화자가 청자에 대하여 높이거나 낮추어 말하는 방법. (㉢ ·   ) 표현으로 실현됨.

• 격식체

	평서법	의문법	명령법	청유법	감탄법
하십시오체	합니다	합니까?	하십시오	(하시지요)	–
하오체	하오	하오?	하오, 하구려	합시다	하는구려
하게체	하네, 함세	하는가?, 하니?	하게	하세	하는구먼
해라체	한다	하니?	해라	하자	하는구나

• 비격식체

	평서법	의문법	명령법	청유법	감탄법
해요체	해요, 하지요	해요?, 하지요?	해요, 하지요	해요, 하지요	해요, 하지요
해체	해, 하지	해?, 하지?	해, 하지	해, 하지	해, 하지

② 주체 높임법
• 개념: 주어가 가리키는 인물, 즉 문장의 (㉣   )을/를 높이는 방법.
• 실현 방법
  – 용언의 어간에 선어말 어미 '–(으)시–'를 붙임.
    예 신문을 보시는 분이 우리 선생님이다.
  – 높임을 나타내는 특수한 어휘를 사용함.
    ※ 계시다, 편찮으시다, 주무시다, 잡수시다/드시다, 진지(밥), 댁(집), 연세/춘추(나이), 약주(술), 성함/존함(이름) 등
    예 할아버지 진지는 댁에서 드신다고 합니다.
  – 주격 조사 '께서'가 쓰이기도 하고, 주어 명사에 '–님'이 덧붙기도 함.
    예 • 할아버지께서 댁에서 주무시고 계신다.
       • 회원님은 추가 할인을 받으실 수 있어요.
• 주체 높임법의 종류

직접 높임	주체를 직접 높이는 것 예 선생님께서 벌써 도착하셨어. → 주체인 '선생님'을 높임.
(㉤) 높임	주체의 신체, 소유물, 생각 등 밀접하게 관련된 대상을 높임으로써 주체를 간접적으로 높이는 것 예 선생님 말씀이 타당하십니다. → '선생님의 말씀'을 높임.

③ 객체 높임법
• 문장의 목적어나 부사어가 지시하는 대상, 즉 서술의 객체를 높이는 방법
• 실현 방법
  – '뵙다', '드리다', '여쭈다/여쭙다', '모시다' 등의 특수한 어휘를 사용함.
  – 부사격 조사 '에게' 대신 '(㉥   )'을/를 사용함.
    예 • 이 문제는 선생님께 여쭤 봐야지.
       • 시골에 가서 할아버지를 뵙고 오너라.

3 시간 표현

- (ⓐ　　　): 어떤 동작이나 상태가 과거에 일어난 일인지, 현재 일어나고 있는 일인지, 혹은 앞으로 일어날 일인지를 언어적으로 표현하는 문법 범주

① 과거 시제
- 개념: 사건시(사건이 일어난 시점)가 발화시(말하는 시점)보다 앞서 있는 시제
- 실현 방법
  - 일반적으로 선어말 어미 '-았-/-었-'을 사용함.
    - 예 • 아침에 너에게 전화했었다.
      - • 동생이 전화를 받았다.
  - 선어말 어미 '-더-'를 사용함.
    (이 경우 단순한 과거가 아니라 과거 어느 때의 일이나 경험을 돌이켜 회상하는 의미를 나타냄.)
    - 예 윤이가 어제 식당에서 그 사람이랑 같이 밥 먹고 있더라.
  - 동사에서 관형사형 어미 '-(으)ㄴ'을 사용함.
    - 예 그 사람은 잊은 지 오래되었어.
  - '-(으)ㄴ'의 경우 동사 어간에 붙을 때에만 과거 시제이고, 형용사 어간이나 서술격 조사에 붙으면 현재 시제가 됨.
    - 예 밝은 조명[밝-+-으ㄴ: 현재 시제]
  - 형용사나 서술격 조사에서 과거 시제를 나타낼 때는 관형사형 어미 '-던'을 사용함.
    - 예 • 푸르던 산이 이렇게 황폐해졌다.
      - • 초등학생이던 네가 이렇게 자랐구나.
  - '어제', '옛날'과 같은 시간 부사어를 사용함.

② 현재 시제
- 개념: 사건시와 발화시가 (ⓒ　　)하는 시제
- 실현 방법
  - 동사에서는 선어말 어미 '-는-/-ㄴ-'과 관형사형 어미 '-는'을 사용함.
    - 예 • 강아지가 지금 잠을 잔다.
      - • 누나는 방에서 책을 읽는다.
  - 형용사와 서술격 조사에서는 선어말 어미는 쓰지 않고 관형사형의 경우 어미 '-(으)ㄴ'을 사용함.
    - 예 이 산에는 큰 나무가 자란다.
  - '지금'과 같은 시간 부사어를 사용함.
    - 예 지금 운동장에서 공 차는 저 아이들은 몇 학년이야?

③ 미래 시제
- 개념: 사건시가 발화시보다 나중인 시제
- 실현 방법
  - 주로 선어말 어미 '(ⓓ　　)'을/를 사용함.
    - 예 이 일은 내일까지 마무리하겠습니다.
  - 관형사형 어미 '-(으)ㄹ'과 의존 명사 '것'이 결합된 '-(으)ㄹ 것'도 널리 사용함.
    - 예 이 일은 내일까지 마무리할 것입니다.

- 관형사형 어미로는 '-(으)ㄹ'을 사용함.
- '내일'과 같은 시간 부사어를 사용함.
- '-겠-'과 '-(으)ㄹ 것'은 미래 시제를 나타내는 것 이외에 추측이나 의지 등을 표현하기도 함.
  - 예 • 지금은 행사가 다 끝났겠죠?(추측)
    - • 저도 그때는 꼭 갈 것입니다.(의지)

④ 동작상
- 개념: 발화시를 기준으로 동작이 일어나는 모습을 표현하는 것
- 동작상의 종류

진행상	• 동작이 (ⓔ　　)되고 있음을 표현함. • '-고 있다', '-어 가다' 등의 보조 용언과 '-으면서'와 같은 연결 어미를 사용함. 예 • 이제야 밥을 먹고 있다. 　　　　　　(현재, 진행상) • 영희는 어제 집에서 밥을 먹고 있었다. 　　　　　　(과거, 진행상) • 철수는 내일도 책을 읽고 있을 것이다. 　　　　　　(미래, 진행상)
완료상	• 일이 끝나고 결과가 지속됨을 표현함. • '-어 버리다', '-아/-어 있다' 등의 보조 용언과 '-고서'와 같은 연결 어미를 사용함. 예 • 자장면을 다 먹어 버렸다. • 지현이는 지금 의자에 앉아 있다.

4 피동 표현

- 능동과 피동

능동	• 주어가 동작을 제힘으로 하는 것 • 능동사가 서술어로 쓰인 문장을 능동문이라고 함. 예 영희가 물고기를 잡았다.
피동	• 주어가 다른 주체에 의해 동작을 당하는 것 • 피동사가 서술어로 쓰인 문장을 (ⓕ　　)(이)라고 함. 예 물고기가 영희에게 잡혔다.

- 피동문의 실현 방법
  - 능동문이 피동문으로 바뀔 때 능동문의 주어는 피동문의 부사어가 되고, 능동문의 목적어는 피동문의 주어가 됨.
  - 피동문의 부사어는 '에게/에'가 주로 사용되고 '에 의해(서)'가 사용되기도 함.
    - 예 고양이가　쥐를　물었다. (능동문)
      - 　주어　　목적어　　능동사
      - 쥐가　고양이에게　물렸다. (피동문)
      - 주어　　부사어　　피동사

• 피동문의 종류

파생적 피동	능동사의 어근+피동 접미사(-이-, -히-, -리-, -기-) 예 멀리 철수가 <u>보인다</u>. / 쥐가 고양이에게 <u>잡혔다</u>.
	서술성을 가진 일부 체언+'-되다' 예 안건이 <u>가결되었다</u>.
통사적 피동	용언(동사, 형용사)의 어간+'-어지다' 예 이 펜은 잘 <u>써진다</u>.
	용언(동사, 형용사)의 어간+'-게 되다' 예 곧 사실이 <u>드러나게 된다</u>.

※ '당하다, 받다, 입다, 되다'와 같이 어휘 자체가 피동의 의미를 띠고 있는 어휘적 피동은 피동 표현으로 인정하지 않음.

5 사동 표현

• 주동과 사동

주동	• 주어가 동작을 직접 하는 것 • 주동사가 서술어로 쓰인 문장을 주동문이라고 함. 예 미소가 웃다.
사동	• 주어가 남에게 동작을 하도록 시키는 것 • 사동사가 서술어로 쓰인 문장을 사동문이라고 함. 예 민수가 미소를 웃기다.

• 사동문의 실현 방법
  – 주동사가 형용사나 자동사인 경우: 주동문의 주어가 사동문의 목적어가 되고, 사동문의 주어는 새로 도입됨.
    예 길이 넓다. (주동문)
       주어   서술어(형용사)

    사람들이 길을 넓혔다. (사동문)
    주어   목적어 서술어(사동사)

  – 주동사가 타동사인 경우: 주동문의 주어가 사동문의 (ⓔ   )이/가 되고, 주동문의 목적어는 그대로 목적어가 되며, 사동문의 주어는 새로 도입됨. 주동문의 주어가 변한 사동문의 부사어에는 주로 '에, 에게'가 붙으며, '로 하여금'이 쓰이기도 함.
    예 철수가 책을 읽는다. (주동사)
       주어   목적어 서술어(타동사)

    선생님이 철수에게 책을 읽힌다. (사동문)
    주어   부사어   목적어 서술어(사동문)

• 사동문의 종류

파생적 사용	용언의 어근+사동 접미사(-이-, -하-, -리-, -가-, -우-, -구-, -추-) 예 엄마가 아기에게 밥을 <u>먹였다</u>.

	서술성을 가진 일부 체언+'-시키다' 예 그는 일부러 업무를 <u>지연시켰다</u>.
통사적 사동	용언의 어간+'-게 하다' 예 엄마가 철수에게 책을 <u>읽게 한다</u>.

6 부정 표현

• 부정문의 개념: 언어 내용의 의미를 (ⓜ   )하는 문법 기능을 수행하는 문장
• 실현 방법: 주로 부정 부사 '안, 못'과 부정 용언 '아니하다(않다), 못하다'에 의해 실현됨.
• 종류

짧은 부정문	부정 부사 '안, 못'을 사용한 표현 예 나는 그를 <u>안</u> 만났다.
긴 부정문	• 부정 용언 '아니하다, 못하다'를 사용한 표현 예 나는 그를 만나지 <u>않았다</u>. • 명령문에서는 '-지 마/마라'를 사용하고, 청유문에서는 '-지 말자'를 사용함. 예 그를 만나지 <u>마라</u>.

7 인용 표현

• (ⓝ   )의 개념: 다른 사람의 말이나 글을 끌어다 쓰는 것
• 인용 표현의 종류

	직접 인용 표현	간접 인용 표현
개념	다른 사람의 말이나 글을 원래의 형식과 내용을 그대로 유지한 채 인용하는 것	다른 사람의 말이나 글을 인용할 때 그 형식은 유지하지 않고 내용만 끌어다가 자신의 말로 바꾸어 표현하는 것
표현 방법	해당 인용절에는 큰따옴표를 하여 표시하고, 인용절 다음에 조사 '라고'를 씀. 예 주인이 "독에 물을 채워라."라고 명령했다.	• 간접 인용절 다음에 조사 '고'를 씀. 예 주인이 독에 물을 채우라고 명령했다. • 지시 표현, 높임 표현, 시간 표현, 종결 표현 등을 상황에 맞게 적절하게 바꾸어 씀. 예 아들이 어제 저에게 "내일 집에 계십시오."라고 말했습니다. → 아들이 어제 저에게 오늘 집에 있으라고 말했습니다. (시간 표현, 높임 표현을 상황에 맞게 바꿈.)

답 ㉠ 화자, ㉡ 의문문, ㉢ 종결, ㉣ 주체, ㉤ 간접, ㉥ 께, ㉦ 시제, ㉧ 일치, ㉨ -겠-, ㉩ 진행, ㉪ 피동문, ⓔ 부사어, ⓜ 부정, ⓝ 인용

소단원 적중 문제

01 〈보기〉의 대화를 바탕으로 문장의 종결 표현을 탐구한 것으로 적절하지 <u>않은</u> 것은?

〈 보기 〉

㉠ "사이좋게 나눠 먹어."

㉡ "네. 얘들아, 얼른 먹자."

㉢ "아저씨는 어디 계시니?"

㉣ "저기 오고 계십니다."

㉤ "아저씨, 이것 좀 잡수세요."

㉥ "그래. 매일 이렇게 함께 먹을 수 있다면 얼마나 좋을까?"

① ㉠과 ㉤은 화자가 청자에게 어떤 행동을 하도록 요구하는 명령문이야.

② ㉠과 달리 ㉡은 화자가 청자에게 함께 행동하자고 요청하고 있으므로 청유문에 해당해.

③ ㉢은 청자에게 긍정이나 부정의 대답을 요구하므로 판정 의문문이군.

④ ㉣은 자신의 생각을 단순하게 전달하는 평서문이야.

⑤ ㉥을 보니 의문문이 감탄의 의미를 지니기도 하는구나.

[02~04] 다음 글을 읽고, 물음에 답하시오.

가 화자가 어떤 대상이나 상대에 대하여 언어적으로 높고 낮은 정도를 구별하여 표현하는 방식이나 체계를 높임법이라고 한다.

나 상대 높임법은 화자가 청자에 대하여 높이거나 낮추어 말하는 방법이다. 상대 높임법은 종결 표현으로 실현되는데, 크게 격식체와 비격식체로 나뉜다. 격식체는 높임의 순서에 따라 하십시오체, 하오체, 하게체, 해라체로 나뉘고, 비격식체는 해요체와 해체로 나뉜다.

다 주어가 가리키는 인물, 즉 문장에서 서술의 주체를 높이는 방법을 주체 높임법이라고 한다. 주체 높임법은 일반적으로 용언의 어간에 선어말 어미 '-(으)시-'가 붙어 표현되지만, '계시다', '잡수시다' 등 특수한 어휘로 표현되기도 한다. 또 주격 조사 '께서'가 쓰이기도 하고, 주어인 명사에 '-님'이 덧붙기도 한다.

• 선생님<u>께서</u> 벌써 <u>도착하셨어.</u>

• 할아버지<u>께서는</u> 매일 이 시간이면 낮잠을 <u>주무셔.</u>

높여야 할 인물과 밀접한 관계에 있는 대상이 문장의 주어인 경우에도 '-(으)시-'가 사용된다. 아래에서 '타당하십니다'와 '밝으십니다'에 '-(으)시-'가 사용된 것은, 주어인 '말

씀'과 '귀'가 높임의 대상인 '선생님'과 '할머니'와 밀접한 관계를 맺고 있기 때문이다.

• 선생님 말씀이 <u>타당하십니다.</u>

• 할머니께서는 아직 귀가 <u>밝으십니다.</u>

라 목적어나 부사어가 지시하는 대상, 즉 문장에서 서술의 객체를 높이는 방법을 객체 높임법이라고 한다. ㉠ 객체 높임법은 어미를 사용하는 주체 높임법이나 상대 높임법과 달리 특수한 어휘를 사용해서 표현한다. 그리고 객체 높임법에서는 조사 '에게' 대신 '께'를 사용하기도 한다.

02 윗글을 읽고, 〈보기〉의 ㄱ~ㅁ에 대해 이해한 것으로 옳은 것은?

〈 보기 〉

ㄱ. 아버님 말씀이 옳으십니다.

ㄴ. 누나는 아직 일어나지 않았어요.

ㄷ. 지금 할아버지를 뵙고 오는 길입니다.

ㄹ. 우리는 방금 저녁을 먹었습니다.

ㅁ. 할머니께서는 방에서 진지를 잡수신대요.

① ㄱ은 주어인 '말씀'을 높임으로써 아버님을 높이고 있군.

② ㄴ은 '않았어요'를 사용하여 주체인 '누나'를 높이고 있군.

③ ㄷ은 '뵙다'라는 어휘를 사용하여 주체인 할아버지를 높이고 있군.

④ ㄹ은 '먹었습니다'라는 비격식체로 상대인 청자를 높이고 있군.

⑤ ㅁ은 '진지', '잡수시다'를 사용하여 청자인 '할머니'를 높이고 있군.

03 ㉠의 예로 적절한 문장은?

① 할아버지께서는 홍시를 잘 잡수신다.

② 동생은 여쭐 것이 있다며 선생님 댁에 갔다.

③ 아버지께서는 피곤하신지 차 안에서 주무신다.

④ 손주를 보신 할머니는 귀여워 어쩔 줄을 모르신다.

⑤ 어머니께서는 직접 만드신 과자를 아기에게 주셨다.

04 다음 문장을 주체 높임법이 자연스러운 문장으로 고쳐 쓰고, 그렇게 고친 이유를 서술하시오.

할머니가 혼자 일하겠다고 말했어요.

소단원 적중 문제

[05~07] 다음 글을 읽고, 물음에 답하시오.

가 과거 시제는 사건시가 발화시보다 앞서 있는 시제이다. 과거 시제를 표현하는 방법으로 선어말 어미 '-았-/-었-', '-더-'를 사용하는 방법, 동사에서 관형사형 어미 '-(으)ㄴ'을 사용하는 방법, 용언이나 서술격 조사에서 관형사형 어미 '-던'을 사용하는 방법, '어제', '옛날'과 같은 시간 부사어를 사용하는 방법 등이 있다.

선어말 어미 '-았-/-었-'을 두 번 사용한 '-았었-/-었었-'은 발화시보다 전에 발생했으며 현재와 단절된 사건을 표현하는 데 쓰여 '-았-/-었-'과 의미 차이를 보인다. 선어말 어미 '-더-'가 사용된 표현은 단순한 과거가 아니라 과거 어느 때의 일이나 경험을 돌이켜 회상하는 의미를 나타낸다.

나 현재 시제는 발화시와 사건시가 일치하는 시제이다. 동사에서는 선어말 어미 '-는-/-ㄴ-'과 관형사형 어미 '-는'을 써서 현재 시제를 표현하고, 형용사와 서술격 조사에서는 선어말 어미는 쓰지 않고 관형사형의 경우 어미 '-(으)ㄴ'을 써서 표현한다. '지금' 등의 시간 부사어로 현재 시제를 표현할 수도 있다.

다 미래 시제는 사건시가 발화시보다 나중인 시제이다. 미래 시제를 표현하는 데 주로 ㉠ 선어말 어미 '-겠-'을 사용하고, 관형사형 어미 '-(으)ㄹ'과 의존 명사 '것'이 결합된 '-(으)ㄹ 것'도 널리 사용된다. 또 미래 시제를 나타내는 관형사형 어미로는 '-(으)ㄹ'이 사용된다. '내일'과 같은 시간 부사어를 써서 미래 시제를 표현할 수도 있다.

라 시간 표현과 관계가 깊은 문법 범주로 동작상(動作相)이 있다. 동작상은 발화시를 기준으로 동작이 일어나는 모습을 표현하는 것으로, 대표적인 것으로 ㉡ 진행상, 완료상 등이 있다. 국어에서는 다음 예처럼 주로 보조 용언을 사용하여 동작상을 표현한다.

〈진행상〉 • 이제야 밥을 먹고 있다.
　　　　 • 빨래가 다 말라 간다.

〈완료상〉 • 자장면을 다 먹어 버렸다.
　　　　 • 지현이는 지금 의자에 앉아 있다.

05 윗글의 내용을 바탕으로 〈보기〉의 @~@에 대해 탐구한 결과로 적절하지 <u>않은</u> 것은?

〈보기〉
　@ 지구는 <u>둥글다</u>.
　ⓑ 밥을 <u>먹은</u> 지가 언제인지 모른다.
　ⓒ 미영이가 학교에 <u>갈</u> 때 눈이 내렸다.
　ⓓ 비가 이렇게 오니 오늘 장사는 다 <u>했다</u>.
　ⓔ 작년만 해도 이 저수지에는 물고기가 <u>많았었다</u>.

① @를 보니, 보편적인 사실을 말할 때는 시제 선어말 어미가 사용되지 않는군.
② ⓑ를 보니, '-(으)ㄴ'이 동사 어간에 사용될 때는 과거 사건을 나타내는군.
③ ⓒ를 보니, 관형사형 어미 '-ㄹ'이 붙을 때 미래의 사건을 나타내지 않는 경우도 있군.
④ ⓓ를 보니, 선어말 어미 '-았-'이 과거 시제를 나타내지 않는 경우도 있군.
⑤ ⓔ를 보니, 선어말 어미 '-았었-'은 현재와 비교하여 달라졌을 때 사용하는군.

06 〈보기 1〉은 ㉠의 용법을 구체적으로 설명한 것이다. @~ⓓ의 용법을 〈보기 2〉에서 바르게 고른 것은?

〈보기 1〉
　선어말 어미 '-겠-'은 주로 @ 미래 시제를 나타내지만, 시제와는 별도로 ⓑ 화자의 추측, ⓒ 가능성이나 능력, ⓓ 화자의 의지 등의 태도를 나타낼 수 있다.

〈보기 2〉
　㉠ 내일 비가 <u>내리겠습니다</u>.
　㉡ 나라면 그 문제의 정답을 쉽게 <u>알겠다</u>.
　㉢ 이번 계약은 반드시 <u>성사시키겠습니다</u>.
　㉣ 지금쯤 아버지가 서울에 <u>도착하셨겠지</u>?

	@	ⓑ	ⓒ	ⓓ		@	ⓑ	ⓒ	ⓓ
①	㉠	㉢	㉡	㉣	②	㉠	㉣	㉣	㉡
③	㉠	㉣	㉡	㉢	④	㉡	㉣	㉠	㉢
⑤	㉡	㉣	㉢	㉠					

07 다음 중 ㉡을 나타내는 것은?

① 다 읽은 책을 지호에게 줘 버렸다.
② 영희는 숙제를 다 하고 집에 갔다.
③ 염소가 동수네 밭의 채소를 다 먹어 간다.
④ 우리는 수학여행에 가서 재미있게 놀기로 했다.
⑤ 과제로 내 주신 국어 문제를 이제야 다 풀어 버렸다.

[08-11] 다음 글을 읽고, 물음에 답하시오.

㉮ 주어가 동작을 제힘으로 하는 것을 능동(能動)이라 하고, 주어가 다른 주체에 의해서 동작을 당하는 것을 피동(被動)이라 한다. 피동사는 능동사 어근에 피동 접미사 '-이-, -히-, -리-, -기-'가 붙어서 만들어진다. 능동문이 피동문으로 바뀔 때 능동문의 주어는 피동문의 부사어가 되고, 능동문의 목적어는 피동문의 주어가 된다. 피동문의 부사어에는 '에게/에'가 주로 사용되고 '에 의해(서)'가 사용되기도 한다.

한편 피동문은 피동 접미사 '-되다'에 의해서 만들어지기도 하고 '-어지다'에 의해서 만들어지기도 한다.

피동사에 의한 피동문을 ㉠ 파생적 피동문이라고 하고, '-어지다'에 의한 피동문을 통사적 피동문이라고 한다.

㉯ 주어가 동작을 직접 하는 것을 주동(主動)이라 하고, 주어가 남에게 동작을 하도록 시키는 것을 사동(使動)이라 한다. 사동사는 주동사 어근에 사동 접미사 '-이-, -히-, -리-, -기-, -우-, -구-, -추-' 등이 붙어서 만들어진다. 주동문이 사동문으로 바뀔 때, 사동문의 주어는 새로 도입된다. 그리고 주동문의 용언이 형용사나 자동사이면 주동문의 주어가 사동문의 목적어가 되며, 주동문의 용언이 타동사이면 주동문의 주어가 사동문의 부사어가 되고 주동문의 목적어는 그대로 목적어가 된다. 주동문의 주어가 변한 사동문의 부사어에는 주로 '에, 에게'가 붙으며, '로 하여금'이 쓰이기도 한다.

한편 사동문은 사동 접미사 '-시키다'에 의해서 만들어지기도 하고 '-게 하다'에 의해서 만들어지기도 한다. 사동사에 의한 사동문을 파생적 사동문이라고 하고, '-게 하다'에 의한 사동문을 통사적 사동문이라고 한다.

㉰ 직접 인용 표현은 다른 사람의 말이나 글을 원래의 형식과 내용 그대로 유지한 채 인용하는 것이다. 표기할 때는 해당 인용절에 큰따옴표를 붙이고, 인용절 다음에 조사 '라고'를 쓴다.

간접 인용 표현은 다른 사람의 말이나 글을 인용할 때 그 형식은 유지하지 않고 그 내용만 이해하여 자신의 말로 바꾸어 인용하는 방법이다. 간접 인용절 다음에는 조사 '고'를 쓴다.

08 다음 중 ㉠으로 바꿀 수 <u>없는</u> 문장은?
① 고양이가 쥐를 물었다.
② 강아지가 방문을 긁었다.
③ 영희가 물고기를 잡았다.
④ 소녀가 과일을 바구니에 담았다.
⑤ 토끼가 외나무다리에서 거북이를 만났다.

09 (나)를 참고하여 사동 표현에 대해 탐구한 결과로 적절하지 <u>않은</u> 것은?

〈보기〉
ㄱ. 경찰이 차를 정지시켰다.
ㄴ. 영호는 보안을 위해 담장을 높였다.
ㄷ. 누이는 칭얼거리는 아기를 겨우 재웠다.
ㄹ. 아버지는 생계를 위해 돼지를 먹이고 있다.
ㅁ. 노인은 소년에게 물을 천천히 마시게 했다.

① ㄱ은 사동 접미사에 의한 사동문이므로 파생적 사동문이야.
② ㄴ을 보니, 형용사도 사동 접사와 결합하여 사동의 의미를 나타낼 수 있어.
③ ㄷ의 사동사는 동사 어근에 사동 접사 2개가 붙어 만들어졌군.
④ ㄹ의 '먹이다'는 사동사의 의미가 확장되어 사용될 수 있음을 보여 주는군.
⑤ ㅁ을 보니, 사동문에서는 용언을 수식하는 부사어는 위치가 고정되어 있어.

10 (나)와 〈보기 1〉을 참고하여 〈보기 2〉의 ⓐ와 ⓑ의 의미를 설명하시오.

〈보기 1〉
사동문은 주어의 직접적 행위를 나타내는 직접 사동과, 주어의 간접적 행위를 나타내는 간접 사동의 두 가지 의미가 있다.

〈보기 2〉
ⓐ 철수가 조카에게 과자를 먹였다.
ⓑ 철수가 조카에게 과자를 먹게 했다.

11 (다)를 참고하여 〈보기〉의 직접 인용문을 간접 인용문으로 바꾸는 과정에서 고려한 내용으로 적절하지 <u>않은</u> 것은?

〈보기〉
손녀가 내게 "할머니, 청국장이 정말 맛있네요!"라고 말했다.

① 감탄 부호나 인용 부호 등은 간접 인용문으로 바꾸면서 삭제한다.
② 인용절이 감탄문이므로 종결 어미를 '-다'로 바꾸고 조사 '고'를 붙인다.
③ '내게'가 있으므로 인용절 속의 '할머니'는 생략하는 것이 자연스럽다.
④ '맛있네요'의 '-(네)요'와 같은 상대 높임 표현의 어미는 간접 인용문으로 바꿀 때 없어진다.
⑤ 간접 인용 표현은 자신의 말로 바꾸어 인용할 수 있으므로 '청국장'을 '된장찌개'로 쓸 수도 있다.

01 다음 시의 ⓐ~ⓔ를 주성분과 부속 성분으로 바르게 나눈 것은?

> ⓐ 내가 나에게 조금 더
> 따뜻하고 ⓑ 너그러워지는
> 동그란 마음
> ⓒ 활짝 웃어 주는 마음
>
> ⓓ 남에게 주기 전에
> 내가 나에게 먼저 주는
> 위로의 ⓔ 선물이라네

	주성분	부속 성분
①	ⓐ, ⓑ	ⓒ, ⓓ, ⓔ
②	ⓐ, ⓑ, ⓔ	ⓒ, ⓓ
③	ⓐ, ⓓ, ⓔ	ⓑ, ⓒ
④	ⓐ, ⓔ	ⓑ, ⓒ, ⓓ
⑤	ⓑ, ⓔ	ⓐ, ⓒ, ⓓ

02 〈보기〉를 참고하여 ㄱ~ㅁ을 분석한 결과로 적절하지 않은 것은?

┌ 보기 ┐
　서술어의 자릿수란 서술어가 반드시 갖추어야 하는 문장 성분의 수로, 다음의 예를 들 수 있다.
・한 자리 서술어: 꽃이 피었다.
・두 자리 서술어: 고양이가 물고기를 잡았다.
・세 자리 서술어: 소녀가 소년에게 대추를 주었다.

ㄱ. 씨앗이 꽃이 되었다.
ㄴ. 우정은 보석과 같다.
ㄷ. 나는 너를 친구로 여긴다.
ㄹ. 영희가 교실에서 책을 읽는다.
ㅁ. 초원에서 치타가 날쌔게 달린다.
└────────────────┘

① ㄱ의 서술어 '되었다'는 주어와 보어를 필요로 하는 두 자리 서술어이다.
② ㄴ의 서술어 '같다'는 주어와 부사어를 필요로 하는 두 자리 서술어이다.
③ ㄷ의 서술어 '여긴다'는 주어, 목적어, 부사어를 필요로 하는 세 자리 서술어이다.
④ ㄹ의 서술어 '읽는다'는 주어와 목적어를 필수적으로 요구하므로 두 자리 서술어이다.
⑤ ㅁ의 서술어 '달린다'는 주어와 부사어를 필요로 하는 두 자리 서술어이다.

03 〈보기〉의 문장 성분과 문장 구조에 대한 설명으로 옳지 않은 것은?

┌ 보기 ┐
ㄱ. 이 숲은 나무가 거의 없다.
ㄴ. 네가 벌써 고등학생이 되었구나.
ㄷ. 은호는 어제 수지와 크게 다투었다.
ㄹ. 침묵은 금이고, 웅변은 은이다.
ㅁ. 제갈공명은 바람이 불기를 기다렸다.
└────────────────┘

① ㄱ과 달리 ㄴ에는 보어가 있다.
② ㄱ~ㅁ 중 목적어는 ㅁ에만 있다.
③ ㄴ, ㄷ은 부사어가 있고, ㄹ, ㅁ은 부사어가 없다.
④ ㄱ, ㄴ, ㄷ은 주어와 서술어의 관계가 한 번만 나타나고, ㄹ, ㅁ은 두 번 이상 나타난다.
⑤ ㄹ은 두 개의 절이 대등한 관계로 이어져 있고, ㅁ은 전체 문장 속에 절이 목적어로 안겨 있다.

04 〈보기〉의 자료에서 부사어에 대해 탐구한 내용으로 적절하지 않은 것은?

┌ 보기 ┐
ㄱ. 나뭇잎 하나가 소리도 없이 내 곁에 왔다.
ㄴ. 정말 그는 이 분야에서 최고의 전문가이다.
ㄷ. 그녀는 너무 아름다운 영화를 보았다.
ㄹ. ⓐ 학은 두루미와 닮았다. / 학은 닮았다.
　　ⓑ 강아지가 수시로 밥을 먹는다. / 강아지가 밥을 먹는다.
ㅁ. ⓐ 물이 얼음이 되었다. / 물이 되었다.
　　ⓑ 물이 얼음으로 되었다. / 물이 되었다.
└────────────────┘

① ㄱ에는 부사절인 '소리도 없이'와, 부사격 조사가 결합한 '곁에'가 부사어로 쓰였다.
② ㄴ의 '정말'과 '분야에서'는 문장에서 다른 성분을 수식하는 성분 부사어에 해당한다.
③ ㄷ의 부사어 '너무'는 관형어 '아름다운'을 수식하고 있다.
④ ㄹ의 ⓐ와 ⓑ로 볼 때, 문장을 구성하는 데 꼭 필요한 부사어도 있다.
⑤ ㅁ에서 ⓐ의 '얼음이'는 보어이고, ⓑ의 '얼음으로'는 부사어로 문장 성분은 다르지만 둘 다 서술어가 반드시 필요로 하는 성분이라는 공통점이 있다.

수능형

05 〈보기〉의 ㄱ~ㅁ에 대한 설명으로 적절하지 않은 것은?

─〈 보기 〉─

'안긴문장'은 다른 문장 속에 들어가 하나의 성분처럼 쓰이는 문장이며, '안은문장'은 안긴문장을 포함하고 있는 문장이다. 안긴문장은 기능에 따라 명사절, 관형절, 부사절, 서술절, 인용절로 나뉜다.

ㄱ. 코끼리는 코가 길다.
ㄴ. 철수는 아이들이 웃는 이유를 몰랐다.
ㄷ. 영수는 동생과 달리 농구를 좋아한다.
ㄹ. 우리는 인간이므로 존귀하다고 믿는다.
ㅁ. 진희는 눈에서 떨어지는 눈물을 손수건으로 닦았다.

① ㄱ의 안긴문장은 안은문장에서 서술어 기능을 한다.
② ㄴ의 안긴문장은 안은문장에서 관형어 기능을 한다.
③ ㄷ의 안긴문장은 '농구를'을 꾸며 주는 기능을 한다.
④ ㄹ의 안긴문장은 간접 인용된 것이므로 '고'가 붙었다.
⑤ ㅁ의 안긴문장에 생략된 주어는 '눈물이'이다.

06 〈보기〉의 설명에 해당하는 절이 들어 있는 문장은?

─〈 보기 〉─

ㄱ. 절을 나타내는 특별한 표지가 따로 없다.
ㄴ. 절을 가진 안은문장은 한 문장에 주어가 두 개 있는 것처럼 보인다.

① 비가 와서 길이 질다.
② 이것은 내가 보던 책이다.
③ 큰어머니께서는 웃음이 많으시다.
④ 꽃송이가 눈이 부시게 피어났다.
⑤ 나는 진심으로 그가 돌아오기를 기다린다.

서술형

07 〈보기〉와 같이 두 문장을 하나로 합쳤을 때 내용과 형식 면에서 어떤 점이 다른지 서술하시오.

─〈 보기 〉─

철수는 채소를 좋아한다. + 민수는 고기를 좋아한다.
→ ⓐ: 철수는 채소를 좋아하고, 민수는 고기를 좋아한다.
  ⓑ: 철수는 채소를 좋아하지만, 민수는 고기를 좋아한다.

수능형

08 〈보기〉의 문장 구조에 대한 설명으로 적절한 것은?

─〈 보기 〉─

ㄱ. 일이 즐거움이면 인생은 낙원이다.
ㄴ. 장날에는 모두 같이 물건을 팔러 갔다.
ㄷ. 꽃이 피는 봄이 돌아오면 님이 오실 것이다.
ㄹ. 영희가 요리했음을 어머니께서 알고 계셨다.
ㅁ. 철수는 머리가 좋고, 영희는 음악적 재능이 있다.

① ㄱ은 명사절을 안고 있는 겹문장이다.
② ㄴ의 '같이'를 '모여'로 고치면 겹문장이 된다.
③ ㄷ은 주어와 서술어의 관계가 모두 두 번 나타난다.
④ ㄹ은 명사절이 주어의 역할을 하고 있는 겹문장이다.
⑤ ㅁ은 서술절을 안고 있는 두 절이 종속적으로 이어진 문장이다.

09 다음은 두 개의 홑문장을 겹문장으로 바꾼 것이다. 적절하지 않은 것은?

① 까마귀가 난다. 배가 떨어진다.
  ➡ 까마귀가 날자 배가 떨어진다.
② 그가 가 버렸다. 소리도 없다.
  ➡ 그가 소리도 없이 가 버렸다.
③ 이것은 신발이다. 그것은 내가 신었었다.
  ➡ 이것은 내가 신었던 신발이다.
④ 갈릴레이가 말했다. "그래도 지구는 돈다."
  ➡ 갈릴레이는 그래도 지구는 돈다고 말했다.
⑤ 그가 별을 보고 말했다. "별이 정말 아름다워."
  ➡ 그는 별이 정말 아름답다라고 말했다.

학습 활동 적용

10 〈보기〉의 밑줄 친 부분과 같은 기능을 하는 것은?

─〈 보기 〉─

유미는 <u>동생도 모르게</u> 아이스크림을 먹었다.

① 이것은 <u>내가 읽던</u> 책들이다.
② 이 문제는 <u>해결하기가</u> 쉽지 않다.
③ 친구들은 <u>저녁을 먹겠다고</u> 말했다.
④ 그는 <u>아랫물이 맑기</u>를 바랐다.
⑤ 철수는 매일 <u>신이 다 닳도록</u> 돌아다닌다.

11 〈보기〉의 밑줄 친 부분과 같은 구조를 가진 문장은?

┌─ 보기 ─────────────────────────────────┐
안긴문장은 다시 그 속에 안긴문장을 가질 수 있다. 예를 들면 {[관형절]서술절}과 같은 구조도 가능하다.
└─────────────────────────────────────┘

① 마음이 고운 사람은 얼굴도 곱다.
② 동민이는 남의 도움 없이 집을 지었다.
③ 철수는 노래를 잘 부르는 영희가 좋다.
④ 축구 중계를 보려고 삼촌은 텔레비전을 켰다.
⑤ 영수가 결승에 올랐다는 말이 농담이 아니었군.

수능형
12 〈보기〉를 참고할 때, 밑줄 친 말이 ⓐ와 ⓑ에 가장 가까운 것은?

┌─ 보기 ─────────────────────────────────┐
청유문은 화자가 청자에게 어떤 행동을 함께하도록 요청하는 문장이다. 청유문은 청유형 어미 '-자', '-(으)ㅂ시다' 등이 붙어 실현되는데, 간혹 ⓐ 청자만 행하기를 바라거나 ⓑ 화자만 행하려는 행동을 나타낼 때에도 쓰인다.
└─────────────────────────────────────┘

① ⓐ (회의 시간에 아무 말 없이 조용할 때) 안건에 대해 발표 좀 합시다.
ⓑ (여유 시간이 많은 친구에게) 오늘 전시회에 같이 가자.
② ⓐ (엄마가 아이에게 옷을 입힐 때) 자, 이리 와서 옷 입자.
ⓑ (여행지에서 일찍 일어난 친구들이 소란스럽게 준비할 때) 잠 좀 잡시다.
③ ⓐ (동생과 이를 닦고 자려고 할 때) 수지야, 우리 이 닦고 자자.
ⓑ (자세가 좋지 않은 학생에게) 허리가 아플 수 있으니 똑바로 서자.
④ ⓐ (영화관에서 속닥이며 이야기하는 사람에게) 조용히 좀 합시다.
ⓑ (소에게 사료를 주며) 자, 밥 먹자.
⑤ ⓐ (자전거를 사 달라는 아들에게) 이 문제는 나중에 다시 이야기하자.
ⓑ (사탕을 먹으려는 아기에게) 밥을 먹은 뒤에 사탕을 먹자.

13 〈보기〉의 ⓐ~ⓔ에 대한 설명으로 옳은 것은?

┌─ 보기 ─────────────────────────────────┐
높임법은 높임의 대상에 따라 상대 높임법, 주체 높임법, 객체 높임법으로 나뉜다. 상대 높임법은 화자가 청자에 대하여 높이거나 낮추어 말하는 방법이고, 주체 높임법은 문장에서 서술의 주체를 높이는 방법이다. 객체 높임법은 목적어나 부사어가 지시하는 대상, 즉 문장에서 서술의 객체를 높이는 방법이다.

아버지: 어머니, 저희 왔습니다. ⓐ아버님은 안 계세요?
할머니: ⓑ어서 오게. 수고 많았구먼. 영희야, 너도 잘 지냈지?
영희: 예, 할머니. 그런데 ⓒ할머니, 머리가 하얗게 세셨네요. ⓓ제가 염색해 드릴까요?
할머니: 또 셀 건데 뭐하러……. ⓔ할아버지께 너희 왔다고 전화 드리렴.
└─────────────────────────────────────┘

① ⓐ: '계시다'를 써서 객체인 아버님을 높이고 있다.
② ⓑ: 격식체인 '-게', '-구먼' 등을 사용하여 객체인 아버님 높이고 있다.
③ ⓒ: 할머니의 신체의 일부인 '머리'가 주어로 올 때도 높임 표현을 쓰고 있다.
④ ⓓ: '드리다'를 사용하여 주체인 '할머니'를 높이고 있다.
⑤ ⓔ: '께'를 사용하여 주체인 할아버지를 높이고 있다.

14 〈보기〉의 ⓐ과 ⓑ의 사례로 적절하지 않은 것은?

┌─ 보기 ─────────────────────────────────┐
주체를 직접 높이는 것을 ⓐ 직접 높임이라고 하고, 주체와 밀접하게 관련된 대상을 높임으로써 주체를 간접적으로 높이는 것을 ⓑ 간접 높임이라고 한다.
└─────────────────────────────────────┘

① ⓐ: 할머니는 낮잠을 주무신다.
ⓑ: 할머니는 손이 고우시다.
② ⓐ: 선생님은 일찍 귀가하셨다.
ⓑ: 선생님은 시간이 없으시다.
③ ⓐ: 이모는 병이 있으시다.
ⓑ: 이모는 한약을 드셨다.
④ ⓐ: 아저씨가 점심을 잡수신다.
ⓑ: 아저씨가 발이 크시다.
⑤ ⓐ: 고모부가 회사로 돌아가셨다.
ⓑ: 고모부는 살림이 넉넉하시다.

15 〈보기〉의 ㄱ~ㅁ에 대한 설명으로 적절하지 <u>않은</u> 것은?

〈보기〉
ㄱ. 자장면을 다 먹어 버렸다.
ㄴ. 지금 진수는 밥을 먹는다.
ㄷ. 자현이는 지금 의자에 앉아 있다.
ㄹ. 우리가 처음 만났던 곳은 서울역이었어.
ㅁ. 영수는 떠날 사람이라는 것을 잊지 마라.

① ㄱ: '-어 버렸다'는 동작이 완료되었음을 나타낸다.
② ㄴ: '-는-'은 사건시와 발화시가 일치함을 나타낸다.
③ ㄷ: '-아 있다'는 동작이 진행되고 있음을 나타낸다.
④ ㄹ: '-었-'은 사건시가 발화시보다 앞선다는 것을 나타낸다.
⑤ ㅁ: '-ㄹ'은 발화시가 사건시에 앞선다는 것을 나타낸다.

16 〈보기 1〉을 바탕으로 〈보기 2〉를 이해한 것으로 적절하지 <u>않은</u> 것은?

〈보기 1〉
능동문을 피동문으로 바꿀 때에는 능동문의 주어와 목적어를 각각 피동문의 부사어와 주어로 바꾸고, 능동문의 서술어에 알맞은 피동 접사나 '-어지다'를 붙여 피동문의 서술어로 만든다. 피동문을 쓸 때는 지나친 피동 표현(이중 피동)이 되지 않도록 유의해야 한다.

〈보기 2〉
ㄱ. 수학 문제가 잘 <u>풀린다</u>.
ㄴ. 작은 배가 폭풍우에 <u>흔들린다</u>.
ㄷ. 온 세상이 눈에 <u>덮였다</u>.

① ㄱ의 '풀린다'는 어간 '풀-'에 '-어지다'를 붙여도 피동문이 된다.
② ㄴ의 '흔들린다'는 '흔들다'의 어근에 피동 접사 '-리-'가 붙은 것이다.
③ ㄴ을 능동문으로 바꾸려면 부사어를 주어로 만들어야 한다.
④ ㄷ을 능동문으로 바꾸면 서술어의 동작 대상은 '눈'이 된다.
⑤ ㄷ의 '덮였다'를 '덮여졌다'로 바꾸면 지나친 피동 표현이 된다.

17 〈보기 1〉의 ⓐ, ⓑ에 해당하는 사례를 〈보기 2〉에서 찾아 바르게 묶은 것은?

〈보기 1〉
부정 부사 '안, 못'을 사용하여 부정 표현을 만들 수 있다. 일반적으로 '안' 부정문은 ⓐ <u>자신의 의지에 의한 부정</u>이나 단순한 부정을 나타낼 때 사용된다. '못' 부정문은 ⓑ <u>자신의 능력이 부족할 때</u>나 상황이 적절하지 못해 어떤 행위를 할 수 없을 때 사용된다.

〈보기 2〉
진호: 비가 이제 ㉠<u>안</u> 온다.
은지: 우산을 괜히 갖고 왔네. 참, 나 일요일에 도서관 ㉡<u>못</u> 가.
진호: 왜? 무슨 일 있어?
은지: 엄마와 언니가 볼일이 있어 외출하기 때문에 내가 조카를 돌봐 주어야 해.
진호: 그래? 난 네가 일부러 ㉢<u>안</u> 가려는 줄 알았네.
은지: 그럴 리가. 국어를 너무 ㉣<u>못</u> 해서 걱정인데.
진호: 나도 시험 걱정에 잠을 통 ㉤<u>못</u> 자.

	ⓐ	ⓑ		ⓐ	ⓑ
①	㉠	㉡	②	㉠	㉣
③	㉢	㉤	④	㉢	㉡
⑤	㉡	㉣			

4. 담화

🔊 핵심 질문 상황과 목적에 맞게 국어를 사용하려면 어떻게 해야 할까?

≫ 다음은 다양한 상황에서 "지금 몇 시야?"라고 말하는 장면이다. 각각의 상황에서 이 말이 어떤 의미를 나타내는지 말해 보자.

| 예시 답 | 그림의 왼쪽 상황에서는 단순하게 대화를 시작하기 위한 일종의 인사말일 수도 있고, 영화 시작 시각이 다가왔는지 확인을 하기 위한 의미일 수도 있다. 그림의 오른쪽 상황에서는 지금 하는 행동에 대한 질책의 의미가 담겨 있다. 즉 자명종이 울리고 침대에서 잠을 깨지 못하는 상황이므로 여기에서 "지금 몇 시야?"는 '아직도 일어나지 않고 있니?' 또는 '일어날 시간이 지났으니 일어나라.'는 의미를 나타낼 수 있다.

　　언어는 구체적인 상황 속에서 그것을 주고받는 사람의 행동과 함께 쓰인다. 같은 말도 상황에 따라 의미가 다르게 해석되기 때문에, 우리가 주고받는 모든 말은 일정한 상황을 전제하지 않고는 제대로 해석하기 어렵다. 상황에 따른 의미의 해석이 제대로 이루어져야 오해나 갈등을 막을 수 있다.

　　이 단원에서는 문장들이 일정한 상황 속에서 의사소통 수단으로 제 기능을 하는 데 필요한 요소들을 알아보고, 효과적인 소통을 위해서는 어떤 점을 고려해야 하는지 살피기로 한다. 이를 통해 국어에 관한 지식과 능력을 실제 국어 생활에서 적절히 활용하며 효과적으로 의사소통을 할 수 있다.

소단원	학습 목표	내용
(1) 담화의 개념과 특성	담화의 개념과 특성을 탐구하고 적절하고 효과적인 국어 생활을 할 수 있다.	① 통일성 ② 응집성
(2) 담화의 맥락과 효과적인 국어 생활		① 언어적 맥락 ② 비언어적 맥락

{ 1 } 담화의 개념과 특성

- 담화: 개별 발화들이 모여서 이루어진 구조체
- 담화의 구성 요소: 화자, 청자, 장면(시간적·공간적 상황), 발화

담화의 구성 요소 ➡	화자와 청자	말을 주고받는 사람들
	장면	화자와 청자가 처한 시간적·공간적 상황
	발화	일정한 상황 속에서 문장 단위로 실현된 말

- 담화의 특성

통일성	내용 구조적 요소	발화가 담화의 주제를 향해 내용적으로 긴밀하게 연결되어 있는 성질
응집성	형식 구조적 요소	각 발화가 서로 관련되어 있음을 나타내는 표현들이 있어야 한다는 성질. 담화의 응집성은 주로 지시 표현, 대용 표현, 접속 표현 등에 의해 실현됨. • 지시 표현: 어떤 사람이나 사물, 사건을 지시하는 표현 • 대용 표현: 담화 앞에 나온 어휘나 발화 전체를 다시 가리키는 표현 • 접속 표현: 구절과 구절, 문장과 문장을 이어 주는 표현

{ 2 } 담화의 맥락과 효과적인 국어 생활

- 비언어적 맥락

상황 맥락	화자와 청자가 처한 시간적·공간적 장면. 동일한 발화라도 상황이 달라지면 그 의미가 달라지기 때문에 상황을 고려하지 않으면 그 발화의 정확한 의미를 알 수 없음.
사회·문화적 맥락	담화를 둘러싼 사회·문화적 상황. 언어 공동체는 사회·문화적 관습과 규범 등을 공유하기 때문에 사회·문화적 맥락을 이해해야만 적절하고 자연스러운 담화가 이루어질 수 있음.

1. 다음 설명에 해당하는 말을 쓰시오.

(1) 일정한 상황 속에서 문장 단위로 실현된 말 (　　　)

(2) 화자가 처한 시간적·공간적 상황 (　　　)

(3) 발화들이 모여서 이루어진 구조체 (　　　)

2. 다음 대화에서 ⓐ~ⓒ에 해당하는 표현을 모두 찾아 쓰시오.

> 아들: 엄마, 어제 산 옷 못 보셨어요?
> 엄마: 그거 여기에 있어.
> 아들: 서랍 안에 넣어 두었네.
> 엄마: 바닥에 두지 말고 정리하면 좋잖아. 그리고 저 양말들도 서랍에 넣어 두렴.

ⓐ 지시 표현:
ⓑ 대용 표현:
ⓒ 접속 표현:

3. 다음 진술 중 맞는 것에는 ○표, 틀린 것에는 ×표를 하시오.

(1) 담화 내의 발화들이 하나의 주제로 긴밀하게 연결되어 있는 성질을 응집성이라고 한다. (　　　)

(2) 발화의 의미는 언어적 맥락에 의해 달라지기도 한다. (　　　)

(3) 발화 내용이 같으면 화자와 청자가 처한 시간적·공간적 장면이 달라져도 발화의 의미는 동일하다. (　　　)

(4) 적절한 담화가 이루어지려면 담화를 둘러싼 사회·문화적 맥락을 이해해야 한다. (　　　)

답 1.(1) 발화, (2) 장면, (3) 담화
2.ⓐ: 여기, 저, ⓑ: 그거, ⓒ: 그리고
3.(1) ×, (2) ○, (3) ×, (4) ○

담화의 개념과 특징

소단원 학습 포인트
- 담화의 개념 알기
- 담화의 성립 조건 알기
  – 통일성, 응집성

개념 ⊕

발화라는 용어는 좁은 의미에서 구어에 한정해서 사용되는 경우가 많지만, 넓은 의미에서 문어나 매체 언어에 대해서도 사용할 수 있다. 따라서 발화들로 이루어진 담화의 개념과 특성들은 구어, 문어, 매체 언어에 두루 적용된다.

⑦ 우리는 언제나 일정한 상황에서 말을 주고받는다. 이때의 상황이란 **화자와 청자**, 그리고 그들이 처한 시간적·공간적 상황, 즉 **장면(場面)**을 포함한다. 이러한 일정한 상황
담화 상황의 구성 요소
속에서 문장 단위로 실현된 말을 **발화(發話)**라고 하고, 발화들이 모여서 이루어진 구조
발화의 개념   담화의 개념
체를 **담화(談話)**라고 한다.   ▶담화 상황의 구성 요소와 발화, 담화의 개념

  둘 이상의 발화가 모였다고 해서 항상 적절한 담화가 이루어지는 것은 아니다. 발화들이 모여서 담화를 이루기 위해서는 일정한 조건이 갖추어져야 한다. 담화를 이루는 발화들은 우선 내용적인 면에서 하나의 주제와 관련된 것이어야 하고, 형식적인 면에
적절한 담화를 이루기 위한 조건 ①–통일성
서 각 발화가 서로 관련되어 있음을 나타내 주는 표현들이 있어야 한다. 전자를 통일
성, 후자를 응집성이라고 한다.
적절한 담화를 이루기 위한 조건 ②–응집성
                                                      ▶적절한 담화의 성립 조건

⑭ 1 통일성

다가서기

● 다음 발화들이 서로 연관성을 가질 수 있도록 적절한 상황을 만들어 보자.

> 철수: 나는 매일 한 시간씩 축구를 해.
> 영희: 난 일주일에 한 번 영화를 보러 가.
> 민호: 나는 틈날 때마다 게임하는 게 좋아.

| **예시 답** | 친구들끼리 모여서 각자 자신의 취미 생활을 주제로 대화를 나누고 있는 상황

  적절하고 자연스러운 담화가 되기 위해서는 담화 내의 발화들이 하나의 주제 아래 유
                                                      통일성의 요건
기적으로 모여 있어야 한다. 즉, 화자와 청자가 하나의 주제를 공유하고 그 주제에 대
전체를 구성하는 각 부분이 밀접하게 관련을 가진   내용 면에서 적절한 담화를 이루는 방법
해서만 발화를 해야 하는 것이다. 이처럼 담화 내의 발화들이 주제를 향해 긴밀하게 연
                                                      통일성의 개념
결되어 있는 성질을 담화의 통일성이라고 한다. 통일성은 담화가 갖추어야 할 가장 기
본적인 요건이다.
                                                      ▶담화의 내용적 요건(통일성)

확인하기

● 다음 세 발화가 통일성 있는 하나의 담화를 구성할 수 있는지 말해 보자.

> • 코페르니쿠스는 지구가 태양의 주위를 돈다고 주장했다.
> • 갈릴레이는 지구가 둥글다고 주장했다.
> • 아인슈타인은 시간이 흐르는 속도는 상황에 따라 다르다고 주장했다.

| **예시 답** | 세 가지 발화는 하나의 주제로 묶여 있지 않아 통일성의 요건을 만족하지 못하므로 적절한 담화로 볼 수는 없다. 그러나 수업 시간에 각자 알고 있는 과학적 지식을 발표하는 상황 등을 설정한다면 담화로 성립될 가능성도 있다. 예를 들어 '위대한 과학자', '중요한 과학적 사실/주장', '과학사의 중요한 사건' 등과 같은 주제를 설정한다면 하나의 통일성 있는 담화를 구성할 수 있다.

■ 담화의 개념
• 둘 이상의 발화가 연결되어 형식적·내용적으로 완결성을 지니는 구조체
• 발화들이 모여서 적절한 담화를 이루기 위해서는 일정한 조건이 갖추어져야 함.

구성 요소	화자와 청자, 장면, 발화가 모여 이루어져야 함.
성립 조건	• 내용적인 면에서 통일성을 이루어야 함. • 형식적인 면에서 응집성을 이루어야 함.

■ 담화의 구성 요소

화자, 청자	말을 주고받는 사람들
장면	화자와 청자가 처한 시간적·공간적 상황
발화	일정한 상황 속에서 문장 단위로 실현된 말

■ 담화의 내용적 요건: 통일성
• 담화 내의 발화들이 하나의 주제를 향해 긴밀하게 연결되어 있는 성질
• 화자와 청자가 하나의 주제를 공유하고 그 주제에 대해서만 발화를 해야 함.

> 예
> 진영: 버스에 먼저 탄 사람들이 출입문 근처에 좀 몰려 있지 않으면 좋겠어.
> 민지: 맞아. 그러면 나중에 버스 타는 사람들이 제대로 탈 수 없게 돼.
> 진영: 먼저 탄 사람들이 나중에 탈 사람들을 배려해서 뒤쪽으로 가서 자리를 잡으면 모두 함께 타고 갈 수 있잖아?
> 민지: 조금씩 남을 먼저 배려하면 우리의 생활이 한결 여유로워질 수 있을 텐데…….
> ➡ '일상생활 속의 배려'라는 주제로 발화들이 긴밀하게 연결됨.

출제 예감

01. 담화에 대한 설명으로 적절하지 <u>않은</u> 것은?
① 하나의 발화로 이루어진다.
② 담화에는 화자와 청자, 장면, 발화 등이 포함되어 있다.
③ 담화의 발화들은 내용적인 면에서 공통된 주제가 있어야 한다.
④ 발화들이 담화를 이루려면 일정한 조건을 갖추어야 한다.
⑤ 발화들은 서로 관련되어 있음을 나타나는 주는 표현들이 있어야 한다.

02. 윗글을 참고할 때, 다음 중 담화가 될 수 있는 것은?
① 창수: 우리 공놀이하러 나가자.
  인호: 지키지 못할 약속은 하지 마.
② 영진: 차 마실 시간 있니?
  만수: 나는 야구를 좋아해.
③ 오늘은 날씨가 좋다. 철수는 떡볶이를 먹는다. 졸업하면 우리는 곧 헤어지게 된다.
④ 순이는 이 마을 어른들이 높이 평가하는 아이야. 그래서 나는 그 아이에게 일을 맡길 거야.
⑤ 영수는 여름을 좋아한다. 여름에 바닷가에는 사람들이 몰린다. 나는 언제나 건강을 염려한다. 건강에는 걷기가 가장 좋다.

03. 〈보기〉의 발화들이 통일성 있는 하나의 담화가 되도록 적절한 주제를 설정하시오.

> 보기
> • 미세 먼지는 폐로 들어가 폐렴 등을 일으킬 수 있다.
> • 미세 플라스틱이 생수나 조개, 어류, 소금 등에서 검출되고 있다.
> • 자동차 매연 속 물질들은 동식물에 위협이 되고 있다.

다 **2 응집성**

● 다음 과정 전체가 하나의 담화가 되도록 빈칸에 적절한 표현을 써 보자.
| 예시 답 |

> **[하마를 냉장고에 넣는 3단계는?]**
> (먼저) 냉장고 문을 연다. → (다음으로) 하마를 넣는다. → (마지막으로) 냉장고 문을
> 닫는다.

담화의 응집성이란 발화들이 서로 긴밀하게 묶여 하나의 담화를 구성하도록 해
주는 형식적 요건이다. 담화의 응집성은 주로 지시 표현, 대용 표현, 접속 표현 등
에 의해 실현된다. 이러한 표현들은 앞에 나온 어휘, 문장, 상황 전체를 대신하거
나 상황들 사이의 시간적 순서 또는 논리적 흐름 등을 드러내어 발화들의 응집성
을 높인다. 그 밖에 '먼저, 다음으로'와 같이 순서나 과정을 드러내는 어휘를 쓰거
나 동일한 표현을 반복하는 방법으로 응집성을 표현할 수도 있다.
▶담화의 형식적 요건(응집성)

라 ① **지시 표현**

● 다음 담화에 밑줄 친 '여기'는 각각 어디인지 말해 보자.

지금 여기로 와 줄래?

네가 여기로 오면 안 돼?

| 예시 답 | 운동장   교실

지시 표현은 화자와 청자가 대화를 나누는 시간적·공간적 장면이 없으면 그 의미를
정확히 이해할 수 없다. 예를 들어, '이것, 그것, 저것'과 같은 지시 대명사들은 어떤 장
면에서 사용되는지에 따라 달리 선택된다. '이것'은 화자에게 좀 더 가까운 대상을, '그
것'은 화자에게는 멀지만 청자에게는 가까운 대상을, 그리고 '저것'은 화자와 청자 모두
에게서 멀리 떨어져 있는 대상을 가리킬 때 각각 사용한다.
▶지시 표현의 개념과 유형

마 ② **대용 표현**

● 다음 담화의 괄호에 들어갈 적절한 단어를 써 보자.

> 딸: 잠깐 도서관 좀 다녀올게요. / 아빠: 이 시간에 (   )은/는 왜?

| 예시 답 | 도서관 / 거기

담화의 내적 구성 요소

통일성	내용 구조적 요소
응집성	형식 구조적 요소

개념＋
지시 표현의 유형
• 지시 대명사: 이것/그것/저것, 여기/거
기/저기 등
• 지시 관형사: 이/그/저 등
• 지시 부사: 이리/그리/저리 등
• 지시 형용사: 이렇다/그렇다/저렇다 등

'어제, 오늘, 내일' 같은 시간 표현과
'앞, 뒤, 위, 아래' 같은 공간 표현들도 장
면이 없으면 의미가 고정되지 않는다. 언
제 어디서 말하느냐에 따라 구체적인 의
미가 달라지기 때문이다.

위 담화에서 딸이 말한 '도서관'을 가리키기 위해 아빠는 '도서관'이라는 어휘를 쓸 수도 있지만, '도서관' 대신 '거기'라는 말로 바꾸어 말할 수도 있다. 이처럼 담화에서 앞에 나온 어휘나 발화 전체를 다시 가리키는 것을 **대용 표현**이라고 한다. 대용 표현에는 지시 표현에 사용되는 대명사 가운데 주로 '이'와 '그' 계통의 것들 이 사용되기 때문에 형식상으로 잘 구별되지 않는다. 그러나 대용 표현은 화자 또는 청자의 말에서 언급된 것을 다시 가리킬 때 쓰인다는 점에서 화자와 청자로부터의 멀고 가까움에 따라 특정한 대상을 가리키는 지시 표현과 구별된다.

▶대용 표현의 개념 및 지시 표현과의 차이점

핵심 다지기

문제로 확인

■ **담화의 형식적 요건: 응집성**
• 발화들이 서로 긴밀하게 묶여 하나의 담화를 구성하도록 해 주는 형식적 요건
• 주로 지시 표현, 대용 표현, 접속 표현 등에 의해 실현됨. 이러한 표현들은 앞에 나온 어휘, 문장, 상황 전체를 대신하거나 상황들 사이의 시간적 순서 또는 논리적 흐름 등을 드러내어 발화들의 응집성을 높임.
• 순서나 과정을 드러내는 어휘 사용, 동일 표현 반복 등의 방법으로도 응집성을 높일 수 있음.

■ **지시 표현**
• 화자와 청자로부터의 멀고 가까움에 따라 특정한 대상을 가리키는 표현
• 지시 표현의 유형

이것, 여기, 이, 이리, 이렇다	말하는 이에게 좀 더 가까운 대상이나 장소를 가리킬 때 사용함.
그것, 거기, 그, 그리, 그렇다	화자에게서는 멀지만 청자에게는 가까운 대상이나 장소를 가리킬 때 사용함.
저것, 저기, 저, 저리, 저렇다	화자와 청자 모두에게서 멀리 떨어져 있는 대상이나 장소를 가리킬 때 사용함.

• 지시 표현은 화자와 청자가 대화를 나누는 시간적·공간적 장면이 없으면 의미를 정확히 이해하기 어려움.

■ **대용 표현**
• 담화에서 앞에 나온 어휘나 발화 전체를 다시 가리키는 표현

■ **대용 표현과 지시 표현의 차이점**

지시 표현	대용 표현
화자와 청자로부터의 멀고 가까움에 따라 특정한 대상을 가리킬 때 쓰임.	화자 또는 청자의 말에서 언급된 것을 다시 가리킬 때 쓰임.

04. 윗글의 내용과 일치하지 <u>않는</u> 것은?
① 지시, 대용, 접속 표현은 담화의 응집성을 높여 준다.
② 대용 표현은 특정 대상과 청자와의 거리에 따라 다르게 사용한다.
③ 대용 표현은 담화에서 앞에 나온 어휘나 발화 전체를 가리킬 때 사용한다.
④ 화자와 청자 모두에게 멀리 떨어져 있는 대상을 지시할 때는 '저' 계열의 지시 표현을 사용한다.
⑤ 지시 표현의 의미를 제대로 이해하려면 화자와 청자가 대화를 나누는 시간적·공간적 장면이 있어야 한다.

05. 〈보기〉의 담화를 평가했을 때 적절하지 <u>않은</u> 것은?

┌─ 보기 ─
국제 대회에서 우리나라가 우수한 성과를 내는 것을 보면 가슴이 벅차. 인적·물적 자원이 부족한 우리나라에서 이런 성과를 내는 것은 놀라운 일이지. 이는 재능 있는 선수를 조기 발굴하여 육성했기 때문이야. 또한 우리나라 특유의 강한 근성과 노력도 한몫했겠지.
└─

① 동일한 어휘를 반복하여 응집성을 높이고 있다.
② 접속 표현을 사용하여 담화의 응집성을 높이고 있다.
③ 대용 표현을 사용하여 담화의 응집성을 높이고 있다.
④ 발화들이 하나의 주제로 연결되어 통일성을 갖추고 있다.
⑤ 발화 상황들 사이의 시간적 순서를 드러내어 응집성을 높이고 있다.

06. 〈보기〉에서 지시 표현과 대용 표현을 구별하시오.

┌─ 보기 ─
민주: 모둠 발표 같이 준비하기로 했잖아. 언제 할래?
영재: 아, ⓐ 그거? 주말에 난 도서관에서 공부할 거야. 네가 ⓑ 그리로 올래?
민주: ⓒ 거기는 너무 조용해서 말하기가 조심스러워. (빵집을 가리키며) ⓓ 여기는 어떠니?
영재: 제과점? 좋지. ⓔ 저 샌드위치가 맛있더라.
└─

바 ③ 접속 표현

다가서기

● 다음의 담화가 자연스러워지도록 괄호에 적절한 단어를 써 보자.

| 예시 답 |

소리를 높여 다시 불렀다. (그래도) 대답이 없었다.

✎ 접속 표현에는 '그리고, 그러나' 등의 접속 부사를 비롯하여 '먼저, 다음으로'나 '첫째, 둘째'와 같이 시간적 혹은 논리적 순서를 나타내는 말들이 있다.

응집성을 갖춘 담화를 구성하는 데에는 지시 표현이나 대용 표현 이외에 접속 표현이 특히 중요한 기능을 한다. 예를 들어, 위 담화에서 '소리를 높여 다시 불렀다.'는 발화와 '대답이 없었다.'는 발화는 서로 관련이 없어 보이지만, '그래도'와 같은 **접속 표현**으로 응집성 있는 담화로 묶일 수 있다.

접속 표현의 예

▶접속 표현의 기능과 예시

확인하기

● 다음 발화들이 응집성을 갖추어 하나의 담화를 구성하도록 돕는 요소를 찾아보자.

정치 발전이란 사회 공공의 문제를 해결하는 정치 체제의 능력의 향상을 말한다. 이런 정치 발전이 이루어진 사회가 되려면 시민들의 정치의식 수준도 높아야 하지만, 국가가 합리적인 제도와 절차를 마련하여 이에 따라 국가의 일들을 결정해야 한다. 그리하면 국민이 정치 과정에 참여하기 쉬워진다.

| 예시 답 | ① '정치 발전'이란 구절의 반복 　② '이런', '이'와 같은 대용 표현의 사용 　③ '그리하면'과 같은 접속 표현의 사용

핵심 다지기

문제로 확인

■ **접속 표현**
• 구절과 구절, 문장과 문장을 이어 주는 표현
• 접속 표현의 종류

접속 부사	그리고, 그러나, 그래서, 하지만 등
시간적 순서를 나타내는 말	먼저, 다음으로, 마지막으로 등
논리적 순서를 나타내는 말	첫째, 둘째, 셋째 등

서술형

07. 다음 담화의 응집성을 높이는 표현 요소를 모두 찾아 서술하시오.

< 보기 >

나는 집 주변의 호수에 갔다. 그곳에는 산책로가 조성되어 있다. 산책로 양편으로는 가로수가 늘어서 있어 뜨거운 햇볕을 잘 가려 준다. 그러나 가끔은 쌩쌩 달리는 자전거가 산책로의 조용한 분위기를 깨기도 한다.

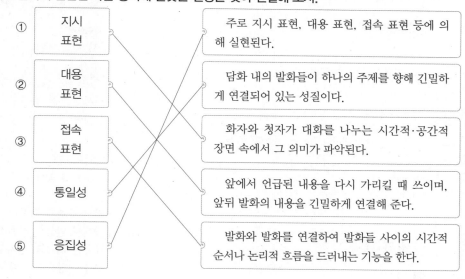

▶담화와 관련된 기본 개념을 확인하는 활동

이해하기

1. 담화에 관련된 다음 용어에 알맞은 설명을 찾아 연결해 보자.

① 지시 표현
② 대용 표현
③ 접속 표현
④ 통일성
⑤ 응집성

주로 지시 표현, 대용 표현, 접속 표현 등에 의해 실현된다.

담화 내의 발화들이 하나의 주제를 향해 긴밀하게 연결되어 있는 성질이다.

화자와 청자가 대화를 나누는 시간적·공간적 장면 속에서 그 의미가 파악된다.

앞에서 언급된 내용을 다시 가리킬 때 쓰이며, 앞뒤 발화의 내용을 긴밀하게 연결해 준다.

발화와 발화를 연결하여 발화들 사이의 시간적 순서나 논리적 흐름을 드러내는 기능을 한다.

🎵 의미가 발화 장면에 의해 결정되는 것과 앞뒤 발화 속에서 결정되는 것을 구별한다.

적용하기

▶지시 표현과 대용 표현을 구별해 보는 활동

2. 다음 담화의 밑줄 친 표현 중 지시 표현과 대용 표현을 구별해 보고, 그 이유를 적어 보자.

> 태민: 다음 달 축제 때 장기 자랑에서 우리 반은 뭘 하면 좋을까?
> 주연: <u>이건</u> 어때? 요즘 유행하는 노래에 다 같이 춤을 맞춰서 추는 거야.
>   ⓐ㉠
> 태민: <u>그건</u> 다른 반도 많이 할 것 같아. 우리는 노랫말을 바꿔 불러 볼까?
>   ㉡
> 주연: 좋아, 그럼 노랫말은 지금 써 보자. 자, 여기 펜 있어.
> 태민: <u>그건</u> 검정색이니까 <u>이걸로</u> 할게.
>   ㉢   ㉣

| 예시 답 |

지시 표현	• ㉢ • ㉣ 상황 속에서 대상을 지시함.
대용 표현	• ㉠: 뒤에 오는 담화를 대용함. • ㉡: 주연의 제안을 대용함.

소단원 출제 포인트

담화의 개념

- 하나 이상의 (㉠   )가 연결되어 형식적·내용적으로 완결성을 지니는 구조체
- 담화의 외적 구성 요소

화자, 청자	말을 주고받는 사람들
(㉡)	화자와 청자가 처한 시간적·공간적 상황
발화	일정한 상황 속에서 문장 단위로 실현된 말

담화의 특성

1 통일성

- 담화 내의 발화들이 하나의 주제를 향해 긴밀하게 연결되어 있는 성질
- 화자와 청자가 (㉢   )의 주제를 공유하고 그 주제에 대해서만 발화를 해야 함.

2 응집성

- 발화들이 서로 긴밀하게 묶여 하나의 담화를 구성하도록 해 주는 형식적 요건
- 주로 지시 표현, 대용 표현, 접속 표현 등에 의해 실현됨. 이러한 표현들은 앞에 나온 어휘, 문장, 상황 전체를 대신하거나 상황들 사이의 시간적 순서 또는 논리적 흐름 등을 드러내어 발화들의 (㉣   )을/를 높임.
- 순서나 과정을 드러내는 어휘 사용, 동일 표현 반복 등의 방법으로도 응집성을 높일 수 있음.

① 지시 표현

- 어떤 사람이나 사물, 사건을 (㉤   )하는 표현
- 지시 표현의 유형

이것, 여기, 이, 이리, 이렇다	말하는 이에게 좀 더 가까운 대상이나 장소를 가리킬 때 사용함. 📖 <u>이것</u> 어디에서 났어? <u>이</u> 책 읽었니? <u>여기</u>로 와 줄래? <u>이리</u> 와서 해. <u>이런</u> 선물이 너무 좋아.
그것, 거기, 그, 그리, 그렇다	화자에게서는 멀지만 청자에게는 가까운 대상이나 장소를 가리킬 때 사용함. 📖 <u>그것</u> 좀 나한테 갖다 줘. <u>그</u> 책을 내게 다오. 내가 <u>그리</u>로 갈까? <u>그런</u> 곳에 카페가 많아.
저것, 저기, 저, 저리, 저렇다	화자와 청자 모두에게서 멀리 떨어져 있는 대상이나 장소를 가리킬 때 사용함. 📖 <u>저것</u>을 가져가자. <u>저</u> 공원에서 운동하자. <u>저기</u>는 그늘이 많다.

- 지시 표현은 화자와 청자가 대화를 나누는 시간적·공간적 장면이 없으면 의미를 정확히 이해하기 어려움.

② 대용 표현

- 담화에서 앞에 나온 어휘나 발화 전체를 다시 가리키는 표현
- 지시 표현과 유사하나 대용 표현은 화자 또는 청자의 말에서 언급된 것을 (㉥   ) 가리킬 때 쓰이고, 지시 표현은 화자와 청자로부터의 멀고 가까움에 따라 특정한 대상을 가리킬 때 쓰인다는 차이점이 있음.

> 📖 딸: 잠깐 <u>도서관</u> 좀 다녀올게요.
> 아빠: 이 시간에 <u>거기</u>는 왜?
>   지시 표현   대용 표현('도서관'을 다시 가리키기 위해 사용)

③ 접속 표현

- 구절과 구절, 문장과 문장을 이어 주는 표현
- 접속 표현의 종류

접속 부사	그리고, 그러나, 하지만 등
시간적 순서를 나타내는 말	먼저, 다음으로, 마지막으로 등
논리적 순서를 나타내는 말	첫째, 둘째, 셋째 등

> 📖 <u>먼저</u> 형을 불렀다. <u>그러나</u> 대답이 없었다. <u>다음으로</u> 문을 두드리며 소리를 높여 다시 불렀다. <u>그래도</u> 대답이 없었다.

답 ㉠ 발화, ㉡ 장면, ㉢ 하나, ㉣ 응집성, ㉤ 지시, ㉥ 다시

소단원 적중 문제

[01-04] 다음 글을 읽고, 물음에 답하시오.

㉮ 우리는 언제나 일정한 상황에서 말을 주고받는다. 이때의 상황이란 화자와 청자, 그리고 그들이 처한 시간적·공간적 상황, 즉 장면(場面)을 포함한다. 이러한 일정한 상황 속에서 문장 단위로 실현된 말을 발화(發話)라고 하고, 발화들이 모여서 이루어진 구조체를 담화(談話)라고 한다.

㉯ 둘 이상의 발화가 모였다고 해서 항상 적절한 담화가 이루어지는 것은 아니다. 발화들이 모여서 담화를 이루기 위해서는 일정한 조건이 갖추어져야 한다. 담화를 이루는 발화들은 우선 내용적인 면에서 하나의 주제와 관련된 것이어야 하고, 형식적인 면에서 각 발화가 서로 관련되어 있음을 나타내 주는 표현들이 있어야 한다.

㉰ 적절하고 자연스러운 담화가 되기 위해서는 담화 내의 발화들이 하나의 주제 아래 유기적으로 모여 있어야 한다. 즉, 화자와 청자가 하나의 주제를 공유하고 그 주제에 대해서만 발화를 해야 하는 것이다. 이처럼 담화 내의 발화들이 주제를 향해 긴밀하게 연결되어 있는 성질을 담화의 통일성이라고 한다. 통일성은 담화가 갖추어야 할 가장 기본적인 요건이다.

㉱ 담화의 응집성이란 발화들이 서로 긴밀하게 묶여 하나의 담화를 구성하도록 해 주는 형식적 요건이다. 담화의 응집성은 주로 지시 표현, 대용 표현, 접속 표현 등에 의해 실현된다. 이러한 표현들은 앞에 나온 어휘, 문장, 상황 전체를 대신하거나 상황들 사이의 시간적 순서 또는 논리적 흐름 등을 드러내어 발화들의 응집성을 높인다. 그 밖에 '먼저, 다음으로'와 같이 순서나 과정을 드러내는 어휘를 쓰거나 동일한 표현을 반복하는 방법으로 응집성을 표현할 수도 있다.

학습 활동 적용
01 윗글을 통해 알 수 있는 내용으로 적절하지 <u>않은</u> 것은?

① 순서나 과정을 드러내는 어휘를 사용하면 담화의 응집성을 높일 수 있다.
② 담화의 통일성을 높이려면 일정한 상황 속에서 발화가 이루어져야 한다.
③ 통일성은 담화 내의 발화들이 하나의 주제를 향해 유기적으로 연결되어 있는 성질이다.
④ 발화는 화자와 청자, 그들이 처한 시간적·공간적 상황 속에서 문장 단위로 실현된 말이다.
⑤ 자연스러운 담화가 되기 위해서는 내용적 요건인 통일성과 형식적 요건인 응집성을 갖추어야 한다.

02 (다)의 내용을 참고할 때, 다음 발화들로 통일성 있는 하나의 담화로 구성하기에 가장 적절한 주제는?

> ─〈 보기 〉─
> • 마이크로소프트사의 사장 빌 게이츠는 IBM이라는 거인을 이겨 낸 세계 최고의 부자이다.
> • 어려운 경제 여건 속에서도 세계로 진출하여 독보적인 영역을 개척하여 명성을 얻은 중소 기업인이 많다.
> • 자신과의 고독한 싸움에서 이긴 마라톤 선수는 존경을 받아야 한다.

① 성공한 사람들의 생활 습관
② 자신의 분야에서 최고가 되는 길
③ 진정한 성공은 자신을 이기는 것
④ 역경을 이겨 낸 성공의 대가(代價)
⑤ 성공과 부는 항상 일치하는가?

서술형
03 〈보기〉의 발화들이 적절한 담화로 구성되려면 어떤 상황을 설정해야 할지 서술하시오.

> ─〈 보기 〉─
> • 나는 매일 30분씩 줄넘기를 해.
> • 나는 가까운 거리는 걸어서 다녀.
> • 나는 주말마다 집 근처 산에 올라가.

수능형

04 〈보기〉의 담화가 응집성을 갖추기 위해 ⓐ~ⓔ에 들어갈 수 있는 말로 적절하지 **않은** 것은?

─ 보기 ─

영화 '굿 윌 헌팅'에서 교수로 나온 로빈 윌리엄스는 오만한 천재 소년 역을 맡은 맷 데이먼에게 말한다.
"내가 미술에 대해 물으면 넌 온갖 정보를 다 갖다 댈 걸? 미켈란젤로를 예로 들어 볼까? 그의 걸작이나 정치적 야심, 교황과의 관계, 성적 본능까지도 넌 알고 있을 거야, 그치? (ⓐ) 시스티나 성당의 내음이 어떤지는 모를걸? 한 번도 (ⓑ) 성당의 아름다운 천장화를 직접 본 적이 없을 테니까."
철들지 않았을 때는 경험보다 지식과 기술에 의존하며 (ⓒ)의 축적에 자부심을 느끼고 (ⓓ)이 최고의 진리라 믿고 살아간다. (ⓔ) 시간이 흐를수록 직접 체험한 것이 더 진실하다는 것을 자각하게 된다.

① ⓐ: 하지만
② ⓑ: 그
③ ⓒ: 이들
④ ⓓ: 그것
⑤ ⓔ: 그래서

[05~07] 다음 글을 읽고, 물음에 답하시오.

㉎ 담화의 응집성이란 발화들이 서로 긴밀하게 묶여 하나의 담화를 구성하도록 해 주는 형식적 요건이다. 담화의 응집성은 주로 지시 표현, 대용 표현, 접속 표현 등에 의해 실현된다. 이러한 표현들은 앞에 나온 어휘, 문장, 상황 전체를 대신하거나 상황들 사이의 시간적 순서 또는 논리적 흐름 등을 드러내어 발화들의 응집성을 높인다. 그 밖에 '먼저, 다음으로'와 같이 순서나 과정을 드러내는 어휘를 쓰거나 동일한 표현을 반복하는 방법으로 응집성을 표현할 수도 있다.

㉏ 지시 표현은 화자와 청자가 대화를 나누는 시간적·공간적 장면이 없으면 그 의미를 정확히 이해할 수 없다. 예를 들어, '이것, 그것, 저것'과 같은 지시 대명사들은 어떤 장면에서 사용되는지에 따라 달리 선택된다. '이것'은 화자에게 좀 더 가까운 대상을, '그것'은 화자에게는 멀지만 청자에게는 가까운 대상을, 그리고 '저것'은 화자와 청자 모두에게서 멀리 떨어져 있는 대상을 가리킬 때 각각 사용한다.

㉐ 담화에서 앞에 나온 어휘나 발화 전체를 다시 가리키는 것을 대용 표현이라고 한다. 대용 표현에는 지시 표현에 사용되는 대명사 가운데 주로 '이'와 '그' 계통의 것들이 사용되

기 때문에 형식상으로 잘 구별되지 않는다. 그러나 대용 표현은 화자 또는 청자의 말에서 언급된 것을 다시 가리킬 때 쓰인다는 점에서 화자와 청자로부터의 멀고 가까움에 따라 특정한 대상을 가리키는 지시 표현과 구별된다.

㉑ 응집성을 갖춘 담화를 구성하는 데에는 지시 표현이나 대용 표현 이외에 접속 표현이 특히 중요한 기능을 한다. 예를 들어, '소리를 높여 다시 불렀다.'는 발화와 '대답이 없었다.'는 발화는 서로 관련이 없어 보이지만, '그래도'와 같은 접속 표현으로 응집성 있는 담화로 묶일 수 있다.

05 윗글에 대한 반응으로 적절하지 **않은** 것은?

① 접속 표현은 발화들을 밀접하게 연결하는 기능을 하는군.
② '첫째, 둘째, 셋째' 등의 표현을 사용하면 담화의 응집성을 높일 수 있겠군.
③ '이' 계통의 대명사는 지시 표현에, '그' 계통의 대명사는 대용 표현에 사용되는군.
④ 화자보다 청자에게 가까이 있는 장소를 가리킬 때는 '거기'라는 지시 표현을 사용해야 하겠군.
⑤ 대용 표현인지 지시 표현인지 구별하려면 가리키는 말이 담화 안에 언급된 내용인지 확인하면 되겠군.

학습 활동 적용

06 윗글을 참고하여, 〈보기〉의 지시 표현과 대용 표현에 대해 탐구한 내용으로 적절하지 **않은** 것은?

─ 보기 ─

지원: 학교 축제에서 우리 반은 뭘 하면 좋을까?
승연: ⓐ 이건 어때? 요즘 유행하는 노래에 다 같이 맞춰서 춤을 추는 거야.
지원: ⓑ 그건 다른 반에서도 생각할 수 있을 것 같아. 우리는 노래를 개사까지 해 볼까?
승연: 좋아, 그럼 노랫말은 지금 ⓒ 여기서 써 보자. 자, 여기 펜이랑 종이 있어.
지원: ⓓ 그건 파란색이니까 ⓔ 이걸로 할게.

① ⓐ는 화자에게 가까이 있는 사물을 가리키는 지시 표현이야.
② ⓑ는 바로 앞에서 상대방이 말한 내용을 가리키는 대용 표현이야.
③ ⓒ는 화자에게 가까운 곳을 가리키는 지시 표현이야.
④ ⓓ는 눈앞의 구체적 사물을 가리키는 지시 표현이야.
⑤ ⓔ 역시 다른 종류의 필기구를 가리키는 지시 표현이야.

07 윗글을 참고하여 〈보기〉의 담화를 이해한 내용으로 적절하지 <u>않은</u> 것은?

┌─〈 보기 〉─────────────────────┐

나 서른다섯 될 때까지
ⓐ <u>애기똥풀</u> 모르고 살았지요
(ⓑ) 해마다 어김없이 봄날 돌아올 때마다
ⓒ <u>그들</u>은 내 얼굴 쳐다보았을 텐데요

코딱지 같은 어여쁜 꽃
다닥다닥 달고 있는 애기똥풀
얼마나 서운했을까요

애기똥풀도 모르는 것이 ⓓ <u>저기</u> 걸어간다고
ⓔ <u>저런</u> 것들이 인간의 마을에서 시를 쓴다고
                              – 안도현, 「애기똥풀」

└──────────────────────────┘

① ⓐ가 반복되어 담화의 응집성을 높여 준다.
② ⓑ에 접속 표현을 넣어 담화의 응집성을 높이려면 문맥상 인과 관계를 드러내는 접속어를 넣는 것이 자연스럽다.
③ ⓒ는 '애기똥풀'을 다시 가리키는 대용 표현이다.
④ ⓓ는 화자인 애기똥풀과 청자인 나의 위치에서 모두 멀리 떨어진 장소를 가리키는 지시 표현이다.
⑤ ⓔ는 '애기똥풀도 모르는'을 다시 가리키는 대용 표현이다.

08 〈보기〉의 과제 해결 과정에서 담화의 성격을 설명한 것으로 적절하지 <u>않은</u> 것은?

┌────────────────────────────┐

[과제] 담화의 성격을 알아보자.

[과제 해결]
• 담화는 여러 개의 발화로 구성되어 있다. ·············· ㉠
• 담화는 일정한 시간적·공간적 상황을 가진다. ·········· ㉡
• 담화에서 동일한 어휘나 표현을 반복하면 안 된다. ······ ㉢
• 발화들이 통일된 주제를 가져야 담화가 이루어진다. ··· ㉣
• 발화들이 응집성을 가지고 연결되어야 담화가 이루어진다. ·· ㉤

└────────────────────────────┘

① ㉠   ② ㉡   ③ ㉢   ④ ㉣   ⑤ ㉤

09 〈보기〉의 ⓐ~ⓔ 중 통일성에 어긋나는 문장은?

┌─〈 보기 〉─────────────────────┐

지게는 우리나라 고유의 것이다. 우리 겨레의 정이 배고 피가 도는 물건이다. 지게의 모양을 보자. ⓐ <u>그것을 져 온 우리 아버지, 할아버지의 마음씨처럼 순박하기만 하다.</u> ⓑ <u>순박한 것으로는 싸는 물건의 모양을 그대로 따르는 보자기도 있다.</u> ⓒ <u>지게에 쇠못 하나 박은 흔적이 없다.</u> ⓓ <u>솜씨를 부린 데도 없다.</u> ⓔ <u>애초부터 지게의 모양의 나뭇가지를 베어다가 대강 다듬고, 몇 군데 구멍을 뚫었을 뿐이다.</u> 나는 이 순박을 사랑한다.

└──────────────────────────┘

① ⓐ   ② ⓑ   ③ ⓒ   ④ ⓓ   ⑤ ⓔ

10 〈보기〉의 지시 표현이 가리키는 대상이 같은 것끼리 알맞게 묶인 것은?

┌─〈 보기 〉─────────────────────┐

아이: 아빠, 나 ⓐ <u>이거</u> 먹어도 돼?
아빠: 안 돼. ⓑ <u>그건</u> 할머니 드릴 거야. ⓒ <u>그거</u> 말고, ⓓ <u>이거</u> 먹어.
아이: 싫어. ⓔ <u>그건</u> 맛없단 말이야. 차라리 ⓕ <u>저걸</u> 먹을래.
아빠: 그래 그럼 ⓖ <u>그거</u> 먹어. ⓗ <u>그건</u> 누나 간식인데. 누나는 ⓘ <u>이거</u> 주지 뭐.

└──────────────────────────┘

① ⓐ, ⓑ / ⓒ, ⓓ, ⓔ, ⓕ, ⓘ / ⓖ, ⓗ
② ⓐ, ⓑ, ⓒ / ⓓ, ⓔ, ⓘ / ⓕ, ⓖ, ⓗ
③ ⓐ, ⓑ, ⓒ / ⓓ, ⓔ, ⓕ / ⓖ, ⓗ, ⓘ
④ ⓐ, ⓑ, ⓒ, ⓖ, ⓗ / ⓓ, ⓔ, ⓕ, ⓘ
⑤ ⓐ, ⓑ, ⓕ, ⓓ / ⓒ, ⓔ / ⓖ, ⓗ, ⓘ

{2}

담화의 맥락과 효과적인 국어 생활

소단원 학습 포인트

• 담화의 언어적 맥락 이해하기
• 담화의 상황 맥락과 사회 · 문화적 맥락 이해하기

가 담화의 의미를 바르게 파악하기 위해서는 앞뒤 문맥에서 나타나는 <u>언어적 맥락</u>은
물론, 상황 맥락이나 사회 · 문화적 맥락과 같은 비언어적 맥락도 고려해야 한다. 이와
마찬가지로 표현을 할 때도 담화의 언어적 맥락과 비언어적 맥락을 살핌으로써 그에
적절히 어울리는 담화 표현을 사용해야 한다.   ▶담화에서 맥락의 중요성

언어적 맥락(발화의 앞뒤에 있는 다른 발화)
상황 맥락(화자와 청자가 처한 시공간적 장면), 사회·문화적 맥락(관습, 규범과 같이 담화를 둘러싼 사회·문화적 상황)

나 **1 언어적 맥락**

> **다가서기**
>
> ● 다음 대화에서 학생의 발화에서 생략된 성분이 무엇인지 말해 보자.
>
>
>
> 철수 어디 갔니?
>
> 못 봤는데요.
>
> | 예시 답 | 주어 '저는'과 목적어 '철수를'이 생략되어 있다.

∥ 담화에서 생략 가능한 요소
생략 가능한 요소를 의도적으로 생략하지 않음으로써 화자의 의도를 강조할 수도 있다.
예 "어제 빌려 간 책, 혹시 가져왔니?"
"그래, 책 여기 있어."

담화 내에서 어떤 발화를 둘러싼 앞뒤의 발화를 <u>언어적 맥락</u>이라고 한다. 발화의 의
미는 언어적 맥락에 의해 분명해지기도 하고 달라지기도 한다. 예를 들어, 위의 담화에
서 "못 봤는데요."라는 발화는 앞 발화에서 '철수'가 언급되었기 때문에 의미가 제대로
전달되는 것이다. 이처럼 발화의 의미를 제대로 이해하고 정확한 의사소통을 위해서는
우선 담화가 이루어지고 있는 언어적 맥락을 정확히 파악해야 한다.   ▶언어적 맥락의
                                                                        개념과 중요성

언어적 맥락의 개념

> **확인하기**
>
> ● 다음 담화에서 밑줄 친 "안 돼."라는 말이 지닌 구체적인 의미가 각각 어떻게 다른지 말해 보자.
>
> 철수: 우리 어제 개봉한 그 영화 보러 갈까?
> 영수: ㉠ <u>안 돼.</u> 다음 주가 시험이잖아. / ㉡ <u>안 돼.</u> 청소년은 볼 수 없는 영화잖아.
>
> | 예시 답 | • ㉠: 지금 영화를 보러 가는 것에 대하여 부정하고 있다.
> • ㉡: 철수가 의도한 특정('그') 영화 작품을 보는 것에 대하여 부정하고 있다.

■ 담화에서 맥락의 중요성
• 담화의 의미 파악

> • 언어적 맥락은 물론 상황 맥락이나 사회·문화적 맥락과 같은 비언어적 맥락을 모두 고려해야 함.

+

> • 담화 표현을 할 때에도 언어적 맥락과 비언어적 맥락을 정확히 파악해야 적절하고 효과적으로 표현할 수 있음.

■ **언어적 맥락**
• 개념: 담화 내에서 어떤 발화를 둘러싸고 있는 앞뒤의 발화를 말함.
• 특징
– 발화의 의미는 언어적 맥락에 의해 분명해지기도 하고, 달라지기도 함.
– 주어나 목적어를 생략한 발화가 있는 이유는 청자가 언어적 맥락 속에서 그런 생략 성분을 충분히 추리할 수 있기 때문임.
• 정확한 의사소통을 위한 자세

> 담화가 이루어지고 있는 언어적 맥락을 정확하게 파악해야 함.

↓

> 발화의 의미를 제대로 이해하고 정확한 의사소통을 할 수 있음.

│보충자료│

생략의 특징
생략 가능한 요소를 의도적으로 생략하지 않음으로써 화자의 의도를 강조할 수도 있다.
예 "지난번에 빌려 간 책, 오늘 가져왔니?"
"그래, 책 여기 있어."

생략은 장면 의존성, 복원 가능성, 동일성, 선택성 등의 특징을 갖는다. 장면 의존성과 복원 가능성은 장면에 따라 생략될 요소와 그렇지 않은 요소가 결정되며, 장면에 의하여 생략된 요소는 복원될 수 있음을 가리킨다. 동일성이란 생략된 요소들의 복원이 지시적, 혹은 통사적 동일성에 의하여 수행됨을 일컬으며, 선택성이란 맥락이나 담화 상황에서 복원 가능한 요소라고 하여 모든 요소들이 다 생략될 수 있는 것은 아님을 가리키는 말이다. 즉 복원 가능한 요소라 하더라도 중요한 정보를 담고 있거나 강조하고 싶은 요소는 생략되지 않는다. 중요한 정보나 강조하고 싶은 요소의 결정은 화자나 장면에 의해 결정된다.

01. 윗글을 읽고 이끌어낼 수 있는 설명으로 적절하지 않은 것은?
① 상황 맥락과 사회·문화적 맥락은 비언어적 맥락에 속한다.
② 언어적 맥락은 발화를 둘러싼 발화의 앞뒤 문맥에서 나타난다.
③ 담화의 의미를 바르게 파악하기 위해서는 맥락을 고려해야 한다.
④ 앞 발화에서 언급되었던 것을 생략하면 의미가 제대로 전달되지 못한다.
⑤ 발화의 의미는 언어적 맥락에 의해 분명해지기도 하고 달라지기도 한다.

02. 윗글을 참고하여 〈보기 1〉의 대화에서 생략된 내용을 〈보기 2〉처럼 복원하였다. 복원한 결과가 적절하지 않은 것은?

┌ 보기 1 ┐
철수: 어디 가니? ⓐ
순희: 영화 보러. ⓑ
철수: 영화는 조금 전에 만났잖아. ⓒ
순희: 그 영화 말고, 보는 영화. ⓓ
철수: 아, 그 영화? ⓔ
└

┌ 보기 2 ┐
ⓐ 순희야, 어디 가니?
ⓑ 나는 영화를 보러 극장에 가.
ⓒ 너는 영화(친구)를 조금 전에 만났잖아.
ⓓ 친구인 영화(친구)가 아니라 극장에서 보는 영화야.
ⓔ 아, 그 영화는 정말 재미있어.
└

① ⓐ   ② ⓑ   ③ ⓒ   ④ ⓓ   ⑤ ⓔ

서술형
03. 정확한 담화 표현을 하기 위한 바람직한 자세를 윗글에서 찾아 한 문장으로 서술하시오.

다 2 비언어적 맥락

① 상황 맥락

> **다가서기**
>
> ● 다음 상황에서 "엄마, 비 와요."가 어떤 의미를 제시하는지 말해 보자.
>
>
>
> | **예시 답** | 날씨에 대한 단순 진술, 우산을 달라는 요청, 빨래를 걷으라는 권고 등

> ♫ 담화의 기능
> 발화 상황에 따라 '선언, 명령, 요청, 질문, 제안, 약속, 경고, 축하, 위로, 비난' 등의 다양한 행위와 관련된 기능을 수행한다.

화자와 청자가 처한 시간적·공간적 장면을 **상황 맥락**이라고 한다. 같은 발화라도 상황이 달라지면 그 의미도 달라지기 때문에 상황을 고려하지 않으면 발화의 정확한 의미를 알 수 없다. 예를 들어, "엄마, 비 와요."라는 발화도 상황에 따라 여러 가지 의미로 이해될 수 있다. 특별한 상황을 고려하지 않는다면 날씨에 대한 단순 진술로 이해되지만, 상황에 따라서 "우산 좀 주세요."라는 요청으로 이해될 수도 있고, "빨래 걷으세요."라는 권고로 이해될 수도 있으며, "심부름 가기 싫어요."라는 호소로 이해될 수도 있다. 이처럼 실제 발화의 의미는 화자, 청자, 장면 등 담화를 구성하고 있는 다양한 요소들을 고려해야만 제대로 이해할 수 있다. 특히 지시 표현, 높임 표현, 생략 표현 등이 나타내는 의미나 화자의 심리적 태도는 담화 맥락과 상황에 의존하는 바가 크다.

▶상황 맥락의 개념과 중요성

> **확인하기**
>
> ● 다음과 같은 실제 발화가 어떤 상황에서 어떤 의미로 제시되는지를 말해 보자.
>
> • 지금 뭐 하니?
>
> | **예시 답** | 일반적으로 묻는 상황에서는 단순히 상대에 대하여 '정보 요청'을 의미하는 것으로 볼 수 있고, 하지 말아야 할 일을 한 상황이라면 '질책'을 의미할 수도 있다
>
> • 내립시다.
>
> | **예시 답** | 버스를 탄 상황이라면 동행하는 사람에게 목적지에 도착했으니 함께 내리자는 '청유'의 의미로 볼 수도 있고, 출구로 가기 위해 앞의 사람에게 자리를 비켜 달라는 '요청'의 의미로 볼 수도 있다.

라 ② 사회 · 문화적 맥락

다가서기

● 다음 담화가 어색한 이유를 말해 보자.

> 3학년 선배: 자네 어디 가나?
> 1학년 후배: 도서관에 공부하러 가는 길입니다.
> 3학년 선배: 그래, 열심히 하게.

| 예시 답 | 두 학생의 발화에서 '하게체'가 쓰이는 것이 자연스럽지 않게 느껴지기 때문이다.

모든 언어 공동체는 그 나름의 <u>사회·문화적 관습과 규범</u> 등을 공유한다. 따라서 화자
<small>사회·문화적 맥락의 대표적인 예</small>
와 청자가 나누는 담화는 <u>그들이 속한 언어 공동체의 사회·문화적 관습과 규범을 따르</u>
<u>게 된다.</u> 이처럼 <u>담화를 둘러싼 사회·문화적 상황</u>을 ㉠ 사회·문화적 맥락이라 한다. 예
<small>담화는 사회 · 문화적 맥락 속에서 일어나기 때문에</small>   <small>사회 · 문화적 맥락의 개념</small>
를 들어, "자네 어디 가나?"와 같은 '하게체' 말투는 나이 지긋한 어른들이 쓰는 말이라
는 우리의 사회·문화적 분위기상 젊은 층이 쓸 때 어색하게 느껴지는 것이다.
▶사회·문화적 맥락의 개념과 중요성

소속된 언어 공동체가 다르면 담화의 사회·문화적 맥락이 다르므로 대화할 때 상대
방의 사회·문화적 맥락을 고려해야 한다. 예를 들어, 우리나라에서는 <u>상대의 권유를 한</u>
<u>번쯤 거절하는 태도를 겸손하다고 여기는 문화</u>가 있어서 음식을 더 먹으라는 권유에
<small>국어 공동체의 관습 사례</small>
대해 흔히 "괜찮습니다."라고 말한다. 하지만 이러한 사회·문화적 분위기를 겪어 보지
못한 외국인은 "괜찮습니다."라는 말을 의미 그대로 이해하고 더 권하지 않을 수 있다.
▶언어 공동체에 따른 사회·문화적 맥락의 차이

확인하기

● 다음 담화에서 외국인이 의아하게 반응하는 이유를 사회·문화적 맥락의 관점에서 설명해 보자.

| 예시 답 | 사회·문화적 맥락을 고려할 때 우리나라에서 "차린 건 없지만 많이 드세요."라는 말은, 실제로 차린 음
식이 적다는 사실적 의미를 지니기보다는 겸손이나 겸양의 의미로 이해되는 경우가 더 많다. '시원하다'의 경우
도 우리나라에서는 '음식이 차고 산뜻하거나, 뜨거우면서 속을 후련하게 하는 점이 있다.'의 의미로 더러 쓰인다.

■ 상황 맥락
• 개념: 화자와 청자가 처한 시간적·공간적 장면
• 고려해야 하는 이유: 동일한 발화라도 상황이 달라지면 그
  의미가 달라지기 때문에 상황을 고려하지 않으면 그 발화
  의 정확한 의미를 알 수 없음.
• 발화 상황에 따른 의도: 발화 상황에 따라 같은 말이라도
  여러 가지 의미로 이해될 수 있음.

발화 예	상황	의도
"엄마, 비 와요."	단순 상황	단술 진술
	우산이 필요한 상황	요청
	빨래를 걷어야 하는 상황	권고
	심부름을 가야 하는 상황	호소

• 실제 발화의 의미는 화자, 청자, 장면 등 담화를 구성하고
  있는 다양한 요소들을 고려해야 함.

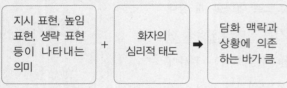

■ 사회·문화적 맥락
• 개념: 화자와 청자가 나누는 담화는 그들이 속한 언어 공동
  체의 사회·문화적 관습과 규범을 따르게 되는데, 이처럼 담
  화를 둘러싼 사회·문화적 상황을 사회·문화적 맥락이라 함.
• 언어 공동체마다 사회·문화적 맥락이 다르므로 대화할 때
  상대방의 사회·문화적 맥락을 고려해야 함.

| 보충자료 |

발화 행위와 발화 수반 행위

발화 행위는 어떤 의도를 전달하기 위하여 음성이나
문자로 나타내는 행위 자체를 의미하고 발화 수반 행
위는 화자(필자)가 발화를 통해서 이루고자 하는 의도
를 말한다. "아이 추워."라는 말을 음성적으로 실현하
는 것은 발화 행위이고, 이 발화 행위를 통하여 전달하
고자 하는 의도는 발화 수반 행위이다. 발화 행위가 동
일하더라도 발화 수반 행위는 장면에 따라 달라질 수
있다. '아이 추워.'는 단순히 '추운 상태'를 전달하는 의
도를 나타낼 수도 있고, '추우니까 문을 닫아 달라.'는
의도를 나타낼 수도 있고, '추우니까 일을 끝내자.'는
의도를 나타낼 수도 있다.

---

04. 담화의 맥락에 대한 설명으로 옳지 <u>않은</u> 것은?
① 담화는 일정한 시간적·공간적 상황을 가진다.
② 발화의 의미는 언어적 맥락에 따라 달라질 수 있다.
③ 담화의 비언어적 맥락에는 상황 맥락과 사회·문화적 맥
  락이 있다.
④ 화자와 청자는 자신들이 속한 언어 공동체의 관습과 규
  범을 따른다.
⑤ '이것, 저것'과 같은 지시 표현이 나타내는 의미는 상황
  맥락과는 관련이 없다.

05. 밑줄 친 말 중 ㉠을 고려했을 때 그 의미를 정확히 알 수 있
  는 것은?
① 의사: 상처는 좀 어때요?
  환자: 많이 나아져서 이제 괜찮습니다.
② 엄마: 엄마가 사 준 옷 어때?
  딸: 괜찮아요. 예뻐요.
③ 형: 어제 만난 친구 어땠어?
  동생: 참 괜찮은 사람이었어.
④ 학생: 제가 실수로 교실 꽃병을 깨뜨렸어요.
  선생님: 괜찮아. 다친 데는 없니?
⑤ 장인: 이보게 그 일은 이따 하고 이거 좀 같이 들지?
  사위: 아, 아닙니다. 괜찮습니다.

<u>서술형</u>
06. 윗글을 참고하여 〈보기〉에서 여자가 밑줄 친 부분처럼 대답
  한 이유를 서술하시오.

┌─ 보기 ┐
(지하철 출입문 입구를 여자가 가로막고 있는 상황)

남자: 내립시다.
여자: <u>전 여기서 안 내리는데요.</u>
└─────────────┘

이해하기

▶ 맥락의 종류를 확인하는 활동

1. 다음은 담화와 맥락에 대한 설명이다. 괄호에 적절한 용어를 써 보자.

| 예시 답 |

　담화의 의미는 담화가 이루어지는 맥락에 따라 다르게 이해된다. 담화의 의미에 영향을 주는 맥락은 크게 (언어적) 맥락과 비언어적 맥락으로 나뉘고, 비언어적 맥락은 다시 (상황) 맥락과 (사회·문화적) 맥락으로 나뉜다.

적용하기

☆ 언어적 맥락, 즉 앞뒤 문장을 통해 파악할 수 있는 맥락을 고려하여 생략된 성분을 복원해 본다.

제재 연구✛
• **갈래**: 현대 시조, 연시조
• **성격**: 애상적, 직설적
• **제재**: 비
• **주제**: 임과의 이별을 안타까워하는 마음
• **특징**
– 일상어를 사용하여 화자의 감정을 솔직하게 드러냄.
– 의고적 느낌을 주는 종결어미를 통해 화자의 간절한 마음을 표현함.
– 비에 화자의 마음을 감정이입함.
– 생략을 통해 일정 음보를 유지하여 운율을 형성함.

▶ 언어적 맥락을 고려하여 문장을 정확히 이해하는 활동

2. 다음 시를 읽고, 맥락을 고려하여 밑줄 친 행에서 생략된 말을 복원해 보자.

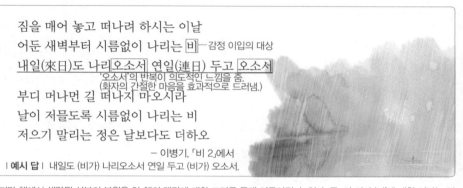

짐을 매어 놓고 떠나려 하시는 이날
어둔 새벽부터 시름없이 나리는 비 ─ 감정 이입의 대상
내일(來日)도 나리 오소서 연일(連日) 두고 오소서
　　　　　'오소서'의 반복이 의도적인 느낌을 줌.
　　　　　(화자의 간절한 마음을 효과적으로 드러냄.)
부디 머나먼 길 떠나지 마오시라
날이 저물도록 시름없이 나리는 비
저으기 말리는 정은 날보다도 더하오
　　　　　　　　　　　– 이병기, 「비 2」에서

| 예시 답 | 내일도 (비가) 나리오소서 연일 두고 (비가) 오소서.

마지막 행에서 생략된 성분의 복원은 앞 행의 맥락에 대한 고려를 통해 이루어질 수 있다. 즉, 이 시가 '비'에 대한 시라는 점을 앞 행을 통해 확인함으로써 마지막 행에 드러나 있지 않은 성분이 '비'라는 점을 쉽게 복원할 수 있다. 이러한 문장 성분의 복원 과정은 담화가 이루어지는 언어적 맥락을 고려하여 이루어진다.

☆ 같은 내용의 발화라 할지라도 발화 상황과 화자의 의도에 따라 다른 기능을 수행할 수 있다.

▶ 상황 맥락을 고려하여 문장의 의미를 해석해 보는 활동

3. 다음 같은 문장이 주어진 각각의 상황에 따라 어떤 의미를 나타내는지 적어 보자.

| 예시 답 |

| (가) | 학교 생활 중 친구에게 '안녕' 또는 '반가워' 등의 인사를 대신하여 표현 |

| (나) | 병문안을 간 상황에서 친구에게 '몸은 괜찮은지' 또는 '걱정이 담긴 안부'를 묻는 표현 |

적용하기

▶ 사회·문화적 맥락에 따른 언어의 차이를 이해하는 활동

📌 우리말에서는 가족과 같이 친밀한 관계에서 1인칭이나 2인칭 대명사를 쓰면 어색한 때도 있음을 고려한다.

4. 다음 발화의 밑줄 친 부분을 비교하여 우리말과 영어의 차이를 사회·문화적 맥락의 관점에서 설명해 보자.

(1) 같은 상황에서 사용되는 한국어 공동체와 영어 공동체의 어휘 차이는 무엇인지 말해 보자.

ㅣ **예시 답** ㅣ 영어 공동체에서는 1인칭, 2인칭의 구분과 같은 인칭이 중요하게 여겨지는 반면에, 국어 공동체에서는 개인의 인간적 관계를 중시하는 사회·문화적 전통이 발달하였다. 이에 따라 영어와는 달리, 국어의 사회·문화적 맥락에서는 부모와 자식은 물론 가까운 친인척 관계에서도 1인칭 대명사 대신 일반 명사를 사용하는 경우가 흔히 발견된다. 위의 예도 그런 경우에 해당된다고 할 수 있다. 즉, 우리말에서는 '내가 도와줄까?'보다 '엄마가 도와줄까?'라고 하는 것이 더욱 자연스럽게 느껴진다.

(2) 사회·문화적 맥락의 관점에서 (1)과 같은 차이가 나타나는 이유를 친구들과 자유롭게 말해 보자. ㅣ **예시 답** ㅣ (생략)

5. 담화 구성 요소들을 스스로 설정하여 편지 형식의 담화를 생성해 보고, 친구와 맞바꾸어 담화를 평가해 보자. ㅣ **예시 답** ㅣ (생략)

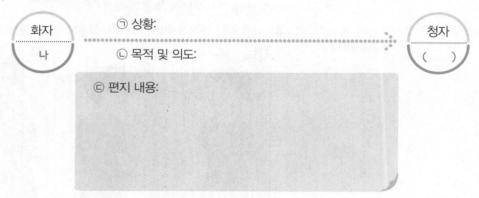

평가 기준	점수
• 편지 내용과 형식이 장면에 적절한가?	☆☆☆☆☆
• 통일성이 잘 갖추어져 있는가?	☆☆☆☆☆
• 응집성이 잘 갖추어져 있는가?	☆☆☆☆☆

소단원 출제 포인트

담화에서 맥락의 중요성

- 담화의 의미 파악
  - 언어적 맥락은 물론 상황 맥락이나 사회·문화적 맥락과 같은 비언어적 맥락을 모두 고려해야 함.
  - 담화 표현을 할 때에도 언어적 맥락과 비언어적 맥락을 정확히 파악해야 적절하고 효과적으로 표현할 수 있음.

- 담화에서 맥락의 종류

언어적 맥락		담화 내 어떤 발화를 둘러싼 앞뒤 발화
비언어적 맥락	상황 맥락	화자와 청자가 처한 시간적·공간적 장면
	사회·문화적 맥락	담화를 둘러싼 사회·문화적 상황

1 언어적 맥락

- 개념: 담화 내에서 어떤 발화를 둘러싼 (㉠   )의 발화를 말함.
- 발화의 의미는 언어적 맥락에 의해 분명해지기도 하고, 달라지기도 함.

발화의 의미가 언어적 맥락에 의해 분명해지는 경우	선생님: 철수 어디 갔니? 영희: 못 봤는데요. → "못 봤는데요."라는 발화는 앞 발화에서 '철수'가 언급되었기 때문에 의미가 제대로 전달됨.
발화의 의미가 언어적 맥락에 따라 달라지는 경우	철수: 우리 어제 개봉한 그 영화 보러 갈까? ┌ 영수: 안 돼. 다음 주가 시험이잖아. └ 영수: 안 돼. 청소년은 볼 수 없는 영화잖아. → "안 돼."라는 발화의 의미가 뒤에 이어지는 발화에 의해 달라짐.

- 주어나 목적어를 생략한 발화가 있는 이유는 청자가 언어적 맥락 속에서 그런 생략 성분을 충분히 (㉡   )할 수 있기 때문임.

- 정확한 의사소통을 위한 자세

> 담화가 이루어지는 언어적 맥락을 정확하게 파악해야 함.

↓

> 발화의 의미를 제대로 이해하고 정확한 (㉢   )을/를 할 수 있음.

2 비언어적 맥락

① 상황 맥락

- 개념: 화자와 청자가 처한 시간적·공간적 (㉣   )
- 고려해야 하는 이유: 동일한 발화라도 상황이 달라지면 그 의미가 달라지기 때문에 상황을 고려하지 않으면 그 발화의 정확한 의미를 알 수 없음.
- 발화 상황에 따른 의도: 발화 (㉤   )에 따라 같은 말이라도 여러 가지 의미로 이해될 수 있음.

발화 예	상황	의도
"엄마, 비 와요."	단순 상황	단순 진술
	우산이 필요한 상황	요청
	빨래를 걷어야 하는 상황	권고
	심부름을 가야 하는 상황	호소

- 실제 발화의 의미는 화자, 청자, (㉥   ) 등 담화를 구성하고 있는 다양한 요소들을 고려해야 함.

지시 표현, 높임 표현, 생략 표현 등이 나타내는 의미 + 화자의 심리적 태도 → 담화 맥락과 상황에 의존하는 바가 큼.

② 사회·문화적 맥락

- 개념: 화자와 청자가 나누는 담화는 그들이 속한 언어 공동체의 사회·문화적 관습과 (㉦   )을/를 따르게 되는데, 이처럼 담화를 둘러싼 사회·문화적 상황을 사회·문화적 맥락이라 함.
- 언어 공동체마다 사회·문화적 맥락이 다르므로 대화할 때 상대방의 사회·문화적 맥락을 고려해야 함.

예시 발화	사회·문화적 맥락	발화의 의미
(음식을 더 먹으라는 권유에 대해) "괜찮습니다."	우리나라에서는 상대의 권유를 한 번쯤 거절하는 태도를 겸손하게 여김.	한 번 더 권해 주시면 음식을 더 먹겠습니다.(겸손)
	서구 사회에서는 자기의 태도와 의견을 솔직하게 전달해야 한다고 여김.	음식을 더 이상 먹지 않겠습니다.(거절)

답 ㉠ 앞뒤, ㉡ 추리, ㉢ 의사소통, ㉣ 장면, ㉤ 상황, ㉥ 장면, ㉦ 규범

소단원 적중 문제

[01-06] 다음 글을 읽고, 물음에 답하시오.

가 담화의 의미를 바르게 파악하기 위해서는 앞뒤 문맥에서 나타나는 언어적 맥락은 물론, 상황 맥락이나 사회·문화적 맥락과 같은 비언어적 맥락도 고려해야 한다. 이와 마찬가지로 표현을 할 때도 담화의 언어적 맥락과 비언어적 맥락을 살핌으로써 그에 적절히 어울리는 담화 표현을 사용해야 한다.

나

철수 어디 갔니?

㉠ 못 봤는데요.

담화 내에서 어떤 발화를 둘러싼 앞뒤의 발화를 ㉡<u>언어적 맥락</u>이라고 한다. 발화의 의미는 언어적 맥락에 의해 분명해지기도 하고 달라지기도 한다. 예를 들어, 위의 담화에서 "못 봤는데요."라는 발화는 앞 발화에서 '철수'가 언급되었기 때문에 의미가 제대로 전달되는 것이다. 이처럼 발화의 의미를 제대로 이해하고 정확한 의사소통을 위해서는 우선 담화가 이루어지고 있는 언어적 맥락을 정확히 파악해야 한다.

다

엄마, 비 와요.

화자와 청자가 처한 시간적·공간적 장면을 상황 맥락이라고 한다. 같은 발화라도 상황이 달라지면 그 의미도 달라지기 때문에 상황을 고려하지 않으면 발화의 정확한 의미를 알 수 없다. 예를 들어, "엄마, 비 와요."라는 발화도 상황에 따라 여러 가지 의미로 이해될 수 있다. 특별한 상황을 고려하지 않는다면 날씨에 대한 ㉢<u>단순 진술</u>로 이해되지만, 상황에 따라서 "우산 좀 주세요."라는 요청으로 이해될 수도 있

고, "빨래 걷으세요."라는 권고로 이해될 수도 있으며, "심부름 가기 싫어요."라는 호소로 이해될 수도 있다. 이처럼 실제 발화의 의미는 화자, 청자, 장면 등 담화를 구성하고 있는 다양한 요소들을 고려해야만 제대로 이해할 수 있다. 특히 지시 표현, 높임 표현, 생략 표현 등이 나타내는 의미나 화자의 심리적 태도는 담화 맥락과 상황에 의존하는 바가 크다.

라 모든 언어 공동체는 그 나름의 사회·문화적 관습과 규범 등을 공유한다. 따라서 화자와 청자가 나누는 담화는 그들이 속한 언어 공동체의 사회·문화적 관습과 규범을 따르게 된다. 이처럼 담화를 둘러싼 사회·문화적 상황을 사회·문화적 맥락이라 한다. 예를 들어, "자네 어디 가나?"와 같은 '하게체' 말투는 나이 지긋한 어른들이 쓰는 말이라는 우리의 사회·문화적 분위기상 젊은 층이 쓸 때 어색하게 느껴지는 것이다.

소속된 언어 공동체가 다르면 담화의 사회·문화적 맥락이 다르므로 대화할 때 상대방의 사회·문화적 맥락을 고려해야 한다. 예를 들어, 우리나라에서는 상대의 권유를 한 번쯤 거절하는 태도를 겸손하다고 여기는 문화가 있어서 음식을 더 먹으라는 권유에 대해 흔히 "괜찮습니다."라고 말한다. 하지만 이러한 사회·문화적 분위기를 겪어 보지 못한 외국인은 "괜찮습니다."라는 말을 의미 그대로 이해하고 더 권하지 않을 수 있다.

01 윗글을 읽고 난 뒤의 반응으로 적절하지 <u>않은</u> 것은?

① 발화와 담화의 의미는 그것이 이루어지는 맥락에 따라 달라지는군.
② 담화가 이루어지려면 화자와 청자, 장면, 발화 등이 있어야 하는군.
③ 담화에서는 언어적 맥락보다 상황 맥락에 대한 이해가 더 중요하군.
④ 언어적 맥락은 발화와 발화 사이에서의 맥락을 말하는 것이군.
⑤ 언어 공동체가 다르면 담화의 사회·문화적 맥락도 다르겠군.

02 윗글을 참고하여 ㉠의 발화에서 생략된 성분이 무엇인지 복원한 문장을 쓰시오.

03 ㉡을 고려하여 〈보기〉의 밑줄 친 행에 생략된 말을 넣었을 때, 시의 흐름상 적절하지 <u>않은</u> 것은?

─〈 보기 〉─

짐을 매어 놓고 떠나려 하시는 이날
어둔 새벽부터 시름없이 나리는 비
<u>내일(來日)도 나리오소서 연일(連日) 두고 오소서</u>

부디 머나먼 길 떠나지 마오시라
날이 저물도록 시름없이 나리는 비
저으기 말리는 정은 날보다도 더하오

― 이병기, 「비 2」에서

① 내일(來日)도 <u>비가</u> 나리오소서 연일(連日) 두고 오소서
② 내일(來日)도 <u>부디</u> 나리오소서 연일(連日) 두고 오소서
③ 내일(來日)도 나리오소서 연일(連日) 두고 <u>나리오소서</u>
④ 내일(來日)도 나리오소서 <u>내 마음에</u> 연일(連日) 두고 오소서
⑤ 내일(來日)도 나리오소서 <u>임이 가지 못하게</u> 연일(連日) 두고 오소서

04 다음 밑줄 친 발화 중, ㉢에 해당하는 것은?

① (추운 겨울에 창문이 열려 있는 상황에서)
　영식: <u>영하야, 춥지 않아?</u>
　영하: 형, 알았어. 문 닫을게.
② (고등학교 교실에서)
　학생: <u>선생님, 수학여행 어디로 가요?</u>
　선생님: 응, 비행기 타고 제주도 가자.
③ (장난감 가게 앞에서)
　아들: <u>와, 저 총 진짜 멋있다. 그쵸, 아빠?</u>
　아빠: 그래, 아빠가 사 줄게.
④ (영화관 앞에서)
　영희: <u>내 친구가 그러는데 저 영화 참 재미있대.</u>
　철수: 그래, 우리도 보자.
⑤ (부부가 대화를 나누는 상황에서)
　아내: <u>진석이네는 이번 방학 때 유럽 여행 간대요.</u>
　남편: 알았어요. 당신이 계획 세워 봐요.

05 (다)의 내용을 바탕으로 〈보기〉의 담화 상황을 분석한 내용으로 적절하지 <u>않은</u> 것은?

─〈 보기 〉─

[발화] "지금 몇 시니?"

[담화 상황]
　㉮ 약속 시간에 30분이나 늦은 친구에게
　㉯ 시계가 고장 난 아저씨가 지나가는 학생에게
　㉰ 아버지가 늦은 시간까지 게임을 하는 딸에게
　㉱ 급하게 과제물을 작성을 마무리하던 형이 동생에게

① ㉮의 청자는 화자의 기대에 어긋난 행동을 하였다.
② ㉯의 화자는 현재의 정확한 시간을 알고 싶어 한다.
③ ㉰의 청자가 "지금 ○시예요."라고 대답한다면 상황을 악화시킬 수 있다.
④ ㉮의 청자가 정확한 시간을 말하지 않았다면 의사소통상에 문제가 생긴 것이다.
⑤ ㉮와 ㉰는 '인상을 찌푸리며'와 같은 언어 외적인 표현을 동반하기에 적합하다.

06 (라)의 내용을 바탕으로 〈보기〉의 발화 상황을 이해한 내용으로 적절하지 <u>않은</u> 것은?

─〈 보기 〉─

철수: (복날, 뜨거운 탕 국물을 떠먹으면서) 어, 시원하다.
Tomas: (따라서 국물을 떠먹은 후) It's too hot!

① 국어 공동체가 영어 공동체보다 인간관계를 더욱 중시함을 알 수 있다.
② 단순한 어휘적 의미만으로 의사소통이 이루어지지 않음을 알 수 있다.
③ 음식 맛을 표현하는 데 국어가 영어보다 다의적(多義的)임을 알 수 있다.
④ 입맛보다 몸에 미치는 음식의 영향을 더 중시하는 국어 관습의 표현이다.
⑤ 담화에서 사회·문화적 맥락을 파악하는 것이 중요함을 알 수 있도록 하는 사례이다.

[01-02] 다음 글을 읽고, 물음에 답하시오.

가 우리는 언제나 일정한 상황에서 말을 주고받는다. 이때의 상황이란 화자와 청자, 그리고 그들이 처한 시간적·공간적 상황, 즉 장면(場面)을 포함한다. 이러한 일정한 상황 속에서 문장 단위로 실현된 말을 발화(發話)라고 하고, 발화들이 모여서 이루어진 구조체를 담화(談話)라고 한다.

나 담화의 의미를 바르게 파악하기 위해서는 앞뒤 문맥에서 나타나는 언어적 맥락은 물론, 상황 맥락이나 사회?문화적 맥락과 같은 비언어적 맥락도 고려해야 한다. 이와 마찬가지로 표현을 할 때도 담화의 언어적 맥락과 비언어적 맥락을 살핌으로써 그에 적절히 어울리는 담화 표현을 사용해야 한다.

다 화자와 청자가 처한 시간적·공간적 장면을 ㉠상황 맥락이라고 한다. 같은 발화라도 상황이 달라지면 그 의미도 달라지기 때문에 상황을 고려하지 않으면 발화의 정확한 의미를 알 수 없다. 예를 들어, "엄마, 비 와요."라는 발화도 상황에 따라 여러 가지 의미로 이해될 수 있다. 특별한 상황을 고려하지 않는다면 날씨에 대한 단순 진술로 이해되지만, 상황에 따라서 "우산 좀 주세요."라는 요청으로 이해될 수도 있고, "빨래 걷으세요."라는 권고로 이해될 수도 있으며, "심부름 가기 싫어요."라는 호소로 이해될 수도 있다.

학습 활동 적용

01 다음은 윗글을 바탕으로 '담화의 구조'를 나타낸 것이다. 이에 대한 설명으로 적절하지 않은 것은?

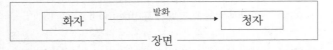

① '화자'와 '청자'는 일정한 상황에서 발화를 생산하고 이해하는 역할을 수행한다.
② '장면'은 화자와 청자에 의해 발화가 이루어지는 시간적·공간적 상황을 말한다.
③ '발화'는 일정한 상황 속에서 전달하고자 하는 메시지가 전달 매체인 언어로 실현된 것이다.
④ '담화'는 화자에 의한 발화의 생산과 청자에 의한 발화의 이해를 통해 이루어진 구조체를 말한다.
⑤ '담화'는 언어적 맥락이 핵심 요소가 되고, 비언어적 맥락이 부차적 요소가 된다.

02 ㉠을 고려하였을 때 〈보기〉의 밑줄 친 문장이 의미하는 바로 가장 적절한 것은?

보기
아내: (집으로 퇴근해 들어오는 남편을 맞이하며) 여보, 다녀왔어요?
남편: (몸을 떨면서) 방 바닥이 왜 이렇게 차요?

① 남편은 추운 겨울을 싫어한다.
② 남편은 추워하며 밖으로 나가고 싶어 한다.
③ 남편은 아내에게 방이 차가운 이유를 듣길 원한다.
④ 남편은 아내가 난방 비용을 아끼는 것을 긍정적으로 생각한다.
⑤ 남편은 아내에게 보일러를 켜서 방을 따뜻하게 해 달라고 요청한다.

03 〈보기〉의 발화와 관련하여 그 의미가 나머지와 다른 하나는?

보기

너, 나이가 몇 살이니?

① 오랜만에 만난 친척 조카에게 말할 때
② 미아보호소에서 직원이 아이에게 말할 때
③ 동네 할아버지가 유치원에 다니는 아이에게 말할 때
④ 부모가 어린 동생의 아이스크림을 빼앗은 형에게 말할 때
⑤ 옷 가게 점원이 엄마와 함께 온 아이가 입을 옷을 골라 주기 위해 말할 때

[04-06] 다음 글을 읽고, 물음에 답하시오.

가 적절하고 자연스러운 담화가 되기 위해서는 담화 내의 발화들이 하나의 주제 아래 유기적으로 모여 있어야 한다. 즉, 화자와 청자가 하나의 주제를 공유하고 그 주제에 대해서만 발화를 해야 하는 것이다. 이처럼 담화 내의 발화들이 주제를 향해 긴밀하게 연결되어 있는 성질을 담화의 통일성이라고 한다. 통일성은 담화가 갖추어야 할 가장 기본적인 요건이다.

나 담화의 응집성이란 발화들이 서로 긴밀하게 묶여 하나의 담화를 구성하도록 해 주는 형식적 요건이다. 담화의 응집성은 주로 지시 표현, 대용 표현, 접속 표현 등에 의해 실현된

다. 이러한 표현들은 앞에 나온 어휘, 문장, 상황 전체를 대신하거나 상황들 사이의 시간적 순서 또는 논리적 흐름 등을 드러내어 발화들의 응집성을 높인다. 그 밖에 '먼저, 다음으로'와 같이 순서나 과정을 드러내는 어휘를 쓰거나 동일한 표현을 반복하는 방법으로 응집성을 표현할 수도 있다.

🈯️ 지시 표현은 화자와 청자가 대화를 나누는 시간적·공간적 장면이 없으면 그 의미를 정확히 이해할 수 없다. 예를 들어, '이것, 그것, 저것'과 같은 지시 대명사들은 어떤 장면에서 사용되는지에 따라 달리 선택된다. '이것'은 화자에게 좀 더 가까운 대상을, '그것'은 화자에게는 멀지만 청자에게는 가까운 대상을, 그리고 '저것'은 화자와 청자 모두에게서 멀리 떨어져 있는 대상을 가리킬 때 각각 사용한다.

🈯️ 담화에서 앞에 나온 어휘나 발화 전체를 다시 가리키는 것을 대용 표현이라고 한다. 대용 표현에는 지시 표현에 사용되는 대명사 가운데 주로 '이'와 '그' 계통의 것들이 사용되기 때문에 형식상으로 잘 구별되지 않는다. 그러나 대용 표현은 화자 또는 청자의 말에서 언급된 것을 다시 가리킬 때 쓰인다는 점에서 화자와 청자로부터의 멀고 가까움에 따라 특정한 대상을 가리키는 지시 표현과 구별된다.

🈯️

소리를 높여 다시 불렀다. ( ) 대답이 없었다.

응집성을 갖춘 담화를 구성하는 데에는 지시 표현이나 대용 표현 이외에 접속 표현이 특히 중요한 기능을 한다. 예를 들어, 위 담화에서 '소리를 높여 다시 불렀다.'는 발화와 '대답이 없었다.'는 발화는 서로 관련이 없어 보이지만, '그래도'와 같은 접속 표현으로 응집성 있는 담화로 묶일 수 있다.

04 윗글의 내용과 일치하지 않는 것은?

① 담화에서 화자는 동일한 표현을 반복함으로써 담화의 응집성을 높일 수 있다.
② 담화 내의 지시 표현은 화자와 청자로부터의 멀고 가까움에 따라 그 표현이 달라진다.
③ 화자와 청자가 하나의 주제에 대해서만 발화를 해야 적절하고 자연스러운 담화가 된다.
④ 담화에서 사용되는 접속 표현은 상황들 사이의 시간적 순서나 논리적 흐름 등을 드러낸다.
⑤ 담화 내의 대용 표현에 사용되는 대명사는 형식상 지시 표현에 사용되는 대명사와 확연히 구별된다.

05 윗글을 바탕으로 〈보기〉의 밑줄 친 표현을 이해한 것으로 적절하지 않은 것은?

〈보기〉
ⓐ 학생: 채식이 어떤 점에서 건강에 좋은 거죠?
선생님: 첫째, 비만 예방에 좋고, 둘째, 심혈관 질환의 예방에 좋으며, 셋째, 고혈압 예방에도 좋지.
ⓑ 지수: 저 학교 좀 갔다 올게요.
아빠: 늦은 시간에 거긴 왜?
ⓒ 선배: 사랑이란 공감이야. 그래서 사랑이 충만한 개인, 사랑이 충만한 사회는 아름다운 공동체인 거지.
후배: 정말 감동적인 말이에요.
ⓓ 선주: 야, 무슨 옷을 어디서 이렇게 많이 샀어?
혜진: 이건 백화점에서 샀고, 그건 시장에서 샀어. 그리고 저건 길거리에서 샀지.
ⓔ 진영: 엄마, 라면 끓여 주세요.
엄마: 안 돼. 몸에 해롭단 말이야.
진영: 그래도 라면 먹을래요.

① ⓐ는 담화의 응집성을 높이기 위한 접속 표현으로, 발화의 시간적 순서를 나타낸다.
② ⓑ는 '학교'를 다시 가리키는 대용 표현으로, 담화의 응집성을 실현하는 데 기여한다.
③ ⓒ는 동일한 표현을 되풀이하는 반복 표현으로, 발화들을 하나의 담화로 묶어 주는 역할을 한다.
④ ⓓ는 거리에 따라 특정 대상을 가리키는 지시 표현들로, 대화의 장면을 통해 그 의미를 알 수 있다
⑤ ⓔ는 발화들을 연결해 주는 접속 표현으로, 서로 관련이 없어 보이는 두 발화를 긴밀하게 묶어 준다.

06 대용 표현이 지시 표현과 구별되는 점을 한 문장으로 서술하시오.

조건
• '대용 표현은 ~ 하는 점에서 지시 표현과 구별된다.'의 형태로 서술할 것.

07 〈보기〉의 빈칸에 들어갈 접속 표현으로 적절한 것은?

┌ 보기 ┐

　선생의 독서는 한여름이 다 지나도록 그치지 않았다. 이에 어떤 사람이 무더위에 몸이 상할까 우려하여 독서를 그만 멈출 것을 조심스럽게 말씀을 드렸다. 그러자 퇴계 선생께서는 "이 책을 읽다 보면 문득 가슴속에서 서늘한 기운이 일어나 더위는 저절로 잊게 된다. (　) 무슨 병이 나겠는가?"라고 했다.

— 김성일, 「학봉전집」에서

① 그리고　　② 그런데　　③ 또한
④ 따라서　　⑤ 예컨대

[08-10] 다음 글을 읽고, 물음에 답하시오.

가 담화의 의미를 바르게 파악하기 위해서는 앞뒤 문맥에서 나타나는 언어적 맥락은 물론, 상황 맥락이나 사회·문화적 맥락과 같은 비언어적 맥락도 고려해야 한다. 이와 마찬가지로 표현을 할 때도 담화의 언어적 맥락과 비언어적 맥락을 살핌으로써 그에 적절히 어울리는 담화 표현을 사용해야 한다.

나

선생님: 철수 어디 갔니?
학생: 못 봤는데요.

　담화 내에서 어떤 발화를 둘러싼 앞뒤의 발화를 언어적 맥락이라고 한다. 발화의 의미는 언어적 맥락에 의해 분명해지기도 하고 달라지기도 한다. 예를 들어, 위의 담화에서 "못 봤는데요."라는 발화는 앞 발화에서 '철수'가 언급되었기 때문에 의미가 제대로 전달되는 것이다. 이처럼 발화의 의미를 제대로 이해하고 정확한 의사소통을 위해서는 우선 담화가 이루어지고 있는 언어적 맥락을 정확히 파악해야 한다.

다 화자와 청자가 처한 시간적·공간적 장면을 상황 맥락이라고 한다. 같은 발화라도 상황이 달라지면 그 의미도 달라지기 때문에 상황을 고려하지 않으면 발화의 정확한 의미를 알 수 없다. 예를 들어, "엄마, 비 와요."라는 발화도 상황에 따라 여러 가지 의미로 이해될 수 있다. 특별한 상황을 고려하지 않는다면 날씨에 대한 단순 진술로 이해되지만, 상황에 따라서 "우산 좀 주세요."라는 요청으로 이해될 수도 있고, "빨래 걷으세요."라는 권고로 이해될 수도 있으며, "심부름 가기 싫어요."라는 호소로 이해될 수도 있다.

라 모든 언어 공동체는 그 나름의 사회·문화적 관습과 규범 등을 공유한다. 따라서 화자와 청자가 나누는 담화는 그들이 속한 언어 공동체의 사회·문화적 관습과 규범을 따르게 된다. 이처럼 담화를 둘러싼 사회·문화적 상황을 사회·문화적 맥락이라 한다. 예를 들어, "자네 어디 가나?"와 같은 '하게체' 말투는 나이 지긋한 어른들이 쓰는 말이라는 우리의 사회·문화적 분위기상 젊은 층이 쓸 때 어색하게 느껴지는 것이다.

　소속된 언어 공동체가 다르면 담화의 사회·문화적 맥락이 다르므로 대화할 때 상대방의 사회·문화적 맥락을 고려해야 한다.

학습 활동 적용
08 윗글을 참고할 때 〈보기〉의 담화에 대한 설명으로 적절하지 <u>않은</u> 것은?

┌ 보기 ┐

ⓐ 아들: 엄마, 지금 비 와요.
ⓑ 엄마: 그래? 창고에 우산 있단다.
ⓒ 아들: 우산은 지금 들고 있고요, 빨래 걷으셔야 할 것 같아요.
ⓓ 어머니: 엄마 지금 바쁘단다. 네가 좀 해 주렴.
ⓔ 아들: 저는 지금 학교에 늦었어요. 지각한단 말이에요.

① ⓐ는 엄마께 빨래를 걷으라는 권고를 담은 발화이다.
② ⓑ는 ⓐ에 담긴 의도를 이해하지 못한 발화이다.
③ ⓒ는 청자의 잘못된 이해를 수정하기 위한 발화이다.
④ ⓓ는 ⓒ의 권고를 수용할 수 없다는 의미를 담고 있다.
⑤ ⓔ는 ⓓ에 대한 잘못된 반응으로 상황 맥락을 벗어나 어색한 발화이다.

09 다음은 윗글을 바탕으로 수행한 학습 활동이다. 빈칸에 들어갈 내용으로 적절한 것은?

┌─ 보기 ─────────────────────────────
│ [학습 활동]
│ 다음 대화에서 두 사람의 의사소통이 원활하지 않은 이유
│ 를 찾아보자.
│
│ 한국인: 차린 건 없지만 많이 드세요.
│ 외국인: 이렇게 많은데 차린 게 없다고요?
│
│ ➡ 의사소통이 원활하게 이루어지기 위해서는 (   )
│   이 필요하다는 사실을 알 수 있다.
└────────────────────────────────────

① 문장 속 지시 표현을 명확하게 이해하는 것
② 구어체 표현의 특수성을 정확히 인지하는 것
③ 대화를 둘러싼 사회·문화적 맥락을 고려하는 것
④ 대화 속 화자가 사용하는 비유적 표현의 의미를 파악하는 것
⑤ 대화 속 언어적 표현 이면에 화자의 숨겨진 의도가 있음을 파악하는 것

10 〈보기〉의 문장이 주어진 각각의 상황에 따라 어떤 의미를 나타내는지 (다)를 참고하여 서술하시오.

┌─ 보기 ─────────────────────────────
│ ㉮ (길을 가다 만난 친구에게) 잘 지내?
│ ㉯ (병원에 입원한 친구를 찾아가) 잘 지내?
└────────────────────────────────────

11 다음 중 적절한 담화가 되기 위한 조건으로 볼 수 없는 것은?

① 발화들이 서로 긴밀하게 묶여 있어야 한다.
② 서로 다른 정보를 담고 있는 발화들이라도 하나의 공통된 주제가 있어야 한다.
③ 담화가 통일성을 갖추기 위해서는 화자와 청자가 같은 주제를 공유해야 한다.
④ 담화에서 시간적 또는 논리적 흐름을 드러내는 일은 담화의 응집성을 높일 수 있다.
⑤ 담화의 통일성은 특정 담화의 형식적 측면에 해당하고, 담화의 응집성은 내용적 측면에 해당한다.

12 〈보기〉를 이해한 내용으로 적절하지 않은 것은?

┌─ 보기 ─────────────────────────────
│ "배고파 죽겠어."
└────────────────────────────────────

① 상황에 따라 상대방의 심리를 추측하는 의미로 해석될 수도 있다.
② 생략된 주어는 같은 담화 안의 언어적 맥락을 참고하여 복원할 수 있다.
③ 표면적으로는 '사실의 진술'이지만 '명령'이나 '요청' 등의 기능을 수행할 수 있다.
④ 식당 종업원이 주방을 향해 한 말이라면 상황 맥락상 음식 준비를 독촉하는 의미로 해석될 수 있다.
⑤ 작업장에서 노동자끼리 대화하는 상황이라면 작업을 서둘러 끝내기를 촉구하는 의미로 해석될 수 있다.

13 사회·문화적인 맥락에 해당하는 사례로 볼 수 없는 것은?

① 뜨거운 물을 마시면서 "시원하다."라고 말하는 것
② 자신보다 나이가 많은 사람이나 상급자에게 경어법을 써서 말하는 것
③ 절친한 사람들 사이에서는 나이와 상관없이 경어를 쓰지 않고 말하는 것
④ 자신을 칭찬해 주는 말을 들었을 때 겸손하게 그것에 대해 부인하며 말하는 것
⑤ 화자의 질문에 대해 질문 문장에서 나타났던 주어와 목적어를 생략하고 말하는 것

III 매체 언어의 탐구와 활용

비판적 ·
창의적 사고 역량
∨
매체 언어 사용의
원리 탐구

자료 · 정보
활용 역량
∨
매체 자료의
수용과 생산

의사소통 역량
∨
매체 자료의
수용과 생산

공동체 ·
대인 관계 역량
∨
매체 자료의 유통

문화 향유 역량
∨
매체 자료의
수용과 생산

매일매일, 지금 이 순간에도 다양한 매체를 통해 수많은 매체 자료들이 오고 간다. 매체 생활은 매체 자료의 생산자, 수용자, 그리고 그들을 이어 주는 매체로 이루어지며, 우리는 모두 매체 자료의 생산자이자 수용자로서 매체 생활에 참여한다.

이 단원은 매체 자료가 어떤 요소들로 구성되는지, 매체 자료가 다양한 매체를 통해 어떤 방식으로 유통되는지를 알아보고, 실제 매체 자료를 수용하고 생산하는 활동을 해 보는 단원이다. 이를 통하여 매체 자료를 비판적으로 수용하는 능력, 매력적인 매체 자료를 만드는 능력, 매체를 통한 매체 자료의 유통에 능동적으로 참여하는 능력을 기를 수 있다. 나아가 매체와 우리 삶의 관계를 이해하고 바람직한 매체 생활에 필요한 태도를 갖추도록 한다.

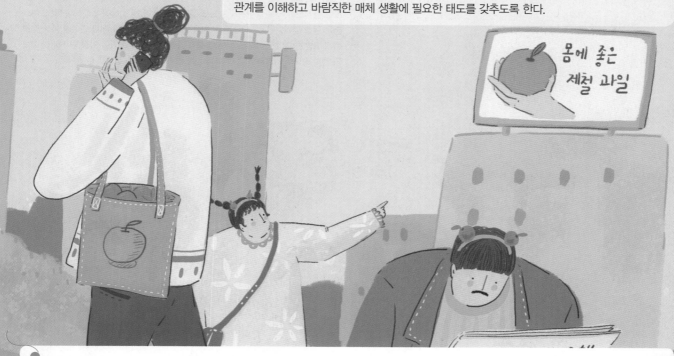

시험에 나오는 대표 유형

- (가)의 표현상 특징으로 가장 적절한 것은?
- (다)를 감상한 것으로 적절하지 않은 것은?
- (가)~(다)의 매체 자료가 갖는 공통점으로 가장 적절한 것은?
- (가)와 (나)에 공통으로 사용된 매체 언어를 바르게 짝지은 것은?
- [A]를 바탕으로 〈보기〉의 자료를 탐구한 내용으로 적절하지 않은 것은?
- 〈보기〉를 바탕으로 (다)를 이용하는 바람직한 태도로 가장 적절한 것은?
- 〈보기〉를 활용하여 매체 자료를 만드는 활동을 하였다. 빈칸을 들어갈 말로 적절한 것은?

1. 매체 언어의 특성

🔊 **핵심 질문** 매체 자료는 어떤 요소로 구성되고 어떤 경로로 유통될까?

≫ 다음은 과거부터 현재까지 원거리의 의사소통을 위해 사용된 매체들이다. 각 매체에서 의사소통이 이루어지는 방식이 어떻게 다른지 말해 보자.

|예시 답| 조선 시대에는 변방에서 일어난 중대 사안을 수도에 알리기 위해 산꼭대기에 봉수대를 설치하고 불을 피워 소식을 전했다. 이러한 봉수 제도를 통한 통신은 불꽃과 연기를 통해 정보를 전달하기 때문에 주고받을 수 있는 정보의 양이 제한적이고 정보의 전파 범위 또한 가시권에 있는 공간으로 제한되는 등의 제약을 지닐 수밖에 없는 약속된 신호로 정보를 주고받는다는 측면에서는 봉수 제도의 그것과 비슷하나 전기 신호를 통해 정보를 전달하기 때문에 봉수 제도보다 전달할 수 있는 정보의 양이 많고, 정보의 전파 속도가 빠르고 전파 범위에서도 공간적 제약을 거의 받지 않는다는 특징이 있다. 전화는 모스 통신과는 다르게 음성 언어를 매개로 하는 매체로 모스 통신보다 더욱 수월하게 정보를 주고받을 수 있는 장점이 있다. 최근의 스마트폰은 음성 언어뿐만 아니라, 문자, 영상, 이미지 등의 다양한 매체 언어를 통해 정보를 주고받을 수 있는 매체로 매체를 통해 유통되는 정보의 양이 가장 방대하고, 정보의 전파 속도도 가장 빠르며, 정보의 전파 범위도 가장 넓다고 할 수 있다.

　　　인간은 시대에 따라 다양한 매체를 활용하여 의사소통을 해 왔다. 특히 현대 사회는 기술 발달과 함께 매체의 비중이 높아졌을 뿐 아니라, 매체가 단순한 의사소통의 수단을 넘어 다양한 문화를 형성하는 토대로 작용하고 있다. 이런 사회에서 살아가려면 매체로 전달되는 매체 자료를 제작하고 유통하는 방식을 중심으로 매체 언어의 특성을 잘 알아야 한다.
　　　이 단원에서는 매체에 따라 정보를 구성하고 유통하는 방식이 어떻게 다른지 알아보고, 매체 언어에 나타나는 창의적인 표현 방법과 심미적인 가치를 살펴보기로 한다. 이를 통해 매체를 활용한 창의적이고 효과적인 의사소통을 할 수 있다.

소단원	학습 목표	내용
(1) 정보의 구성과 유통 방식	매체의 특성에 따라 정보가 구성되고 유통되는 방식을 알고 이를 의사소통에 활용할 수 있다.	활동 ① 아날로그 매체와 디지털 매체의 정보 구성과 유통 활동 ② 신문 매체와 방송 매체의 정보 구성과 유통
(2) 표현의 창의성과 심미적 가치	매체 언어의 창의적 표현 방법과 심미적 가치를 이해하고 향유할 수 있다.	활동 ① 매체 언어의 창의적 표현 방법 활동 ② 매체 언어의 심미적 가치

{1} 정보의 구성과 유통 방식

1 매체 자료의 정보 구성 방식

인쇄 매체	• 책, 신문 등 • 문자, 이미지 등의 매체 언어 사용	• 주로 문자를 중심으로 이미지 등이 사용됨. • 중요도에 따라 내용을 구성함.
방송 매체	• 라디오, 텔레비전 등 • 영상, 음성, 음향 등의 매체 언어 사용	• 매체의 전달 방식에 따라 영상이나 음성 등을 중심으로 함. • 중심이 되는 매체 언어와 더불어 부가적인 매체 언어를 복합적으로 사용함.
정보 통신 매체	• 인터넷, 휴대 전화 등 • 문자, 이미지 외에 동영상, 음성 등을 추가로 사용할 수 있음.	• 전달의 효율성에 따라 문자나 이미지, 동영상 등 모든 매체가 중심이 될 수 있음. • 하이퍼링크를 통해 다양하게 정보를 확장해 나갈 수 있음.

2 매체의 정보 유통 방식

전통적인 개인 매체	대중 매체	정보 통신 매체
책, 전화 등	신문, 영화, 라디오, 텔레비전 등	컴퓨터, 인터넷, 이동 통신 기기 등
• 일방향성, 일대다(一對多) 소통 • 정보 전달의 속도가 상대적으로 느림. • 정보 제공자의 범위가 한정적이어서 전문성이 높음.	• 일방향성, 일대다(一對多) 소통 • 대량의 정보를 많은 사람에게 동시에 전달이 가능함. • 정보 전달의 속도가 빠름. • 정보 제공자와 정보 수용자의 구분이 명확함.	• 쌍방향성, 다대다(多對多) 소통 • 다양한 정보를 신속하게 전달할 수 있음. • 정보의 수용자에 머물렀던 일반인들도 쉽게 정보 제공자가 될 수 있으나, 정보의 신뢰성이 떨어질 수 있음.

{2} 표현의 창의성과 심미적 가치

1 매체 언어의 창의적 표현 방식

• 필요성: 의사소통의 효율성을 높이기 위함.
• 표현 방법: 전달 매체나 사용된 매체 언어의 특성과 복합 양식성을 고려함.

2 매체 언어의 심미적 가치

• 표현 방법: 매체와 매체 언어의 특성에 맞는 창의적 표현을 사용하여 정서를 자극함.
• 심미적 가치를 중시하는 장르: 영화, 만화, 웹툰, 광고, 비디오 아트 등

1. 다음 빈칸에 알맞은 말을 쓰시오.

(1) 매체의 종류에는 (   ) 매체, (   ) 매체, 정보 통신 매체 등이 있다.

(2) 정보 통신 매체는 (   )을 통해 다양하게 정보를 확장할 수 있다.

2. 다음 진술 중 맞는 것에는 ○표, 틀린 것에는 ×표를 하시오.

(1) 라디오는 매체의 특성 상 음성 언어를 중심으로 전달한다. (   )

(2) 인쇄 매체의 정보 전달 속도는 방송 매체보다 빠르다. (   )

3. 매체 언어를 창의적으로 표현해야 하는 이유가 무엇인지 쓰시오.

답 1.(1) 인쇄, 방송, (2) 하이퍼링크
2.(1) ○, (2) ×
3.매체를 통한 의사소통의 효율성을 높이기 위해서이다.

활동 ① 아날로그 매체와 디지털 매체의 정보 구성과 유통

>> 기술의 발달과 함께 새로운 매체가 등장하면서 정보를 구성하고 유통하는 방식에도 큰 변화가 생겼다. 대표적인 전통적 매체라 할 수 있는 인쇄 매체와 정보 통신 기술의 발달로 새롭게 등장한 인터넷 매체를 비교하면서 매체의 특성에 따른 정보의 구성과 유통 방식을 알아보자. 그리고 이를 실제 의사소통에 활용해 보자.

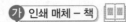
아날로그 매체
디지털 매체

▶ 아날로그 매체와 디지털 매체의 정보 구성과 유통 방식을 알아보는 활동

1. 다음은 배드민턴 기술에 관한 정보를 전달하는 책과 인터넷 블로그이다. 아래의 활동을 통해 인쇄 매체와 인터넷 매체의 정보 구성과 유통 방식을 파악해 보자.

가 인쇄 매체 – 책

✎ 인쇄 매체 자료의 정보 구성 방식
• 문자, 이미지 등의 매체 언어를 활용함.
• 일반적으로 문자 언어의 역할이 크고, 이해를 돕기 위해 이미지가 활용되는 형태가 많음.
• 전문적이고 깊이 있는 내용을 다룰 수 있음.

개념 ➕
매체의 정보 구성은 결국 전달 효과를 고려하여 이루어짐.
→ 매체의 정보 구성 방식을 이해하기 위해서는 먼저 해당 매체에서 사용될 수 있는 매체 언어에는 어떤 것들이 있는지 알아보고, 자료의 성격을 고려하여 전달 효과를 극대화할 수 있는 매체 언어의 활용 방식을 찾아야 함.

개념 ➕
• 아날로그 매체: 아날로그는 신호와 자료를 연속적인 물리량으로 나타낸 것을 의미하지만, 일반적인 경우 전자 통신, 즉 디지털이 아닌 고전적인 방식을 일컬음. 이런 관점에서 아날로그 매체는 전자통신 매체가 아닌 전통적 방식의 매체를 의미하며, 대표적으로는 책, 신문과 같은 인쇄 매체가 있음.
• 디지털 매체: 디지털은 연속적인 물리량을 1과 0으로 표현하는 신호로, 이를 바탕으로 통신 조직망을 이용하여 내용을 전달하는 매체를 디지털 매체라 함. 대표적으로는 인터넷, 휴대 전화 따위가 있음.

(1) 스매시(smash)

『스매시는 높이 떠오는 셔틀콕을 빠른 속도와 강한 힘으로 화살과 같이 상대방의 코트 면에 쳐서 넣는 타구이다.』배구의 스파이크와 마찬가지이다.
배드민턴 경기에 사용하는 공 ── 스매시의 개념
스매시는 배드민턴의 기술 중 가장 매력적이고 화려하며 공격적 파괴력을 지닌 것이 특징이다. 주로 셔틀콕을
스매시의 특징
빠르게 낙하시켜 상대의 자세를 무너뜨리며 랠리의 결정구로 사용된다.
양편의 타구가 계속 이어지는 일 ── 스매시의 의미와 특징
스매시가 주로 사용되는 상황
타구하는 방법은 속도를 싣기 위해 백스윙을 시작하는 동작이나 타구 후의 동작 등을 크게 해야 한다. 공격에 성공하면 바로 득점으로 연결되지만, 실수가 잦다는 것이
스매시의 장점
스매시의 단점이다. 또한 동작이 클수록 상대에게 공격이 읽히기 쉽고, 타구 후에도
스매시의 단점
다음 동작으로 연결하는 것이 비교적 늦어져 상대에게 반격을 당할 수 있다. 따라서 스매시는 강하고 빠른 속도로만 타구하려 하지 말고 날카로운 각도로 경기장 양쪽 구석을 향해 정확히 치는 것이 효과적이다.
효과적인 스매시의 방법
▶스매시로 타구하는 방법과 공격 시 장단점

시각 자료 제시

ㄱ 스매시 공격 조건
스매시는 지능적인 작전을 잘하는 경기자가 사용할 때 가장 효과적이다. 그러나 여기에 따르는 다음과 같은 조건이 충족되어야 한다.

• 체력의 소모를 적절히 조절할 것(과도한 스매시는 삼갈 것).
스매시는 체력 소모가 많음.
• 결정적 순간의 포착을 위해 정확한 타이밍을 맞출 것.
• 수비자의 허술한 지점을 포착하여 공격할 것.

▶스매시의 공격 조건
– 오성기 외, 『배드민턴 핸드북』에서

배드민턴 핸드북

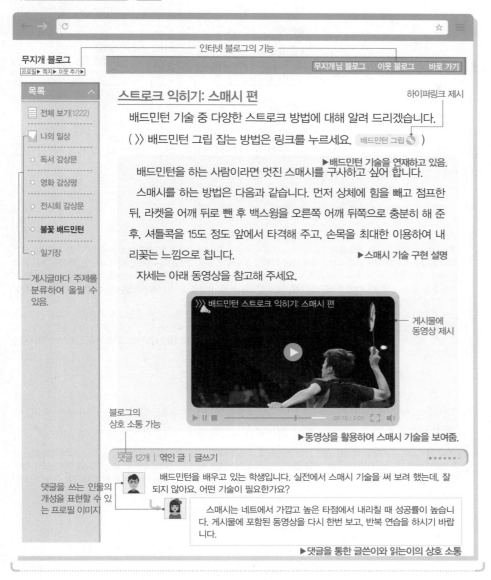

나 인터넷 매체 – 블로그

무지개 블로그
프로필 ▶ 쪽지 ▶ 이웃 추가 ▶

─── 인터넷 블로그의 기능 ───
무지개님 블로그   이웃 블로그   바로 가기

목록

전체 보기(1222)
나의 일상
○ 독서 감상문
○ 영화 감상평
○ 전시회 감상문
● 불꽃 배드민턴
└ ○ 일기장

게시글마다 주제를 분류하여 올릴 수 있음.

스트로크 익히기: 스매시 편

배드민턴 기술 중 다양한 스트로크 방법에 대해 알려 드리겠습니다.

(≫ 배드민턴 그립 잡는 방법은 링크를 누르세요. 배드민턴 그립 🔍)

하이퍼링크 제시

배드민턴을 하는 사람이라면 멋진 스매시를 구사하고 싶어 합니다.
▶배드민턴 기술을 연재하고 있음.

스매시를 하는 방법은 다음과 같습니다. 먼저 상체에 힘을 빼고 점프한 뒤, 라켓을 어깨 뒤로 뺀 후 백스윙을 오른쪽 어깨 뒤쪽으로 충분히 해 준 후, 셔틀콕을 15도 정도 앞에서 타격해 주고, 손목을 최대한 이용하여 내리꽂는 느낌으로 칩니다.
▶스매시 기술 구현 설명

자세는 아래 동영상을 참고해 주세요.

≫ 배드민턴 스트로크 익히기: 스매시 편

게시물에 동영상 제시

▶ 00:10 / 2:00

블로그의 상호 소통 가능

▶동영상을 활용하여 스매시 기술을 보여줌.

댓글 12개 | 엮인 글 | 글쓰기

댓글을 쓰는 인물의 개성을 표현할 수 있는 프로필 이미지

배드민턴을 배우고 있는 학생입니다. 실전에서 스매시 기술을 써 보려 했는데, 잘되지 않아요. 어떤 기술이 필요한가요?

스매시는 네트에서 가깝고 높은 타점에서 내리칠 때 성공률이 높습니다. 게시물에 포함된 동영상을 다시 한번 보고, 반복 연습을 하시기 바랍니다.

▶댓글을 통한 글쓴이와 읽는이의 상호 소통

(1) (가)와 (나)가 전달하는 공통의 핵심 정보를 요약해 보자.

| 예시 답 | '스매시'는 셔틀콕을 빠른 속도와 강한 힘으로 상대의 코트에 내리꽂듯 치는 기술이다. 스매시는 손목을 활용하여 날카로운 각도로 수비가 허술한 지점을 노려 정확하게 치는 것이 효과적이다.

(2) (가)와 (나)에 사용된 매체 언어의 종류를 정리해 보고, 각 매체 자료의 특징 및 효과를 적어 보자.

| 예시 답 |

	(가)	(나)
사용된 매체 언어	• 문자 • 그림 및 사진	• 문자 • 소리 • 하이퍼링크 • 그림 • 동영상
각 매체 자료의 특징 및 효과	• 문자: 직접적인 대화가 아닌 경우 정보 전달에 있어 가장 기본적인 역할을 함. • 사진: 상대에게 정보의 이해를 돕기 위해 활용됨. • 동영상: 문자로 정보를 전달해 주는 것의 한계를 극복할 수 있고, 단시간 내 정보를 습득할 수 있음.	

개념 ⊕

블로그(blog)
• 웹(web)과 로그(log)의 합성 조어로 자신의 일상이나 견해 등을 상시적으로 게시하는 개인 홈페이지를 지칭함.
• 블로그에는 문자 언어와 동영상, 사진 등 많은 매체 언어를 활용할 수 있으며, 하이퍼링크를 통해 내용을 확장할 수 있음.

🔖 인터넷 매체 자료의 정보 구성 방식
• 소리, 문자, 음성, 이미지, 동영상, 하이퍼링크 등의 매체 언어를 활용함.
• 매체 언어의 복합 양식성을 활용하여 주제를 전달함.
• 하이퍼텍스트를 기반으로 정보 간 유기적으로 조직이 가능함.
• 누구나 정보의 생산 주체가 될 수 있어 다양한 분야에 관한 정보를 전달할 수 있지만, 정보의 신뢰성이 떨어지는 예도 있음.

문제로 확인 정답과 해설 032쪽

01. (가)와 (나)에 공통적으로 사용된 매체 언어를 바르게 짝지은 것은?
① 문자, 그림
② 음성, 동영상
③ 문자, 동영상
④ 문자, 사진, 소리
⑤ 그림, 사진, 동영상

출제 예감

02. (가)와 (나)에 공통적으로 제시된 정보로 적절한 것은?
① 스매시의 개념
② 스매시를 하는 방법
③ 스매시의 공격 조건
④ 스매시의 장점과 단점
⑤ 스매시를 해야 하는 상황

(3) (가)와 (나)가 핵심 정보를 구성하는 방식에 어떤 차이점이 있는지 적어 보자.

	(가)	(나)
정보를 구성하는 방식	• 문자 언어를 활용하여 스매시 기술에 관한 기본적인 내용을 설명함. • 이미지(그림, 사진)를 통해 스매시를 하는 자세와 라켓의 타격 방향을 설명함.	• 문자 언어를 활용하여 스매시 기술에 관한 기본적인 내용을 설명함. • 핵심 정보와 연관성이 있는 부가적인 정보는 하이퍼링크로 연결함.

• 정보 제공의 속도
  – 책<텔레비전<인터넷
• 정보의 보존 방법
  – 책: 인쇄물의 형태
  – 텔레비전 필름이나 디지털 파일의 형태
  – 인터넷: 서버에 디지털 정보의 형태
• 정보 제공자의 범위
  – 책<텔레비전<인터넷

(4) (가)와 (나)는 정보가 유통되는 방식에 차이가 있다. 다음 세 가지 항목을 중심으로 (가), (나) 매체의 장단점을 말해 보자.

> 정보 제공의 속도, 정보의 보존 방법, 정보 제공자의 범위

│ 예시 답 │ 정보 제공의 속도에서는 (나)가 (가)보다 신속하게 대량의 정보를 전달할 수 있는 장점이 있다. (가)는 인쇄물의 형태로 정보가 보존되고 (나)는 서버 등에 디지털 정보의 형태로 보존된다. 이러한 차이 때문에 정보의 대량 복제와 배포 등에 있어서는 (가)에 비해 (나)가 용이하다고 볼 수 있으나, (나)의 경우 일반적으로 기업체 등에서 제공하는 서버 등의 장치나 네트워크에 문제가 생기는 경우 정보의 유통 자체가 불가능하거나 정보가 소실되는 위험에서 완전히 자유롭지 못한 문제점을 생각해볼 수 있다.
정보 제공자의 범위에서는 (가)의 경우 정보를 제공하는 주체가 해당 분야의 전문가 등으로 제한되는 경우가 많아서 정보 제공자의 범위가 폐쇄적이지만 그에 따라 정보의 신뢰성이 높다는 특징이 있다. (나) 매체의 경우 일반인들도 쉽게 정보 제공자가 될 수 있어 정보 제공자의 범위는 (가)에 비해 개방적이지만 상대적으로 정보의 신뢰성이 떨어지는 문제점이 있다.

(5) (나)에는 (가)와 달리 '댓글 달기', '공유하기' 등의 기능이 있다. 이를 바탕으로 정보 생산자와 수용자 사이의 소통적 측면에서 두 매체가 지닌 차이점을 말해 보자.

│ 예시 답 │ (가), (나) 모두 매체를 통해 정보 생산자와 수용자 사이의 의사소통이 이루어지지만, 그 소통의 양상에는 다소 차이가 있다. (나) 매체에만 있는 '댓글 달기', '공유하기' 기능은 정보 생산자와 수용자 사이의 직접적이고 즉각적인 소통을 가능하게 하며, 빨리 많은 사람에게 정보를 전달할 수 있게 함으로써 소통의 대상을 쉽게 확대할 수 있다는 점이 특징이다.

◉ 문제로 확인

03. (가)와 (나) 매체의 유통 방식을 비교한 것으로 적절하지 않은 것은?

① (가)는 (나)보다 정보 제공의 속도가 느리다.
② (가)는 (나)에 비해 정보의 신뢰성이 더 높다.
③ (나)는 (가)보다 대량 복제와 배포가 쉽다.
④ (나)는 (가)보다 정보 제공자의 범위가 개방적이다.
⑤ (나)는 (가)보다 접근성이 약하다.

서술형
04. (가)와 (나) 매체에서 정보 생산자와 수용자 사이의 소통의 양상에서 보이는 차이를 한 가지 이상 서술하시오.

▶ 아날로그 매체와 디지털 매체의 특성이 정보 구성과 유통 방식에 미치는 영향 정리하는 활동

2. 1을 바탕으로 모둠별로 인쇄 매체와 인터넷 매체의 특성이 정보의 구성 방식과 유통 방식에 미치는 영향을 정리하여 발표해 보자.

│ 예시 답 │ 인쇄 매체에 주로 사용되는 매체 언어는 문자와 그림, 사진 등을 들 수 있다. 인쇄 매체의 경우 매체의 특성상 일반적으로 문자를 통해 주된 정보를 전달하고, 그림이나 사진 등은 정보 전달에서 문자가 지니는 한계를 보완하는 방식으로 정보를 구성한다. 이에 반해 인터넷 매체는 문자, 음성, 그림, 사진 동영상 등 다양한 매체 언어를 사용할 수 있어서 인쇄 매체에서 정보를 구성하는 것과는 다른 방식으로 정보를 구성할 수 있다. 예를 들면, 배드민턴 스매시 기술에 관한 정보를 전달하고자 할 때 인쇄 매체는 문자로 그 방법을 설명하고 사진이나 그림 등을 통해 스매시를 하는 자세를 구분 동작으로 보여 주는 방식으로 정보를 구성할 수 있는 데 반해, 인터넷 매체는 인쇄 매체에서 문자나 사진, 그림으로 전달하는 정보들을 음성이나 동영상 등의 매체 언어를 사용하여 전달할 수 있다. 이렇듯 매체의 특성은 정보를 구성하는 방식에 큰 영향을 끼치게 된다.
그뿐만 아니라 매체의 특성은 정보의 유통 방식에도 영향을 끼친다. 인쇄 매체의 경우 인터넷보다 정보 제공의 신속성 측면에서는 속도가 떨어지지만, 정보 제공자의 범위가 폐쇄적이기 때문에 전문성 측면에서는 깊이 있는 정보를 비교적 분량의 제한 없이 전달할 수 있다. 반면 인터넷의 경우 매체의 특성상 인쇄 매체와는 달리 신속하게 다양한 분야의 정보를 전달할 수 있지만, 인쇄 매체보다 정보를 제공하는 주체의 범위가 넓어서 그만큼 신뢰하기 어려운 정보도 많을 수 있음에 유의해야 한다.

≫ 대중 매체는 현대인의 삶에 큰 영향을 미치고 있다. 이 때문에 대중 매체를 올바로 수용하는 능력은 현대인들이 갖추어야 할 중요한 자질 중의 하나이다. 대표적인 대중 매체인 신문과 방송을 비교하는 활동을 통해 각각의 매체에서 정보가 구성되고 유통되는 방식을 알고, 이를 의사소통에 적절히 활용해 보자.

▶ 실제 매체 자료를 통해 신문 매체의 정보 구성 방식 파악하기

1. 다음은 어느 신문의 한 면과 해당 면에 실린 기사를 소개한 것이다. 이를 읽고, 신문 매체에서 정보를 구성하는 방식에 관해 알아보자.

세계일보   2013년 6월 18일

표지 → **학교 폭력 잡은 '선플의 기적'**

전문
- 울산 교육청 '선플 운동' 8개월째
- 비속어가 일상어였던 학생들의 언어 순화
- 학교 폭력 신고도 30 % 감소
- 선플 20개 달면 봉사 활동 1시간 인정

학교 폭력 월별 발생 건수 비교(단위: 건)
- 2012년 224건
- 2013년 66건

	3월	4월	5월
2012년	63	94	67
2013년	26	21	19

자료: 울산시 교육청

본문

○○ 초등학교는 5~6월 선플(착한 댓글) 달기 운동 전국 1위 학교이다. 김△△ 교감은 "월요일 조례 시간마다 악성 댓글 때문에 힘들어하는 사례를 소개하고, 선플을 남기는 운동을 설명한다."며 "선플 달기 운동을 한 후 비속어를 일상어처럼 쓰던 학생들의 언어 습관이 확 달라졌다."라고 덧붙였다.
▶선플 달기 운동을 지지해 준 취재원
▶선플 달기 운동의 긍정적 효과
▶선플 달기 운동의 성공 사례
또한 학생들의 달라진 언어 습관은 학교 폭력을 줄이는 긍정적인 효과를 가져왔다. 17일 울산시 교육청에 따르면 지난해 3~5월 224건이던 학교 폭력 신고 건수가 올해 들어서는 66건을
▶선플 달기 운동을 독려하기 위한 방법

기록, 3분의 1 수준으로 급감했다.
▶선플 달기 운동의 성공 근거
울산시 교육청이 지난해 9월 울산 경찰청, 선플 달기 운동 본부와 업무 협약을 맺고 '선플 달기 운동'을 벌이기 시작한 지 8개월 만의 일이다.
▶선플 달기 운동의 과정과 기간
울산시 교육청은 학생들의 참여를 높이기 위해 일주일에 선플을 20개 이상 남기면 자원 봉사 활동을 1시간 인정하고, 선플을 많이 남기면 학교에서 상을 주고 있다. 대신 댓글을 다는 데만 학생들의 봉사 활동이 쏠리지 않도록 일주일에 인정되는 자원 봉사 시간을 1시간으로 제한했다.
▶시각 자료를 통해 이해를 돕고 있음.
▶선플 달기 운동을 독려하는 노력

---

(1) 위 신문 기사가 전달하고 있는 핵심 정보가 무엇인지 말해 보자.
| **예시 답** | ○○ 초등학교에서 '선플 달기 운동'을 한 결과, 학생들의 잘못된 언어 습관을 고치고, 학교 폭력을 줄이는 등의 긍정적인 효과를 거두었다.

(2) 신문 기사는 면의 순서나 크기 등으로 해당 기사의 중요도를 드러내기도 한다. 위 신문 기사의 중요도를 정보 구성 방식의 측면에서 말해 보자.
| **예시 답** | 위 신문 기사는 보조단의 신문 면 이미지를 참고할 때 광고를 제외하고 해당 면에서 가장 큰 분량을 차지하고 있으며, 기사의 제목도 해당 면에서 가장 큰 글자로 처리하고 있다. 이러한 점들을 볼 때 편집자는 해당 기사의 중요도를 같은 면에 실린 다른 기사들보다 더 중요하게 여겼을 것으로 판단할 수 있다.

개념 ⊕

- 방송 뉴스의 정보를 수용할 때 가장 중요한 것은 정보의 유용성과 신뢰성임.
- 뉴스의 구성은 이와 같은 유용성과 신뢰성을 확보할 수 있는 방식으로 이루어짐.

▶실제 매체 자료를 통해 텔레비전 매체와 정보 구성 방식 파악하기

2. 다음은 텔레비전 뉴스의 전체 구성과 그중 한 꼭지의 개별 뉴스를 소개한 것이다. 이를 보고, 텔레비전 매체에서 정보를 구성하는 방식을 알아보자.

뉴스의 구성 순서

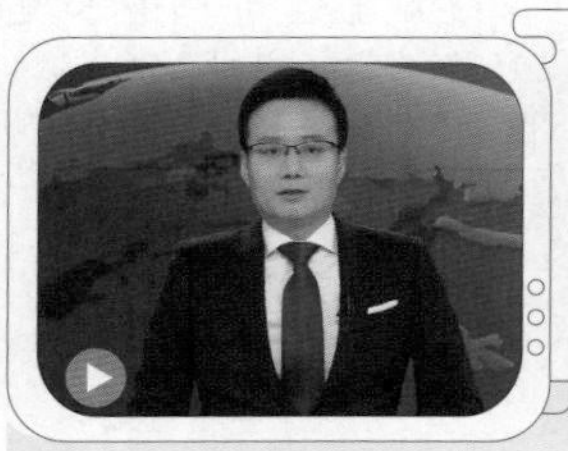

2014년 9월 8일. 오늘의 주요 뉴스입니다.

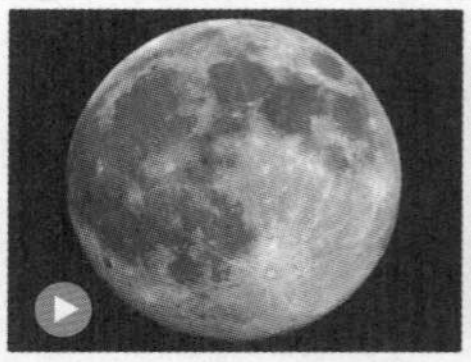

휘영청 '슈퍼문' 달맞이객 북적

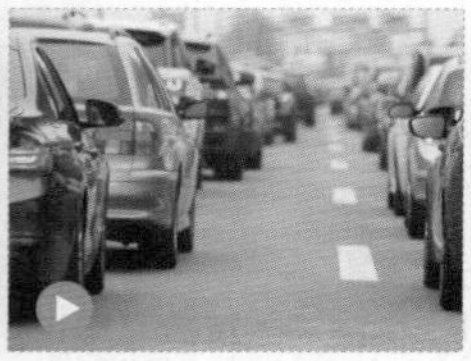

정체 감소세, 자정 넘어 해소될 듯

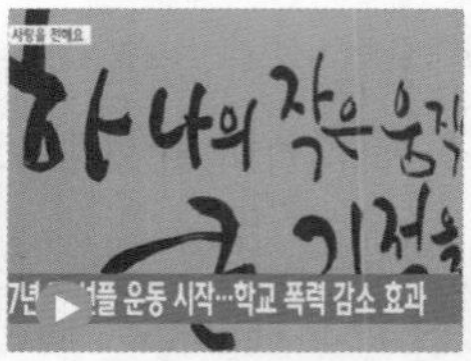

㉠ 아름다운 댓글, '선플'로 사랑을

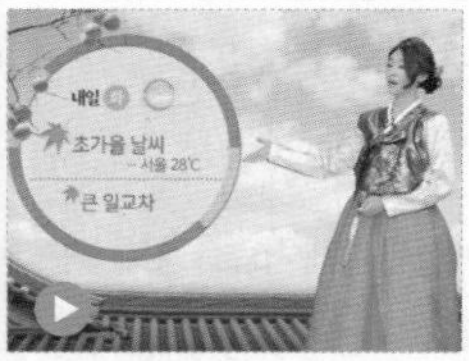

초가을 날씨, 10도 안팎 큰 일교차

아름다운 댓글, '선플'로 사랑을

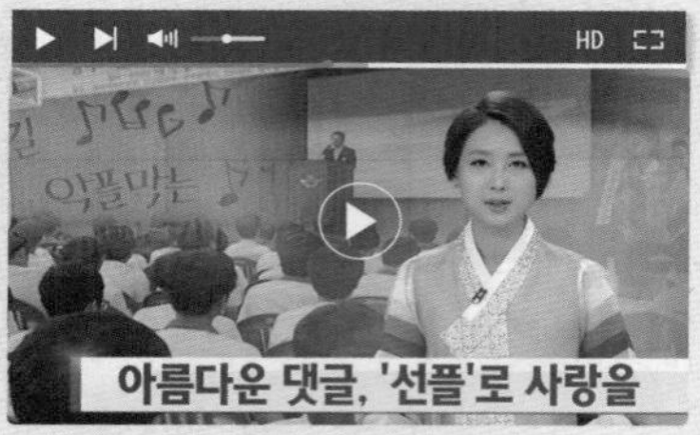

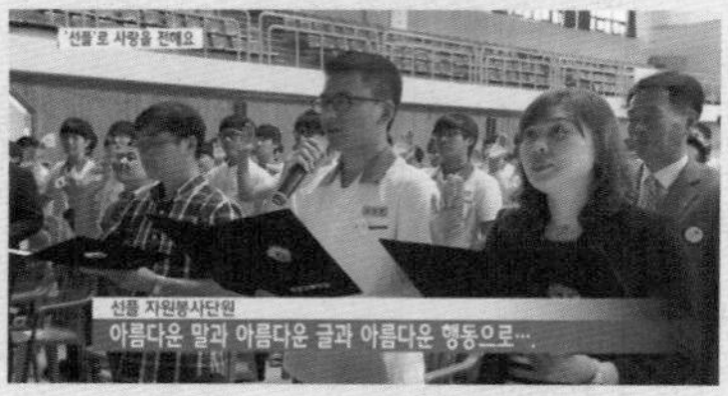

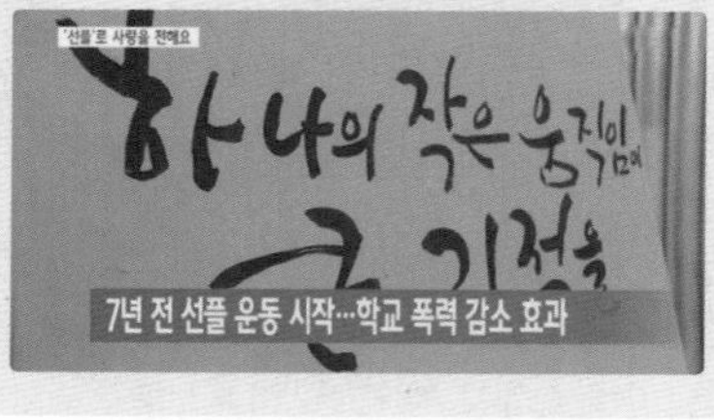

(악성 댓글이 만연한 사회·문화적 배경)

아나운서 인터넷 문화가 확산하면서 악성 댓글이 사회에 악영향을 끼치고 있습니다. 악성 댓글이 아닌 아름다운 댓글, '선플'로 사랑을 전하자는 시민운동이 펼쳐지고 있습니다. ○○○ 기자가 보도합니다.

기자 선플 자원 봉사단 발대식이 열렸습니다. 학생과 학부모 할 것 없이 착한 댓글로 언어 정화 운동에 나설 것을 다짐했습니다.

고등학생: 아름다운 말과 아름다운 글과 아름다운 행동으로…….

(발대식: 어떤 단체 따위를 처음 발기할 때 치루는 의식)

기자 선플 운동은 앞서 서로 격려하자는 의미에서 시작된 추임새 운동에 뿌리를 두고 있습니다. 교육부 조사 결과, 울산의 경우 지난 2012년 선플 운동을 벌인 뒤 1년 만에 학교 폭력이 60% 가까이 줄었다는 통계도 나왔습니다.

– 와이티엔(YTN), 2014년 9월 8일 방송

⑴ 위 뉴스에서 전달하고 있는 핵심 정보와 그것을 파악하는 데 도움을 준 요소를 매체 언어의 측면과 정보 구성 방식의 측면에서 말해 보자.

| 예시 답 |

핵심 정보	인터넷에 선플 달기 운동을 한 결과 1년 만에 학교 폭력이 60% 가까이 줄어드는 등의 긍정적인 효과가 있었다.
핵심 정보를 파악하는 데 도움을 준 요소	• 매체 언어: 문자(자막)를 통해 핵심 정보를 강조하여 전달하고 있다. • 정보 구성 방식: 동영상, 문자, 음성 등을 통해 내용을 전달하고 있으며, 뉴스의 핵심 내용을 자막으로 처리하고 있다

영상 매체 자료의 정보 구성 방식

- 문자, 음성, 이미지, 동영상 등의 매체 언어를 활용함.
- 문자를 활용한 자막 등의 장치로 핵심 정보를 전달하기도 함.
- 방송의 경우 생생한 장면을 제시하여 주제를 전달하므로, 제시되는 정보에 대한 실재감이 높은 편임.

학습 도우미

인쇄 매체인 신문과 영상 매체인 방송 뉴스는 매체의 특성이 다르므로 정보를 구성하는 방식과 정보가 유통되는 방식에도 차이가 있다.

문제로 확인

06. 오른쪽 텔레비전 뉴스의 구성에 대한 설명으로 적절하지 않은 것은?

① 아나운서가 뉴스의 개괄적 정보를 전달하고 있다.
② 기자가 뉴스의 구체적인 내용을 전달하고 있다.
③ 통계 자료를 통해 정보의 신뢰성을 확보하고 있다.
④ 인터뷰를 통해 뉴스의 견해와 다른 입장을 전달하고 있다.
⑤ 자막을 통해 뉴스의 핵심 정보를 이해하는데 도움을 주고 있다.

서술형 출제 예감

07. 오른쪽 '뉴스의 구성 순서'를 참고할 때, ㉠을 중심으로 편성 순서와 중요도가 갖는 상관성을 한 문장으로 서술하시오.

(2) 위 뉴스의 전체 구성을 참고할 때 편성 책임자가 위 뉴스의 중요도를 어떻게 평가했을지, 그렇게 판단한 까닭은 무엇인지 적어 보자.

중요도	판단한 까닭
｜예시 답｜ 구성 순서 안의 뉴스거리 중에서는 세 번째일 것이다.	｜예시 답｜ 방송 뉴스는 특성상 뉴스거리가 차례대로 진행되는데, 이때 정보 수용자는 정보를 선택적으로 먼저 들을 수 없다. 따라서 현재 가장 사회적으로 쟁점이 되는 뉴스거리부터 먼저 배치를 하는 것이다.

개념 ➕

뉴스의 의제 설정
뉴스는 어떤 사회적 문제를 강조하여 보도함으로써 사람들이 그 문제를 중요하게 생각하게 만들 수 있다. 이러한 뉴스의 기능을 의제 설정이라고 한다.

▶ 신문 매체와 텔레비전 매체의 정보 구성 및 유통 방식 비교하는 활동

3. 1과 2를 바탕으로 신문 매체와 텔레비전 매체에서 정보가 구성되고 유통되는 방식을 이해하고, 이를 의사소통에 활용하는 방법에 대해 알아보자.

(1) 중요한 정보를 신문 기사나 텔레비전 뉴스를 통해 전달하고자 할 때, 어떤 방식으로 정보를 구성하는 것이 효과적일지 말해 보자.

｜예시 답｜ 신문의 경우 중요한 기사를 1면에 배치하고 해당 뉴스에 많은 지면을 할애하는 방식으로 정보를 구성하는 것이 효과적일 것이다. 또한, 다른 뉴스보다 활자의 크기를 키워 제목을 처리하는 등의 방식으로 독자의 이목을 집중시킬 수도 있을 것이다. 텔레비전 뉴스의 경우 중요한 정보라고 판단되는 경우 제일 첫 순서로 해당 뉴스를 소개하고 자막, 그래픽 등을 적절히 활용하여 핵심 정보를 시청자들에게 효과적으로 전달할 수 있다.

(2) 정보를 수용하는 과정에서 신문 매체를 통해 정보를 얻는 것과 텔레비전 매체에서 정보를 얻는 것에는 어떤 차이점이 있을지 말해 보자.

｜예시 답｜ 텔레비전과 달리 신문은 전체 기사의 제목 등을 훑어보고 자신이 읽고 싶은 기사만 선택하여 읽을 수 있다. 이는 신문이 인쇄 매체이기 때문에 가능한 일이다. 반면 텔레비전의 경우 인쇄 매체에서는 사용할 수 없는 동영상 등을 통해 정보를 전달하므로 수용자 입장에서는 정보에 대한 실재감을 느낄 수 있다.

🖊 매체의 특성에 따른 정보의 구성과 유통 방식을 알면 매체를 활용한 효과적인 의사소통을 할 수 있다.

(3) 정보의 구성과 유통의 측면에서 신문 매체와 텔레비전 매체를 비교했을 때 각각의 매체가 지니는 장단점을 생각해 보자.

매체	장점	단점
신문	• 텔레비전과 달리 정보를 전달하려는 데 있어 시간의 제한이 없으므로 내용 구성 등에 있어 상대적으로 자유롭다. • 독자가 원하는 기사만을 선택적으로 읽고 정보를 수용할 수 있다.	• 텔레비전보다 정보 전달의 속도가 늦다. • 텔레비전보다 전달되는 정보의 실재감이 떨어진다.
텔레비전	• 동영상을 위주로 정보를 전달할 수 있으므로 정보의 실재감을 높일 수 있다. • 신문보다 정보 전달의 속도가 빠르다.	• 시청자들이 원하는 뉴스만을 선택하여 보기 어렵다. • 정보의 구성과 유통에 시간적 제약성이 따른다.

▶ 스스로 매체를 이용하여 정보를 구성하고 유통하는 계획 구상하는 활동

4. 다음 경우에 어떤 매체를 활용하는 것이 좋을지, 그 까닭과 함께 적어 보자.

정보/전달 대상	활용 매체	까닭
우리 동아리의 역사를 신입생에게 소개하는 경우	동아리 공식 누리 소통망(SNS), 동아리 홈페이지나 블로그	정보에 관심을 가질 만한 사람에게 쉽고 신속하게 정보를 전달할 수 있음.
교내 백일장 대회의 결과를 발표하는 경우	학교 홈페이지	학교에서 공식적으로 치러진 대회의 결과를 공지하는 것이므로 학교 구성원들이 누구나 쉽게 접근할 수 있는 매체이면서, 신속하게 정보를 전달할 수 있는 매체를 활용하는 것이 좋음.

🔊 문제로 확인

출제 예감

08. 다음 중 신문 매체와 텔레비전 매체에 대해 설명한 것으로 적절하지 **않은** 것은?

① 텔레비전은 신문에 비해 정보의 실재감이 높다.
② 신문은 독자가 원하는 정보를 선택하여 볼 수 있다.
③ 텔레비전은 정보 전달에 있어 신문보다 시간적 제약성이 있다.
④ 신문은 텔레비전보다 정보 전달의 속도가 늦다.
⑤ 신문은 생산자와 수용자 사이의 즉각적인 상호 소통이 가능하다.

{ 2 }

표현의 창의성과 심미적 가치

소단원 학습 포인트
● 매체 언어의 표현 방식에 나타난 창의성 이해하기
● 매체 자료에 나타난 심미적 가치 이해하기

🏃 매체를 통한 의사소통의 효율성을 높이기 위해서는 전달하고자 하는 내용을 인상적으로 제시할 필요가 있다. 이와 관련하여 창의적 표현은 수용자의 주의를 환기하여 내용 전달의 효과를 높이는 역할을 한다.

개념 ⊕
· 광고는 생산자가 수용자에게 정보, 혹은 주장을 설득력 있게 전달하는 것이 가장 중요함.
· 광고에 있어 창의성은 수용자가 광고에 흥미를 가질 수 있게 하는 동시에, 광고에서 전달하고자 하는 메시지에 주목하게 하는 효과를 지님.
· 창의적 표현은 광고의 심미적 가치를 높여 주기도 함.

학습 도우미
· 증강 현실[AR; Augmented Reality]은 실제 촬영한 화면에 가상의 정보를 덧붙여 보여 주는 기술이다.
· (가)는 버스 정류장 옥외 광고판에 증강 현실 장치를 활용한 창의적인 광고 기법을 보여 준다. 반대편 거리를 비추는 투명 유리에 가상의 장면을 합성하여 실제처럼 보이게 한 것이다. 버스를 기다리던 사람들은 이 놀라운 영상에 속아 넘어가지만, 곧 광고라는 사실을 깨닫고 유쾌한 웃음을 짓는다.

활동 ① 매체 언어의 창의적 표현 방법

》 매체를 통한 의사소통에서 창의적인 표현을 통해 효율성을 높이고자 할 때는 매체의 특성을 고려하여 매체 언어의 복합 양식성을 잘 활용하면 도움이 된다. 다음 활동을 통해 매체의 특성을 고려하여 매체 언어의 창의적 표현 방법을 알아보자.

▶ 실제 매체 자료에 표현된 매체 언어의 창의적 표현 방법을 탐구하는 활동
1. 다음 매체 자료를 보고, 제시된 활동을 해 보자.

가 영상 매체 ▶

버스 정류장.
한쪽 창에 다급하게 뛰어오는 남자가 보인다.

창에 보이던 남자가 버스 정류장으로 뛰어온다.

이어서 어떤 동물이 버스 정류장으로 다가오는 모습이 보인다.

다가오던 동물은 이제 곧 창 옆으로 모습을 드러낼 참이다.

먼저 뛰어왔던 남자가 장난기 어린 표정으로 웃음을 터트린다. 다른 사람에게 증강 현실을 생생하게 보여 준 것이다.

이는 도심 한복판에 호랑이가 등장하는 가상의 영상 장치였음이 밝혀진다. 늘 반복되는 일상에 신선한 충격을 선사하려는 광고였다.

나 인쇄 매체 📖

종이를 함부로 사용하는 건,
CO_2를 함부로 배출하는 것과 같습니다.

**1톤의 폐지 재활용은
1.07379톤의 CO_2를 저감합니다.**

kobaco ✳
공익광고협의회

개념 ⊕
· **공익 광고**: 기업이나 단체가 공공의 이익을 목적으로 하는 광고.
· **상업 광고**: 상품이나 서비스에 대한 정보를 여러 가지 매체를 통하여 소비자에게 널리 알리는 의도적인 활동(기업 광고는 기업에 대한 좋은 인상을 심어 주기 위한 광고임.)

(1) (가)와 (나)가 전달하고 있는 중심 내용을 요약하여 적어 보자.

> **가** 와 **나** 가 전달하고 있는 중심 내용은?
>
> · (가): 증강 현실 기술을 깜짝 경험하면서 느낀 감정들을 제품 콘셉트와 연결하는 제품 광고
>
> · (나): CO_2 저감을 위해서 종이를 아껴 쓰고, 폐지를 재활용해야 한다.

(2) (가)와 (나)가 내용을 전달하기 위해 사용한 정보나 자료를 찾아 적어 보자.

· **가** : 증강 현실 기술을 일상에서 경험한 사람들의 반응을 보여주는 영상 자료

· **나** : 환경 보호의 차원에서 폐지 재활용이 지니는 효과(1톤의 폐지를 재활용하면 CO_2 1.07379톤을 절감할 수 있다는 정보)

(3) (가)와 (나)에서 매체 언어를 창의적으로 표현한 부분을 찾아보고, 그 까닭을 매체의 특성과 관련지어 설명해 보자.

	창의적으로 표현한 부분	까닭
(가)	영상 매체를 활용하여 가상의 호랑이를 도심에 출현시킨 것	증강 현실 기술을 이용하여 도심에 호랑이가 나타난다는 낯선 설정을 통해 사람들의 관심을 끌어 광고 효과를 높이고 있기 때문이다.
(나)	종이가 찢긴 듯한 느낌을 주는 이미지로 자동차에서 나오는 배기가스가 연상되게 표현한 것	인쇄 매체의 특성을 잘 활용하여 찢어진 종이의 느낌이 들게 표현하였고, 광고의 주제 또한 효과적으로 드러내고 있기 때문이다.

▶ 창의적 표현 사례를 찾는 활동

2. 자신이 접했던 매체 자료에서 매체 언어를 창의적으로 표현한 사례를 찾아보고, 어떠한 효과를 주는지 적어 보자. | 예시 답 | (생략)

매체 언어의 창의적 표현 사례	창의적 표현의 효과
	인쇄 광고. 눈꺼풀이 서서히 감기는 졸음 운전의 상황을 표현하고, 이로 인해 자동차와 보행자의 충돌 사고가 일어날 수 있음을 효과적으로 표현하였다.

🔍 **문제**로 확인 🔍 정답과 해설 033쪽

01. (가)의 표현상 특징으로 가장 적절한 것은?

① 불특정 다수를 대상으로 한 실험을 통해 인간의 습성을 드러내고 있다.
② 위험한 동물을 인간의 일상에 노출시켜 삶의 위험성을 경고하고 있다.
③ 일상에 있을 법한 상황을 설정하여 반복되는 현실을 인식시키고 있다.
④ 가상의 상황을 실제 현실로 착각하게 하여 신선한 충격을 선사하고 있다.
⑤ 현대인의 일상을 있는 그대로 관찰하여 현대인의 고단함을 드러내고 있다.

출제 예감

02. (나)에 대한 설명으로 적절하지 않은 것은?

① 인쇄 매체로 전달된 광고이다.
② 공공의 이익을 목적으로 하는 광고이다.
③ 문자를 지우더라도 전하려는 메시지는 전달될 것이다.
④ 찢어진 종이 이미지로 매연을 형상화하고 있다.
⑤ 환경 보호 차원에서 폐지 재활용을 권장하고 있다.

활동 ❷ 매체 언어의 심미적 가치

≫ 매체 언어의 심미적 가치는 수용자들의 정서적 자극이나 매체 언어의 창의적 표현 등을 통해서 발현될 수 있다. 다음 활동을 통해 매체 언어의 심미적 가치를 이해하고, 이를 의사소통에 활용하는 방법을 생각해 보자.

개념 ✚

심미적 가치는 인간의 정신 작용의 산물이고, 이에 대한 판별에 있어 가장 중요하게 작용하는 것은 정서임.

→ 심미적 가치를 추구하는 매체 자료의 표현 방식은 수용자의 정서를 자극하고, 수용자의 공감을 이끌어낼 수 있는 것이어야 함.

▶ 매체 언어인 문자의 심미적 가치를 확인하는 활동

1. 다음은 어느 한 항공사에서 고객들에게 제공하는 소금의 포장지에 쓰인 문구이다. 이러한 표현이 우리의 일상생활을 아름답게 만드는 데 어떤 역할을 하는지 말해 보자.

| 예시 답 | '눈의 빛깔', '눈물의 맛', '음식에 소금을 넣고 싶으시면 울지 마시고 이것을 사용하세요.'라는 표현은 소금의 색과 맛을 창의적으로 표현한 사례로 볼 수 있다. 이 표현들을 본 사람 중에는 소금에서 하얀 눈의 빛깔을 떠올리고 자기만의 추억에 젖는 사람도 있을 수 있을 것이고, 울고 싶은 심정인 사람 중에는 소금 봉투에 쓰인 문구를 보고 잠시 마음을 달래 볼 수도 있을 것이다. 이처럼 익숙한 것을 새롭거나 낯설게 나타내는 표현들은 보는 이들에게 신선한 느낌을 주며, 무심코 지나쳐 버릴 수 있는 대상들로부터 여러 가지 생각들을 할 기회를 제공할 수 있다.

▶ 매체 언어인 동영상의 심미적 가치를 탐구하는 활동

2. 다음 단편 애니메이션을 보고, 매체 언어의 심미적 가치를 알아보자.

❶ 별에 구멍을 뚫어 얻은 물을 물통에 담고 있는 장면

❷ 별에서 얻은 물을 딸에게 주는 장면

❸ 별에 구멍을 뚫는 아빠를 딸이 방해하는 장면

❹ 딸이 물고기 형태를 한 별의 목소리를 보는 장면

❺ 집에 있던 어항을 들고 별의 목소리를 따라가는 장면

우리가 문학 작품을 읽고 감동을 하는 것은 주제를 구현하는 문자 언어의 심미적 가치에 공감하기 때문이다. 문학 작품뿐만 아니라 다양한 매체 자료에서도 우리는 매체 언어가 구현하는 아름다움을 느낄 수 있다. 이를 위해 매체 언어의 심미적 가치에 대한 이해가 필요하다. 매체 언어의 심미적 가치는 모든 매체 양식에서 구현될 수 있다.

개념 ✚

• 심미적 가치: 심미(審美)는 아름다움을 식별하여 가늠하는 것을 의미하는 것으로, 심미적 가치는 예술 등의 영역에서 아름다움으로 평가될 수 있는 가치를 나타냄.

• 애니메이션: 그림, 인형, 그림자 또는 움직이지 않는 물체를 스톱 모션으로 찍어 프레임별로 촬영하는 기법, 혹은 그렇게 촬영된 영화를 지칭함.

학습 도우미

「잃어버린」(2011, 이한샘·최대남 감독)

인물의 대사가 없이 배경 음악과 인물의 행동만으로 서사가 진행되는 애니메이션이다. 배경 음악을 통해 인물의 정서를 전달하고 있으며, 인물의 행동을 통해서 작품의 주제 의식이 드러난다.

❻ 어항을 땅에 놓쳐 물고기가 땅에 떨어지는 장면

❼ 땅에 떨어진 물고기가 구멍을 통해 별 내부로 들어가는 장면

❽ 별에 새싹과 물이 차오르는 장면

❾ 메말랐던 별에 비가 내리고 생명이 가득한 별로 바뀌는 장면

개념 ➕

애니메이션의 복합 양식성과 평가

애니메이션은 그림과 동영상, 음악과 음향, 그리고 음성과 문자 등 다양한 매체 언어가 복합적으로 작용하여 의미를 형성하는 복합 양식성을 지님.

→ 애니메이션의 심미적 가치는 다양한 매체 언어가 의미를 표상하는 데 있어 어떻게 작용하는지에 대해 복합적 고려를 통해 평가해야 함.

(1) 위 애니메이션을 실제로 보고 나서 그 내용을 정리해 보자.

항목	내용
줄거리	알 수 없는 병에 걸린 딸에게 줄 물을 구하기 위해 한 남자가 이 별 저 별을 옮겨 다니며 물을 찾는다. 하지만 별들은 메마를 대로 메말라 물을 쉽게 구할 수 없었고, 아버지는 별의 이곳저곳에 구멍을 내면서 물을 찾기 위해 애를 쓴다. 딸은 별을 파괴하는 아버지의 이런 행동을 만류하지만, 아버지는 딸의 만류를 뿌리치고 물을 찾기 위한 노력을 포기하지 않는다. 그러던 어느 날, 아픈 딸은 별의 목소리를 듣고 꿈을 꾸듯이 어항을 들고 밖으로 나간다. 곧이어 별이 폭발하기 시작하고, 폭발로부터 딸을 구하려는 남자의 행동으로 인해 딸이 들고 있던 어항의 물이 엎질러진다. 어항의 물과 물고기가 구멍으로 들어가 이를 머금은 별은 새싹을 틔우고 별에는 그토록 바라던 비가 내리고, 메말랐던 별이 생명의 별로 다시 태어난다.
주제	• 자연을 파괴하는 인간의 이기심에 대한 비판 • 부모의 헌신적인 사랑

(2) 위 애니메이션에 사용된 매체 언어 중 심미성이 뛰어나다고 생각하는 것에는 무엇이 있는지 그 이유와 함께 말해 보자.

| 예시 답 | • 심미성이 뛰어나다고 생각하는 매체 언어: 산뜻한 색감으로 표현된 그림(동영상)
• 이유: 애니메이션의 후반부에서 하늘에서 내리는 비를 맞고 있는 남자의 얼굴을 클로즈업하여 보여 준 영상이 참 아름다웠다. 이야기의 후반부에서 긍정적인 쪽으로 전환되는 주인공들의 상황이 산뜻한 색감을 통해 잘 드러났고, 새로운 깨달음을 얻었거나 혹은 행복해 보이는 남자의 표정에서 작가가 던지는 메시지에 대해 생각해 보고 감동을 할 수 있었다.

▶ **심미적 가치를 표현하는 매체 자료를 만드는 활동**

3. 매체 언어의 표현 방법과 가치를 고려하여 감동을 주는 매체 자료를 생산하려고 한다. 다음 항목을 참조하여 매체 자료를 만들어 보자. | 예시 답 | (생략)

> • 무엇을 주제로 하고 싶은가?
>   **예** 나에게 가장 감동을 준 사연
> • 예상 독자의 범위는 어떠한가?
>   **예** 나를 아는 사람들에게만 공개
> • 가장 적합한 매체는 무엇인가?
>   **예** 1인 라디오 방송
> • 어떤 표현 방법을 사용할 것인가?
>   **예** 당시의 감정이 드러나는 배경 음악을 활용

⚓ 문제로 확인 ⚓

03. 왼쪽의 단편 애니메이션이 전달하고자 하는 주제에 가장 가까운 것은?

① 자연의 아름다움에 대한 예찬
② 자연을 정복하는 인간의 위대함에 대한 칭송
③ 자연을 파괴하는 인간의 이기심에 대한 비판
④ 인간과 자연이 평화롭게 공존하는 현실 인식
⑤ 삶을 반성하고 자연으로 돌아가고자 하는 인간의 노력

출제 예감

04. 왼쪽의 단편 애니메이션을 감상한 후 반응으로 적절하지 <u>않</u>은 것은?

① 색감의 변화를 통해 긍정적으로 변화하는 작중 상황을 드러내는군.
② 배경 음악을 통해 인물의 정서를 전달하는군.
③ 인물의 행동을 통해 작품의 주제 의식을 드러내는군.
④ 인물 간의 대화를 통해 인물들의 성격을 제시하는군.
⑤ 인물의 표정 변화를 통해 인물의 심리를 나타내는군.

{ 1 } 정보의 구성과 유통 방식

활동 ① 아날로그 매체와 디지털 매체의 정보 구성과 유통

① 제재 연구

• 인쇄 매체 – 책: '(1) 스매시'

주제	스매시를 하는 방법과 공격 조건
특징	① 전문적인 정보를 담고 있음. ② (㉠　　　) 언어를 활용하여 스매시 기술에 관한 객관적인 정보를 서술하고 있음. ③ 이미지(그림, 사진) 등 시각 자료를 활용하여 설명 정보를 독자에게 쉽게 이해시킴.

• 인터넷 매체 – 블로그: '스트로크 익히기: 스매시 편'

주제	스매시에 대한 기술 정보와 모범
특징	① 온라인 매체를 활용하였고, 매체 언어의 복합 양식성을 보임. ② 문자, 그림, 동영상, 하이퍼링크 등 다양한 매체 언어를 활용함. ③ 해당 게시물 외 블로그에 드러나는 정보를 통해 작성자 개인의 (㉡　　　)이/가 드러남.

② 인쇄 매체 자료와 인터넷 매체 자료의 정보 구성 방식

인쇄 매체 자료	인터넷 매체 자료
• 문자, 이미지 등의 매체 언어를 활용함. • 일반적으로 문자 언어의 역할이 크고, 이해를 돕기 위해 이미지가 활용되는 형태가 많음. • (㉢　　　)이고 깊이 있는 내용을 다룰 수 있음.	• 소리, 문자, 음성, 이미지, 동영상, 하이퍼링크 등 매체 언어의 복합 양식성을 활용하여 주제를 전달함. • (㉣　　　)을/를 기반으로 정보 간 유기적 조직이 가능함. • 누구나 정보의 생산 주체가 될 수 있어 다양한 분야에 관한 정보를 전달할 수 있지만, 정보의 신뢰성이 떨어지는 예도 있음.

③ 인쇄 매체와 인터넷 매체의 정보 유통 방식

매체 / 유통 방식	인쇄 매체	인터넷 매체
정보 제공 속도	인터넷 매체보다 느림.	신속하게 (㉤　　　)의 정보를 전달함.
정보 보존 방법	인쇄물의 형태로 보존	서버 등 디지털 정보의 형태로 보존됨.
정보 제공자의 범위	생산자가 해당 분야의 전문가로 제한되는 경우가 많아 범위가 폐쇄적이지만 신뢰성은 높은 편	일반인도 쉽게 생산자가 될 수 있어 범위는 개방적이지만 상대적으로 신뢰성이 떨어지는 편

④ 인쇄 매체와 인터넷 매체의 소통적 측면

인쇄 매체	인터넷 매체
정보 생산자와 수용자 사이의 의사소통이 이루어질 수는 있지만, 소통 양상이 인터넷 매체보다 느림.	정보 생산자와 수용자 사이의 직접적이고 즉각적인 소통이 가능함. 빨리 많은 사람에게 정보를 전달할 수 있어 소통의 대상을 쉽게 (㉥　　　)함.

활동 ② 신문 매체와 방송 매체의 정보 구성과 유통

① 제재 연구

• 신문 기사: '학교 폭력 잡은 '선플의 기적''

주제	'선플'을 통해 학교 폭력이 감소하였다.
특징	① 취재한 사람들의 말을 인용하여 기사문을 작성함. ② 통계 및 수치에 근거를 제시하여 객관성을 확보함. ③ 특정한 사건을 기삿거리로 선택하여 사람들에게 보도하고 있음.

• 방송 뉴스: '아름다운 댓글, '선플'로 사랑을'

주제	선플 달기 운동으로 '사랑'을 전하자.
특징	① 자막을 통해 핵심 정보를 전달함. ② 통계 자료를 제시하여 객관성을 확보함. ③ 실제 취재 장면을 영상으로 제공하여 실재감을 높임.

② 신문 기사와 방송 뉴스의 특성과 정보 구성 방식

	신문 기사	방송 뉴스
특성	• 방송 뉴스보다 더 많은 정보를 심층적으로 전달할 수 있음. • 전체 내용을 미리 개관하여 원하는 내용을 선별할 수 있음.	• 정해진 순서와 시간에 맞게 구성되어, 원하는 내용만을 선별하여 시청하는데 제약이 있음. • 제시되는 정보에 대한 실재감이 높음.
	(㉦　　　), 정확성, 객관성, 신속성 등을 요구함.	
정보 구성 방식	• 문자를 중심으로 정보를 구성하지만, 필요에 따라 시각 자료를 제시함. • 중요도에 따라 가장 쟁점이 되는 기사부터 우선 배치함.	• 문자, 소리, 음성, 동영상, 이미지 등 다양한 매체 언어를 활용함. • 핵심 정보를 요약해 (㉧　　　)(으)로 제시함.

정보 구성 방식	• 표제나 전문 등의 크 기나 굵기, 본문의 분 량 등도 정보의 중요 도에 따라 다름.	• 사회적 쟁점이 큰 정 보일수록 앞 순서에 먼저 편성함.

{ 2 } 표현의 창의성과 심미적 가치

활동 ❶ 매체 언어의 창의적 표현 방법

① 제재 연구

• 영상 매체 광고: 증강 현실 상업 광고

주제	우리 브랜드는 일상에서 놀라운 즐거움과 재미를 줍니다.
특징	① 일반 영상 광고와 달리 출연자들이 상황을 모르 고 있다는 설정이 흥미를 이끎. ② 실제 거리를 비추면서 가상의 정보를 덧붙여 보 여 주는 증강 현실 기술을 도입함. ③ 제품을 직접 나타내지 않고, 사람들이 느낀 기분 을 제품 이미지로 연결될 수 있도록 함.

• 인쇄 매체 광고: 재활용 공익 광고

주제	환경을 위해 폐지를 재활용하여 이산화탄소를 줄입 시다.
특징	인쇄 매체의 특성을 잘 활용하여 찢어진 종이의 느 낌이 들게 창의적으로 표현함.

② 매체 언어의 창의적 표현의 필요성

• 매체를 통한 의사소통의 효율성을 높이기 위해서는
전달하려는 주제를 인상적으로 표현할 필요가 있음.
• 창의적 표현은 수용자의 주의를 (㉾   )하여 내용을
전달하는 효과를 높이는 역할을 함.

③ 매체 언어의 창의적 표현 방법

• 매체의 특성을 고려하여, 매체 언어의 복합 양식성을
활용함.

예

종이를 함부로 사용하는 건,
CO₂를 함부로 배출하는 것과 같습니다.

1톤의 폐지 재활용은
1,07379톤의 CO₂를 저감합니다.

kobaco
공익광고협의회

➡ 인쇄 매체가 구현되는 '종이'의 찢어지는 특성을 활용
하여 나무를 실은 트럭의 매연이 나오는 장면을 연출하
였고, 그 매연 위에 문자로 주제를 표기하면서 전달력
을 높임.

활동 ❷ 매체 언어의 심미적 가치

① 제재 연구

• 문자 매체: 소금 포장지에 쓰인 안내문

주제	포장 속 제품이 '소금'임을 안내함.
특징	① 소금의 색과 맛을 창의적으로 표현함. ② 수용자의 경험과 관련지어 정서적 공감을 일으킴. ③ 시각적, 촉각적 이미지의 유사성을 바탕으로 소 금의 색과 맛을 '눈[雪]'과 '눈물'로 연결 지어 익 숙한 것을 낯설게 표현함. ④ 익숙한 것을 새롭거나 낯설게 나타내는 표현은 보는 이에게 신선한 느낌을 주고, 무심코 지나 쳐 버릴 수 있는 대상에 관해 생각할 기회를 제 공하는 효과를 줌.

• 영상 매체: 단편 애니메이션 「잃어버린」

주제	자연을 파괴하는 인간의 이기심에 대한 비판 /부모의 헌신적인 사랑
특징	① 인물과 사건 흐름으로 주제를 전달함. ② 배경 음악을 통해 인물의 정서를 전달함. ③ 색감의 변화를 통해 인물의 정서와 분위기의 변 화를 드러냄. ④ 인물의 대사 없이 배경 음악과 인물의 행동과 표정만으로 서사가 진행됨.

② 매체 언어의 심미적 가치

• 심미적 가치: 아름다움의 추구라는 관점에서 드러나는
대상의 가치를 의미함.
• 매체 언어의 심미적 가치
 – 수용자들의 (㉾   ) 자극이나 매체 언어의 창의적
 표현 등을 통해서 발현됨.
 – 매체 언어의 특성을 활용하여 수용자의 정서적
 (㉾   )을/를 일으킬 수 있는 방향으로 표현해야 함.
 – 심미적 가치가 잘 드러나는 매체 양식에는 영화, 드
 라마, 사진, 만화, 웹툰, 비디오 아트 등이 있음.

답 ㉠ 문자, ㉡ 관심사, ㉢ 전문적, ㉣ 하이퍼텍스트, ㉤ 대량, ㉥ 확대, ㉦ 공정성,
㉧ 자막, ㉨ 환기, ㉩ 정서적, ㉪ 공감

[01-03] 다음 매체 자료를 읽고, 물음에 답하시오.

가 인쇄 매체 – 책

(1) 스매시(smash)

스매시는 높이 떠오르는 셔틀콕을 빠른 속도와 강한 힘으로 화살과 같이 상대방의 코트 면에 쳐서 넣는 타구이다. 배구의 스파이크와  마찬가지이다. 스매시는 배드민턴의 기술 중 가장 매력적이고 화려하며 공격적 파괴력을 지닌 것이 특징이다. 주로 셔틀콕을 빠르게 낙하시켜 상대의 자세를 무너뜨리며 랠리의 결정구로 사용된다.

타구하는 방법은 속도를 싣기 위해 백스윙을 시작하는 동작이나 타구 후의 동작 등을 크게 해야 한다. 공격에 성공하면 바로 득점으로 연결되지만, 실수가 잦다는 것이 스매시의 단점이다. 또한 동작이 클수록 상대에게 공격이 읽히기 쉽고, 타구 후에도 다음 동작으로 연결하는 것이 비교적 늦어져 상대에게 반격을 당할 수 있다. 따라서 스매시는 강하고 빠른 속도로만 타구하려 하지 말고 날카로운 각도로 경기장 양쪽 구석을 향해 정확히 치는 것이 효과적이다.

나 인터넷 매체 – 블로그

01 위 매체 자료의 정보 구성 방식상 공통점으로 적절한 것은?
① 동영상 자료를 제시하여 스매시 자세와 방법에 대해 설명을 보충하고 있다.
② 문자 언어를 사용하여 스매시를 하는 방법을 구체적으로 설명하고 있다.
③ 사진 자료를 활용하여 스매시 자세와 라켓의 타격 방향을 설명하고 있다.
④ 핵심 정보와 연관성이 있는 부가적인 정보를 하이퍼링크를 통해 연결하고 있다.
⑤ 통계 자료를 제시하여 다양한 배드민턴 기술의 활용 빈도를 객관적으로 소개하고 있다.

학습 활동 적용
02 위 매체 자료의 정보 유통 방식에 대한 설명으로 적절하지 **않은** 것은?
① (가)는 인쇄물의 형태로 정보가 보존되고, (나)는 디지털 정보의 형태로 정보가 보존된다.
② (나)는 (가)에 비해 정보 제공자의 범위가 폐쇄적이다.
③ (나)는 (가)에 비해 정보 제공자의 신뢰성이 더 떨어진다.
④ (나)는 (가)에 비해 정보의 대량 복제와 배포 등에 있어 용이하다.
⑤ 정보를 제공하는 속도에 있어 (나)는 (가)보다 신속하게 대량의 정보를 전달할 수 있다.

03 〈보기〉에서 설명하고 있는 매체의 특징을 보여 주는 대표적인 기능을 (나)에서 찾아 쓰시오.

┌ 보기 ┐
정보의 생산자와 수용자 사이의 직접적이고 즉각적인 소통을 가능하게 한다.
└─────┘

[04-07] 다음 매체 자료를 읽고, 물음에 답하시오.

가 신문 기사 신문

세계일보	2013년 6월 18일

학교 폭력 잡은 '선플의 기적'

울산 교육청 '선플 운동' 8개월째
비속어가 일상어였던 학생들의 언어 순화
학교 폭력 신고도 30% 감소
선플 20개 달면 봉사 활동 1시간 인정

학교 폭력 월별 발생 건수 비교 (단위: 건)
2012년 224건 / 2013년 66건
3월 63, 4월 94, 5월 67
3월 26, 4월 21, 5월 19
자료: 울산시 교육청

　　○○ 초등학교는 5~6월 선플(착한 댓글) 달기 운동 전국 1위 학교이다. 김△△ 교감은 "월요일 조례 시간마다 악성 댓글 때문에 힘들어하는 사례를 소개하고, 선플을 남기는 운동을 설명한다."며 "선플 달기 운동을 한 후 비속어를 일상어처럼 쓰던 학생들의 언어 습관이 확 달라졌다."라고 덧붙였다.
　　또한 학생들의 달라진 언어 습관은 학교 폭력을 줄이는 긍정적인 효과를 가져왔다. 17일 울산시 교육청에 따르면 지난해 3~5월 224건이던 학교 폭력 신고 건수가 올해 들어서는 66건을

기록, 3분의 1 수준으로 급감했다.
　　울산시 교육청이 지난해 9월 울산 경찰청, 선플 달기 운동 본부와 업무 협약을 맺고 '선플 달기 운동'을 벌이기 시작한 지 8개월 만의 일이다.
　　울산시 교육청은 학생들의 참여를 높이기 위해 일주일에 선플을 20개 이상 남기면 자원 봉사 활동을 1시간 인정하고, 선플을 많이 남기면 학교에서 상을 주고 있다. 대신 댓글을 다는 데만 학생들의 봉사 활동이 쏠리지 않도록 일주일에 인정되는 자원 봉사 시간을 1시간으로 제한했다.

나 방송 뉴스 📺

아름다운 댓글, '선플'로 사랑을

아름다운 댓글, '선플'로 사랑을

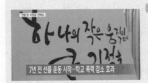
하나의 작은 울림이 큰 기적을
7년 전 선플 운동 시작 - 학교 폭력 감소 효과

아나운서 인터넷 문화가 확산되면서 악성 댓글이 사회에 악영향을 끼치고 있습니다. 악성 댓글이 아닌 아름다운 댓글, '선플'로 사랑을 전하자는 시민운동이 펼쳐지고 있습니다. ○○○ 기자가 보도합니다.

기자 선플 자원 봉사단 발대식이 열렸습니다. 학생과 학부모 할 것 없이 착한 댓글로 언어 정화 운동에 나설 것을 다짐했습니다.

고등학생 아름다운 말과 아름다운 글과 아름다운 행동으로…….

기자 선플 운동은 앞서 서로 격려하자는 의미에서 시작된 추임새 운동에 뿌리를 두고 있습니다. 교육부 조사 결과, 울산의 경우 지난 2012년 선플 운동을 벌인 뒤 1년 만에 학교 폭력이 60% 가까이 줄었다는 통계도 나왔습니다.
　　　　　　　　　－ 와이티엔(YTN), 2014년 9월 8일 방송

---

04 (가)와 (나)에서 얻을 수 있는 정보로 적절하지 <u>않은</u> 것은?

① 악성 댓글이 사회에 악영향을 끼치고 있다.
② 아름다운 댓글을 달자는 시민운동이 벌어지고 있다.
③ 선플 운동을 벌인 후 학교 폭력이 감소했다는 통계가 있다.
④ 선플 운동은 서로 격려하자는 의미의 추임새 운동에서 기원하였다.
⑤ 학교에서 선플 달기 운동을 한 후 비속어를 일상어로 쓰는 학생이 많아졌다.

05 〈보기〉는 (가)를 보고 나눈 반응이다. 대화 중 (가)와 같은 매체 자료에 대한 이해가 적절하지 <u>않은</u> 사람은?

　보기
혜은: 신문 기사를 읽는 사람들이 표제와 부제를 통해 핵심 정보를 파악할 수 있겠군.
영수: 기사의 전체 내용을 개관한다거나 원하는 정보만을 선별적으로 수용하기가 쉽지 않겠군.
순이: 그래프를 이용하여 통계 수치를 시각적으로 제시함으로써 정보 전달의 효과를 높이고 있군.
철민: 신문 매체에서는 기사에 사용된 글자체와 글자의 크기를 통해서도 정보의 중요도를 변별할 수 있겠군.
도연: 기사가 실린 위치나 기사가 차지하는 지면의 크기 등을 참고해 기사의 중요도를 판단해 볼 수도 있겠군.

① 혜은　② 영수　③ 순이　④ 철민　⑤ 도연

06 (나)의 정보가 구성되고 유통되는 방식에 대한 설명으로 적절하지 <u>않은</u> 것은?

① 현장 화면을 통해 생생한 정보를 전달하여 실재감이 높은 편이다.
② 동영상과 음성을 중심으로 정보를 구성하면서 중요 정보는 문자로 강조하고 있다.
③ 분량이나 시간의 제한을 받지 않기 때문에 다른 매체에 비해 많은 양의 정보를 전달할 수 있다.
④ 인터넷과 비교할 때 정보 제공자의 범위가 폐쇄적이고, 내용의 신뢰도는 일반적으로 높다고 볼 수 있다.
⑤ 전체 뉴스에서 해당 꼭지의 뉴스가 나오는 순서나 차지하는 분량에 따라 정보의 중요도를 짐작할 수 있다.

서술형

07 다음의 항목을 기준으로 신문 기사와 방송 뉴스를 비교하여 서술하시오.

┌─────────────────────────────┐
│ ㉠ 정보의 실재감 ㉡ 정보 전달의 속도 │
└─────────────────────────────┘

┌ 조건 ┐
• 두 매체의 차이점이 드러나게 서술할 것.
• 각각의 매체에서 사용되는 매체 언어를 예시로 들어 서술할 것.

[08-10] 다음 매체 자료를 읽고, 물음에 답하시오.

가 영상 매체

버스 정류장.
한쪽 창에 다급하게 뛰어오는 남자가 보인다.

창에 보이던 남자가 버스 정류장으로 뛰어온다.

이어서 어떤 동물이 버스 정류장으로 다가오는 모습이 보인다.

다가오던 동물은 이제 곧 창 옆으로 모습을 드러낼 참이다.

먼저 뛰어왔던 남자가 장난기 어린 표정으로 웃음을 터뜨린다. 다른 사람에게 증강 현실을 생생하게 보여 준 것이다.

이는 도심 한복판에 호랑이가 등장하는 가상의 영상 장치였음이 밝혀진다. 늘 반복되는 일상에 신선한 충격을 선사하려는 광고였다.

나 인쇄 매체

종이를 함부로 사용하는 건,
CO₂를 함부로 배출하는 것과 같습니다.

1톤의 폐지 재활용은
1.07379톤의 CO₂를 저감합니다.

kobaco
공익광고협의회

08 (가)와 (나)를 본 수용자의 반응으로 적절하지 <u>않은</u> 것은?

① (가)는 일상생활에서 일어나기 어려운 일을 증강 현실을 통해 구현하고 있군.

② (가)에 설정된 상황을 화면 속 일반인들이 모르고 있다는 점에서 흥미롭군.

③ (나)는 차의 배기가스와 찢어진 종이의 이미지를 재치 있게 일치시키고 있군.

④ (나)는 이미지와 문자를 통해 적절하게 전달하고자 하는 바를 표현하고 있군.

⑤ (가)와 (나)는 모두 수용자들에게 어떤 상품을 판매하고자 하는 목적을 지닌 광고이군.

09 (가)를 특정 제품의 광고라고 할 때, 광고를 통해 전달하고자 하는 제품의 특징으로 가장 적절한 것은?

① 권태로운 일상에 경각심을 불러일으킨다.

② 대중에게 신선하고 놀라운 재미를 선사한다.

③ 사람들이 기대하지 않은 큰 이익을 제공한다.

④ 도시인들에게 자연의 아름다움을 느낄 수 있게 한다.

⑤ 첨단 기술을 통해 우리가 꿈꾸던 미래를 체험하게 한다.

10 (나)와 〈보기〉를 비교한 것으로 적절하지 <u>않은</u> 것은?

┌ 보기 ┐

인쇄 매체

재활용
-자연 사랑의 밑거름입니다.

① (나)와 〈보기〉는 모두 인쇄 매체를 활용한 광고이다.

② (나)와 〈보기〉는 모두 자원 재활용을 주제로 하고 있다.

③ (나)와 〈보기〉는 모두 나무와 종이를 소재로 하고 있다.

④ (나)는 이미지의 유사성을 부각하고 있고, 〈보기〉는 이미지의 차별성을 부각하고 있다.

⑤ (나)는 부정적 메시지를 중심으로, 〈보기〉는 긍정적 메시지를 중심으로 내용을 전달하고 있다.

11 〈보기〉의 매체 자료를 감상한 후 이끌어낸 내용으로 적절하지 <u>않은</u> 것은?

< 보기 >

영상 매체

– 「잃어버린」에서

① 새싹의 이미지로 뒤덮여 있는 별의 모습을 보며 생명력을 느낄 수 있었어.
② 아버지의 굳은 얼굴 표정을 통해 딸에 대한 아버지의 근심을 읽어낼 수 있었어.
③ 비어 있는 어항과 땅을 파는 아버지의 거친 행동이 현실의 황폐함을 나타내는군.
④ 어둡고 차가운 색을 통해 부정적 현실을, 따뜻하고 밝은 색을 통해 긍정적 미래를 보여주는군.
⑤ 땅 위에 엎어진 어항 속 물고기의 모습을 통해 현실에 좌절하는 인물들의 심리를 표현하고 있네.

12 다음 중 매체 언어의 심미적 가치를 향유한 경험으로 보기 <u>어려운</u> 것은?

[학습 활동]
매체 언어의 심미적 가치를 향유했던 경험을 말해 보자.

[활동]
• 오랫동안 만나지 못했던 친구에게 온 안부 문자를 받고 반가움을 느꼈다. ················· ①
• 문학 작품을 읽고 현실의 모순에 저항하는 주인공의 삶에 감동하였다. ················· ②
• 여행 블로그에서 설악산의 풍경을 담은 사진을 보고 아름다움을 느꼈다. ················· ③
• 현충일 아침 신문에 실린 국립묘지의 사진을 보고 순국선열들의 고귀한 삶을 떠올렸다. ················· ④
• 가난한 사람들을 위해 봉사하는 데에 전 생애를 바친 사람에 관한 텔레비전 다큐멘터리를 보고 가슴이 뭉클해졌다. ················· ⑤

13 다음 매체 언어의 심미적 가치에 대한 진술 중, 적절한 것끼리 묶은 것은?

㉠ 매체 언어의 심미적 가치를 구현하기 위해서는 문자와 사진과 같은 전통적인 매체 언어에 의지할 수밖에 없다.
㉡ 매체 언어의 심미적 가치는 문학이나 영화와 같이 예술과 관련된 매체 양식에서만 구현된다.
㉢ 매체 언어의 심미적 가치를 이해하고 향유한다면 매체 자료에 담긴 의미를 더욱 풍부하게 이해할 수 있다.
㉣ 매체 언어의 심미적 가치는 수용자들의 정서적 자극이나 매체 언어의 창의적 표현 등을 통해 발현될 수 있다.

① ㉠, ㉡   ② ㉠, ㉢
③ ㉡, ㉢   ④ ㉡, ㉣
⑤ ㉢, ㉣

2. 매체 자료의 수용과 생산

핵심 질문 소통의 맥락을 고려하여 매체 자료를 수용하고 생산하려면 어떻게 해야 할까?

≫ 같은 대상을 보면서도 다양한 해석이 가능한 까닭을 생각해 보고, 자신이라면 다음의 상황을 어떻게 생각하고 표현했을지 말해 보자.

|예시 답| 같은 대상일지라도 대상의 어떤 면을 바라보고 강조했는지에 따라 대상을 통해 표상하는 의미는 달라질 수 있다. 나라면 여름철에 즐겨 먹게 되는 수박을 잘 보관하고 맛있게 먹을 방법을 조사하여 인터넷 블로그를 통해 다른 사람들과 공유하도록 할 것이다.

　　매체는 인간의 의사소통 과정에 깊숙이 자리 잡고 있다. 친교, 정보 전달, 설득, 정서 표현 등 다양한 목적에서 매체 활동이 이루어지며, 수많은 하위 갈래들이 나름의 관습과 규칙으로 자리 잡고 있다. 매일매일 쏟아지는 정보가 많아질수록 매체 자료의 의미와 가치를 이해하고 효과적으로 수용, 생산, 소통하는 능력이 중요해지고 있다.
　　이 단원에서는 다양한 관점과 가치를 고려하여 매체 자료를 비판적으로 수용하고, 매체의 특성과 의사소통의 맥락을 고려하여 매체 자료를 창의적으로 생산하는 활동을 해 보기로 한다. 이를 통하여 매체를 통한 의사소통 능력을 기르고 매체 문식성을 높일 수 있다.

소단원	학습 목표	내용
(1) 매체로 만나는 너와 나		활동 ① 친교적 매체 자료의 다양성 활동 ② 친교적 매체 자료 깊이 읽기 활동 ③ 친교적 매체 자료의 생산
(2) 매체로 주고받는 정보	• 다양한 관점과 가치를 고려하여 매체 자료를 수용할 수 있다. • 목적, 수용자, 매체의 특성을 고려하여 다양한 매체 자료를 생산할 수 있다.	활동 ① 정보 전달 매체 자료의 다양성 활동 ② 정보를 전달하는 매체 자료 깊이 읽기 활동 ③ 정보를 전달하는 매체 자료의 생산
(3) 매체로 설득하다		활동 ① 설득적 매체 자료의 다양성 활동 ② 설득적 매체 자료 깊이 읽기 활동 ③ 설득적 매체 자료의 생산
(4) 매체로 빚은 예술		활동 ① 심미적 매체 자료의 다양성 활동 ② 심미적 매체 자료 깊이 읽기 활동 ③ 심미적 매체 자료의 생산

{ 1 } 매체로 만나는 너와 나

• 친교적 매체 자료의 수용과 생산

수용	다양한 친교적 매체의 성격을 고려하여 상대방과의 관계를 바탕으로 수용함.	생산	관계를 새롭게 형성하거나, 기존의 관계를 친밀한 방향으로 변화시키기 위한 목적으로 생산함.

{ 2 } 매체로 주고받는 정보

• 정보 전달 매체 자료의 수용과 생산

수용	정보가 전달되는 맥락과 매체의 특성을 고려하여 주체적으로 수용함.	생산	정보를 전달할 대상과 목적을 고려하여 신뢰성, 유용성, 공정성 있게 생산함.

{ 3 } 매체로 설득하다

• 설득 매체 자료의 수용과 생산

수용	매체의 특성과 파급력을 파악하고, 내용의 타당성을 판단하며 비판적으로 수용함.	생산	예상 독자를 고려한 타당성 있는 설득 전략을 활용하여 생산함.

{ 4 } 매체로 빚은 예술

• 심미적 매체 자료의 수용과 생산

수용	매체 자료의 다양한 표현 방식을 이해하고 다양한 관점에서 감상하며 수용함.	생산	매체의 특성을 바탕으로 예상 독자에게 공감과 감동을 주는 내용으로 생산함.

1. 다음 빈칸에 알맞은 말을 쓰시오.

(1) 친교적 매체 자료는 상대와의 친밀한 감정을 주고받으며 (　　　) 작용하는 것을 목적으로 한다.

(2) 정보 전달 매체 자료는 (　　　), 유용성, 공정성에 근거하여 정보를 생산해야 한다.

2. 다음 진술 중 맞는 것에는 ○표, 틀린 것에는 ×표를 하시오.

(1) 시사 평론이나 광고 등은 설득을 목적으로 하는 매체 자료이다.
(　　　)

(2) 설득 매체 자료를 수용할 때는 공정성과 객관성을 고려하는 것이 중요하다.
(　　　)

3. 심미적 매체 자료를 생산할 때 독자에게 무엇을 주는 내용으로 생산해야 될 지 쓰시오.

_____

답 1.(1) 상호, (2) 신뢰성
2.(1) ○, (2) ×
3.공감과 감동

{1} 매체로 만나는 너와 나

≫ 사회적 동물로서 인간은 끊임없이 친교 활동을 하며 살아간다. 전통적으로 친교를 주 목적으로 해 온 편지부터 최근 활발하게 소통되고 있는 디지털 매체를 이용한 방식까지
_{생산자와 수용자의 관계를 새롭게 형성하거나 기존의 관계를 친밀하게 변화시키기 위한 목적으로 생산됨.}
다양한 매체 자료를 접해 보고, 친교적 상호 작용을 알아 가며 삶에 관한 이해의 폭을 넓
_{친교적 매체 자료의 목적}
혀 보자.

▶다양한 친교적 매체 자료를 보고, 이들의 성격과 기능은 무엇인지 파악하는 활동
1. 다음은 엽서, 문자 메시지, 누리 소통망(SNS)의 매체 자료이다. 이를 읽고, 친교적 기능을 수행하는 매체 자료의 성격과 기능을 알아보자.

가 엽서

언제나 수민이 편, 우리 엄마께 ← 엽서는 친교의 대상이 한정되어 있음.
（친교의 대상）

엄마, 저는 고등학교 생활을 마치고 이제 새로운 출발을 하는 시점에 서 있어요. 지난 3년간 저는 참 많이 성장한 것 같아요.

며칠 전 엄마가 이제 제 걱정은 하지 않으신다고 말씀하셨던 것 기억하세요? 저는 그 말이 무척 좋았어요. 또 요즘 엄마가 힘들고 지칠 때마다 제게 고민을 털어놓으시는 것이 무척 좋아
（성장했다고 느낀 이유 ①）
요. 제가 이제 엄마의 걱정과 염려를 끼치는 아이가 아니라, 엄마의 버팀목이 되어 드릴 수 있
（성장했다고 느낀 이유 ②）
는 어른이 된 것 같아 기뻐요.
（수민이가 생각하는 어른의 조건）

엄마는 늦었지만 공부를 더 해 보고 싶다고 하셨어요. 엄마, 이제 제 걱정을 하지 마시고, 아무런 제약 없이 엄마의 큰 꿈을 펼치셨으면 좋겠어요. 우리 같이 서로의 꿈을 위해 달려갔으면 좋겠어요.

– 엄마의 자랑, 수민 올림

▶고등학교를 졸업하는 수민이가 엄마께 자신이 성장했고, 엄마도 꿈을 펼치면 좋겠다는 내용의 편지

나 문자 메시지

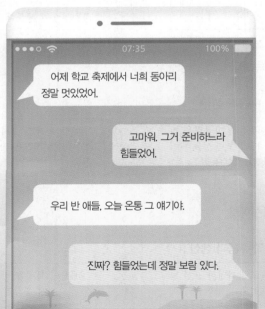

▶학교 축제에서 동아리 발표를 잘한 친구를 칭찬하는 문자

소단원 학습 포인트
- 친교적 매체 자료의 다양성 이해 하기
- 친교적 매체를 통한 소통 이해하기

♫ 친교의 목적으로 사용된 매체 자료들 은 생산자와 수용자와의 관계를 새롭게 형성하거나, 기존의 관계를 친밀하게 변 화시키기 위한 목적으로 생산된 것이다. 잘 모르는 사람이나 소원한 관계에 있는 사람을 대상으로 한 매체 자료도 포함할 수 있다.

개념 ➕
- **친교의 목적**
 – 기존의 친분을 유지하거나 더 돈독하 게 만드는 것
 – 새로운 친분을 만드는 것
- **친교의 방식**
 – 일대일, 일대다(多), 다(多)대다(多) 등 여러 양상에 따라 다르게 나타날 수 있음.
 → 친교적 매체의 선택은 이와 같은 친교 의 목적이나 방식에 따라 이루어짐.

개념 ➕
- **누리 소통망(SNS):** 개인, 집단, 사회의 관계를 네트워크로 파악하여, 주로 온라 인 상에서 인적 네트워크를 구축할 수 있게 해주는 서비스를 지칭함. 블로그나 페이스북, 인스타그램 등이 이에 속함.

다 누리 소통망(SNS)

이가을

♥ 2821 좋아요
해당 게시물에 대한 관심을 표현하는 기능
밤이 되니 이렇게 아름다운 불빛이 별처럼 도시를 수놓고 있어. 친구들은 이 시간에 무엇을 할까? 😶

#불빛 #별빛 #감성 소녀 ← 해시태그

↳ 수미: 난 내일 국어 수업 때 발표할 시 낭송 준비 중이야. 너는 벌써 끝냈어? 😳

↳ 무지개: 가을님, 사진이 정말 예뻐요. 저와 같은 감성이시네요. 친구 추가할게요. 😍
누리 소통망의 특징적인 소통 방식

♡ ○ ● ● ● ● ● ●

▶도시의 아름다운 불빛을 보며 자신의 생각을 자유롭게 게시함.

개념 ➕
• **해시태그:** #(샤프 기호)와 특정 단어를 붙여 쓴 것으로, 해시태그는 소셜 미디어에서 특정 핵심어를 편리하게 검색할 수 있도록 하는 메타데이터의 한 형태임.

📏 그림말(이모티콘)은 문자 언어보다 개인의 감정이나 느낌을 전달하기에 적합한 매체 언어로, 주로 정보 통신 매체에서 많이 쓰인다.

(1) 의사소통의 목적과 관련하여 (가)~(다)의 공통점을 말해 보자.
| 예시 답 | (가)~(다)는 모두 소통 상대와의 친교를 목적으로 한 의사소통 매체라는 공통점이 있다.

(2) 다음 표의 빈칸을 채우며 (가)~(다)를 비교해 보자.
| 예시 답 |

특징	(가)	(나)	(다)
매체의 속성	개인과 개인이 친밀한 감정을 주고받음.	개인과 개인이 친밀한 감정을 주고받음.	둘 이상의 사람들이 정서를 공유하고 의견을 나눔.
소통의 범위	대화 당사자가 지정한 대상	대화 당사자가 지정한 대상	지정된 대상뿐 아니라 경우에 따라 불특정 대상까지 소통의 범위가 확대될 수 있음.
시공간의 제한	일정 부분 시공간의 제한이 있을 수 있음.	시공간의 제한이 없음.	시공간의 제한이 없음.
신속성과 편의성	메시지가 전달되는 데 상대적으로 시간이 많이 걸리고, 편의성도 떨어짐.	원하는 시간에 언제든 신속하고 편하게 접근할 수 있음.	원하는 시간에 언제든 신속하고 편하게 접근할 수 있음.
보관 및 보안성	보관 중 분실할 우려가 있고, 다른 사람이 보지 못하도록 하려면 추가적인 보안 방법이 필요함.	자동적으로 보관이 되지만, 다른 사람이 보지 못하도록 하려면 추가적인 보안 방법이 필요함.	자동적으로 보관이 되지만, 다른 사람이 보지 못하도록 하려면 추가적인 보안 방법이 필요함.
접근 가능성	지정된 수신자에 한해 접근이 가능함.	해당 매체를 주고받을 수 있는 기기를 가지고 있다면 쉽게 접근할 수 있음.	인터넷으로 누구나 쉽게 접근할 수 있음.

(3) (가)~(다) 외에 친교적 기능을 하는 다른 매체 자료들로 어떤 것이 있는지, 각 매체 자료의 성격과 기능에 관해 친구들과 이야기해 보자.
| 예시 답 | 손 편지나 이메일, 인터넷 카페 등과 같은 매체 자료들도 친교적 기능을 포함하고 있으며, 손 편지는 엽서와 마찬가지로 아날로그적 성격을 지니고, 이메일과 인터넷 카페는 전자 매체로서의 성격을 갖는다. 또한, 각 매체 자료는 공통적으로 정보를 전달하거나 정서를 공유하는 기능을 갖는다.

🔍 **문제**로 확인   정답과 해설 035쪽

출제 예감

01. (가)~(다)의 매체 자료가 갖는 공통점으로 가장 적절한 것은?
① 친밀한 감정과 정서를 공유할 목적을 갖는다.
② 소통의 범위에 있어 불특정 대상까지 포함된다.
③ 시공간의 제약 없이 자유롭게 접근할 수 있다.
④ 소통이 원하는 때에 즉각적으로 이루어질 수 있다.
⑤ 디지털 매체 기기를 가지고 있어야 소통할 수 있다.

02. (다)와 같은 매체에 대한 설명으로 적절한 것끼리 짝지은 것은?

ㄱ. 신속성과 편이성이 높다.
ㄴ. 지정한 대상과의 소통을 목적으로 한다.
ㄷ. 인터넷으로 누구나 쉽게 접근할 수 있다.
ㄹ. 정확한 정보를 전달하기 위한 목적으로 사용된다.

① ㄱ, ㄴ   ② ㄱ, ㄷ
③ ㄴ, ㄷ   ④ ㄴ, ㄹ
⑤ ㄷ, ㄹ

활동 ② 친교적 매체 자료 깊이 읽기

≫ 최근 활성화된 이동 통신 기기나 인터넷 등과 같은 매체 환경은 직접 만나지 않고도 친교 활동을 할 수 있다는 점에서 좋은 반응을 얻고 있다. 하지만 부작용도 함께 나타나고 있다. 인터넷 친목 카페와 누리 소통망(SNS)에서 이루어지는 친교 활동을 깊이 읽고, 이와 같은 매체를 수용할 때 필요한 바람직한 자세에 대해 생각해 보자.

가상 세계, 온라인 상

▶ 친교적 매체 자료를 수용하는 바람직한 태도를 이해하는 활동

1. 다음은 인터넷에서 운영되는 친목 카페의 예시이다. 아래의 활동을 통해 인터넷에서 이루어지는 친교적 텍스트의 생산과 수용 양상에 대해 살펴보자.

개념 ✛

인터넷 친목 카페는 같은 관심사를 공유한 사람들이 자발적으로 모여 만든 모임이라는 점에서 친교의 목적이 강함.

학습 도우미

인터넷에서 운영되는 친목 카페는 정보를 공유하거나 친목을 도모하기 위해 만든 온라인 모임으로, '인터넷 카페' 또는 '사이버 카페'로 불린다.

문제로 확인

03. 오른쪽에 제시된 인터넷 친목 카페에 가입한 목적으로 적절하지 <u>않은</u> 것은?

① 자신의 고양이를 자랑하고 싶어서
② 고양이와 관련된 정보를 얻기 위해서
③ 다른 사람의 고양이를 보고 칭찬하기 위해서
④ 고양이를 싫어하는 사람을 설득하기 위해서
⑤ 고양이를 좋아하는 사람과 친목을 도모하기 위해서

(1) 위 친목 카페에 사람들이 가입한 이유를 추측해 보고, 인터넷 친목 카페를 만들거나 가입을 하는 이유는 무엇일지 말해 보자.

| 예시 답 | 고양이를 키우는 데 필요한 정보를 공유하고, 고양이를 키우는 사람끼리 친목을 도모하기 위해 가입할 것이다. 이처럼 인터넷 친목 카페는 비슷한 취향이나 목적을 가진 사람끼리 정보를 공유하거나 친목을 도모하려는 이유에서 가입을 한다.

(2) 소통의 측면에서 다음과 같은 게시판 목적을 생각해 보고, 이용자들이 동질감과 친밀감을 느끼는 이유를 설명해 보자.

우리냥이 일기 게시판 ← 게시판 카테고리명

제목	작성자	작성일	조회
14일 된 아기 고양이의 하루 [40]	쿵집사	8. 17.	52
텔레비전을 보다가 숙면에 빠진 초코입니다. [32]	초코맘	8. 16.	47
처음 꾹꾹이를 받던 역사의 현장♡ [57]	꾹아빠	8. 16.	60
⋮	⋮	⋮	⋮

글쓰기 ••••••

1 2 3 4 ▶

│예시 답│ 게시판에 올라온 게시물의 제목에서 알 수 있듯이 자신이 키우는 고양이 모습을 게시하고, 또 다른 사람의 고양이 키우는 모습을 공유하는 것이 이 게시판의 목적이다. 이 게시판의 이용자들은 모두 고양이를 키우고 사랑하는 사람들이기 때문에 같은 취향과 정서를 가진 사람들의 생활을 공유하면서 동질감과 친밀감을 느끼게 되는 것이다.

(3) 다음은 위 인터넷 카페에서 공지한 글이다. 이를 바탕으로 친교 텍스트를 수용하고 생산할 때 필요한 바람직한 자세를 적어 보자.

당부의 말씀을 드립니다. ← 게시글 제목

작성: 길 위의 집사 │ 20○○. 9. 6. 13:00

어제 '우리냥이 알리기' 게시판에 반려동물 '하늬'의 사진을 올렸습니다.

정말 감사하게도 하늬에 대해 호감을 많이 보여 주셨고, 칭찬도 많았죠.

그런데 몇몇 분은 하늬의 꼬리 길이나 털 윤기 등 외모에 대해 깎아내리셨고, 비하하는 발언도 하셨습니다. 하늬를 가족처럼 생각하는 저로서는 너무 마음이 아팠습니다.

<u>글을 올린 사람과 읽는 사람 모두 고양이를 사랑하는 마음에 이 카페에 오셨다고 생각합니다.</u>
카페 가입 목적
다. 소통하실 때 한 번 더 상대의 입장이 되어 주시길 부탁드립니다.
인터넷 카페 활동의 바람직한 자세

댓글 20개 │ 조회 30건 │ 글쓰기

 냥이엄마 2017. 11. 17. 00:01

안녕하세요. 관리자 냥이엄마입니다. 소통에 방해가 되는 도배성 글이나 광고, 예의 없는 댓글 등을 올리시는 분에게는 제재를 주는 것으로 결정하였습니다. 곧 개선될 것으로 기대합니다.^^

│예시 답│ 친교 텍스트를 수용하고 생산하는 목적은 기본적으로 '친교'에 있다. 따라서 상대방을 비난하거나 비하하는 등의 태도는 친교에 도움이 되지 않기 때문에, 상대를 존중하고 배려하는 자세를 지니는 것이 필요하다.

(4) 평소에 좋아하거나 관심이 있었던 주제와 관련한 친목 카페가 있는지, 어떻게 운영되고 있는지를 조사해 보자.

│예시 답│ 평소에 자전거 타기를 좋아해서 자전거 동호회 카페에 관심이 있었는데, '두 바퀴로 바라보는 세상'이라는 친목 카페를 알게 되었다. 이 카페는 자전거 타기에 관심이 있는 사람들이 모여서 그와 관련된 정보를 공유하고, 또 오프라인에서 자전거를 함께 타는 활동도 하는데, 구체적으로 자전거 관리 방법이나 구매 방법, 자전거 부품이나 중고 자전거 거래 장터, 자전거 타기 좋은 장소 공유, 지역별 오프라인 모임 소개 등과 같은 게시판을 운용하고 있으며, 카페 대표와 지역별 대표를 중심으로 정기적으로 오프라인 모임을 진행하고 있다.

개념➕

인터넷 매체의 익명성
- 익명성은 어떤 행위를 한 사람이 누구인지 드러나지 않는 특성을 말함.
- 표현의 자유나 선입견 없이 개인의 개성을 드러낸다는 장점이 있음.
- 자신이 누구인지 드러나지 않는다는 것을 이용하여 상대에 대한 지나친 비난이나 무례를 범하는 부작용이 있음.

상호 작용의 텍스트를 읽을 때는 글의 기본적인 내용을 파악하는 것과 함께 생산자와 수용자가 현재 어떤 관계에 있고, 앞으로 어떤 관계를 형성하고자 하는지를 파악하는 데 중점을 두는 것이 좋다.

개념➕
- **댓글**: 인터넷상에서, 한 사람이 게시판에 올린 글에 대해 다른 사람이 대답의 형식으로 올리는 글

🔖 문제로 확인 🔖

04. 다음 중 인터넷 친목 카페의 특성으로 적절하지 않은 것은?

① 직접 만나지 않고도 친교적인 활동이 가능하다.
② 시공간의 제약 없이 의사소통하는 것이 가능하다.
③ 규칙을 벗어나 자유롭게 의사소통하기 위한 목적이다.
④ 자신이 관심을 가진 분야의 정보를 쉽게 주고받을 수 있다.
⑤ 실명이 아닌 자신을 소개할 수 있는 가명을 사용할 수 있다.

서술형

05. (3)번의 자료를 바탕으로 인터넷 친목 카페에서 소통할 때 필요한 자세를 한 문장으로 서술하시오.

----

2. 다음 자료를 읽고, 누리 소통망(SNS)의 긍정적인 면과 부정적인 면을 파악하며 아래의 활동을 해 보자.

가 태어나자마자 각각 미국과 프랑스로 입양되어 서로의 존재를 모른 채 살았던 쌍둥이 자매 '사만다'와 '아나이스'는 우연히 누리 소통망(SNS)과 동영상 공유 사이트를 통해 25년 만에 재회했다. 이들의 만남은 아나이스가 동영상에서 우연히 자신과 똑같이 생긴 사만다를 발견하면서 시작된다. 온라인을 통해 사만다에게 연락할 방법을 찾던 아나이스는 친구들과 함께 사만다의 개인 계정으로 쪽지를 보냈고, 쪽지를 확인한 사만다가 아나이스가 보낸 친구 신청을 확인하면서 두 사람의 본격적인 이야기가 전개된다. LA와 런던, 지구 반대편에 사는 두 사람은 멀리 떨어져 있음에도 불구하고 화상 채팅, 전자 우편 등을 통해 서로에 대해 알아 갔고, 자신들이 쌍둥이 자매일지도 모른다는 생각을 하게 된다. 사만다는 확신을 하고 아나이스의 동의하에 영상을 남기기 시작했고, 「트윈스터즈」라는 자전적 다큐멘터리가 탄생하게 되었다.

공간적 제약 없이 친교를 할 수 있는 수단

– 다큐멘터리 영화 「트윈스터즈」 제작 노트에서
▶ 누리 소통망의 긍정적 면을 보여준 사례

나 '사이버 불링(Cyber Bullying)'은 온라인 공간에서 발생하는 불특정 다수의 집단 괴롭힘을 뜻하는 단어로, 대상이 누군지를 떠나 악성 댓글을 비롯한 '언어 폭력', '개인정보 유포', '악성 소문 생산' 등이 모두 포함된다. [중략]

사이버 불링의 개념
사이버 불링의 종류

온라인 커뮤니티가 거대해지고, 누리 소통망(SNS) 문화가 확산되면서 일반인들도 사이버 불링의 피해에 노출되고 있다. 별 뜻 없이 올린 자신의 누리 소통망(SNS) 글이 논란이 되는 일도, 거짓 글로 무고한 사람이 피해를 보는 일도 적잖이 발생하는 상황이다. [중략] 물론 정당한 비판이 필요한 순간도 분명히 있다. 하지만 그 비판도 도를 지나치고, 과열되는 양상을 띠게 되면 그 정당성을 잃어버리게 된다는 점도 기억해둬야 할 것이다.

사이버 불링이 확산되는 조건

– 『공감신문』 2018. 4. 25.
▶ 누리 소통망의 부정적 면을 보여준 기사

문제로 확인

06. 누리 소통망에 대한 설명으로 적절하지 <u>않은</u> 것은?

① 시공간적인 제약을 거의 받지 않는다.
② 의사소통이 즉각적이고 직접적이다.
③ 글이나 사진을 공유하기가 쉽고 빠르다.
④ 사적인 기능보다는 공적인 기능이 더 많다.
⑤ 많은 사람들이 연쇄적으로 정보를 공유할 수 있어 파급력이 크다.

07. 다음 중 사이버 불링에 해당하지 <u>않는</u> 것은?

① 범죄자의 개인 정보를 인터넷에 유포하는 행위
② 단체 채팅방에서 한 명에게 언어 폭력을 한 행위
③ 인터넷 친목 카페에 특정인에 대한 거짓 정보를 퍼트리는 행위
④ 해외 여행지 중 위험한 곳에 대한 정보를 여행 친목 카페에 공유하는 행위
⑤ 타인에 대한 불확실한 소문을 친목 누리 소통망에 올리는 행위

(1) (가)와 (나)를 바탕으로 누리 소통망(SNS)의 긍정적인 면과 부정적인 면을 정리해 보고, 누리 소통망의 개인적, 사회적 파급력에 대해 말해 보자.

긍정적인 면	부정적인 면
│예시 답│ 공간적으로 멀리 떨어져 있는 사람과도 자유롭게 소식을 전하고, 평소 만날 수 없는 사람과도 친교를 맺어 인간관계를 확장할 수 있다는 점에서 긍정적인 기능을 갖는다.	**│예시 답│** 다른 사람에 대한 비판이나 불확실한 소문 등이 불특정 다수에게 급속하게 확산될 수 있으며, 익명성에 기대어 오프라인 상에서 가해지는 폭력보다 훨씬 더 심각한 위해를 상대에게 가할 수 있다는 점에서 부정적인 기능을 갖는다.

│예시 답│ 사회적 파급력: 누리 소통망과 같은 온라인 매체는 오프라인보다 그 정보 전달이 즉각적이고 시공간적 제약 또한 없어서 그 확산 속도가 매우 빨라, 많은 사람이 짧은 시간 내에 연쇄적으로 정보를 공유할 수 있으므로 사회적 파급력이 대단히 크다고 말할 수 있다.

(2) '누리 소통망(SNS)을 사용하는 바람직한 자세'를 주제로 모둠별로 토의를 한 후, 그 결과를 발표해 보자.

│예시 답│ 누리 소통망을 사용할 때는 먼저 매체가 갖는 사회적 파급력을 고려할 필요가 있다. 내가 공유하는 정보와 소식이 급속하게 많은 사람에게 퍼질 수 있어서, 정보가 정확한 것인지, 많은 사람에게 공개되어도 좋은 것인지를 확인하고 판단할 필요가 있다. 또한, 누리 소통망이 갖는 긍정적인 측면과 부정적인 측면을 고려하여 공유하는 정보가 성격이 누리 소통망의 순기능을 자극할 수 있는 것인지 판단하고 사용하는 자세가 필요하다.

활동 ③ 친교적 매체 자료의 생산

» 친교를 위한 의사소통은 지속적이고 적극적이며 <u>쌍방향적인 성격</u>이 강하다. 쌍방향적
_{친교적 의사소통의 성격}
인 성격이 강하다는 것은 의사소통의 과정에서 <u>상대에 대한 고려가 매우 중요</u>하다는 것
_{친교적 의사소통의 요건}
을 의미한다. 모둠을 이루어 영상 편지를 만들고 누리 소통망(SNS)에서 공유하면서 친
교적 매체 자료를 생산해 보자.

> **활동 주제** 3~4명이 한 모둠을 이루어 다음 활동들을 수행하며 친교의 목적을 위한 영상 편지를 만들어 누리 소통망(SNS)에 올려 보자.

1. 〈보기〉를 참고하여 모둠별로 협의를 통해 영상 편지의 수신자와 주제를 정해 보자.

> **보기**
>
> • 가족의 사랑에 대한 감사
> • 함께 생활하는 사람들에게 전하는 당부
> • 이번 달 생일을 맞은 반 친구들에 대한 축하
> • 미래의 우리 반 친구들에게 지금의 우리 반이 보내는 응원

| 예시 답 |

> • 영상 편지의 수신자: 이번 달 생일을 맞은 반 친구들
> • 주제: 생일 축하

개념 ⊕
• **영상 편지:** 캠코더나 디지털 카메라, 휴대 전화 카메라 등으로 어떤 대상에게 이야기하는 모습을 촬영하여 주고받는 영상. 영상 편지는 동영상 이미지뿐만 아니라 음악이나 음향, 사진 및 그림과 텍스트 등 다양한 매체를 복합적으로 활용하여 매체 자료를 구성할 수 있음.

2. 1에서 정한 내용을 바탕으로 모둠별로 영상 편지 제작 계획을 세워 보자.

| 예시 답 |

> ### 영상 편지 제작 계획
>
> • **수신자:** 이번 달 생일을 맞은 반 친구들
> • **주제:** 친구야, 생일 축하해.
> • **매체:** 누리 소통망(영상 편지)
> ◆ **역할 분담**
>
> > 음악 및 음향 담당, 섭외 및 촬영 담당, 자막 및 편집 담당, 대본 담당
>
> ◆ **제작상의 유의점**
>
> > − 음악 및 자막, 영상이 잘 어우러질 수 있도록 한다.
> > − 영상 편지의 목적과 주제에 잘 맞게 제작한다.
> > − 기존 영상 제작물을 참고하되, 흉내 내지 않도록 한다.
> > − 창의적이고 재치 있게 내용을 구성한다.

개념 ⊕
• 영상 편지 제작에 있어 매체의 활용은 영상 편지의 목적과 내용에 부합해야 함.
• 내용 전달과 관계없이 지나치게 매체의 활용이나 매체 기술이 사용되지 않도록 주의해야 함.

⚲ 문제로 확인 ⚲

08. 영상 편지의 제작 과정에 포함될 내용으로 가장 거리가 먼 것은?

① 수신자와 주제를 선정한다.
② 영상 편지의 대본을 작성한다.
③ 대본을 바탕으로 영상을 촬영한다.
④ 영상에 어울리는 음악이나 자막 등을 입힌다.
⑤ 영상 편지를 받았던 사람들의 반응을 조사한다.

친교를 목적으로 하는 영상 편지의 대본을 작성할 때는 사실에 대한 나열보다는 수신자에 대한 발신자의 긍정적 감정이나 생각 등을 강조하는 것이 좋음.

3. 모둠원들끼리 협의를 하여 영상 편지의 대본을 작성해 보자.

| 예시 답 |

| 제목 | 꽃보다 아름다운 너희들이 태어난 날을 축하하며

아영, 윤정, 연우, 찬형, 그리고 성진아!
우리 교실 너머로 보이는 화단에 피어난 노란 꽃을 보았니?
지난봄 그 검은 땅을 뚫고 연둣빛 싹을 내밀던 그 조그만 손이
어느덧 활짝 손을 펼치더니만 며칠 전 그 사이로 빼꼼 얼굴을 내밀더니만
오늘은 드디어 노란 꽃을 피웠더구나.
그 노란 꽃 옆에 하얀 꽃, 빨간 꽃, 주황색 꽃….
해마다 이맘때쯤이면 창밖을 보는 재미가 쏠쏠해서 가끔 수업에 집중을 못 하게 돼.
하지만 교실 안에도 그만큼 예쁜 꽃들이 있지.
그 꽃들과 같은 계절에, 같은 달에 태어난 꽃….
바로 너희들이지.
계절이 지나가도 지지 않고 항상 싱그럽게 피어있을 너희들은
지금 창밖을 수놓은 꽃보다도 훨씬 아름다운 꽃들이야.
우리에게 항상 아름다움을 감상할 수 있게 해준 너희들이 태어난 날을 축하해.
항상 밝고 건강하게, 그리고 사이좋게 지낼 수 있으면 좋겠어.
너희들을 세상에 보내준 이 계절에 감사하며,
다시 한 번 너희들의 생일을 축하할게.
"Happy birthday to you!!"

🎵 영상 편지의 제작과 완성

• 영상을 촬영하고 장면에 어울리는 소리와 음악, 자막을 넣어 편집한다.
• 편집이 끝난 영상 편지를 다른 모둠과 바꿔 평가해 보고, 필요한 경우 내용을 보완하거나 수정하여 영상 편지를 완성한다.

4. 완성한 대본에 따라 영상 편지를 제작하여 누리 소통망(SNS)에 게시하여 보자.

(1) 누리 소통망에 영상을 게시하고, 영상 편지의 대상이 보인 반응을 적어 보자.

| 예시 답 | "너무 고마워! 영상이 너무 아름답다!"
"완전 감동이야! 내 생일을 이렇게 빛나게 해줘서 고마워!"
"우리 생일을 이렇게 축하해 주는 너희도 정말 아름다운 꽃들이야. 고마워!"

(2) 누리 소통망에 달린 반응에 댓글을 작성해 보고, 다른 모둠이 게시한 영상 편지에도 댓글을 달아 보자.

| 예시 답 |
"너무 고마워! 영상이 너무 아름답다!"
　ㄴ 좋아해 줘서 기뻐! 근데 영상에 너희 사진들이 가득한데 아름답다면…. ㅋㅋㅋ
"완전 감동이야! 내 생일을 이렇게 빛나게 해줘서 고마워!"
　ㄴ 열심히 준비했는데, 고맙다니 다행이야. 내 생일에도~ 알지? ^^
"우리 생일을 이렇게 축하해 주는 너희도 정말 아름다운 꽃들이야. 고마워!"
　ㄴ 우리 반은 온통 꽃밭이야!

출제 예감

09. 친교의 목적으로 영상 편지를 제작할 때 유의할 점으로 적절하지 **않은** 것은?

① 영상 편지의 주제와 목적을 고려하여 제작한다.
② 창의적이고 재미있게 내용을 구성할 수 있도록 한다.
③ 수신자와 정서적으로 교감할 수 있도록 내용을 구성한다.
④ 완성도를 높이기 위해 기존의 영상 제작물을 모방하도록 한다.
⑤ 음악이나 자막, 이미지 등을 활용할 때는 반드시 편지 내용과 어울리도록 한다.

5. 여러 모둠에서 누리 소통망(SNS)에 게시한 영상 편지를 함께 감상하고, 어떤 감정을 느꼈는지 이야기해 보자.

| 예시 답 | 서로가 서로에게 감사와 축하, 응원 등을 보내주는 영상을 보며 마음이 따뜻하고 훈훈해지는 감정을 경험하였다. 이런 활동을 통해 친구와 서로 더욱 돈독해지고, 가까운 사이처럼 느껴졌다.

{ 2 }

매체로 주고받는 정보

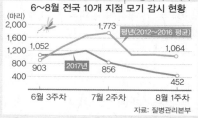

활동 ① 정보 전달 매체 자료의 다양성

» 매체는 단순히 정보를 담는 그릇이 아니라, 그 자체가 전달하고자 하는 정보의 일부이다. 또한 정보 전달의 맥락에서 중요한 요소가 되기도 한다. 따라서 매체에 담긴 정보를 제대로 수용하기 위해서는 매체가 사용된 맥락과 매체의 특성을 이해할 필요가 있다. 다양한 매체 자료의 정보 전달 방법을 살펴보도록 하자.

▶다양한 정보 전달 매체 자료를 통해 정보 전달 방식을 이해하는 활동

1. 다음 매체 자료를 읽고, 정보 전달을 위한 매체 자료의 특성과 읽는 방법을 알아보자.

소단원 학습 포인트

- 정보 전달 매체 자료의 성격 이해하기
- 매체를 통해 정보를 유통할 때 유의점 파악하기
- 다양한 관점과 가치를 고려해 매체 자료를 수용·생산하기

개념⊕

정보가 지닌 신뢰성

- 일반적으로 그 자료를 생산하는 사람이나 집단의 전문성이나 권위에 의해 부여되는 경우가 많음.
- 신문 기사나 다큐멘터리는 인터넷 블로그에 비해 신뢰성이 높음.
- 대중이 느끼는 신뢰성은 오히려 정보에 대한 검증을 소홀하게 하는 측면이 있어 잘못된 정보가 유통되는 경우가 있음.
- → 어떤 매체 자료든지 정보에 대한 검증을 소홀히 하는 태도를 경계해야 함.

학습 도우미

신문 기사 구성 요소

- 표제: 기사 내용 전체를 간단하게 나타내는 큰 제목
- 부제: 표제를 보충하는 작은 제목
- 전문: 기사의 내용을 육하원칙에 따라 한두 문장으로 요약한 부분
- 본문: 전문의 내용을 구체적으로 제시한 부분

가 신문 기사 〔신문〕

동아일보 / 2017년 9월 1일

표제 → ## 그 많던 모기, 다 어디로 갔을까

8월 감시 지점 10곳서 1,541마리 잡혀
5년간 평균 대비 절반으로 뚝
"중부 폭우 – 남부 가뭄, 서식지 줄어" ← 전문

─ 통계 자료 제시

6~8월 전국 10개 지점 모기 감시 현황

(마리)
2,000 / 1,600 / 1,200 / 800 / 400

1,052 / 903 / 1,773 / 856 / 1,064 / 452
평년(2012~2016 평균) / 2017년

6월 3주차 / 7월 2주차 / 8월 1주차

자료: 질병관리본부

본문

장마가 끝난 뒤 모기 기피제를 잔뜩 구매한 홍○○ 씨(33)는 지난 몇 주간 포장도 뜯지 않았다. 홍○○ 씨는 "비가 그치면 모기가 크게 늘 줄 알았는데 몇 주간 거의 보이지 않았다."라고 말했다.
▶모기 기피제를 쓰지 못한 시민의 인터뷰
31일 질병관리본부가 전국 10개 감시 지점의 모기 수를 집계한 결과 모기 수가 급감한 것으로 나타났다. 8월 3주간 채집된 모기 수는 1,541마리로 최근 5년간(2012~2016년) 평균(3,075마리)의 절반에 불과했다. 지난해 8월 3주간 모기 수는 2,615마리로 올해보다 70 % 가량 많았다.
▶통계 자료를 통해 기사의 신뢰성 부각
▶통계 자료를 통해 모기 수가 급감한 사실 제시
'여름의 불청객' 모기가 급감한 것은 '너무 많이 오기도 하고, 너무 적게 오기도 한' 비 때문이다. 중부 지방에는 이번 장마 기간(6월 29일~7월 14일) 지엽적이고 강한 폭우가 쏟아졌다. 장마가 끝난 8월 중순에도 서울에 시간당 30밀리
▶모기가 급감한 원인 ①

미터(mm)의 강한 비가 내리는 등 이례적인 강우가 이어졌다.
▶모기 수가 급감한 이유: 강한 폭우
반면 남부 지방에는 비가 오지 않았다. 장마 기간 남부 지방의 강우량은 평년의 53 % 수준을 기록해 중부 지방과의 강우량 차이가 254.9밀리미터(mm)나 됐다. 장마 기간 강원 홍천에는 432.5밀리미터(mm)의 비가 내렸지만, 대구의 강우량은 13.1밀리미터(mm)에 그쳐 지역별 강우량 차이가 33배나 나기도 했다. 8월 중순에도 중부 지방에는 비가 많이 왔지만, 남부 지방에는 폭염 주의보가 내려졌다.
▶모기가 급감한 원인 ②
▶모기 수가 급감한 이유: 가뭄과 폭염
질병관리본부 매개체 감시과에서는 "보통 장마가 끝나고 모기가 늘어나는 게 일반적인데 올해는 지엽적 집중 호우와 고온이 이어지면서 모기의 서식 환경이 악화된 것으로 보인다."라고 했다.
▶모기 수 급감에 대한 질병관리본부의 견해

---

2. 매체 자료의 수용과 생산 **271**

나 다큐멘터리

[내레이션] 우리나라에서 가장 아름다운 아치형 돌다리로 손꼽히는 승선교. 조선 시대에 만들어진 승선교는 기다란 화강암으로 다듬은 돌을 연결한 후 반원형의 무지개 모양으로 다리를 <u>다큐멘터리의 핵심 제재</u> 쌓은 것인데, <u>돌들이 서로 견고하게 맞물린 모양이 매우 정교하고 아름답다. 특히 아래로 갈수</u> <u>승선교에 대한 미적 평가</u> <u>록 좁아지는 돌들을 고도의 기술로 빈틈없이 밀착시켜 완벽한 곡선미를 이루는데,</u> 그 신비스 <u>승선교의 미적 아름다움의 핵심: 아치의 곡선미</u> 러운 정취가 주변과 어우러져 마치 한 폭의 그림 같다.

– 광주방송, 『남도의 보물 100선』(12회 「봄이 내린 선암사를 걷다」)에서

문제로 확인   정답과 해설 036쪽

01. (가)의 구성에 대한 설명으로 적절하지 <u>않은</u> 것은?

① 표제를 통해 기사의 전체 내용을 간단하게 제시하고 있다.

② 기사의 내용을 보충하여 통계 자료를 그래프의 형태로 제시하고 있다.

③ 본문 전에 기사 사실을 한두 문장으로 요약한 것을 전문이라고 한다.

④ 본문에 제시된 사실은 기자의 주관적 견해를 바탕으로 수정할 수 있다.

⑤ 기사 내용의 근거로 삼기 위해 통계 자료나 전문가의 인터뷰 등을 포함하기도 한다.

출제 예감

02. (가)~(다)의 매체 자료를 생산한 공통의 목적으로 가장 적절한 것은?

① 매체 자료를 접하는 사람들과 친밀한 감정을 나누고자 한다.

② 매체 자료를 접하는 사람들에게 유용한 정보를 전달하고자 한다.

③ 매체 자료를 접하는 사람들에게 자신의 주장을 설득하고자 한다.

④ 매체 자료를 접하는 사람들에게 심미적 체험을 하게 해주고자 한다.

⑤ 매체 자료를 접하는 사람들 스스로 자신의 삶을 성찰하게 한다.

다 인터넷 블로그

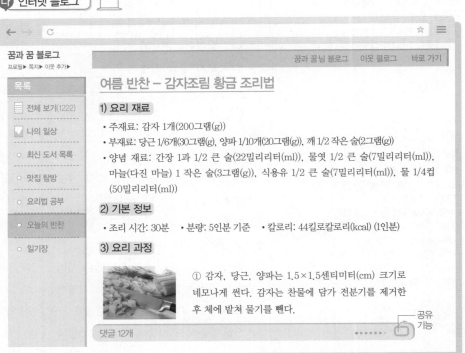

꿈과 꿈 블로그
프로필▶ 쪽지 ┃ 이웃 추가▶

꿈과 꿈님 블로그   이웃 블로그   바로 가기

목록

- 전체 보기(1222)
- 나의 일상
- 최신 도서 목록
- 맛집 탐방
- 요리법 공부
- 오늘의 반찬
- 일기장

여름 반찬 – 감자조림 황금 조리법

1) 요리 재료

- 주재료: 감자 1개(200그램(g))
- 부재료: 당근 1/6개(30그램(g), 양파 1/10개(20그램(g), 깨 1/2 작은 술(2그램(g))
- 양념 재료: 간장 1과 1/2 큰 술(22밀리리터(ml)), 물엿 1/2 큰 술(7밀리리터(ml)), 마늘(다진 마늘) 1 작은 술(3그램(g)), 식용유 1/2 큰 술(7밀리리터(ml)), 물 1/4컵 (50밀리리터(ml))

2) 기본 정보

- 조리 시간: 30분   • 분량: 5인분 기준   • 칼로리: 44킬로칼로리(kcal) (1인분)

3) 요리 과정

① 감자, 당근, 양파는 1.5×1.5센티미터(cm) 크기로 네모나게 썬다. 감자는 찬물에 담가 전분기를 제거한 후 체에 밭쳐 물기를 뺀다.

공유 기능

댓글 12개

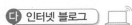

(1) (가)~(다)의 매체 자료가 전달하고 있는 정보의 목적, 내용, 정보의 전달 대상을 정리해 보자.

	(가)	(나)	(다)
목적	모기 급감 현상에 대한 정보 전달	승선교의 구조적 아름다움에 대한 정보 전달	감자조림의 조리법을 전달
내용	가뭄과 폭염의 영향으로 서식지가 줄어 모기의 개체 수가 급감함.	반원형의 무지개 모양의 다리인 승선교의 완벽한 곡선미가 주변과 어우러져 아름다움을 선사함.	감자조림의 재료와 요리 과정 설명
전달 대상	신문을 구독하는 사람들	다큐멘터리를 시청하는 사람들	인터넷 상에서 감자조림의 조리법을 검색하여 익히고자 하는 사람들

(2) (1)을 바탕으로 각 매체가 정보를 전달하는 방식과 그 효과를 적어 보자.

- 각 매체가 정보를 전달하는 방식:

ㅣ예시 답ㅣ (가)는 인쇄 매체로서 문자나 그래프, 표를 통해 정보를 전달한다. (나)는 영상 매체로서 영상과 이미지, 음향, 자막 등을 조합하여 정보를 전달한다. (다) 인터넷 매체로서 문자와 이미지, 영상 등을 조합하여 정보를 전달한다.

- 효과:

ㅣ예시 답ㅣ (가)는 영상이나 이미지와 비교하면 추상적인 매체 언어인 문자를 중심으로 정보를 전달함으로써 독자의 판단력과 적극적 사고력에 의해 주체적으로 정보를 수용할 수 있게 하는 효과가 있다. (나)는 영상과 문자, 이미지, 음향 등 다양한 매체 언어들을 적절하게 조합하여 정보를 전달함으로써 시청자가 정보를 쉽게 이해할 수 있도록 하는 효과를 있다. (다)는 다양한 이미지와 문자, 영상 등을 정보를 전달하기 쉬운 방식으로 얼마든지 조합하여 독자의 이해를 높여주며, 독자 스스로 필요한 내용을 취사선택할 수 있게 한다는 점에서도 효과적이다.

(3) (가)~(다)에 담긴 정보의 신뢰성, 유용성을 고려할 때, 매체 자료에 제시된 정보를 수용하면서 어떤 점에 유의해야 하는지 적어 보자.

ㅣ예시 답ㅣ 정보 전달의 매체를 수용하면서 가장 중요한 것은 매체 자료에 포함된 내용이 신뢰할 만한 것인지, 그리고 자신에게 유용한 정보를 담고 있는지 하는 것이다. 따라서 이 두 가지에 유의하여 정보를 수용해야 하는데, 일단 정보의 신뢰성은 제시된 자료의 출처가 분명한 것인지, 자료의 내용이 어느 한쪽으로 치우치지 않고 객관적이고 공정한 내용을 담고 있는지를 중심으로 판단해야 한다. 정보의 유용성은 제시된 자료의 내용이 지금 내게 필요한 내용을 담고 있는지, 현실적으로 활용, 혹은 실현 가능한 것인지 등을 중심으로 판단해야 한다.

- 각 매체는 구성 방식에 따라 문자나 음성, 이미지, 영상 등과 같은 매체 언어와 그 조합을 통해 정보를 전달한다. 따라서 각 매체가 어떤 매체 언어를 어떻게 조합하여 사용하는지를 살펴보면 매체가 정보를 전달하는 방식이나 전략, 효과 등을 파악할 수 있다.
- 정보의 신뢰성은 정보의 내용이 사실에 부합하고, 객관적인 것인지에 대한 판단을 담고 있다. 출처가 확실한 자료인지 인정할 수 있는 정보인지가 주요한 판단 근거가 된다.

문제로 확인

03. (가)~(다) 매체의 정보 전달 방식에 대한 설명으로 적절하지 않은 것은?

① (가)와 달리 (나)는 동영상을 중심으로 정보를 전달한다.

② (가)와 달리 (다)는 문자 텍스트를 중심으로 정보를 전달한다.

③ (나)에 비해 (가)는 다양한 형태의 매체 자료를 활용하기 어렵다.

④ (나)와 비교할 때 (다)는 선택한 정보를 손쉽게 공유할 수 있는 기능이 있다.

⑤ (다)에 비해 (나)는 시청자가 전체 내용 중 한 부분을 우선 보는 게 어렵다.

04. 정보 전달 매체 자료를 수용하는 태도로 적절하지 않은 것은?

① 매체 자료에 담긴 정보의 출처가 분명한 것인지 판단한다.

② 매체 자료에 담긴 정보가 독자 자신에게 필요한 것인지 판단한다.

③ 매체 자료에 담긴 정보가 현실적으로 활용 가능한 것인지 판단한다.

④ 매체 자료에 담긴 정보가 객관적인 사실에 부합하는 것인지 판단한다.

⑤ 매체 자료에 담긴 정보가 다른 사람들에게도 유용한 것인지 판단한다.

활동 ② 정보를 전달하는 매체 자료 깊이 읽기

>> 의사소통의 관점에서 볼 때 매체는 정보를 객관적으로 전달한다기보다 <u>정보에 대한 관점을 제시하는 역할</u>을 한다. 그렇기에 매체에 담긴 정보는 수용자의 관점에서 유용한 것일 수도, 그렇지 않은 것일 수도 있다. 따라서 수용자는 <u>매체에 담긴 정보를 비판적이고 주체적으로 수용할 필요가 있다.</u>

_{정보 전달 매체 자료의 역할}

_{매체 정보를 수용하는 태도}

▶ 방송 뉴스를 보고, 매체 자료에 나타난 정보를 다양한 관점과 가치를 고려하여 수용하는 활동

1. 다음 매체 자료를 읽고, 방송 뉴스에서 정보를 전달하는 방식과 이를 수용하는 바람직한 자세에 관해 생각해 보자.

가을 산행 '독버섯' 주의 — 뉴스 제목(뉴스에서 전달하고자 하는 정보 요약)

아나운서 가을 산에 올랐다가 버섯이 보인다고 막 따오는 분들이 계신데요. 구분을 잘 못 해서 독버섯을 먹을 수 있는 버섯인 줄 알고 들고 내려오는 경우가 아직도 있어서 걱정입니다. ○○○ 기자입니다. ▶문제점(화제) 제시

기자 국립 공원 단속반이 한 탐방객을 불러 세웁니다. 가방을 열어 보니 야생 버섯이 한가득합니다.

단속반: 이게 무슨 버섯이에요?
탐방객: 모르겠어요. 모르고 딴 거예요. ┐ 이 뉴스에서 꼽은 가장 큰 문제점이 담긴 장면

또 다른 탐방객 배낭에서도 종류별로 다양한 야생 버섯이 잔뜩 나옵니다.

단속반: 이건 송이버섯, 이건 싸리버섯, 이건 흰굴뚝버섯이라고 아주 쓴 버섯이에요. 그리고 이런 종류는 밀버섯, 그리고 이건 소나무 밑에 나는 솔버섯.

_{일반인이 구별하기 어려움.}
단속도 단속이지만, 식용 버섯과 구별하기 어려운 독버섯들이 널려 있어 위험합니다. 바위틈에서 자라난 노란다발이란 독버섯입니다. 식용으로 쓰는 개암버섯과 비슷합니다. 또 다른 독버섯인 외대버섯은 흔히 먹는 느타리버섯과 닮았습니다. 마귀광대버섯과 광대버섯아재비는 독성이 매우 강해 절대 먹어선 안 됩니다.
국립 공원에서는 허가받은 현지인 말고는 등산객이 버섯이나 임산물을 무단으로 따다 적발되면 3천만 원 이하의 벌금을 물 수 있습니다.
– 에스비에스(SBS), 2017년 9월 25일 방송

뉴스 보기 >>

(1) 위 방송 뉴스의 구성 요소가 전달하고 있는 주요 정보가 무엇인지 파악해 보자.

| 예시 답 |

구성 요소	주요 정보
아나운서	뉴스 화제를 소개하고, 식용 버섯과 독버섯을 구분하지 못하는 문제를 제시함.
기자	제공할 정보의 구체적 내용을 소개함. 버섯의 무단 채취가 위험함을 알리고 식용 버섯과 독버섯이 구분되지 못하는 구체적 사례를 제시함.
자막	기사의 핵심 내용을 제시하고, 취재 대상자를 문자화하여 보여 줌.
취재 대상자	식용 버섯과 독버섯을 구분하지 못한 채 버섯을 무단 채취하는 사례를 드러냄.
시각 자료	식용 버섯과 독버섯의 모양이 비슷하여 구분하기 어려운 사례를 시각적으로 보여 줌.

(2) 위 뉴스에서 다루는 정보는 어떤 사람에게 유용할지 말해 보자.

↳ | 예시 답 | 버섯에 대한 지식 없이 산에서 무단으로 버섯을 채취하고자 했던 사람들에게 경각심을 일으켜

유용한 정보가 될 것임.

(3) '독버섯'과 관련하여 위 뉴스에서 다루어지지 않은 정보를 찾아보고, 해당 정보를 바탕으로 다른 관점에서 뉴스의 내용을 구성해 보자.

다루지 않는 정보	다른 관점의 뉴스 내용
• 독버섯과 식용 버섯을 구분하는 방법 • 독버섯을 먹었을 때, 해독하는 방법 • 독버섯의 분포와 생태	• 버섯 채취 시 유의할 점 소개 • 독버섯의 성분과 해독할 수 있는 약 소개 • 독버섯이 어떤 환경에서 잘 자라고, 어떤 지역에 많이 분포하고 있는지 소개

(4) 뉴스와 같이 시청자에게 정보를 전달하는 매체 자료에서 중시되어야 하는 요건은 공정성과 정확성이다. 이 점을 고려하여 위 뉴스에서 공정성과 정확성이 드러나는 부분을 찾아보자.

| 예시 답 | 공정성: 버섯의 무단 채취 실태를 보여 주면서 그것을 하지 말아야 하는 이유를 제시하는 부분
정확성: 모양이 비슷한 식용 버섯과 독버섯을 시각 자료로 비교하여 제공하는 부분

℞ 뉴스는 어떤 사건 및 대상에 대한 정보를 알리고 설명하려는 목적이 강하다. 따라서 쉽고, 정확하고, 신속하게 시청자에게 필요한 정보를 전달하는 것을 중시한다.

℞ 같은 상황이나 사건을 보도한 기사라도 매체나 기자의 태도에 따라 보도의 관점은 달라질 수 있다. 따라서 성실한 취재에 따른 정확한 보도인지, 과장이나 허위가 없는 공정한 보도인지를 판단할 수 있는 안목이 필요하다.

℞ 뉴스의 보도 윤리
• 뉴스의 공정성: 논쟁 중인 쟁점이나 갈등 상황을 뉴스로 다룰 때는 양적·질적으로 균형 있는 정보를 제공해야 함.
• 뉴스의 정확성: 과장이나 허위 없이 정확한 정보와 사실을 보도하되, 사실을 둘러싼 다양한 정보를 종합적으로 제공해야 함.
• 뉴스의 중립성: 중립적인 자세로 사건과 문제의 진실에 접근해야 함.

◉ 문제로 확인 ◉

05. 왼쪽의 방송 뉴스에 대한 설명으로 적절하지 않은 것은?
① 아나운서는 뉴스의 핵심 정보를 전달하고 있다.
② 자막은 뉴스로 전달할 핵심 내용을 제시하고 있다.
③ 탐방객의 인터뷰를 통해 버섯의 다양한 종류를 구분하고 있다.
④ 시각 자료를 사용하여 독버섯과 식용 버섯의 차이를 보여 주고 있다.
⑤ 기자의 취재를 통해 버섯의 무단 채취의 위험성을 구체적으로 제시하고 있다.

06. 방송 뉴스에서 중시되어야 하는 요건 두 가지를 쓰시오.

≫ 우리가 다른 사람에게 정보를 전달할 때, 매체는 매우 유용한 도구가 될 수 있다. 이때 먼저 고려해야 할 것은 정보를 누구에게, 어떤 목적으로 전달하느냐이다. 그런 다음에는 목적과 대상에 맞게 유용하고 가치 있는 정보를 선별하고 효과적으로 전달하는 방법을 찾아봐야 한다. 모둠을 이루어 정보 전달을 위한 인터넷 학급 신문을 만들어 보자.

> 매체를 통한 정보 전달에 있어 가장 우선시 되어야 하는 내용
> 목적과 대상에 따라 달라질 수 있음.

> 활동
> 주제
> 4~5명이 한 모둠을 이루어 정보 전달을 목적으로 하는 인터넷 학급 신문을 만들어 보자.

1. 모둠별로 인터넷 학급 신문을 제작하여 정보를 전달하려고 한다. 학급 신문의 예상 독자를 분석해 보자.

(1) 학급 신문을 만드는 목적이 무엇인지 이야기해 보자.

| 예시 답 | 진로나 진학과 관련된 정보나 학급 친구들의 동정과 같은 학급 구성원들에게 필요한 정보를 제공하기 위해서이다.

(2) 아래의 항목을 바탕으로 모둠에서 만들고자 하는 학급 신문의 예상 독자에 관해 분석해 보자.

> ➥ 누가 보게 될 것인가?
> ➥ 예상 독자의 관심사는 무엇인가?
> ➥ 예상 독자에게 도움이 되는 정보는 무엇인가?

| 예시 답 | • 학급 구성원들
• 진로, 진학, 수업 및 평가와 관련된 사항, 반 친구들과 관련된 소식 등
• 진로나 진학과 관련된 정보, 수업 과제나 수행 평가 일정 등에 대한 안내, 학사 일정에 대한 안내, 생일이나 수상 소식과 같은 반 친구들과 관련된 소식 등

2. 모둠별 협의를 통해 인터넷 학급 신문에서 다룰 정보를 결정하고, 기사 작성을 위한 역할을 나누어 보자.

(1) 목적과 예상 독자를 고려하여 인터넷 학급 신문에서 다룰 정보를 선정하고, 선정한 까닭을 말해 보자.

| 예시 답 |

선정한 정보	선정한 까닭
○ 진로/적성 검사의 방법	○ 진로와 적성을 찾지 못한 친구들에게 유용함.
• 주요 대학의 입시 요강 • 각 교과의 수행평가 일정 및 준비 방법 • 이달의 생일자 소개 및 축하	• 수시와 정시 등을 통해 대학 진학을 준비하고 있는 친구들에게 유용함. • 수행 평가별 일정을 일목요연하게 확인하고 수행평가를 잘 수행하고자 하는 친구들에게 유용함. • 학급의 화합과 친교를 중시하는 친구들에게 유용함.

(2) 선정된 정보를 바탕으로 인터넷 학급 신문을 만들기 위해 모둠별로 역할을 나누어 보자.

| 예시 답 |

역할	활동 내용
검색	진로/적성 검사를 도와주는 사이트 검색, 주요 대학의 입시 요강 검색
면담	각 교과 담당 선생님들께 수행 평가 일정 및 준비 방법에 대한 자문을 구함. 생일자에게 축하의 말을 전하고 싶은 친구들을 면담함.
편집	제공된 정보의 출처 확인을 하고, 기사의 분량과 중요도를 고려하여 배치함.

3. 인터넷 학급 신문 기사에 들어갈 자료를 수집하고, 내용을 구성해 보자.

(1) 다양한 매체 자료를 이용하여 인터넷 학급 신문에 수록할 정보를 수집해 보자.

| 예시 답 |

매체 종류	수집된 매체 자료의 내용 및 자료명
사진 및 그림	생일자 사진
도표 및 통계	수행 평가 일정, 진로/적성과 관련된 도표
동영상	생일을 축하하는 친구들의 영상 메시지
문서	대학의 입시 요강 자료

(2) 수집한 자료를 바탕으로 기사를 작성해 보자.
| 예시 답 | (생략)

> **지학이가 도와줄게**
> 기사문을 작성할 때에는 제목, 소제목, 사진, 기사의 전문 구성을 고려하고 육하원칙에 의해 작성하도록 하자.

(3) 모둠원이 작성한 기사를 모아, 신문의 전체 분량과 기사의 중요도를 고려하여 신문을 편집해 보자.
| 예시 답 | (생략)

4. 다른 모둠에서 제작한 인터넷 신문을 보고, 아래의 〈평가 항목〉에 따라 모둠별로 만든 신문을 평가해 보자. | 예시 답 | (생략)

> **평가 항목**
> • 기사의 내용과 구성이 신문 제작의 목적에 부합하는가?
> • 제공된 사건이나 정보가 독자의 수준에 맞는가?
> • 제공된 사건이나 정보가 독자에게 유용한 것이었는가?
> • 정보의 배치나 자료 제공이 효과적으로 이루어졌는가?
> • 자료의 활용에 있어 윤리적인 측면을 준수하였는가?

> **지학이가 알려 줄게**
> 내용의 공정성과 정확성에 충족했는지도 점검하자.

개념 ➕

정보를 수집하고 신문에 자료를 올리기에 앞서 수집한 정보가 신뢰할 만한 것인지 확인할 필요가 있다. 또한 자신이 창작했거나 새롭게 분석한 내용이 아니라 다른 사람이 만든 것을 가져온 경우 반드시 출처를 밝힘으로써 윤리적인 문제가 일어나지 않도록 유의할 필요가 있다.

학습 도우미

신문에 수록하기 전에 수집한 자료가 사실에 부합하는 것인지 확인하고, 수록한 자료의 출처는 반드시 밝히도록 한다.

문제로 확인

07. 다음 중 학급 신문에 들어갈 기삿거리로 거리가 먼 것은?
① 반 친구들이 선호하는 학과 소개
② 이달에 생일을 맞이하는 반 친구 소개
③ 진로와 적성을 확인할 수 있는 사이트 소개
④ 담임 선생님의 학급 운영 방침과 관련된 인터뷰
⑤ 맞벌이 가정에서 즐겁게 육아하는 효과적인 방법 제시

출제 예감

08. 정보 전달 매체 자료로 제작한 학급 신문을 평가할 때 적절하지 <u>않은</u> 것은?
① 자료를 활용할 때 출처를 밝혔는가?
② 기사의 내용과 구성이 신문 제작 목적에 부합하는가?
③ 정보의 배치나 자료 제공이 효과적으로 이루어졌는가?
④ 제공된 사건의 정보가 학급 구성원들에게 유용한 것인가?
⑤ 이전에 보지 못했던 창의적인 내용으로만 구성되었는가?

매체로 설득하다

소단원 학습 포인트

- 설득적 매체 자료의 설득 전략 이해하기
- 설득적 매체 자료를 비판적으로 수용하기
- 적절한 설득 전략을 활용하여 설득적 매체 자료 생산하기

✎ 사설이 신문사를 대표하여 정치, 경제, 사회에 속하는 중요 사항을 거론하는 것과 달리 시사 평론은 우리 사회에서 일어나는 모든 것을 소재로 삼을 수 있다. 대상에 관한 글쓴이의 견해가 담겨 있는 시사 평론은 독자들을 설득하고자 하는 의도가 담겨 있다.

개념 ✚
- **시사 평론**: 국내외적으로 발생하는 사회, 문화 등 다양한 사건이나 현상에 대하여 그 가치나 우열, 옳고 그름 따위를 논하여 평하는 것을 말함.

문제로 확인   정답과 해설 037쪽

출제 예감

01. (가)에 대한 설명으로 적절하지 않은 것은?

① 글쓴이의 경험을 바탕으로 예습의 문제점을 제기하고 있다.
② 복습의 단점을 들고 이를 극복할 수 있는 대안을 제시하고 있다.
③ 복습이 갖는 장점을 제시하여 복습의 중요성을 주장하고 있다.
④ 예습의 문제를 사회적 문제로 확장하여 바라보고 있다.
⑤ 질문을 방식을 활용하여 예습의 문제에 대한 독자의 공감을 끌어내고자 한다.

활동 ❶ 설득적 매체 자료의 다양성

» 매체는 세상을 있는 그대로 보여 주기보다 어떠한 관점을 정하여 선택적으로 보여 준다. 매체를 통해 전달되는 정보는 설득적 성격을 띤다고 볼 수 있다. 설득적 특성이 강한 매체 자료를 수용할 때에는 그 안에 담긴 설득 전략이 무엇인지 파악하고, 정보를 주체적으로 수용할 필요가 있다. 다양한 설득적 매체 자료를 어떻게 수용해야 하는지 알아보자.

▶ 설득을 위한 다양한 매체 자료를 보고, 그 특징과 이를 수용할 때 고려할 점을 분석하는 활동

1. 다음 자료를 읽고, 설득을 위한 매체 자료의 특징과 이를 수용할 때 고려해야 할 사항을 알아보자.

가 시사 평론 신문

중앙일보   2016년 8월 27일

예습이 중요한가, 복습이 중요한가?

아이가 뒤처질까 선행 학습시키는 불안 내려놓고
스스로 싸울 수 있는 면역력을 키워 주자.

어린 시절에는 복습보다 예습이 효과적이라고 배웠다. 수업 시간에 뭘 배울지 미리 알아 두면 훨씬 빠르게 학습 내용을 흡수할 수 있다고들 했다. 정말 그런 줄 알고 열심히 예습을 했다. 하지만 막상 공들여 예습을 하니, 수업에서 느끼는 생생한 현장성과 흥미가 떨어져 버렸다. '오늘은 과연 뭘 배울까.' 하고 나도 모르게 설레는 느낌이 없어져 버렸다. 어른이 되고 나서야 깨달았다. 나에게는 예습보다 복습이 훨씬 효과적이라는 것을. [중략]

나는 복습 예찬론자다. 복습을 하면서 비로소 내가 오늘 배운 것이 무엇인지를 더 잘 이해할 수 있고, 읽고 느낀 것을 자꾸만 되새김질하면서 불현듯 새로운 아이디어를 얻기도 한다. 그런데 우리 사회는 정반대로 가고 있다. 요새는 내일 공부할 것을 오늘 미리 들춰 보는 조

금 부지런한 학생의 개인적인 예습을 뛰어넘어 아예 집단적인 '선행 학습'이라는 것이 사회적 문제가 되고 있다.

'예습의 중요성'이 눈덩이처럼 불어나 아예 '선행 학습을 하지 않으면 입시에 성공하기 어렵다.'는 식의 집단적인 불안으로 변질되어 버린 것이다. 주변의 학부모들에게 물어보니 '선행 학습이 옳다고 생각하지는 않지만 남들이 다 하니 어쩔 수 없이 학원에 보낸다.'는 분들이 대다수이다. 선행 학습에 진심으로 찬성해서가 아니라 '아이가 뒤처지는 것이 싫어' 학원에 보낸다는 것이다. 하지만 다음 학기는 물론 내년에 배울 내용까지 완벽하게 통달하는 정도의 과도한 선행 학습이 교사의 '가르칠 권리'를 빼앗는 것은 아닐까? 과도한 선행 학습이 학생들에게 '오늘 무엇을 배울지 설렐 기회'마저 빼앗는 것은 아닐까?

나 공익 광고

[내레이션(어린아이 1)]
고맙습니다. 맛있게 잘 먹었습니다.
화면 앞에서 감사 인사를 함으로써, 시청자들이 직접 인사를 받는 효과를 냄.

[내레이션(어린아이 2)]
이제 아프지 않아요.
고맙습니다.

[내레이션(성인 1)]
불났을 적에 엄청 도움이 됐어. 고마워.

[자막] ← 자막을 통해 모금이 필요한 분야를 구체적으로 제시함.
'취약 계층 맞춤형 지원'

[자막]
'의료 소외 계층 지원

[자막]
'긴급 재난 구호'

[내레이션(성인 2)]
여러분은 모르시지만, 많은 분이 고마워하고 있습니다.

[내레이션(성인 2)]
모금, 사랑을 켜면 희망이 커집니다.
간략한 문구를 활용하여, 설득 주제를 전달함.

개념➕

설득 매체 자료의 타당성 검토
• 타당성은 주장과 근거가 이치에 맞고 합리적인지를 판단하는 기준을 의미함.
• 제시된 매체 자료의 내용이 생산자의 추측이나 주관적인 판단에 근거한 것은 아닌지를 면밀하게 검토해야 함.

🎞 광고는 제품을 판매하거나 각종 정보나 자료를 널리 알리기 위하여 활용되는 매체 자료이다. 과거에는 주로 상품 광고가 주류를 이루었지만, 최근에는 정부 기관, 공공 단체는 물론 각 개인도 광고를 만들어 발표하기도 한다. 이러한 광고는 표면적으로는 정보를 전달하는 것이지만 그 이면에는 수용자를 설득하려는 의도가 담겨 있다.

문제로 확인

02. (가)~(나)의 공통점으로 가장 적절한 것은?

① 수용자들과 미적인 아름다움을 공유하고자 한다.
② 수용자들과 친밀한 정서적 교감을 나누고자 한다.
③ 수용자들에게 유용하고 객관적인 정보를 전달한다.
④ 수용자들에게 문제를 바라보는 다양한 시각을 제공한다.
⑤ 수용자들에게 자신이 말하고자 하는 바를 설득하고자 한다.

03. (나)를 보고 이끌어 낸 반응으로 적절하지 않은 것은?

① 실제 어려운 이웃을 인터뷰하여 문제의 심각성을 보여 주는군.
② 다양한 매체 언어를 사용하여 발신자의 의견을 전달하고 있군.
③ 내레이션을 통해 전달하고자 하는 내용을 간명하게 제시하고 있군.
④ 우리가 참여한다면 도울 수 있는 구체적인 대상을 알려 주는군.
⑤ 화면 앞으로 다가와 감사의 인사를 하는 모습을 보면서 마치 우리가 직접 인사를 받는 듯한 느낌을 주는군.

- 텔레비전보다 먼저 시작된 라디오 방송은 청각 매체로, 영상이나 문자 텍스트 없이 음성, 음향, 음악을 통해서만 내용을 전달한다.
- 설득의 목적을 지닌 매체 자료는 생산자의 추측과 주관적인 판단에 의한 것은 아닌지를 파악해야 한다. 또한 설득의 목적을 지닌 매체 자료를 수용할 때는 매체 자료의 내용이 타당한지 판단해 보고, 무조건 수용하는 태도는 지양해야 한다.
- 광고가 뉴스와 다른 점은 제공되는 정보의 성격 자체의 차이뿐만 아니라, 상업적인 목적에 의해 정보를 제공하고 설득한다는 점에 있다. 즉, 광고는 정보 전달보다는 설득에 더 큰 목적이 있다고 할 수 있을 것이다.

문제로 확인

04. (나)에서 자막의 기능으로 가장 적절한 것은?

① 모금 운동 참여 방법 제시
② 모금 운동을 해야 하는 이유 제시
③ 모금 운동 참여를 촉구하는 표어를 제시
④ 모금 기금으로 지원될 분야를 요약적으로 제시
⑤ 모금된 기금으로 도움을 받은 사람들의 감사 인사 제시

출제 예감

05. 다음은 (다)를 만들기 위해 회의한 내용이다. 회의 내용 중 (다)에 반영되지 <u>않은</u> 것은?

① 흥을 돋우는 어조로 축제에 대한 독자의 기대감을 높이자.
② '가자! 청양으로' 등을 추임새처럼 반복하면 전달 효과를 높일 수 있겠어.
③ 전달 내용이 독자의 귀에 쏙쏙 들어가도록 간결하고 리듬감 있는 언어를 사용하는 것이 좋겠어.
④ '축제', '화려하고 신나는', '특별한 이벤트' 등의 어휘를 사용하여 흥미를 유발하는 것이 좋겠어.
⑤ 축제에 어떤 행사나 먹거리, 즐길 거리가 있는지 좀 더 구체적으로 제시하면 홍보에 효과적일 거야.

다 지역 축제 라디오 광고(20초)

)) (신나는 행진곡이 배경 음악으로 나오며)
└ 축제의 분위기를 알리기 위한 전략
온 가족이 함께하는 신나는 건강 여행!

┌ 가자, 청양으로!
│ └ 행동을 추구하는 문구를 시작과 끝에 반복하여 전달하고자 하는 내용을 강조함.
│ 제00회 청양 고추·구기자 축제. ─ 행사의 내용과 일시를 알려줌.
│ 8월 26일부터 28일까지!
│
반복 반복
① ② 화려하고 신나는 공연,
│ 청양고추 할인 경품 행사 등 특별한 이벤트!
│ 먹거리, 즐길 거리 풍성한 청양 장날. ─ 행사의 구체적 내용을 알려줌.
│ 손자, 손녀와 함께 하는 놀이마당이 마련됩니다!
│
│ 제00회 청양 고추·구기자 축제. ─ 행사명을 반복적으로 제시하여 청취자에게 각인 시킴.
└ 가자, 청양으로!

… 매체 자료를 통한 설득 전략은 당연하게도 매체가 가진 특성에 제약을 받을 수밖에 없다. 따라서 설득적 매체 자료에 나타난 설득 전략을 파악하기 위해서는 매체가 지닌 특성을 먼저 파악하는 것이 중요하다. 많은 경우 매체는 다양한 매체 언어를 복합적으로 사용하므로, 매체 자료에 나타난 설득 전략을 이해하기 위해서는 각각의 매체 언어가 어떻게 기능하는지를 살펴볼 필요가 있다.

(1) (가)~(다)의 생산자가 위 매체 자료를 생산하며 생각한 예상 독자를 예측해 보자.

| 예시 답 |

(가) ─ 자녀의 학습에 관심을 갖고 있는 학부모

(나) ─ 주위의 어려운 사람들에게 따뜻한 도움을 줄 수 있는 다수의 사람들

(다) ─ 지역 축제에 참여하여 축제를 활성화해줄 수 있는 사람들

(2) (가)~(다)의 매체 자료에서 전달하고자 하는 주제와 각 매체를 생산한 의도를 파악해 보자.

| 예시 답 |

	주제	매체를 생산한 의도
(가)	과도한 선행 학습을 지양하자.	신문을 읽는 독자들에게 과도한 선행 학습을 하는 우리의 교육 환경을 변화시키자고 설득하기 위해
(나)	어려운 이웃을 돕는 모금에 적극적으로 참여하자.	공익 광고를 시청한 사람들에게 어려운 이웃들을 도울 수 있도록 성금 모금에 참여하자고 설득하기 위해
(다)	청양 고추·구기자 축제에 참여하세요.	라디오 광고를 듣는 청자들에게 각종 볼거리와 먹거리, 즐길 거리가 풍부한 청양 고추·구기자 축제에 온 가족과 함께 참여하자고 설득하기 위해

(3) 다음은 (가)의 글쓴이의 견해를 수용하는 과정이다. 빈칸에 자신의 의견을 적어 보자.

> ・글쓴이가 자신의 주장을 펼치기 위해 근거로 삼은 것은 무엇인가?
>   ↳ 예습의 폐해에 대한 자신의 경험, 주변 학부모들의 의견
>
> ・글쓴이가 제시한 근거에 관한 자기 생각은 어떠한가?
>   ↳ 미리 선행 학습을 한 아이들이 수업에 관심을 두지 않는 모습을 자주 보기에 타당하다고 생각함.
>
> ・글쓴이의 견해에 동의한다면 왜 그렇게 생각하는지, 동의하지 않는다면 자기 생각은 무엇인지 적어 보자.
>   ↳ 글쓴이의 견해에 동의한다. 왜냐하면, 선행 학습은 본 학습을 원활하게 하기 위한 준비 정도가 되어야 하는데, 실제로는 본 학습에서 해야 할 학습까지를 모두 하게 하여 학생들에게 과중한 학업 부담을 줄 뿐만 아니라 학업에 대한 흥미 또한 잃게 하기 때문이다.

(4) (나)에서 소개하고 있는 견해와 다른 견해가 있는지 조사하여 발표해 보자.
ㅣ예시 답ㅣ 금전적으로 도움을 주는 단순한 모금보다는 재능 기부나 봉사 활동과 같이 이웃을 위한 따뜻한 마음을 실천하는 활동을 하는 것을 권장하는 견해가 있다.

(5) 매체 언어의 정보 구성 방식 측면을 고려하여 (가)~(다)의 설득 전략과 매체 언어 사용의 효과를 분석해 보자.

	설득 전략	매체 언어 사용의 효과
(가)	논쟁점이 무엇인지 평론의 표제로 보여 주고, 그에 대한 필자의 주장을 부제로 제시하여 전달하고자 하는 내용을 명확하게 드러낸다.	표제와 부제를 사용하여 논점과 주장을 독자들에게 요약하여 제시하는 효과가 있다.
(나)	도움을 받은 사람들의 감사의 표현과 모금된 성금이 필요한 분야를 제시하여 모금의 필요성을 드러낸다.	도움을 받은 사람들의 밝은 모습을 영상 속에 등장시켜 시청자들에게 나눔이 가져오는 긍정적 효과를 환기하고, 자막을 사용하여 도움이 필요한 분야를 간명하게 제시하여 성금 모금이 필요함을 효과적으로 자극하고 있다.
(다)	'축제', '화려하고 신나는', '특별한 이벤트', '풍성한' 등의 흥미를 자극하는 어휘를 흥을 돋우는 어조로 전달하여 독자의 기대감을 높이고 있다.	간결하고 리듬감 있는 언어와 적절한 추임새를 통해 전달의 효과를 높이고 있다.

2. 1을 바탕으로 설득적 매체 자료를 모둠별로 수용할 때 유의해야 할 점을 발표해 보자.

> ・모둠원 각자가 자기 생각을 발표하되, 토의를 통해 모둠의 의견을 정해 주세요.
> ・매체 자료의 소통 목적을 고려하여 유의할 점을 정리해 주세요.
> ・ㅣ예시 답ㅣ 매체 자료에 제시된 정보가 우리에게 유용한 가치가 있는지 판단해 보세요.
> ・매체 자료에 제시된 정보에 동의한다면 그 이유가 타당한지 판단해 보세요.

지학이가 도와줄게
설득적 매체 자료의 수용에 있어 그 자료가 제시하고 있는 내용이 타당한가 그렇지 않은가도 중요하지만, 결국은 그것이 나에게 얼마나 가치가 있는 것인지에 대한 판단이 가장 중요해. 이와 같은 판단 기준을 유용성, 혹은 효용성이라고 하는데, 특히 광고의 경우 이 기준에 의한 판단이 광고의 내용을 수용함에 있어 최종적으로 이루어져야 함을 기억해야 해.

문제로 확인

출제 예감
06. (나)와 (다)에 나타난 공통적인 설득 전략으로 적절한 것은?
① 유머가 있는 문구를 활용하여 수용자들의 흥미를 자극하고 있다.
② 전문가의 평가를 소개하며 자신의 주장에 신뢰감을 높이고 있다.
③ 유명인을 내세워 그의 이미지를 바탕으로 주장을 수용하도록 하고 있다.
④ 다양한 시각적 이미지를 활용하여 수용자들에게 해당 내용을 각인시키고 있다.
⑤ 특정한 표현을 반복하여 사용함으로써 수용자들에게 해당 내용을 강조하고 있다.

📐 광고는 광고를 보는 사람의 성별, 나이, 직업, 문화적 특징 등에 따라 광고를 보는 사람들이 좋아하는 내용을 고려한다. 또 광고를 볼 수 있는 때와 장소를 선정하여 광고를 만든다.

개념 ✚
· **광고**: 대중을 대상으로 하여 상품의 판매나 서비스의 이용 또는 기업이나 단체의 이미지 증진 등을 궁극 목표로 이에 필요한 정보를 매체를 통하여 전달하는 행위를 말함. 광고는 기본적으로 정보 전달의 기능과 함께 설득의 기능을 가지고 있음.

활동 ❷ 설득적 매체 자료 깊이 읽기

≫ 설득을 위한 매체 자료를 수용할 때, 가장 중요한 것은 자료를 대하는 비판적 태도이다. 매체를 통해 전달되는 메시지가 타당하고 합리적인 것인지를 비판적인 관점에서 파악할 수 있어야 한다. _{타당성과 합리성에 따른 비판} 그러기 위해서는 매체 자료에 담긴 설득 전략을 제대로 분석할 수 있는 능력을 키워야 한다. _{이 단원에서 살펴보아야 할 핵심 내용} 제시된 광고에 사용된 설득 전략을 살펴보고, 비판적으로 수용해 보자.

그들은 서로 바라본다.

▶ 광고를 비판적으로 수용하는 방법을 알아 보는 활동

1. 위 매체 자료를 읽고, 설득의 목적을 지닌 광고를 비판적으로 수용하는 방법에 대해 알아 보자.

(1) 위 광고를 제작한 목적과 전달하고자 하는 주요 내용을 적어 보자.
   · 목적: 재활용을 독려함.
   · 전달하고자 하는 내용: 우유 팩을 재활용하면 두루마리 휴지를 만들어 낼 수 있음.

(2) 위 광고에 사용된 특징적인 표현을 찾아 그 속에 담긴 설득 전략을 파악해 보자.

> | 예시 답 | 로봇 청소기와 두루마리 휴지, 그리고 우유 팩을 의인화하여 표현하고 있는데, 이를 통해 독자들의 흥미를 유발하고, 독자들이 우유 팩과 두루마리 휴지의 관계에 주목하게 한다.

출제 예감
07. 오른쪽의 광고에서 전달하고자 하는 주제로 가장 적절한 것은?
① 자원을 재활용하자.
② 자연을 파괴하지 말자.
③ 내가 남을 도우면, 남도 나를 도와준다.
④ 자원을 낭비하지 말고 아껴 사용하자.
⑤ 위험할 때, 서로에게 도움을 줄 수 있는 친구가 필요하다.

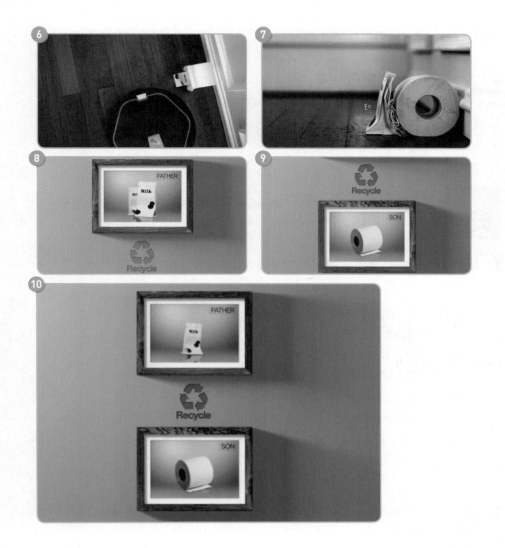

💸 **광고의 주요 설득 전략 예시**
• 광고 출연자의 인지도를 통해 제품의 신뢰도 높이기
• 인상 깊은 이미지나 문구로 시청자의 감각 자극하기
• 기발한 발상의 표현을 통해 시청자의 흥미 유발하기
• 질문을 던지거나 추리 형식으로 시청자의 관심 유발하기

개념➕
광고 목적과 내용의 긴밀성
• 전달하려는 내용이 광고 목적을 달성하기에 효과적으로 구성되어 있고, 그 목적을 명확하게 전달하고 있는지 판단해야 함.
• 흥미만 자극하고 수용자에게 그 설득 의도가 전달되지 않았다면 성공적인 광고라 할 수 없음.

(3) 설득의 효과를 고려할 때 위 광고에서 잘된 점과 보완해야 할 점을 정리해 보자.

잘된 점	보완해야 할 점
재미있는 설정을 통해 광고에 대한 독자들의 흥미를 자극함.	우유 팩과 두루마리 휴지의 관계(재활용)만 강조하고 있어 재활용 독려라는 메시지가 명확하게 전달되지 않아, 이를 보완할 필요가 있음.

▶ 수집한 광고의 설득 전략과 설득 효과를 분석하는 활동

2. 1을 바탕으로, 자신이 본 광고 중 설득력이 높다고 생각한 광고를 선정하여 설득 전략과 설득 효과를 발표해 보자.

| **예시 답** | 설득력이 높은 광고: 언어폭력과 관련된 방송 공익 광고
설득 전략과 설득 효과: 손가락에 슈퍼맨 망토를 씌워 온라인 댓글이 누군가를 울릴 수도 웃길 수도 있는 '능력자'임을 보여줌. 이를 통해 온라인 댓글을 다는 사람들에게 건전한 댓글을 달도록 설득하는 효과를 가져옴.

🔍 문제로 확인 🔍

08. 왼쪽 광고에 나타난 표현상의 특징으로 적절하지 <u>않은</u> 것은?

① 의인화된 사물을 주인공으로 등장시켜 광고에 흥미를 유발한다.
② 인상 깊은 문구를 자막으로 제시하여 시청자의 감각을 자극하고 있다.
③ 위기 상황의 설정으로 긴장감을 조성하여 상황에 대한 몰입도를 높인다.
④ 아버지와 아들의 관계를 제시하여 재활용으로 연결되도록 구성하고 있다.
⑤ 일상생활 중 쉽게 접할 수 있는 소재를 사용하여 시청자에게 쉽게 다가가고 있다.

개념➕

• 창의적이고 재미있는 광고를 만들기 위해서는 제한 없이 자유로운 사고가 보장되어야 함.
• 광고에 참여하는 사람들이 자유롭게 자신의 아이디어를 제시하고, 그것을 생각 그물로 엮어낼 수 있도록 보장하는 것이 필요함.
• 모둠에 참여하는 사람들은 최대한 열린 태도로 아이디어 회의가 진행되도록 노력해야 함.

활동 ❸ 설득적 매체 자료의 생산

≫ 설득적 성격을 지닌 가장 대표적인 매체 자료가 광고이다. 광고의 효과를 극대화하기 위해서는 대상과 목적에 대한 분석이 매우 중요하다. 또한 광고를 제작할 때에는 사용하는 매체의 특성을 고려하여 적절한 설득 전략을 사용해야 한다. 모둠을 이루어 우리 학교의 홍보를 위한 광고를 만들어 보자.

> **활동 주제**
> 4~5명이 한 모둠을 이루어 다음 활동들을 수행하며, 설득을 목적으로 하는 우리 학교 홍보 광고를 만들어 보자.

1. 모둠별로 우리 학교 홍보 광고를 만들기 위한 계획을 세워 보자.

| 예시 답 |

• 이 광고를 만들려는 목적은 무엇인가?
  ↳ 우리 학교 홍보

• 광고의 예상 독자는 누구인가?
  ↳ 우리 학교에 입학을 생각하는 학생과 자녀의 입학을 생각하고 학교를 알아보는 학부모

• 예상 독자의 관심사는 무엇인가?
  ↳ 면학을 위한 환경 및 진학 실적 등

• 예상 독자의 수준은 어떠한가?
  ↳ 교육에 대한 관심과 지식이 많음.

개념➕

• 설득을 목적으로 매체 자료를 구성할 때 가장 먼저 해야 하는 것은 매체 자료를 수용할 예상 독자를 분석하는 일임.
• 예상 독자의 연령이나 성별, 배경지식과 같은 기본적인 사항뿐만 아니라 예상 독자가 사는 지역, 기호, 정치적 성향 등 다양한 요소들까지도 분석할 필요가 있음.

2. 모둠별로 우리 학교의 홍보 광고를 만들기 위한 아이디어 회의를 해서 생각 그물(마인드맵)에 정리해 보자.

| 예시 답 |

개념➕

• 홍보: 사업이나 상품, 업적 따위를 일반에 널리 알림. 또는 그 소식이나 보도를 뜻함. 홍보는 대개 광고와 비슷한 의미로 쓰이지만 목적이나 전략에 있어 미세한 차이가 있음. 홍보는 대중들에게 자신이 알리고 싶은 대상이나 생각에 대한 긍정적 이미지를 심어주는 데 그 목적이 있으며, 광고는 자신이 알리고 싶은 대상에 대한 구매를 일으키거나 생각에 동조하게 하는 데 그 목적이 있음. 다시 말해 홍보보다 광고가 더 설득적 목적이 강한 것으로 이해할 수 있음.

깨끗하고 조용한 도서관

다양하고 활발한 동아리 활동

질 좋고 영양 많은 급식

통학이 어려운 학생을 위한 기숙사 완비

지역 최다 명문대 학생 배출

학생들의 눈높이를 맞춰 줄 교사진

학생 수요에 맞춘 다양한 방과후 활동

졸업생과 연계한 멘토링 활동

3. 매체의 특성을 고려하여 우리 학교의 홍보에 효과적인 매체를 선정하고, 그 까닭을 말해 보자.

홍보 매체 선정	매체 선정의 까닭
☑ 인쇄 포스터 ☐ 학교 라디오 방송 ☐ 학교 신문 ☐ 누리 소통망(SNS) ☐ 학교 누리집	┃ 예시 답 ┃ 학교 내외에 자유롭게 부착하여 학교에 관심이 있는 사람들에게 손쉽게 학교에 대한 정보를 소개할 수 있기 때문이다.

개념 ⊕
• 광고의 전략을 수립하고 내용을 구성할 때는 기존에 있는 다양한 광고를 참고하되, 단순히 그것을 모방하는 태도는 지양해야 함.
• 광고의 목적과 예상 독자를 항상 염두에 두면서, 광고의 전략이 광고의 목적과 예상 독자의 요구에 부합하는지를 끊임없이 점검해야 함.

✎ 일반적인 광고 전략
• 전문가나 유명인을 동원하여 광고에 신뢰성을 부여한다.
• 비유나 비교를 통해 대상의 특성을 드러낸다.
• 재미나 재치를 통해 독자에게 흥미와 친근감을 유발한다.
• 장점과 우수성을 나열하여 대상의 필요성을 강조한다.

4. 광고에 들어갈 내용을 순서에 맞게 구성하고, 각 장면에 해당하는 설득 전략을 정리해 보자.

┃ 예시 답 ┃

내용	설득 전략
광고의 카피 문구	학교의 장점을 집약해서 보여 줄 수 있고, 독자의 흥미를 자극할 수 있는 기발하고 간결한 표현을 사용한다.
배경 이미지	아름다운 교정의 풍경이 한눈에 들어오는 사진 자료와 교복을 단정하게 차려입은 밝은 표정의 친구들 사진을 사용한다.
학교의 특징과 장점을 소개하는 문구	학교의 특징과 장점을 간략한 문구로 나열한다.

5. 모둠별로 광고를 제작하여 발표하고, 아래의 〈평가 항목〉에 따라 평가해 보자.

평가 항목 ┃ 예시 답 ┃ (생략)

• 예상 독자의 수준에 맞는 내용인가?
• 광고의 목적에 맞는 매체 언어를 효과적으로 사용하였는가?
• 광고의 설득 전략은 주제를 표현하기에 적절한가?
• 모둠원 모두 협력적으로 임하였으며 각자의 역할을 잘 수행하였는가?

🔎 문제로 확인

09. 다음 중 학교 홍보 광고에 포함될 내용으로 적절하지 않은 것은?
① 학교의 우수한 교육 시설
② 교육을 위한 면학 분위기
③ 졸업생들의 대학 입학 실적
④ 다양하고 알찬 동아리 활동
⑤ 학교 구성원과 관련된 사건·사고

출제 예감
10. 학교 홍보의 대상과 목적이 〈보기〉와 같을 때, 학교 홍보에 가장 효과적인 매체는?

┤ 보기 ├
대상: 고등학교에 진학 할 중학생과 그의 학부모
목적: 우리 학교에 관심을 갖고 지원하게 하는 것

① 학교 신문
② 인쇄 포스터
③ 학급 인터넷 카페
④ 라디오 광고
⑤ 교내 방송

활동 ❶ 심미적 매체 자료의 다양성

≫ 매체의 발달로 삶의 모습이 다양화된 것처럼, 심미적 활동도 새로운 매체 환경에 따라
다양한 양상으로 발전하고 있다. 현대 사회의 심미적 체험은 매체의 특성과 표현 방식에
대한 이해를 기초로 한다. 다양한 심미적 매체 자료들을 감상하며 이를 어떻게 수용해야
하는지 생각해 보자.

_{심미적 활동의 변화를 일으키는 요인}

_{심미적 체험의 바탕}

▶ 심미적 매체 자료의 특징과 수용하는 자세를 알아보는 활동

1. 다음 매체 자료를 읽고, 심미적 매체 자료의 특징과 이를 수용하는 자세를 알아보자.

소단원 학습 포인트

- 심미적 매체 자료의 특성 이해하기
- 매체의 특성을 고려하여 심미적 매체 자료를 감상하고 생산하기
- 공감과 소통의 태도 이해하기

학습 도우미

웹툰(webtoon)

영어 '웹(web)'과 '만화(cartoon)'을 합성한 말로, '인터넷을 매개로 배포하는 만화'를 의미한다. 기존의 출판 만화와 달리 즉각적인 독자 참여가 가능하다. 웹툰을 즐기는 독자는 댓글을 통해 문제 제기, 의견 표현, 작가 응원 등 능동적 참여가 가능하다. 현재는 각종 멀티미디어 효과도 동원되어 움직이는 웹툰도 제공되고 있다.

문제로 확인 정답과 해설 037쪽

출제 예감

01. (가)에 대한 이해로 적절하지 않은 것은?

① 이미지와 문자 언어를 중심으로 내용을 전달하고 있다.

② 작가와 독자의 친교를 목적으로 활용되고 있다.

③ 각종 멀티미디어를 동원해 종이 인쇄 만화와 다른 효과를 내기도 한다.

④ 인터넷을 기반으로 하여 일정 기간 작품이 꾸준히 연재된다.

⑤ 댓글 기능을 바탕으로 생산자와 수용자 사이의 상호작용을 가능하게 하고 있다.

나 시 낭송 동영상과 듣기 자료

너를 기다리는 동안

황지우

네가 오기로 한 그 자리에
내가 미리 가 너를 기다리는 동안
다가오는 모든 발자국은
내 가슴에 쿵쿵거린다

00:10 / 2:00

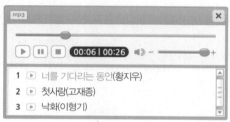

mp3

00:06 | 00:26

1 너를 기다리는 동안(황지우)
2 첫사랑(고재종)
3 낙화(이형기)

다 마블링 아트 비디오

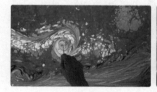  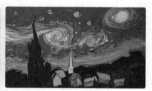

– 가립 아이, 「별이 빛나는 밤」(2016년)

🖌 가립 아이(Garip Ay)

가립 아이는 반 고흐의 「별이 빛나는 밤」, 「자화상」 등 여러 유명 작품을 에브루 (Ebru) 기법으로 재해석하는 등 세계적 관심을 받는 마블링 예술가이다. 최근에는 누리 소통망(SNS)에서 검은색 물 위에 형형색색의 물감을 뿌려 한 편의 예술 작품으로 완성하는 과정을 촬영한 영상을 공유하면서 많은 사람의 관심을 받고 있다.

🔍 **문제**로 확인

02. (나)에 제시된 시를 인쇄 매체로 감상한 것과 (나)와 같은 매체로 접했을 때의 차이점으로 가장 적절한 것은?

① 인쇄 매체로 감상한 것에 비해 시적 변용이 더 잘 나타난다.
② 인쇄 매체로 감상한 것에 비해 깊이 있게 작품을 이해할 수 있다.
③ 인쇄 매체로 감상한 것에 비해 시의 의미가 훨씬 풍부해진다.
④ 인쇄 매체로 감상한 것에 비해 다양한 감각을 통해 작품을 감상할 수 있다.
⑤ 인쇄 매체로 감상한 것에 비해 시적 상황을 이해하는 데 상상력이 더 요구된다.

심미성

아름다움을 살펴 찾으려는 성질을 의미한다. 여기서 아름다움은 단순히 예쁜 것이 아니라 부정적인 것까지 포함한 넓은 의미이다. 아름다움에 관한 판단과 느낌, 곧 심미성은 자신의 일상을 되돌아보도록 할 수 있다.

문제로 확인

출제 예감

03. (다)를 감상한 것으로 적절하지 <u>않은</u> 것은?

① 고흐의 「별이 빛나는 밤」을 완성하는 과정을 직접 보는 것 같군.
② 물 위에서 움직이는 물감의 모양이 환상적인 느낌을 자아내는군.
③ 작품을 많은 사람들과 공유하고자 하는 작가의 마음이 느껴지는군.
④ 작품이 완성되어 가는 과정에서 심미성이 느껴지는군.
⑤ 작가와 수용자 사이가 협업하여 작품을 만든다는 점이 인상적이군.

04. (가)~(다)의 공통적인 창작 목적으로 적절한 것은?

① 우리에게 유용한 정보를 전달하기 위해서
② 아름다움을 통한 정서적 고양이나 공감을 일으키기 위해서
③ 매체 생산자의 의견이나 주장을 바탕으로 수용자를 설득하기 위해서
④ 매체 자료를 통해 수용자의 일상생활에 편리함을 제공하기 위해서
⑤ 매체 자료를 매개로 생산자와 수용자 사이의 친밀한 관계를 만들거나 유지하기 위해서

---

(1) (가)~(다)의 창작 목적이 무엇인지 알아보고, 위 매체 자료들이 향유되는 이유를 말해 보자.

| **예시 답** | (가)~(다)는 모두 '아름다움'을 통해 정서적 고양이나 공감을 일으키기 위한 심미적 목적이 있으며, 이런 매체 자료들이 향유되는 이유는 인간에게 기본적으로 내재한 심미적 욕구 때문이다.

(2) (가)~(다)의 각 매체 환경을 고려하여 어떻게 심미적인 표현을 하고 있는지 표현 방법을 적어 보자. | 예시 답 |

	표현 방법
(가)	온라인상에서, 작가가 설정한 만화 캐릭터가 큰 이야기 구조 안에서 각 회마다 소주제를 가지고 만화를 이끈다. 또 정기적으로 연재되며 각 소주제에서는 작가가 말하고자 하는 바를 표현하고, 독자와 즉각적인 소통을 통해 내용을 만들어간다.
(나)	문자, 음성, 음악, 이미지 등을 활용하여 문자로만 이루어진 시의 정서를 청각적 또는 복합적으로 입체적으로 표현한다.
(다)	물 위에 특수 물감을 뿌려 나타난 여러 가지 모양으로 형상을 만드는 과정을 비디오로 찍어 표현한다. 완성된 후에는 중간 과정을 볼 수 없기에 영상을 실시간으로 보거나 녹화를 해서 시청자가 작품이 만들어지는 과정에서 심미적 감동을 느낄 수 있게 한다.

▶ 심미적 매체 자료를 수용할 때 바람직한 태도를 탐구하는 활동

2. 심미적 표현을 담고 있는 매체 자료를 수용할 때 어떤 태도가 필요한지 친구들과 이야기해 보자.

| **예시 답** | 심미적 매체 자료를 수용할 때는 매체 자료가 지닌 특성이 생산자가 전달하고자 하는 내용을 어떻게 아름답게 표현하고 있는지를 감상하고, 생산자와 전달 매체, 그리고 작품이 전달되는 맥락을 종합적으로 고려하여 공감하려는 태도가 필요하다.

활동 ② 심미적 매체 자료 깊이 읽기

≫ 어떤 매체를 매개로 심미적 표현을 하느냐에 따라 같은 대상이라도 표현되는 내용이나 방식은 다를 수 있다. 따라서 심미적 매체 자료를 풍부하게 감상하기 위해서는 매체가 지니는 특성이나 표현 방식을 알아야 한다. ^{심미적 매체 자료를 풍부하게 감상하기 위해 알아야 하는 내용} 영화를 보고 심미적 매체 자료의 특성과 이를 수용하는 방법에 관해 알아보자.

▶ 영화 후기로 짐작해 보는 활동

1. 다음은 영화 「두근두근 내 인생」에 관한 관객들의 감상평이다. 이를 통해 이 영화가 관객들에게 어떤 감동을 주었을지 추측해 보자.

댓글 20개 | 글쓰기

 막둥이   ^{주인공의 상황}
가장 기억에 남는 장면은 조로증에 걸린 아름이가 언제 살고 싶어지는지 설명할 때.

 녹차 평점   ^{삶에 대한 아름이의 태도를 통해 깨달은 내용}
소소하지만 깨달음을 주는 영화였다. 극 중 아름이를 통해서 하루하루를 의미 있게 보낼 수 있는 계기가 된 것 같네요.

 언젠가는
가족이 함께 보세요. 간만에 가슴이 따뜻해졌어요. 집에 오자마자 엄마에게 사랑한다고 말해 줬어요.   ^{가족 간의 사랑을 느낄 수 있는 영화임을 알 수 있게 해 줌.}

 줄게
한 생명이 가고, 또 다른 생명이 오는 것. 열일곱 살이 전해 주는 인생의 긴 여운.

| **예시 답** | 어려운 상황 속에서도 가족 간의 사랑을 통해 희망을 잃지 않는 가족애를 느낄 수 있을 것 같고, 작은 것에도 소중함을 느끼게 하는 영화일 것 같다.

288 III. 매체 언어의 탐구와 활용

▶ 영화 장면을 통해 심미적 매체 자료의 수용 방법을 알아보는 활동

2. 다음은 많은 관객에게 감동을 줬던 영화 「두근두근 내 인생」의 일부이다. 이 영화를 보고, 심미적 매체의 수용 방법에 관해 살펴보자.

서하: (소리) 아름이 넌 어떨 때 가장 살고 싶어지냐고.

아름: (소리) 살고 싶어지는 때?

아름: (소리) 푸른 하늘에 하얀 뭉게구름을 볼 때.

아름: (소리) 아이들의 해맑은 웃음소리를 들을 때 나는 살고 싶어져.

아름: (소리) 맑은 날 오후, 엄마와 함께 햇빛을 머금은 포근한 빨래 냄새를 맡을 때도.

아름: (소리) 무뚝뚝한 우리 동네 구멍가게 아저씨가 연속극을 보며 우는 걸 보고, 살고 싶다고 생각했던 적도 있고.

아름: (소리) 저녁 무렵, 골목길에서 밥 먹으라고 손주를 부르는 할머니의 소리가 울려 퍼질 때도.

아름: (소리) 여름날, 엄마가 아빠 등목을 시켜 주며 찬물을 끼얹는 걸 볼 때도 나는 살고 싶어져.

개념 ✚

- 영화: 사진의 원리를 이용, 피사체를 연속 촬영함으로써 영사했을 때 피사체가 움직이는 것처럼 보이는 영상 매체. 흔히 영화는 제작 과정을 통하여 회화와 건축, 미술, 음악, 무용, 문학 등을 모두 통합한다는 점에서 종합 예술로 불림. 현대에 이르러 영화는 가장 대중적인 예술 장르 중 하나로 평가받음.
- 영화는 일반적으로 서사를 중심으로 메시지를 전달한다는 점에서 줄거리를 이해하는 것이 중요함. 영화는 또한 영상 매체를 통해 구현되기에 영화에 등장하는 장면들이 메시지를 함축하기도 함. 한편으로는 배우의 대사나 장면으로 전달하기 힘든 메시지를 음향이나 음악으로 전달하기도 함.
→ 영화는 그 속에 다양한 요소들을 복합적으로 사용하여 심미적 표현을 하는 것임.

「두근두근 내 인생」 전체 줄거리

　서른네 살인 미라와 대수는 열일곱 살에 아름을 낳았고, 현재 아름은 열일곱 살이다. 아름은 빠른 속도로 신체가 늙어 가는 조로증을 앓고 있다. 부모님이 하던 일이 점점 기울게 되어 아름의 치료비를 감당할 수 없게 되자, 방송 피디인 엄마 친구의 제의에 방송에 출연한다. 방송이 나간 후 골수암을 앓는 서하라는 소녀에게서 메일을 받는다. 처음에는 마음을 열지 않았지만, 아름은 서서히 서하와 진실한 이야기들을 나눈다. 하지만 서하는 암을 앓는 여자아이가 아니라 무명 시나리오 작가라는 게 밝혀지고 아름도 그 사실을 우연히 듣게 된다. 크게 실망한 아름은 점점 건강이 나빠진다. 아름은 부모님의 이야기를 소설로 써서 남기고 결국 죽음을 맞이한다.

人 인간은 서사 작품을 통해 감동을 얻는다. 이때의 감동은 자기와는 다른 인간의 기쁨과 슬픔과 고통을 확인하고 그것에 공감하며 감동하게 된다.

(1) 영화 제목을 연상하며 제시된 영화 장면을 보았을 때, 위 영화가 전하고자 하는 바는 무엇인지 말해 보자.

| 예시 답 | 아무리 작고 짧은 순간일지라도 사랑하는 사람들과 함께 하는 인생의 한 순간 한 순간은 두근거림을 느낄 수 있는 소중한 것이다.

(2) 위 장면들 중에 '아름'의 감정이나 정서에 공감되는 장면을 찾아 그 까닭과 함께 써 보자.

장면	까닭
저녁 무렵, 골목길에서 밥 먹으라고 손주를 부르는 할머니의 소리가 울려 퍼질 때도.	손주를 생각하며 식사를 준비한 할머니의 정성과 사랑을 느낄 수 있고, '나'를 소중하게 생각하는 가족을 통해 심리적 안정감을 느낄 수 있기 때문이다.

🔎 문제로 확인 🔍

05. 이 영화의 제목과 제시된 장면을 고려할 때 작품이 전달하고자 하는 주제로 가장 적절한 것은?

① 소중한 가족의 행복
② 가슴을 두근거리게 할 특별한 일을 만드는 삶
③ 일상의 소소한 순간들을 모두 소중하게 느끼는 삶의 가치
④ 가슴을 뛰게 하는 운명 같은 사랑에 대한 기다림
⑤ 긴장된 순간들의 연속으로 만들어지는 삶의 고단함

출제 예감

06. 이 영화를 보면서 이끌어 낸 반응으로 적절하지 <u>않은</u> 것은?

① '아름'이 가족을 소중히 생각하는 걸 알 수 있군.
② 우리가 무심코 낭비해버린 일상이 얼마나 소중한 것인지 다시 생각하게 됐어.
③ 작고 소소한 것일지라도 생명이 있는 것은 모두 소중한 것임을 깨닫게 되었어.
④ 영화 장면과 '서하'의 물음을 볼 때 '아름'이 불치병에 걸려 있군.
⑤ '아름'의 대사에 맞춰 장면을 나열하여 살고 싶어지는 때를 보여 주는군.

(3) 다음 핵심어를 중심으로 위 영화가 자신에게 어떤 의미가 있었는지 감상문을 써 보자.

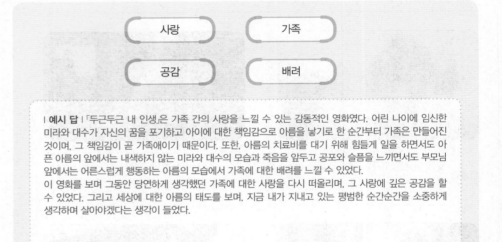

사랑   가족

공감   배려

| 예시 답 | 「두근두근 내 인생」은 가족 간의 사랑을 느낄 수 있는 감동적인 영화였다. 어린 나이에 임신한 미라와 대수가 자신의 꿈을 포기하고 아이에 대한 책임감으로 아름을 낳기로 한 순간부터 가족은 만들어진 것이며, 그 책임감이 곧 가족애이기 때문이다. 또한, 아름의 치료비를 대기 위해 힘들게 일을 하면서도 아픈 아름의 앞에서는 내색하지 않는 미라와 대수의 모습과 죽음을 앞두고 공포와 슬픔을 느끼면서도 부모님 앞에서는 어른스럽게 행동하는 아름의 모습에서 가족에 대한 배려를 느낄 수 있었다.
이 영화를 보며 그동안 당연하게 생각했던 가족에 대한 사랑을 다시 떠올리며, 그 사랑에 깊은 공감을 할 수 있었다. 그리고 세상에 대한 아름의 태도를 보며, 지금 내가 지내고 있는 평범한 순간순간을 소중하게 생각하며 살아야겠다는 생각이 들었다.

(4) 자신이 쓴 감상문을 발표하여 보고, 다른 친구들과 감상 내용을 공유해 보자.
| 예시 답 | (생략)

보충자료 │ 작가가 예술 작품을 창작할 때는 특정한 의도를 가질 수 있지만, 그 의도가 곧 작품의 의미인 것은 아니다. 작품의 의미는 작품이 생산되고 향유되는 모든 맥락 속에서 다양하게 생성될 수 있다. 그러므로 수용자를 둘러싼 다양한 경험과 정서에 따라 같은 작품일지라도 다른 의미가 표상될 수 있다. 따라서 심미적 매체 자료를 수용할 때는 이 점에 유의하여 자신의 경험과 관점에서 이를 감상하고 수용할 필요가 있다.

활동 ❸ 심미적 매체 자료 생산

≫ 심미적 매체 자료는 생산자와 수용자의 정서적인 교감을 이루게 한다. 나아가 이러한
생각들을 서로 비교해 봄으로써 <u>사람마다 해석과 느낌이 다를 수 있고, 가치 있다고 생각</u>
심미적 매체 자료의 목적
<u>하는 내용 또한 다양하다는 것을 경험해 볼 수 있다.</u> 모둠을 이루어 다른 사람과 공감을
심미적 매체 자료가 지닌 의미의 다양성
끌어낼 수 있는 랩 가사를 쓰고 뮤직비디오를 만들며 심미적 매체 자료를 생산해 보자.

> ꙩ 처음부터 창작하려면 어려울 수 있으
> 므로, 기존에 발표된 곡들을 참고하여 랩
> 의 운율이 어떻게 형성되는지 따라 부르
> 며 익히는 시간을 갖는 것이 좋다.

활동 주제	3~4명이 한 모둠을 이루어 다음 활동들을 수행하며, 심미적 가치를 지닌 랩 가사 를 쓰고, 이를 뮤직비디오로 만들어 보자.

📖 **학습 도우미**

라임(rhyme)과 플로(flow)
랩의 운율을 형성하는 데 중요한 두 가
지 요소에는 라임과 플로가 있다. 라임
은 시의 음위율과 유사한 형태이고, 플
로는 음의 고저, 강약, 장단 등으로 리
듬감을 만들어 내는 것이다.

1. 일상생활에서의 경험을 토대로 랩 가사를 쓰려고 한다. 〈보기〉를 참고하여 모둠별로 랩 가
사로 표현하고 싶은 주제를 정해 보자. | 예시 답 | 고등학생의 하루 일과

> **보기**
> • 우리 반 학생들의 특징
> • 고등학생의 하루 일과
> • 학교생활 중 재미있었던 추억
> • 우리들의 꿈을 이루기 위한 다짐

개념 ⊕

• **뮤직비디오**: 음악과 화면이 융합한 형태
의 영상물. 넓은 뜻으로는 음악을 배경
음악으로 하는 영상 작품을 뜻하나 일반
적으로는 대중음악을 가지고 그와 연관
된 표현적인 영상으로 구성된 5분 내외
의 영상 작품을 뜻함.
• **랩(rap)**: 음악 반주에 맞춰 리듬감과 운
을 살려 이야기하듯 노래하는 음악 형식
• **음위율**: 비슷한 음을 가진 시어를 시구
(詩句)나 시행(詩行)의 같은 위치에 규칙
적으로 배치하여 운율의 아름다움을 이
루는 일. 또는 그 운율. 그 위치가 앞이
면 두운, 중간이면 요운, 끝이면 각운이
라고 함.

2. 모둠별로 주제에 어울리는 비트를 고르고, 분량을 나눠 가사를 써 보자.
| 예시 답 | (생략)

3. 각자 맡은 분량의 랩 가사를 모아 모둠별 하나의 랩 가사로 창작해 보자.

> **예시**
>
> [A] ┌ 어느새 차가워진 너의 표정이, 너의 시선이.
> │ 우주처럼 먼 우리 거리, 밤하늘처럼 공허한 우리 사이.
> │ 나는 알고 있어. 내가 심하게 굴었던 걸.
> └ 이제 정말 말하고 싶어. 정말 많이 미안했단 걸.

| 예시 답 | 매일 아침 일곱 시 알람 소리에 기상.
이런 시간에 번쩍 눈이 떠지는 게 이상.
무거운 몸이 떨어지지 않는 곳은 지상.

1교시 수업 종이 울리면 나도 모르게 눈꺼풀이 내려와
책상에 엎드려 코를 고는 소리에 주변의 눈초리가 따가와
그러면 수업을 하시던 선생님이 어느새 내 곁으로 다가와

🔍 **문제로 확인** 🔍

07. [A]와 같은 랩을 창작할 때
고려했을 사항으로 적절하지 <u>않</u>
<u>은</u> 것은?

① 가사의 리듬감을 살리기 위
해 운율을 잘 활용해야겠어.
② 내가 겪었던 구체적인 경험
을 바탕으로 써야겠어.
③ 다른 사람들이 해석할 때
어려워 할 법한 비밀스러운
내용을 담아야겠어.
④ 가사 내용과 주제에 맞는
비트의 흐름을 염두에 두고
가사를 써야겠어.
⑤ 다른 사람도 공감할 수 있
는 가사를 담아야겠어.

4. 모둠별로 창작한 랩 가사를 뮤직비디오로 만들어 보자.

(1) 뮤직비디오 제작을 위한 모둠 구성원의 역할을 나누어 보자.

역할	모둠원 이름	수행 내용
래퍼	○○○	적당한 몸짓을 섞어가며 스웩 넘치는 자세로 랩을 부름.
연기자	○○○	가사 내용에 맞게 연기를 함.
촬영	○○○	래퍼가 노래하고 있는 장면과 연기자의 연기를 촬영함.
음향	○○○	래퍼의 비트에 맞는 음악을 골라 배경에 삽입함.

(2) 뮤직비디오로 표현할 중요 장면을 스토리보드로 작성해 보자.

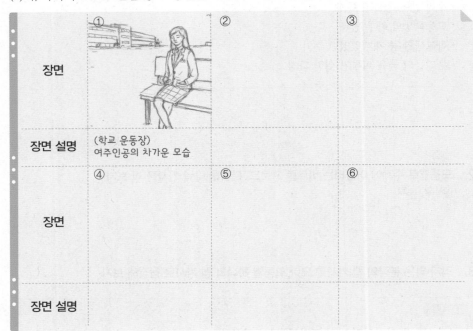

장면	①	②	③
장면 설명	(학교 운동장) 여주인공의 차가운 모습		
장면	④	⑤	⑥
장면 설명			

5. 모둠별로 완성한 뮤직비디오를 함께 감상해 보고, 심미적 매체의 효용성을 알아보자.

(1) 가장 감동 받은 작품을 고르고, 그 까닭과 함께 발표해 보자.

- 모둠 이름과 작품 제목: | 예시 답 | (생략)
- 까닭: 지학이가 도와줄게
  까닭을 적을 때 작품을 바라본 나의 해석과 느낌을 적고, 경험이 있다면 같이 써 보도록 하자.

(2) 심미적 매체가 우리의 정서에 어떤 영향을 끼치는지 말해 보자.
↳ 심미적 매체 자료를 보면서 우리는 작품의 내용과 정서에 공감하면서 즐거움과 슬픔, 기쁨과 노여움 등의 감정을 공유한다. 그런 경험을 통해 삶에 대한 이해를 넓히고 정서적 고양을 경험하게 된다.

왼쪽 여백 내용:

✂ 뮤직비디오의 내용을 구성할 때, 기존의 뮤직비디오를 참고할 수 있다. 다만 아이디어 차원에서 참고만 할 뿐, 모방하지 않도록 한다.

학습 도우미

스토리보드

보는 사람이 주요 흐름과 내용을 쉽게 이해할 수 있도록 주요 장면을 그림으로 정리한 계획표이다. 그 형식과 용도에 따라 다양한 요소를 담아 작성할 수 있으며, 주로 화면 제목, 구성, 설명, 연결 화면 등을 기록한다.

스토리보드 작성 방법

① 시각 이미지 칸에 보여 줄 장면을 간단히 스케치함.
② 장면에 맞는 소리나 음악, 대사, 자막을 적음.
③ 장면을 어떤 방식으로 찍을지 촬영 정보를 메모함.

문제로 확인

출제 예감

08. 오른쪽에 제시된 것과 같은 스토리보드에 대한 설명으로 적절하지 <u>않은</u> 것은?

① 장면에 맞는 소리나 대사 등도 포함된다.
② 주요 흐름보다는 배경이나 소품을 자세하게 적는 것이 중요하다.
③ 간단한 스케치를 중심으로 장면을 보여 준다.
④ 장면을 어떻게 찍을지 촬영 정보도 함께 메모한다.
⑤ 본 작품을 만들기 전에 작성하는 일종의 계획표이다.

{ 1 } 매체로 만나는 너와 나

활동 ① 친교적 매체 자료의 다양성

① 제재 연구

	(가) 엽서	(나) 문자 메시지	(다) 누리 소통망(SNS)
매체의 속성	개인과 개인이 친밀한 감정을 주고받음.	개인과 개인이 친밀한 감정을 주고받음.	둘 이상의 사람들이 정서를 공유하고 의견을 나눔.
소통의 범위	대화 당사자가 지정한 대상	대화 당사자가 지정한 대상	지정된 대상뿐 아니라 불특정 대상까지 소통의 범위가 확대될 수 있음.
시공간의 제한	일정 부분 시공간의 제한이 있을 수 있음.	시공간의 제한이 (㉠).	시공간의 제한이 없음.
신속성, 편의성	메시지가 전달되는 데 상대적으로 시간이 오래 걸리고, 편의성도 떨어짐.	원하는 시간에 언제든 신속하고 편하게 접근할 수 있음.	원하는 시간에 언제든 신속하고 편하게 접근할 수 있음.
보관 및 보안성	보관 중 분실할 우려가 있고, 보안을 위해 추가적인 방법이 필요함.	자동으로 보관되지만, 보관 중 분실할 우려가 있고, 보안을 위해 추가적인 방법이 필요함.	자동으로 보관되지만, 보관 중 분실할 우려가 있고, 보안을 위해 추가적인 방법이 필요함.
접근 가능성	지정된 수신자에 한해 접근이 가능함.	해당 매체를 주고받을 수 있는 기기를 가지고 있다면 쉽게 접근할 수 있음.	인터넷으로 누구나 쉽게 접근할 수 있음.

② 친교적 매체 자료의 목적과 기능, 유형

목적	생산자와 수용자의 관계를 새롭게 형성하거나, 기존의 관계를 친밀하게 변화시키기 위함.
기능	정보를 전달하거나 (㉢)을/를 공유함.
유형	• 아날로그 매체: 손 편지, 엽서 등 • 전자 매체: 문자 메시지, 누리 소통망(SNS), 이메일, 인터넷 카페 등

활동 ② 친교적 매체 자료 깊이 읽기

① 제재 연구
• 인터넷 친목 카페: 비슷한 취향이나 목적을 가진 사람끼리 정보를 공유하거나 친목을 도모하기 위해 가입을 함.
• 누리 소통망(SNS) 관련 자료

	(가) 영화 『트윈스터즈』 제작 노트	(나) 사이버 불링 기사
주제	어릴 때 각자 먼 곳으로 입양된 쌍둥이가 누리 소통망을 통해 다시 만난 실화를 다큐멘터리로 제작하게 됨.	온라인 공간에서 발생하는 불특정 다수의 집단 괴롭힘의 폐해
특징	공간의 제약이 없어 멀리 떨어진 사람들과도 친교를 맺어 인간관계를 확장시킬 수 있는 누리 소통망의 긍정적인 기능을 보여 주는 이야기임.	• 사이버 불링의 개념과 누리 소통망의 부정적 측면을 제시함. • 사이버 공간에서 도를 넘고 과열된 양상은 자제해야 함을 언급함.

• 누리 소통망의 긍정적·부정적 측면

긍정적인 면	부정적인 면
• 공간적으로 멀리 있는 사람과도 자유롭게 소통함. • 새로운 경로의 인간관계를 확장할 수 있음.	• 개인 정보나 불확실한 정보가 불특정 다수에게 급속하게 확산될 수 있음. • 익명성에 기대어 상대에게 위해를 줄 수 있음.

② 친교적 매체 자료를 수용할 때 바람직한 자세
친교적 매체 자료는 생산자와 수용자가 지속적이고 적극적이며 쌍방향적 의사소통의 성격이 강하기 때문에 상대를 이해하고 (㉣   )하려는 자세가 필요함.

활동 ③ 친교적 매체 자료의 생산

① 친교적 매체 자료를 생산할 때 바람직한 자세
쌍방향적인 성격이 강하기 때문에 의사소통 과정에서 상대에 대한 고려('누구에게', '어떤 친교의 목적', '활용할 매체' 등)가 매우 중요함.
② 친교적 매체 자료 생산 활동의 예
• 영상 편지 제작하여 누리 소통망에서 공유해 보기
  – 제작 과정: 영상 편지의 수신자와 주제 정하기 → 제작 계획 세우기(매체 선정 및 역할 분담) → 영상 대본 작성·촬영·편집하기 → 감상 및 공유하기
  – 자료 점검: 수신자에게 적절한 주제를 전달하고 있는가?, 음악이나 자막 등 편집이 자연스러운가? 등

{ 2 } 매체로 주고받는 정보

활동 ❶ 정보 전달 매체 자료의 특성과 읽는 방법

① 제재 연구

	(가) 그 많던 모기…	(나) 우리나라에서 가장 아름다운…	(다) 여름 반찬 – 감자조림 …
갈래	신문 기사	다큐멘터리	인터넷 블로그
내용	가뭄과 불볕더위의 영향으로 서식지가 줄어 모기의 개체 수가 급감함.	반원형의 무지개 모양으로 돌을 쌓아 만든 승선교의 완벽한 곡선미가 주변과 어우러져 아름다움을 선사함.	감자조림의 재료와 요리 과정 설명함.
전달 대상	신문 구독자	다큐멘터리 시청자	감자조림의 조리법을 검색하여 익히고자 하는 사람들

② 정보 전달 매체의 특성과 유의점

• 정보 전달 방식

매체 유형	특성
인쇄 매체	(ⓐ)을/를 중심으로 정보를 전달함으로써 독자의 적극적 사고와 판단력으로 정보를 주체적으로 수용하게 만드는 효과가 있음.
영상 매체	다양한 매체 언어들을 적절하게 조합하여 정보를 전달함으로써 시청자가 정보를 쉽게 이해할 수 있도록 하는 효과가 있음.
인터넷 매체	다양한 매체 언어들을 정보를 전달하기 쉬운 방식으로 조합하여 독자의 이해도를 높여 주고 독자 스스로 필요한 내용을 취사선택할 수 있음.

• 수용할 때 점검 항목

신뢰성	• 제시된 자료의 출처가 분명한가? • 자료의 내용이 객관적이고 공정한가?
(ⓜ)	• 제시된 자료의 내용이 자신에게 필요한 내용을 담고 있는가? • 현실적으로 활용, 혹은 실현 가능한 것인가?

활동 ❷ 정보를 전달하는 매체 자료 깊이 읽기

① 제재 연구

• 방송 뉴스: 「가을 산행 '독버섯' 주의」

주제	식용 버섯과 구별하기 어려운 독버섯 채취의 위험성
특징	• 다양한 매체 언어를 사용하여 정보를 전달함. • 무단 채취 실태가 담긴 취재 장면으로 현장성과 공정성을 높임. • 식용 버섯과 독버섯의 비교, 국립 공원 내 무단 채취의 벌금 징수 등의 정보를 전달함.
구성 요소	• 아나운서: 뉴스 화제를 소개하고, 식용 버섯과 독버섯을 구분하지 못하는 문제를 제시함. • 기자: 제공할 정보의 구체적 내용을 소개함. 버섯의 무단 채취가 위험함을 알리고 식용 버섯과 독버섯이 구분되지 못하는 구체적 사례를 제시함. • (ⓑ): 기사의 핵심 내용을 제시하고 취재 대상자를 문자화하여 보여 줌. • 취재 대상자: 식용 버섯과 독버섯을 구분하지 못한 채 버섯을 무단 채취하는 사례를 드러냄. • 시각 자료: 구분이 어려운 식용 버섯과 독버섯을 시각적으로 보여줌.

② 정보 전달 매체 자료를 수용할 때 바람직한 자세

수용자는 정보의 신뢰성, 유용성, 공정성, 정확성 등을 고려하여 비판적이고 주체적으로 바라봐야 함.

• 방송 뉴스에서 중시되는 요건

공정성	쟁점이나 갈등 상황을 뉴스로 다룰 때는 양적·질적으로 균형 있는 정보를 제공해야 함.
(ⓢ)	과장이나 허위 없이 정확한 정보와 사실을 보도하되, 사실을 둘러싼 다양한 정보를 종합적으로 제공해야 함.
중립성	중립적인 자세로 사건과 문제에 접근해야 함.

활동 ❸ 정보를 전달하는 매체 자료의 생산

① 정보를 전달할 수용자 분석의 필요성

연령, 성별, 배경지식의 정도 등 목적과 대상을 고려하여 유용하고 가치 있는 정보를 선별하고, 전달 매체와 매체 언어를 구성하여 효과적으로 전달해야 함.

② 정보 전달 매체 자료를 평가하는 기준

• 정보의 내용과 구성이 정보 전달 목적에 부합하는가?
• 제공된 정보가 정보를 수용하는 사람의 수준에 맞고 유용한 것인가?
• 정보의 배치나 자료 제공이 효과적으로 이루어졌는가?
• 자료의 활용에 있어 윤리적인 측면을 준수하였는가?

{ 3 } 매체로 설득하다

활동 ① 설득적 매체 자료의 다양성

① 제재 연구

	(가) 시사 평론	(나) 공익 광고	(다) 라디오 광고
예상 독자	자녀의 학습에 관심을 두고 있는 학부모	어려운 사람들에게 도움을 줄 수 있는 다수의 사람	지역 축제에 참여하여 축제를 활성화할 수 있는 사람
주제	과도한 선행 학습을 지양하자.	어려운 이웃을 돕는 모금에 적극적으로 참여하자.	청양 고추·구기자 축제에 참여하자.
매체 생산의 의도	과도한 선행 학습을 하는 교육 환경을 변화시키자고 설득하기 위해	어려운 이웃들을 도울 수 있도록 성금 모금에 참여하자고 설득하기 위해	청양 고추·구기자 축제에 참여를 홍보하기 위해
(◎) 전략	쟁점이 무엇인지 평론의 표제로 보여 주고, 그에 대한 필자의 주장을 부제로 제시하여 전달 내용을 명확히 드러냄.	도움을 받은 사람들의 감사 표현과 모금된 성금이 필요한 분야를 제시하여 모금의 필요성을 드러냄.	'축제', '화려하고 신나는' 등의 어휘를 흥을 돋우는 어조로 전달하여 청자의 기대감을 높임.
매체 언어 사용 효과	표제와 부제를 사용하여 논점과 주장을 독자들에게 요약하여 제시하는 효과가 있음.	•도움을 받은 사람들의 밝은 모습을 영상에 담아 나눔의 긍정적 효과를 드러냄. •자막을 통해 도움이 필요한 분야를 간명하게 제시함.	간결하고 리듬감 있는 언어, 그리고 중요한 구절을 반복적으로 언급하여 전달의 효과를 높임.

② 설득적 매체 자료를 수용할 때 유의점
• 생산자의 추측과 주관적 판단에 의한 것은 아닌지 판단해야 함.
• 내용의 타당성에 대해 판단하고, 무조건적 수용을 지양함.
• 수용자에게 유용한 가치가 있는지 그 (㉘   )을/를 주체적으로 판단해야 함.

활동 ② 설득적 매체 자료 깊이 읽기

① 제재 연구: 공익 광고 '쓰레기에도 족보가 있다.'

주제	재활용의 독려
내용	우유 팩을 재활용하면 두루마리 휴지를 만들 수 있음.
특징	•로봇 청소기와 두루마리 휴지, 우유 팩 등을 의인화하여 독자의 흥미 유발함. •마지막 장면에 액자를 나란히 배치하여 두루마리 휴지와 우유 팩의 관계에 주목하게 하고, 광고 제목을 연상시킴.

② 설득적 매체 자료를 수용할 때 바람직한 자세

> 매체 자료에 담긴 설득 전략을 분석할 수 있는 능력을 키움.

> 매체를 통해 전달되는 메시지가 타당하고 합리적인 것인지를 비판적인 관점에서 파악해야 함.

활동 ③ 설득적 매체 자료의 생산

① 설득적 매체 자료를 생산할 때 바람직한 자세
• 설득적 매체 자료는 자신이 설득하고자 하는 대상에게 전달되는 메시지의 필요성을 강조하며 (㉘   )을/를 높이고 관심을 유발하여 설득의 타당성을 확보해야 함.
• 설득 대상이 누구냐에 따라 설득 목적을 전달하는 방법, 즉 사용할 매체의 특성을 고려한 설득 전략을 세움.

② 설득적 매체 자료 생산 활동의 예
• 학교 홍보 광고 만들어 보기
　– 광고 계획 세울 때 대상과 목적에 관한 분석이 필요함.

> • 광고를 만들려는 목적은 무엇인가?
> • 광고의 예상 독자는 누구인가?
> • 예상 독자의 관심은 무엇인가?
> • 예상 독자의 수준은 어떠한가?

　– 제작 후 잘 만들어졌는지 평가해야 함.

> • 예상 독자의 수준에 맞는 내용인가?
> • 광고의 설득 전략은 주제를 표현하기에 적절한가?
> • 광고의 목적에 맞는 매체 언어를 효과적으로 사용했는가?
> • 모둠원 모두 협력적으로 임하였으며, 각자의 역할을 잘 수행했는가?

{ 4 } 매체로 빚은 예술

활동 ① 심미적 매체 자료의 다양성

① 제재 연구

	(가) 풍뎅이뎅이	(나) 너를 기다리는 동안	(다) 별이 빛나는 밤
갈래	웹툰	시 낭송 영상. 녹음 파일	마블링 아트 비디오
심미적 표현 방법	온라인상에서 작가가 설정한 만화 캐릭터가 큰 이야기 구조 안에서 각 회마다 소주제를 가지고 만화를 이끔.	문자, 음성, 음악, 이미지 등을 활용하여 문자로만 이루어진 시의 정서를 청각적 또는 복합적 이미지를 통해 입체적으로 표현함.	물 위에 특수 물감을 뿌려 나타나는 여러 가지 모양으로 형상을 만드는 과정을 비디오로 찍어 표현함.
주제	곤충의 숲에서 살게 된 풍뎅이의 유쾌한 숲 속 생활	기다림의 절실함과 만남의 의지	반 고흐의 『별이 빛나는 밤』의 재해석
특징	• 어린 풍뎅이를 주인공으로, 의인화된 곤충들의 숲 속 일상을 부드러운 색채로 그려 냄. • 따뜻하고 교훈적인 이야기를 다룸.	• 청각적 심상과 의성어의 사용으로 기다림의 초조함을 표현함. • 동일한 시구의 반복으로 운율감을 형성함. • 역설적 표현을 통하여 능동적 기다림의 자세를 강조함.	• 터키의 전통 예술인 에브루 기법으로 명화를 재해석함. • 완성된 이미지뿐만 아니라 작품을 만들어가는 과정을 비디오로 보여 줌.

② 심미적 매체 자료의 특징

• '아름다움'을 통해 정서적 고양이나 공감을 일으키기 위한 심미적 목적이 있음.
• 심미적 매체 자료들이 향유되는 이유는 인간에게 기본적으로 내재한 심미적 요구 때문임.

활동 ② 매체 언어의 심미적 가치

① 제재 연구: 영화 「두근두근 내 인생」

제재	가장 어린 부모와 가장 늙은 자식의 청춘과 사랑에 대한 눈부신 이야기
주제	일상의 소소한 순간들을 모두 소중하게 느끼는 삶의 가치(시련 속에서도 희망을 잃지 않게 하는 가족 간의 사랑)
특징	• 아프지만 아름다운 청춘, 그리고 인생을 생기발랄하게 그려 냄. • 제목을 통해 사랑하는 사람들과 함께 하는 인생의 순간순간은 두근거림을 느낄 수 있는 소중한 것이라는 메시지를 전달함.

② 심미적 매체 자료를 수용할 때 바람직한 자세

• 자료가 지닌 특성이 생산자가 전달하고자 하는 내용을 어떻게 아름답게 표현하고 있는 지를 감상함.
• 생산자의 전달 매체, 그리고 작품이 전달되는 맥락을 종합적으로 고려하여 공감하려는 태도가 필요함.

활동 ③ 심미적 매체 자료 생산

① 심미적 매체 자료를 생산할 때 바람직한 자세

• 심미적 매체 자료를 생산하면 생산자와 수용자의 생각을 서로 비교하면서 사람마다 해설과 느낌, 가치관이 다양하다는 것을 경험할 수 있음.
→ 매체의 특성을 바탕으로 예상 독자에게 (㉠   )와/과 감동을 주는 내용으로 생산하려는 태도가 필요함.

② 심미적 매체 자료 생산 활동의 예

• 창작 랩으로 뮤직비디오 만들기
  – 창작 랩 만들고 녹음하기: 처음부터 창작하려면 어려울 수 있으므로, 기존에 발표된 곡들을 참고하여 랩의 운율이 어떻게 형성되는지 따라 부르며 익히는 시간을 갖는 것이 좋음.
  – 뮤직비디오 촬영하고 편집하기: 스토리보드를 작성할 때 기존의 뮤직비디오를 참고할 수 있지만, 아이디어 차원에서 참고만 할 뿐, 모방하지 않도록 함.
  – 완성된 뮤직비디오 감상하기

답 ㉠ 없음, ㉡ 정서, ㉢ 배려, ㉣ 문자, ㉤ 유용성, ㉥ 자막, ㉦ 정확성, ㉧ 설득, ㉨ 효용성, ㉩ 신뢰, ㉪ 공감

[01-03] 다음 매체 자료를 보고, 물음에 답하시오.

가

ㄱ언제나 수민이 편, 우리 엄마께

엄마, 저는 고등학교 생활을 마치고 이제 새로운 출발을 하는 시점에 서 있어요. 지난 3년간 저는 참 많이 성장한 것 같아요.

며칠 전 엄마가 이제 제 걱정은 하지 않으신다고 말씀하셨던 것 기억하세요? 저는 그 말이 무척 좋았어요. 또 요즘 엄마가 힘들고 지칠 때마다 제게 고민을 털어놓으시는 것이 무척 좋아요. 제가 이제 엄마의 걱정과 염려를 끼치는 아이가 아니라, 엄마의 버팀목이 되어 드릴 수 있는 어른이 된 것 같아 기뻐요.

엄마는 늦었지만 공부를 더 해 보고 싶다고 하셨어요. 엄마, 이제 제 걱정을 하지 마시고, 아무런 제약 없이 엄마의 큰 꿈을 펼치셨으면 좋겠어요. 우리 같이 서로의 꿈을 위해 달려갔으면 좋겠어요.

- 엄마의 자랑, 수민 올림

나

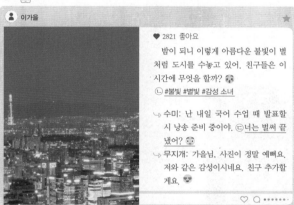

● 이가을

♥ 2821 좋아요

밤이 되니 이렇게 아름다운 불빛이 별처럼 도시를 수놓고 있어. 친구들은 이 시간에 무엇을 할까? 😺
ㄴ #불빛 #별빛 #감성 소녀

ㄴ 수미: 난 내일 국어 수업 때 발표할 시 낭송 준비 중이야. ㄷ너는 벌써 끝냈어? 😺

ㄴ 무지개: 가을님, 사진이 정말 예뻐요. 저와 같은 감성이시네요. 친구 추가할게요. 😎

♡ ◯ ●●●●●●

다

01 (가)~(다)의 공통점으로 가장 적절한 것은?

① 의사소통에 있어 시공간적 제한이 없다.

② 대화 당사자가 지정한 대상만이 내용을 공유할 수 있다.

③ 정보의 보관이 자동적으로 이루어지고, 보안이 우수하다.

④ 의사소통을 효율적으로 하기 위해 전자 매체를 사용하고 있다.

⑤ 상대방과의 친밀한 감정을 공유하기 위한 목적으로 작성되었다.

수능형

02 ㄱ~ㅁ에 대한 설명으로 적절하지 않은 것은?

① ㄱ: 편지의 내용을 읽을 대상을 지정하고 있다.

② ㄴ: 게시글의 성격이나 내용이 어떻게 분류될지 짐작할 수 있다.

③ ㄷ: 문자 언어와 함께 개인의 감정과 느낌을 담은 그림말을 넣고 있다.

④ ㄹ: 불특정 다수가 내용을 제한 없이 공유할 수 있음을 보여 준다.

⑤ ㅁ: 이용자들이 자신을 소개할 수 있는 단어를 사용해 실명 대신 가명을 사용하고 있다.

학습 활동 적용

03 〈보기〉를 바탕으로 (다)와 같은 매체를 이용하는 바람직한 태도로 가장 적절한 것은?

〈 보기 〉

당부의 말씀을 드립니다.

작성: 길 위의 집사 | 20○○. 9. 6. 13:00

어제 '우리냥이 알리기' 게시판에 반려동물 '하늬'의 사진을 올렸습니다. 정말 감사하게도 하늬에 대해 호감을 많이 보여 주셨고, 칭찬도 많았어요.
그런데 몇몇 분은 하늬의 꼬리 길이나 털 윤기 등 외모에 대해 깎아내리셨고, 비하하는 발언도 하셨습니다. 하늬를 가족처럼 생각하는 저로서는 너무 마음이 아팠습니다.
글을 올린 사람과 읽는 사람 모두 고양이를 사랑하는 마음에 이 카페에 오셨다고 생각합니다. 소통하실 때 한 번 더 상대의 입장이 되어 주시길 부탁드립니다.

댓글 20개 | 조회 30건 | 글쓰기

① 글을 작성할 때에는 상대를 존중하고 배려하는 마음을 가져야 한다.

② 카페에 올라온 글에 대해 자신의 솔직한 느낌을 가감 없이 표현해야 한다.

③ 카페에 다른 사람이 쓴 글에 대해서는 어떤 문제 제기도 하지 않아야 한다.

④ 카페의 회원들에게 알리고 싶은 내용은 지속적이고 반복적으로 게시판에 올려야 한다.

⑤ 카페 회원들과의 마찰을 피하기 위해, 카페에서 필요한 정보만을 취하고 활동을 최소화해야 한다.

04 다음 중 누리 소통망(SNS)의 특징을 설명한 것으로 적절하지 <u>않은</u> 것은?

① 인간관계의 확장에 기여할 수 있다.
② 소통에 있어 시공간적 제약을 거의 받지 않는다.
③ 오프라인에서의 친교적 기능을 강화하는 역할을 한다.
④ 익명성을 바탕으로 다른 사람에게 위해를 가할 수 있다.
⑤ 글이나 사진 등의 매체 정보가 급속하게 확산될 수 있다.

05 〈보기〉를 바탕으로 영상 편지를 제작하고자 할 때 유의할 내용으로 적절하지 <u>않은</u> 것은?

┌─ 보기 ─────────────────────┐
• 목적: 이번 달 생일을 맞은 반 친구들에 대한 축하
• 매체: 영상으로 제작하여 누리 소통망(SNS)에 게시
└────────────────────────────┘

① 음악과 자막, 영상 등 필요한 매체를 적절하게 활용한다.
② 영상 편지의 목적과 주제에 부합하도록 내용을 구성한다.
③ 기존의 영상 제작물을 참고할 수 있으나 모방하지 않도록 한다.
④ 수용자의 흥미를 끌기 위해 창의적이고 재치 있게 내용을 구성한다.
⑤ 편지의 속성에 부합하도록 의사소통이 일대일로 이루어지도록 한다.

[06~09] 다음 매체 자료를 보고, 물음에 답하시오.

가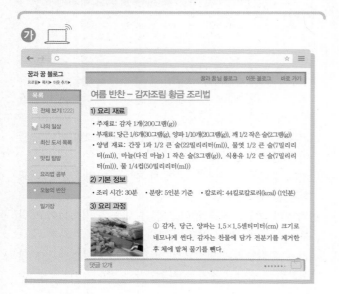

나 신문

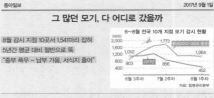

동아일보   2017년 9월 19일

그 많던 모기, 다 어디로 갔을까

8월 감시 지점 10곳서 1,541마리 잡혀
5년간 평균 대비 절반으로 뚝
"중부 폭우 – 남부 가뭄, 서식지 줄어"

장마가 끝난 뒤 모기 기피제를 잔뜩 구매한 홍○○ 씨(33)는 지난 몇 주간 포장도 뜯지 않았다. 홍○○ 씨는 "비가 그치면 모기가 크게 늘 줄 알았는데 몇 주간 거의 보이지 않았다."라고 말했다.

31일 질병관리본부가 전국 10개 감시 지점의 모기 수를 집계한 결과 모기 수가 급감한 것으로 나타났다. 8월 3주간 채집된 모기 수는 1,541마리로 최근 5년간(2012~2016년) 평균(3,075마리)의 절반에 불과했다. 지난해 8월 3주간 모기 수는 2,615마리로 올해보다 70 % 가량 많았다.

'여름의 불청객' 모기가 급감한 것은 '너무 많이 오기도 하고, 너무 적게 오기도 한' 비 때문이다. 중부 지방에는 이번 장마 기간(6월 29일~7월 14일) 지엽적이고 강한 폭우가 쏟아졌다. 장마가 끝난 8월 중순에도 서울에 시간당 30밀리미터(mm)의 강한 비가 내리는 등 이례적인 강우가 이어졌다.

반면 남부 지방에는 비가 오지 않았다. 장마 기간 남부 지방의 강우량은 평년의 53% 수준을 기록해 중부 지방과의 강우량 차이가 254.9밀리미터(mm)나 됐다. 장마 기간 강원 홍천에는 432.5밀리미터(mm)의 비가 내렸지만, 대구의 강우량은 13.1밀리미터(mm)에 그쳐 지역별 강우량 차이가 33배나 나기도 했다. 8월 중순에도 중부 지방에는 비가 많이 왔지만, 남부 지방에는 폭염 주의보가 내려졌다.

질병관리본부 매개체 감시과에서는 "보통 장마가 끝나고 모기가 늘어나는 게 일반적인데 올해는 지엽적 집중 호우와 고온이 이어지면서 모기의 서식 환경이 악화된 것으로 보인다."라고 했다.

〈그래프〉 6~8월 전국 10개 지점 모기 감시 현황 (마리)
6월 3주차 903, 7월 2주차 856, 8월 1주차 452 (2017년)
5년간 평균(2012~2016년): 1,052 / 1,773 / 1,064
자료: 질병관리본부

다 📺

가을 산행 '독버섯' 주의

아나운서 가을 산에 올랐다가 버섯이 보인다고 막 따오는 분들이 계신데요, 구분을 잘 못 해서 독버섯을 먹을 수 있는 버섯인 줄 알고 들고 내려오는 경우가 아직도 있어서 걱정입니다. ○○○ 기자입니다.

기자 국립 공원 단속반이 한 탐방객을 불러 세웁니다. 가방을 열어 보니 야생 버섯이 한가득합니다.

단속반: 이게 무슨 버섯이에요?
탐방객: 모르겠어요. 모르고 딴 거예요.

또 다른 탐방객 배낭에서도 종류별로 다양한 야생 버섯이 잔뜩 나옵니다.

단속반: 이건 송이버섯, 이건 싸리버섯, 이건 흰굴독버섯이라고 아주 쓴 버섯이에요, 그리고 이런 종류는 밀버섯, 그리고 이건 소나무 밑에 나는 솔버섯.

단속도 단속이지만, 식용 버섯과 구별하기 어려운 독버섯들이 널려 있어 위험합니다. 바위틈에서 자라난 노란달걀이란 독버섯입니다. 식용으로 쓰는 개암버섯과 비슷합니다. 또 다른 독버섯인 외대버섯은 흔히 먹는 느타리버섯과 닮았습니다. 마귀광대버섯과 광대버섯아재비는 독성이 매우 강해 절대 먹어선 안 됩니다.

국립 공원에서는 허가받은 현지인 말고는 등산객이 버섯이나 임산물을 무단으로 따다 적발되면 3천만 원 이하의 벌금을 물 수 있습니다.

– 에스비에스(SBS), 2017년 9월 25일 방송

06 (가)~(다)에 대한 설명으로 적절하지 <u>않은</u> 것은?

① (가)와 (나)는 시각 자료를 활용하여 수용자의 이해를 돕고 있다.
② (가)와 (다)는 정보 전달을 위해 영상 매체를 활용할 수 있다.
③ (나)와 (다)는 사회적 이슈에 대한 공적 정보를 담고 있다.
④ (가)~(다)는 수용자들에게 정보를 전달하는 기능을 한다.
⑤ (가)~(다)는 필요한 내용을 수용자가 자유롭게 취사선택할 수 있다.

07 (나)를 통해 알 수 있는 사실로 적절하지 <u>않은</u> 것은?

① 지난해와 비교할 때 올 여름 모기 수가 급감하였다.
② 지엽적인 집중호우는 모기의 서식 환경을 악화시킨다.
③ 기온이 너무 높으면 모기의 개체 수가 감소하게 된다.
④ 일반적으로 장마가 끝나고 난 후에는 모기 수가 많다.
⑤ 모기 수가 적어지면 이상 기온이 지속될 가능성이 높다.

서술형

08 (다)에 사용된 사진 자료의 기능은 무엇인지 서술하시오.

〈 조건 〉
• (다)의 사진 자료의 내용을 담을 것.
• 한 문장으로 서술할 것.

수능형 고난도

09 〈보기〉를 바탕으로 (다)를 이해한 것으로 가장 적절한 것은?

〈 보기 〉
정보 전달의 매체를 수용하면서 가장 중요한 것 중 하나는 매체 자료에 포함된 내용이 자신에게 유용한 정보를 담고 있는 있는가 하는 것이다. 정보의 유용성은 제시된 자료의 내용이 지금 내게 필요한 내용을 담고 있는지, 현실적으로 활용, 혹은 실현 가능한 것인지 등을 중심으로 판단해야 한다.

① 독버섯의 분포와 생태를 알고 싶은 사람에게 (다)의 정보는 유용한 것이겠군.
② 독버섯과 식용 버섯을 구분하는 방법이 궁금한 사람들에게 (다)의 정보는 유용한 것이겠군.
③ 독버섯을 먹었을 때, 해독하는 방법을 알고 싶은 사람들에게 (다)의 정보는 유용한 것이겠군.
④ 버섯을 무단으로 채취하는 사람들을 단속하고자 하는 사람들에게 (다)의 정보는 유용한 것이겠군.
⑤ 버섯에 대한 지식 없이 산에서 무단으로 버섯을 채취하고자 했던 사람들에게 (다)의 정보는 유용한 것이겠군.

[10~13] 다음 매체 자료를 보고, 물음에 답하시오.

가 신문

중앙일보   2016년 8월 27일

예습이 중요한가, 복습이 중요한가?

아이가 뒤처질까 선행 학습시키는 불안 내려놓고
스스로 싸울 수 있는 면역력을 키워 주자.

어린 시절에는 복습보다 예습이 효과적이라고 배웠다. 수업 시간에 뭘 배울지 미리 알아 두면 훨씬 빠르게 학습 내용을 흡수할 수 있다고들 했다. 정말 그런 줄 알고 열심히 예습을 했다. 하지만 막상 공들여 예습을 하니, 수업에서 느끼는 생생한 현장성과 흥미가 떨어져 버렸다. '오늘은 과연 뭘 배울까.' 하고 나도 모르게 설레는 느낌이 없어져 버렸다. 어른이 되고 나서야 깨달았다. 나에게는 예습보다 복습이 훨씬 효과적이라는 것을. [중략]

나는 복습 예찬론자다. 복습을 하면서 비로소 내가 오늘 배운 것이 무엇인지를 더 잘 이해할 수 있고, 읽고 느낀 것을 자꾸만 되새김질하면서 불현듯 새로운 아이디어를 얻기도 한다. 그런데 우리 사회는 정반대로 가고 있다. 요새는 내일 공부할 것을 오늘 미리 들춰 보는 조금

부지런한 학생의 개인적인 예습을 뛰어넘어 아예 집단적인 '선행 학습'이라는 것이 사회적 문제가 되고 있다. '예습의 중요성'이 눈덩이처럼 불어나 아예 '선행 학습을 하지 않으면 입시에 성공하기 어렵다.'는 식의 집단적인 불안으로 변질되어 버린 것이다. 주변의 학부모들에게 물어 보니 '선행 학습이 옳다고 생각하지는 않지만 남들이 다 하니 어쩔 수 없이 학원에 보낸다.'는 분들이 대다수이다. 선행 학습에 진심으로 찬성해서가 아니라 '아이가 뒤처지는 것이 싫어' 학원에 보낸다는 것이다. 하지만 다음 학기는 물론 내년에 배울 내용까지 완벽하게 통달하는 정도의 과도한 선행 학습이 교사의 '가르칠 권리'를 빼앗는 것은 아닐까? 과도한 선행 학습이 학생들에게 '오늘 무엇을 배울지 설렐 기회'마저 빼앗는 것은 아닐까?

나 동영상

[내레이션(어린아이 1)]
고맙습니다.
맛있게 잘 먹었습니다.

[내레이션(어린아이 2)]
이제 아프지 않아요.
고맙습니다.

[자막]
'의료 소외 계층 지원'

[자막]
'취약 계층 맞춤형 지원'

[내레이션(성인 2)]
여러분은 모르시지만, 많은 분이 고마워하고 있습니다.

[내레이션(성인 2)]
모금, 사랑을 켜면 희망이 커집니다.

다 📻

🔊 (신나는 행진곡이 배경 음악으로 나오며)

온 가족이 함께하는 신나는 건강 여행!
가자, 청양으로!

제00회 청양 고추·구기자 축제.
8월 26일부터 28일까지!

화려하고 신나는 공연,
청양고추 할인 경품 행사 등 특별한 이벤트!
먹거리, 즐길 거리 풍성한 청양 장날.
손자, 손녀와 함께 하는 놀이마당이 마련됩니다!

제00회 청양 고추·구기자 축제.
가자, 청양으로!

10 (가)~(다)에 대한 설명으로 적절하지 <u>않은</u> 것은?

① (가)~(다)는 모두 상대에게 전달하고자 하는 정보를 담고 있다.
② (가)~(다)는 모두 상대에게 자신의 주장이나 의견을 전달하고자 한다.
③ (나)는 (가)에 비해 심미적 표현 전략의 사용이 중요하다.
④ (나)는 (가), (나)에 비해 표현에 사용할 수 있는 매체 언어가 다양하다.
⑤ (다)는 (나)에 비해 감성보다 이성을 바탕으로 내용을 전달하고 있다.

11 (가)에 대한 설명으로 적절하지 <u>않은</u> 것은?

① 자신의 체험을 바탕으로 논의를 시작하고 있다.
② 논쟁점에 대해 자신의 입장을 명확하게 드러내고 있다.
③ 대조의 방식을 통해 논쟁점을 분명하게 제시하고 있다.
④ 전문가의 의견을 인용하여 자신의 주장을 강화하고 있다.
⑤ 질문의 방식을 통해 자신의 문제 의식이 무엇인지 제시하고 있다.

학습 활동 적용

12 (나)와 (다)에 나타난 공통적인 설득 전략으로 적절한 것은?

① 시각적 이미지를 활용하여 수용자들의 정서를 자극하고 있다.
② 반복적 표현을 사용하여 전달하고자 하는 내용을 부각하고 있다.
③ 일상적 기대와는 다른 상황을 설정하여 수용자들의 관심을 이끌어내고 있다.
④ 문자 언어를 사용하여 전달하고자 하는 주요 내용을 요약적으로 제시하고 있다.
⑤ 흥미를 자극하는 어휘와 흥을 돋우는 어조를 사용하여 수용자의 기대감을 자극하고 있다.

서술형

13 매체 자료의 생산 목적을 고려할 때, (나)와 〈보기〉가 어떻게 다른지 서술하시오.

〈 보기 〉

[14-16] 다음 매체 자료를 보고, 물음에 답하시오.

가 💻📱

나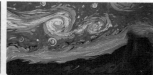

다

서하: (소리) 아름이 넌 어떨 때 가장 살고 싶어지냐고

아름: (소리) 살고 싶어지는 때?

아름: (소리) 푸른 하늘에 하얀 뭉게구름을 볼 때.

아름: (소리) 아이들의 해맑은 웃음소리를 들을 때 나는 살고 싶어져.

아름: (소리) 맑은 날 오후, 엄마와 함께 햇빛을 머금은 포근한 빨래 냄새를 맡을 때도.

아름: (소리) 무뚝뚝한 우리 동네 구멍가게 아저씨가 연속극을 보며 우는 걸 보고, 살고 싶다고 생각했던 적도 있고.

아름: (소리) 저녁 무렵, 골목길에서 밥 먹으라고 손주를 부르는 할머니의 소리가 울려 퍼질 때도.

아름: (소리) 여름날, 엄마가 아빠 등목을 시켜 주며 찬물을 끼얹는 걸 볼 때도 나는 살고 싶어져.

14 (가)~(다)에 대한 설명으로 가장 적절한 것은?

① (가)~(다)는 모두 매체를 달리하더라도 같은 정서를 표현할 수 있다.

② (가)~(다)는 모두 수용자의 정서적 공감을 이끌어내기 위해 생산되었다.

③ (가)~(다)는 모두 매체를 통해 생산자와 수용자가 즉각적으로 소통하게 한다.

④ (가)~(다)는 모두 매체 자료에 담긴 생산자의 의도가 곧 작품의 의미가 된다.

⑤ (가)~(다)는 모두 시청각적 이미지를 동원하여 작품의 내용을 전달하고 있다.

15 (나)를 감상한 반응으로 적절하지 <u>않은</u> 것은?

① '아름다움'을 통해 정서적 고양감을 높이는군.

② 유명 작가의 작품을 자신만의 기법으로 재해석하였군.

③ 작품을 창작하는 과정까지도 작품의 일부로 볼 수 있겠군.

④ 전통적으로 존재하던 기법을 현대적으로 변용하여 사용하였군.

⑤ 문학 작품을 매체적으로 변용하여 새로운 정서를 불러일으키는군.

16 (다)의 제목인 「두근두근 내 인생」을 고려할 때, 제시된 영화 장면에서 전하고자 하는 바로 적절한 것은?

① 괴로움이 있어야 삶의 기쁨을 이해할 수 있다.

② 심장의 두근거림을 느낄 만큼 열정적으로 삶을 살아야 한다.

③ 작은 것에서 의미를 발견할 수 있을 때 삶에 대한 의욕이 생길 수 있다.

④ 사소한 것에도 두근거림을 느끼는 만큼, 주위의 사소한 것들에 대해 애정을 지닐 수 있어야 한다.

⑤ 사랑하는 사람들과 함께 하는 인생의 한 순간 한 순간은 두근거림을 느낄 수 있는 소중한 것이다.

3. 생활 속의 매체

🔑 **핵심 질문** 바람직한 매체 생활을 위해서는 어떤 태도가 필요할까?

≫ 다음은 어느 고등학생의 하루를 매체 중심으로 나타 낸 그림이다. 그림을 보며 현대인의 삶에서 매체가 어 떤 의미와 가치를 지니는지 자기 생각을 말해 보자.

| 예시 답 | 현대인의 삶에서 매체가 차지하는 비중은 대단히 크다. 내가 원하는 정보 를 찾는 일, 문화생활을 즐기는 일, 친구들과 연락을 주고받는 일 등 우리의 일상에서 이루어지는 많은 일들이 매체를 매개로 하고 있기 때문이다. 이처럼 현대인의 삶에서 매체는 사회적 의사소통의 중요한 통로로서 인간관계와 사회생활에 큰 영향을 미치 고 있다.

현대인은 일상생활에서 수많은 매체와 접한다. 특히 인터넷과 대중 매체는 막대한 양의 정보를 불특정 다수에게 빠른 시간 내에 전파하며 현대인의 삶에 큰 영향을 끼친다. 아울러 매체를 통한 의사소통의 비중이 높아지면서 바람직한 매체 언어 사용 에 대한 요구도 높아지고 있다.

이 단원에서는 사회·문화적 관점에서 현대인의 삶과 매체의 연관성을 알아보고, 매체 언어생활과 매체 문화를 비판적으로 성찰하는 활동을 해 보기로 한다. 이를 통해 타인을 존중하고 배려하면서 매체 언어생활을 개선하고 바람직한 매체 문화 발전 에 참여할 수 있다.

소단원	학습 목표	내용
(1) 매체와 사회·문화	• 매체를 바탕으로 형성되는 문화를 비판적으로 이해하고 주체적으로 향유할 수 있다. • 매체 언어가 인간관계와 사회생활에 미치는 영향에 관해 탐구할 수 있다.	활동 ① 현대 사회와 매체 활동 ② 대중 매체와 대중문화
(2) 매체 생활의 성찰	• 자신의 매체 언어생활에 대해 성찰하고 매체 언어문화 발전에 참여하는 태도를 가질 수 있다.	활동 ① 매체 문화에 대한 비판적 향유 활동 ② 매체 언어의 점검과 개선

맛보기

{ 1 } 매체와 사회·문화

① 현대 사회와 매체

• 현대 사회에서 개인적·사회적 의사소통의 중요한 수단임.
➡ 매체 언어가 의사소통과 인간관계에 미치는 영향을 생각하여 올바르게 사용하는 태도를 지녀야 함.

② 대중 매체와 대중문화

• 대중 매체와 대중문화의 관계

대중 매체
텔레비전, 신문, 라디오, 인터넷처럼 다양한 정보를 다수의 사람에게 동시에 전파하는 매체

➡ 대중문화의 형성과 발전에 큰 영향을 미침.

• 대중문화의 장단점

장점	• 다양한 정보를 다수의 사람에게 동시에 전달할 수 있음. • 다른 문화에 비해 큰 영향력을 지님.
단점	• 상업성과 통속성을 보이는 경우가 있음. • 지배층의 이념에 따라 내용이 제약될 수 있음.

{ 2 } 매체 생활의 성찰

① 매체 문화에 대한 비판적 향유

• 매체 언어가 인간관계에 끼치는 영향: 현대인들의 삶에 매체가 차지하는 비중이 큰 만큼 매체는 인간관계에도 직접적인 영향을 끼치고 있음.
• 대중문화를 수용하는 바람직한 자세: 대중문화의 상업적 속성을 이해하고, 비판적으로 대중문화를 수용하는 자세가 필요하다. 따라서 대중문화 중 유익한 것과 그렇지 않은 것을 선별하여 수용할 수 있는 안목을 길러야 함.

② 매체 언어의 점검과 개선

• 타인에 대한 비방, 개인 정보 유출 등을 하지 않고 상대를 배려하며 예의를 갖춘 언어를 사용해야 함.
• 표절이나 불법 복제 등 지적 재산권을 침해해서는 안 됨.

➡ 바람직한 매체 문화의 발전에 참여하는 태도를 지녀야 함.

1. 다음 빈칸에 알맞은 말을 쓰시오.

(1) 매체 언어생활에서 (　　　)에 대한 비방, 개인 정보 유출 등을 하지 않아야 한다.
(2) 대중 매체는 (　　　)의 형성과 발전에 큰 영향을 미친다.

2. 다음 진술 중 맞는 것에는 ○표, 틀린 것에는 ×표를 하시오.

(1) 모든 대중문화는 상업성과 통속성을 지니고 있다. (　　　)
(2) 표절이나 불법 복제 등 타인의 지적 재산권을 침해해서는 안 된다. (　　　)

3. 대중문화를 비판적으로 수용하는 자세를 키울 때 어떤 안목이 필요한지 쓰시오.

답 1. (1) 타인, (2) 대중문화
2. (1) ×, (2) ○
3. 대중문화 중 유익한 것과 그렇지 않은 것을 선별하여 수용할 수 있는 안목을 길러야 한다.

활동 ① 현대 사회와 매체

≫ 현대 사회에서 매체는 의사소통을 위한 중요한 수단으로서 개인은 물론 사회 전반에 큰 영향을 끼치고 있다. 이러한 점을 고려하여 일상생활 속에서 매체 언어를 올바르게 사용하고 바람직한 매체 문화의 발전을 위해 노력하는 자세를 지니도록 하자.
<u>매체가 지닌 영향력</u>

▶ 현대 사회에서 매체가 지니는 위상을 알아보는 활동
1. 다음 매체 자료를 보고, 현대 사회에서 매체가 지니는 위상을 알아보자.

🔵 **가 누리 소통망(SNS) 관련 신문 기사**

온누리 후배들이 직접 만든 수능 만점 기원 등!
코끝이 찡하다.
#고마워 #내 후배 #수능 #기원 #등
▲ 10대의 사용 예시

홍보 전문가 김○○ 씨는 "기존의 누리 소통망(SNS)은 자신이 알고 있던 사람들을 기반으로 연계망을 형성한다."며 "그러나 비교적 최근에 생긴 사진 위주의 누리 소통망(SNS)은 나의 관심사를 기반으로 새로운 연계망을 형성해 다른 누리 소통망(SNS)에 비해 자유로운 소통이 가능하다."라고 말했다.
<u>기존의 매체 연계망</u> <u>변화</u> <u>새로운 매체 연계망</u>

특히 사진에 핵심어를 붙여 자신과 같은 관심사를 가진 사람들을 찾을 수 있고, 그 사람들이 무엇에 관심을 가졌는지 쉽게 파악할 수 있다. 김 씨는 "사진과 1~2분 남짓의 짧은 동영상에 특화된 경로인 만큼 젊은 세대의 마음을 사로잡을 수 있는 여행이나 음식 등과 같은 분야를 중심으로 활성화되어 있다."라고 말했다.
<u>해시 태그 사용</u> <u>관심사를 중심으로 연계망을 형성하는 방법</u>
– 머니투데이, 2017년 3월 17일

▶관심사를 기반으로 연계망을 형성하는 누리 소통망

📺 **나 '1인 방송' 관련 방송 뉴스**

한국콘텐츠진흥원 미래정책개발팀 책임 연구원
재미있고 창의력 갖춘 개인 방송 콘텐츠는 한류 콘텐츠의 새로운 원천으로서도 높은 가능성을 지니고 있습니다.

기자: 인기 연예인이 미용과 최신 유행을 주제로 1인 방송을 하고 있습니다. 비교적 가벼운 주제를 가지고 사적인 모습과 생각들을 자연스럽게 보여 주는 이 영상은 조회 수가 2만 건을 넘을 정도로 인기가 높습니다. 이처럼 특정 1인이 주체가 돼 다양한
<u>뉴미디어의 인기도를 알게 해주는 척도</u>
주제를 갖고 자유로운 형식으로 제작되는 개인 방송이 하나의 방송 콘텐츠 분야로 자리 잡았습니다. 선정적인 내용 등으로
<u>1인 방송의 정의</u>
사회적 지탄을 받기도 하지만 앞으로도 1인 방송은 더욱 다양
<u>1인 방송의 부정적 측면</u>
하게 나타날 것으로 예상됩니다.

[인터뷰] 한국콘텐츠진흥원 책임 연구원: 젊은 세대는 이미 인터넷이나 이동 통신 기기를 통한 동영상 이용에 익숙해져 있습니다. 이
<u>1인 방송이 활성화될 수 있는 이유</u>
러한 인터넷 개인 방송은 국경에 제한 없이 세계로 확산할 수 있기에 재미있고 창의력을 갖춘 개인 방송 콘텐츠는 한류 콘텐츠
<u>1인 방송의 긍정적 측면</u>
의 새로운 원천이 될 가능성이 큽니다.
– 에스비에스(SBS), 2015년 7월 2일 방송

▶방송 콘텐츠의 한 분야로 자리 잡은 1인 방송

(1) (가)와 (나)에서 말하고자 하는 바를 요약해 보자.

| 예시 답 |

(가)	최근에 사람들의 호응을 얻고 있는 사진 위주의 누리 소통망은 관심사를 기반으로 하는 새로운 연계망을 형성한다는 점에서 기존의 누리 소통망과는 다른 차별성을 지니고 있다.
(나)	1인 방송이 이미 하나의 방송 콘텐츠 분야로 자리 잡고 있으며, 앞으로 더 다양한 주제를 가진 개인 방송이 등장하게 될 것이다. 창의력을 갖춘 개인 방송 콘텐츠는 한류 콘텐츠의 새로운 원천이 될 수도 있다.

(2) 자신의 경험을 참고하여 (가)와 (나)에 나타난 '누리 소통망(SNS)'과 '1인 방송 매체'의 긍정적인 면과 부정적인 면을 적어 보자.

| 예시 답 |

	긍정적인 면	부정적인 면
누리 소통망(SNS)	관심사가 비슷한 사람들과 자유롭게 소통을 할 수 있음.	개인의 신상이나 개인에 관한 정보 등이 유출될 수 있는 위험성이 있음.
1인 방송	지역에 국한되지 않고 다양한 주제를 자유로운 형식으로 제작하여 관심 있는 사람이 정보를 얻을 수 있는 방송임.	간혹 폭력적이거나 선정적인 내용 등을 다루어 조회 수를 높이려는 방송이 있음.

(3) 모둠을 이루어 '바람직한 매체 문화와 발전 방향'이라는 주제로 토의해 보자.

〈바람직한 매체 문화와 발전 방향〉

• 우리 모둠의 결론: | 예시 답 | 바람직한 매체 문화를 형성하고 이를 발전시키기 위해서는 매체 언어생활에서 타인을 존중하고 배려하는 태도를 가지는 것이 중요하다. 매체 언어생활은 매체를 매개로 하는 사회적 의사소통의 행위이므로 말을 하거나 글을 쓸 때와 마찬가지로 표현이나 내용에 있어서 상대를 배려하고 상대가 원치 않는 정보인지를 고려하는 것이 중요하기 때문이다.

▶ 방송 주제와 맥락을 정리해 보는 활동

2. 〈예시〉를 참조하여 자신이 '1인 방송'을 한다고 가정하고, 방송 주제와 제작 맥락을 정리해 보자.

| 예시 |

• 방송 주제: 틀리기 쉬운 한글 맞춤법
• 예상 시청자: 또래 친구들, 외국인들
• 방송 목적: 한글 맞춤법에 대한 지식 공유, 한국어에 관한 관심 제고

| 예시 답 |

• 방송 주제: 감동 깊게 읽었던 책 소개

• 예상 시청자: 독서에 관심이 있는 사람들

• 방송 목적: 읽었던 책 중에서 감동 깊었던 책들을 소개하고, 책의 내용, 기억에 남는 문장 등에 대한 생각을 공유하기 위해서

현대 사회에서 매체는 우리의 삶에 깊이 들어와 있다. 새로운 매체들은 정보의 습득이나 의견 교류에 이전보다 많은 도움을 주기도 하지만 오히려 이것이 우리의 깊이 있는 사고를 가로막는다는 우려도 있다. 따라서 매체에 의존도를 높이기보다는 비판적으로 매체 자료를 수용하는 태도가 필요하다.

문제로 확인 정답과 해설 040쪽

01. (가)와 (나)를 통해 이끌어 낼 수 있는 것으로 적절하지 않은 것은?

① 1인 방송은 폭력적이거나 선정적인 내용 등을 다루는 경우가 있다.
② 1인 방송은 다양한 주제를 자유로운 형식으로 제작하여 정보를 제공한다.
③ 누리 소통망(SNS)을 통해 개인 정보가 유출될 위험성이 있다.
④ 최근에는 누리 소통망(SNS)에서 알고 있던 사람들을 기반으로 연계망을 형성하고 있다.
⑤ 게시물에 붙은 핵심어를 통해 누리 소통망(SNS)을 사용하는 사람들의 관심사를 쉽게 파악할 수 있다.

출제 예감

02. 바람직한 매체 문화 발전을 위해 필요한 것으로 가장 적절한 것은?

① 매체를 통해 얻은 정보를 제약 없이 자유롭게 전파한다.
② 매체 문화의 장점뿐만 아니라 단점도 수용하는 태도를 보인다.
③ 매체 언어의 사용에 있어 타인을 존중하고 배려하는 태도를 갖춘다.
④ 매체 언어를 통해 의사 표현을 할 때는 익명성에 기대어 감정을 분출한다.
⑤ 매체 문화에 대중이 관심을 더 가질 수 있도록 자극적인 내용을 잘 활용한다.

활동 ❷ 대중 매체와 대중문화

≫ 대중문화를 제대로 누리기 위해서는 대중 매체가 대중문화에 어떠한 영향을 끼치는지 알아야 한다. 그러한 이해를 바탕으로 대중문화의 장단점을 파악하고, 이를 주체적으로 향유하는 자세에 관해 알아보자.
<small>대중문화를 제대로 향유하기 위한 조건</small>

▶ 새로운 매체가 대중문화에 끼치는 영향을 알아보는 활동
1. 대중문화를 향유하는 다양한 모습을 보고, 새로운 매체의 등장이 대중문화에 끼치는 영향을 알아보자.

개념➕
• 전통극 공연: 공연 중 실시간으로 관객의 호응을 느낄 수 있어 그에 따라 공연자가 호응이 많은 관객석에 어필할 수 있음. 전통극의 경우 관람자의 참여를 공연의 일부로 즉흥적인 진행이 가능함.
• 동영상 공유 사이트: 인터넷 주소를 공유하면 나의 연계망 속 다른 이들도 감상할 수 있음. 배너를 통해 상업적 광고 효과를 주기도 함. 시간이 지나도 다시 볼 수 있고, 게시물이 유지되는 한 의사 표현을 남길 수 있음.

문제로 확인

03. (가)와 (나)의 특징을 설명한 것으로 적절하지 <u>않은</u> 것은?

① (가)는 공연자가 관객의 반응을 공연 중 실시간으로 반응할 수 있다.
② (가)와 비교할 때 (나)는 매체의 파급력이 크다.
③ (나)는 매체의 특성상 상업성이 두드러진다.
④ (나)는 동시에 여러 사람에게 대량으로 전파할 수 있다.
⑤ (나)는 공연자와 관객의 직접적인 대면을 통해 공연이 이루어진다.

서술형
04. (나)와 같은 새로운 매체의 등장이 대중문화에 끼친 영향을 한 문장으로 서술하시오.

----

(1) (가)와 (나)의 특징에 대한 설명을 알맞게 연결해 보자.
| 예시 답 |

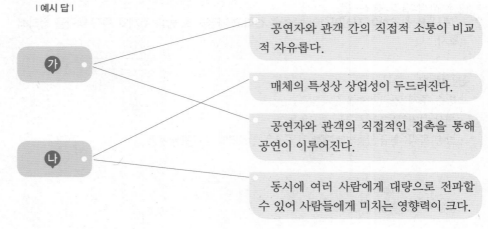

(2) 대중문화의 발달 과정에서 (나)의 등장이 끼친 영향은 무엇일지 말해 보자.
| 예시 답 | (나)와 같은 대중 매체가 등장하면서 일부 국한되었던 향유층이 폭넓게 일반 대중들에게 널리 유통되기 시작하여 대중문화를 형성·발전이 활성화되었다.

▶ 대중 매체가 대중문화에 어떠한 영향을 끼치는지 알아보는 활동

2. 다음 기사를 읽고, 대중 매체와 대중문화의 관계를 알아보자.

문화일보　　　　　　　　　　　　　　　　　　　　　2017년 9월 5일

대중의 인기를 얻은 연예인 등

텔레비전만 봐도 알았었는데, '스타의 무대'가 달라졌다
= 현재는 텔레비전만으로는 알지 못하게 되었음.
기존 매체

과거 텔레비전은 불특정 다수 겨냥
요즘엔 특정 연령층 맞춤 공략
스마트폰 위주 콘텐츠 세분화

새로운 매체　　　과거와 현재의 매체 전달 전략의 차이

불과 10여 년 전만 해도 신문에서 '가족이 텔레비전 앞에 둘러앉아'라는 표현이 자주 쓰였다. 당시에는 지금보다 볼 것, 놀 것에 해당하는 매체가 다양하지 않았던 이유도 있다. 그러니 저녁 식사 이후 가족이 텔레비전 앞에 옹기종기 모였던 모습을 흔히 볼 수 있었다. 50대 아버지나 10대 아들이나 같은 콘텐츠를 보며 울고 웃었던 때이다. 또한 당시 유명했던 ㉠ <u>가요 프로그램</u>에서는 5주 연속 1위에 올라 상을 받던 가수를 남녀노소를 막론하고 최고로 꼽았다. 그런 상황이 되다 보니 텔레비전을 통해 인기를 얻어야 진짜 스타였다.
과거에는 대중 매체가 세대나 연령층의 차이 없이 향유되었음.
▶ 과거: 연령에 관계없이 같은 매체 문화를 공유함.
하지만 기술의 발달은 세대별로 즐기는 방식에 변화를 주었다. 가족이 텔레비전 앞에 둘러앉지 않는 가정이 많아지는 시대가 온 것이다. 같은 거실에 있어도 부
매체 환경의 변화가 대중 매체를 수용하는 방식의 차이를 가져옴.

모 세대는 텔레비전을 켜고, 자녀들은 스마트폰을 본다. 연예인들도 텔레비전 외에 자신의 활동을 보일 무대가 많아졌다. 물론 부모 세대도 스마트폰을 활용하지만, 자녀 세대에서 말하는 콘텐츠는 양적으로 성장하고 동시에 세분화된 것이다.
세대에 따라 향유하는 매체가 달라짐.
▶ 기술의 발달로 연령대별 콘텐츠 세분화
텔레비전을 보는 방식도 달라졌다. 요즘은 '키우기'가 대세다. 최근 유행하는 ㉡ <u>가수 선발 프로그램</u>은 선발 과정에서 팬들이 실시간 투표에 참여하며 자신이 지지하는 후보가 최종 구성원으로 선발되도록 지원한다. 팀이 결성된 후에는 그들의 공연장을 찾고 광고하는 제품을 적극적으로 구매하며 스타로 키워 간다. 콘텐츠를 소비하는 방식이 달라진 것이다.
▶ 콘텐츠 소비 방식의 변화

---

(1) 시청자들이 ㉠과 ㉡을 즐기는 방식의 차이점과 그러한 차이가 생겨난 까닭을 매체의 변화를 근거로 하여 말해 보자.

ᅵ **예시 답** ᅵ ㉠의 시청자는 텔레비전에서 방송되는 프로그램을 수동적으로 시청할 수밖에 없지만, ㉡의 시청자는 스마트폰으로 실시간 투표에 참여하거나 자신이 지지하는 가수를 누리 소통망을 통해 홍보하는 등 방송의 제작 과정과 내용에 주체가 되어 직·간접적으로 참여하는 모습을 보인다. ㉠과 ㉡에서 생기는 이러한 차이는 스마트폰과 같은 새로운 매체의 등장이 중요한 역할을 하였다고 볼 수 있다.

(2) (1)을 바탕으로 대중 매체가 대중문화에 미치는 영향에 대해 말해 보자.

ᅵ **예시 답** ᅵ 대중 매체는 대중문화의 생산과 소비에 큰 영향을 끼치며, 새로운 대중 매체의 등장은 기존의 대중문화의 내용과 소비 방식 등을 변화시키거나, 새로운 체계의 대중문화를 형성하기도 한다. 또한 과거에 비해 콘텐츠가 양적으로 대폭 늘어났고 동시에 세분화되었다.

(3) 새로운 매체가 등장하여 기존의 대중문화를 바꾸었거나 새로운 대중문화를 형성한 사례가 있는지 조사하여 발표해 보자.

ᅵ **예시 답** ᅵ 기술의 발달로 스마트폰, 인터넷과 같은 매체가 등장 및 활성화함으로써 개인 누리 소통망이나 1인 방송과 같은 것들이 대중문화로 자리 잡았다. 예를 들어, 좋아하는 가수에 대한 애정을 드러내는 수단 중 하나로 소설을 쓰거나, 그림을 그리거나, 더 나아가 복장이나 춤, 노래 등을 흉내 내면서 자신이 얼마나 그 스타를 좋아하는지 온라인 등에서 공유하는 문화도 나타났다.

학습 도우미
대중 매체와 대중문화

· 대중 매체란 텔레비전, 라디오, 신문, 인터넷처럼 다양한 정보를 다수의 사람에게 동시에 전파하는 매체를 말한다. 대중문화는 대중 매체에 의해 대량으로 생산된 문화 혹은 다수의 사람이 누리는 문화를 말한다.

· 신문, 라디오, 영화, 텔레비전 등 소위 전통적 대중 매체라고 불리는 매체들의 등장은 과거 소수의 특권층만의 전유물로 여겨졌던 문화를 일반 대중들도 누릴 수 있게 함으로써 대중문화를 형성하는 데에 중요한 역할을 하였다. 최근에는 기술의 발달로 인터넷, 스마트폰과 같은 새로운 매체들이 등장하였는데, 이러한 새로운 대중 매체의 등장은 기존 대중문화의 변화와 새로운 대중문화의 형성에도 큰 영향을 끼치고 있다.

❖ 문제로 확인 ❖

05. 다음 〈보기〉에 들어갈 말로 적절한 단어를 쓰시오.

〈 보기 〉
　　대중문화는 대중 매체에 의해 (　　　)(으)로 생산된 문화 혹은 다수의 사람이 누리는 문화를 말한다.

서술형
06. 왼쪽의 신문 기사를 볼 때, ㉡과 같은 콘텐츠 소비 방식이 생겨난 이유를 신문 기사 내용을 참조하여 한 문장으로 서술하시오.

{ 2 }
매체 생활의 성찰

소단원 학습 포인트
- 매체 문화를 비판적으로 향유하는 태도 이해하기
- 자신의 매체 언어생활 성찰해보기

개념 ✛
- 대중 매체를 바탕으로 한 대중문화는 대량 생산과 대량 소비를 전제로 하기 때문에 상업적 요소와 밀접하게 연관되어 있을 수밖에 없음.
- 대중문화가 내포하는 상업적 속성은 이와 같은 맥락을 지니고 있기 때문에 무조건 배척하기보다는 일정 부분 인정하고 수용할 필요가 있음.

♬ 간접 광고
영화, 방송 프로그램 등에 특정 상품을 등장시켜 간접적으로 광고하는 홍보 기법의 하나. 관련된 규정은 「방송심의에 관한 규정 제46조 ③」을 참조할 수 있다.

> 제46조 ③ 방송은 상품 등과 관련된 명칭이나 상표, 로고, 슬로건, 디자인 등을 일부 변경하여 부각시키는 방법으로 광고 효과를 주어서는 아니 된다.

활동 ❶ 매체 문화에 대한 비판적 향유

≫ 대중 매체를 통해 형성되는 대중문화는 대량의 정보를 많은 사람에게 전파한다는 장점을 지닌다. 그런 반면 상업성, 통속성, 이념적 제약 등의 단점도 지니고 있다. 이러한 점을 정확히 이해하고 대중문화의 수용과 생산에 참여할 때 대중문화를 주체적으로 향유할 수 있다. 실제 매체 자료를 통해 대중문화를 비판적으로 이해하고 주체적으로 향유하는 태도에 대해 알아보자.

▶ 대중문화를 수용하는 자세에 대해 생각하는 활동
1. 다음 라디오 방송을 듣고, 대중문화를 수용하는 바람직한 자세를 생각해 보자.

> **진행자:** 최근에는 대단히 많은 상품과 회사들이 드라마 장면들에 등장합니다. 자연스럽게 녹아들었다는 생각을 하시는 시청자도 계시지만, 간접 광고를 불편해하거나 이야기 흐름에 방해가 된다고 생각하시는 분들이 많은데요. 하지만 이 간접 광고를 드라마 장면의 적재적소에 어우러지게 등장시켜 시청자들이 별명을 붙이는 등 호감을 표현하는 드라마도 있다고 합니다. 과연 이 간접 광고가 어디까지 와 있으며 어떤 영향을 미치는지 문화 평론가와 전화로 연결하여 알아보겠습니다. 안녕하십니까?
>
> **문화 평론가:** 네, 안녕하세요.
>
> **진행자:** 간접 광고라는 용어가 낯선 분도 계실 것 같고, 그 역사가 길지는 않은 것으로 알고 있습니다. 정확하게 간접 광고란 무엇인가요?
>
> **문화 평론가:** 간접 광고, 그야말로 상품을 따로 떨어진 광고 시간대에 홍보하는 형태가 아니라, 콘텐츠 안에서 상품들을 소비하는 모습을 자연스럽게 보여 줌으로써 광고가 되게끔 하는 형태의 광고를 말합니다. 사실 우리는 일상생활에서 수많은 상품과 더불어 살고 있지 않습니까. 만약에 그 상품들을 모두 빼 버리면 일상을 구성할 수 없겠죠. 어쩔 수 없이 살아가면서 뭔가를 쓰고, 어딘가에 가고, 그런 모습은 노출될 수밖에 없습니다. 그럴 때마다 상표가 노출되면 광고라고 인식되었기 때문에 상표의 노출을 철저하게 막았던 것이 종래의 방송 관행이었습니다. 그런데 요즘에는 일상을 고스란히 구현할 수 있다는 점에서 상품을 사용하는 장면도 어느 정도 허용해야 한다는 인식이 늘어났습니다. 그런데 간접 광고가 너무 무분별하게 늘어나다 보니 편법적으로 광고의 형태를 띠면서도 사실 광고로 분류되지 않고, 광고 효과는 좋지만 시장을 어지럽히는 형태가 생겨났습니다. 그런 이유에서 관련 법안을 정비해서 지정된 범위 안에서 허용하게 했던 것이죠. 이런 법들이 정비된 건 그렇게 오래되지 않았고, 최근에는 간접 광고가 적극적인 하나의 광고 형태로 소비되게끔 관련 법들이 바뀐 상태입니다. 하지만 일부 시청자는 간접 광고를 보면 옛날 방송 관행을 떠올리고 불편하다는 선입견을 품을 수 있습니다. 간접 광고는 최근 변화된 법에서는 합법입니다. 광고를 간접 광고로 할 수 있기에, 이제는 다른 인식을 해야 할 때가 아닌가 하는 지적도 나오고 있는 것도 사실입니다.
>
> – 와이티엔(YTN) 라디오, 2017년 1월 17일 방송

(1) 위 라디오 방송에서 확인할 수 있는 대중문화의 특징을 정리해 보자.

| 예시 답 | 대중문화는 대량 생산과 대량 소비를 전제로 하기 때문에 문화의 상품화·획일화·저속화 경향이 생기는 경우가 많다. 위 라디오 방송에서는 특히 대중문화의 강한 상업적 속성이 드러난다.

(2) 텔레비전 방송이나 라디오 방송에서 (1)에서 언급한 내용과 관련한 실제 사례를 조사해 보자.

| 예시 답 | 몇 년 전에 인기리에 방영된 ○○○ 방송국의 드라마, '○○○○○'는 특정 상품이나 특정 회사의 이름 등을 드라마 장면 속에 너무 많이 노출시키는 바람에 간접 광고가 너무 지나친 것이 아니냐는 비판을 받기도 하였다.

(3) 위 라디오 방송과 〈보기〉를 바탕으로 '대중문화를 주체적으로 향유하기 위한 올바른 자세'에 대해 모둠별로 토의를 진행하고, 그 내용을 정리하여 발표해 보자.

보기

　　대중문화는 일반적으로 상업적 속성을 지니고 있고, 내용의 측면에서도 정제되지 못한 저급한 언어를 사용하는 경우도 있으며, 대중의 관심을 끌기 위해 지나치게 폭력적이거나 선정적인 장면을 포함하는 경우도 있다. _{대중 문화의 부정적 속성} 이 때문에 대중문화는 교사나 학부모들에 의해 수준이 낮거나 심지어 그 수용자에게 악영향을 끼칠 수 있는 것으로 평가 절하되는 경우가 많다. 또 최근에는 인터넷이나 컴퓨터 게임에 청소년들이 빠져들어 중독되다시피 하는 경우가 있어 사회적 문제가 되고 있기도 하다. [중략] _{대중문화의 부정적 영향}

　　사실 대중문화 가운데에서도 삶에 대해 돌아보게 하거나 즐거운 웃음을 선사하는 훌륭한 작품들도 많다. _{대중문화의 긍정적 측면} 예를 들어, 어린이들이 즐겨 보는 텔레비전 애니메이션 중에는 그 나이 어린이들이 가정이나 학교에서 흔히 경험할 수 있는 사건들을 통해 바람직한 가치에 대해 생각해 보도록 하는 것들도 있다. 청소년들이 사춘기를 겪으며 경험할 수 있는 여러 가지 갈등에 대해 다루는 드라마나 영화도 있고, 역사적 사실이나 사회적 쟁점 혹은 과학적 발견에 대해 흥미로운 방식으로 소개하는 교양물들도 있다. _{긍정적인 영향을 주는 대중문화의 사례} 따라서 대중문화라면 무조건 저급한 것으로 간주하여 비판하는 보호주의적 입장을 취하기보다는, 대중문화 가운데에서도 문화적 성취가 높은 것과 그렇지 않은 것을 가려낼 수 있는 안목을 길러 줄 필요가 있다. _{대중문화를 향유하는 올바른 자세}
－ 최미숙 외, 『국어 교육의 이해』에서

[A]

| 예시 답 | 토의의 안건와 결론
· 안건: 대중문화를 주체적으로 향유하기 위해서는 어떻게 해야 하는가?
· 결론: ① 대중문화의 상업적 속성을 이해하고, 비판적으로 대중문화를 수용하는 자세가 필요하다.
　　　　② 대중문화 가운데 유익한 것과 그렇지 않은 것을 선별하여 수용할 수 있는 안목을 길러야 한다.

문제로 확인　　정답과 해설 041쪽

01. [A]를 참고할 때 대중문화의 부정적 측면에 대한 설명으로 적절하지 <u>않은</u> 것은?
① 저급한 언어를 사용하는 경우가 있다.
② 상업적인 속성을 지나치게 드러내는 경우가 있다.
③ 폭력적이거나 선정적인 장면을 포함하는 경우가 있다.
④ 일상의 구현을 위해 간접 광고를 포함하는 경우가 있다.
⑤ 청소년들이 인터넷 중독에 빠지는 등 사회적 문제가 나타나고 있다.

출제 예감
02. 다음 중 대중문화를 주체적으로 향유하기 위해 가장 필요한 것은?
① 대중문화를 바라보는 호의적인 태도를 갖는다.
② 대중 매체의 사용이 배제된 대중문화에 대한 선호를 보인다.
③ 대중문화를 최대한 많이 접하여 대중문화에 대한 고정 관념에서 벗어난다.
④ 문화적 성취가 높은 것과 그렇지 않은 것을 가려낼 안목을 기른다.
⑤ 대중문화 전문가의 추천에 따라 선별적으로 대중문화를 향유한다.

활동 ② 매체 언어의 점검과 개선

>> 매체 언어도 일종의 [㉠]이기 때문에 인간관계와 사회생활에 영향을 끼친다. 다른 사람과의 [㉡]에서 지녀야 하는 태도에 관해 생각해 보고, 자신의 매체 언어생활을 성찰하여 문제점을 개선하며 매체 문화의 발전에 참여하는 태도를 길러 보자.

▶ 맥락과 목적에 적합한 매체 언어의 사용을 알아보는 활동
1. 다음 활동을 통해 맥락과 목적에 적합한 매체 언어를 사용해야 하는 필요성을 이해해 보자.

(1) 다음 매체에 글을 읽거나 쓴 경험을 바탕으로 자신이 주로 쓴 내용과 표현 방법을 말해 보자.
| 예시 답 |

> **편지**
> ↳ 내용: 부모님께 감사하는 마음 / 표현 방법: 주로 문자를 통해 내용을 표현함

> **인터넷 게시판 및 블로그**
> ↳ 내용: 부모님께 감사하는 마음 / 표현 방법: 주로 문자를 통해 내용을 표현함.

> **누리 소통망(SNS)**
> ↳ 내용: 여행지에서 본 풍경과 그에 대한 감상 / 표현 방법: 사진을 위주로 내용을 구성하고, 문자로 간단히 감상을 적음.

> **그 밖**
> ↳ 학교 교지: 내용 – 동아리의 역사와 활동에 대한 소개 / 표현 방법: 주로 문자를 통해 정보를 전달하였고, 동아리 활동 사진 등을 첨부하여 내용을 구성하였음.

(2) 자신이 주로 사용한 매체와 생산한 자료의 종류를 떠올려 보고, 매체 언어를 사용했을 때 고려한 점을 적어 보자.
| 예시 답 |
- 매체: 누리 소통망(SNS)
- 생산한 자료: 맛있게 먹었던 음식들의 사진과 음식 맛에 대한 간단한 평
- 매체 언어를 사용했을 때 고려한 점: 음식이 맛있어 보이게 찍은 사진을 올림, 저급하거나 비속한 말을 사용하지 않음, 사람들의 흥미를 끌 수 있게 재미있게 표현하려고 함.

▶ 바람직한 매체 언어생활에 대해 알아보는 활동
2. 다음 자료를 읽고, 매체 언어가 우리에게 끼치는 영향과 바람직한 매체 언어생활에 대해 알아보자.

"예의를 갖추고 스스로 닦으세요"

이탈리아의 한 모델은 개인이 사용하는 누리 소통망(SNS)을 통해 "옷 스타일이 교양이 없다." 등의 많은 악성 댓글을 받았습니다. 그는 이 글을 모아 두루마리 휴지에 인쇄한 후 '예의를 갖추고 스스로 닦으세요.'라는 메시지와 함께 자신의 누리 소통망(SNS) 계정에 사진을 올렸습니다. 창의적인 방법으로 일침을 가한 겁니다.
<u>악성 댓글에 대한 창의적인 방법으로 비판함.</u>

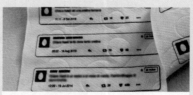

▶ 온라인 예절에 관한 국외 사례 제시

이 사례처럼 최근 '사이버 불링(cyber bullying)'이 문제가 되고 있습니다. 사이버 불링은 온라인 공간에서 특정인을 괴롭히는 행위인데요. 경찰청 통계에 따르면 2016년 발생한 사이버 명예 훼손 및 모욕 범죄는 1만 4천 건에 달합니다.
<u>사이버 불링의 개념</u>
통계 자료를 통해 문제의 심각성을 드러냄. ▶ 사이버 불링에 관한 경찰청의 통계

☜ 온라인 예절
- 게시판의 글은 명확하고 간결하게 쓴다.
- 문법과 맞춤법에 맞는 표현을 사용한다.
- 타인을 비방하거나 욕설을 하지 않는다.
- 개인 정보를 공개하거나 다른 곳에 퍼뜨리지 않는다.
- 타인의 지적 재산권을 존중한다.

🔎 문제로 확인 🔎

03. 맥락상 ㉠과 ㉡에 들어갈 적절한 말을 쓰시오.

04. 2의 활동의 기사에서 다루고 있는 내용이 <u>아닌</u> 것은?
① '사이버 불링'의 개념
② '사이버 불링'의 범주
③ '사이버 불링'의 실태
④ '사이버 불링'의 원인 분석
⑤ '사이버 불링'의 구체적인 사례

대학생 박○○ 씨(25)는 그의 누리 소통망(SNS)에 남긴 글이 논란이 돼 사이버 불링을 당했습니다. 그로 인해 개인 정보가 알려지면서 학교에서도 박○○ 씨를 알아보는 <u>사이버 불링이 심각한 문제인 이유</u>
사람이 생겼습니다. 온라인에서 시작된 사이버 불링이 오프라인으로 이어진 겁니다. 이 때문에 박○○ 씨는 2년째 휴학 중입니다. ▶사이버 불링이 일어난 국내 사례

<u>온라인에서는 익명성이 보장돼 사이버 불링에 해당하는 범죄들이 장난이나 게임처럼 가볍게 여겨지는 경우가 많습니다.</u> <u>사이버 불링이 만연한 이유</u> 단순 장난이나 재미로 타인이 원치 않는 사진이나 동영상을 유포하는 것도 사이버 불링에 포함됩니다. ▶사이버 불링의 범주

당하는 사람은 일상이 무너지는 고통을 호소하지만, 문자판 몇 번 두드리는 것으로 쉽게 벌어지는 사이버 불링, "예의를 갖추고 스스로 닦으세요." 다시 이 일침을 되새길 필요가 있습니다. ▶상대에 대한 배려와 예의가 필요함. ㅡ『연합뉴스』, 2017년 3월 22일

개념⊕
• **악성 댓글**: 인터넷의 게시판 따위에 올려진 내용에 대해 악의적인 평가를 하여 쓴 댓글. 악성 댓글은 언어폭력으로, 근거를 갖춘 부정적 평가와는 구별해야 함. 악성 댓글을 다는 사람을 악플러라고도 함.

(1) 위 신문 기사의 주제를 정리해 보고, 매체가 인간관계에 끼치는 영향을 말해 보자.

ㅣ예시 답ㅣ 위 신문 기사는 온라인 공간에서 특정인을 괴롭히는 '사이버 불링'의 문제점을 고발하고 있다. 현대인들의 삶에서 매체가 차지하는 비중이 큰 만큼 매체는 인간관계에도 직접적인 영향을 끼칠 수밖에 없다.

(2) 인터넷이나 휴대 전화의 사용이 개인적·사회적 의사소통과 인간관계에 긍정적, 부정적 영향을 미친 사례를 더 조사해 보고, 해당 사례를 통해 매체를 활용하는 바람직한 자세에 대해 생각해 보자.

ㅣ예시 답ㅣ 말을 하고 글을 쓸 때 상대방을 존중하고 배려하는 태도를 지녀야 하듯이 인터넷이나 휴대전화로 의사소통할 때에도 매체 언어생활이 인간관계에 미치는 영향을 이해하고 바람직한 매체 언어를 사용하도록 노력해야 한다.

(3) 모둠별로 바람직한 매체 언어의 사용에 관한 글을 작성하여 학교 누리집 게시판에 올려 보자.

ㅣ예시 답ㅣ

우리 반 게시판
- 학습 자료실
- 학습 결과물 제출
- 오늘의 식단
- 질문 있어요
- 자유 게시판
- 가정 통신문

제목: 온라인 상에서 친구에게 하는 언어폭력도 학교 폭력입니다.

최근 인터넷 메신저, 스마트폰 등을 이용한 괴롭힘 때문에 고민을 호소하는 친구들이 늘어나고 있다. 괴롭힘을 당하는 친구들은 엄청난 고통을 겪고 있지만 정작 가해자들은 피해 학생의 고통을 대수롭게 여기지 않는 것이 문제이다.

2016년 대전시 경찰청에서, 대전시 교육청이 실시한 '학교 폭력 관련 경험·인식 등에 대한 실태 조사' 결과를 분석한 글에 따르면 학생들이 겪었던 학교 폭력의 피해 유형 중 가장 많은 부분을 차지한 것이 언어폭력이었다고 한다. 이 가운데는 메일이나 메신저 등으로 비난하는 메시지를 보내거나 위협하는 행위, 인터넷 등에 본인이 싫어하는 별명을 올리며 놀리는 행위, 학교 게시판이나 인터넷 사이트 등에 나쁜 소문을 퍼뜨리거나 비방하는 행위 등도 포함된다.

이와 같은 문제를 해결하기 위해서는 우선 우리들 스스로가 온라인 상에서 이루어지는 욕설이나 따돌림과 같은 행위들이 피해자에게는 엄청난 고통을 줄 수 있는 심각한 폭력임을 인지하고 잘못을 개선하도록 노력할 필요성이 있다.

◆ 문제로 확인 ◆

05. 온라인 매체를 활용하는 자세로 바람직하지 <u>않은</u> 것은?
① 게시판의 글은 명확하고 간결하게 쓴다.
② 타인을 비방하거나 욕설을 하지 않는다.
③ 문법과 맞춤법에 맞는 표현을 사용한다.
④ 개인의 지적 재산권을 자유롭게 공유한다.
⑤ 개인 정보를 공개하거나 다른 곳에 퍼뜨리지 않는다.

출제 예감
06. '사이버 불링'에 대한 설명으로 적절하지 <u>않은</u> 것은?
① 개인의 현실 생활에도 영향을 미친다.
② 온라인 공간에서 특정인을 괴롭히는 행위이다.
③ 장난이나 게임처럼 가볍게 여기는 경우도 있다.
④ 교실에서 친구와 다투는 행위도 이에 해당한다.
⑤ 타인이 원치 않는 사진을 유포하는 것도 이에 해당한다.

07. 〈보기〉는 3의 자료를 읽고, 매체 언어생활을 성찰한 것이다. 다음 중 적절하지 않은 것은?

┌ 보기 ┐
• 상대방을 비하하는 태도는 지양하는 것이 좋겠어. ·········· ①
• 질문과 답변은 전문가가 아니면 하지 않는 것이 예의야. ·········· ②
• 상대방을 배려하지 않는 말투는 상대방에게 불쾌감을 줄 수 있어. ······ ③
• 얼굴을 맞대지 않아 상대방이 누군지 모르더라도 예의를 갖추고 대해야 해. ·········· ④
• '추태각!' 같은 언어의 사용은 올바른 매체 언어 사용이라고 볼 수 없어. ······ ⑤

개념⊕
• **저작권법**: 소설이나 각본, 논문과 같은 어문 저작물, 음악이나 미술, 영상 저작물 등에 대한 저작자의 권리(인접 저작권)를 보호하고, 이들 저작물의 공정 이용을 도모하여 문화의 향상 발전에 이바지하는 것을 목적으로 하는 법률.

🔧 **불법 복제**
컴퓨터의 소프트웨어를 저작권자의 허락 없이 불법으로 복제하는 일이다. 저작권을 포기한 프로그램 이외의 프로그램들은 서적이나 영화와 같이 그 저작권이 보호되고 있다. 불법 복제는 저작권자에게 정신적, 경제적 피해를 줄 뿐만 아니라 사회적으로도 소프트웨어 산업을 위축시킬 수 있다.

┃예시 답┃
유사한 사례
⑩ 유료 폰트를 구매하지 않고 무단으로 사용하는 행위 / 다른 사람의 블로그에 올라와 있는 글이나 사진 등을 무단으로 복사하여 자신이 제작한 것처럼 배포하는 행위 등
발표 내용
⑩ 기술의 발달로 인터넷, 스마트폰을 통한 저작물의 불법 복제 및 유포가 늘어나고 있다. 이를 해결하기 위해서는 저작권법의 구체적인 내용을 알고, 타인의 권리를 침해하지 않고 매체 생활을 하도록 유의해야 한다.

3. 다음 자료를 보고, 자신의 매체 언어생활을 성찰하여 문제점을 개선해 보자.

> [묻고 답하기] 제목: 허리케인이랑 태풍은 다른 건가요?
>
> 질문자의 글 → 외국에서 발생한 태풍을 뉴스에서 보도하였는데요. 방송 중에 아나운서는 '태풍'이라 표현하였고, 현지 인터뷰에서 나온 자막은 '허리케인'이라고 표기하였습니다. 『'태풍'과 '허리케인'은 다른 건가요?』 『』 질문자의 질문
>
> 질문에 대한 댓글 →
> 😎 답변왕 '태풍'과 '허리케인'은 모두 열대성 저기압에 속하는데, 이 저기압 중 강한 폭풍을 말합니다. 명칭이 다른 이유는 각 지역 원주민들이 예전부터 부르던 말이 달랐기 때문입니다. → 질문에 관한 답변
>
> 😀 동글이 질문을 보니 학생인 것 같은데요. 궁금하면 백과사전을 찾아보는 습관을 들이세요. 배우는 자세가 틀렸네요. → 질문자의 질문 의도에 대한 비난
>
> 😐 나그네 궁금한 것을 물어본다는 것 자체가 기특한 것 아닌가요? 백과사전이든 인터넷에 묻든 탐구하는 자세가 중요하다고 생각됩니다. → '동글이' 댓글에 대한 반박
>
> 😡 무지개 그럼 '토네이도'는요? 답변들도 허술~ 댓글로 싸우는 것도 추태각! → 추가 질문, 이전 댓글들에 대한 비난

(1) 위 자료에서 매체 언어생활의 측면에서 나타난 문제점을 찾아보자.
┃예시 답┃ '답변왕'을 제외하고 모두 질문에 대한 답변이 아닌 댓글을 썼다. 그리고 '동글이'는 '배우는 자세가 틀렸네요.'와 같은 발언을 통해 질문을 한 학생을 근거 없이 비난하고 있다. '무지개'는 '답변들도 허술~ 댓글로 싸우는 것도 추태각'이라는 글을 썼는데 '답변왕'이나 '나그네'의 답변을 볼 때 '무지개'의 이 같은 비난은 바람직한 매체 언어생활 태도라고 보기 어렵다. 둘 다 상대를 배려하고 존중하는 태도가 결여되어 있다.

(2) 자신이 사용했던 매체 언어에서 바람직하지 않은 모습이라 생각되는 것을 한 가지 고르고, 이를 바르게 고쳐 써 보자.
┃예시 답┃ 고쳐 쓸 수 있는 사례: 은어, 비속어 등의 지나친 사용 / 인터넷 기사 등에 익명성을 무기로 특정인을 비난하는 내용의 댓글을 다는 행위 / 단체 메시지 방에서 특정 친구를 욕하거나 따돌리는 행위 등

4. 다음을 읽고 자신의 매체 생활에서 이와 유사한 사례를 떠올려, 매체 문화의 발전을 위한 바람직한 자세에 관해 발표해 보자.

> 대학원생 한○○ 씨(25)는 웹툰을 좋아한다. 돈을 내고 봐야 하는 유료 웹툰도 자주 본다. 만화 속 주인공의 대사가 마음에 들면, 그 장면을 찍어 저장했다가 친구들에게 보내 주기도 했다. 그는 이런 행동이 저작권법에 위반된다는 사실을 몰랐다. (저작권법에 대한 무지가 불법 복제의 주요한 원인이 됨) 그는 "화면을 그대로 찍어서 저장하는 기능은 스마트폰에 처음부터 내장되어 있어 당연히 법적으로 문제가 안 되는 줄 알았다."라며 놀랐다. ▶자신도 모르게 불법을 저지른 사례
>
> 이와 같은 사례처럼 저작물로 보호해야 할 인터넷 콘텐츠들이 손쉽게 복제, 유포되면서 관련 업계가 몸살을 앓고 있다. (손쉬운 복제 기술이 불법 행위를 부추김) 버튼을 누르기만 하면 현재 보고 있는 화면을 원본 그대로 갈무리해 누구에게든 보내거나 아예 누리 소통망(SNS)에 올려 누구나 찾아보게 할 수 있기 때문이다. ▶불법 복제가 일어나게 된 배경
>
> 한국저작권보호원에 따르면 지난해 전체 불법 복제물 21억 4810만여 개 중 스마트폰 프로그램을 통해 유통된 콘텐츠는 약 4억 4천만 개로 20.3%를 차지했다. 개인 간 파일 공유 프로그램에 이어 두 번째로 많았다. (스마트폰이 불법 복제의 주요 유통 통로가 됨) 스마트폰을 통한 불법 복제는 해마다 느는 추세다. 전문가들은 변화하는 기술 환경에 발맞춰 제도적, 기술적 보완이 필요하다고 강조했다. (불법 복제를 방지하기 위한 방법) ▶불법 복제에 대한 통제
> 　　　　　　　　　　　　　　　　　　　　　　　　　 – 국민일보, 2017년 5월 29일

{ 1 } 매체와 사회·문화

활동 ① 현대 사회와 매체

① 제재 연구

	(가) 누리 소통망(SNS) 관련 기사	(나) 1인 방송 뉴스
갈래	신문 기사	텔레비전 뉴스
주제	관심사를 기반으로 연계망을 형성하는 누리 소통망(SNS)	방송 콘텐츠 분야로 자리 잡은 1인 방송
특징	• 주로 문자로 정보를 전달하고, 예시 이미지로 내용을 보완함. • 누리 소통망의 연계망이 '인맥'에서 '관심사'로 바뀌어 가는 경향을 소개함.	• 영상, 자막, 소리 등의 매체 언어를 활용함. • 특정 1인이 주체가 돼 다양한 주제를 갖고 자유로운 형식으로 제작되는 개인 방송이 하나의 방송 콘텐츠 분야로 자리 잡음을 소개함.

② 현대 사회에서 매체가 지니는 위상

> 현대 사회에서 매체는 의사소통을 위한 중요한 수단임.

↓

> 개인은 물론 사회 전반에 큰 영향을 끼침.

③ 누리 소통망(SNS)과 1인 방송 매체

매체	긍정적인 면	부정적인 면
누리 소통망(SNS)	(㉠)이/가 비슷한 사람들과 자유롭게 소통을 할 수 있음.	개인의 신상이나 개인에 관한 정보 등이 유출될 수 있는 위험성이 있음.
1인 방송	지역에 국한되지 않고 다양한 주제를 자유로운 형식으로 제작하여 관심 있는 사람이 정보를 얻을 수 있는 방송임.	간혹 폭력적이거나 선정적인 내용 등을 다루어 (㉡)을/를 높이려는 방송이 있음.

④ 바람직한 매체 문화와 발전 방향

> 바람직한 매체 문화를 형성하고 이를 발전시킴. ➡ 매체 언어생활에서 타인을 (㉢   )하고 배려하는 태도

활동 ② 대중 매체와 대중문화

① 제재 연구

• '전통극'과 '동영상 공유 사이트'의 향유 모습 비교

전통극	• 공연자와 관객 간의 직접적 소통이 비교적 자유로움. • 공연자와 관객의 직접적인 접촉을 통해 공연이 이루어짐.
동영상 공유 사이트	• 매체의 특성상 (㉣)이/가 두드러짐. • 동시에 여러 사람에게 대량으로 전파할 수 있어 사람들에게 미치는 영향력이 큼.

• 가요 프로그램과 가수 선발 프로그램의 차이

가요 프로그램	• 텔레비전에서 방송되는 프로그램을 수동적으로 시청할 수밖에 없음.
가수 선발 프로그램	• 시청자들이 스마트폰으로 실시간 투표에 참여하고 자신이 지지하는 가수를 누리 소통망(SNS)을 통해 홍보하는 등 방송 제작 과정과 내용에 직·간접적으로 참여함.

② 대중 매체와 대중문화의 개념

(㉤)	텔레비전, 라디오, 신문, 인터넷처럼 다양한 정보를 다수의 사람에게 동시에 전파하는 매체를 말함.
대중문화	대중 매체에 의해 대량으로 생산된 문화 혹은 다수의 사람이 누리는 문화를 말함.

③ 대중 매체와 대중문화의 관계

• '동영상 공유 사이트'와 같은 대중 매체가 등장하면서 소수 지배층의 전유물이었던 문화가 일반 대중들에게까지 널리 (㉥   )되기 시작하고 대중문화가 등장하게 된다.

→ 새로운 대중 매체의 등장은 기존의 대중문화의 내용과 (Ⓐ   ) 방식 등을 변화시키거나, 새로운 체계의 대중문화를 형성하기도 함.

보충자료

> **대중문화의 기반**
> 생활 수준의 향상, 교육의 보급, 매스컴의 발달 따위를 기반으로 이루어짐.

{ 2 } 매체 생활의 성찰

활동 ❶ 매체 문화에 대한 비판적 향유

① 제재 연구: 라디오 대담

간접 광고의 개념	상품을 따로 떨어진 광고 시간대에 홍보하는 형태가 아니라, 콘텐츠 안에서 상품들을 소비하는 모습을 자연스럽게 보여줌으로써 광고가 되게끔 하는 형태의 광고
간접 광고의 영향	• 콘텐츠에 상품 사용 장면을 허용해야 한다는 인식이 늘어남. • 편법적인 광고 형태로 인해 시장을 어지럽히는 형태가 생겨남.

② (ⓒ　　　)의 특징
• 대량 생산과 대량 소비를 전제로 하기 때문에 문화의 상품화·획일화·저속화 경향이 생기는 경우가 많음.
• 상업적 속성이 강함.

③ 대중문화를 (ⓩ　　　)(으)로 향유하기 위한 올바른 자세
• 대중문화의 상업적 속성을 이해하고, 비판적으로 대중 문화를 수용하는 자세가 필요함.
• 대중문화 중 유익한 것과 그렇지 않은 것을 선별하여 수용할 수 있는 안목을 키워야 함.

활동 ❷ 매체 언어의 점검과 개선

① 맥락과 목적에 적합한 매체 언어의 사용

매체	예	표현 방법
편지	부모님께 감사하는 마음	주로 문자를 통해 내용을 표현함.
인터넷 게시판 및 블로그	큐브를 맞추는 방법	문자를 통해 기본적인 내용을 소개하고, 사진이나 동영상 등을 통해 세부적인 내용을 소개함.
누리 소통망 (SNS)	여행지에서 본 풍경에 대한 감상	사진으로 내용을 구성하고, 문자로 감상을 적음.
그 밖 (교지)	동아리의 역사와 활동 소개	주로 문자를 통해 정보를 전달하고, 사진 등을 첨부하여 내용을 구성함.

➡ 맥락과 목적에 적합한 매체 언어를 사용할 때 효율적인 의사소통을 할 수 있음.

② 매체 언어가 우리에게 끼치는 영향과 바람직한 매체 언어 생활
• 사이버 불링

개념	(ⓐ　　　) 공간에서 특정인을 괴롭히는 행위
범위	단순 장난이나 재미로 타인이 원치 않는 사진이나 동영상을 유포하는 것까지 포함

➡ 상대에 대한 배려와 예의가 필요함.
• 매체가 인간관계에 끼치는 영향: 현대인의 삶에서 매체가 차지하는 비중이 큰 만큼 매체는 인간관계에도 직접적인 영향을 미침.
• 매체를 활용하는 바람직한 자세: 말을 하고 글을 쓸 때 상대방을 존중하고 배려하는 태도를 지녀야 하듯이 인터넷이나 휴대전화로 의사소통을 할 때도 매체 언어생활이 인간관계에 미치는 영향을 이해하고 바람직한 매체 언어를 사용하도록 노력해야 함.

③ 매체 언어생활의 문제점 성찰과 개선

문제점	• 은어, 비속어의 무분별한 사용 • (ⓖ　　　)을/를 무기로 특정인을 비난하는 행위
개선 방안	• 바르고 고운 말을 사용하는 습관을 가짐. • 상대를 배려하고 존중하는 태도를 가짐.

④ 매체 문화의 발전을 위한 바람직한 자세
• 불법 복제

일어나는 배경	불법 복제를 누구나 쉽게 할 수 있음.
유통 형태	주로 스마트폰을 통해 유통되거나 개인 간 파일 공유 프로그램을 통해 유통
막기 위한 방법	• 변화하는 기술 환경에 발맞춰 제도적, 기술적 보완이 필요함. • 저작권법의 구체적인 내용을 알고, 타인의 (ⓔ　　　)을/를 침해하지 않으려는 태도가 필요함.

답 ㉠ 관심사, ㉡ 조회 수, ㉢ 존중, ㉣ 상업성, ㉤ 대중 매체, ㉥ 유통, ㉦ 소비, ㉧ 대중문화, ㉨ 주체적, ㉩ 온라인, ㉪ 익명성, ㉫ 권리

[01-02] 다음 글을 읽고, 물음에 답하시오.

가 홍보 전문가 김○○ 씨는 "기존의 누리 소통망(SNS)은 자신이 ⊙알고 있던 사람들을 기반으로 연계망을 형성한다."며 "그러나 비교적 최근에 생긴 사진 위주의 누리 소통망(SNS)은 나의 관심사를 기반으로 새로운 연계망을 형성해 다른 누리 소통망(SNS)에 비해 자유로운 소통이 가능하다."라고 말했다. 특히 사진에 ⓒ핵심어를 붙여 자신과 같은 관심사를 가진 사람들을 찾을 수 있고, 그 사람들이 무엇에 관심을 가졌는지 쉽게 파악할 수 있다. 김 씨는 "사진과 1~2분 남짓의 짧은 동영상에 특화된 경로인 만큼 젊은 세대의 마음을 사로잡을 수 있는 ⓒ여행이나 음식 등과 같은 분야를 중심으로 활성화되어 있다."라고 말했다.

나 기자: 인기 연예인이 미용과 최신 유행을 주제로 1인 방송을 하고 있습니다. 비교적 가벼운 주제를 가지고 사적인 모습과 생각들을 자연스럽게 보여 주는 이 영상은 조회 수가 2만 건을 넘을 정도로 인기가 높습니다. 이처럼 특정 1인이 주체가 돼 다양한 주제를 갖고 자유로운 형식으로 제작되는 개인 방송이 하나의 방송 콘텐츠 분야로 자리 잡았습니다. ⓔ선정적인 내용 등으로 사회적 지탄을 받기도 하지만 앞으로도 1인 방송은 더욱 다양하게 나타날 것으로 예상됩니다.

[인터뷰]
한국콘텐츠진흥원 책임 연구원: 젊은 세대는 이미 인터넷이나 이동 통신 기기를 통한 동영상 이용에 익숙해져 있습니다. 이러한 인터넷 개인 방송은 국경에 제한 없이 세계로 확산할 수 있기에 재미있고 창의력을 갖춘 ⓜ개인 방송 콘텐츠는 한류 콘텐츠의 새로운 원천이 될 가능성이 큽니다.

01 윗글을 통해 짐작할 수 있는 내용으로 적절한 것은?
① 매체 환경의 변화에 따라 새로운 매체 문화가 형성되고 있다.
② 1인 방송은 한 국가 안에서 소비되고 공유된다는 한계를 지닌다.
③ 누리 소통망을 이용하는 세대가 장년층에서 젊은 층으로 이동하였다.
④ 누리 소통망과 1인 방송은 동일한 매체에서 서로 다른 문화로 분화하였다.
⑤ 개인 방송은 사회적 지탄이 거세지는 추세에 따라 그 영역이 축소되고 있다.

02 ⊙~ⓜ에 대한 설명으로 적절하지 않은 것은?
① ⊙: 누리 소통망의 사적인 성격을 보여 준다.
② ⓒ: 사용자의 관심사를 파악할 수 있게 한다.
③ ⓒ: 젊은 세대가 관심을 많이 갖는 분야이다.
④ ⓔ: 조회 수를 늘리고자 하는 욕심에서 비롯된다.
⑤ ⓜ: 우리나라에서 처음 만들어진 창의적 매체이다.

[03-04] 다음 글을 읽고, 물음에 답하시오.

불과 10여 년 전만 해도 신문에서 '가족들이 텔레비전 앞에 둘러앉아'라는 표현이 자주 쓰였다. 당시에는 지금보다 볼 것, 놀 것에 해당하는 매체가 다양하지 않았던 이유도 있다. 그러니 저녁 식사 이후 가족이 텔레비전 앞에 옹기종기 모였던 모습을 흔히 볼 수 있었다. 50대 아버지나 10대 아들이나 같은 콘텐츠를 보며 울고 웃었던 때이다. 또한 당시 유명했던 ⊙가요 프로그램에서는 5주 연속 1위에 올라 상을 받던 가수를 남녀노소를 막론하고 최고로 꼽았다. 그런 상황이 되다 보니 텔레비전을 통해 인기를 얻어야 진짜 스타였다.

하지만 기술의 발달은 세대별로 즐기는 방식에 변화를 주었다. 가족이 텔레비전 앞에 둘러앉지 않는 가정이 많아지는 시대가 온 것이다. 같은 거실에 있어도 부모 세대는 텔레비전을 켜고, 자녀들은 스마트폰을 본다. 연예인들도 텔레비전 외에 자신의 활동을 보일 무대가 많아졌다. 물론 부모 세대도 스마트폰을 활용하지만, 자녀 세대에서 말하는 콘텐츠는 양적으로 성장하고 동시에 세분화된 것이다.

텔레비전을 보는 방식도 달라졌다. 요즘은 '키우기'가 대세다. 최근 유행하는 ⓒ가수 선발 프로그램은 선발 과정에서 팬들이 실시간 투표에 참여하며 자신이 지지하는 후보가 최종 구성원으로 선발되도록 지원한다. 팀이 결성된 후에는 그들의 공연장을 찾고 광고하는 제품을 적극적으로 구매하며 스타로 키워 간다. 콘텐츠를 소비하는 방식이 달라진 것이다.

03 윗글의 핵심적인 내용으로 가장 적절한 것은?
① 세대에 따라 텔레비전을 보는 방식이 다르다.
② 대중문화는 대중 매체를 기반으로 세대를 통합한다.
③ 대중 매체의 변화가 대중문화의 향유 방식을 변화시켰다.
④ 텔레비전은 가족을 한 자리에 모이게 만드는 기능을 한다.
⑤ 대중문화의 활성화를 위해 방송 매체를 발전시켜야 한다.

학습 활동 적용

04 ㉠과 ㉡을 비교한 설명으로 적절한 것은?

① ㉠과 ㉡은 특정 세대를 겨냥하여 만들어진 콘텐츠이다.
② ㉠과 ㉡은 세대별로 콘텐츠를 즐기는 방식을 다르게 한다.
③ ㉠은 텔레비전을 통해 소비되고, ㉡은 스마트폰이나 인터넷으로 소비된다.
④ ㉠은 장년층이 향유하는 콘텐츠이고, ㉡은 젊은 층이 향유하는 콘텐츠이다.
⑤ ㉠은 수동적인 태도로 대중문화를 즐기게 하지만, ㉡은 능동적인 태도로 대중문화를 즐기게 한다.

[05~07] 다음 글을 읽고, 물음에 답하시오.

㉮

문화 평론가: 간접 광고, 그야말로 상품을 따로 떨어진 광고 시간대에 홍보하는 형태가 아니라, 콘텐츠 안에서 상품들을 소비하는 모습을 자연스럽게 보여 줌으로써 광고가 되게끔 하는 형태의 광고를 말합니다. 사실 우리는 일상생활에서 수많은 상품과 더불어 살고 있지 않습니까. 만약에 그 상품들을 모두 빼 버리면 일상을 구성할 수 없겠죠. 어쩔 수 없이 살아가면서 뭔가를 쓰고, 어딘가에 가고, 그런 모습은 노출될 수밖에 없습니다. 그럴 때마다 상표가 노출되면 광고라고 인식되었기 때문에 상표의 노출을 철저하게 막았던 것이 종래의 방송 관행이었습니다. 그런데 요즘에는 일상을 고스란히 구현할 수 있다는 점에서 상품을 사용하는 장면도 어느 정도 허용해야 한다는 인식이 늘어났습니다. 그런데 간접 광고가 너무 무분별하게 늘어나다 보니 편법적으로 광고의 형태를 띠면서도 사실 광고로 분류되지 않고, 광고 효과는 좋지만 시장을 어지럽히는 형태가 생겨났습니다. 그런 이유에서 관련 법안을 정비해서 지정된 범위 안에서 허용하게 했던 것이죠. 이런 법들이 정비된 건 그렇게 오래되지 않았고, 최근에는 간접 광고가 적극적인 하나의 광고 형태로 소비되게끔 관련 법들이 바뀐 상태입니다. 하지만 일부 시청자는 간접 광고를 보면 옛날 방송 관행을 떠올리고 불편하다는 선입견을 품을 수 있습니다. 간접 광고는 최근 변화된 법에서는 합법입니다. 광고가 간접 광고로 할 수 있기에, 이제는 다른 인식을 해야 할 때가 아닌가 하는 지적도 나오고 있는 것도 사실입니다.

㉯ 대중문화는 일반적으로 상업적 속성을 지니고 있고, 내용의 측면에서도 정제되지 못한 저급한 언어를 사용하는 경우도 있으며, 대중의 관심을 끌기 위해 지나치게 폭력적이거나 선정적인 장면을 포함하는 경우도 있다. 이 때문에 대중문화는 교사나 학부모들에 의해 수준이 낮거나 심지어 그 수용자에게 악영향을 끼칠 수 있는 것으로 평가 절하되는 경우가 많다. 또 최근에는 인터넷이나 컴퓨터 게임에 청소년들이 빠져들어 중독되다시피 하는 경우가 있어 사회적 문제가 되고 있기도 하다. [중략]

사실 대중문화 가운데에서도 삶에 대해 돌아보게 하거나 즐거운 웃음을 선사하는 훌륭한 작품들도 많다. 예를 들어, 어린이들이 즐겨 보는 텔레비전 애니메이션 중에는 그 나이 어린이들이 가정이나 학교에서 흔히 경험할 수 있는 사건들을 통해 바람직한 가치에 대해 생각해 보도록 하는 것들도 있다. 청소년들이 사춘기를 겪으며 경험할 수 있는 여러 가지 갈등에 대해 다루는 드라마나 영화도 있고, 역사적 사실이나 사회적 쟁점 혹은 과학적 발견에 대해 흥미로운 방식으로 소개하는 교양물들도 있다. 따라서 대중문화라면 무조건 저급한 것으로 간주하여 비판하는 보호주의적 입장을 취하기보다는, 대중문화 가운데에서도 문화적 성취가 높은 것과 그렇지 않은 것을 가려낼 수 있는 안목을 길러 줄 필요가 있다.

학습 활동 적용

05 윗글을 통해 알 수 있는 대중문화의 속성으로 적절하지 <u>않은</u> 것은?

① 대중의 관심을 끌기 위한 방향으로 설정된다.
② 대중의 선호도에 따라 문화적 성취가 높은 것이 결정된다.
③ 대중문화를 통해 상업적인 목적을 이루려는 사람들도 있다.
④ 지나치게 폭력적이거나 선정적인 장면을 포함하는 예도 있다.
⑤ 사회적 쟁점이나 과학적 발견 등 흥미로운 방식으로 대중에게 접근하기도 한다.

서술형

06 윗글을 바탕으로 대중문화를 주체적으로 향유하기 위한 바람직한 자세를 한 문장으로 서술하시오.

07 윗글을 바탕으로 〈보기〉를 이해한 설명으로 적절하지 <u>않은</u> 것은?

〈 보기 〉

드라마 도입부에 카페 전경이 보인다. 곧 카페 간판이 확대되었다가 다시 뒤로 빠지면서 어떤 인물의 뒷모습이 드러나고, 이 인물은 카페 이름을 확인한 듯 카페에 들어선다. 카페 중앙 테이블에는 큰 상표가 그려진 티셔츠를 입은 한 사람이 반갑게 손을 흔들며 카페로 들어선 인물을 맞이하고 있다.

① 카페 상호나 티셔츠 상표가 잘 보이게 화면을 구성한 것으로 보아 간접 광고겠군.
② 드라마 장면에서 상표가 노출되면 광고라는 인식이 강하기 때문에 노출을 철저하게 막아야겠군.
③ 간판을 확대한다든지 티셔츠에 큰 상표가 보이는 것을 불편하게 생각하는 사람들도 있을 것 같아.
④ 일부러 티셔츠에 그려진 상표를 가리는 것은 드라마에서 일상을 구현하는 데 자연스럽지 못할 것 같아.
⑤ 드라마는 대중문화에 속하기 때문에 상업적 속성도 있지만, 시청자에게 자신의 삶을 돌아볼 수 있는 계기를 제공하기도 한다.

[08~09] 다음 글을 읽고, 물음에 답하시오.

㉮ 대학생 박〇〇 씨(25)는 그의 누리 소통망(SNS)에 남긴 글이 논란이 돼 사이버 불링을 당했습니다. 그로 인해 개인 정보가 알려지면서 학교에서도 박〇〇 씨를 알아보는 사람이 생겼습니다. 온라인에서 시작된 사이버 불링이 오프라인으로 이어진 겁니다. 이 때문에 박〇〇 씨는 2년째 휴학 중입니다.

온라인에서는 익명성이 보장돼 사이버 불링에 해당하는 범죄들이 장난이나 게임처럼 가볍게 여겨지는 경우가 많습니다. 단순 장난이나 재미로 타인이 원치 않는 사진이나 동영상을 유포하는 것도 사이버 불링에 포함됩니다.

당하는 사람은 일상이 무너지는 고통을 호소하지만, 문자판 몇 번 두드리는 것으로 쉽게 벌어지는 사이버 불링, "예의를 갖추고 스스로 닦으세요." 다시 이 일침을 되새길 필요가 있습니다.

㉯ 대학원생 한〇〇 씨(25)는 웹툰을 좋아한다. 돈을 내고 봐야 하는 유료 웹툰도 자주 본다. 만화 속 주인공의 대사가 마음에 들면, 그 장면을 찍어 저장했다가 친구들에게 보내

주기도 했다. 그는 이런 행동이 저작권법에 위반된다는 사실을 몰랐다. 그는 "화면을 그대로 찍어서 저장하는 기능은 스마트폰에 처음부터 내장되어 있어 당연히 법적으로 문제가 안 되는 줄 알았다."라며 놀랐다.

이와 같은 사례처럼 저작물로 보호해야 할 인터넷 콘텐츠들이 손쉽게 복제, 유포되면서 관련 업계가 몸살을 앓고 있다. 버튼을 누르기만 하면 현재 보고 있는 화면을 원본 그대로 갈무리해 누구에게든 보내거나 아예 누리 소통망(SNS)에 올려 누구나 찾아보게 할 수 있기 때문이다.

한국저작권보호원에 따르면 지난해 전체 불법 복제물 21억 4810만여 개 중 스마트폰 프로그램을 통해 유통된 콘텐츠는 약 4억 4천만 개로 20.3%를 차지했다. 개인 간 파일 공유 프로그램에 이어 두 번째로 많았다. 스마트폰을 통한 불법 복제는 해마다 느는 추세다. 전문가들은 변화하는 기술 환경에 발맞춰 제도적, 기술적 보완이 필요하다고 강조했다.

08 (가)와 (나)에서 공통적으로 언급하는 것으로 적절한 것은?
① 무분별한 매체 사용은 다른 사람에게 피해를 줄 수 있다.
② 온라인상에서 대화를 나눌 때에는 상대방에게 예의를 지켜야 한다.
③ 익명성이 보장된 환경으로 인해 타인의 지적 재산권이 침해될 수 있다.
④ 매체를 사용함에 있어 매체가 지닌 유용성을 판별할 수 있는 안목이 필요하다.
⑤ 매체 기술의 발전을 통해 매체의 부정적 사용을 통제할 수 있는 방법을 찾아야 한다.

09 윗글을 바탕으로 '매체 문화의 발전을 위한 바람직한 자세'에 대해 토의한 것으로 적절하지 <u>않은</u> 것은?
① 연우: 인터넷 게시판에 글을 쓸 때는 명확하고 간결한 표현을 사용해야겠어.
② 정준: 정성껏 남이 쓴 글에다가 댓글을 다는 일은 삼가는 것이 좋을 것 같아.
③ 석진: 상대가 누군지 모른다고 막 비방하거나 욕설을 하는 것도 안 된다고 생각해.
④ 예진: 아무리 좋은 게 있어도 남이 만든 걸 함부로 퍼 와서 사용하는 것도 문제야.
⑤ 윤정: 누군가를 골탕 먹이기 위해서 개인 정보를 함부로 공개하는 일이 있으면 안 될 것 같아.

IV 국어의 역사와 문화

자료·정보 활용 역량
∨
국어 자료의 변화
탐구

의사소통 역량
∨
국어 자료의 갈래와
국어 규범 탐구

공동체·
대인 관계 역량
∨
사회적 관점에서의
국어 생활 탐구

문화 향유 역량
∨
국어 자료의 다양성
탐구

자기 성찰·
계발 역량
∨
언어와 매체 생활의
성찰

1
국어의 역사

2
국어 생활과 문화

국어는 긴 역사를 거치면서 변화해 왔고, 언어를 사용하는 지역이나 집단 등에 따라 독특한 문화를 형성해 왔다. 이러한 국어의 역사성과 사회성이 잘 드러나는 예시가 갈래와 규범이다. 목적에 가장 적합하게 진화해 온 언어 사용 방식이 갈래이며, 다양성 속에서 일정한 규칙을 정해 둔 것이 규범이다.

이 단원은 국어 문화라는 관점에서 국어의 역사와 다양성을 알아보고, 국어 사용의 규범을 익히는 단원이다. 고대부터 근대 시기까지의 국어 자료를 비교하여 각 시대의 언어적 특성을 살피고, 지역이나 문화, 갈래에 따른 국어의 다양성을 탐구한 뒤 어문 규정을 바탕으로 우리말 사용의 규범을 익히도록 한다. 그럼으로써 국어에 대한 이해를 높이고 효과적으로 국어 생활을 할 수 있다.

시험에 나오는 대표 유형

🔍 (바)를 바탕으로 〈보기〉를 탐구한 것으로 적절한 것은?

🔍 윗글을 바탕으로 〈보기〉의 자료를 설명할 때 적절하지 않은 것은?

🔍 〈보기〉의 근대 국어 자료를 분석한 내용으로 적절하지 않은 것은?

🔍 〈보기〉는 중세 국어와 근대 국어의 특징으로 보여 주는 자료이다. 이에 대한 설명으로 적절한 것은?

🔍 〈보기〉를 바탕으로 [A]의 언어적 특성을 적절하게 설명한 것은?

🔍 올바른 국어 생활을 위한 노력으로 적절하지 않은 것은?

🔍 〈보기〉의 ㄱ에 해당하는 사례로 표기가 올바른 것은?

1. 국어의 역사

🔊 **핵심 질문** 시대 변화에 따라 우리의 말과 글은 어떻게 변해 왔을까?

≫ 다음은 같은 뜻을 담은 조선 표기와 현대의 표현을 비교하여 보여 준다. 만일 500년이나 1,000년 전의 조상들과 우리가 만난다면 의사소통에서 어떤 일이 벌어질지 자기 생각을 말해 보자.

| 예시 답 | 그림의 '곶됴코여름하ᄂᆞ니'는 조선 세종 때 간행한 악장의 하나인 용비어천가에 있는 말이다. 15세기 조선 시대의 말과 글은 현대와 많은 차이가 있으므로, 그 시대 조상들과 우리가 만나도 자유롭게 의사소통하기는 쉽지 않을 것이다.

언어는 시대에 따라 변한다. 국어도 한국인의 의식과 삶의 변화를 반영하여 음운, 어휘, 문법, 표기법 등 여러 층위에서 변화가 일어났다. 그 변화는 지금도 이루어지는 중이다.

이 단원에서는 다양한 자료를 보며 시대에 따른 국어의 변화 양상을 탐구하기로 한다. 이를 통해 선인들의 삶을 이해하고 우리의 말과 글에 대한 긍지와 사랑을 확인하며 국어 의식을 고양할 수 있다.

소단원	학습 목표	내용	
(1) 고대 국어	시대 변화에 따른 국어 자료의 차이와 각 자료에 나타나는 언어적 특성을 이해할 수 있다.	① 음운 ② 어휘 ③ 표기법	
(2) 중세 국어		① 음운 ③ 문법	② 어휘 ④ 표기법
(3) 근대 국어		① 음운 ③ 문법	② 어휘 ④ 표기법

고려 건국
(10세기)

16·17세기
교체기

개화기
(19세기 말)

[고대 국어] ● [전기 중세 국어] ● [후기 중세 국어] ● [근대 국어] ● [현대 국어]

{ 1 } 고대 국어

시기 구분	알타이 어족에 속하는 우리말이 다른 언어들과 분리된 이후부터 통일 신라 시대까지
특징	이 시기는 신라가 삼국 통일을 통해 언어적 통일을 이룬 시기로, 신라의 수도가 지금의 경주에 있었기 때문에 오늘날의 동남 방언을 기반으로 현대 우리말의 기초가 형성되었던 시기임.

{ 2 } 중세 국어

시기 구분	• 국어의 중심이 동남 방언에서 중부 방언으로 옮겨지는 고려 건국(10세기)부터 사회·문화적 변화와 더불어 언어적 변화가 급격하게 나타나는 16·17세기 교체기 이전까지 • 훈민정음이 창제되어 한글로 기록된 문헌 자료가 많이 나온 시기를 기점으로 전기 중세 국어와 후기 중세 국어로 구분함.	
특징	대략 10세기 초~15세기 중엽까지를 전기 중세 국어 시기, 15세기 중엽 ~ 16세기 말까지를 후기 중세 국어 시기로 보는 것이 일반적	
	전기	고려의 건국으로 수도가 개성으로 옮겨지면서 국어의 중심이 동남 방언에서 중부 방언으로 옮겨짐.
	후기	한글 창제로 우리말을 완전히 기록할 수 있게 됨.

{ 3 } 근대 국어

시기 구분	17세기 초부터 19세기 말까지
특징	• 안으로는 자생적인 근대 의식이 싹트는 한편, 밖으로는 중국을 통해 새로운 서양 문물과 과학 지식 및 기독교 문화가 유입되는 시기였음. • 언어 외적 환경의 변화와 맞물려 이 시기의 우리말 또한 많은 변화를 겪게 되면서 음운, 어휘, 문법 등 언어적인 면에서도 앞 시대의 국어와는 많이 다른 모습을 보임.

맛보기

1. 다음 빈칸에 알맞은 말을 쓰시오.

(1) 고대 국어 시기는 (　　　)이/가 삼국 통일을 통해 언어적 통일을 이룬 시기이다.

(2) 고려가 건국되고 수도가 개성으로 옮겨지면서 국어의 중심이 (　　　) 방언에서 (　　　) 방언으로 이동하였다.

(3) (　　　)세기 초부터 (　　　)세기 말까지를 근대 국어 시기라고 한다.

2. 다음 진술 중 맞는 것에는 ○표, 틀린 것에는 ×표를 하시오.

(1) 한반도 최초의 언어적 통일은 신라의 삼국 통일이 계기가 되었다.
(　　　)

(2) 후기 중세 국어 시기에도 우리말을 완전히 기록할 수 없었다. (　　　)

(3) 근대 국어 시기에는 언어 외적 환경의 변화와 맞물려 우리말 또한 많은 변화를 겪게 되었다. (　　　)

3. 오늘날의 동남 방언을 기반으로 현대 우리말의 기초가 형성되었던 시기를 쓰시오.

답 1.(1) 신라, (2) 동남, 중부, (3) 17, 19
2.(1) ○, (2) ×, (3) ○
3.고대 국어 시기

{ 1 }

고대 국어

소단원 학습 포인트
- 고대 국어의 음운, 어휘, 표기법 이해하기
- 한자를 빌려 표기하는 차자 표기의 양상 알기

🏹 국어가 어떤 계통에 속하는지 분명하지는 않지만, 몽골어군, 만주–퉁구스 어군, 튀르크 어군 등과 함께 알타이 어족에 속할 가능성이 크다는 설이 유력하다.

🏹 **동남 방언**
경상남도, 경상북도, 강원도 남부를 중심으로 한 방언.

개념 ✛

예사소리	거센소리	된소리
ㄱ	ㅋ	ㄲ
ㄷ	ㅌ	ㄸ
ㅂ	ㅍ	ㅃ
ㅈ	ㅊ	ㅉ
ㅅ		ㅆ

가 알타이 어족에 속하는 우리말이 다른 언어들과 분리된 이후부터 통일 신라 시대까지를 고대 국어 시기라고 한다. 이 시기는 신라가 삼국 통일을 통해 언어적 통일을 이룬 시기로, 신라의 수도가 지금의 경주에 있었기 때문에 오늘날의 동남 방언을 기반으로 현대 우리말의 기초가 형성되었던 시기라 하겠다.
<small>고대 국어 시기 구분: 원시 국어 ~ 통일 신라 시기의 국어</small>
<small>역사의 변화가 언어에 어떤 변화를 가져왔는가를 기준으로 국어사의 시대 구분이 이루어졌음을 엿볼 수 있음.</small>
▶알타이 어족 분화와 고대 국어의 시기 구분

나 1 음운

고대 국어 시기의 가장 큰 특징 가운데 하나는 자음 체계에 예사소리와 거센소리의 대립만 있고 된소리 계열이 없다는 점이다. 이는 우리나라의 한자음에 된소리 계열이 거의 없다는 것에서 확인할 수 있다. 중국의 한자음에 된소리가 있음에도 우리나라의 한자음에 된소리가 드문 것으로 보아, 한자와 한자음을 중국으로부터 받아들였던 ㉠ 고대 국어 시기에는 우리말에 된소리가 없었던 것으로 추정된다.
<small>고대 국어 자음 체계에 나타나는 특징</small>
<small>고대 국어 시기에 된소리가 없었다고 추정되는 근거</small>
▶고대 국어 시기 음운적 특징: 자음 체계에 예사소리와 거센소리의 대립만 있음.

다 2 어휘

한자의 유입과 더불어 우리나라에 들어오게 된 한자어들은 시간이 흐름에 따라 우리말 어휘 체계에서 차지하는 비중이 점차 커졌다. '왕'이라는 한자어 명칭이 정식으로 사용되고, 순우리말로 되어 있던 지명이 한자어 지명으로 바뀌는 등 한자어 어휘가 일상으로 들어와서 쓰임이 확대되는 일이 통일 신라 시대에 이미 진행되고 있었다.
<small>삼분 체계: 고유어, 한자어, 외래어</small>
<small>한자어가 고유어를 대체하는 등 한자어 어휘가 많이 유입됨.</small>
▶고대 국어 시기 어휘적 특징: 한자어의 유입과 어휘 비중이 높아짐.

라 3 표기법: 한자 차용 표기법

고대 국어 시기에는 우리말을 표기할 수 있는 우리 글자가 없던 때여서 일부 전하는 자료도 우리말의 모습을 온전하고 정확하게 보여 주지는 못한다. 그런데도 한자 차용 표기법을 사용한 자료들은 부분적으로나마 우리말의 옛 모습을 엿볼 수 있게 해 주는 귀중한 자료들이다.
<small>고대 국어 시기 한자 차용의 이유</small>
<small>한자를 빌려 우리말을 표기했기 때문</small>
▶한자 차용 표기의 이유와 한자 차용 표기 자료가 지니는 의미

① 원리

한자 차용 표기법의 원리는 음독(音讀)과 석독(釋讀) 두 가지였다. 한자의 뜻을 버리고 소리만 이용하는 것이 음독이고, 반대로 한자의 소리를 버리고 뜻만 이용하는 것이 석독이다. 예를 들어, '古[옛 고] 자를 뜻과는 상관없이 단순히 '고'라는 소리를 표기하기 위해 사용하는 것이 음독이고, '水[물 수] 자를 써 놓고 '물'이라고 읽는다면 그것이 석독이다.
<small>음독의 개념</small>
<small>석독의 개념</small>
▶한자 차용 표기법의 원리: 음독과 석독

■ 고대 국어 시기 구분

시기 구분	알타이 어족에 속하는 우리말이 다른 언어들과 분리된 이후부터 통일 신라 시대까지의 시기
특징	• 신라가 삼국 통일 통해 언어적 통일을 이룸. • 신라의 수도가 지금의 경주에 있었기 때문에 오늘날의 동남 방언을 기반으로 현대 우리말의 기초가 형성되었던 시기임.

■ 고대 국어의 음운적 특징

> 고대 국어 시기에는 우리말 자음 체계에 예사소리와 거센소리의 대립만 있고 된소리 계열은 없었던 것으로 추정됨.

↓

> 이유: 고대 국어 시기에는 한자와 한자음을 중국으로부터 받아들였는데, 중국의 한자음에는 된소리가 있음에도 우리나라의 한자음에 된소리 계열이 거의 없었음.

■ 고대 국어의 어휘적 특징

• 한자가 유입됨.

유입 이전	우리말에 고유어만 있었을 것
유입 이후	우리말 어휘 체계에 한자어가 차지하는 비중이 커짐.

➡ 고유어가 한자어로 대체되는 등 한자어 어휘가 일상으로 들어와서 쓰임이 확대됨.

■ 고대 국어의 표기법 특징

• 한자 차용

이유	우리말을 표기할 수 있는 우리 글자가 없었기 때문임.
의의	한자를 빌려 표기했기 때문에 우리말 모습은 온전하게 보이지는 못하지만, 부분적으로나마 우리말의 옛 모습을 엿볼 수 있음.

• 한자 차용 표기법의 원리

음독(音讀)	한자의 뜻을 버리고 소리만 이용하는 것
석독(釋讀)	한자의 소리를 버리고 뜻만 이용하는 것

01. 국어의 형성 과정에서 신라의 삼국 통일이 지니는 국어사적 의미로 적절하지 <u>않은</u> 것은?

① 현대 우리말의 기초가 형성되는 기반이 되었다.
② 고대 국어의 중심지가 한반도 남동쪽으로 이동되는 계기가 되었다.
③ 중국과의 교류 확대로 중국어의 영향을 받아 된소리가 확대되었다.
④ 알타이 어족에서 다양하게 분화되어 사용하던 언어가 통일되는 계기가 되었다.
⑤ 오늘날의 동남 방언인 신라어가 고대 국어 시기의 중심 언어로 대두하게 되었다.

출제 예감

02. 윗글을 바탕으로 〈보기〉의 자료를 설명할 때 적절하지 <u>않은</u> 것은?

〈 보기 〉

> 永同郡本吉同郡   (원문)
> 영동군은 본래 길동군이다.   (현대어 역)
>   -『삼국사기』, 권 34
> 永(길 영)   同(한가지 동)   郡(고을 군)   吉(길할 길)

① '永同'과 '吉同'은 동일한 지명을 표기한 것이다.
② 우리말을 표기할 수 없어서 한자 차용을 보여주는 자료라 할 수 있다.
③ 고유 명사 차자 표기에서 한자는 음독할 때만 사용하였다.
④ '永'은 고대 국어 시기에도 '길다'의 뜻으로 읽혔을 것이다.
⑤ '吉'은 음독을 이용한 한자 표기라 할 수 있다.

서술형

03. 윗글에서 ㉠과 같은 추정의 근거를 찾아 한 문장으로 서술하시오.

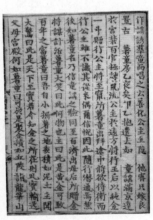

학습 도우미

『삼국사기(三國史記)』
고려 인종 23년(1145)에 김부식이 왕명에 따라 펴낸 역사책으로, 신라, 고구려, 백제 세 나라의 역사를 기전체로 적었다. 『삼국유사』와 더불어 우리나라에서 현존하는 가장 오래된 역사책이다.

지학이가 알려 줄게

한자	뜻	소리	표기법
居	있을	거	음독
柒	일곱	칠	음독
荒	거칠	황	석독

✎ 향가
향찰로 기록한 신라 때의 노래. 현재 『삼국유사』에 14수, 『균여전』에 11수로 모두 25수가 전한다.

▲ 향찰로 표기된 「서동요」
－『삼국유사』 권 2

마 ② 고유 명사 표기

한자 차용 표기법은 한자로 표기하기 어려운 우리말 고유 명사의 표기에서 시작되었다. 고유 명사 표기는 『삼국사기』나 『삼국유사』의 기록에 우리말로 인명이나 지명, 관직명 등을 적기 위해 한자의 소리나 뜻을 빌려서 표기한 방식이다.
_{우리나라의 고유한 관직명, 인명, 지명 등}

┌ 居柒夫或云荒宗　　　　　　　　(원문)
⊙ └ 거칠부 혹은 황종이라 한다.　　(현대어 역)　　　　　　－『삼국사기』 권 44

기록에서 '居柒夫'와 '荒宗'은 동일 인명에 대한 두 가지 표기이기 때문에 표기가 달라도 똑같이 읽어야 한다. '荒宗'의 '荒'을 '황'이라는 한자음이 아니라 '거칠－'이라는 뜻으로 읽으면, 즉 음독이 아니라 석독을 하면 '居柒夫'의 '居柒'과 같은 방식으로 읽게 되는 것이다.
_{표기가 달라도 똑같이 읽어야 하는 이유 / 거칠 황 / 석독 / 한자의 소리를 버리고 뜻만 이용하는 것 / 우리말 '거칠'을 한자로 표기하기 위해 음독}

▶우리말 고유 명사 표기의 예시

바 ③ 구결 · 이두 · 향찰

한자 차용 표기법은 고유 명사 표기에서 시작되어 점차 구결(口訣), ⓒ 이두(吏讀), ⓒ 향찰(鄕札) 등으로 발달하였다. 구결은 한문 문장의 문맥을 파악하기 쉽도록 우리말 조사나 어미를 한자로 표기하는 방법이고, 이두는 단어를 우리말 어순에 맞게 바꾸고 조사나 어미도 한자로 표기하는 방법이다. 구결의 경우 한문에 조사나 어미와 같은 형식 형태소만 더 표기한 것이기 때문에 구결 글자를 빼면 그대로 한문이 되지만, 이두의 경우 어순까지 우리말에 맞도록 재배열하였기 때문에 형식 형태소 표기를 빼도 온전한 한문이 되지 않는다는 차이가 있다.
_{구결의 정의 / 이두의 정의 / 이두와 구결의 차이점 – 한자를 우리말 어순에 따라 배열함.}

▶차자 표기 방식인 구결과 이두

향찰은 신라의 향가를 표기하는 데 사용된 표기법으로, 어순을 우리말에 맞도록 배열하고 조사나 어미와 같은 형식 형태소를 한자로 표기할 뿐 아니라 명사나 동사 등의 실질 형태소와 단어들까지 한자로 표기하였기 때문에 가장 발달한 형태의 한자 차용 표기법이라 할 수 있다. 그러나 형식 형태소, 실질 형태소, 단어 등 여러 가지를 한자 차용 표기법에 따라 표기하다 보니 읽고 쓰기의 방식이 복잡해지는 문제가 생겼다. 이런 복잡성으로 말미암아 가장 발달한 한자 차용 표기법이었음에도 향가의 소멸과 함께 그 표기법인 향찰 역시 사라지게 된다. 향찰이 통일 신라 시대까지만 사용되고 사라졌다는 점에서 조선 시대에도 그 쓰임이 꾸준히 이어졌던 구결이나 이두와는 그 운명이 사뭇 달랐음을 알 수 있다.
_{향찰의 정의 / 향찰의 표기 특징 ① 우리말 어순에 따라 배치함. / 향찰의 표기 특징 ② 형식 형태소를 한자로 표기함. / 향찰의 표기 특징 ③ 실질 형태소도 한자로 표기함. / 향찰이 가장 발달한 한자 차용 표기법이었음에도 사라지게 된 이유 / 향찰과 달리 구결과 이두는 조선 시대까지 꾸준히 사용됨.}

▶차자 표기 체계인 향찰

■ **고유 명사 표기**

인명, 지명, 관직명 등 한자로 표기하기 어려운 우리말 고유 명사의 표기	→	한자의 소리나 뜻을 빌려서 표기함.

■ **구결(口訣)**

의미	한문 문장의 문맥을 파악하기 쉽도록 우리말 조사나 어미를 한자로 표기한 방법
특징	한문에 조사나 어미와 같은 형식 형태소만 더 표기한 것이기 때문에 구결 글자를 빼면 그대로 한문이 됨. (*조선 시대에도 그 쓰임이 이어졌음.)

■ **이두(吏讀)**

의미	단어를 우리말 어순에 맞게 바꾸고 조사나 어미도 한자로 표기하는 방법
특징	어순까지 우리말에 맞도록 재배열하였기 때문에 형식 형태소 표기를 빼도 온전한 한문이 되지 않음. (*조선 시대에도 그 쓰임이 이어졌음.)

■ **향찰(鄕札)**

의미	신라의 향가를 표기하는 데 사용된 표기법
특징	• 어순을 우리말에 맞도록 배열함. • 조사나 어미와 같은 형식 형태소를 한자로 표기함. • 명사나 동사 등의 실질 형태소와 단어들까지 한자로 표기함.

■ **향찰의 소멸 이유**

• 표기의 복잡성: 형식 형태소, 실질 형태소, 단어 등 여러 가지를 한자 차용 표기법에 따라 표기하다 보니 읽고 쓰기의 방식이 복잡해지는 문제가 발생   • 향가의 소멸

↓

통일 신라 시대까지만 사용되고 사라짐.

04. ㉠에 대한 설명으로 적절하지 <u>않은</u> 것은?

① '거칠'을 '荒'으로 표기한 것은 뜻을 이용한 것이다.

② 당시 우리말 '거칠'은 '居柒' 또는 '荒'으로 표기되었을 것이다.

③ 원문을 해석한 것에 따르면 '거칠부'와 '황종'은 동일 인물이다.

④ '거칠'을 '居柒'과 같이 표기한 것은 한자의 뜻을 버리고 소리를 취한 것이다.

⑤ 한자 차용 표기법은 우리말을 표기하는 데 매우 불편하여 이 시기를 지나면 사라졌을 것이다.

05. ㉡과 ㉢에 대한 설명으로 적절한 것은?

① ㉡을 문장에서 빼면 그대로 한문이 된다.

② ㉢은 조선 시대에도 그 쓰임이 꾸준히 이어졌다.

③ ㉡과 달리 ㉢은 읽고 쓰기의 방식이 간결하였다.

④ ㉢과 달리 ㉡은 조사나 어미도 한자로 표기하였다.

⑤ ㉡과 ㉢ 모두 어순을 우리말에 맞도록 배열하였다.

출제 예감
06. (바)를 바탕으로 〈보기〉를 탐구한 것으로 적절하지 <u>않은</u> 것은?

〈 보기 〉

天地之間萬物之中 唯人 最貴	(한문)
天地之間萬物之中厓 唯人伊 最貴爲尼	(구결문)
천지지간만물지중애 유인이 최귀ᄒ니	(독법)
하늘과 땅 사이의 모든 것 중에 오직 사람이 가장 귀하니	(현대어 역)

① '厓, 伊, 爲尼' 등은 우리말 '에, 이, 하니' 등을 표기한 것이다.

② 구결은 한문 원문에 국어의 형식 형태소를 추가하여 표기하는 것이다.

③ 한문과 구결은 어순은 같고 우리말에 해당하는 한자가 더 들어가 있다.

④ 구결 표기에 사용된 차자 표기가 발전하여 한글을 창제하기에 이르렀다.

⑤ 이와 같은 표기는 한문의 어순을 바꾸지 않았다는 점에서 이두와 다르다.

▶한자 차용 표기의 원리를 이해하는 활동

1. 다음은 『삼국사기』에 나오는 고유 명사 표기를 보인 것이다. 이를 통해 한자 차용 표기의 원리를 알아보자.

> _{길 영   길할 길}
> 永同郡本吉同郡   (원문)
> 영동군은 본래 길동군이다.   (현대어 역)   －『삼국사기』 권 34

(1) 지명 '永同郡'과 '吉同郡'을 읽을 때 차이가 나는 부분을 찾아보자.

| 예시 답 | '永(영)'과 '吉(길)'이 차이가 난다.

(2) 한자 '永'을 한자 사전에서 찾아 빈칸에 써넣어 보자.

| 예시 답 |

한자	뜻	소리
永	길다	영

(3) 한자 '永'의 소리가 아니라 뜻을 이용하여 '永同郡'을 읽고 이를 적어 보자.

永同郡 ……▶ 길동군

(4) '永同郡'과 '吉同郡'이 동일한 지명을 표기했을 가능성에 관하여 말해 보자.

| 예시 답 | 만약 하나의 지명을 두 개의 이름으로 불렀을 가능성이 없다면, 두 표기는 하나의 지명을 다르게 표기한 것이라 할 수 있다. '영동(永同)'에 쓰인 '영(永)'을 뜻('길다')을 이용해 '길'이라고 읽었다면 '永同'과 '吉同'은 모두 '길동'이라고 불리는 지명을 표기한 것으로 볼 수 있다.

▶구결 표기의 특징을 이해하는 활동

2. 다음 『동몽선습』의 표기를 바탕으로 구결 표기에 대하여 알아보자.

> 天地之間萬物之中 唯人 最貴 所貴乎人子 以其有五倫也   (한문)
> 天地之間萬物之中厓 唯人伊 最貴爲尼 所貴乎人子隱 以其有五倫也羅   (구결문)
> 천지지간만물지중애 유인이 최귀ᄒ니 소귀호인자는 이기유오륜야라   (독법)
> 하늘과 땅 사이의 모든 것 중에 오직 사람이 가장 귀하니, 사람이 귀
> 한 것은 오륜이 있기 때문이다   (현대어 역)

(1) 위 구결문의 밑줄 친 부분이 현대어 역의 어느 부분에 해당하는지 찾아보자.

厓	伊	爲尼	隱	羅
에	이	하니	은	다

(2) 『동몽선습』은 한문을 처음 배우는 어린이들의 교재로 지은 책이다. 한문에 구결로 표기한 이유가 무엇일지 추측하여 말해 보자.

| 예시 답 | 우리말에는 문법적 관계를 표시하는 조사와 어미들이 발달해 있어 이를 통해 문장을 이해하는 경우가 많다. 그러나 한문은 그렇지 않아서 한자의 뜻을 알아도 전체 문장의 의미를 이해하기가 어렵다. 이를 해소하기 위해 한문의 원래 문장에 문법적 관계를 표시하는 조사나 어미를 달던 것이다.

𝄪 구결 표기의 기본 원리는 고대 국어 이래로 크게 달라지지 않았다. 『동몽선습』은 조선 시대의 자료지만, 학습하기에 수월한 면이 있으므로 주어진 활동을 통해 구결 표기의 원리에 관해 탐구해 보자.

학습 도우미

『동몽선습(童蒙先習)』

조선 중종 때에, 박세무가 쓴 어린이 학습서로, 오륜(五倫)의 중요한 뜻을 간결하게 서술하였다. 『천자문』을 익힌 어린이들이 『소학』을 배우기 전에 공부하는 교과서로 널리 사용하였으며, 덕행의 함양에 많은 도움이 되었다.

3. 다음은 초기 이두의 모습을 보여 주는 '임신서기석'의 일부이다. 아래의 활동으로 이두 표기에 관해 탐구해 보자.

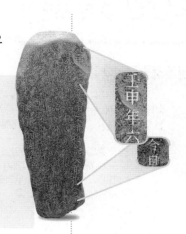

壬申年六月十六日 二人幷誓記 天前誓 <u>今自</u>三年以後 忠道執持 過失无誓 若此事失 天<u>大罪得</u>誓

(현대어 역)
　임신년 6월 16일에 두 사람이 함께 맹세하여 기록한다. 하늘 앞에 맹세한다. <u>지금으로부터</u> 3년 이후에 충도를 지켜 지니고 과실이 없기를 맹세한다. 만일 이 일을 어기면 하늘에 <u>큰 죄를 얻을 것</u>이라고 맹세한다.

(1) 다음은 밑줄 친 부분을 한문의 어순대로 고친 것이다. 이를 보고 이두 표기와 한문의 차이점을 말해 보자.

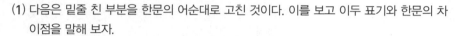

	'임신서기석'의 어순	한문의 어순
지금으로부터	今　自 이제 금, 어조사(로부터) 자	自今
큰 죄를 얻을 것이라고	大　罪　得 큰 대, 허물 죄, 얻을 득	得大罪

ℛ 어순의 변화에 주목하여 생각해 본다.

| **예시 답** | 한문의 어순으로 표현했다면, '自今'으로 표기해야 할 것을 이두에서는 '今自'라고 표기하였다. 또 '得大罪'으로 표기해야 할 것을 이두에서는 '大罪得'으로 표기하였다. 그러므로 이두의 어순 표기가 우리말 어순에 가깝다는 것을 알 수 있다.

(2) 이두의 표기 방식은 뒤에 한자의 음과 뜻을 활용하여 우리말 문장을 본격적으로 표기한 향찰로 이어지게 되었다는 점을 고려하여, '임신서기석'의 표기법이 가지는 의의를 말해 보자.

| **예시 답** | '임신서기석'은 아주 초기 모습의 이두를 볼 수 있다. 이것은 우리말 어순이 한문의 어순과 달라서 발생하는 이해의 불편함을 해소하기 위해 우리말 어순에 가깝게 표기하는 이두의 특징을 보여 준다.

4. 다음 「도솔가」의 표기를 바탕으로 향찰 표기에 대하여 알아보자.

今日此矣散花唱良	(원문)	
오늘 이에 散花 블러	(해독)	– 월명사, 「도솔가」에서

(1) 다음 향찰 표기의 해독을 찾아보고 이 표기가 음독 표기인지 석독 표기인지 구별해 보자.

| **예시 답** |

향찰 표기	해독	표기
今日	오늘	석독
此矣	이에	석독 + 음독

(2) 구결이나 이두와 비교할 때 향찰은 실질 형태소도 한자 차용 표기를 사용하였다는 점이 특징이다. 위 자료에서 실질 형태소의 예를 찾아보자.

| **예시 답** | 今日(오늘), 此(이), 散, 花, 唱(브르–)

ℛ 향찰 표기와 그 해독을 일대일로 대응시킨다.

개념 ⊕
임신서기석
두 명의 인물이 나라에 대한 충성을 맹세하는 내용을 새긴 삼국시대 신라의 비석. 비석의 첫머리에 '임신(壬申)'이라는 간지(干支)가 새겨져 있고, 5행 74자로 새겨진 내용 중에 충성을 서약하는 글귀가 자주 보인다. 임신년은 화랑도가 융성했던 552년 또는 612년일 것으로 추정되며 길이는 약 30cm, 윗부분 너비는 12.5cm로, 2004년 6월 26일 보물 제1411호로 지정되었다.

개념 ⊕
• **실질 형태소:** 실질적인 의미를 가진 형태소, 체언, 수식언, 독립언, 용언의 어간 등이 해당됨.
• **형식 형태소:** 문법적인 의미를 가진 형태소, 조사, 용언의 어미, 접사 등이 해당됨.

소단원 출제 포인트

고대 국어 시기 구분

구분	알타이 어족에 속하는 우리말이 다른 언어들과 분리된 이후부터 (㉠) 시대까지를 말함.
특징	• 신라가 삼국 통일 통해 언어적 통일을 이룸. • 신라의 수도가 지금의 경주에 있었기 때문에 오늘날의 동남 방언을 기반으로 현대 우리말의 기초가 형성되었던 시기임.

고대 국어의 특징

1 음운

• 고대 국어 시기에는 우리말 자음 체계에 (㉡   )와/과 거센소리의 대립만 있고 된소리 계열은 없었던 것으로 추정할 수 있음.
→ 추정 이유: 고대 국어 시기에는 한자와 한자음을 중국으로부터 받아들였는데, 중국의 한자음에는 된소리가 있음에도 우리나라의 한자음에 된소리 계열이 거의 없음.

2 어휘

• 한자어의 유입으로 (㉢   )이/가 한자어로 대체되는 등 한자어 어휘가 일상으로 들어와서 쓰임이 확대됨.

유입 이전	우리말에 고유어만 있었을 것
유입 이후	우리말 어휘 체계에 한자어가 차지하는 비중이 커짐. 예 • '왕'이라는 한자어 명칭이 정식 사용됨. • 순우리말로 되어 있던 지명이 한자어 지명으로 바뀜.

3 표기법: 한자 차용 표기법

배경	우리말을 (㉣)할 수 있는 우리 글자가 없던 때였기 때문에 한자를 차용하여 표기하였음.
국어사적 의의	한자를 빌려 표기했기 때문에 우리말 모습은 온전하게 보이지는 못하지만, 부분적으로나마 우리말의 옛 모습을 엿볼 수 있는 귀중한 자료임.

① 원리

음독	한자의 (㉤)을/를 버리고 (㉥)만 이용하는 것 예 '古[옛 고]' 자를 뜻과 상관없이 단순히 '고'라는 소리로 표기하기 위해 사용한 경우
석독	한자의 소리를 버리고 뜻만 이용하는 것 예 '水[물 수]' 자를 써놓고 '물'이라고 읽는 경우

② 고유 명사 표기

• 한자로 표기하기 어려운 우리말 고유 명사의 표기에서 시작됨.
• 『삼국사기』나 『삼국유사』의 기록에 우리말로 (Ⓐ   )(이)나 지명, 관직명 등을 적기 위해 한자의 소리나 뜻을 빌려서 표기한 방식.
  예 居柒夫或云荒宗(거칠부 혹은 황종이라 한다.)
  居[살 거], 柒[일곱 칠] ← 음독
  荒[거칠 황] ← 석독
  ➡ '荒'을 '거칠-'이라는 뜻으로 읽으면, '居柒夫'의 '居柒'과 같은 방식으로 읽게 되는 것

③ 구결 · 이두 · 향찰

구결	• 한문 문장의 문맥을 파악하기 쉽도록 우리말 조사나 어미를 한자로 표기한 방법 • 한문에 조사나 어미와 같은 형식 형태소만 더 표기한 것이기 때문에 구결 글자를 빼면 그대로 한문이 됨.
이두	• 단어를 (Ⓞ) 어순에 맞게 바꾸고 조사나 어미도 한자로 표기하는 방법 • 어순까지 우리말에 맞도록 재배열하였기 때문에 형식 형태소 표기를 빼도 온전한 한문이 되지 않음.
향찰	• 신라의 향가를 표기하는 데 사용된 표기법 • 표기 특징 – 어순을 우리말에 맞도록 배열함. – 조사나 어미와 같은 형식 형태소를 한자로 표기함. – 명사나 동사 등의 실질 형태소와 단어들까지 한자로 표기함. • 형식 형태소, 실질 형태소, 단어 등 여러 가지를 한자 차용 표기법에 따라 표기하다 보니 읽고 쓰기의 방식이 복잡해지는 문제가 생김. → 표기의 복잡성으로 말미암아 향가의 소멸과 함께 소멸됨.

답 ㉠ 통일 신라, ㉡ 예사소리, ㉢ 고유어, ㉣ 표기, ㉤ 뜻, ㉥ 소리, Ⓐ 인명, Ⓞ 우리말

[01-03] 다음 글을 읽고 물음에 답하시오.

㉮ 고대 국어 시기에는 우리말을 표기할 수 있는 우리 글자가 없던 때여서 일부 전하는 자료도 우리말의 모습을 온전하고 정확하게 보여 주지는 못한다. 그런데도 한자 차용 표기법을 사용한 자료들은 부분적으로나마 우리말의 옛 모습을 엿볼 수 있게 해 주는 귀중한 자료들이다.

㉯ 한자 차용 표기법의 원리는 음독(音讀)과 석독(釋讀) 두 가지였다. 한자의 뜻을 버리고 소리만 이용하는 것이 음독이고, 반대로 한자의 소리를 버리고 뜻만 이용하는 것이 석독이다. 예를 들어, '古[옛 고]' 자를 뜻과는 상관없이 단순히 '고'라는 소리를 표기하기 위해 사용하는 것이 음독이고, '水[물 수]' 자를 써 놓고 '물'이라고 읽는다면 그것이 석독이다.

㉰ 한자 차용 표기법은 한자로 표기하기 어려운 우리말 고유 명사의 표기에서 시작되었다. 고유 명사 표기는 『삼국사기』나 『삼국유사』의 기록에 우리말로 인명이나 지명, 관직명 등을 적기 위해 한자의 소리나 뜻을 빌려서 표기한 방식이다.

㉱ 구결은 한문 문장의 문맥을 파악하기 쉽도록 우리말 조사나 어미를 한자로 표기하는 방법이고, 이두는 단어를 우리말 어순에 맞게 바꾸고 조사나 어미도 한자로 표기하는 방법이다. 구결의 경우 한문에 조사나 어미와 같은 형식 형태소만 더 표기한 것이기 때문에 구결 글자를 빼면 그대로 한문이 되지만, 이두의 경우 어순까지 우리말에 맞도록 재배열하였기 때문에 형식 형태소 표기를 빼도 온전한 한문이 되지 않는다는 차이가 있다.

향찰은 신라의 향가를 표기하는 데 사용된 표기법으로, 어순을 우리말에 맞도록 배열하고 조사나 어미와 같은 형식 형태소를 한자로 표기할 뿐 아니라 명사나 동사 등의 실질 형태소와 단어들까지 한자로 표기하였기 때문에 가장 발달한 형태의 한자 차용 표기법이라 할 수 있다. 그러나 형식 형태소, 실질 형태소, 단어 등 여러 가지를 한자 차용 표기법에 따라 표기하다 보니 읽고 쓰기의 방식이 복잡해지는 문제가 생겼다. 이런 복잡성으로 말미암아 가장 발달한 한자 차용 표기법이었음에도 향가의 소멸과 함께 그 표기법인 향찰 역시 사라지게 된다. 향찰이 통일 신라 시대까지만 사용되고 사라졌다는 점에서 조선 시대에도 그 쓰임이 꾸준히 이어졌던 구결이나 이두와는 그 운명이 사뭇 달랐음을 알 수 있다.

01 윗글의 내용과 일치하지 <u>않는</u> 것은?

① 고대 국어 시기에는 우리말을 표기하기 위해 한자를 빌려 표기하였다.
② 한자 차용 표기법의 원리는 음독과 석독 두 가지였다.
③ 한자 차용 표기법은 한자로 표기하기 어려운 우리말 고유 명사의 표기에서 시작되었다.
④ 구결은 이두와 달리 구결 글자를 빼면 온전한 한문이 되지 않는다.
⑤ 향찰은 형식 형태소, 실질 형태소, 단어 등 여러 가지를 한자 차용 표기법에 따라 우리말을 표기하였다.

<u>수능형</u>

02 윗글을 바탕으로 〈보기〉를 이해한 내용으로 적절하지 <u>않는</u> 것은?

〈보기〉
壬申年六月十六日 二人幷誓記 天前誓 ⓐ今自三年以後 忠道執持 過失无誓 若此事失 天ⓑ大罪得誓

(현대어 역) 임신년 6월 16일에 두 사람이 함께 맹세하여 기록한다. 하늘 앞에 맹세한다. 지금으로부터 3년 이후에 충도를 지켜 지니고 과실이 없기를 맹세한다. 만일 이 일을 어기면 하늘에 큰 죄를 얻을 것이라고 맹세한다.

① ⓐ를 '지금으로부터'라고 해석한 것으로 보아 우리말 어순에 따라 표기하였음을 알 수 있다.
② ⓑ의 현대어 역이 '큰 죄를 얻을 것이라고'로 볼 때, 한자로 우리말을 완벽하게 표기하지 못하였음을 짐작할 수 있다.
③ ⓐ와 ⓑ를 통해 〈보기〉의 자료가 이두로 표기한 자료임을 알 수 있다.
④ ⓐ와 ⓑ를 통해 실질 형태소와 형식 형태소 모두 한자를 차용하여 표기하였음을 알 수 있다.
⑤ ⓐ, ⓑ와 같은 표기 방식은 한문 문장의 문맥을 파악하기 쉽도록 단어를 우리말 어순에 맞추고 조사나 어미도 한자로 표기한 것이다.

<u>서술형</u>

03 윗글을 바탕으로 한자 차용 표기법의 원리인 '음독'과 '석독'에 대해 한 문장으로 설명하시오.

가 『국어의 중심이 <u>동남 방언에서 중부 방언으로 옮겨지는 고려 건국(10세기)부터</u> 사
_{언어의 중심지가 역사의 변화에 따라 변모함을 알 수 있음.}
회·문화적 변화와 더불어 언어적 변화가 급격하게 나타나는 16·17세기 교체기 이전까
지를 중세 국어 시기로 본다.』 중세 국어는 훈민정음이 창제되어 한글로 기록된 문헌 자
_{「』 중세 국어 시기의 구분 / 국어사 시대 구분 2단계}
료가 많이 나온 시기를 기점으로 전기 중세 국어와 후기 중세 국어로 구분한다. 대략
10세기 초~15세기 중엽까지를 전기 중세 국어 시기, 15세기 중엽~16세기 말까지를 후
기 중세 국어 시기로 보는 것이 일반적이다. ▶중세 국어의 시기 구분

나 ❶ **음운**
_{후두의 근육을 긴장하거나 성문을 폐쇄하여 내는 소리(ㄲ, ㄸ, ㅃ, ㅆ, ㅉ 등) 순경음 비읍 반치음(≒반잇소리)}
중세 국어의 음운적 특징으로는, 된소리 계열이 생겨난 점, 유성 마찰음 'ㅸ, △'이 쓰
_{입안이나 목청 따위의 조음 기관이 좁혀진 사이로 공기가 비집고 나오면서 마찰하여 나는 소리}
이는 점, 'ㆍ'가 소멸되기 시작하고 모음 조화가 잘 지켜진 점, 성조가 있었던 점 등을
_{아래아}
들 수 있다. ▶중세 국어 시기의 음운적 특징

다 먼저 된소리의 발달은 현대 국어에서 '예사소리─거센소리─된소리'의 대립 체계가
_{음운적 특징 ①}
성립되는 변화라는 의미가 있다. 또한, 현대 국어에서는 볼 수 없는 'ㅸ, △' 소리가 이
_{음운적 특징 ②}
시기에 사용되고 있었는데, 이 소리들은 근대 국어 시기까지 이어지지 않고 그 전에 소
멸의 길을 걸었다. 예를 들어, '셔블〉서울', '처섬〉처음' 등에서 그 변화를 볼 수 있다.
▶된소리 발달, 'ㅸ', '△' 소리 사용과 변모 양상

라 중세 국어에는 현대 국어에 없는 'ㆍ'가 있었다. 모음 'ㆍ'는 후기 중세 국어 때부터
_{음운적 특징 ③}
변화되었는데 16세기에는 둘째 음절 이하의 'ㆍ'가 주로 'ㅡ'로 변하고, 이후 근대 국어
_{'ㆍ'의 1단계 소실}
시기에 이르러 첫째 음절의 'ㆍ'가 주로 'ㅏ'로 변하면서, 모음 'ㆍ'는 완전히 소멸되었다.
_{'ㆍ'의 2단계 소실}
㉠'ᄆᆞᅀᆞᆷ〉마음'은 그러한 변화 양상을 잘 보여 주는 예이다. ▶'ㆍ'의 변모 양상

마 현대 국어와 달리 중세 국어에서는 모음 조화가 엄격하게 지켜졌다. 예를 들어, 조
_{음운적 특징 ④}
사나 어미에는 모음 조화에 의한 교체 형태를 갖추고 있어서, 1인칭 대명사 '나'와 2인
칭 대명사 '너'는 모음 조화에 따라 '나는, 나를'과 '너는, 너를' 등으로 나타났고, 동사
'막─'과 '먹─'은 '마가, 마곤, 마골'과 '머거, 머근, 머글' 등으로 나타났다. ▶모음 조화가
엄격히 지켜짐.

바 <u>소리의 높낮이인 성조를 이용해서 단어의 뜻을 구별하던 점</u>은, 장단에 의해 뜻을 구
_{음운적 특징 ⑤}
별하는 현대 국어와 차이를 보인다. 성조는 글자 왼쪽에 방점을 찍어 표시하였는데, <u>낮
은 소리인 평성은 점이 없으며, 높은 소리인 거성은 한 점, 처음에는 낮다가 나중에는
높아지는 상성은 두 점을 찍었다.</u> 성조는 대략 16세기 말에 소멸되었으며, 대체로 평성
_{4성조 체계가 잘 나타남.(평성, 거성, 상성, 입성)}
과 거성은 짧은 소리로, 상성은 긴 소리로 바뀌어 현대 국어의 장단 체계를 가지게 된
것으로 보인다. 예를 들어, '말[馬]'은 평성, 'ㆍ발[足]'은 거성, ':말[言]', ':발[簾]'은 상성
_{방점 표기(성조)를 통해 단어의 뜻 구별한 예}
이었는데, 현대에 와서 앞의 둘은 짧은 소리, 뒤의 둘은 긴 소리로 남아 있다.
▶중세 국어의 운소 체계인 성조

정답과 해설 044쪽

■ 중세 국어의 시기 구분 특징

시기	고려 건국(10세기)부터 16·17세기 교체기 이전까지 • 전기 중세 국어: 대략 10세기 초~15세기 중엽까지 • 후기 중세 국어: 15세기 중엽~16세기 말까지
특징	• 전기 중세 국어: 고려의 건국으로 수도가 개성으로 옮겨지면서 국어의 중심이 동남 방언에서 중부 방언으로 옮겨짐. • 후기 중세 국어: 한글 창제로 우리말을 완전히 기록할 수 있게 됨.

■ 중세 국어의 음운적 특징

• 된소리 계열 등장
현대 국어에서 '예사소리–거센소리–된소리'의 대립 체계가 성립되는 변화라는 의미가 있음.

• 'ㅸ'과 'ㅿ' 등장
근대 국어 시기까지 이어지지 않고 그 전에 소멸의 길을 걸었음.

ㅸ	15세기 중반부터 'ㅜ[w]'로 바뀌거나, 흔적을 남기지 않고 소멸함.
ㅿ	15세기 말부터 소멸되기 시작하였는데, 'ㅸ'과 달리 아무 흔적을 남기지 않고 소멸함.

• 'ㆍ'의 존재와 소실
– 현대 국어에 없는 'ㆍ'가 사용됨.
– 'ㆍ'의 소실

1단계	16세기 둘째 음절 이하의 'ㆍ'가 주로 'ㅡ'로 변함.
2단계	근대 국어 시기인 18세기에 이르러 첫째 음절의 'ㆍ'가 주로 'ㅏ'로 변하면서 모음 'ㆍ'는 완전 소멸됨.

• 모음 조화를 지킴.
현대 국어와 달리 모음 조화가 엄격하게 지켜 짐.

• 성조의 이용
소리의 높낮이인 성조를 이용해서 단어의 뜻을 구별함.

평성	거성	상성
낮은 소리. 글자 왼쪽에 점이 없음.	높은 소리. 글자 왼쪽에 점을 하나 찍음.	낮다가 높아지는 소리. 글자 왼쪽에 점을 두 개로 찍음.

→ 대략 16세기 말에 소멸되었으며, 평성과 거성은 짧은 소리로, 상성은 긴소리로 바뀌어 현대 국어의 장단 체계를 가지게 된 것으로 보임.

01. 중세 국어의 음운적 특징으로 적절하지 <u>않은</u> 것은?

① 현대 국어와 달리 모음 조화가 엄격하게 지켜졌다.
② 소리의 높낮이를 이용해서 단어의 뜻을 구별하였다.
③ 15세기에는 첫째 음절의 'ㆍ'가 주로 'ㅏ'로 변하였다.
④ 현대 국어에서 볼 수 없는 유성 마찰음 'ㅸ, ㅿ' 소리가 사용되었다.
⑤ 현대 국어의 '예사소리–거센소리–된소리' 체계가 성립되는 된소리가 발달하였다.

02. (바)를 참고하여 〈보기〉를 이해할 때 적절하지 <u>않은</u> 것은?

〈보기〉
나·랏:말ᄊᆞ미

① '나'와 'ᄊᆞ'는 평성이며, 낮은 소리로 발음한다.
② '랏'은 신체의 일부인 발[足]의 뜻을 가진 '·발'과 같은 소리의 높이를 가지고 있다.
③ '말'은 상성이며, 낮다가 높아지는 소리로 발음한다.
④ '말'은 주렴[簾]을 뜻하는 ':발'과 같은 소리의 높이를 가지고 있다.
⑤ '미'는 거성이며, 높은 소리로 발음한다.

03. ㉠에서 'ㆍ'는 2단계의 과정을 거쳐 소실되어 현대 국어에서 '마음'으로 표기된다. 이와 같은 예로 적절하지 <u>않은</u> 것은?

① ᄀᆞᄅᆞᆷ 〉 가물
② ᄯᆞᄅᆞᆷ 〉 따름
③ ᄀᆞᄅᆞ치다[敎] 〉 가르치다
④ ᄲᆞᄅᆞ다[速] 〉 빠르다
⑤ 모ᄅᆞ다[不知] 〉 모르다

서술형
04. 〈보기〉의 예시를 보고 꼽을 수 있는 음운 현상을 현대 국어와 비교하여 한 문장으로 서술하시오.

〈보기〉
• 나ᄂᆞᆫ, 나ᄅᆞᆯ / 너는, 너를
• 마가, 마ᄀᆞᆫ, 마ᄀᆞᆯ / 머거, 머근, 머글

사 **2** 어휘

아주 오래전으로 거슬러 올라가 보면 한자가 들어오기 전까지는 우리말에 고유어만
있었을 것이다. 하지만 삼국 시대에 한자가 들어오면서 자연스럽게 우리말의 어휘 체
계는 고유어와 한자어의 이원 체계를 기본으로 하게 되었다. 시간이 흐르면서 어휘 체
계 안에서 차지하는 고유어의 비중은 작아지고 한자어의 비중은 높아지는 변화가 지
속적으로 진행되었다. 이미 고대 국어 시기에 '지증 마립간(智證麻立干)'이라는 호칭이
'지증왕(智證王)'이라는 중국식 호칭으로 변한 데서 이러한 경향을 엿볼 수 있고, 중세
국어 시기인 고려 광종 때 시행한 과거 시험에 한자가 포함되면서 한자어의 침투와 확
산이 급격하게 진행되었다. ▶한자어의 유입

아 한편으로 새로운 개념이나 사물이 들어오면서 한자어가 같이 유입되어 적절한 고유
어가 없는 공백을 자연스럽게 메웠을 뿐 아니라, 다른 한편으로 이미 고유어가 존재하
는 경우에도 같은 의미를 가진 한자어가 유입되어 고유어와 한자어의 대립 관계가 형
성되었다. ㉠ 이러한 대립 관계 속에서 고유어는 원래의 의미 영역 가운데 큰 부분을
한자어에 넘겨주고 자기의 의미 영역을 축소하면서 살아남거나 완전히 소멸되는 길을
가게 되었다. 의미 영역이 축소된 예로는 '겨집'을 들 수 있다. '겨집'이라는 고유어는 원
래 '여자'를 두루 가리키는 의미로 사용되던 단어였지만 원래 의미 영역의 대부분을 한
자어 '여자'에 넘겨주고 여자를 낮잡아 말할 때만 사용되는 단어로 의미 영역이 좁아진
것이다. 이처럼 의미 영역의 축소를 경험한 고유어보다 소멸의 운명을 맞은 고유어들
의 수는 더 많아서, 'ㄱ롬, 즈믄, 비슴, 아슴' 등의 고유어들은 이제 '강(江), 천(千), 단
장(丹粧), 친척(親戚)' 등의 한자어에 의해 완전히 대체되었다. ▶한자어가 침투하여
고유어와의 경쟁이 계속됨.

자 이처럼 중국어로부터 유입된 한자어의 비중이 꾸준히 높아지는 가운데, 13세기와
14세기에 고려가 원(元)과 밀접한 관계가 되면서 한자어와는 구별되는 몽골어가 많이
들어온 것이 중세 국어 시기의 매우 두드러진 특징이다. 이때 우리나라로 들어온 몽골
어는 관직, 말[馬], 매[鷹], 군사, 음식 등에 관한 단어가 주류를 이루었다. 대부분의 몽
골어는 한동안 사용되다가 사라졌지만, 일부는 현대 국어에까지 남은 것도 있다. '가라
말(털빛이 온통 검은 말)', '보라매(사냥에 쓰이는 매)', '수라(왕의 식사)' 등이 그 예이다.
▶고려 시대 원나라와의 교류로 인한 몽골어의 유입

> **단어의 의미 변화 양상**
> • 의미 이동: 단어의 의미 자체가 변함.
>   예 어리다: 어리석다 → 나이가 적다
> • 의미 축소: 단어의 의미 영역이 좁아짐.
>   예 놈: 일반적인 사람 → 남자를 낮잡아 이르는 말
> • 의미 확대: 단어의 의미 영역이 넓어짐.
>   예 다리: 사람이나 짐승의 다리 → 무생물에까지 확대

마립간(麻立干)
신라 때에 '임금'을 이르던 말로, 『삼국사기』에는 눌지왕 때부터 지증왕 때까지, 『삼국유사』에는 내물왕 때부터 지증왕 때까지 이 칭호를 사용했다고 기록하고 있다.

'겨집'이나 'ㄱ롬, 즈믄' 등의 고유어는 중세 국어 시기에 널리 쓰이고 있었지만, 서서히 변화를 입기 시작하여 근대 국어 시기에 이르면 의미 축소나 단어 자체의 소멸이 완연히 나타나게 된다.

■ 한자어의 유입과 비중 확대

> 삼국 시대에 한자가 들어옴.
> → 우리말의 어휘 체계는 고유어와 한자어의 이원 체계를 기본으로 하게 됨.

⬇ 시간의 경과

> 어휘 체계 안에서 차지하는 고유어의 비중은 기존보다 작아지고 한자어의 비중은 높아지는 변화가 지속해서 진행됨.

■ 한자어의 유입 결과

• 적절한 고유어가 없는 공백을 자연스럽게 메움.
• 같은 의미가 있는 한자어가 유입되면서, 고유어와 대립 관계를 형성함.

고유어의 축소	원래 의미 영역 가운데 큰 부분을 한자어에 넘겨주고 살아남음.
고유어의 소멸	한자어에 의해 완전히 대체되어 소멸됨.

■ 몽골어의 유입

배경	13~14세기에 고려가 원(元)과 밀접한 관계가 되면서 한자어와 구별되는 몽골어가 많이 들어옴.
특징	• 관직, 말[馬], 매[鷹], 군사, 음식 등에 관한 단어가 주류를 이룸. • 대부분 한동안 사용되었다가 사라졌지만, 일부는 현대 국어에까지 남은 것도 있음.

보충자료

한자어와 몽골어 등의 유입에 의한 우리말 어휘 체계 변화

고대 국어		중세 국어 이후
한자 유입 전	한자 유입 후	
고유어만 있는 일원 체계	고유어와 한자어의 이원 체계	고유어와 한자어의 이원 체계에 다른 외래어가 추가적으로 유입되는 구조

05. 중세 국어 시대의 어휘적 특징에 대한 이해로 적절한 것은?

① 고유어만 있는 일원 체계를 갖추고 있다.
② 나라 차원에서 고유어를 지키려는 모습을 보였다.
③ 시간이 흐르면서 한자어의 비중이 축소되는 양상을 보인다.
④ 13~14세기에 차용된 몽골어는 모두 현대 국어에도 남아 있다.
⑤ 한자어와의 대립 관계에서 진 고유어들은 의미 영역이 축소되거나 소멸의 길을 걸었다.

06. ㉠의 사례에 해당하는 단어끼리 연결된 것 중 적절하지 않은 것은?

① ᄀᆞ름 – 강(江)
② 즈믄 – 백(百)
③ 비숨 – 단장(丹粧)
④ 아ᅀᆞᆷ – 친척(親戚)
⑤ 오래 – 문(門)

07. 〈보기〉의 내용에 추가할 수 있는 예로 적절한 것은?

> ──〈 보기 〉──
> '짐승'이라는 단어는 원래 '즁ᄉᆡᆼ(衆生)'에서 온 말로 살아 있는 생물 전체를 가리키는 불교 용어였지만, 지금은 인간을 제외한 동물을 가리키는 말로 쓰이고 있다. 또 '사랑하다'는 '생각하다'와 '사랑하다'의 두 가지 의미가 있었으나, 이제는 '사랑하다'의 의미만을 가지게 되었다. 이들은 모두 <u>의미가 축소된</u> 예라고 할 수 있다.

① "나랏 말ᄊᆞ미 中듕國귁에 달아"의 '말ᄊᆞᆷ'
② "文문字ᄍᆞ와로 서르 ᄉᆞᄆᆞᆺ디 아니ᄒᆞᆯᄊᆡ"의 '문ᄍᆞ'
③ "어린 百ᄇᆡᆨ姓셩이 니르고져 홇 배 이셔도"의 '어리다'
④ "제 ᄠᅳ들 시러 펴디 몯홇 노미 하니라"의 '하다'
⑤ "내 이ᄅᆞᆯ 爲윙ᄒᆞ야 어엿비 너겨"의 '어엿브다'

서술형
08. 한자의 유입으로 인한 우리말 단어 체계의 변화를 한 문장으로 설명하시오.

중세 국어의 주격 조사

형태	환경	예
이	자음으로 끝난 체언 뒤	식미
ㅣ	'ㅣ' 이외의 모음으로 끝난 체언 뒤	부톄
∅	'ㅣ' 모음으로 끝난 체언 뒤	불휘

중세 국어 동사의 시제 표현 선어말 어미
• 과거 시제: ∅, –더–
• 현재 시제: –ᄂ–
• 미래 시제: –(으)리–

개념 ✛
과거 시제는 선어말 어미 없이 표현하거나 선어말 어미 '–더–'를 사용하여 표현하였다. 중세에는 '–더–'가 현대 국어와는 달리 모든 인칭에 두루 쓰였으며, 1인칭 주어와 함께 쓰이는 경우에는 '–다–'로 나타났다.

현대 국어에서 '꽃, 꽃이, 꽃도'와 같이 '꽃'이라는 단어의 형태를 일정하게 고정한 표기와 차이를 보인다. 중세 국어 시기에도 기본 형태를 밝혀 적는 경우가 부분적으로 보이는데, 이런 표기는 『용비어천가』와 『월인천강지곡』에 주로 나타난다.

차 **3** 문법

중세 국어 시기에는 주격 조사에 '가'는 없고 '이'만 있어서 앞말의 받침 유무에 상관없이 '이'가 쓰였다. 예를 들어, '식미 기픈 므른', '부톄 니ᄅ샤ᄃ', '불휘 기픈 남ᄀ' 등에서 주격 조사 '이'가 쓰인 양상을 볼 수 있다.
<small>격 표시</small> ▶중세 국어의 주격 조사 '이'

카 높임 표현은 선어말 어미에 의해 실현되었는데, '–(으)시–'에 의한 주체 높임법, '–습–'에 의한 객체 높임법, '–(으)이–'에 의한 상대 높임법의 정연한 체계를 이루고 있었다.
<small>주어가 가리키는 인물이 높임의 대상일 때 / 목적어나 부사어 등 주어 이외의 문장 성분이 가리키는 대상을 높여 표현</small>
대체로 주체 높임법의 경우는 현대 국어와 비슷하지만, 객체 높임법의 '–습–'은 현대에 와서 거의 흔적을 남기지 않고 사라졌고, 상대 높임법 또한 선어말 어미에 의해 표현되던 체계는 사라지고 현대에 와서는 어말 어미에 의해 표현된다.
<small>중세 국어와 현대 국어의 객체·상대 높임 표현 차이</small> ▶중세 국어의 높임 표현

타 시간 표현의 경우, 현재 시제를 표현할 때 동사 어간에는 '–ᄂ–'가 연결되는 반면
<small>시제는 과거, 현재, 미래인 점이 예나 지금이나 같음. / 중세 국어의 현재 시제 표현 방식</small>
형용사 어간에는 특별한 형태소가 연결되지 않았다. '가ᄂ다'와 '어엿브다'가 그 예인데, 현대 국어의 '간다'와 '불쌍하다'의 활용과 비슷한 면이 있다. 동사의 과거 시제는 현대 국어의 '–았–/–었–'에 해당하는 선어말 어미가 아직 발달되지 않아서 아무런 형태소
<small>현대 국어의 시제 표현 방식 ① / 중세 국어의 과거 시제 표현 방식 ①</small>
의 결합도 없이 표현되었다. 예를 들어, '가ᄂ다'가 현재 시제인 것과 달리 '가다'는 과거 시제였기 때문에 '갔다' 정도의 의미로 이해된다. 회상의 의미를 표현하는 '–더–'는 중세 국어에도 쓰였으며, 추측의 의미를 표현하는 '–겠–'은 아직 발달되지 않았지만
<small>회상법, 중세 국어의 과거 시제 표현 방식 ② / 현대 국어의 시제 표현 방식 ②</small>
'–(으)리–'가 그 기능을 충분히 하고 있었다. ▶중세 국어의 시간 표현
<small>중세 국어의 미래 시제 표현 방식</small>

파 **4** 표기법

세종 28년(1446) '훈민정음'이란 이름으로 한글이 반포되면서 비로소 우리말을 온전
<small>① 문자의 이름, ② 책 이름</small>
하게 적을 수 있는 문자가 탄생하였다. 한글 창제 이후 한글 표기법의 원리로 채택된
<small>한글 창제의 의의</small>
것은 음소적 원리와 음절적 원리였다. ▶한글 창제와 한글 표기법의 원리

하 음소적 원리는 각 음소를 충실히 표기하는 방법으로, 예를 들어, '곶[花]'이라는 단어의 형태를 항상 고정해 표기하지 않고 실제 소리 나는 대로 '곳, 고지, 곳도' 등으로
<small>음소적 원리의 개념</small>
표기하는 원리이다. ▶음소적 원리

거 음절적 원리는 각 음절을 표기에 정확히 반영하는 표기 방법으로, 예를 들어 '사ᄅᆷ'
<small>음절 경계를 표기에 반영하는 원리, 음절적 원리의 개념</small>
에 주격 조사 '이'가 연결되는 경우 '사ᄅᆷ이'와 같이 적지 않고 '사ᄅ미'와 같이 적는 원리이다. 실제로 이 단어를 소리 내서 읽어 보면 둘째 음절은 [ᄅᆞ], 셋째 음절은 [미]인 것을 알 수 있다. 따라서 '사ᄅᆷ이'라는 표기보다는 '사ᄅ미'라는 표기가 음절 구조를 더 정확히 반영한 표기이다. ▶음절적 원리

■ 중세 국어의 주격 조사
• 주격 조사에 '가'는 없고 '이'만 있어서 앞말의 받침 유무에 상관없이 '이'만 쓰임.

■ 높임 표현

주체 높임법	객체 높임법	상대 높임법
• 선어말 어미 '-(으)시-'를 붙여서 표현함. • 현대 국어와 비슷함.	• 선어말 어미 '-습-'을 붙여서 표현함. • 현대에 와서 '-습-'은 거의 흔적을 남기지 않고 사라짐	• 선어말 어미 '-(으)이-'를 붙여서 표현함. • 현대에 와서는 어말 어미에 의해 표현됨.

■ 시간 표현

현재 시제	• 동사 어간에는 '-ᄂᆞ-'가 연결됨. • 형용사 어간에는 특별한 형태소가 연결되지 않음.
과거 시제	• 현대 국어의 '-았-/-었-'에 해당하는 선어말 어미가 아직 발달되지 않아서 아무런 형태소의 결합도 없이 표현됨. • 회상의 의미를 표현하는 선어말 어미 '-더-'는 중세 국어에서도 사용됨.
미래 시제	추측의 의미를 표현하는 '-겠'은 아직 발달되지 않았지만, '-(으)리-'가 그 기능을 충분히 하고 있었음.

■ 표기법의 특징
• 세종 28년(1446) '훈민정음'이란 이름으로 한글 반포
  → 비로소 우리말을 온전하게 적을 수 있는 문자가 탄생함.
• 한글 창제 이후 한글 표기법의 원리로 채택된 것은 음소적 원리와 음절적 원리였음.

음소적 원리	각 음소를 충실히 표기하는 방법으로, 단어의 형태를 항상 고정해 표기하지 않고 실제 소리 나는 대로 표기하는 원리 예 곶[花]: 곳, 고지, 고지 곳도
음절적 원리	각 음절을 표기에 정확히 반영하는 표기 방법으로, 음절 구조를 정확히 반영한 표기 원리 예 '사룸'+주격 조사 '이' → 사ᄅᆞ미

09. 〈보기〉는 중세 국어의 문법적 특징을 탐구하기 위해 수집한 자료이다. 이를 설명한 내용으로 적절하지 않은 것은?

〈보기〉
• ㉠ 불휘 기픈 남ᄀᆞᆫ ㉡ ᄇᆞᄅᆞ매 아니 뮐씨
  (뿌리가 깊은 나무는 바람에 움직이지 아니하므로)
• 부텻 마ᄅᆞᆯ ㉢ 듣ᄌᆞᄫᅩᄃᆡ
  (부처의 말씀을 듣되)
• 대샤 ㉣ ᄒᆞ샨 일 아니면 ㉤ 뉘 혼 거시잇고
  (대사(大師) 하신 일 아니면 누가 한 것입니까?)

① ㉠: 체언의 끝소리가 'ㅣ' 모음일 때 주격 조사의 형태는 생략되었다.
② ㉡: 어휘의 의미를 명확히 밝혀 의미를 전달하는 표기 방법을 사용하였다.
③ ㉢: 객체 높임 선어말 어미를 사용하였다는 점에서 현대 국어와 차이가 있다.
④ ㉣: 주체인 '대사'를 높이기 위한 선어말 어미 '-시-'가 사용되었다.
⑤ ㉤: 모음으로 끝나는 체언 뒤에 주격 조사 'ㅣ'가 사용되었다.

10. 다음 밑줄 친 것 중, 중세 국어에서 과거 시제로 해석되는 것은?
① 네 이제 ᄯᅩ 묻ᄂᆞ다
② 드틀와 몰애예 나죗 길헤 셔쇼라
③ 내 이제 분명(分明)히 너ᄃᆞ려 닐오리라
④ 아ᄃᆞᆯᄯᆞᆯ 求(구)ᄒᆞ면 아ᄃᆞᆯᄯᆞᆯ 得(득)ᄒᆞ리라
⑤ 불휘 기픈 남ᄀᆞᆫ ᄇᆞᄅᆞ매 아니 뮐씨 곶 됴코 여름 하ᄂᆞ니

서술형
11. 〈보기〉의 밑줄 친 부분에서 높임법을 나타내는 문법 단위와 그 대상을 밝혀 서술하시오.

〈보기〉
如來하 우리나라해 오샤 衆生의 邪曲을 덜에 ᄒᆞ쇼셔.

(현대어 역) 여래시여 우리나라에 오셔서 중생이 사곡을 덜게 하십시오.

▶ 단어의 변천을 이해하고 확인하는 활동

1. 다음에 제시된 고유어와 한자어를 의미가 같은 것끼리 짝지어 보자.

| 예시 답 |

| 백(百) | 천(千) | 산(山) | 강(江) | 단장
(丹粧) | 친척
(親戚) | 문(門) | 용(龍) |

| ᄀ룸 | 즈믄 | 온 | 미르 | 뫼 | 오래 | 비숨 | 아ᅀᆞᆷ |

학습 도우미

『**석보상절(釋譜詳節)**』
세종의 명을 받아 수양 대군이 석가모니의 일대기와 설법을 담아 세종 29년(1447)에 편찬한 책이다.

- **오샤:** '-(으)시-'는 모음 어미와 만나면 '-(으)샤'로 나타남.
- **이ᄅᆞᆸ보리이다:** '이ᄅᆞ-'는 "이루-"의 의미이지만 이 문맥에서는 "(정사를) 짓-" 정도로 해석할 수 있음.
- **수달(須達):** '수닷타(Sudatta)'의 음역어. 석가모니가 살아 있을 때 생존했던 인도 사위성의 장자(長者). 자비심이 많아 가난한 사람에게 많은 혜택을 주었으며, 기원정사를 세웠다.
- **사곡(邪曲):** 요사스럽고 교활함.
- **정사(精舍):** ① 학문을 가르치기 위하여 마련한 집. ② 정신을 수양하는 곳. ③ 절.

✍ 선어말 어미 '-(으)시-', '-ᄉᆞᆸ-', '-(으)이-'가 각각 높여 표현하고자 하는 대상을 생각해 본다.

▶ 중세 국어의 문법적 특징을 탐구하는 활동

2. 다음은 『석보상절』의 일부이다. 이를 바탕으로 중세 국어의 특징을 탐구해 보자.

須達이 부텨씌 술ᄫᅩ딕 ── 진리로부터 진리를 따라서 온 사람이라는 뜻으로 '부처'를 달리 이르는 말
"如來하 우리나라해 ㉠오샤 衆生이 邪曲을 덜에 ᄒᆞ쇼셔."
世尊이 니ᄅᆞ샤딕 ── '석가모니'의 다른 이름. 세상에서 가장 존귀한 존재라는 뜻임.
"出家ᄒᆞᆫ 사ᄅᆞᆷ 쇼히 ᄀᆞᆮ디 아니ᄒᆞ니 그에 精舍ㅣ 업거니 어드리 가료."
須達이 술ᄫᅩ딕 ── 세속의 인연을 버리고 성자의 수행 생활에 들어감.
"내 어루 ㉡이ᄅᆞᆸ보리이다." ── 『석보상절』 권 6, 21~22장
나 + ㅣ (주격 조사)

(현대어 역)
•수달이 부처께 아뢰되
"여래시여 우리나라에 오셔서 중생의 •사곡을 덜게 하십시오."
세존이 이르시되
"출가한 사람은 속인과 같지 않으니, 거기에 •정사가 없으니 어디로 가겠는가?"
수달이 아뢰되
"내가 능히 짓겠습니다."

(1) 중세 국어 시기에는 주격 조사 '가'가 없었고 '이'만 쓰였다. 현대 국어라면 '가'가 쓰일 자리에 '가'가 쓰이지 않은 예를 찾아보자.

| 예시 답 | 精舍ㅣ (精舍가), 내(내가)

(2) ㉠과 ㉡에 쓰인 중세 국어의 높임법에 관해 탐구하고, 아래의 표를 완성해 보자.

| 예시 답 |

구분	선어말 어미	예	높임의 대상
상대 높임	-이-	이ᄅᆞᆸ보리이다	세존
주체 높임	-사-	오샤	세존(여래)
객체 높임	-ᄉᆞᆸ-	이ᄅᆞᆸ보리이다	세존

▶ 중세 국어 시제 표현을 탐구하는 활동

3. 다음 자료를 읽고, 아래 활동을 통해 중세 국어의 시제 표현에 대해 알아보자.

> ㉠ 이쁴 아둘둘히 아비 죽다 듣고
>   [현대어 역] 이때 아들들이 아버지가 죽었다 듣고 ─『월인석보』 권 17, 21장
> ㉡ 하늘히며 사름 사는 짜흘 다 뫼호아 세계(世界)라 ㅎᄂ니라
>   [현대어 역] 하늘이며 사람 사는 땅을 다 모아서 세계라 한다. ─『월인석보』 권 1, 8장
> ㉢ 내 이제 분명(分明)히 너ᄃ려 닐오리라
>   [현대어 역] 내가 이제 분명히 너에게 말하겠다. ─『석보상절』 권 19, 4장

(1) 위 자료에서 밑줄 친 부분에 해당하는 현대 국어를 찾아서 시제를 확인해 보자.

| 예시 답 |

중세 국어	현대 국어	시제
죽다	죽었다	과거
ㅎᄂ니라	한다	현재
닐오리라	말하겠다	미래

(2) 중세 국어에서 동사의 시제를 표시하는 선어말 어미를 확인하여 표로 정리해 보자.

| 예시 답 |

과거 시제	현재 시제	미래 시제
ø 또는 회상의 선어말 어미 '–더–'	–ᄂ–	–리–

개념 ⊕
시제 선어말 어미(동사)

시제	선어말 어미	예
과거	ø	
	–더/다–	ㅎ더라, ㅎ더니
현재	–ᄂ–/노–	ㅎᄂ다, ㅎᄂ니
미래	–(으)리–	ㅎ리라, ㅎ려

※ 회상의 선어말 어미 '–더–'는 선어말 어미 '–오–'가 결합되면 '–다–'가 되고, 현재 시제 선어말 어미 '–ᄂ–'는 선어말 어미 '–오–'가 결합하면 '–노–'가 됨.

개념 ⊕
과거 시제는 아무런 선어말 어미를 쓰지 않거나 선어말 어미 '–더–'를 써서 표현한다.
예 ㅎ더라, ㅎ더니

▶ 중세 국어 표기법을 탐구하는 활동

4. 다음은 『훈민정음』 해례본의 종성해에서 받침 표기에 대해 설명하고 있는 부분이다. 아래 활동을 통해 중세 국어 표기법에 대해 알아보자.

> ㄱㆁㄷㄴㅂㅁㅅㄹ 八字可足用也
> 如빗곶爲梨花 엿의갗爲狐皮
> 而ㅅ字可以通用 故只用ㅅ字
>
> 'ㄱㆁㄷㄴㅂㅁㅅㄹ' 여덟 자로 족히 쓸 수 있다. '빗곶'은 '배꽃'이, '엿의갗'은 '여우의 가죽'이 된다. 하지만 'ㅅ' 자로 통용할 수 있으므로 'ㅅ' 자로만 쓴다.

(1) '빗곶'과 '엿의갗' 대신에 어떤 표기를 선택한다고 하였는지 생각하여 괄호를 채워 보자.

| 예시 답 |

• 빗곶 → (빗곳)   • 엿의갗 → (엿의갓)

(2) (1)의 표기법과 현대 국어의 표기법을 비교하여 말해 보자.

| 예시 답 | (1)의 왼쪽은 단어의 원래 형태를 밝혀 표기한 것으로 형태 음소적 원리에 따른 것이고, 오른쪽은 실제 소리를 그대로 표기에 반영한 것으로 음소적 원리에 따른 것이다. 현대 국어에서는 형태 음소적 원리를 택하고 있는 반면 중세 국어에서는 음소적 원리를 택하였다.

개념 ⊕
종성부용초성(終聲復用初聲)
훈민정음에서, 종성의 글자를 별도로 만들지 아니하고 초성으로 쓰는 글자를 다시 사용한다는 종성의 제자 원리(制字原理).

중세 국어 시기 구분

구분	• (㉠　　) 건국(10세기)부터 16·17세기 교체기 이전까지의 시기 • 대략 10세기 초~15세기 중엽까지를 전기 중세 국어 시기, 15세기 중엽~16세기 말까지를 후기 중세 국어 시기로 보는 것이 일반적임.
특징	• 고려가 건국되면서 국어의 중심이 (㉡　　) 방언에서 중부 방언으로 옮겨짐. • 훈민정음이 창제되어 한글로 기록된 문헌 자료가 많이 나온 시기를 기점으로 전기 중세 국어와 후기 중세 국어로 구분함.

중세 국어의 특징

1 음운

• 된소리 계열 등장
현대 국어에서 '예사소리-거센소리-(㉢　　)'의 대립 체계가 성립되는 변화라는 의미가 있음.

• '(㉣　　)'와/과 'ㅿ' 등장
근대 국어 시기까지 이어지지 않고 그 전에 소멸함.

ㅸ	15세기 중반부터 'ㅜ[w]'로 바뀌거나, 흔적을 남기지 않고 소멸함. ⑩ 고ᄫᅡ〉고와, 고ᄫᅵ〉고이, 셔ᄫᅩᆯ〉서울
ㅿ	15세기 말부터 소멸되기 시작하였는데, 'ㅸ'과 달리 아무 흔적을 남기지 않고 소멸함. ⑩ 아ᅀᆞ〉아우, 처ᅀᅥᆷ〉처음

• 'ㆍ'의 소실

	1단계	2단계
시기	16세기(후기 중세 국어 시기)	18세기(근대 국어 시기)
내용	(㉤　　) 음절 이하의 'ㆍ'가 주로 'ㅡ'로 변함.	첫째 음절의 'ㆍ'가 주로 'ㅏ'로 변하면서 모음 'ㆍ'는 완전 소멸됨.
예	ᄒᆞ물며〉ᄒᆞ믈며, 다ᄅᆞ다〉다르다	ᄅᆡ년〉래년(來年), ᄃᆞᆯ팡이〉달팽이

• 모음 조화가 지켜짐.
– 현대 국어와 달리 중세 국어는 모음 조화가 엄격히 지켜짐.
– 모음 조화는 양성 모음과 음성 모음의 대립에 기반을 두고 있음.

양성 모음	ㆍ, ㅏ, ㅗ
음성 모음	ㅡ, ㅓ, ㅜ
중성 모음	ㅣ

⑩ 조사나 어미에는 모음 조화에 의한 교체 형태가 갖추어짐.
'나'(1인칭 대명사) → 나는, 나를
'너'(2인칭 대명사) → 너는, 너를
'막–' → 마가, 마ᄀᆞᆫ, 마ᄀᆞᆯ
'먹–' → 머거, 머근, 머글

• 성조의 이용
– 소리의 (㉥　　)인 성조를 이용해서 단어의 뜻을 구별함.

평성	거성	상성
낮은 소리. 글자 왼쪽에 점이 없음.	높은 소리. 글자 왼쪽에 점을 하나 찍음.	낮다가 높아지는 소리. 글자 왼쪽에 점을 두 개로 찍음.

– 대략 16세기 말에 소멸되었으며, 대체로 평성과 거성은 짧은 소리로, 상성은 긴 소리로 바뀌어 현대 국어의 장단 체계를 가지게 된 것으로 보임.
⑩ ᄆᆞᆯ[馬], ·발[足] ← 현대에 짧은 소리로 남음.
:말[言], :발[簾] ← 현대에 긴 소리로 남음.

2 어휘

• 한자어의 유입

유입	삼국 시대에 한자가 들어오면서 우리말의 어휘 체계는 (Ⓐ　　)와/과 한자어의 이원 체계를 기본으로 하게 됨.

⬇ 시간의 경과

어휘 체계 안에서 차지하는 고유어의 비중은 기존보다 작아지고 한자어의 비중은 높아지는 변화가 지속해서 진행됨. ⑩ 고려 광종 때 과거 시험에 한자가 포함되어 한자어의 침투와 확산이 급격히 진행됨.

⬇

결과	한자어의 유입 결과: 적절한 고유어가 없는 공백을 자연스럽게 메웠을 뿐만 아니라, 같은 의미가 있는 한자어가 유입되면, 고유어와 (㉦　　) 관계를 형성함. → 고유어가 축소되거나 소실됨.

고유어의 축소	원래 의미 영역 가운데 큰 부분을 한자어에 넘겨주고 살아남음. 예 한자어 '여자(女子)'와 거의 같은 의미를 지니던 고유어 '겨집'이 현대에는 '여자를 낮잡아 이르는 말'이 됨.
고유어의 소멸	한자어에 의해 완전히 대체되어 소멸됨. 예 ᄀᆞᄅᆞᆷ → 강(江), 즈믄 → 천(千), 비ᄉᆞᆷ → 단장(丹粧), 아ᅀᅩᆷ → 친척(親戚)

• (ⓐ)의 유입

배경	13~14세기에 고려가 원(元)과 밀접한 관계가 되면서 한자어와 구별되는 몽골어가 많이 들어옴.
특징	• 관직, 말[馬], 매[鷹], 군사, 음식 등에 관한 단어가 주류를 이루었다. • 대부분 한동안 사용되었다가 사라졌지만, 일부는 현대 국어에까지 남은 것도 있음. 예 가라말(털빛이 온통 검은 말), 보라매(사냥에 쓰는 매), 수라(왕의 식사) 등

3 문법

• 중세 국어의 주격 조사
주격 조사에 '가'는 없고 '이'만 있어서 앞말의 받침 유무에 상관없이 '이'가 쓰임.

형태	환경	예
이	자음으로 끝난 체언 뒤	육룡이, 시미
ㅣ	'ㅣ' 이외의 모음으로 끝난 체언 뒤	부톄(부텨 + ㅣ)
ø	'ㅣ' 모음으로 끝난 체언 뒤(동음 생략)	불휘(붉휘 + ø)

• 높임 표현

주체 높임법	객체 높임법	(ⓐ) 높임법
• 선어말 어미 '-(으)시-'를 붙여서 표현함. • 현대 국어와 비슷함.	• 선어말 어미 '-ᄉᆞᆸ-'을 붙여서 표현함. • 현대에 와서 '-ᄉᆞᆸ-'은 거의 흔적을 남기지 않고 사라짐.	• 선어말 어미 '-(으)이-'를 붙여서 표현함. • 현대에 와서는 어말 어미에 의해 표현됨.

• 시간 표현

현재 시제	(ⓐ) 어간에는 '-ᄂᆞ-'가 연결되는 반면 형용사 어간에는 특별한 형태소가 연결되지 않음. 예 가ᄂᆞ다, 어엿브다

과거 시제	• 현대 국어의 '-았-/-었-'에 해당하는 선어말 어미가 아직 발달되지 않아서 아무런 형태소의 결합도 없이 표현됨. • 회상의 의미를 표현하는 선어말 어미 '-더-'는 중세 국어에서도 사용됨. 예 ᄒᆞ더라, ᄒᆞ더니
미래 시제	추측의 의미를 표현하는 '-겠'은 아직 발달되지 않았지만, '-(으)리-'가 그 기능을 충분히 하고 있었음. 예 ᄒᆞ리라, ᄒᆞ려

4 표기법: 한자 차용 표기법

• 세종 28년(1446) '훈민정음'이란 이름으로 한글이 반포되면서 비로소 우리말을 온전하게 적을 수 있는 문자가 탄생하였다.
• 한글 창제 이후 한글 표기법의 원리로 채택된 것은 음소적 원리와 음절적 원리였다.

음소적 원리	각 음소를 충실히 표기하는 방법으로, 단어의 형태를 항상 고정해 표기하지 않고 실제 소리 나는 대로 표기하는 원리 예 곶[花] → 곳, 고지, 곳도
(ⓔ) 원리	각 음절을 표기에 정확히 반영하는 표기 방법으로, 음절 구조를 정확히 반영한 표기 원리 예 사ᄅᆞᆷ + 주격 조사 '이' → 사ᄅᆞ미

보충자료

훈민정음 창제의 원리

• 상형(象形)의 원리
  – 발음 기관을 상형한 한글 자음 자모: 자음 자모의 경우에는 기본자가 발음 기관의 모양을 본떠서 제작되었음을 밝히고 있다.
  – 천지인(天地人)을 상형한 모음 자모: 모음 자모 제작에도 상형의 원리가 적용되었는데, 모음의 기본인 'ᆞ, ㅡ, ㅣ'는 각각 '둥근 하늘[天], 평평한 땅[地], 서 있는 사람[人]'의 모양을 본뜬 것이다.
• 가획(加劃)의 원리
  '가획'이란 획을 더한다는 의미이며, 한글은 상형을 통해 제작한 자음 자모의 기본 글자(ㄱ, ㄴ, ㅁ, ㅅ, ㅇ)에 소리의 세기에 따라 획을 더하여 다른 자음 자모들을 만들었다. 자음 자모에서는 획을 추가하여 센 소리를 만들었기 때문에 글자의 모양만으로 소리의 세기 관계를 파악할 수 있다.
• 합용(合用)의 원리
  합용의 원리는 바로 앞에서 밝힌 상형의 원리와 가획의 원리 등을 통해 제작한 글자를 다시 합하여 사용하는 것을 의미한다.

답 ⊙ 고려, ⓒ 동남, ⓒ 된소리, ② ᄫ, ⑩ 둘째, ⑭ 높낮이, ⊘ 고유어, ⊙ 대립, ⊗ 몽골어, ⊗ 상대, ⊙ 동사, ⓔ 음절적

소단원 **적중 문제**

[01~03] 다음 글을 읽고, 물음에 답하시오.

㉮ 국어의 중심이 동남 방언에서 중부 방언으로 옮겨지는 고려 건국(10세기)부터 사회·문화적 변화와 더불어 언어적 변화가 급격하게 나타나는 16·17세기 교체기 이전까지를 중세 국어 시기로 본다. 중세 국어는 훈민정음이 창제되어 한글로 기록된 문헌 자료가 많이 나온 시기를 기점으로 전기 중세 국어와 후기 중세 국어로 구분한다. 대략 10세기 초~15세기 중엽까지를 전기 중세 국어 시기, 15세기 중엽~16세기 말까지를 후기 중세 국어 시기로 보는 것이 일반적이다.

㉯ 중세 국어의 음운적 특징으로는, 된소리 계열이 생겨난 점, 유성 마찰음 'ㅸ, ㅿ'이 쓰이는 점, 'ㆍ'가 소멸되기 시작하고 모음 조화가 잘 지켜진 점, 성조가 있었던 점 등을 들 수 있다. / 먼저 된소리의 발달은 현대 국어에서 '예사소리–거센소리–된소리'의 대립 체계가 성립되는 변화라는 의미가 있다. 또한, 현대 국어에서는 볼 수 없는 'ㅸ, ㅿ' 소리가 이 시기에 사용되고 있었는데, 이 소리들은 근대 국어 시기까지 이어지지 않고 그 전에 소멸의 길을 걸었다. 예를 들어, '셔볼〉서울', '처섬〉처음' 등에서 그 변화를 볼 수 있다.

중세 국어에는 현대 국어에 없는 'ㆍ'가 있었다. 모음 'ㆍ'는 후기 중세 국어 때부터 변화되었는데 16세기에는 둘째 음절 이하의 'ㆍ'가 주로 'ㅡ'로 변하고, 이후 근대 국어 시기에 이르러 첫째 음절의 'ㆍ'가 주로 'ㅏ'로 변하면서, 모음 'ㆍ'는 완전히 소멸되었다. 'ᄆᆞᅀᆞᆷ〉마음'은 그러한 변화 양상을 잘 보여 주는 예이다.

현대 국어와 달리 중세 국어에서는 모음 조화가 엄격하게 지켜졌다. 예를 들어, 조사나 어미에는 모음 조화에 의한 교체 형태를 갖추고 있어서, 1인칭 대명사 '나'와 2인칭 대명사 '너'는 모음 조화에 따라 '나는, 나를'과 '너는, 너를' 등으로 나타났고, 동사 '막–'과 '먹–'은 '마가, 마근, 마글'과 '머거, 머근, 머글' 등으로 나타났다.

소리의 높낮이인 성조를 이용해서 단어의 뜻을 구별하던 점은, 장단에 의해 뜻을 구별하는 현대 국어와 차이를 보인다. 성조는 글자 왼쪽에 방점을 찍어 표시하였는데, 낮은 소리인 평성은 점이 없으며, 높은 소리인 거성은 한 점, 처음에는 낮다가 나중에는 높아지는 상성은 두 점을 찍었다. 성조는 대략 16세기 말에 소멸되었으며, 대체로 평성과 거성은 짧은 소리로, 상성은 긴 소리로 바뀌어 현대 국어의 장단 체계를 가지게 된 것으로 보인다.

01 윗글의 내용과 일치하지 <u>않은</u> 것은?

① 방점을 사용하여 소리의 장단을 구별하였다.
② 앞말의 모음에 따라 조사의 형태가 달랐다.
③ 음의 높낮이를 이용하여 단어의 의미를 변별하였다.
④ 중세 국어 이전에는 예사소리와 거센소리만이 있었다.
⑤ 한글 창제는 국어사에서 큰 전환기를 마련한 사건이었다.

<u>수능형</u>
02 윗글을 고려할 때 〈보기〉에 대한 설명으로 적절하지 <u>않은</u> 것은?

〈보기〉
ㄱ. ᄆᆞᄉᆞᆯ〉ᄆᆞᄋᆞᆯ〉마을
　　ᄀᆞᄉᆞᆯ〉ᄀᆞᄋᆞᆯ〉가을
ㄴ. (날씨가) 덥(다) + –어: 더버
ㄷ. (색깔이) 곱(다) + –아: 고바〉고와
　　(고기를) 굽(다) + –어: 구버〉구워

① ㄱ으로 보아 'ㆍ'가 소멸될 때 첫째 음절과 둘째 음절의 변화 양상이 같았음을 알 수 있다.
② ㄱ의 'ᄆᆞᄋᆞᆯ'과 'ᄀᆞᄋᆞᆯ'은 둘째 음절에서 'ㆍ'가 사용된 점으로 보아 근대 이전의 표기임을 알 수 있다.
③ ㄱ의 'ᄆᆞᄉᆞᆯ'과 ㄴ의 '더버'로 볼 때, 중세 국어에는 현대 국어에 사용되지 않는 음운이 있었음을 알 수 있다.
④ ㄴ과 ㄷ으로 보아, 중세 국어에서는 모음 조화가 철저히 지켜졌음을 알 수 있다.
⑤ ㄷ으로 보아, ㄴ의 '더버'는 훗날 '더워'로 바뀌었을 것이라고 추측할 수 있다.

<u>서술형</u>
03 〈보기〉의 밑줄 친 부분의 모음을 현대 국어와 비교할 때, 이를 통해 알 수 있는 중세 국어의 특징을 쓰시오.

〈보기〉
겨스레 소옴 둔 <u>오</u>ᄉᆞᆯ 닙디 아니 ᄒᆞ고 녀르메 서늘ᄒᆞᆫ <u>ᄃᆡ</u> 가디 아니 ᄒᆞ며 ᄒᆞᄅᆞ ᄡᆞᆯ 두 호ᄫᆞ로써 <u>쥭</u>을 밍글오 소곰과 ᄂᆞ믈흘 먹디 아니 <u>ᄒᆞ</u>더라 　　–『내훈』 (1447년)에서

(현대어 역) 겨울에 솜 든 옷을 입지 아니하고 여름에 서늘한 데 가지 아니하며 하루 쌀 두 홉으로써 죽을 만들고 소금과 나물을 먹지 아니하더라.

〈조건〉
• 현대 국어와 대조하는 문장으로 쓸 것.

[04-06] 다음 글을 읽고, 물음에 답하시오.

㉮ 새로운 개념이나 사물이 들어오면서 한자어가 같이 유입되어 적절한 고유어가 없는 공백을 자연스럽게 메웠을 뿐 아니라, 다른 한편으로 이미 고유어가 존재하는 경우에도 같은 의미를 가진 한자어가 유입되어 고유어와 한자어의 대립 관계가 형성되었다. 이러한 대립 관계 속에서 고유어는 원래의 의미 영역 가운데 큰 부분을 한자어에 넘겨주고 자기의 의미 영역을 축소하면서 살아남거나 완전히 소멸되는 길을 가게 되었다. 이처럼 중국어로부터 유입된 한자어의 비중이 꾸준히 높아지는 가운데, 13세기와 14세기에 고려가 원(元)과 밀접한 관계가 되면서 한자어와는 구별되는 몽골어가 많이 들어온 것이 중세 국어 시기의 매우 두드러진 특징이다. 이때 우리나라로 들어온 몽골어는 관직, 말[馬], 매[鷹], 군사, 음식 등에 관한 단어가 주류를 이루었다.

㉯ 중세 국어 시기에는 주격 조사에 '가'는 없고 '이'만 있어서 앞말의 받침 유무에 상관없이 '이'가 쓰였다. 예를 들어, '시미 기픈 므른', '부톄 니르샤딕', '불휘 기픈 남군' 등에서 주격 조사 '이'가 쓰인 양상을 볼 수 있다.

높임 표현은 선어말 어미에 의해 실현되었는데, '-(으)시-'에 의한 주체 높임법, '-ᄉᆞᆸ-'에 의한 객체 높임법, '-(으)이-'에 의한 상대 높임법의 정연한 체계를 이루고 있었다. 대체로 주체 높임법의 경우는 현대 국어와 비슷하지만, 객체 높임법의 '-ᄉᆞᆸ-'은 현대에 와서 거의 흔적을 남기지 않고 사라졌고, 상대 높임법 또한 선어말 어미에 의해 표현되던 체계는 사라지고 현대에 와서는 어말 어미에 의해 표현된다.

㉰ 한글 창제 이후 한글 표기법의 원리로 채택된 것은 음소적 원리와 음절적 원리였다.

음소적 원리는 각 음소를 충실히 표기하는 방법으로, 예를 들어, '꽃[花]'이라는 단어의 형태를 항상 고정해 표기하지 않고 실제 소리 나는 대로 '곳, 고지, 곳도' 등으로 표기하는 원리이다.

음절적 원리는 각 음절을 표기에 정확히 반영하는 표기 방법으로, 예를 들어 '사룸'에 주격 조사 '이'가 연결되는 경우 '사룸이'와 같이 적지 않고 '사ᄅᆞ미'와 같이 적는 원리이다. 실제로 이 단어를 소리 내서 읽어 보면 둘째 음절은 [ᄅᆞ], 셋째 음절은 [미]인 것을 알 수 있다. 따라서 '사룸이'라는 표기보다는 '사ᄅᆞ미'라는 표기가 음절 구조를 더 정확히 반영한 표기이다.

04 윗글에 대한 이해로 적절하지 <u>않은</u> 것은?

① 언어는 새로운 문화와 문물의 유입에 따라 변화할 수 있다.
② 14세기 이후 우리나라에는 원나라의 문화가 널리 퍼졌다.
③ 중세 국어에서 주체 높임 선어말 어미는 '-(으)시-'가 사용되었다.
④ 중세 국어는 음소적 원리에서 음절적 원리로 표기 양상이 변화하였다.
⑤ 중세 국어는 체언과 조사를 구별하여 표기하지 않고 소리 나는 대로 표기하였다.

<u>학습 활동 적용</u>

05 〈보기〉의 중세 국어 자료를 분석한 내용으로 적절하지 <u>않은</u> 것은?

┌ 보기 ┐
ㄱ. 이ᄢᅴ 아들 들히 아비 죽다 듣고
  (이때 아들들이 아버지가 죽었다 듣고)
ㄴ. 하ᄂᆞᆯ히며 사ᄅᆞᆷ 사ᄂᆞᆫ 따ᄒᆞᆯ 다 뫼호아 세계(世界)라 ᄒᆞᄂᆞ니라
  (하늘이며 사람 사는 땅을 다 모아서 세계라 한다.)
ㄷ. 내 이제 분명(分明)히 너ᄃᆞ려 닐오리라
  (내가 이제 분명히 너에게 말하겠다.)
└──────────┘

① 주격 조사 '가'가 사용되지 않았군.
② 과거 시제를 따로 나타내는 선어말 어미가 없었군.
③ 현재 시제를 나타내는 선어말 어미 '-ᄂᆞ-'가 사용되었군.
④ '닐오리라'로 보아 당시에는 음소적 원리와 음절적 원리를 병행하여 사용하였군.
⑤ '닐오리라'의 기본형이 '닐오다'라는 점을 고려한다면, 선어말 어미 '-리-'는 미래 시제를 나타내는군.

<u>서술형</u>

06 〈보기〉의 ⓐ, ⓑ를 통해 알 수 있는 중세 국어의 특징을 현대 국어와 비교하여 간략히 각각 서술하시오.

┌ 보기 ┐
우리 ⓐ 父母ㅣ 太子ㅅ긔 ⓑ 드리ᄉᆞᆸ시니
(현대어 역) 우리 부모가 태자께 드리시니
└──────────┘

3 근대 국어

소단원 학습 포인트
- 근대 국어의 음운, 어휘, 문법, 표기법 이해하기

가 근대 국어 시기는 17세기 초부터 19세기 말까지에 해당한다. 이 시기는 『안으로는 자생적인 근대 의식이 싹트는 한편, 밖으로는 중국을 통해 새로운 서양 문물과 과학 지식 및 기독교 문화가 유입되는 시기였다.』 이와 같은 언어 외적 환경의 변화와 맞물려 이 시기의 우리말 또한 많은 변화를 겪게 되면서 음운, 어휘, 문법 등 언어적인 면에서도 앞 시대의 국어와는 많이 다른 모습을 보이게 되었다.

(근대 국어 시기 / 『』: 근대 국어 시기 국내외 사회적 변화 양상 / 근대 국어 시기 국어에 이전 시기와 상당히 다른 변화가 나타남. – 시대 구분이 이루어지는 이유)

▶근대 국어 시기의 시대 구분

나 전반적으로 근대 국어는 시기적인 측면에서 중세 국어와 현대 국어의 가운데에 자리 잡고 있을 뿐 아니라 음운, 어휘, 문법 등 언어적인 측면에서도 중세 국어와 현대 국어의 차이를 이어 주는 중요한 고리의 역할을 하고 있다고 평가할 수 있다. 국어의 기본적인 특징들은 대체로 고대 국어부터 현대 국어까지 공통되는 것이지만 현대 국어의 특징이라 할 만한 것 가운데에는 근대 국어 시기의 변화에서 비롯된 부분이 적지 않은 것이다.

(근대 국어 시기의 가치)

▶근대 국어 시기의 탐구 가치

다 1 음운

중세 국어 시기를 거치면서 자음 'ㅸ, ㅿ'은 소멸되었고, 모음 'ㆍ'는 16세기 말에 둘째 음절 이하에서 'ㅡ'로 변하였고 근대 국어 시기인 18세기에 와서 첫째 음절에서 대체로 'ㅏ'로 변하였다.

(15세기 중엽부터 [w]로 바뀌기 시작함. / 15세기 말~16세기 초에 걸쳐 소멸함. / 모음 'ㆍ'의 변화로 나타난 변모 양상)

▶자음과 모음의 변화 양상과 특징

라 'ㆍ'의 변화가 어느 정도 완성되자 모음 조화가 잘 지켜지지 못하는 현상이 발생하였다. 'ㆍ' 자체는 양성 모음으로서 모음 조화에서 음성 모음 'ㅡ'와 대립되면서 중요한 역할을 하였는데, 첫째 음절에서는 양성 모음, 둘째 음절 이하에서는 음성 모음으로 변하는 일이 많았기 때문에 자연스럽게 모음 조화를 지키지 못하게 되었다. 예를 들어, 모음 조화를 잘 지키던 'ᄆᆞᅀᆞᆯ'이란 단어가 'ㆍ' 소멸 과정을 겪은 후에 '마을'이란 형태로 변하여 한 단어 내에 양성 모음과 음성 모음이 공존하는, 즉 모음 조화를 지키지 못하는 양상을 보이게 된 것이다.

(모음 'ㆍ'의 변화 때문에 / 모음 조화가 잘 안 지켜지게 된 이유)

▶모음 'ㆍ'의 변화로 나타난 변모 양상

마 근대 국어 시기에 발생한 구개음화는 자음의 변천과 관련하여 가장 주목되는 음운 현상이다. 이전 시기까지 'ㄷ, ㅌ'이 'ㅣ' 앞에서 그대로 소리 나던 것이 이 시기에 와서 'ㅈ, ㅊ'으로 음운 변화를 일으키게 되었고, 그 결과가 현대 국어까지 이어지게 되었다. 예를 들어, '디다〉지다[落], 티다〉치다[打], 부텨〉부처[佛]' 등에서 구개음화를 확인할 수 있다.

▶근대 국어 시기에 나타난 구개음화 현상

'ㆍ'의 소실
- 1단계(16세기 말): 둘째 음절 이하 'ㆍ' → 'ㅡ'
  예 ᄒᆞ몰며〉ᄒᆞ믈며, 다ᄅᆞ다〉다르다
- 2단계(18세기): 첫째 음절에서 'ㆍ' → 'ㅏ'
  예 ᄅᆡ년〉래년(來年), ᄃᆞᆯ팡이〉달팽이

개념+
구개음화
치경음이던 'ㅈ, ㅊ, ㅉ'이 경구개음으로 바뀌면서 모음 'ㅣ' 앞에서 'ㄷ, ㅌ, ㄸ'이 발음의 편리를 위해 'ㅈ, ㅊ, ㅉ'으로 바뀌는 현상
예 어딜다 > 어질다, 고티다 > 고치다, ~디 아니ᄒᆞ다 > ~지 아니ᄒᆞ다

지학이가 알려 줄게

Ⅱ 단원에서 배웠던 구개음화를 다시 간단하게 이야기하면?

끝소리가 'ㄷ', 'ㅌ'인 형태소가 모음 'ㅣ'나 반모음 'ㅣ[j]'로 시작되는 형식 형태소와 만나면 그것이 구개음 'ㅈ', 'ㅊ'이 되거나, 'ㄷ' 뒤에 형식 형태소 '히'가 올 때 'ㅎ'과 결합하여 이루어진 'ㅌ'이 'ㅊ'이 되는 현상으로, '굳이'가 '구지'로, '굳히다'가 '구치다'로 되는 경우야.

■ 근대 국어 시기 구분과 특징

시기	17세기 초부터 19세기 말까지에 해당함.
배경	• 내부: 자생적인 근대 의식이 싹트고 있음. • 외부: 중국을 통해 새로운 서양 문물과 과학 지식 및 기독교 문화가 유입됨.

↓

영향	언어 외적 환경의 변화와 맞물려 우리말 또한 많은 변화를 겪었는데, 음운, 어휘, 문법 등 언어적인 면에서 앞 시대의 국어와는 많이 다른 모습을 보이게 됨.
가치	음운, 어휘, 문법 등 언어적인 측면에서 중세 국어와 현대 국어의 차이를 이어 주는 중요한 고리의 역할을 함.

■ 근대 국어의 음운적 특징

① 자음의 변화

근대 국어 시기 전 'ㅸ, ㅿ'이 중세 국어 시기에 소멸됨.

② 모음의 변화

'ㆍ'가 소실되면서 모음 조화를 지키지 못하는 양상을 보이게 됨.

'ㆍ' 역할	→	'ㆍ' 소실	→	첫째 음절에서는 양성 모음, 둘째 음절 이하에서는 음성 모음으로 변화하는 일이 많아짐.
자연스럽게 모음 조화를 지키지 못하는 양상을 보이게 됨.		양성 모음으로서 모음 조화에서 음성 모음 'ㅡ'와 대립되면서 중요한 구실을 하였음.		

③ 구개음화의 발생

이전 시기까지 'ㄷ, ㅌ'이 'ㅣ' 앞에서 그대로 소리 나던 것이 이 시기에 와서 'ㅈ, ㅊ'으로 음운 변화를 일으키게 되었고, 그 결과가 현대 국어까지 이어지게 됨.

예 디다>지다[落], 티다>치다[打], 부텨>부처[佛]

두음 법칙

어두(語頭)에 특정 음운이나 여러 개의 자음(어두 자음군)이 오지 못한다는 규정

예 님금 > 임금

원순 모음화

주로 양순음(ㅂ, ㅍ, ㅃ, ㅁ) 다음에 나타나는 평순 모음이 원순 모음으로 바뀌는 현상

예 믈(水) > 물, 블(火) > 불, 플(草) > 풀

01. 〈보기〉는 중세 국어(ㄱ)와 근대 국어(ㄴ)의 특징을 보여 주는 자료이다. 이에 대한 설명으로 적절하지 않은 것은?

┌ 보기 ┐

ㄱ. • 셔볼 도ᄌᆞ기 드러 (서울에 도적이 들어)
   • 시름 ᄆᆞᅀᆞᆷ 업스샤ᄃᆡ (시름 마음 없으시되)
   • 곶 됴코 여름 하ᄂᆞ니 (꽃 좋고 열매 많으니)
                          – 용비어천가 49, 102, 2장

ㄴ. • 우리 셔울 가면 어듸 머므러야 됴흐료
   (우리 서울 가면 어디에 머물러야 좋을까?)
   • 네 니ᄅᆞ미 올타 나도 ᄆᆞ음애 이리 싱각ᄒᆞ엿더니 네 니ᄅᆞ미 맛치 내 ᄠᅳᆮ과 ᄀᆞᆺ다 (네 말이 옳다. 나도 마음에 이리 생각하였는데 네 말이 마침 내 뜻과 같다.)
                          – 『중간노걸대언해』 상권, 10장

① ㄱ의 '셔볼'이 ㄴ에서는 '셔울'로 나타나는 것으로 보아 'ㅸ'은 'ㅜ[w]'로 변화했음을 알 수 있다.

② ㄱ의 'ᄆᆞᅀᆞᆷ'이 ㄴ에서 'ᄆᆞ음'으로 변한 것으로 보아 ㄱ에서 ㄴ로 옮겨가는 도중에 'ㅿ'이 소멸했음을 알 수 있다.

③ ㄱ의 '됴코'의 현대어 풀이와 ㄴ의 '됴흐료'의 현대어 풀이를 볼 때 ㄱ의 시기에 구개음화 현상이 일어났음을 알 수 있다.

④ ㄱ의 'ᄆᆞᅀᆞᆷ'과 ㄴ의 'ᄆᆞ음'을 비교할 때, 'ㆍ'를 근대 국어에도 여전히 쓰였음을 알 수 있다.

⑤ ㄴ의 'ᄆᆞ음'과 현대어 풀이 '마음'을 볼 때, 'ㆍ'는 'ㅏ'와 'ㅡ'로 바뀌었음을 알 수 있다.

출제 예감

02. 근대 국어 시기에 일어난 'ㆍ'의 변화를 설명한 것으로 적절하지 않은 것은?

① 16세기 말에 나타나기 시작하여 주로 둘째 음절 이하에서 'ㅡ'로 변하였다.

② 16세기 말에 나타난 변화는 'ᄒᆞᄅᆞ며>ᄒᆞ르며', '다ᄅᆞ다>다르다'의 사례에서 찾아 볼 수 있다.

③ 2단계 소실은 주로 근대 국어 시기에 나타났으며 첫음절의 'ㆍ'가 'ㅏ'로 변하였다.

④ 'ㅡ'와 대립의 짝을 이루던 'ㆍ'가 소실되면서 모음 조화가 잘 지켜지지 않게 되었다.

⑤ '릭년>래년(來年), 둘팡이>달팽이' 등으로 보아 'ㆍ'의 소실로 새로운 모음이 나타나게 되었다.

• 주격 조사

중세 국어	'이' 하나만 쓰임.
	이 — 자음으로 끝난 체언 뒤 ⑩ 사룸 + 이 → 사르미
	— 'ㅣ' 모음 이외의 모음으로 끝난 체언 뒤 ⑩ 공자(孔子)ㅣ
	ø — 'ㅣ' 모음으로 끝난 체언 뒤(ㅣ+ㅣ→ㅣ) ⑩ 드리 +ㅣ → 드리
근대 국어	'가'가 생겨 '이'와 구별되어 쓰임. ⑩ 빈가(배가)

• 관형격 조사

중세 국어	• '이': 양성 모음 뒤 유정 명사 뒤에 쓰임. ⑩ 미리 좀(향)(말의 향기)
	• '의': 음성 모음 뒤 유정 명사 뒤에 쓰임. ⑩ 崔九의 집(최구의 집)
	• 'ㅅ': 높임 명사 뒤 무정 명사 뒤에 쓰임. ⑩ 나랏 말씀(나라의 말씀)
근대 국어	• 'ㆍ'가 소실되면서 관형격 조사 '이'는 '의'로 단일화됨. • 'ㅅ'이 관형격 기능을 점차 잃게 됨.

• 기타 조사

중세 국어	• 목적격 조사: 올/을, 롤/를이 쓰임. ⑩ 마음을, 놀애롤 • 부사격 조사: 'ㆍ로, 에/애(비교, 처소) ⑩ 둥켼에 달아, 바룰애 가느니 • 호격 조사: 하, 아/야, (이)여 ⑩ 님금하, 長子야
근대 국어	• 'ㆍ'가 소실 • 목적격 조사: '올/을' → '을' • 부사격 조사: 'ㆍ로' → '으로'로 단일화됨.

• 선어말 어미 'ㆍ오/우ㆍ'

중세 국어	1인칭 주어와 호응하는 어미로 사용됨. ⑩ 내 스물여듧주롤 밍ㄱ노니(내가 스물여덟자를 만들었으니)
근대 국어	주어가 1인칭일 때 사용했던 선어말 어미 'ㆍ오/우ㆍ'가 소멸

• 명사형 어미

중세 국어	'ㆍ옴/움'이 사용됨. ⑩ 닷곰(닦음) → 닦음
근대 국어	• 'ㆍ기'가 나타나 활발하게 쓰임. ⑩ 보기, 넙기 • 'ㆍ옴/움'이 'ㆍ음/ㅡㅁ'으로 형태가 바뀜.

바 2 어휘

어휘 면에서는 기존의 한자어에 더하여 서양의 새로운 지식이 중국을 통해 유입되는 과정에서 번역 한자어가 새로 유입되는 경우가 많았다. 또한 중국 이외에 일본이나 서양과의 접촉을 통해 유입되는 새로운 어휘가 늘어난 것도 이 시기의 특징이다. '자명종(自鳴鐘)', '천리경(千里鏡)' 등이 근대에 새로 들어온 한자어이다.
▶중국을 통한 서양 문물의 유입 과정에서 번역 한자어의 유입이 증가함

결과적으로 우리나라의 어휘 체계는 고유어와 한자어의 두 계열에 더하여 일본과 서양의 외래어가 유입되어 증가하는 경향을 보이게 되었으며 이러한 양상은 현대까지 지속되고 있다.
▶근대 국어 시기의 국어 어휘 체계가 삼중 체계로 굳어짐.

사 3 문법

문법 변화의 가장 큰 특징 가운데 하나는 주격 조사 '가'의 등장이다. 현대 국어에서
근대 국어 문법 변화 ①
선행되는 체언의 어말에 받침이 있느냐 없느냐에 따라 주격 조사 '이'와 '가'가 교체를
근대 국어 시기 주격 조사 '이'와 '가'가 교체되어 나타나는 언어 환경
보이는 현상은 바로 이 변화에 말미암은 것이다. 대부분의 역사적 변화가 그러하듯이 새로운 주격 조사 '가'는 처음부터 전면적으로 사용된 것이 아니었다. 체언의 말음이 모음 'ㅣ'인 경우와 같이 일부 제한된 환경에서 나타나다가 서서히 그 쓰임을 넓혀 가서 모음 아래에서는 '가', 자음 아래에서는 '이'가 나타나는 양상을 보이게 되었다.
▶주격 조사의 변화

또 과거 시제를 표현하는 선어말 어미 'ㆍ았ㆍ/ㆍ었ㆍ'이 이 시기에 확립되었으며, 앞
근대 국어 문법 변화 ②
시기에 객체 높임법이 사용되던 선어말 어미 'ㆍ습'은 상대 높임법을 나타내는 선어말
근대 국어 문법의 변화 ②
어미로의 변화를 보인다. 명사형 어미 'ㆍ기'가 널리 쓰이게 된 것도 근대 국어 시기의
근대 국어 문법의 변화 ③
중요한 특징이다.
▶근대 국어 시기의 문법의 변화

아 4 표기법

중세 국어 시기에 음소적 원리와 음절적 원리에 따라 정연하게 지켜지던 표기법은 근
중세 국어 시기의 표기법의 원리
대에 와서 상당히 혼란한 양상을 보인다. 예를 들어, '사르미'로 표기되던 것이 '사름이'로 표기되기도 하고 '사름미'와 같이 표기되기도 하였다. '사르미'와 같은 표기를 ㉠이
근대 국어 시기의 표기법 – 이어적기(연철), 끊어적기(분철), 거듭적기(중철)
어적기, '사름이'와 같은 표기를 끊어적기, '사름미'와 같은 표기를 거듭적기라 한다.
▶근대 국어 시기의 표기법의 변화

근대 국어 시기의 경우 한 문헌 안에서도 이어적기, 거듭적기, 끊어적기가 섞여서 나타나는 경우도 적지 않다. 16세기부터 부분적으로 나타난 표기법 혼란이 근대 국어 시기에 와서 더욱 심해졌음을 보이는 것이다. 이 시기에는 표기법의 기준이 될 만한 규범이 따로 없었기 때문에 이러한 양상이 나타났던 것으로 보인다. ▶근대 국어 시기의 표기법 혼란

■ 근대 국어의 변화 – 어휘

- 중국을 통해 서양의 새로운 지식이 들어오는 과정에서 번역 한자어가 새로 유입됨.
- 일본이나 서양과의 접촉으로 새로운 어휘가 늘어남.

↓

고유어, 한자어, 외래어로 어휘 체계를 이루며 현대까지 지속되고 있음.

■ 근대 국어의 문법적 특징

① 주격 조사 '가'의 등장
– 선행 체언의 어말에 받침 유무에 따라 주격 조사 '이'와 '가'가 교체를 보이는 현상이 나타났다.

체언의 말음이 모음 'ㅣ'인 경우와 같이 일부 제한된 환경에서 나타남. → 서서히 그 쓰임을 넓힘. → 모음 아래에서는 '가', 자음 아래에서는 '이'가 나타나는 양상을 보임.

② 선어말 어미와 어말 어미

– 선어말 어미 '-았-/-었-'으로 과거 시제를 표현하는 것이 확립됨.
– 선어말 어미 '-숩-'이 객체 높임법이 아닌 상대 높임법을 나타내는 선어말 어미로 변화함.
– 명사형 어미 '-기'가 널리 쓰이게 됨.

■ 근대 국어의 표기법의 특징

| 원인 | 표기법의 기준이 될 만한 규범이 따로 없었기 때문 |

↓

| 경과 | 중세 국어 시기에 음소적 원리와 음절적 원리에 따라 지켜지던 표기법이 근대에 와서 혼란한 양상을 보임. |
| 양상 | 한 문헌 안에서도 이어적기, 거듭적기, 끊어적기가 섞여서 나타나는 경우도 적지 않다. |

보충자료

이어적기 (연철)	한 음절의 종성을 다음 자의 초성으로 내려서 적음. 예 말쓰미(말씀+이)
끊어적기 (분철)	여러 형태소가 연결될 때 각 음절과 성분 단위로 밝혀 적음. 예 말씀이(말씀+이)
거듭적기 (혼철)	과도기적 표기로 이어적기와 끊어적기를 혼용하여 적음. 예 말씀미(말씀+이)

03. 윗글을 바탕으로 근대 국어에 대해 탐구한 내용으로 적절하지 않은 것은?

① 근대 국어의 어휘 변화는 새로운 문물의 유입에 영향을 받았다고 할 수 있다.
② 현대 국어에서 고유어, 한자어, 외래어의 어휘 체계를 이룬 것은 근대 국어 때부터 생긴 양상이라 할 수 있다.
③ 근대 국어 이전에서는 주격 조사에 '가'가 쓰이지 않았을 것이다.
④ 과거 시제 선어말 어미 '-았-/-었-'은 근대 국어 시기에 확립되었다.
⑤ 근대 국어 때에는 '거듭적기'라는 표기법이 추가되면서 표기법이 더욱 체계화되었다.

출제 예감

04. 〈보기〉를 바탕으로 근대 국어의 특징을 탐구한 것으로 적절하지 않은 것은?

보기
　우리신문이 한문은 아니쓰고 다만 국문으로만 쓰는거슨 샹하귀쳔이 다보게 홈이라 또 국문을 이러케 귀졀을 세여 쓴즉 아모라도 이신문 보기가 쉽고 신문속에 잇는 말을 자세이 알어 보게 홈이라　　－『독립신문』 창간사에서

① 근대 국어의 띄어쓰기는 오늘날의 띄어쓰기와 같이 구절 단위로 띄어 쓰고 있군.
② 『독립신문』은 신분을 가리지 않고 누구나 알아보게 하려고 국문만 사용하여 발행되었군.
③ 근대 국어의 주격 조사는 '이'와 '가'가 함께 쓰였음을 알 수 있군.
④ 근대 국어의 명사형 어미는 '-옴/-움' 이외에도 '-기'가 사용되고 있군.
⑤ 근대 국어의 표기법 중 '이어적기'와 '끊어적기'가 섞여서 나타나고 있군.

05. 〈보기〉의 ⓐ~ⓕ 중 ㉠이 적용된 표기를 모두 골라 묶은 것은?

보기
　나랏 ⓐ말쓰미 中듕國귁에 달아 文문字쫑와로 서르 ⓑ 스뭇디 아니홀씨 이런 ⓒ젼추로 어린 百빅姓셩이 니르고져 홂배 이셔도 ⓓ무춤내 제 ⓔ 뜨들 시러 펴디 몯훓 ⓕ노미 하니라

① ⓐ, ⓒ, ⓓ　　② ⓐ, ⓔ, ⓕ　　③ ⓑ, ⓓ, ⓔ
④ ⓑ, ⓓ, ⓕ　　⑤ ⓒ, ⓔ, ⓕ

▶ 근대 국어의 어휘 변화를 탐구하는 활동

1. 다음 활동을 통해 근대 국어 시기에 일어난 어휘의 의미 변화에 대해 알아보자.

(1) 다음은 중세 국어에서 근대 국어로 바뀌는 동안 의미 변화가 있었던 단어들이다. 빈칸을 채우고 의미 변화를 확인해 보자.

| 예시 답 |

	중세 국어	근대 국어
어엿브다	불쌍하다	예쁘다
어리다	어리석다	나이가 적다

(2) 다음은 근대 국어와 현대 국어에서 형태가 같지만 그 의미가 변한 단어들이다. 빈칸을 채우고 의미 차이를 확인해 보자.

| 예시 답 |

	근대 국어	현대 국어
인정(人情)	벼슬아치들에게 몰래 주던 선물.	사람이 본래 가지고 있는 감정이나 심정.
방송(放送)	죄인을 감옥에서 나가도록 풀어 주던 일.	라디오나 텔레비전 따위를 통하여 널리 듣고 볼 수 있도록 음성이나 영상을 전파로 내보내는 일.

학습 도우미

『**중간노걸대언해(重刊老乞大諺解)**』
조선 후기의 중국어 학습서인 『중간노걸대』를 정조 19년(1795)에 한글로 풀이한 책으로, 사역원에서 『중간노걸대』와 함께 편찬·간행한 것으로 추정된다.

※ 활동(1): 제시된 활동은 중세 국어 '문헌'에서 제시되었던 형태의 단어를 제시하고, 학습 활동에 제시된 근대 국어 문헌인 『중간노걸대언해』에서 대응되는 근대 국어 단어를 찾아 넣고, 이후 현대 국어에서 어떤 형태로 나타나는지 써 보는 활동이다. 문헌적 근거에 입각하여 현대 국어 형태를 써 보고, 국어의 음운 변천에 대해 이해할 수 있다.

▶ 중세 국어와 근대 국어의 음운의 변천을 이해하는 활동

2. 다음은 『중간노걸대언해』의 한 부분이다. 잘 읽고 아래의 활동을 통해 근대 국어의 특징을 알아보자.

> 우리 셔울 가면 어듸 머므러야 죠흐료
> 우리 順城門(순성문) 官店(관점)에 가
> 셔 머므쟈 져긔셔 물 져제 가기 쏘 져기
> 갓가오니라
> 네 니르미 올타 나도 ᄆᆞ음애 이리 싱각ᄒᆞ
> 엿더니 네 니르미 맛치 내 뜻과 ᄀᆞᆺ다
> ─ 『중간노걸대언해』 상권, 10장

> 우리 서울 가면 어디에 머물러야 좋을까?
> 우리 순성문 관점에 가서 머물자. 저기서 말 시장에 가기가 또 적이 가깝다.
> 네 말이 옳다. 나도 마음에 이리 생각하였는데 네 말이 마침 내 뜻과 같다.

(1) 중세 국어 문헌에 나오는 다음 단어들이 위 자료에서 어떻게 나타나는지 찾아보고, 현대 국어에서는 또 어떻게 나타나는지 생각해 보자.

| 예시 답 |

중세 국어		근대 국어		현대 국어
셔블	'ㅸ'이 '[w]'로 변화 →	셔울	'셔>서'로 단모음화 →	서울
둏-	구개음화 →	좋-	단모음화 →	좋-
ᄆᆞᅀᆞᆷ	'ㅿ'소멸, '·' 변화 →	ᄆᆞ음(>ᄆᆞ음)	'·'소실 →	마음

(2) (1)의 결과를 바탕으로 자음과 모음의 변천 과정을 다음과 같이 정리할 때 괄호에 들어갈 말을 써넣어 보자.

| 예시 답 |

- 'ㅸ'은 양성 모음 앞에서는 'ㅗ', 음성 모음 앞에서는 '(ㅜ[w])'로 변화하였다.
- '(ㅿ)'은 중세 국어 시기 말부터 근대 국어 시기 초의 기간에 걸쳐 아무런 흔적 없이 소멸되었다.
- 'ㆍ'는 첫째 음절에서는 '(ㅏ)'로, 둘째 음절 이하에서는 'ㅡ'로 변화하였다.
- 모음 'ㅣ, ㅑ, ㅕ, ㅛ, ㅠ' 앞의 'ㄷ, ㄸ, ㅌ'은 '(ㅈ), ㅉ, ㅊ'으로 변화하였다.

▶ 근대 국어의 문법적·표기적 특징을 탐구하는 활동

3. 다음은 19세기 말에 발간된 『독립신문』 창간사의 일부이다. 잘 읽고, 아래의 활동을 통해 근대 국어의 특징을 알아보자.

> 우리신문이 한문은 아니쓰고 다만 국문으로만 쓰ᄂᆞᆫ거슨 샹하귀쳔이 다보게 홈이라 쏘 국문을 이러케 귀졀을 쎼여 쓴즉 아모라도 이신문 보기가 쉽고 신문속에 잇ᄂᆞᆫ말을 자셰이 알어 보게 홈이라 각국에셔ᄂᆞᆫ 사ᄅᆞᆷ들이 남녀 무론ᄒᆞ고 본국 국문을 몬저 비화 능통ᄒᆞᆫ 후에야 외국 글을 비오ᄂᆞᆫ 법인ᄃᆡ 죠션셔ᄂᆞᆫ 죠션 국문은 아니 비오드리도 한문만 공부 ᄒᆞᄂᆞᆫ 까ᄃᆞᆰ에 국문을 잘아ᄂᆞᆫ 사ᄅᆞᆷ이 드물미라 죠션 국문ᄒᆞ고 한문ᄒᆞ고 비교ᄒᆞ여 보면 죠션국문이 한문 보다 얼마가 나흔거시 무어신고ᄒᆞ니 쳣 지ᄂᆞᆫ 비호기가 쉬흔이 됴흔 글이요 둘지ᄂᆞᆫ 이글이 죠션글이니 죠션 인민 들이 알어셔 빅ᄉᆞ을 한문ᄃᆡ신 국문으로 써야 샹하귀쳔이 모도보고 알어보기가 쉬흘터이라 한문만 늘써 버릇ᄒᆞ고 국문은 폐ᄒᆞᆫ 까ᄃᆞᆰ에 국문만쓴 글을 죠션 인민이 도로혀 잘 아러보지못ᄒᆞ고 한문을 잘알아보니 그게 엇지 한심치 아니ᄒᆞ리요
>
> – 『독립신문』 창간사에서

(1) 위 자료에서 명사형 어미 '-옴/-움'과 '-기'가 쓰인 예를 모두 찾아보자.

| 예시 답 | '-옴/-움': 홈이라, 홈이라, 드물미라   '-기': 보기가, 비호기가, 알아보기가

(2) 주격 조사 '가'의 등장은 근대 국어의 큰 특징으로 볼 수 있다. 위 자료에서 주격 조사 '가'가 쓰인 예를 모두 찾아보자.

| 예시 답 | 보기가, 얼마가, 비호기가, 알아보기가

(3) 위 자료에서 띄어쓰기와 관련된 내용을 찾아보고, 띄어쓰기의 장점에 대하여 말해 보자.

| 예시 답 | 쏘국문을 이러케 귀졀을 쎼여 쓴즉 아모라도 이신문 보기가 쉽고 신문속에 잇ᄂᆞᆫ 말을 자셰이 알어 보게 홈이라
→ 띄어쓰기는 단어와 단어를 구분해 주고 문장의 구조를 쉽게 파악할 수 있게 한다. 따라서 글의 의미를 이해하는 데 큰 도움을 주기 때문에 독서 효율을 높이는 데 효과적이다. 현대의 맞춤법도 이러한 점을 위해 띄어쓰기를 채택하고 있다.

(4) 위 자료는 중세 국어와 비교할 때 끊어적기가 많이 나타나는 특징을 지닌다. 이어적기와 끊어적기의 장단점을 생각해 보고, 위 자료에서 끊어적기가 규칙적으로 잘 이루어져 있는지 확인해 보자.

| 예시 답 | '홈이라' 등에서 끊어적기가 사용된 것을 확인할 수 있으나, '일그니' 등을 보면 이어적기의 표기 방식이 남아 있음을 알 수 있다. 위 자료에서는 이어적기와 끊어적기가 모두 사용된 것을 확인할 수 있다. 중세 국어에서는 이어적기가 규칙적으로 이루어졌으나 근대 국어에 와서는 끊어적기가 점차로 많아졌다. 다만 근대 국어의 끊어적기는 일관적으로 이루어지지 않았음을 위 자료에서 확인할 수 있다.

학습 도우미

『독립신문』
1896년 창간된 우리나라 최초의 민간 신문이다. 일반인들이 쉽게 읽을 수 있도록 한글을 사용하고 띄어쓰기도 한 점이 특징적이다.

✎ 명사형 어미의 경우 중세 국어 시기에는 '-옴/-움'이 주로 쓰였으나, 근대 국어 이후에는 '-기'가 널리 쓰이게 되었다.

어휘 ⊕
- **상하귀쳔이 다보게**: 신분을 가리지 않고 모두가 보게
- **귀졀을 쎼여 쓴즉**: 띄어쓰기를 하는 것은
- **보기가 쉽고 신문속에 잇ᄂᆞᆫ 말을 자셰이 알어 보게 홈이라**: 읽기 쉽고 뜻을 이해하기 쉽게 하기 위함이다.
- **본국 국문**: 자국어
- **몬저 비화**: 먼저 배워
- **비오ᄂᆞᆫ**: 배우는
- **빅ᄉᆞ을**: 모든 일을(←목적격 조사의 혼란)
- **폐ᄒᆞᆫ**: 사용하지 않은
- **도로혀**: 오히려

소단원 출제 포인트

근대 국어 시기 구분

구분		(㉠　　　)세기 초부터 19세기 말까지에 해당함.
특징	내부	자생적인 근대 의식이 싹트고 있음.
	외부	중국을 통해 새로운 서양 문물과 과학 지식 및 기독교 문화가 (㉡　　　)됨.
		↓
	영향	언어 외적 환경의 변화와 맞물려 우리말 또한 많은 변화를 겪었는데, 음운, 어휘, 문법 등 언어적인 면에서 앞 시대의 국어와는 많이 다른 모습을 보이게 됨.
탐구 가치		음운, 어휘, 문법 등 언어적인 측면에서 중세 국어와 현대 국어의 차이를 이어 주는 중요한 고리의 역할을 함.

근대 국어의 특징

1 음운

• 자음의 변화
  근대 국어 시기 전 'ㅸ, ㅿ'이 소멸됨.
• 모음의 변화
  'ㆍ'의 소실로 (㉢　　　)을/를 지키지 못하는 양상을 보이게 됨.
  ⓔ ᄆᆞᅀᆞᆯ 〉마을: 한 단어 내 양성 모음과 음성 모음이 공존하게 됨.

'ㆍ' 역할	'ㆍ' 소실	
양성 모음으로서 모음 조화에서 음성 모음 'ㅡ'와 대립되면서 중요한 구실을 하였음.	첫째 음절에서는 양성 모음, 둘째 음절 이하에서는 음성 모음으로 변화하는 일이 많아짐.	자연스럽게 모음 조화를 지키지 못하는 양상을 보이게 됨.

• (㉣　　　)의 발생
  이전 시기까지 'ㄷ, ㅌ'이 'ㅣ' 앞에서 그대로 소리 나던 것이 이 시기에 와서 'ㅈ, ㅊ'으로 음운 변화를 일으키게 되었고, 그 결과가 현대 국어까지 이어지게 됨.
  ⓔ 디다〉지다[落], 티다〉치다[打], 부텨〉부처[佛]

2 어휘

중국을 통해 서양의 새로운 지식이 들어오는 과정에서 번역 한자어가 새로 유입되었고, 일본이나 서양과의 접촉으로 새로운 어휘가 늘어남.
ⓔ 자명종(自鳴鐘), 천리경(千里鏡)

↓

고유어, 한자어, (㉤　　　)(으)로 어휘 체계를 이루며 현대까지 지속되고 있음.

3 문법

① 주격 조사 '가'의 등장

선행 체언의 어말에 받침 유무에 따라 주격 조사 '이'와 '가'가 (㉥　　　)을/를 보이는 현상이 나타남.

체언의 말음이 모음 'ㅣ'인 경우와 같이 일부 제한된 환경에서 나타남.	→	서서히 그 쓰임을 넓힘.	→	모음 아래에서는 '가', 자음 아래에서는 '이'가 나타나는 양상을 보임.

– 선어말 어미 '–았–/–었–'으로 (㊀　　　) 시제를 표현하는 것이 확립되었음.
– 선어말 어미 '–습–'이 객체 높임법이 아닌 상대 높임법을 나타내는 선어말 어미로 변화하였음.
– 명사형 어미 '–기'가 널리 쓰이게 됨.

4 표기법

• 중세 국어 시기에 음소적 원리와 음절적 원리에 따라 지켜지던 표기법이 근대에 와서 (㊁　　　)한 양상을 보임.

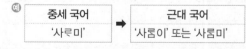

중세 국어	→	근대 국어
'사ᄅᆞ미'		'사롬이' 또는 '사롬미'

➡ 표기법의 기준이 될 만한 규범이 따로 없었기 때문에, 한 문헌 안에서도 이어적기, 거듭적기, 끊어적기가 섞여서 나타나는 경우도 적지 않음.

답 ㉠ 17. ㉡ 유입. ㉢ 모음 조화. ㉣ 구개음화. ㉤ 외래어. ㉥ 교체. ㊀ 과거. ㊁ 혼란

소단원 적중 문제

[01~04] 다음 글을 읽고 물음에 답하시오.

㉮ 근대 국어 시기는 17세기 초부터 19세기 말까지에 해당한다. 이 시기는 안으로는 자생적인 근대 의식이 싹트는 한편, 밖으로는 중국을 통해 새로운 서양 문물과 과학 지식 및 기독교 문화가 유입되는 시기였다. 이와 같은 언어 외적 환경의 변화와 맞물려 이 시기의 우리말 또한 많은 변화를 겪게 되면서 음운, 어휘, 문법 등 언어적인 면에서도 앞 시대의 국어와는 많이 다른 모습을 보이게 되었다.

전반적으로 근대 국어는 시기적인 측면에서 중세 국어와 현대 국어의 가운데에 자리 잡고 있을 뿐 아니라 음운, 어휘, 문법 등 언어적인 측면에서도 중세 국어와 현대 국어의 차이를 이어 주는 중요한 고리의 역할을 하고 있다고 평가할 수 있다. 국어의 기본적인 특징들은 대체로 고대 국어부터 현대 국어까지 공통되는 것이지만 현대 국어의 특징이라 할 만한 것 가운데에는 근대 국어 시기의 변화에서 비롯된 부분이 적지 않은 것이다.

㉯ 중세 국어 시기를 거치면서 ㉠ 자음 'ㅸ, ㅿ'은 소멸되었고, ㉡ 모음 'ㆍ'는 16세기 말에 둘째 음절 이하에서 'ㅡ'로 변하였고 근대 국어 시기인 18세기에 와서 첫째 음절에서 대체로 'ㅏ'로 변하였다.

'ㆍ'의 변화가 어느 정도 완성되자 모음 조화가 잘 지켜지지 못하는 현상이 발생하였다. 'ㆍ' 자체는 양성 모음으로서 모음 조화에서 음성 모음 'ㅡ'와 대립되면서 중요한 역할을 하였는데, 첫째 음절에서는 양성 모음, 둘째 음절 이하에서는 음성 모음으로 변하는 일이 많았기 때문에 자연스럽게 모음 조화를 지키지 못하게 되었다. 예를 들어, 모음 조화를 잘 지키던 'ㅁㆍㅅㆍㄹ'이란 단어가 'ㆍ' 소멸 과정을 겪은 후에 '마을'이란 형태로 변하여 한 단어 내에 양성 모음과 음성 모음이 공존하는, 즉 모음 조화를 지키지 못하는 양상을 보이게 된 것이다.

근대 국어 시기에 발생한 ㉢ 구개음화는 자음의 변천과 관련하여 가장 주목되는 음운 현상이다. 이전 시기까지 'ㄷ, ㅌ'이 'ㅣ' 앞에서 그대로 소리 나던 것이 이 시기에 와서 'ㅈ, ㅊ'으로 음운 변화를 일으키게 되었고, 그 결과가 현대 국어까지 이어지게 되었다. 예를 들어, '디다>지다[落], 티다>치다[打], 부텨>부처[佛]' 등에서 구개음화를 확인할 수 있다.

01 윗글을 읽고 이끌어 낼 수 있는 내용으로 가장 적절한 것은?
① 근대 국어는 음운, 어휘, 문법 등 언어적인 면에서 현대 국어와 많은 공통점을 갖고 있다.
② 근대 국어는 중세 국어의 특징을 현대 국어에 이어주는 역할을 했다.
③ 'ㆍ'는 근대 국어에 오면서 음절의 위치에 상관없이 'ㅏ'로 변하였다.
④ 'ㆍ'의 소멸은 우리 국어의 모음 조화 현상을 더욱 강화하는 결과를 초래했다.
⑤ 구개음화 현상은 'ㅣ' 모음 앞에서만 일어나던 것이 '부텨>부처[佛]'에서처럼 'ㅓ' 모음 앞에서도 일어나게 되었다.

수능형
02 ㉠과 ㉡에 대해 설명한 내용으로 적절하지 <u>않은</u> 것은?
① ㉠: 'ㅿ'의 소멸로 'ㅁㆍㅅㆍㅁ>ㅁㆍㅇㆍㅁ'과 같은 변화가 일어났다.
② ㉠: 'ㅸ'이 소멸된 결과 '더ㅸㅓ>더워'와 같은 변화가 일어났다.
③ ㉡: 중세 국어에서 둘째 음절의 'ㆍ'는 이미 'ㅡ'로 변화하고 있었다.
④ ㉡: 18세기에 첫째 음절의 'ㆍ'는 대체로 'ㅏ'로 변하였다.
⑤ ㉡: 'ㆍ'가 소멸하게 되면서 한 단어 앞에서 양성 모음과 음성 모음을 공존할 수 없게 되었다.

03 ㉢에 대한 설명으로 적절하지 <u>않은</u> 것은?
① 근대 국어 이전에는 일어나지 않았던 변화이다.
② 근대 국어에서는 한 음절 내에서도 구개음화가 일어났다.
③ 현대 국어에서는 'ㄷ, ㅌ'과 형식 형태소 '이'가 만날 때만 일어난다.
④ 현대 국어 문법에서는 표기에는 반영되지 않고 발음에서만 나타난다.
⑤ 근대 국어에서는 실질 형태소와 실질 형태소가 만날 때에 주로 일어난다.

서술형 <u>학습 활동 적용</u>
04 〈보기〉는 근대 국어 자료이다. 밑줄 친 단어를 바탕으로 할 때 중세 국어에서의 표기는 어떠했을지 그 이유와 함께 서술하시오.

┌─ 보기 ┐
우리 <u>셔울</u> 가면 어듸 머므러야 <u>죠흐료</u>
― 『중간노걸대언해』 상권, 10장
└─────────────────────────┘

[05-08] 다음 글을 읽고 물음에 답하시오.

가 어휘 면에서는 기존의 한자어에 더하여 서양의 새로운 지식이 중국을 통해 유입되는 과정에서 번역 한자어가 새로 유입되는 경우가 많았다. 또한 중국 이외에 일본이나 서양과의 접촉을 통해 유입되는 새로운 어휘가 늘어난 것도 이 시기의 특징이다. '자명종(自鳴鐘)', '천리경(千里鏡)' 등이 근대에 새로 들어온 한자어이다.

결과적으로 우리나라의 어휘 체계는 고유어와 한자어의 두 계열에 더하여 일본과 서양의 외래어가 유입되어 증가하는 경향을 보이게 되었으며 이러한 양상은 현대까지 지속되고 있다.

나 문법 변화의 가장 큰 특징 가운데 하나는 주격 조사 '가'의 등장이다. 현대 국어에서 선행되는 체언의 어말에 받침이 있느냐 없느냐에 따라 주격 조사 '이'와 '가'가 교체를 보이는 현상은 바로 이 변화에 말미암은 것이다. 대부분의 역사적 변화가 그러하듯이 새로운 주격 조사 '가'는 처음부터 전면적으로 사용된 것이 아니었다. 체언의 말음이 모음 'ㅣ'인 경우와 같이 일부 제한된 환경에서 나타나다가 서서히 그 쓰임을 넓혀 가서 모음 아래에서는 '가', 자음 아래에서는 '이'가 나타나는 양상을 보이게 되었다.

또 과거 시제를 표현하는 선어말 어미 '-았-/-었-'이 이 시기에 확립되었으며, 앞 시기에 객체 높임법이 사용되던 선어말 어미 '-습-'은 상대 높임법을 나타내는 선어말 어미로의 변화를 보인다. 명사형 어미 '-기'가 널리 쓰이게 된 것도 근대 국어 시기의 중요한 특징이다.

다 중세 국어 시기에 음소적 원리와 음절적 원리에 따라 정연하게 지켜지던 표기법은 근대에 와서 상당히 혼란한 양상을 보인다. 예를 들어, '사ᄅᆞ미'로 표기되던 것이 '사름이'로 표기되기도 하고 '사름미'와 같이 표기 [A] 되기도 하였다. '사ᄅᆞ미'와 같은 표기를 이어적기, '사름이'와 같은 표기를 끊어적기, '사름미'와 같은 표기를 ㉠거듭적기라 한다.

근대 국어 시기의 경우 한 문헌 안에서도 이어적기, 거듭적기, 끊어적기가 섞여서 나타나는 경우도 적지 않다. 『16세기부터 부분적으로 나타난 표기법 혼란이 근대 국어 시기에 와서 더욱 심해졌음을 보이는 것이다. 이 시기에는 표기법의 기준이 될 만한 규범이 따로 없었기 때문에 이러한 양상이 나타났던 것으로 보인다.

05 윗글의 내용과 일치하지 **않는** 것은?

① 주격 조사 '가'의 등장으로 자음 아래에서는 '이', 모음 아래에서는 '가'가 나타나는 양상을 보였다.
② 과거 시제를 표현하는 선어말 어미 '-았-/-었-'이 중세 국어 시기부터 이어져 활발히 사용되었다.
③ 근대 국어 시기에 이르러 명사형 어미 '기'가 사용되기 시작하였다.
④ 근대 국어 시기에 국어 어휘는 고유어, 한자어, 외래어의 삼중 체계가 나타나는 경향을 보였다.
⑤ 근대 국어 시기에는 이어적기와 거듭적기가 섞여서 나타나는 표기법 상의 혼란을 보이고 있다.

수능형
06 〈보기〉는 ㉠에 대한 설명이다. 이를 바탕으로 할 때 ㉠에 해당하는 어휘로 적절한 것은?

┤보기├
소리 나는 대로 적는 이어적기와 원형을 밝혀 적는 끊어적기를 혼용한 방식으로 17~19세기의 근대 국어에 많이 나타나는 과도기적인 표기 방식이다.

① 붉은   ② 말씀미   ③ 눈을   ④ 황홀이   ⑤ 거슨

07 〈보기〉의 밑줄 친 단어들을 바탕으로 근대 국어의 특징을 이해한 것으로 적절하지 **않은** 것은?

┤보기├
우리 ⓐ신문이 한문은 아니쓰고 다만 국문으로만 ⓑ쓰는거슨 상하귀쳔이 다보게 홈이라 또 ⓒ국문을 이러케 귀졀을 쎄여 쓴즉 아모라도 이신문 ⓓ보기가 쉽고 신문속에 잇는말을 자셰이 ⓔ알어 보게 홈이라

① ⓐ: 이 시기에 유입된 신문명어에 해당함.
② ⓑ: 이어적기 방식이 표기에 반영되어 나타난 것임.
③ ⓒ: 어절 단위의 띄어쓰기가 나타났음을 알 수 있음.
④ ⓓ: 이 시기에 나타난 명사형 어미 '기'와 주격 조사 '가'의 쓰임을 보여 줌.
⑤ ⓔ: 'ᆞ'의 소멸로 나타난 모음 조화 파괴 현상이 나타남.

학습 활동 적용
08 [A]를 참고하여 〈보기〉의 빈칸에 들어갈 단어를 쓰시오.

┤보기├
[이어적기] 집 + 에 = (   )
[끊어적기] 집 + 에 = (   )
[거듭적기] 집 + 에 = (   )

[01-04] 다음 글을 읽고, 물음에 답하시오.

가 알타이 어족에 속하는 우리말이 다른 언어들과 분리된 이후부터 통일 신라 시대까지를 고대 국어 시기라고 한다. 이 시기는 신라가 삼국 통일을 통해 언어적 통일을 이룬 시기로, 신라의 수도가 지금의 경주에 있었기 때문에 오늘날의 동남 방언을 기반으로 현대 우리말의 기초가 형성되었던 시기라 하겠다.

나 한자의 유입과 더불어 우리나라에 들어오게 된 한자어들은 시간이 흐름에 따라 우리말 어휘 체계에서 차지하는 비중이 점차 커졌다. '왕'이라는 한자어 명칭이 정식으로 사용되고, 순우리말로 되어 있던 지명이 한자어 지명으로 바뀌는 등 한자어 어휘가 일상으로 들어와서 쓰임이 확대되는 일이 통일 신라 시대에 이미 진행되고 있었다.

다 고대 국어 시기에는 우리말을 표기할 수 있는 우리 글자가 없던 때여서 일부 전하는 자료도 우리말의 모습을 온전하고 정확하게 보여 주지는 못한다. 그런데도 한자 차용 표기법을 사용한 자료들은 부분적으로나마 우리말의 옛 모습을 엿볼 수 있게 해 주는 귀중한 자료들이다.

라 한자 차용 표기법의 원리는 음독(音讀)과 석독(釋讀) 두 가지였다. 한자의 뜻을 버리고 소리만 이용하는 것이 음독이고, 반대로 한자의 소리를 버리고 뜻만 이용하는 것이 석독이다. 예를 들어, '古[옛 고]' 자를 뜻과는 상관없이 단순히 '고'라는 소리를 표기하기 위해 사용하는 것이 음독이고, '水[물 수]' 자를 써 놓고 '물'이라고 읽는다면 그것이 석독이다.

마 한자 차용 표기법은 고유 명사 표기에서 시작되어 점차 구결(口訣), 이두(吏讀), 향찰(鄕札) 등으로 발달하였다. 구결은 한문 문장의 문맥을 파악하기 쉽도록 우리말 조사나 어미를 한자로 표기하는 방법이고, 이두는 단어를 우리말 어순에 맞게 바꾸고 조사나 어미도 한자로 표기하는 방법이다. 구결의 경우 한문에 조사나 어미와 같은 형식 형태소만 더 표기한 것이기 때문에 구결 글자를 빼면 그대로 한문이 되지만, 이두의 경우 어순까지 우리말에 맞도록 재배열하였기 때문에 형식 형태소 표기를 빼도 온전한 한문이 되지 않는다는 차이가 있다.

바 ⊙향찰은 신라의 향가를 표기하는 데 사용된 표기법으로, 어순을 우리말에 맞도록 배열하고 조사나 어미와 같은 형식 형태소를 한자로 표기할 뿐 아니라 명사나 동사 등의 실질 형태소와 단어들까지 한자로 표기하였기 때문에 가장 발달한 형태의 한자 차용 표기법이라 할 수 있다. 그러나 형식 형태소, 실질 형태소, 단어 등 여러 가지를 한자 차용 표기법에 따라 표기하다 보니 읽고 쓰기의 방식이 복잡해지는 문제가 생겼다. 이런 복잡성으로 말미암아 가장 발달한 한자 차용 표기법이었음에도 향가의 소멸과 함께 그 표기법인 향찰 역시 사라지게 된다. 향찰이 통일 신라 시대까지만 사용되고 사라졌다는 점에서 조선 시대에도 그 쓰임이 꾸준히 이어졌던 구결이나 이두와는 그 운명이 사뭇 달랐음을 알 수 있다.

01 윗글에 대한 내용으로 적절하지 <u>않은</u> 것은?

① 우리말은 알타이 어족의 계통에 속한다.
② 고대 국어 시기에는 고유한 문자 체계를 갖추지 못했다.
③ 한반도의 언어적 통일은 신라의 삼국 통일을 통해 이루어졌다.
④ 구결은 이두와 달리 우리말 어순에 따라 표기하였다.
⑤ 향찰과 달리 이두와 구결은 조선 시대에도 사용되었다.

학습 활동 적용

02 윗글을 읽은 후 〈보기〉와 같은 자료를 접했다고 할 때, 보일 수 있는 반응으로 적절한 것은?

〈 보기 〉
ㄱ. 永同郡本吉同郡
  (영동군은 본래 길동군이다.)
ㄴ. 居柒夫或云荒宗
  (거칠부 혹은 황종이라 한다.)

① ㄱ을 통해, '영동군'이라는 지명이 '길동군'으로 바뀌었음을 알 수 있군.
② ㄴ을 통해, 고대 국어 시기에는 동일한 사람이 여러 이름을 가지는 경우가 있었음을 알 수 있군.
③ ㄴ에서 '荒'이 '거칠다 황'이라는 점을 고려할 때, 음독을 해야 하겠군.
④ ㄱ이 ㄴ보다 우리말의 형식적 특징을 살려서 표기하였군.
⑤ ㄱ과 ㄴ 모두 당시 한자어가 일상으로 들어와 확대되는 현실을 보여 주고 있군.

03 〈보기〉는 ㉠의 방법으로 표기된 자료이다. 밑줄 친 부분을 분석한 것으로 적절하지 <u>않은</u> 것은?

┌─ 보기 ─────────────────────────┐
善化公主主隱　　　　　　(선화공주니믄)
他密只嫁良置古　　　　　(ᄂᆞᆷ 그스지 얼어두고)
薯童房乙　　　　　　　　(맛둥바ᅌᆞᆯ)
夜矣卯乙抱遣去如　　　(바ᄆᆡ 몰 안고 가다.)
　　　　　　　　　　　　－「서동요」에서
夜(밤 야), 矣(어조사 의), 卯(토끼 묘), 乙(새 을), 抱(안다 포), 遣(보내다 견), 去(가다 거), 如(같다, 여)
└──────────────────────────────┘

① 한자를 배치하는 순서는 이두와 유사하군.
② '矣, 乙'은 어미를 한자로 표기한 경우이군.
③ '夜, 抱, 去'는 석독의 방법으로 읽어야 하는군.
④ '夜, 抱, 去'는 실질 형태소를 한자로 표기한 경우이군.
⑤ '卯'는 실질 형태소이면서 음독을 한 경우에 해당하는군.

04 윗글을 바탕으로 할 때 구결, 이두, 향찰을 사용한 자료들이 국어사에서 갖는 의의는 무엇인지 쓰시오.

05 〈보기〉는 향찰 표기 자료를 탐구한 것이다. 빈칸에 들어갈 향찰 표기의 특징을 한 문장으로 서술하시오.

┌─ 보기 ─────────────────────────┐
今日此矣散花唱良　　　　(원문)
오늘 이에 散花 블러　　　(해독)
　　　　　　　　　－ 월명사, 「도솔가」에서

향찰 표기	오늘	표기
今日	오늘	석독
此矣	이에	석독 + 음독

　　　　　　　　　↓

이두와 다른 점: (　　　)	실질 형태소 표기: 今日(오늘), 此(이), 唱(브르-)	형식 형태소 표기: 矣(에), 良(러)
└──────────────────────────────┘

[06-08] 다음 글을 읽고, 물음에 답하시오.

㉮ 중세 국어의 음운적 특징으로는, 된소리 계열이 생겨난 점, 유성 마찰음 'ㅸ, ㅿ'이 쓰이는 점, 'ㆍ'가 소멸되기 시작하고 모음 조화가 잘 지켜진 점, 성조가 있었던 점 등을 들 수 있다.

먼저 된소리의 발달은 현대 국어에서 '예사소리-거센소리-된소리'의 대립 체계가 성립되는 변화라는 의미가 있다. 또한, 현대 국어에서는 볼 수 없는 'ㅸ, ㅿ' 소리가 이 시기에 사용되고 있었는데, 이 소리들은 근대 국어 시기까지 이어지지 않고 그 전에 소멸의 길을 걸었다.

㉯ 중세 국어에는 현대 국어에 없는 'ㆍ'가 있었다. 모음 'ㆍ'는 후기 중세 국어 때부터 변화되었는데 16세기에는 둘째 음절 이하의 'ㆍ'가 주로 'ㅡ'로 변하고, 이후 근대 국어 시기에 이르러 첫째 음절의 'ㆍ'가 주로 'ㅏ'로 변하면서, 모음 'ㆍ'는 완전히 소멸되었다.

㉰ 소리의 높낮이인 ㉠성조를 이용해서 단어의 뜻을 구별하던 점은, 장단에 의해 뜻을 구별하는 현대 국어와 차이를 보인다. 성조는 글자 왼쪽에 방점을 찍어 표시하였는데, 낮은 소리인 평성은 점이 없으며, 높은 소리인 거성은 한 점, 처음에는 낮다가 나중에는 높아지는 상성은 두 점을 찍었다. 성조는 대략 16세기 말에 소멸되었으며, 대체로 평성과 거성은 짧은 소리로, 상성은 긴 소리로 바뀌어 현대 국어의 장단 체계를 가지게 된 것으로 보인다.

06 윗글을 바탕으로 중세 국어의 음운적 특징으로 적절하지 <u>않은</u> 것은?
① 성조를 이용해서 단어의 뜻을 구별하였다.
② 이전 시기에는 없던 된소리 계열이 생겨났다.
③ 'ㆍ'가 소멸되기 시작하면서 모음 조화가 잘 지켜지지 않았다.
④ 16세기에는 둘째 음절 이하의 'ㆍ'가 주로 'ㅡ'로 변하는 모습을 보였다.
⑤ 현대 국어에서는 볼 수 없는 유성 마찰음 'ㅸ, ㅿ' 소리가 사용되었다.

고난도

07 〈보기〉의 ⓐ～ⓔ 중 ㉠의 흔적을 엿볼 수 있는 것은?

---〈 보기 〉---
- ⓐ 눈[眼]에 ⓑ 눈:[雪]이 들어갔다.
- 바닷가 ⓒ 굴:[穴] 속에서 ⓓ 굴[石花]을 먹었다.
- ⓔ 밤바다 소리를 들으면서 걸으니 운치가 있었다.
---

① ⓐ, ⓑ   ② ⓑ, ⓒ   ③ ⓒ, ⓓ
④ ⓓ, ⓔ   ⑤ ⓐ, ⓔ

서술형

08 (나)를 바탕으로, 〈보기〉의 빈칸에 알맞은 단어를 제시하고 변화 과정을 단계별로 설명하시오.

---〈 보기 〉---

ᄆᆞᅀᆞᆯ 〉 (   ) 〉 (   )

수능형

09 〈보기〉의 밑줄 친 부분의 사례로 가장 적절한 것은?

---〈 보기 〉---
  새로운 개념이나 사물이 들어오면서 한자어가 같이 유입되어 적절한 고유어가 없는 공백을 자연스럽게 메웠을 뿐 아니라, 다른 한편으로 이미 고유어가 존재하는 경우에도 같은 의미를 가진 한자어가 유입되어 고유어와 한자어의 대립 관계가 형성되었다. 이러한 대립 관계 속에서 고유어는 <u>원래의 의미 영역 가운데 큰 부분을 한자어에 넘겨주고 자기의 의미 영역을 축소하면서 살아남거나 완전히 소멸되는 길을 가게 되었다.</u>
---

① 불교의 유입을 '彌勒(미륵)', '菩薩(보살)'과 같은 어휘가 사용되었다.
② '미르'는 원래 '龍(용)'을 의미하는 어휘였으나 지금은 쓰이지 않고 있다.
③ '세수'는 원래 손을 씻는다는 의미였으나, 얼굴을 씻는 행위까지 포함하고 있다.
④ '얼굴'은 몸 전체를 뜻하는 어휘였으나 오늘날에는 '顔面(안면)'의 의미로 사용되고 있다.
⑤ '어리다'는 원래 '어리석다'의 의미였으나 지금은 '(나이가) 적다'의 의미로 쓰이고 있다.

[10~12] 다음 글을 읽고, 물음에 답하시오.

가 중세 국어 시기에는 주격 조사에 '가'는 없고 '이'만 있어서 앞말의 받침 유무에 상관없이 '이'가 쓰였다. 예를 들어, '시미 기픈 므른', '부톄 니ᄅᆞ샤ᄃᆡ', '불휘 기픈 남ᄀᆞᆫ' 등에서 주격 조사 '이'가 쓰인 양상을 볼 수 있다.

나 높임 표현은 선어말 어미에 의해 실현되었는데, '-(으)시-'에 의한 주체 높임법, '-ᄉᆞᆸ-'에 의한 객체 높임법, '-(으)이-'에 의한 상대 높임법의 정연한 체계를 이루고 있었다. 대체로 주체 높임법의 경우는 현대 국어와 비슷하지만, 객체 높임법의 '-ᄉᆞᆸ-'은 현대에 와서 거의 흔적을 남기지 않고 사라졌고, 상대 높임법 또한 선어말 어미에 의해 표현되던 체계는 사라지고 현대에 와서는 어말 어미에 의해 표현된다.

다 시간 표현의 경우, 현재 시제를 표현할 때 동사 어간에는 '-ᄂᆞ-'가 연결되는 반면 형용사 어간에는 특별한 형태소가 연결되지 않았다. 동사의 과거 시제는 현대 국어의 '-았-/-었-'에 해당하는 선어말 어미가 아직 발달되지 않아서 아무런 형태소의 결합도 없이 표현되었다. 예를 들어, '가ᄂᆞ다'가 현재 시제인 것과 달리 '가다'는 과거 시제였기 때문에 '갔다' 정도의 의미로 이해된다. 회상의 의미를 표현하는 '-더-'는 중세 국어에도 쓰였으며, 추측의 의미를 표현하는 '-겠-'은 아직 발달되지 않았지만 '-(으)리-'가 그 기능을 충분히 하고 있었다.

라 한글 창제 이후 한글 표기법의 원리로 채택된 것은 음소적 원리와 음절적 원리였다.
  음소적 원리는 각 음소를 충실히 표기하는 방법으로, 예를 들어, '곶[花]'이라는 단어의 형태를 항상 고정해 표기하지 않고 실제 소리 나는 대로 '곳, 고지, 곳도' 등으로 표기하는 원리이다.
  음절적 원리는 각 음절을 표기에 정확히 반영하는 표기 방법으로, 예를 들어 '사ᄅᆞᆷ'에 주격 조사 '이'가 연결되는 경우 '사ᄅᆞᆷ이'와 같이 적지 않고 '사ᄅᆞ미'와 같이 적는 원리이다. 실제로 이 단어를 소리 내서 읽어 보면 둘째 음절은 [ᄅᆞ], 셋째 음절은 [미]인 것을 알 수 있다. 따라서 '사ᄅᆞᆷ이'라는 표기보다는 '사ᄅᆞ미'라는 표기가 음절 구조를 더 정확히 반영한 표기이다.

10 윗글의 설명과 일치하지 <u>않는</u> 것은?

① 중세 국어 시기에 높임 표현은 선어말 어미에 의해 실현되었다.

② 중세 국어 시기에는 동사 어간에 '-ᄂᆞ-'가 연결되어 현재 시제를 표현하였다.

③ 중세 국어 시기에는 앞말의 받침 유무에 상관없이 주격 조사 '이'가 쓰였다.

④ 한글 창제 이후 한글 표기법의 원리로 채택된 것은 음소적 원리와 음절적 원리였다.

⑤ 중세 국어 시기에 사용되던 '-(으)이-'에 의한 상대 높임법은 현대에 와서도 같게 쓰인다.

11 다음 중세 국어의 문장 중 현재 시제를 표현하고 있는 것은?

① 이쁴 아들들히 아비 죽다 듣고

② 내 ᄒᆞ마 命終(명종)호라

③ 내 이제 分明(분명)히 너ᄃᆞ려 닐오리라

④ 쁘데 몯 마ᄌᆞᆫ 이리 다 願(원)ᄀᆞ티 ᄃᆞ외더라

⑤ 하ᄂᆞᆯ히며 사ᄅᆞᆷ 사ᄂᆞᆫ 짜ᄒᆞᆯ 다 뫼호아 世界(세계)라 ᄒᆞᄂᆞ니라

학습 활동 적용

12 〈보기〉를 바탕으로 중세 국어의 특징을 탐구한 내용으로 적절하지 <u>않은</u> 것은?

┌─ 보기 ─

須達이 부텨씌 ᄉᆞᆲ보ᄃᆡ

"如來하 우리나라해 ㉠오샤 衆生의 邪曲을 덜에 ᄒᆞ쇼셔."

世尊이 니ᄅᆞ샤ᄃᆡ

"出家ᄒᆞᆫ 사ᄅᆞ미 쇼히 ᄀᆞᆮ디 아니ᄒᆞ니

그에 精舍ㅣ 업거니 어드리 가료."

須達이 ᄉᆞᆲ보ᄃᆡ / "㉡내 어루 ㉢이르ᅀᆞᄫᆞ리이다."

(현대어 역) 수달이 부처께 아뢰되

"여래시여 우리나라에 오셔서 중생의 사곡을 덜게 하십시오."

세존이 이르시되

"출가한 사람은 속인과 같지 않으니, 거기에 정사가 없으니 어디로 가겠는가?"

수달이 아뢰되

"내가 능히 짓겠습니다."

– 『석보상절』권 6, 21~22장

└──────────────

① ㉠에 쓰인 선어말 어미 '-시-'는 '여래(如來)'를 높이고 있다.

② ㉡은 '나+ㅣ'로 분석할 수 있는데, 이 'ㅣ'는 관형격 조사이다.

③ ㉢에 쓰인 선어말 어미 '-ᅀᆞᆸ-'은 '정사(精舍)'를 높임으로써 궁극적으로는 '세존(世尊)'을 높이고 있다.

④ ㉢에 쓰인 선어말 어미 '-이-'는 '세존(世尊)'을 높이고 있다.

⑤ ㉠에는 주체 높임이 쓰였고, ㉢에는 상대 높임과 객체 높임이 쓰였다.

[13-15] 다음 글을 읽고, 물음에 답하시오.

국어의 기본적인 특징들은 대체로 고대 국어부터 현대 국어까지 공통되는 것이지만 현대 국어의 특징이라 할 만한 것 가운데에는 근대 국어 시기의 변화에서 비롯된 부분이 적지 않은 것이다.

중세 국어 시기를 거치면서 자음 'ㅸ, ㅿ'은 소멸되었고, 모음 'ㆍ'는 16세기 말에 둘째 음절 이하에서 'ㅡ'로 변하였고 근대 국어 시기인 18세기에 와서 첫째 음절에서 대체로 'ㅏ'로 변하였다.

'ㆍ'의 변화가 어느 정도 완성되자 모음 조화가 잘 지켜지지 못하는 현상이 발생하였다. 'ㆍ' 자체는 양성 모음으로서 모음 조화에서 음성 모음 'ㅡ'와 대립되면서 중요한 역할을 하였는데, 첫째 음절에서는 양성 모음, 둘째 음절 이하에서는 음성 모음으로 변하는 일이 많았기 때문에 자연스럽게 모음 조화를 지키지 못하게 되었다.

근대 국어 시기에 발생한 구개음화는 자음의 변천과 관련하여 가장 주목되는 음운 현상이다. 이전 시기까지 'ㄷ, ㅌ'이 'ㅣ' 앞에서 그대로 소리 나던 것이 이 시기에 와서 'ㅈ, ㅊ'으로 음운 변화를 일으키게 되었고, 그 결과가 현대 국어까지 이어지게 되었다.

어휘 면에서는 기존의 한자어에 더하여 서양의 새로운 지식이 중국을 통해 유입되는 과정에서 번역 한자어가 새로 유입되는 경우가 많았다. 또한 중국 이외에 일본이나 서양과의 접촉을 통해 유입되는 새로운 어휘가 늘어난 것도 이 시기의 특징이다. '자명종(自鳴鐘)', '천리경(千里鏡)' 등이 근대에 새로 들어온 한자어이다.

결과적으로 우리나라의 어휘 체계는 고유어와 한자어의 두 계열에 더하여 일본과 서양의 외래어가 유입되어 증가하는 경향을 보이게 되었으며 이러한 양상은 현대까지 지속되고 있다.

문법 변화의 가장 큰 특징 가운데 하나는 주격 조사 '가'의 등장이다. 현대 국어에서 선행되는 체언의 어말에 받침이 있느냐 없느냐에 따라 주격 조사 '이'와 '가'가 교체를 보이는 현상은 바로 이 변화에 말미암은 것이다. 대부분의 역사적 변화가 그러하듯이 새로운 주격 조사 '가'는 처음부터 전면적으로 사용된 것이 아니었다. 체언의 말음이 모음 'ㅣ'인 경우와 같이 일부 제한된 환경에서 나타나다가 서서히 그 쓰임을 넓혀 가서 모음 아래에서는 '가', 자음 아래에서는 '이'가 나타나는 양상을 보이게 되었다.

또 과거 시제를 표현하는 선어말 어미 '-았-/-었-'이 이 시기에 확립되었으며, 앞 시기에 객체 높임법이 사용되던 선어말 어미 '-습-'은 상대 높임법을 나타내는 선어말 어미로의 변화를 보인다. 명사형 어미 '-기'가 널리 쓰이게 된 것도 근대 국어 시기의 중요한 특징이다.

중세 국어 시기에 음소적 원리와 음절적 원리에 따라 정연하게 지켜지던 표기법은 근대에 와서 상당히 혼란한 양상을 보인다. 예를 들어, '사ᄅᆞ미'로 표기되던 것이 '사름이'로 표기되기도 하고 '사름미'와 같이 표기되기도 하였다. '사ᄅᆞ미'와 같은 표기를 이어적기, '사름이'와 같은 표기를 끊어적기, '사름미'와 같은 표기를 거듭적기라 한다.

근대 국어 시기의 경우 한 문헌 안에서도 이어적기, 거듭적기, 끊어적기가 섞여서 나타나는 경우도 적지 않다. 16세기부터 부분적으로 나타난 표기법 혼란이 근대 국어 시기에 와서 더욱 심해졌음을 보이는 것이다. 이 시기에는 표기법의 기준이 될 만한 규범이 따로 없었기 때문에 이러한 양상이 나타났던 것으로 보인다.

13 근대 시기 국어의 특징으로 적절하지 않은 것은?

① 중세 국어에 나타나지 않던 음운 변동 현상이 나타났다.
② 'ㅸ, ㅿ'이 소멸되면서 모음 조화를 지키지 못하는 양상이 생겨났다.
③ 둘째 음절 이하에서 사용되지 않던 'ㆍ'가 첫째 음절에서도 'ㅏ'로 변화하였다.
④ 음소적 원리와 음절적 원리를 지키던 표기법이 혼란한 양상을 띠기 시작했다.
⑤ 근대 국어 시기에 이전에는 사용되지 않았던 새로운 어휘가 나타나기 시작했다.

14 〈보기〉를 통해 알 수 있는 근대 국어의 음운상 특징은?

〈보기〉
디다>지다[落], 티다>치다[打], 부텨>부처[佛]

① 비음화 현상이 일어났다.
② 유음화 현상이 일어났다.
③ 모음 조화 현상이 일어났다.
④ 구개음화 현상이 일어났다.
⑤ 된소리되기 현상이 일어났다.

15 〈보기〉는 19세기 신문의 내용이다. 윗글을 고려할 때 〈보기〉에 대한 반응으로 적절하지 않은 것은?

〈보기〉
우리신문이 한문은 아니쓰고 다만 국문으로만 쓰는 거슨 샹하귀쳔이 다보게 홈이라 또 국문을 이러케 귀졀을 쩨여 쓴즉 아모라도 이신문 보기가 쉽고 신문속에 잇는 말을 자세이 알어 보게 홈이라

① 명사형 '-옴' 외에도 '-기'도 사용되고 있군.
② 중세 국어에서 보인 'ㆍ'가 여전히 쓰이고 있군.
③ 주격 조사는 '이'와 함께 '가'가 사용되었음을 알 수 있군.
④ 띄어쓰기가 나타나고 있지만, 현대 국어보다는 철저하지는 않군.
⑤ 표기상 중세 국어에 사용되던 이어적기는 더 이상 사용되지 않고 있군.

고난도
16 〈보기〉에 대한 설명으로 적절하지 않은 것은?

〈보기〉
ⓐ 셔블>셔울>셔울>서울
ⓑ ᄆᆞᅀᆞᆷ>ᄆᆞ음>ᄆᆞ음>마음
ⓒ 둏다>좋다>좋다

① ⓐ의 '셔블>셔울'은 '고ᄫᅡ>고와'와 같은 양상이군.
② ⓑ의 'ᄆᆞᅀᆞᆷ>ᄆᆞ음'은 '지ᅀᅥ>지어'와 같은 양상이군.
③ ⓐ의 '셔울>서울'은 ⓒ의 '좋다>좋다'와 같은 양상이군.
④ ⓑ의 'ᄆᆞ음>ᄆᆞ음>마음'의 변화 양상은 ⓒ의 '둏다>좋다'와는 다르겠군.
⑤ ⓒ에는 ⓐ와 ⓑ에 공통적으로 드러나는 음운 변동 현상이 나타나지 않는군.

2. 국어 생활과 문화

🔊 **핵심 질문** 효과적인 국어 생활을 위해 지켜야 할 관습과 규범에는 무엇이 있을까?

≫ 다음은 주변에서 쉽게 접할 수 있는 국어 자료의 예이다. 이 자료를 만들 때 언어의 어떤 특성을 고려하여 만들었을지 말해 보자.

| 예시 답 | 왼쪽의 국어 자료는 어떤 정보를 널리 알리기 위해 만든 광고이다. 표면적으로는 정보를 전달하는 것이 목적이지만 그 이면에는 보는 사람을 설득하고자 하는 목적이 있다. 또한 문자 언어에 국한하지 않고, '골목'을 연상할 수 있도록 지면을 구성하고 이미지를 배치하는 등 다양한 매체 언어를 활용하였다. 오른쪽의 국어 자료는 신문 기사로, 실제 사건이나 상황이 전개되는 모습을 독자에게 알려 주는 글로 육하원칙에 의해 작성되며, 다른 사람의 말을 인용하는 표현이나 피동 표현이 많이 쓰인다.

우리는 목적과 상황에 따라 여러 방법으로 국어를 사용한다. 그 과정에서 관습이 생겨나고 규칙으로 정착된 것이 국어의 문화, 갈래, 규범 등이다. 이러한 관습과 규칙을 지킴으로써 의사소통의 효율성이 높아지고, 관습을 창의적으로 파괴함으로써 새로운 문화가 생겨나기도 한다.

이 단원에서는 국어 문화라는 관점에서 국어 자료의 다양성을 알아보고, 국어의 규범을 탐구하여 익히기로 한다. 이를 통해 국어를 정확하고 적절하게 사용하는 능력을 기르고 자신의 국어 생활을 성찰하여 바람직한 국어 문화 발전에 참여할 수 있다.

소단원	학습 목표	내용
(1) 국어 자료의 다양성과 국어 문화	• 국어 자료의 다양성을 이해하고 맥락과 관습에 맞게 국어 자료를 생산할 수 있다.	① 국어 자료의 갈래별 특성 ② 국어 자료의 사회적 특성
(2) 국어 규범과 국어 생활의 성찰	• 국어의 규범을 이해하고 정확성, 적절성, 창의성을 갖춘 국어 생활을 할 수 있다. • 자신의 국어 생활을 성찰하고 국어 문화에 참여하는 태도를 기를 수 있다.	① 표준어 규정 ② 한글 맞춤법 ③ 외래어 표기법 ④ 국어의 로마자 표기법

{ 1 } 국어 자료의 다양성과 국어 문화

■ 국어 자료의 갈래별 특성

• 목적 층위에서 국어 자료의 언어적 특성: 국어 자료를 만들 때 어떤 목적을 가지느냐에 따라 친교 및 정서 표현, 정보 전달, 설득적인 국어 자료 등으로 나눔.
• 구체적인 갈래 층위에서 국어 자료의 언어적 특성: 국어 자료를 구체적인 갈래 층위에 따라 구분하면 광고문, 기사문, 보도문, 공고문 등으로 나눌 수 있음.

■ 국어 자료의 사회적 특성

• 사회에 따른 다양성: 같은 내용이라도 사회·문화적인 차이에 따라 언어를 사용하는 양상이 다르게 나타남.
• 사회·문화적인 변이 요인을 가진 방언 자료

지역	같은 언어를 사용하는 사람들이 서로 다른 지역에서 살게 되면서 언어가 변이된 말이 지역 방언이고, 이를 반영한 것이 지역 방언 국어 자료임.
사회	• 연령, 성별, 계층, 문화 등에 의해 변이가 일어난 말이 사회 방언이고, 이를 반영한 것이 사회 방언 국어 자료임. • 넓게 보면 해외에서 생산된 국어 자료나 국어로 번역된 외국 자료도 방언 자료에 속함.

{ 2 } 국어 규범과 국어 생활의 성찰

• 어문 규범

표준어 규정	표준어는 교양 있는 사람들이 두루 쓰는 현대 서울말로 정함을 원칙으로 함.
한글 맞춤법	표준어를 소리대로 적되, 어법에 맞도록 함을 원칙으로 함.
외래어 표기법	외래어의 1 음운은 국어의 현용 24 자모 가운데 하나로 대응시켜 적음.
국어의 로마자 표기법	국어의 로마자 표기는 국어의 표준 발음법에 따라 적는 것을 원칙으로 함.

• 올바른 국어 생활

정확성	어문 규범에 대한 이해를 바탕으로 정확한 국어 생활을 해야 함.
적절성과 창의성	구어와 문어, 문학어와 일상어, 표준어와 방언, 현실 공간과 가상 공간 등에 따라 적절하고 창의적인 국어 생활을 해야 함.

1. 다음 빈칸에 알맞은 말을 쓰시오.

(1) 국어 자료의 생성 목적에 따른 분류에는 친교 및 정서 표현 국어 자료, 정보 전달 국어 자료, (　　　)적인 국어 자료 등으로 나눌 수 있다.

(2) (　　　) 방언은 연령, 성별, 계층, 문화 등에 의해 변이된 말을 가리킨다.

(3) 표준어는 교양 있는 사람들이 두루 쓰는 (　　) (　　)로 정함을 원칙으로 한다.

(4) 한글 맞춤법은 표준어를 (　　) 대로 적되, (　　)에 맞도록 함을 원칙으로 한다.

2. 다음 진술 중 맞는 것에는 ○표, 틀린 것에는 ×표를 하시오.

(1) 지역 방언은 원활한 의사소통을 방해하므로 사용해서는 안 되며 언어로서의 가치를 지니지 않는다.
(　　)

(2) 아버지 세대가 사용하는 언어와 아들 세대가 사용하는 언어의 차이는 새로운 문화의 전파 속도가 빨라서 서로의 문화적 경험이 다르기 때문에 나타난다.
(　　)

(3) 외래어 1 음운은 원칙적으로 1 기호로 적는다.
(　　)

(4) 로마자는 우리말의 음운 체계를 고려하여 만들어진 문자가 아니기 때문에 발음과 표기가 일치하는 로마자 표기법은 거의 불가능하다.
(　　)

(5) 올바른 국어 생활을 위해서는 정확하고 창의적인 국어 생활을 해야 한다.
(　　)

답 1. (1) 설득, (2) 사회, (3) 현대, 서울말, (4) 소리, 어법
답 2. (1) ×, (2) ○, (3) ×, (4) ○, (5) ○

{1}

국어 자료의 다양성과 국어 문화

소단원 학습 포인트

● 다양한 사회에서의 국어 자료의 차이 이해하기
● 다양한 갈래에 따른 국어 자료의 특성 이해하기
● 상황에 적절하게 국어 자료 생산하기

📝 편지와 같은 국어 자료는 글 속에 담긴 글쓴이의 체험과 정서를 자신의 체험이나 정서와 관련지어 읽어야 글에 나타난 글쓴이의 개성을 느낄 수 있다.

제재 연구 ✚

● 갈래: 편지글
● 제재: 잠 못 이루고 고뇌하는 아들에게 주는 아버지의 충고와 격려
● 주제: 아들의 아픔에 공감하고 이해하며 아들이 사람을 사랑으로 대하며 살아가기를 바라는 아버지의 마음
● 특징
  – 아들을 사랑하는 글쓴이의 마음이 진솔하게 드러남.
  – 대화하듯 구어적인 표현으로 독자에게 아름다운 정서를 전해 줌.

㉮ 현대 사회에서 국어 자료는 사회나 갈래에 따라 다양한 양상을 보인다. 우선 갈래적인 측면에서 볼 때 국어 자료의 목적과 구체적인 갈래 층위에 따라 다양한 언어적 특성을 보인다. (광고문, 기사문, 공고문, 보도문 등) (친교 및 정서 표현, 정보 전달, 설득 등) 사회적인 측면에서 볼 때는 지역·세대·성별·계층·문화적 차이에 따라 국어 자료의 언어 사용 양상이 다양하게 나타난다. (사회적 측면의 요소) 그러므로 국어 자료에 대한 적절한 이해를 바탕으로 상황에 맞는 국어 자료를 생산하는 능력이 필요하다. 즉, 사회나 갈래에 따른 국어 자료의 언어적 특성을 탐구하여 그 차이를 이해하고, 상황에 적절한 국어 자료를 생산하는 능력을 길러 국어 문화를 발전하는 데 적극적으로 참여하는 태도를 갖추어야 한다. (생산하는 목적이나 갈래와 지역, 세대, 성별, 계층 문화적 차이를 고려한 국어 자료 생산 능력)

㉯ 1 국어 자료의 갈래별 특성

① 목적 층위에서 국어 자료의 언어적 특성

국어 자료를 만들 때 어떤 목적을 가지느냐에 따라 친교 및 정서 표현 자료, 정보 전달 자료, 설득적인 자료 등으로 나뉜다. (목적에 따른 국어 자료의 구분)
▶목적 층위의 국어 자료 구분

친교 및 정서를 표현한 국어 자료에는 글쓴이 자신의 경험과 감정이 직접 드러난 것과 상상력으로 꾸며 낸 것이 있다. 일기, 편지, 수필 등은 전자에 해당하고, 문학 작품과 같은 국어 자료가 후자에 해당한다. (글쓴이의 경험과 감정이 드러나는 것) (글쓴이의 상상력으로 꾸며 낸 것)
▶친교 및 정서를 표현한 국어 자료의 종류

㉰

예제 ≫ 다음 글을 읽고, 친교 및 정서 표현이 어떻게 전달되는지 말해 보자.

> 민세야, 살다가 보면 그렇게 잠 못 이루는 밤이 있단다. 잠 못 든 밤을 뒤척일 때 네 (편지를 받는 사람) (편지를 받는 사람이 겪고 있는 어려움) 뒤척이는 소리를 듣는 사람이 있다는 것은 행복한 일이란다. 아버지는 네가 돌아눕는 그
> [A] 아픔을 안다. 누군들 그런 밤을 지새우지 않았겠느냐. 나는 네가 가난하게 사는 것을 걱 (괴로워하는 아들에 대한 위로) 정하는 게 아니라 비인간적으로 비굴하게 살까 봐 걱정한다. 사람을 대하는 것은 사랑이 (고뇌하고 괴로워하는 아들에게 아버지로서 들려주는 싶은 말) 아니면 안 된다. 진심으로 사람을 사랑하거라. (아들에게 건네는 아버지의 진심 어린 충고)
>
> – 김용택, 『마음을 따르면 된다』에서

▶친교 및 정서를 표현한 국어 자료의 예시

위 글은 아버지가 자식에게 보내는 편지글로, 자신의 삶을 되돌아보며 자식에게 충고와 격려를 건넨다. (글의 성격 – 친교 및 정서를 표현한 국어 자료) 글쓴이인 아버지는 자신의 솔직한 생각과 감정을 대화하듯 써 내려가며, 독자에게 아름다운 정서를 전해 준다. (편지글의 특성 – 자신의 진솔한 감정을 표현함.) 그래서 친교 및 정서 표현이 목적인 국어 자료는 일반적으로 글쓴이의 생각이나 느낌을 진술하게 드러내며, 구어적인 표현이 (친교 및 정서를 표현한 국어 자료의 특징 ①) (친교 및 정서를 표현한 국어 자료의 특징 ②) 많이 쓰여 읽는 이가 공감대를 쉽게 형성할 수 있는 언어적 특성이 있다. (친교 및 정서를 표현한 국어 자료의 특징 ③)
▶친교 및 정서를 표현한 국어 자료의 언어적 특성

■ 사회나 갈래에 따른 국어 자료의 양상

갈래적 측면	국어 자료의 목적과 구체적인 갈래 층위에 따라 다양한 언어적 특성을 보임.
사회적인 측면	지역, 세대, 성별, 계층, 문화적 차이에 따라 국어 자료의 언어 사용 양상이 다양하게 나타남.

■ 상황에 맞는 국어 자료를 생산하는 능력의 필요성

• 사회나 갈래에 따른 국어 자료의 언어적 특성을 탐구하고 그 차이를 이해하기 위해 필요함.
• 상황에 적절한 국어 자료를 생산하는 능력을 길러 국어 문화를 발전하는 데 적극적으로 참여하는 태도를 갖추기 위해 필요함.

■ 목적 층위에서 국어 자료의 언어적 특성

자료를 만들 때 어떤 목적을 가지느냐에 따른 분류
→ 친교 및 정서 표현 자료, 정보 전달 자료, 설득적 자료 등으로 나눔.

■ 친교 및 정서 표현의 국어 자료의 종류

글쓴이 자신의 경험과 감정이 직접 드러난 것	일기, 편지, 수필 등
상상력으로 꾸며 낸 것	문학 작품 등

• 편지글의 목적 층위에서의 언어적 특성

편지글	• 솔직한 생각과 감정을 대화하듯 써 내려가는 형식 • 친교 및 정서 표현이 목적인 국어 자료

↓

특징	• 독자에게 아름다운 정서를 전해 줌. • 글쓴이의 생각이나 느낌을 진술하게 그려냄. • 구어적 표현을 통해 글을 읽는 이가 공감대를 쉽게 형성할 수 있는 언어적 특징을 지님.

01. 윗글의 내용과 일치하지 <u>않는</u> 것은?

① 문학 작품은 상상력을 바탕으로 꾸며 낸 친교 및 정서 표현 자료에 해당한다.
② 친교나 정서 표현 자료 중 자신의 경험이나 감정이 직접 드러난 것에는 일기, 편지, 수필 등이 있다.
③ 친교 및 정서 표현이 목적인 국어 자료는 글쓴이의 생각이나 느낌을 진솔하게 드러내는 특성을 지닌다.
④ 친교 및 정서 표현의 국어 자료인 편지는 글로 남긴다는 점에서 문어적 표현으로 정제된 감정을 드러낸다.
⑤ 국어 자료의 생산 목적에 따라 친교 및 정서 표현 자료, 정보 전달 자료, 설득적인 자료 등으로 나눌 수 있다.

출제 예감
02. [A]에 대한 설명으로 적절하지 <u>않은</u> 것은?

① '민세'는 필자의 생각과 감정을 전달하고자 하는 구체적 대상이군.
② '그렇게 잠 못 이루는 밤이 있단다'에는 필자가 '민세'의 고민에 공감하고 있음을 드러내고 있군.
③ 필자는 아버지로서 아들의 고민과 번뇌가 누구에게나 있는 것이라고 폄하하고 있군.
④ 필자는 아들의 고뇌에 공감하면서 아들이 어떻게 살기를 원하는지를 솔직하게 드러내고 있군.
⑤ 이 글을 다른 독자들이 읽게 된다면 아들을 사랑하는 아버지의 마음과 진심어린 충고를 느낄 수 있겠군.

서술형
03. [A]와 같은 목적어의 국어 자료가 가진 특징을 윗글에서 찾아 두 가지 이상 쓰시오.

🔑 정보 전달이 목적인 국어 자료를 만들 때는 구조적 요소인 개요, 목차, 제목, 요약문 등을 고려하여 전체의 설계도를 계획한 후 자료를 만드는 것이 좋다.

제재 연구 ✚
• 갈래: 설명문
• 제재: 올림픽 메달 수상자들의 감정 분석 결과
• 주제: 다른 성취 대상과의 비교를 통해 달리 해석되는 성취의 크기
• 특징
 – 심리학적 주제를 일상의 사례에 적용하여 알기 쉽고 흥미롭게 설명함.
 – 정보를 객관적으로 간결하게 전달함.

라 일반적으로 정보를 전달하는 국어 자료는 글쓴이가 어떤 대상에 대한 정보를 알리고 설명하려는 목적으로 만든 것이다.
→ 정보를 전달하는 국어 자료의 생산 목적
따라서 쉽고 정확하며 신속하게 독자에게 필요한 정보를 전달하는 것을 중시한다.
→ 정보를 전달하는 국어 자료의 요건 ①
▶정보를 전달하는 국어 자료의 목적과 요건

>> 예제 다음 글을 읽고, 정보를 전달하는 국어 자료의 특성을 말해 보자.

동메달이 은메달보다 행복한 이유

[A] 『미국 코넬 대학교 심리학과 연구 팀은 1992년 하계 올림픽 메달 수상자들이 경기 종료 순간에 어떤 표정을 짓는지 분석하였다.』
→ 전달하려는 정보의 출처 제시 – 신뢰성 확보
연구 팀은 실험 관찰자들에게 분석이 가능했던 23명의 은메달 수상자와 18명의 동메달 수상자의 얼굴 표정을 보고 이들의 감정이 '비통'에 가까운지 '환희'에 가까운지 10점 만점으로 평정하게 했다. [중략] 『분석 결과, 경기가 종료되고 메달 색깔이 결정되는 순간 동메달 수상자의 행복 점수는 10점 만점에 7.1점으로 나타났다. 비통보다는 환희에 더 가까운 점수였다. 그러나 은메달 수상자의 행복 점수는 고작 4.8점으로 나타났다.
→ 관찰 결과의 제시 – 설명하려는 내용의 객관성 확보
환희와는 거리가 먼 감정 표현이었다.』

– 최인철, 『프레임』에서

▶정보를 전달하는 국어 자료의 예시

위 글은 심리학적 주제를 일상에서 볼 수 있는 사례에 적용하여 알기 쉽고 흥미롭게 설명하고 있다. 이처럼 정보를 전달하기 위한 국어 자료는 객관성이 생명이므로 이를 확보하기 위해 정보를 체계적으로 정리하고,
→ 정보를 전달하는 국어 자료의 요건 ②
과장된 내용이나 꾸민 부분은 배제하고 간결한 문장으로 표현하는 언어적 특성이 있다.
→ 정보를 전달하는 국어 자료의 언어적 특성
▶정보를 전달하는 국어 자료의 언어적 특성

마 설득의 기능을 담고 있는 국어 자료는 글쓴이가 자신의 주장이나 의견을 독자에게 이해시키고, 나아가 그 주장대로 믿고 따르게 할 목적으로 만든 자료이다.
→ 설득의 기능을 하는 국어 자료의 생산 목적
따라서 글쓴이는 자신의 주장과 함께 주장을 뒷받침할 근거를 제시해야 한다.
→ 설득의 기능을 하는 국어 자료가 갖추어야 할 요건
▶설득의 기능을 하는 국어 자료의 목적과 요건

제재 연구 ✚
• 갈래: 논설문
• 제재: 합의의 기술
• 주제: 갈등을 새로운 개념의 합의를 통해서 관리하고 해결해야 한다.
• 특징
 – 간결하고 명료한 문장으로 진술함.
 – 일관되고 논리적으로 주장을 펼침.

>> 예제 다음 글을 읽고, 설득이 목적인 국어 자료의 특성을 말해 보자.

[B] 우리가 기억해야 할 것은, 갈등은 그 자체로 선도 악도 아니라는 사실이다. 갈등은 분열과 폭력의 도화선일 수도 있고, 발전과 통합의 씨앗일 수도 있다. 이 때문에 합의의 기술이 무엇보다 중요하다.
→ 갈등을 해결해야 하는 이유   → 갈등 해결을 위한 합의의 기술
갈등으로 인해 낭비되는 비용을 줄이고, 분열된 사회를 합의의 기술로 잘 봉합해야 우리 경제도 다시 살아날 수 있다. 그렇다고 '합의'라는 결과만 강조하고 그 절차를 무시한다면 또 다른 억압을 동반할 수밖에 없다.
→ 합의의 과정에서 절차의 중요성
이제 과거에 우리가 머릿속에 갖고 있던 '합의'의 개념을 바꾸어야 한다. 합의의 문화, 갈등의 관리는 모든 이해 당사자들이 공평하게 자기 권리를 주장하는 것에서부터 시작되어야 한다.
→ 새로운 합의의 기술

– 케이비에스(KBS) 명견만리 제작팀, 「1장 당신은 합의의 기술을 가졌는가」에서

▶설득의 기능을 담은 국어 자료의 예시

위 글은 우리 사회에서 발생하는 갈등을 새로운 개념의 합의를 통해서 관리하고 해결해야 한다고 주장하고 있다.
→ 예제 글의 주장의 내용
설득을 위한 국어 자료는 정보를 전달하는 국어 자료와 마

찬가지로, <u>문장이 간결하고 명료하다는 공통적인 특성이 있다.</u> 그러나 설득을 위한 국

정보를 전달하는 국어 자료와 설득의 기능을 하는 국어 자료의 공통점

어 자료는 반드시 글쓴이의 주장과 의견이 제시되기 때문에 자료의 구조나 표현이 일

관적이고 논리적이라는 특성이 있다. ▶설득의 기능을 담은 국어 자료의 언어적 특성

■ 정보 전달 국어 자료와 설득적 국어 자료

	정보 전달 국어 자료	설득적 국어 자료
목적	어떤 대상에 대한 정보를 알리고 설명하려는 목적으로 만든 자료	자신의 주장이나 의견을 독자에게 이해시키고 그 주장을 믿고 따르게 할 목적으로 만든 자료
요건	쉽고 정확하며 신속하게 독자에게 필요한 정보를 전달하는 것과 객관성을 중시함.	자신의 주장과 함께 주장을 뒷받침할 근거를 제시해야 함.
언어적 특성	객관성을 확보하기 위해 ① 정보를 체계적으로 정리 ② 과장이나 꾸민 부분을 배제 ③ 간결한 문장으로 표현	독자에 대한 설득력을 높이기 위해 주장과 의견을 제시할 때 자료의 구조나 표현이 일관적이고 논리적
공통점	문장이 간결하고 명료함.	

<보충자료>

설명하는 글

• 개념: 어떤 개념이나 사물, 현상, 원리, 법칙 등에 대해 독자가 이해하기 쉽도록 풀어서 쓴 글

• 목적: 정보 전달

• 특성

'정보'의 측면	객관적이고 정확한 정보를 담는 것이 기본 요건임.
'독자'의 측면	유용한 정보를 분명하고 쉽게 전달하는 것이 중요함.

주장하는 글

• 개념: 어떤 사실이나 현상, 가치 등에 대해 자신의 주장을 논리적으로 쓴 글

• 목적: 주장의 전달과 관철

• 특성

ⓐ 논리적인 글임.

ⓑ 연역법이나 귀납법 등의 논증 방법을 활용할 수 있음.

ⓒ 명확한 글임.

04. '한국의 세계 문화유산'에 대해 정보를 전달하는 글을 쓸 때, 고려해야 할 사항으로 적절하지 <u>않은</u> 것은?

① 객관성을 위해 우리나라의 세계 문화유산에 대해 관련 자료를 조사해 봐야겠어.

② 세계 문화유산으로 선정되는 기준에 대해 자료를 조사하여 체계적으로 정리해야겠어.

③ 세계 문화유산에 대한 정보를 쉽고 명확하게 전달하기 위해 명료한 표현이 되도록 해야겠어.

④ 우리나라 세계 문화유산이 지닌 가치를 학술적으로 설명하고 보존에 힘써야 함을 강조해야겠어.

⑤ 세계 문화유산으로 선정된 문화유산의 역사를 설명할 때에는 시간적 순서에 따라 설명해야겠군.

05. 설득의 기능을 담고 있는 국어 자료에 대한 설명으로 적절하지 <u>않은</u> 것은?

① 글쓴이의 의견이 잘 드러난 명료한 글이다.

② 주장하려는 내용을 짜임새 있게 조직해야 하는 체계적인 글이다.

③ 어떤 사실이나 현상, 가치 등에 대해 자신의 주장을 논리적으로 쓴 글이다.

④ 개념이나 표현을 오해하지 않도록 명확한 개념과 표현을 사용해야 하는 글이다.

⑤ 전문적인 내용을 추상적인 근거에 의거하여 독자의 지적 수준에 맞게 주장을 표현하는 글이다.

출제 예감

06. [A]와 [B]를 비교한 설명으로 적절하지 <u>않은</u> 것은?

① [A]와 [B]는 자료의 생산 목적에 따라 분류할 수 있다.

② [A]와 [B]는 문장이 간결하다는 점에서 공통점이 있다.

③ [A]는 정보를 알기 쉽게 전달하는 것이라면, [B]는 글쓴이의 주장을 이해시키고 따르게 하려는 것이다.

④ [A]와 달리 [B]는 글쓴이의 주장이 일관되고 논리적으로 전개된다는 점이 특성이 있다.

⑤ [A]는 [B]에 비해 정보의 전달이 주된 목적이므로 효과적인 전달을 위해 내용의 과장이나 비유를 통한 꾸밈이 허용된다.

제재 연구 ⊕
· 갈래: 공익 광고
· 제재: 무절제한 스마트폰의 사용
· 주제: 스마트폰의 사용을 절제하자.
· 특징
 – 스마트폰을 줄에 매달아 '자린고비의 이야기'를 연상시킴.
 – 한 장면만으로 주제에 관한 깊은 인상을 심어 줌.

(바) ② 구체적인 갈래 층위에서 국어 자료의 언어적 특성

국어 자료를 이제 구체적인 갈래 층위에 따라 광고문, 기사문, 보도문, 공고문 등으로 분류하여 살펴보도록 한다.
구체적 갈래에 따른 국어 자료의 구분
▶구체적 층위의 국어 자료 구분

(사) 우선 광고문은 제품을 판매하거나 각종 정보나 자료를 널리 알리기 위하여 활용하는 국어 자료로,
광고문의 목적
표면적으로는 정보를 전달하는 것이지만 그 이면에는 독자를 설득하려는 의도가 담겨 있다.
광고문의 특성 – 표면적 의도와 이면적 의도
또한 문자 언어에 국한하지 않고, 설득이나 홍보 등 광고 효과를 높이기 위해 다른 매체 언어를 이용하는 특성이 있다.
광고문의 언어적 특성
▶광고문의 목적과 특성

● 예제 ≫ 다음 광고에 나타나는 국어 자료의 언어적 특성을 파악해 보자.

[A]

위 광고는 '스마트폰 사용 절제'에 대한 공익 광고이다. 위 광고에서 볼 수 있듯이 다양한 매체 언어와 함께 광고를 끌고 가는 문자 언어는, 짧은 시간 내에 최대한 효과적으로 주제를 보는 이에게 전달해야 하므로
광고문이 갖추어야 할 요건
표현이 간결하고 압축적인 특성을 보이고 있다.
광고문의 언어적 특성
▶광고문의 언어적 특성

(아) 반면 기사문이나 보도문은 실제 사건이나 상황이 전개되는 모습을 신문이나 방송과
기사문이나 보도문의 작성 요건
같은 매체를 통해 독자에게 알려 주는 글로, 육하원칙에 의해 작성된다.
기사문, 보도문의 목적
▶기사문 보도문의 목적과 특성

● 예제 ≫ 다음 기사문에 나타나는 국어 자료의 언어적 특성을 파악해 보자.

사진 보고 따라 그렸을 뿐인데, 저작권법 위반이라고요? — 제목

웹툰이나 디자인 업계에 '트레이싱' 주의보가 발효됐다. '흔적을 따라가다'는 뜻의 트레이싱은 그림이나 디자인을 할 때 사진이나 다른 그림의 윤곽선을 따라 그리는 걸 의미
트레이싱의 언어적 정의
하기도 한다. 사실상 베껴 그리는 것이나 마찬가지라 본인이 직접 찍은 사진이 아닌 다른 사람 사진이나 그림을 트레이싱하는 것 자체가 원저작자의 저작권을 침해한다고 볼
[B]
수 있기 때문이다. [중략]

디지털콘텐츠창작학과 교수는 "아무리 좋은 아이디어라고 해도 출처를 밝히지 않고 남
전문가의 견해를 인용한 대사 내용
의 저작물을 복제한다면 저작권법 위반."이라면서 "법적 처벌도 필요하지만 저작권법에 대한 느슨한 인식도 단단히 할 필요가 있다."라고 지적했다. – 「한국일보」 2017년 9월 19일

제재 연구 ⊕
· 갈래: 기사문
· 제재: 저작권법 위반 사례
· 주제: 트레이싱의 저작권법 위반
· 특징
 – 일상 생활에서 저작권법을 위반한 사례를 가지고 전문자의 의견과 함께 정보를 전달함.
 – 객관적인 태도로 간결하고 명확하게 서술함.

위 기사문은 일상생활에서 저작권법을 위반한 사례를 가지고, 전문가의 의견과 함께
구체적인 실제 사례의 제시 (근거)   전문성을 높임. (근거)
정보를 전달하고 있다. 기사문은 공정성과 정확성이 중요하기 때문에 기자 개인의 주
기사문이 갖추어야 할 요건
관적 의견이나 추측을 포함하지 않아야 한다. 또한 대부분의 사건이나 상황은 기자가 직접 겪는 것이 아니므로 취재를 통해 다른 사람의 말을 인용하는 표현이나 피동 표현
기사문의 언어적 특성
이 많은 것이 기사문의 특성이다.
▶기사문의 언어적 특성

공고문은 주로 <u>기업이나 단체 등에서 공고할 정보를 널리 알리려는 의도로 만든 국어</u>
공고문의 목적과 의도
자료이다. 공고문은 <u>전달하고자 하는 조건적 정보를 항목별로 분류하여 제시한다.</u> 또
공고문의 요건
한 <u>공고문의 특성상 해석에 혼동을 줄 수 있는 말은 피해야 하고, 정확하게 공고할 내</u>
<u>용을 전달하기 위해 명사형 종결 표현을 쓰는 특성이 있다.</u>　　▶공고문의 목적과 언어적 특성
공고문의 언어적 특성

❷ 국어 자료의 사회적 특성

『같은 내용이라도 사회·문화적인 차이에 따라 언어를 사용하는 양상이 다르며,』 이에
『 』일반적인 언어의 특성
따라 국어 자료도 상황에 따라 적절하게 만들어야 한다. 일반적으로 같은 언어를 사용
하는 사람들이 서로 다른 지역에서 살게 되면서 언어가 변이된 말이 지역 방언이고, 연
지역 방언의 개념
령, 성별, 계층, 문화 등에 의해 변이가 일어난 말을 사회 방언이라 한다. 그래서 넓게
사회 방언의 개념
보면 해외에서 생산된 국어 자료나 국어로 번역된 외국 자료도 다양한 사회·문화적 변
넓은 의미에서 국어 방언 자료에 속함.
이 요인을 가진 방언 자료에 속한다고 볼 수 있다.　　▶사회·문화적인 차이에 따른 국어 자료의 구분

핵심 다지기　　　　　　　　　　　　　　　　　　　　　　　　　　　　　　　　　　　문제로 확인

■ **구체적 갈래 층위에서 국어 자료**

	광고문	기사문과 보도문	공고문
목적	• 제품을 홍보하거나 각종 정보, 자료를 널리 알리기 위한 국어 자료 • 표면적: 정보 전달 • 이면적: 독자 설득	실제 사건이나 상황을 신문이나 방송과 같은 매체를 통해 독자에게 알리는 국어 자료	기업이나 단체에서 공고할 정보를 널리 알리려는 의도로 만든 국어 자료
특성	짧은 시간 내에 최대한 효과적으로 주제를 보는 이에게 전달해야 함.	• 육하원칙에 의해 작성됨. • 기자 개인의 주관적인 의견이나 추측을 포함하지 않아야 함.	전달하려는 조건적 정보를 항목별로 분류하여 제시해야 함.
언어적 특징	• 설득과 홍보 등 광고 효과를 높이기 위해 다른 매체 언어를 이용함. • 표현이 간결하고 압축적임.	• 다른 사람의 말을 인용한 표현이 많음. • 피동 표현이 많음.	• 해석에 혼동을 줄 수 있는 말은 피함. • 공고 내용을 정확하게 전달하기 위해 명사형 종결 표현을 사용함.

07. [A]에 대한 설명으로 적절하지 <u>않은</u> 것은?
① 독자를 설득하려는 의도로 만들어졌다.
② 문자 언어에 국한하지 않고 다른 매체 언어를 사용하고 있다.
③ 단 하나의 장면만으로 주제에 관한 강한 인상을 독자에게 심어 주는 효과를 거두고 있다.
④ '밥 한 번, 스마트폰 한 번'에는 간결하고 압축적인 광고문의 언어적 특성이 잘 나타나 있다.
⑤ 사진과 함께 문안을 제시하면서, 동음이의어를 활용하여 전달하려는 바를 재치있게 전달하고 있다.

08. [B]와 같은 국어 자료의 특성에 대한 설명으로 적절하지 <u>않은</u> 것은?
① 사실을 왜곡하거나 축소하지 않고 객관적으로 서술해야 한다.
② 함축적이고 장황한 수식을 줄이고, 간결하고 명료한 표현으로 서술해야 한다.
③ 발생할 가능성이 높은 사건의 경우 상상력을 동원해서라도 상세히 서술해야 한다.
④ 전달하고자 하는 내용이 전문적인 경우 전문가의 의견과 함께 정보를 전달하기도 한다.
⑤ 사건이나 상황이 직접 경험한 경우가 아닌 경우가 많아 다른 사람의 말을 인용하기도 한다.

서술형
09. 공고문의 언어적 특성을 두 가지 이상 찾아 서술하시오.

예제 >> 다음 글에서 지역의 차이에 따라 국어의 사용 양상이 어떻게 달라지는지 파악해 보자.

_{└ 녹지역 방언이 두드러진}

"웬늠으 잉어가 사람버덤 비싸다냐?"

내가 기가 막혀 두런거렸더니,

_{□: 언어 유희}

"보통 것은 아닐러먼그려. 밸어낸벤또(베토벤)라나 뭬라나를 틀어 주면 또 그 가락대루 따라서 허구, 차에코풀구싶어(차이코프스키)라나 뭬라나를 틀어 주면 또 그 가락대루 따라서 허구, 좌우간 곡을 틀어 주는 대루 못 추는 춤이 읎는 순전 판따라 고기닝께. 물고 기두 꼬랑지 흔들어서 먹구 사는 물고기가 있다는 건 이번에 그 집에서 츰 봤구먼."

– 이문구, 「유자소전」에서

위 글은 지역 방언이 풍부하게 쓰인 작품이다. 이 지역의 방언에 익숙한 사람은 인물

_{토속적 정감과 사실성을 획득하고 독자에게 친근감을 줄 수 있음.}

들의 말을 이해할 수 있겠지만, 잘 모르는 사람은 말 자체를 이해하기 어려울 수도 있

_{방언을 사용하여 글쓰기를 하는 경우 나타나는 단점}

다. 그래서 특정한 지역이나 계층의 사람끼리 방언을 사용하면 그만큼 친근감을 느낄

_{방언을 사용하여 글쓰기를 하는 경우 얻을 수 있는 장점}

수 있다.

▶방언 자료의 특성

카 또 국어는 세대나 성별에 따라 언어를 사용하는 양상이 다르기 때문에 국어 자료를 만들 때도 이 점을 고려해야 한다. 성별에 따른 언어를 사용하는 양상으로는 여성의 경우 부가 의문문의 잦은 사용, 남성의 경우 확신적 표현이 두드러지는 모습 등이 있지만

_{성별에 따른 언어 사용 양상의 사례}

과거와 비교하면 현재는 그 구분이 매우 약화되고 있는 게 현실이다. 반면 세대에 따라 언어를 사용하는 양상은 매체의 발달과 함께 세대별로 언어 사용을 달리하는 모습으로

_{세대별 언어 사용 양상이 달라지는 이유 – 매체의 발달}

많이 나타나고 있다.

_{시대가 변하면서 환경과 문화도 달라짐.}

예제 >> 다음 대화를 바탕으로 세대의 차이가 나타나는 말을 찾아보고, 그 이유를 말해 보자.

> 아버지: 철수야, 담임 선생님은 어떤 분이니?
>
> 철수: 지금까지 만난 분 중 가장 완소 선생님이에요. 정말 볼매예요!
> _{'완전 소중한'의 준말   볼수록 매력 있는 사람의 줄임말}
>
> 아버지: '완소', '볼매'? 허허. 어떤 면에서 그런 생각을 했니?
>
> 철수: 선생님은 항상 친구같이 저희와 이야기를 나눠요.
>
> [A] 어제는 제 누리 소통망에서 댓글 놀이도 했는걸요?
> _{인터넷에 오른 원문에 댓글을 달거나 그 댓글에 또 다른 댓글을 계속해서 올림으로써 즐거움을 얻는 놀이}
>
> 아버지: '댓글 놀이'는 무슨 놀이니? 그런데 아무리 편해도 선생님께 무람없이 굴거나 허투루 말하면 안 된다. 알겠지?
> _{아무렇게나 되는 대로}
>
> 철수: '무람없이'? '허투루'? 그게 무슨 말이에요?
> _{예의를 지키지 않으며 삼가고 조심하는 것 없이}

위 대화에서 아버지는 철수가 사용하는 '완소', '볼매'라는 줄임말을 어색해하고, 철수는 아버지가 사용하는 '무람없다', '허투루'라는 말이 나오자 이전의 대화를 이어 가지

_{서로 사용하는 언어가 달라서 대화가 이어지지 못함.}

못하고 있다. 또한 '댓글 놀이'에서 새로운 문화에 당황하는 아버지의 모습도 볼 수 있

는 등 세대에 따라 언어 사용의 모습이 다르다는 것을 알 수 있다.

▶세대에 따라
언어 사용이 다른 모습

제재 연구 ⊕

• 갈래: 소설
• 제재: 유자의 삶
• 주제: 물질 만능주의에 물든 현대인의 삶과 인간적 가치의 추구(교과서 제시 부분: 유자의 운전사로서의 삶)
• 특징
  – 충청도 방언과 비속어를 사용하여 느낌을 생생하게 전달함.
  – 풍자와 해학을 담은 판소리 사설체 문장으로 현실을 폭로하고 비판함.

🖋 기성 세대보다 인터넷, 휴대 전화, 누리 소통망(SNS) 등의 매체를 접한 시점이 이른 젊은 세대는 그 매체에서 주로 사용하는 자신들의 언어 습관을 형성하고 있으며 그 파급력이 매우 크다. 그렇기 때문에 세대 간의 언어 사용 양상의 차이를 줄이기 위한 사회적인 노력이 시도되고 있다.

■ 사회·문화적 차이에 따른 국어 자료의 구분

지역 방언 자료	같은 언어를 사용하는 사람들이 서로 다른 지역에서 살게 되면서 언어가 변이된 말이 쓰인 자료임.
사회 방언 자료	연령, 성별, 계층, 문화 등에 의해 변이가 일어난 말이 쓰인 자료임.

↑

> 넓은 의미에서 보면 해외에서 생산된 국어 자료나 국어로 번역된 외국 자료도 다양한 사회·문화적 변이 요인을 가진 방언 자료에 속한다고 볼 수 있음.

■ 방언 자료의 장단점

장점	특정한 지역이나 계층의 사람끼리 방언을 사용하면 그만큼 친근감을 느낄 수 있음.
단점	사용된 방언을 모르는 사람은 말 자체를 이해하기 어려울 수도 있음.

● 성별에 따른 언어적 특성

과거	• 여성의 경우 부가 의문문의 잦은 사용 • 남성의 경우 확신적 표현이 두드러지는 모습

↓

현재	그 구분이 매우 약화됨.

■ 세대에 따른 언어적 특성

매체의 발달과 함께 세대별로 언어 사용을 달리하는 모습이 많이 나타나고 있음.

보충자료

> ### 세대에 따른 화법
>
> • 세대에 따라 자주 사용하는 용어나 말투 등에 차이가 있다.
> • 세대에 따른 사회 방언을 사용하면 친밀감과 결속력을 강화할 수 있으나, 다른 세대 간에는 의사소통이 잘 이루어지지 않아 세대 간 갈등의 원인이 될 수도 있다.
>
> ### 성별에 따른 화법
>
> • 성별에 따라 자주 사용하는 용어나 말투 등에 차이가 있다.
> • 대체로 여성은 부드럽고 완곡한 표현을 많이 쓰는 반면, 남성은 좀 더 딱딱하고 간결한 말투를 쓰는 경우가 많다.

10. 윗글의 내용을 읽고 짐작한 것으로 적절하지 <u>않은</u> 것은?

① 최근에는 성별에 따른 언어적 양상의 구분이 뚜렷해졌다.
② 같은 언어라도 지역에 따라 사용 양상에 차이가 나타난다.
③ 연령, 성별, 계층, 문화 등에 의해 사회 방언이 만들어진다.
④ 사용되는 방언을 모르면 의사소통에 어려움을 겪을 수 있다.
⑤ 특정한 지역이나 계층의 사람끼리 같은 방언을 사용하면 그만큼 더 친근감을 느낀다.

11. 다음 〈보기〉 중 사회 방언에 대해 바르게 이해하고 있는 사람은?

> ─〈 보기 〉
> • 영수: 의사 선생님이 전문적인 말로 병에 대해 기록하거나 치료를 하는 것들도 일종의 사회 방언이라고 할 수 있다.
> • 경민: 사회 방언에 의한 언어 차이는 전문적인 일을 하는 사람들이 의사소통을 위해 사용하므로 불편이 없다면 주의 깊게 살피지 않아도 된다.
> • 민아: 사회 방언이라고 해도 의사소통을 방해할 수 있으니 사회 방언을 누구라도 알아들을 수 있도록 사용되는 언어를 통일시킬 필요가 있다.
> • 유진: '부추'는 '정구지', '솔', '졸', '푸추' 등으로 불리는데 지역 사회가 다르면 방언도 다르게 나타난다는 점에서 사회 방언의 예라 할 수 있다.
> • 강희: 경상도 지역과 전라도 지역은 지역적 거리는 가까운데 사회 문화적 차이가 커서 사회 방언에 따른 의사소통의 어려움이 많을 것이다.

① 영수   ② 경민   ③ 민아
④ 유진   ⑤ 강희

12. [A]에서 아버지가 아들의 말을 이해하지 못한 이유는 무엇인지 서술하시오.

> ─〈 조건 〉
> • '아들은'을 주어로 할 것.
> • 아들의 말을 이해하지 못한 이유 두 가지를 제시할 것.

🉃 교통과 매체의 발달은 세계 다른 나라와의 교류도 쉽게 만들었다. 즉, 다른 나라 사람이 한국 문화를, 우리가 다른 나라의 문화를 더욱 쉽게 접할 수 있다는 말이다. 이에 따라 해외에서 생산되는 국어 자료나 국어로 번역되는 외국 자료의 양도 많아지고 있다. 두 자료의 언어 사용의 특성상 공통점이 있다면, 한국어로 된 자료라 해도 상황에 따라 각 문화의 기반을 두고 사용하고 있다는 점이다. 예를 들어, 해외에서 생산되는 국어 자료는 국어로 의사소통을 하고 있지만 그 표현은 현지의 문화에 적합하게 만들어지고, 반대로 외국 원문 자료를 국어로 번역할 때에는 외국의 문화를 기반으로 하고 있지만, 우리의 언어문화에 알맞게 번역하는 것이 일반적이다.

<small>해외 거주 한국인이나 외국의 정부 기관에서 생산하는 국어 자료</small>
<small>국어로 생산되기는 했으나 해외에서 그 지역의 문화를 바탕으로 생산된 것이기 때문에</small>

▶해외에서 생산된 국어 자료와 국어로 번역된 외국 자료의 언어 사용 특성상 공통점

🉑

○ 예제 ≫ 다음을 통해 국어로 번역된 외국 자료에 나타나는 언어적인 특성을 파악해 보자.

[A]
> 길에서 멀지 않은 곳에서 그들은 전에 묻어 둔 트롤의 금이 아직도 그대로 있는 것을 알았다. 그것을 파내고는 빌보가 말했다.
> <small>북유럽 신화 속에 나오는 상상 속의 괴물</small>
> <small>주인공</small>
> "나는 평생 쓰고 남을 만큼 충분해요. 간달프, 당신이 갖는 게 좋겠어요. 당신은 이것을 유용하게 쓸 곳을 찾을 수 있겠지요."
> "물론 그렇겠지! 하지만 똑같이 나누세! 자네가 예상하는 것보다 자네에게 돈이 더 많이 필요할지도 몰라."
> 그래서 그들은 금화를 자루에 넣어 조랑말 등에 걸었다. 말들은 이것이 전혀 반갑지 않은 눈치였다.
> <small>금화 자루가 무겁기 때문에</small>
> – 존 로날드 로웰 톨킨, 이미애 옮김, 「호빗」에서

▶국어로 번역된 외국 자료의 언어적 특성 사례

위 부분에서 두 인물은 모두 상대 높임 표현을 쓰고 있다. 이는 외국의 원문 자료를 한국어로 번역하는 과정에서 번역자가 우리나라 언어문화를 고려하여 높임 표현을 반영한 것이라 볼 수 있다. 위 자료 외에도 외국 원문을 한국어로 번역한 자료들을 살펴보면, 영어 문장에 있는 'brother', 'sister'를 문맥에 맞게 '형, 남동생', '누나, 여동생' 등으로 번역한 것도 국어로 번역된 외국 자료의 특징이라 할 수 있다.

<small>번역문에 높임 표현이 나타나는 이유</small>

▶독자의 언어문화를 고려한 번역 자료의 특징

여기부터는 높임 표현을!

번역 심사
대한민국

■ 해외에서 생산한 국어 자료와 국어로 번역된 외국 자료

| 교통과 매체의 발달 | 한국 문화에 대한 관심이 높아지면서 해당 국어 자료의 양도 많아짐. |

↓

해외에서 생산한 국어 자료	국어로 번역된 외국 자료
해외를 방문한 한국인을 위해 생산된 자료로, 방문객을 돕고 자기 나라의 유무형 문화를 이해하도록 생산한 국어 자료	외국어로 생산된 원문 자료를 우리나라 사람들이 이해하기 쉽도록 우리말로 번역한 국어 자료
국어로 의사소통하고 있지만, 그 표현은 현지의 문화에 적합하게 만들어짐.	외국의 문화를 기반으로 하고 있지만, 우리의 언어문화에 알맞게 번역함.

• 한국어로 된 자료임.
• 상황에 따라 각 문화의 기반을 두고 사용하고 있음.

■ 번역 자료의 특징
• 외국의 원문 자료를 한국어로 번역하는 과정에서 번역자가 우리나라 언어문화를 고려하여 높임 표현을 반영함.
  ⓔ 'brother', 'sister'를 문맥에 맞게 '형, 남동생', '누나, 여동생' 등으로 번역

13. 윗글을 읽으면서 해결할 수 있는 질문으로 가장 먼 것은?

① 해외에서 만든 국어 자료의 양이 많아진 이유는 무엇인가?
② 번역자는 한국어로 번역하는 과정은 어떤 점을 고려하는가?
③ 외국 원문 자료를 국어로 번역한 자료 중 어떤 분야가 가장 많은가?
④ 해외에서 생산되는 국어 자료나 국어로 번역되는 외국 자료의 공통점은 무엇인가?
⑤ 해외에서 생산된 국어 자료는 한국과 생산 국가 중 어느 쪽 문화에 더 적합하게 만드는가?

14. 윗글을 바탕으로 〈보기〉의 한국어로 표기된 곳에 관한 설명으로 적절하지 **않은** 것은?

⟨ 보기 ⟩

① 외국을 방문한 우리나라 사람을 위해 만들어진 국어 자료이다.
② '센다이에 오신 것을 환영합니다.' 정도로 표현을 수정해야 한다.
③ 국어의 어순도 아니고 영어의 어순도 아닌 잘못된 번역 표현이 쓰였다.
④ 해당 국어 자료를 사용할 사람의 언어문화에 알맞지 않게 생산되었다.
⑤ 여행 중 빠른 의사소통을 위해 만든 것이므로 정보만 나열되어 있더라도 문제는 없다.

15. [A]를 생산할 때 고려했을 사항으로 적절하지 **않은** 것은?

① 우리나라의 언어문화를 고려하여 높임 표현을 반영하여 번역한다.
② 원문이 만들어진 외국의 언어문화에 적합한 표현으로 자료를 생산한다.
③ 원문이 외국의 문화를 기반으로 하고 있으므로, 우리의 언어문화에 알맞게 번역한다.
④ 원문을 우리나라 사람들이 이해하기 쉽도록 하되, 원문 내용이 손상되지 않도록 한다.
⑤ '트롤'과 같이 우리 언어문화에 없는 단어는 그대로 표기법에 맞추어 국어로 표기한다.

16. 해외에서 생산되는 국어 자료나 국어로 번역되는 외국 자료의 양이 많아지게 된 이유를 윗글에서 찾아 한 문장으로 서술하시오.

이해하기

▶국어 자료를 생산한 목적을 고려하여 국어 자료에 나타난 언어적 특성을 파악해 보는 활동

1. 다음 국어 자료를 읽고, 어떤 목적에 따라 생산한 자료인지 말해 보고 언어적 특성을 정리해 보자.

> 수필은 청자연적이다. 수필은 난이요, 학이요, 청초하고 몸맵시 날렵한 여인이다. 수필은 그 여인이 걸어가는 숲속으로 난 평탄하고 고요한 길이다. 수필은 가로수 늘어진 °페이브먼트가 될 수도 있다. 그러나 그 길은 깨끗하고 사람이 적게 다니는 주택가에 있다.
> 수필은 청춘의 글은 아니요, 서른여섯 살 중년 고개를 넘어선 사람의 글이며, 정열이나 심오한 지성을 내포한 문학이 아니요, 그저 수필가가 쓴 단순한 글이다.
>
> • 페이브먼트: 포장 도로.   – 피천득, 「수필」에서

∥ 예시 답 ∥ • 정서를 표현하려는 목적에 따라 생산한 자료이다.
• 언어적 특성: 글쓴이의 솔직한 생각과 감정, 느낌이 진솔하게 드러난다.

▶국어 자료가 속하는 갈래를 고려하여 국어 자료의 언어적 특성을 파악한 후 국어 자료를 생산해 보는 활동

적용하기

2. 다음 공고문을 보고, 아래의 활동을 해 보자.

봉사 활동 단원 모집 공고문

△△구 청소년 복지 센터에서 봉사 활동 단원을 모집합니다. 봉사 활동에 관심 있는 학생들의 많은 지원 바랍니다.
• 모집 대상: △△구 지역 내 고등학생
• 신청 방법: 자기소개서를 작성하여 △△구 청소년 복지 센터 누리집에 기재된 이메일 주소로 제출
• 선발 방법: 자기소개서 및 면접

---

(1) 위 자료에서 나타난 공고문의 두드러진 종결 형태가 무엇인지 찾아보자.

∥ 예시 답 ∥ • 명사형 혹은 명사형 종결 표현. 공고문이 아니면 '모집 대상은~고등학생입니다.', '신청 방법은~제출하면 됩니다.'와 같이 종결할 것을. 공고문이기 때문에 위와 같은 명사 혹은 명사형 종결 표현을 썼다.

(2) 자료의 갈래적 특징을 고려하여 우리 학교의 축제를 준비할 '축제 기획 요원'을 모집하는 공고문을 만들어 보자.

∥ 예시 답 ∥

축제 기획단 모집 공고

우리 학교의 축제를 준비할 축제 기획단의 기획 요원을 다음과 같이 모집합니다. 자신의 능력과 끼를 마음껏 발휘해 보고 싶은 학생들의 많은 지원 바랍니다.
• 모집 대상: 우리 학교 학생 누구나
• 신청 방법: 축제 기획 아이디어가 담긴 기획서를 간단히 작성하여 이메일 주소로 전송
• 선발 방법: 기획서 평가로 2배수를 선발한 후 면접을 통해 최종 선발

국어 자료를 생산한 목적으로는 친교 및 정서 표현, 정보 전달, 설득 등이 있다.

개념 ✛
수필의 특징
• 글쓴이의 체험, 생활 태도, 가치관 등 개성적 면모가 솔직하게 드러난다.
• 비교적 형식에 구애를 받지 않고 자유롭게 쓸 수 있다.
• 전문가가 아니더라도 누구라도 쓸 수 있다.
• 자신을 성찰할 수 있게 돕는다.

3. 다음 신문의 시사 평론을 읽고, 갈래적 특성을 고려하여 아래의 활동을 해 보자.

글쓴이가 생각하는 한국어 사용자의 일반적인 문화

한국어 사용자들은 한 문장을 말할 때마다 그렇게 상대와 자신의 지위를 확인한다. 너는 나에게 반말과 존댓말을 마음대로 쓸 수 있지만 나는 너에게 존댓말밖에 쓰지 못할 때 나는 금방 무력해진다. 순종적인 자세가 되고 만다. 그런 때 존댓말은 어떤 내용을 제대로 실어 나르지 못한다. 세상을 바꿀 수도 있을 도전적인 아이디어들이 그렇게 한 사람의 머리 안에 갇혀 사라진다. [중략]

글쓴이가 생각하는 기존의 '존댓말'의 부정적인 면

내가 제안하는 해결책은, 가족이나 친구가 아닌 모든 성인에게 존댓말을 쓰자는 것이다. 점원에게, 후배에게, 부하 직원에게. 언어가 바뀌면 몸가짐도 바뀐다. 우리는 존댓말을 듣는 동안에는 자기 앞에 최소한의 존엄을 지키는 방어선이 있다고 느낀다. 그 선을 넘는 언어를 공적인 장소에서 몰아내자는 것이다. 고객이 반말을 하는 순간 전화 상담실의 상담사들이 바로 전화를 끊을 수 있게 하자는 것이다. ——글쓴이의 주장

그리고 반말은 가족과 친구끼리, 쌍방향으로 쓰는 언어로 그 영역을 축소하자는 것이다. '직장 후배지만, 정말 가족이나 친구처럼 친한 관계'라면 상대가 나에게 반말을 쓰는 것도 괜찮은지 스스로 물어보자. 상대가 입원했을 때 병원비를 내줄 수 있는지도 따져 보자. 그럴 수 없다면 존댓말을 쓰자.

나는 몇 년 전부터 새로 알게 되는 사람에게는 무조건 존댓말을 쓰려 한다. 그렇지만 반말을 쓰던 지인에게 갑자기 존댓말을 쓰는 것은 영 쑥스러워 실천하지 못한다. 존댓말과 반말이라는 감옥의 죄수라서 그렇다. 그러나 다음 세대를 위해 창살 몇 개 정도는 부러뜨리고 싶다. 다음 세대는 벽을 부수고, 다음다음 세대는 문을 열고……, 그렇게 새 시대를 꿈꾸고 싶다.

— 『한국일보』, 2017년 10월 12일

——상호 존중하는 시대
——자신의 생각을 제대로 말하는 시대
——세상을 바꿀 도전적인 아이디어를 창출하는 시대

(1) 글쓴이가 무엇을 목적으로 위 자료를 만들었는지, 목적에 비추었을 때 어떤 갈래에 속하는지 적어 보자.

|예시 답|

• 목적: 정서 표현, 설득

• 갈래: 비평문, 시사 평론, 수필

(2) (1)을 바탕으로 위 국어 자료가 속한 갈래를 고려하여, 위 국어 자료의 언어적 특성을 써 보자.

|예시 답| 위 글은 신문에 실렸으나 기사문이 아니라 시사 평론으로 넓게 보면 수필에 속하며 설득적인 성격을 지녔다. 수필은 정서 표현을 목적으로 하는 글이니만큼 위의 글도 글쓴이의 생각이나 느낌을 진솔하게 드러내고 있다. 또한, 설득적인 성격을 지니고 있어서 설득을 목적으로 하는 글의 성격도 일부 나타나는데 글쓴이가 자신의 주장이나 의견을 이해시키려고 하고 있다.

(3) 위 국어 자료의 내용을 참고하여 '한국어 문화'와 관련된 주제를 모둠별로 정하고 국어 자료의 갈래와 목적을 선택하여 국어 자료를 만들어 보자.

|예시 답|

• 선택한 갈래: 광고문

• 선택한 목적: 설득

• 국어 자료: (생략)

… 처음에는 접근이 쉽도록 윗글의 내용인 서로 간에 존댓말을 쓰자는 내용을 담고 있는 광고가 되도록 제안한다.

개념➕

시사 평론 읽기

사회적 문제나 현상에 대해 신문, 잡지 등에 입장을 밝힌 글로, 글쓴이가 어떤 전제를 내세워 자신의 주장을 말하는지, 그에 대한 어떠한 근거가 함께 제시되어 있는지를 살펴보아야 한다.

✎ 문자 언어에 국한하지 말고 다양한 매체 언어를 고려하도록 한다.

▶ 국어 자료가 생산된 목적을 고려하여 국어 자료의 언어적 특성을 파악하고 국어 문화에 참여해보는 활동

4. 다음은 한국 관광객을 위해 외국에서 생산된 안내 자료이다. 이 글을 읽고, 아래의 활동을 해 보자.

카사 로마에 환영합니다

카사 로마는 북미에서 하나뿐인 대규모 성으로서 토론토 최고의 역사 유물입니다.

1911년 헨리 펠라트 (Henry Pellatt) 경은 저명한 건축가 E.J. 레녹스 씨의 도움을 받아 토론토가 내려다보이는 언덕 위에 에드워드 왕 시대의 성을 건설하는, 그의 평생의 꿈을 실현합니다. 약 200,000 평방 피트의 이 성은 완공되기까지 약 3년의 시간과 300명의 인원 그리고 350만 달러 (당시의 금액)의 비용이 소요되었습니다. 5 에이커 면적의 대지에 자리 잡은 카사 로마는 캐나다에서 가장 큰 개인 저택입니다.

나 세종학당재단은 지난 5월 29일부터 누리집을 통해 진행한 '세계 곳곳 엉터리 한국어를 찾습니다!' 기획 행사의 결과를 9일 공개하였다. 모두 70명이 참여했으며 224건이 접수되었다. 54개국, 171곳에서 한국어를 가르치는 세종학당의 현지인 학생들도 한국어 실력을 발휘해 제보에 적극 참여하였다. 엉터리 한국어를 제보한 한 외국인은 "우리 지역의 가게들은 한국인의 관심을 끌기 위해 한국어 안내문을 많이 사용하고 있는데, 한국어를 제대로 아는 직원이 아예 없다."며 "온라인에서 무료로 번역하는 프로그램을 주로 이용하는데 틀리는 경우가 대다수이다."라고 말하였다.

— 『서울신문』, 2017년 10월 9일

(1) 해외에서 국어 자료가 생산되는 이유가 무엇인지 말해 보자.

| 예시 답 | 외국을 방문한 한국인을 위해서 생산된다. 자기 나라를 방문한 한국인들에게 도움을 주고, 그것을 통해 자기 나라에 유무형의 도움이 될 수 있도록 하기 위해 생산하는 것이다.

(2) (가)에서 국어 표현이 잘못되거나 어색한 부분을 골라서 고쳐 써 보자.

| 예시 답 | 영어 표현인 'Welcome to Sendai'를 한국어로 표현할 때 '에 오신 것을 환영 센다이'로 하였다. 이는 영어의 순서에 따라 그대로 번역한 것도 아니고 한국어 순서에 따라 번역한 것도 아니다. 이를 올바르게 국어로 표현하면, '센다이에 오신 것을 환영합니다.'로 고쳐야 한다.

(3) 위 자료 이외에 해외에서 생산된 국어 자료를 조사해 보고, 잘못된 국어 표현이 있는 자료는 바르게 고쳐 써 보자.

| 예시 답 |

표기가 잘못된 국어 자료	고친 표현
• 카사 로마에 환영합니다.	• 카사 로마에 오신 것을 환영합니다.
• 사무용 구역 관광객 제동이 걸렸다.	• 관계자 외 관광객 출입 금지
• 날치의 자식	• 날치 알

🎓 인성

(4) 잘못된 국어 자료를 접했을 때 지녀야 할 바람직한 태도에 대해 친구와 토의한 후 발표문을 만들어 보자.

| 예시 답 | 국어 자료의 어떤 부분이 잘못되었는지 확인한 후 그것을 바로 잡을 수 있는 방안을 제시할 수 있는 태도를 지녀야 한다. (토의 과정과 실제 발표문 생략)

세종학당재단
https://www.ksif.or.kr
• 국외 한국어 교육과 한국 문화 보급 사업을 총괄하기 위해 설립된 공공기관
• 외국인들을 대상으로 한국어와 한국 문화를 알리고 한국어에 대한 외국인들의 관심이 한국에 대한 이해와 사랑으로 자랄 수 있도록 사업 진행

✎ 자료가 전달하고자 하는 내용이 무엇인지 파악하고 그 내용이 제대로 전달되도록 문장을 새롭게 쓴 후에 원래의 자료와 비교한다.

소단원 출제 포인트

1 국어 자료의 갈래별 특성

① 목적 층위에서 국어 자료의 언어적 특성

• 친교 및 정서 표현 자료

글쓴이 자신의 경험과 감정이 (㉠) 드러난 것	일기, 편지 수필 등
상상력으로 꾸며 낸 것	문학 작품 등

언어적 특성	• 자신의 솔직한 생각과 감정을 대화하듯 써 내려 감. ➡ 독자에게 아름다운 정서를 전해 줌. • 구어적인 표현을 많이 씀. ➡ 읽는 이가 (㉡)을/를 쉽게 형성함.

• 정보 전달 자료

목적	글쓴이가 어떤 대상에 대한 정보를 알리고 설명하려는 목적
요건	쉽고 정확하며 신속하게 독자에게 필요한 정보를 전달해야 하며, (㉢)이/가 생명임.

언어적 특성	• 정보를 체계적으로 정리함. • 과장된 내용이나 꾸민 부분을 배제함. • 간결한 문장으로 표현함.

• 설득적인 자료

목적	글쓴이가 자신의 주장이나 의견을 독자에게 이해시키고, 나아가 그 주장대로 믿고 따르게 할 목적
요건	글쓴이는 자신의 주장과 함께 주장을 뒷받침할 근거를 제시해야 함.

언어적 특성	• 문장이 간결하고 명료함. (정보 전달 국어 자료와 같은 특성) • 자료의 구조나 표현이 일관적이고 (㉣)임.

② 구체적인 갈래 층위에서 국어 자료의 언어적 특성

• 광고문

목적	제품을 판매하거나 각종 정보나 자료를 널리 알리기 위하여 활용하는 국어 자료
요건	(㉤) 시간 내에 최대한 효과적으로 주제를 보는 이에게 전달해야 함.

언어적 특성	• 문자 언어에 국한하지 않고, 광고 효과를 높이기 위해 다른 매체 언어를 이용하기도 함. • 표현이 간결하고 압축적임.

• 기사문, 보도문

목적	실제 사건이나 상황이 전개되는 모습을 신문이나 방송과 같은 매체를 통해 독자에게 알려 주는 국어 자료

요건	(㉥)에 의해 작성되며, 공정성과 정확성을 갖추어야 함.

언어적 특성	• 기자 개인의 주관적인 의견이나 추측을 포함하지 않음. • 취재를 통해 다른 사람의 말을 인용하는 표현이나 피동 표현이 많음.

• 공고문

목적	주로 기업이나 단체 등에서 공고할 정보를 널리 알리려는 의도로 만든 국어 자료
요건	전달하고자 하는 조건적 정보를 항목별로 분류하여 제시해야 함.

언어적 특성	• 해설에 혼동을 줄 수 있는 말은 피해야 함. • 정확하게 공고할 내용을 전달하기 위해 (㉦) 종결 표현을 씀.

2 국어 자료의 사회적 특성

• 지역 방언 자료: 같은 언어를 사용하는 사람들이 서로 다른 지역에서 살게 되면서 언어가 (㉧   )된 말이 쓰인 자료

• 성별에 따른 사회 방언 자료의 언어적 특성
과거에는 사회적 영향으로 여성의 경우 부가 의문문의 잦은 사용, 남성의 경우 확신적 표현이 두드러지는 모습 등 뚜렷한 구분이 나타났었지만, 현재는 그 구분이 매우 약화되고 있음.

• 세대에 따른 사회 방언 자료의 언어적 특성
매체의 발달과 함께 세대별로 언어 사용을 달리하는 모습이 많이 나타나고 있음.

• 해외에서 생산한 국어 자료와 국어로 번역된 외국 자료
→ 공통점: 모두 (㉨   )(으)로 된 자료이면서, 상황에 따라 각 문화의 기반을 두고 사용하고 있는 것이 특징임.

해외에서 생산한 국어 자료	국어로 번역된 외국 자료
해외를 방문한 한국인을 위해 생산된·자료로, 방문객을 돕고 자기 나라의 유무형 문화를 이해하도록 생산한 국어 자료	외국어로 생산된 원문 자료를 우리나라 사람들이 이해하기 쉽도록 우리말로 번역한 국어 자료
국어로 의사소통하고 있지만, 그 표현은 현지의 문화에 적합하게 만들어짐.	외국의 문화를 기반으로 하고 있지만, 우리의 언어문화에 알맞게 번역함.

답 ㉠ 직접, ㉡ 공감대, ㉢ 객관성, ㉣ 논리적, ㉤ 짧은, ㉥ 육하원칙, ㉦ 명사형,
㉧ 변이, ㉨ 한국어

[01~03] 다음 글을 읽고, 물음에 답하시오.

㉮ 친교 및 정서를 표현한 국어 자료에는 글쓴이 자신의 경험과 감정이 직접 드러난 것과 상상력으로 꾸며 낸 것이 있다. 일기, 편지, 수필 등은 전자에 해당하고, 문학 작품과 같은 국어 자료가 후자에 해당한다.

〈예제 1〉

　민세야, 살다가 보면 그렇게 잠 못 이루는 밤이 있단다. 잠 못 든 밤을 뒤척일 때 네 뒤척이는 소리를 듣는 사람이 있다는 것은 행복한 일이란다. 아버지는 네가 돌아눕는 그 아픔을 안다. 누군들 그런 밤을 지새우지 않았겠느냐. 나는 네가 가난하게 사는 것을 걱정하는 게 아니라 비인간적으로 비굴하게 살까 봐 걱정한다. 사람을 대하는 것은 사랑이 아니면 안 된다. 진심으로 사람을 사랑하거라.　　　　　　　－ 김용택, 「마음을 따르면 된다」에서

위 글은 아버지가 자식에게 보내는 편지글로, 자신의 삶을 되돌아보며 자식에게 충고와 격려를 건넨다. 글쓴이인 아버지는 자신의 솔직한 생각과 감정을 대화하듯 써 내려가며, 독자에게 아름다운 정서를 전해 준다. 그래서 친교 및 정서 표현이 목적인 국어 자료는 일반적으로 글쓴이의 생각이나 느낌을 진솔하게 드러내며, 구어적인 표현이 많이 쓰여 읽는 이가 공감대를 쉽게 형성할 수 있는 언어적 특성이 있다.

㉯ 일반적으로 정보를 전달하는 국어 자료는 글쓴이가 어떤 대상에 대한 정보를 알리고 설명하려는 목적으로 만든 것이다. 따라서 쉽고 정확하며 신속하게 독자에게 필요한 정보를 전달하는 것을 중시한다.

〈예제 2〉
동메달이 은메달보다 행복한 이유
　미국 코넬 대학교 심리학과 연구 팀은 1992년 하계 올림픽 메달 수상자들이 경기 종료 순간에 어떤 표정을 짓는지 분석하였다. 연구 팀은 실험 관찰자들에게 분석이 가능했던 23명의 은메달 수상자와 18명의 동메달 수상자의 얼굴 표정을 보고 이들의 감정이 '비통'에 가까운지 '환희'에 가까운지 10점 만점으로 평정하게 했다. [중략] 분석 결과, 경기가 종료되고 메달 색깔이 결정되는 순간 동메달 수상자의 행복 점수는 10점 만점에 7.1점으로 나타났다. 비통보다는 환희에 더 가까운 점수였다. 그러나 은메달 수상자의 행복 점수는 고작 4.8점으로 나타났다. 환희와는 거리가 먼 감정 표현이었다.　　　　　－ 최인철, 「프레임」에서

위 글은 심리학적 주제를 일상에서 볼 수 있는 사례에 적용하여 알기 쉽고 흥미롭게 설명하고 있다. 이처럼 정보를 전달하기 위한 국어 자료는 객관성이 생명이므로 이를 확보하기 위해 정보를 체계적으로 정리하고, 과장된 내용이나 꾸민 부분은 배제하고 간결한 문장으로 표현하는 언어적 특성이 있다.

㉰ 설득의 기능을 담고 있는 국어 자료는 글쓴이가 자신의 주장이나 의견을 독자에게 이해시키고, 나아가 그 주장대로 믿고 따르게 할 목적으로 만든 자료이다. 따라서 글쓴이는 자신의 주장과 함께 주장을 뒷받침할 근거를 제시해야 한다.

〈예제 3〉

　우리가 기억해야 할 것은, 갈등은 그 자체로 선도 악도 아니라는 사실이다. 갈등은 분열과 폭력의 도화선일 수도 있고, 발전과 통합의 씨앗일 수도 있다. 이 때문에 합의의 기술이 무엇보다 중요하다. 갈등으로 인해 낭비되는 비용을 줄이고, 분열된 사회를 합의의 기술로 잘 봉합해야 우리 경제도 다시 살아날 수 있다. 그렇다고 '합의'라는 결과만 강조하고 그 절차를 무시한다면 또 다른 억압을 동반할 수밖에 없다. 이제 과거에 우리가 머릿속에 갖고 있던 '합의'의 개념을 바꾸어야 한다. 합의의 문화, 갈등의 관리는 모든 이해 당사자들이 공평하게 자기 권리를 주장하는 것에서부터 시작되어야 한다.

　　－ 케이비에스(KBS) 명견만리 제작팀, 「1장 당신은 합의의 기술을 가졌는가」에서

위 글은 우리 사회에서 발생하는 갈등을 새로운 개념의 합의를 통해서 관리하고 해결해야 한다고 주장하고 있다. 설득을 위한 국어 자료는 정보를 전달하는 국어 자료와 마찬가지로, 문장이 간결하고 명료하다는 공통적인 특성이 있다. 그러나 설득을 위한 국어 자료는 반드시 글쓴이의 주장과 의견이 제시되기 때문에 자료의 구조나 표현이 일관적이고 논리적이라는 특성이 있다.

01 윗글의 내용과 일치하지 <u>않는</u> 것은?
① 설명의 기능이나 설득의 기능을 담고 있는 자료는 문장이 간결하고 명료해야 한다.
② 설득의 기능을 담고 있는 국어 자료는 주장과 함께 주장을 뒷받침할 근거를 제시해야 한다.
③ 정보를 전달하는 국어 자료는 쉽고 정확하며 신속하게 독자에게 필요한 정보를 전달해야 한다.
④ 설득의 기능을 담고 있는 국어 자료는 쉽고 흥미롭게 내용을 전개하고 객관성을 확보하는 것이 생명이다.
⑤ 친교 및 정서를 표현한 국어 자료에는 자신의 경험과 감정이 직접 드러난 것과 상상력으로 꾸며 낸 것이 있다.

02 (나)의 〈예제 2〉와 같은 국어 자료에 대한 설명으로 적절하지 **않은** 것은?

① 〈예제 2〉의 국어 자료는 정보 전달의 목적을 달성하기 위해 구체적인 사례를 들고 있다.

② 〈예제 2〉와 같은 국어 자료는 과장된 내용이나 꾸민 부분이 배제되는 것이 좋다.

③ 〈예제 2〉와 같은 국어 자료를 생산할 때는 가장 오래된 자료부터 정리하여 근거로 제시하는 것이 좋다.

④ 〈예제 2〉의 국어 자료에 사용되는 언어는 간결하고 명료하다는 특성을 지니고 있다.

⑤ 〈예제 2〉와 같은 국어 자료를 생산할 때 인용하는 자료는 객관성이 보장되어야 하므로 공신력 있는 기관의 자료가 적합하다.

03 (가)의 〈예제 1〉과 같은 글이 지닌 목적과 언어적 특성은 무엇인지 각각 쓰시오.

〈 조건 〉
• 각각의 문장으로 서술할 것.

• --

• --

04 사회·문화적 변이 요인을 고려할 때, 〈보기〉와 같은 상황이 일어난 이유로 적절한 것은?

〈 보기 〉
한국 친구: 우리나라에 와서 당황했던 경험이 있어?
외국인 친구: 어제 등굣길에 이웃집 할아버지를 만났는데, "밥은 먹었니?"라고 물어보셨어. 그리고 학교에 도착했는데 짝꿍이 "아침은 잘 먹었어?"라고 물어봤어. 왜 한국 사람들은 내가 밥 먹었는지를 그렇게 궁금해하는 걸까?

① 세대별로 표현하는 방법이 달랐기 때문에

② 같은 말을 장소에 따라 다르게 말했기 때문에

③ 한국인의 문화적 관습을 이해하지 못했기 때문에

④ 같은 말을 여러 가지 형태로 다양하게 표현했기 때문에

⑤ 자신의 대답을 듣지 않고 일방적으로 말을 했기 때문에

05 국어 자료의 사회적 특성을 고려할 때, 〈보기〉의 사례들 중 그 성격이 같은 것끼리 묶은 것은?

〈 보기 〉
㉠ 80대 이상의 어른들 말과 10대 청소년들의 말이 상당히 달라 의사소통이 안 되는 경우가 있다.
㉡ 제주도 말에는 예전의 'ㆍ(아래 아)'에 해당하는 모음의 흔적이 아직도 남아 있다.
㉢ 남자들이 쓰는 말과 여자들이 쓰는 말에는 개인적 차이는 있지만 성별에 따른 차이가 나타난다.
㉣ '부추'를 '정구지'라고 하는 지역도 있고 '솔'이라고 하는 지역도 있다.

① ㉠, ㉡   ② ㉠, ㉢

③ ㉠, ㉣   ④ ㉡, ㉢

⑤ ㉢, ㉣

06 ⓐ～ⓔ에 대한 설명으로 적절하지 **않은** 것은?

〈 보기 〉
아버지: 철수야, 담임 선생님은 어떤 분이니?
철수: 지금까지 만난 분 중 가장 ⓐ<u>완소</u> 선생님이에요. 정말 ⓑ<u>볼매</u>예요!
아버지: '완소', '볼매'? 허허. 어떤 면에서 그런 생각을 했니?
철수: 선생님은 항상 친구같이 저희와 이야기를 나눠요. 어제는 제 누리 소통망에서 ⓒ<u>댓글 놀이</u>도 했는걸요?
아버지: '댓글 놀이'는 무슨 놀이니? 그런데 아무리 편해도 선생님께 ⓓ<u>무람없이</u> 굴거나 ⓔ<u>허투루</u> 말하면 안 된다. 알겠지?
철수: '무람없이'? '허투루'? 그게 무슨 말이에요?

① ⓐ와 ⓑ는 세대를 가리지 않고 유행하는 줄임말 표현이다.

② ⓐ, ⓑ와 달리 ⓒ는 새로운 매체의 등장으로 나타난 신조어이다.

③ ⓓ와 ⓔ는 기성 세대들 사이에서는 표준어로 사용되고 있다.

④ ⓐ, ⓑ와 달리 ⓓ, ⓔ는 국어 사전에 수록되어 있다.

⑤ ⓒ는 ⓐ, ⓑ와 달리 놀이와 댓글이라는 말의 합성어이다.

{ 2 }

국어 규범과 국어 생활의 성찰

소단원 학습 포인트

- 표준어 규정, 한글 맞춤법, 외래어 표기법, 국어의 로마자 표기법 등을 알기
- 바람직한 국어 생활을 하기

✎ 우리말의 어문 규범
- 표준어 규정
- 한글 맞춤법
- 외래어 표기법
- 국어의 로마자 표기법

개념 ⊕

표준어 규정

제1부 표준어 사정의 원칙
제2부 표준 발음법
- 제2장 발음 변화에 따른 표준어 규정의 대표 예
 - 제2장 제8항 양성 모음이 음성 모음으로 바뀌어 굳어진 다음 단어는 음성 모음 형태를 표준어로 삼는다.
 - 제2장 제10항 다음 단어는 모음이 단순화한 형태를 표준어로 삼는다.
- 제3장 어휘 선택의 변화에 따른 표준어 규정의 대표 예
 - 제3장 제22항 고유어 계열의 단어가 생명력을 잃고 그에 대응되는 한자어 계열의 단어가 널리 쓰이면, 한자어 계열의 단어를 표준어로 삼는다.
 - 제3장 제25항 의미가 똑같은 형태가 몇 가지 있을 경우, 그중 어느 하나가 압도적으로 널리 쓰이면, 그 단어만을 표준어로 삼는다.
 - 제3장 제26항 한 가지 의미를 나타내는 형태 몇 가지가 널리 쓰이며 표준어 규정에 맞으면, 그 모두를 표준어로 삼는다.

~~~~~

㉮ 통일된 표기법 없이 사람마다 다른 방식으로 적는다면, 문자 생활은 큰 혼란을 겪을 것이다. _{문자로 적은 것을 오해하거나 엉뚱하게 해석함으로써 의사소통 당사자 간에 의사소통에 문제가 생길 것이므로} 어문 규범의 필요성이 여기에 있다. 바르고 정확하게 말을 하고 글을 쓰기 위해 지켜야 할 규칙을 어문 규범이라 한다. _{어문 규범의 개념} 우리말의 어문 규범에서는 어떤 말을 쓰기의 대상으로 삼을 것인가 하는 표준어 사정의 문제, _{표준어 규정 – 제1부 표준어 사정의 원칙, 제2부 표준 발음법} 상황에 따라 달라지는 단어의 발음을 표기에 어떻게 반영할 것인가 하는 맞춤법의 문제 등에 관해 통일된 지침을 제시함으로써 _{한글 맞춤법} 이러한 혼란을 해소한다. 또한 외래어를 한글로 표기하는 방법과 우리말을 로마자로 표기하는 방법에 관해서도 규정하고 있다. _{외래어 표기법} ▶어문 규범의 필요성과 국어 어문 규범의 종류

올바른 국어 생활을 위해서는 『각 규범 사이의 관계를 잘 이해하고, 각 규정이 담고 있 _{표준어 규정, 한글 맞춤법, 외래어 표기법, 국어의 로마자 표기법} 는 규칙의 원리와 실제를 배워 국어 생활에 적용하는 능력을 갖추어야 한다.』나아가 어 _{『』올바른 국어 생활을 위한 방법} 문 규범을 포함하여 포괄적인 관점에서 자신을 둘러싼 언어 현실에 관심을 가지고 꾸준 _{국어 생활의 성찰} 히 국어 생활을 성찰하고 개선하려는 태도를 보이는 것이 중요하다. 이러한 태도를 바탕으로 『국어 규범에 기초한 정확성과 사회·문화적 맥락과 언어적 맥락을 고려한 적절 _{『』국어 규범을 이해해야 하는 이유와 궁극적인 목적} 성을 갖추고 이를 실제 국어 생활에 창의적으로 적용하기 위해 노력해야 할 것이다.』
▶규범에 대한 이해를 통해 언어의 정확성, 적절성, 창의성 주목함.

㉯ 🔴 표준어 규정

[다가서기]

- 오른쪽에 제시한 사물의 이름이 무엇인지 친구들과 말해 보고, 표준어가 무엇인지 확인해 보자.
 | 예시 답 |
 - 친구들이 말한 이름: 귀우비개, 귀쏘시개, 귀쑤시개, 귀후비개
 - 표준어: 귀이개

『지리적 차이 때문에 다르게 나타나는 말을 지역 방언, 사회적 차이 때문에 다르게 나 _{『』방언의 종류} 타나는 말을 사회 방언이라 한다.』이러한 방언 차이는 원활한 의사소통을 방해할 수 있 _{방언 사용이 일으킬 수 있는 문제점} 는데, 표준어 규정은 공식적인 국어 생활에서 사용되는 표준어를 사정하고 그 표준 발 _{1988년 공포} 음을 규정함으로써 이러한 문제를 해소한다. 전자는 표준어 규정의 제1부 표준어 사정 _{표준어 규정 제정 이유} 원칙에서, 후자는 제2부 표준 발음법에서 다루고 있다. ▶표준어 규정 제정 이유와 구성

㉰ 제1부 표준어 사정 원칙에서는 표준어를 사정하는 기본 원칙을 총칙에서 제시한 다음 이를 바탕으로 발음에 변화가 생겼거나 단순히 어떤 단어를 더 선호하게 되어서 어휘 선택에 변화가 생긴 경우 실제 표준어 사정의 예를 제시하고 있다. ▶제1부 표준어 사정 원칙

총칙에 제시된 원칙은 '교양 있는 사람들이 두루 쓰는 현대 서울말'을 표준어로 정한 _{제정 | 사회 계층 | 보편성 | 시대 | 지역} 다는 것이다. 이러한 대원칙 아래 모든 우리말 단어를 대상으로 표준어를 사정하게 되는데, 발음 변화에 따른 표준어 규정의 예로는 '깡총깡총'과 '으례'를 버리고 '깡충깡충' _{제2장 | 모음 조화를 지킨 표현 | 제2장 제8항} 과 '으레'를 표준어로 삼은 것을 들 수 있고, 어휘 선택의 변화에 따른 표준어 규정의 예 _{제2장 제10항 | 제3장} 로는 '알타리무'와 '안절부절하다'를 버리고 '총각무'와 '안절부절못하다'를 표준어로 삼 _{제3장 제22항 | 제3장 제25항}

374 IV. 국어의 역사와 문화

은 것 등을 들 수 있다. 일반적으로는 정해진 원칙에 따라 한 단어만을 표준어로 정하지만 더러는 둘 이상의 단어가 두루 쓰이고 있어 모두 표준어로 인정되는 예도 있다. 이를 복수 표준어라 하는데, '가엾다–가엾다, 고까–꼬까–때때, 송이–송이버섯, 신–신발, 여쭈다–여쭙다, 옥수수–강냉이, 우레–천둥' 등이 그 예이다.

제3장 제26항

▶표준어 사정 원칙에
따른 분류

핵심 다지기

정답과 해설 051쪽

문제로 확인

■ **어문 규범**

바르고 정확하게 글을 쓰기 위해 지켜야 할 규칙

표준어 규정	어떤 말을 쓰기의 대상으로 삼을 것인가 하는 표준어 사정의 문제 관해 통일된 지침을 제시
한글 맞춤법	단어의 발음을 표기에 어떻게 반영할 것인가 하는 맞춤법의 문제에 관해 통일된 지침을 제시
외래어 표기법	외래어를 한글로 표기하는 방법에 관한 규정
국어의 로마자 표기법	우리말을 로마자로 표기하는 방법에 관한 규정

■ **올바른 국어 생활을 위한 방법**

국어 규범에 기초한 정확성과 사회·문화적 맥락과 언어적 맥락을 고려한 적절성을 갖추고 이를 실제 국어 생활에 창의적으로 적용하기 위해 노력해야 함.

■ **표준어 규정**

방언 차이로 인해 원활한 의사소통을 방해할 수 있는 문제를 해소하기 위함.

제1부 표준어 사정 원칙	공식적인 국어 생활에서 사용되는 표준어를 사정함.
제2부 표준 발음법	공식적인 국어 생활에서 사용되는 표준어의 표준 발음을 규정함.

■ **총칙의 원칙**

• 교양 있는 사람들이 두루 쓰는 현대 서울말을 표준어로 정함.
• 아래 모든 우리말 단어를 대상으로 표준어를 사정함.

■ **표준어 규정의 사례**

발음 변화	• 깡충깡충(○) / 깡총깡총(×) • 으레(○) / 으레(×) • 강낭콩(○) / 강남콩(×) • 아궁이(○) / 아궁지(×)
어휘 선택의 변화	• 총각무(○) / 알타리무(×) • 안절부절못하다(○) / 안절부절하다(×) • 윗–니(○) / 웃–니(×) • 웃–돈(○) / 윗–돈(×)
복수 표준어	• 가엾다 – 가엾다 • 송이 – 송이버섯 • 신 – 신발 • 옥수수 – 강냉이 • 우레 – 천둥 • 딴전 – 딴청 • 고까–꼬까–때때 • 여쭈다 – 여쭙다

01. 올바른 국어 생활을 위한 노력으로 적절하지 <u>않은</u> 것은?

① 국어의 네 가지 규범 사이의 관계를 잘 이해해야 한다.
② 꾸준히 국어 생활을 성찰하고 개선하려는 태도를 보인다.
③ 국어 규범에 기초한 정확성과 사회·맥락을 고려한 적절성을 갖춘다.
④ 언어 현실에 관심을 가지고 선호하는 규범을 우선하여 국어 생활에 적용한다.
⑤ 국어의 각 규정이 담고 있는 규칙의 원리와 실제를 배워 국어 생활에 적용해야 한다.

02. 다음 중 표준어끼리 바르게 짝지은 것은?

① 깡충깡충, 으레
② 깡충깡충, 발가송이
③ 총각무, 옥수수
④ 발가숭이, 알타리무
⑤ 으레, 안절부절하다

<u>서술형</u>

03. 윗글을 바탕으로 할 때 표준어를 사정하고 표준 발음을 규정하는 이유는 무엇인지 쓰시오.

조건

• '방언'을 포함시킬 것.
• '~해결하기 위해'로 끝맺을 것.

◈ 서울말이 표준어 사정의 기준이 된 것은 단지 서울이 수도이기 때문이지 서울말이 다른 지역 말보다 우월하기 때문은 아니다.

개념 ➕
표준어 규정
제5항 'ㅑ ㅒ ㅕ ㅖ ㅘ ㅙ ㅛ ㅝ ㅞ ㅠ ㅢ'는 이중 모음으로 발음한다.
다만 1. 용언의 활용형에 나타나는 '져, 쪄, 쳐'는 [저, 쩌, 처]로 발음한다.
다만 2. '예, 례' 이외의 'ㅖ'는 [ㅔ]로도 발음한다.
다만 3. 자음을 첫소리로 가지고 있는 음절의 'ㅢ'는 [ㅣ]로 발음한다.
다만 4. 단어의 첫음절 이외의 '의'는 [ㅣ]로, 조사 '의'는 [ㅔ]로 발음함도 허용한다.
제6항 모음의 장단을 구별하여 발음하되, 단어의 첫음절에서만 긴소리가 나타나는 것을 원칙으로 한다.
제7항 긴소리를 가진 음절이라도, 다음과 같은 경우에는 짧게 발음한다.
제8항 받침소리로는 'ㄱ, ㄴ, ㄷ, ㄹ, ㅁ, ㅂ, ㅇ'의 7개 자음만 발음한다.
제9항 받침 'ㄲ, ㅋ', 'ㅅ, ㅆ, ㅈ, ㅊ, ㅌ', 'ㅍ'은 어말 또는 자음 앞에서 각각 대표음 [ㄱ, ㄷ, ㅂ]으로 발음한다.
제10항 겹받침 'ㄳ', 'ㄵ', 'ㄼ, ㄽ, ㄾ', 'ㅄ'은 어말 또는 자음 앞에서 각각 [ㄱ, ㄴ, ㄹ, ㅂ]으로 발음한다.

라 '표준어 규정'에는 표준 발음법에 관한 규정도 포함되어 있는데, 같은 단어를 서로 다르게 발음함으로써 생길 수 있는 의사소통의 혼란을 없애기 위해 발음의 표준을 정하여 놓은 것이다. _{표준 발음에 대한 규정을 만든 이유} 표준 발음은 원칙적으로 표준어의 실제 발음을 따른 것이기 때문에 대체로 큰 문제가 없으나, _{표준어 규정과 직접적으로 관련됨} 모음의 경우 'ㅢ'의 발음이나 'ㅐ'와 'ㅔ'의 구별, 자음의 경우 음의 동화나 겹받침의 발음 등에서 어려움을 겪는 경우가 없지 않다. _{국어의 규칙 내지는 법칙에 따라 표준 발음을 합리적으로 정해야 하는 이유} 또한 젊은 세대들은 '말[馬]'과 '말:[言]'을 구별하여 말하고 듣지 못하는 등 모음의 장단을 구별하지 못하는 문제도 있다. _{표준 발음에서 '전통성'이 조건이 된 이유} ▶표준 발음법 규정의 이유

그런데 어떤 단어가 표준어인지, 그리고 그 표준어의 바른 발음이 무엇인지를 '표준어 규정'에서 일일이 제시하지는 않기 때문에, 실제 국어 생활에서는 국립국어원에서 편찬된 '표준국어대사전'을 활용하여 이를 확인하여야 한다. _{표준국어대사전을 활용하며 국어 생활을 해야 하는 이유} '한글 맞춤법'에 따라 바르게 글을 쓰는 것 못지않게 표준어를 표준 발음법에 따라 바르게 말하는 것도 중요하고 필요한 일이므로 평소에 늘 국어사전을 활용하는 습관을 지니는 것이 좋다. ▶표준어 규정에 따라 바람직한 국어 생활을 하기 위해서는 국어사전 활용의 필요성

> **확인하기**
> · 다음 문장의 밑줄 친 두 단어의 길이를 다르게 발음해 보고, 자신의 발음이 표준 발음인지 국어사전에서 확인해 보자.
> · 훌륭한 조련사는 <u>말</u>과 <u>말</u>을 나눌 수 있어.
>   ⊙   ⊙
> · <u>눈</u>에 <u>눈</u>이 들어가서 눈물이 나.
>   ⊙   ⊙
> · 늘어뜨린 <u>발</u>에 가려서 겨우 <u>발</u>만 보였다.
>   ⊙   ⊙
>
> | 예시 답 |
> ⊙: [말]   ⓛ: [말:]
> ⓒ: [눈:]   ⓔ: [눈]
> ⓜ: [발:]   ⓗ: [발]

마 **2 한글 맞춤법**

> **다가서기**
> · 다음 빈칸에 올바른 발음을 써 보고, 실제 발화에서 다양하게 발음되는 것을 한글 맞춤법에서 '꽃'으로 고정해 적도록 한 이유가 무엇인지 말해 보자.
> | 예시 답 |
> · 꽃[꼳]   · 꽃이[꼬치]   · 꽃나무[꼰나무]

한글 맞춤법은 표준어를 한글로 적는 기준을 정하여 놓은 것으로, 크게 6장으로 구성되어 있다.『제1장 '총칙'에서는 한글 맞춤법의 원리와 띄어쓰기의 원칙, 그리고 외래어 표기의 원칙을 제시하였고,』_{한글 맞춤법의 전체적인 구성} 제2장 '자모'에서는 한글 자모의 순서와 이름을 정해 놓았다. 이어지는 제3~6장에는 소리에 관한 것, 형태에 관한 것, 띄어쓰기, 그 밖의 것으로 나누어 구체적인 맞춤법 규정을 설명하고 있다. ▶한글 맞춤법의 구성

'한글 맞춤법'의 대원칙은 총칙 제1항에 다음과 같이 명시되어 있다.

> _{표준어로 인정된 말은 그 발음 그대로 적음.}   _{예외가 있을 수 있음.}
> **제1항** 한글 맞춤법은 표준어를 소리대로 적되, 어법에 맞도록 함을 원칙으로 한다.
> _{표준어를 맞춤법 규정의 대상으로 삼음.}   _{표준어이고 그 발음대로 적었더라도, 원래 형태에 맞아야 함.}

이에 따르면 한글 맞춤법은 표준어의 발음을 그대로 반영하는 표기 방식이 근본 원칙이 되고, _{근본 원칙 ①} 거기에 어법에 맞도록 한다는 원칙이 덧붙어 있는 것이 된다. '구름', '나무', '하늘' 등이 소리대로 적어서 올바른 표기가 되는 예이다. _{근본 원칙 ②} ▶한글 맞춤법 기본 원칙

■ **표준 발음법의 제정 이유**

이유	표준어의 실제 발음을 따르기에 큰 문제가 없지만, 자음, 모음, 준말, 단수 표준어, 복수 표준어 등에서 같은 단어를 서로 다르게 발음하여 생길 수 있는 의사소통의 혼란을 없애기 위해 발음의 표준을 정함.

■ **표준국어대사전 활용의 필요성**

어떤 단어가 표준어이고 그 표준어의 바른 발음이 무엇인지를 '표준어 규정'에서 모든 단어를 제시하고 있지는 않음.

↓

평소에 늘 국어사전을 활용하는 습관을 지니는 것이 좋음.

■ **한글 맞춤법의 구성**

제1장 총칙	한글 맞춤법의 원리와 띄어쓰기의 원칙, 외래어 표기의 원칙을 제시함.
제2장 자모	한글 자료의 순서와 이름을 정해 놓음.
제3~6장	소리에 관한 것, 형태에 관한 것, 띄어쓰기, 그 밖의 것으로 나누어 구체적인 맞춤법 규정을 설명함.

■ **한글 맞춤법의 기본 원칙**

• '소리대로': 표준어로 인정된 말은 그 발음 그대로 반영하는 것은 근본 원칙으로 함.
• '어법에 맞도록': 표준어이고 그 발음대로 적었더라도, 어법을 고려하여 형태소나 단어의 본 모습을 찾아서 원래 형태에 맞게 적도록 해야 함.

보충 자료

	표준 발음법의 사례
모음 발음	'ㅢ'의 발음에 관한 규정 • 자음을 첫소리로 가지고 있는 음절의 'ㅢ'는 [ㅣ]로 발음한다. 예 띄어쓰기[띠어쓰기] • 단어의 첫음절 이외의 '의'는 [ㅣ]로, 조사 '의'는 [ㅔ]로 발음함도 허용한다. 예 주의[주의/주이], 우리의[우리의/우리에]
자음 발음	겹받침에 관한 규정: '밟-'은 자음 앞에서 [밥]으로 발음하고, '넓-'은 다음과 같은 경우에 [넙]으로 발음한다. 예 밟다[밥ː따] 밟소[밥ː쏘] / 넓죽하다[넙쭈카다] 넓둥글다[넙뚱글다]
음의 장단	모음의 긴소리와 짧은소리에 관한 규정 예 눈[眼]-눈ː[雪], 말[馬]-말ː[言], 발[足]-발ː[簾], 밤[夜]-밤ː[栗]

04. 다음 중 표준어 규정에 관련된 설명으로 적절하지 <u>않은</u> 것은?

① 우리말 발음의 표준을 정하여 놓은 규정이다.
② 모음의 장단에 대한 구별을 위한 규정이 있다.
③ 표준 발음을 원칙적으로 표준어의 실제 발음을 따른 것이다.
④ 표준 발음법에서는 모든 단어에 대한 표준어 규정을 제시하고 있다.
⑤ 'ㅢ'의 발음이나 'ㅐ'와 'ㅔ'의 구별, 음의 동화나 겹받침의 발음 등에서 어려움을 겪는 경우가 있어 이에 관한 규정이 있다.

05. 〈보기 1〉에 따라 〈보기 2〉의 단어를 구별한 것으로 적절한 것은?

〈보기 1〉
제1장 총칙
제1항 한글 맞춤법은 표준어를 ㉠ 소리대로 적되, ㉡ 어법에 맞도록 함을 원칙으로 한다.

〈보기 2〉
ⓐ 앞마당   ⓑ 지붕   ⓒ 마개   ⓓ 협의   ⓔ 해돋이

	㉠	㉡
①	ⓐ, ⓑ	ⓒ, ⓓ, ⓔ
②	ⓑ, ⓒ	ⓐ, ⓓ, ⓔ
③	ⓐ, ⓔ	ⓑ, ⓒ, ⓓ
④	ⓒ, ⓓ, ⓔ	ⓐ, ⓑ
⑤	ⓐ, ⓓ, ⓔ	ⓑ, ⓒ

<u>서술형</u>
06. 표준 발음법을 규정한 이유는 무엇인지 서술하시오.

〈조건〉
• '~을 위해서이다.'로 끝맺을 것.

㉻ 그런데 <u>소리대로 적는다</u>는 원칙을 그대로 적용하기 어려운 때도 있다. 예를 들어,
             _{음소적 원리}
'꽃'이라는 단어를 소리대로 적는다면 쓰이는 환경에 따라 '꼳, 꼰나무, 꼬치'와 같이 다양하게 표기될 것인데, 이럴 때 단어의 의미가 쉽게 파악되지 않아 독서 능률이 현저히 떨어지게 되는 문제가 있다. 이런 문제를 해소하기 위해 ⓐ 소리대로 적는 것을 근본 원칙으로 하되 필요한 경우 어법을 고려하여 형태나 단어의 본 모습을 찾아서 적도록 규정한 것이다. 이와 같은 맞춤법의 원리를 **형태 음소적 원리**(形態音素的 原理)라 한다. 형태 음소적 원리를 채택함으로써 의미를 쉽게 파악하고 독서의 능률을 높일 수 있는데, 여기에 더하여 끊어적기를 선택하면 더욱 효율적인 표기법이 된다. 즉 '구르미, 머거서'와 같이 이어적기를 했을 때보다 '구름이, 먹어서'와 같이 끊어적기를 했을 때 단어의 형태가 늘 일정하게 고정되는 장점이 있어 독서 능률이 높아진다는 것이다.

   한글 맞춤법에는 띄어쓰기에 대한 기본 원칙은 총칙 제2항에서 '<u>문장의 각 단어는 띄어 씀을 원칙으로 한다.</u>'고 규정하고 있다. 실제 국어 생활에서의 띄어쓰기는 단어마다 띄어 쓰면 되고, 어떤 단위가 단어인지 아닌지 모를 때에는 표준국어대사전에 단어로 등재되어 있는지를 확인하면 쉽게 해결할 수 있다.   ▶띄어쓰기의 기본 원칙

[확인하기]

● 다음 문장의 의미가 분명해지도록 올바르게 띄어 써 보자.
| 예시 답 |
작은아버지는✓큰집에✓사시고✓큰아버지는✓작은집에✓사신다.✓그런데✓작은아버지의✓큰집을✓작은집이라✓하고✓큰아버지의✓작은집을✓큰집이라✓한다.

사 **❸ 외래어 표기법**

[다가서기]

● 다음 뜻풀이에 해당하는, 괄호에 들어갈 외래어의 표기로 옳은 것을 찾아보자.
| 예시 답 |

    • (ⓒ 커피숍) (coffee shop)
    「명사」 주로 커피차를 팔면서, 사람들이 이야기하거나 쉴 수 있도록 꾸며놓은 가게.

㉠ 커피샵   ㉡ 커피샾   ㉢ 커피숍   ㉣ 커피숖

   '외래어 표기법'은 외래어를 한글로 적는 데 대한 규정이다. 하나의 단어를 '커피샵, 커피샾, 커피숍, 커피숖' 등으로 다양하게 쓰는 혼란을 피하기 위해 일정한 원칙에 따라 한 가지로 표기하도록 정한 것이다.   ▶외래어 표기법의 개념과 제정 이유

■ 형태 음소적 원리의 원리

> 소리대로 적는다는 원칙을 적용하기 어려운 경우가 있음.
> → 소리대로 적을 경우 단어의 의미가 쉽게 파악되지 않아 독서 능률이 떨어짐.

↑

의미	어법을 고려하여 형태소나 단어의 본 모습을 찾아서 적도록 규정
효과	의미를 쉽게 파악하고 독서의 능률을 높일 수 있음.

➡ 여기에 끊어적기를 선택하면 이어적기를 했을 때보다 단어의 형태가 늘 일정하게 고정되는 장점이 있다.

■ 띄어쓰기의 기본 원칙

• 총칙 제2항에서 '문장의 각 단어는 띄어 씀을 원칙으로 한다.'고 규정하고 있음.
• 어떤 단위가 단어인지 아닌지 모를 때는 표준국어대사전에 단어로 등재되어 있는지 확인하면 쉽게 해결할 수 있음.

■ 외래어 표기법

• 외래어를 한글로 적는 데 대한 규정임.
  – 하나의 단어를 표기할 때 일관성을 기하기 위해 일정한 원칙에 따라 한 가지로 표기하도록 정함.

주요 띄어쓰기 규정 보충자료

제41항	조사는 그 앞말에 붙여 쓴다. 예 꽃이, 웃고만
제42항	의존 명사는 띄어 쓴다. 예 아는 것이 힘이다.
제43항	단위를 나타내는 명사는 띄어 쓴다. 예 한 개 다만, 순서를 나타내는 경우나 숫자와 어울리어 쓰이는 경우에는 붙여 쓸 수 있다. 예 두시 삼십분 오초
제44항	수를 적을 적에는 '만(萬)' 단위로 띄어 쓴다.
제45항	두 말을 이어 주거나 열거할 적에 쓰이는 다음의 말들은 띄어 쓴다. 예 국장 겸 과장, 열 내지 스물
제46항	단음절로 된 단어가 연이어 나타날 적에는 붙여 쓸 수 있다. 예 좀더 큰 것, 이말 저말, 한잎 두잎
제47항	보조 용언은 띄어 씀을 원칙으로 하되, 경우에 따라 붙여 씀도 허용한다. 다만, 앞말에 조사가 붙거나 앞말이 합성 용언인 경우, 그리고 중간에 조사가 들어갈 적에는 그 뒤에 오는 보조 용언은 띄어 쓴다.

07. 윗글을 읽고 이끌어낸 내용으로 적절하지 <u>않은</u> 것은?

① 우리말을 소리대로만 적는다면 환경에 따라 다양하게 표기될 것이다.
② 한글 맞춤법에서는 소리대로 적되 어법을 고려하여 적도록 규정하고 있다.
③ 형태 음소적 원리에 더하여 이어적기를 선택하면 더욱 효율적인 표기법이 된다.
④ 단어를 소리대로만 표기한다면 그 의미가 쉽게 파악되지 않게 되는 문제가 생긴다.
⑤ 외래어 표기법은 외래어를 다양하게 쓰는 혼란을 피하고 표기에 일관성을 기하기 위해 만들어졌다.

08. ⓐ의 예로 적절하지 <u>않은</u> 것은?

① 믿음　　② 사랑　　③ 구름
④ 어차피　　⑤ 오고가다

09. 다음 중 띄어쓰기가 가장 적절한 문장은?

① 철수는 영희를 좋아할뿐이다.
② 숨소리가 들릴만큼 조용하다.
③ 예상했던 대로 문제는 어려웠다.
④ 우리 부모님 만큼 헌신적인 사람은 없다.
⑤ 철수는 이번에는 반드시 할수있다고 다짐하였다.

서술형
10. 〈보기〉를 활용하여 형태 음소적 원리의 개념을 설명하시오.

> 보기
> '낟, 낫, 낮, 낱'은 모두 [낟]으로 발음한다.

> 조건
> • 모두 [낟]으로 발음할 때의 문제점을 서술할 것.
> • 형태 음소적 원리로 인한 유용성을 제시할 것.

아 외래어 표기의 기본 원칙은 다음의 총 다섯 항으로 제시되어 있다.

제1항	외래어는 국어의 현용 24 자모만으로 적는다.
제2항	외래어의 1 음운은 원칙적으로 1 기호로 적는다.
제3항	받침에는 'ㄱ, ㄴ, ㄹ, ㅁ, ㅂ, ㅅ, ㅇ'만을 쓴다.
제4항	파열음 표기에는 된소리를 쓰지 않는 것을 원칙으로 한다.
제5항	이미 굳어진 외래어는 관용을 존중하되, 그 범위와 용례는 따로 정한다.

(주석)
- 제1항: 자음 14개 모음 10개
- 제2항: 특정한 한글자
- 제3항: 'ㄷ'이 없다는 점에 주의
- 제4항: 해당 언어에 따라 된소리와 거센소리로 따로 적는 것이 불편하여 모두 거센소리로 적음
- 제5항: 이미 표기하던 방식

▶외래어 표기의 기본 원칙

제1항은 외래어 표기를 위해 새로운 문자나 부호를 사용하지 않고 오직 현용 한글 자모만으로 적는다는 원칙이다. (24자모)
▶제1항에 대한 해설

제2항은 외국어의 한 소리를 늘 일정한 한글에 대응시켜 적는다는 원칙이다. 예를 들어, 'fighting'을 '화이팅', 'film'을 '필름'이라 하여 'f'를 'ㅎ'과 'ㅍ'으로 다르게 적지 않고 (f 음운은 'ㅍ'(1 기호)로만 적음.) '파이팅'과 '필름'으로 적어 'f'를 일정하게 'ㅍ'으로 적도록 하는 것이다.
▶제2항에 대한 해설과 예

제3항은 외래어 받침의 소리는 실제 소리를 반영하여 일곱 개의 홑받침으로만 적는다는 원칙이다. ('ㄱ, ㄴ, ㄹ, ㅁ, ㅂ, ㅅ, ㅇ') 다만 'ㄷ' 소리가 나는 경우에는 'ㅅ'으로 적는데, 'chocolate'을 '초콜릿'이 아니라 '초콜릿'으로 적는 것이 그 예이다. (⑩ hot line(핫라인), racket(라켓) 등)
▶제3항에 대한 해설과 예

제4항은 파열음의 발음이 된소리에 가깝게 들리더라도 된소리로 적지 않는다는 원칙이다. (원래의 발음을 반영하는 것보다는 규정의 간결성을 중시함.) '빠리' 대신 '파리', '뻐스' 대신 '버스'로 적는 것이 그 예이다.
▶제4항에 대한 해설과 예

제5항은 외래어 표기법의 원칙에 따른 표기가 관용 발음과 다른 경우에는 관용을 존중한다는 원칙이다. (이미 언중들 사이에서 굳어진 발음을 가리킴.) 'camera'를 '캐머러'로 표기하는 것이 원칙에 맞지만 이미 '카메라' (제정된 원칙에 맞지 않더라도 이미 널리 쓰이는 것을 채택함.) 로 굳어진 점을 존중하여 '카메라'로 표기하는 것이 그 예이다.
▶제5항에 대한 해설과 예

확인하기

● 다음의 잘못된 외래어 표기를 바르게 고쳐 보자.
| 예시 답 |

외국어	잘못된 표기	바른 표기
digital	디지탈	디지털
file	화일	파일
café	까페	카페

자 **4 국어의 로마자 표기법**

• 전자법: 국어 단어를 글자대로 옮겨 적는 방법
• 전음법: 국어 단어를 발음 결과대로 옮겨 적는 방법
※ 현 규정은 전음법을 따름.

다가서기

● 다음과 같이 자신의 이름을 로마자로 적어 보고, 한글과 로마자 사이의 대응을 확인해 보자.
| 예시 답 |

이름	로마자 표기
홍길동	Hong Gildong
홍나리	Hong Nari(Hong Na-ri)
이채현	Lee Chaehyeon

차 우리말로 표기된 인명이나 지명 등의 고유 명사를 로마자로 어떻게 적을 것인지를

<u>규정한 것이 '국어의 로마자 표기법'이다.</u> _{국어의 로마자 표기법의 개념} 국어의 로마자 표기법은 <u>한글 철자를 그대로</u>

<u>로마자로 적는 것이 아니라 표준 발음법에 따라 적는 것을 원칙으로 한다.</u> 그리고 로마
_{글자가 표준 발음에 따라 발음된 것을 기준으로 적음.}

자 이외의 부호는 되도록 사용하지 않으며, <u>같은 소리는 항상 하나의 로마자로 적는 것</u>
_{1 음운 1 기호의 대응}

<u>을 원칙을 따른다.</u>
▶국어의 로마자 표기법의 개념과 원칙

✎ 김치 문화 축제 홍보지

국어의 로마자 표기법에 의하면 '김치'는 'Gimchi'로 표기해야 하나, 'Taekwondo'와 마찬가지로 'Kimchi'가 국제적으로 널리 알려진 표기이므로 현실적으로 둘 다 허용하고 있다.

🔑 핵심 다지기　　　　　　　　　　　　　　　　　　　　　　　**문제로 확인**

■ **외래어 표기의 기본 원칙**
- 제1항 외래어는 국어의 현용 24 자모만으로 적음.
- 제2항 외래어의 1 음운은 원칙적으로 1 기호로 적음.
- 제3항 받침에는 'ㄱ, ㄴ, ㄹ, ㅁ, ㅂ, ㅅ, ㅇ'만을 씀. (다만, 'ㄷ' 소리가 나는 경우에는 'ㅅ'으로 적음.)
- 제4항 파열음 표기에는 된소리를 쓰지 않는 것을 원칙으로 함.
- 제5항 이미 굳어진 외래어는 관용을 존중하되, 그 범위와 용례는 따로 정함.

■ **국어의 로마자 표기법**

의미	우리말로 표기된 인명이나 지명 등의 고유 명사를 로마자로 어떻게 적을 것인지를 규정함.
원칙	• 한글 철자를 그대로 로마자로 적는 것이 아니라 표준 발음법에 따라 적음. • 로마자 이외의 부호는 되도록 사용하지 않음. • 같은 소리는 항상 하나의 로마자로 적음.

|보충자료|

제4항의 예외

'삐라(bill), 껌(gum), 빨치산(partizan)'과 함께 타이어, 베트남 어에 대해서는 된소리를 허용하고 있다. '푸켓'을 '푸껫'으로, '호치민'을 '호찌민'으로 적어야 한다.

---

11. 다음 중 외래어 표기법과 로마자 표기법에 대한 설명으로 가장 적절한 것은?

① 로마자 표기는 표준 발음에 따라 발음된 것을 기준으로 한다.

② 로마자 표기는 로마자 이외의 부호는 사용하지 않는다.

③ 외래어 표기 시 파열음 표기에는 된소리를 전혀 쓰지 않는다.

④ 외래어 표기 시 종성은 끝소리 규칙에 사용된 7자음을 사용한다.

⑤ 외래어 표기 시 현용 모음 10자에 벗어나는 'ㅔ', 'ㅟ' 등은 사용하지 않는다.

12. (아)의 내용으로 보아, 〈보기〉와 관계 깊은 외래어 표기법의 항목은?

┌ 보기 ┐

'family[fǽməli]'를 '훼밀리'로도 적고, '패밀리'로도 적는다면 'f'가 'ㅎ'과 'ㅍ'으로 쓰여 기억에 부담을 준다. 따라서 음성학적으로 다소 차이가 있더라도 국어의 자음 중 가장 가까운 'ㅍ'으로 고정시켜 표기하도록 하였다.

① 제1항　　② 제2항　　③ 제3항

④ 제4항　　⑤ 제5항

13. (아)의 내용으로 볼 때, 외래어 표기법에 맞는 표기를 선택한 것은?

① 컴퓨터를 (업그레이드 / <u>엎그레이드</u>) 했다.

② 그는 겨우 (비스킷 / <u>비스킽</u>)을 집어 들었다.

③ 생일 축하 (케잌 / <u>케이크</u>)는 철수가 사 왔다.

④ 이상과 현실 사이의 (갭 / <u>갴</u>)이 크게 느껴진다.

⑤ 오늘은 (커피숍 / <u>커피숖</u>)에서 한나절 앉아 있었다.

개념 ➕

• 'ㄱ, ㄷ, ㅂ'은 모음 앞에서는 'g, d, b'로, 자음 앞이나 어말에서는 'k, t, p'로 적는다.
• 'ㄹ'은 모음 앞에서는 'r'로, 자음 앞이나 어말에서는 'l'로 적고, 'ㄹㄹ'은 'll'로 적는다.

🎵 이중 모음 'ㅢ'의 표기
이중 모음 'ㅢ'는 'ㅣ'로 소리 나더라도 항상 'ui'로 적는다.
예 광희문[광히문] → Gwanghuimun

🎵 자음 'ㄱ', 'ㄷ', 'ㅂ'의 표기
'ㄱ', 'ㄷ', 'ㅂ'은 모음 앞에서는 'g', 'd', 'b'로, 자음 앞이나 어말에서는 'k', 't', 'p'로 적는다.

🎵 국어의 로마자 표기상의 유의점
• 음운 변화가 일어날 때는 변화의 결과에 따라 적는다.
• 고유 명사는 첫 글자를 대문자로 적는다.
• 인명은 성과 이름의 순서로 띄어 쓴다.
• 인명, 회사명, 단체명 등은 그동안 써온 표기를 쓸 수 있다.
• 된소리되기는 표기에 반영하지 않는다.
예 압구정 Apgujeong,
낙동강 Nakdonggang,
팔당 Paldang, 울산 Ulsan

㉮ 로마자 표기법에서 국어의 자음과 모음은 다음과 같이 로마자로 표기하도록 규정하고 있다.

ㄱ	ㄲ	ㅋ	ㄷ	ㄸ	ㅌ	ㅂ	ㅃ	ㅍ	ㅈ	ㅉ	ㅊ	ㅅ	ㅆ	ㅎ	ㄴ	ㅁ	ㅇ	ㄹ
g, k	kk	k	d, t	tt	t	b, p	pp	p	j	jj	ch	s	ss	h	n	m	ng	r, l

ㅏ	ㅓ	ㅗ	ㅜ	ㅡ	ㅣ	ㅐ	ㅔ	ㅚ	ㅟ	ㅑ	ㅕ	ㅛ	ㅠ	ㅒ	ㅖ	ㅘ	ㅙ	ㅝ	ㅞ	ㅢ
a	eo	o	u	eu	i	ae	e	oe	wi	ya	yeo	yo	yu	yae	ye	wa	wae	wo	we	ui

▶ 로마자와 국어 자모의 대응

그러나 <u>로마자는 우리말의 음운 체계를 고려하여 만들어진 문자가 아니기 때문에</u> 발음과 표기가 일치하는 로마자 표기법은 거의 불가능하다. 예를 들어 자음의 경우 로마자로 'ㄱ-ㄲ-ㅋ'과 같은 대립을 정확히 표기할 수 없는데, 현 규정은 위의 원칙에 따라 <u>'g, k-kk-k'로 적는 방법을 따르기로 하였다.</u> 모음의 경우에도 우리말의 단모음은 10개인데 로마자의 모음은 5개뿐이어서 <u>'ㅓ, ㅡ, ㅐ, ㅚ, ㅟ' 등의 모음은 하나의 로마자로는 대응시킬 수 없으므로 두 개의 로마자를 합쳐서 대응하도록 만들었다.</u> 따라서 국어의 로마자 표기법에서는 표기와 발음의 불일치를 어느 정도 인정하되, 우리 나름의 원칙에 따라 일관되게 표기하는 것이 중요하다. ▶ 로마자의 표기와 발음의 완벽한 대응이 어려움.

㉯ 우리나라 사람들의 성과 이름을 적을 때에는 우리 식으로 성과 이름의 순서로 적고, 이름은 한 단어처럼 표기하는 것을 원칙으로 한다. 예를 들어 '홍길동'의 경우 'Hong Gildong'으로 적는 것을 원칙으로 하되, 붙임표(-)를 쓴 'Hong Gil-dong'과 같은 표기도 허용한다. ▶ 한국 인명의 표기 방법

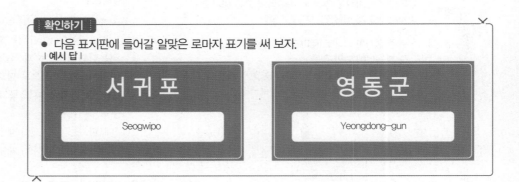

확인하기

● 다음 표지판에 들어갈 알맞은 로마자 표기를 써 보자.
| 예시 답 |

서귀포
Seogwipo

영동군
Yeongdong-gun

■ **국어의 로마자 표기와 발음 대응의 어려움과 대응 방안**

> 로마자는 우리말의 음운 체계를 고려하여 만들어진 문자가 아님.

⬇ 대응 방안

> 표기와 발음의 불일치를 어느 정도 인정하되, 우리 나름의 원칙에 따라 일관되게 표기하는 것이 중요함.

■ **국어의 로마자 표기법의 인명 표기 방법**

• 인명은 성과 이름의 순서로 띄어 씀.
• 이름은 한 단어처럼 표기하는 것을 원칙으로 함.
• 음절 사이에 붙임표(-)를 쓰는 것을 허용함.

|참고|

• 이름에서 일어나는 음운 변화는 표기에 반영하지 않음.
• 성의 표기는 따로 정함.

보충자료

국어의 자음과 모음의 로마자 대응

제1항 모음은 다음 각호와 같이 적는다.

1. 단모음

ㅏ	ㅓ	ㅗ	ㅜ	ㅡ	ㅣ	ㅐ	ㅔ	ㅚ	ㅟ
a	eo	o	u	eu	i	ae	e	oe	wi

2. 이중 모음

ㅑ	ㅕ	ㅛ	ㅠ	ㅒ	ㅖ	ㅘ	ㅙ	ㅝ	ㅞ	ㅢ
ya	yeo	yo	yu	yae	ye	wa	wae	wo	we	ui

[붙임 1] 'ㅢ'는 'ㅣ'로 소리 나더라도 ui로 적는다.
[붙임 2] 장모음의 표기는 따로 하지 않는다.

제2항 자음은 다음 각호와 같이 적는다.

1. 파열음

ㄱ	ㄲ	ㅋ	ㄷ	ㄸ	ㅌ	ㅂ	ㅃ	ㅍ
g, k	kk	k	d, t	tt	t	b, p	pp	p

2. 파찰음

ㅈ	ㅉ	ㅊ
j	jj	ch

3. 마찰음

ㅅ	ㅆ	ㅎ
s	ss	h

4. 비음

ㄴ	ㅁ	ㅇ
n	m	ng

5. 유음

ㄹ
r, l

출제 예감

14. 국어의 로마자 표기법에 대한 설명으로 적절하지 **않은** 것은?

① 표기와 발음의 불일치는 어느 정도 인정하고 있다.
② 국어를 로마자로 표기하는 방법을 규정하고 있다.
③ 우리 나름의 원칙에 따라 일관되게 표기할 수 있어야 한다.
④ 우리말의 모음 중에는 두 개의 로마자를 합쳐서 만든 경우도 있다.
⑤ 동일한 자음은 환경과 관계없이 같은 로마자를 사용한다.

※ 〈보기〉는 국어의 로마자 표기법 규정이다. 이를 바탕으로 15~16번의 물음에 답하시오.

> **제1항** 음운 변화가 일어날 때에는 변화의 결과에 따라 다음 각호와 같이 적는다.
> 1. 자음 사이에서 동화 작용이 일어나는 경우
>   📝 신문로[신문노] Sinmunno
> 2. 'ㄴ, ㄹ'이 덧나는 경우 📝 알약[알략] allyak
> 3. 구개음화가 되는 경우 📝 같이[가치] gachi
> 4. 'ㄱ, ㄷ, ㅂ, ㅈ'이 'ㅎ'과 합하여 거센소리로 소리 나는 경우
>   📝 낳지[나치] nachi
>   ⓐ 다만, 체언에서 'ㄱ, ㄷ, ㅂ' 뒤에 'ㅎ'이 따를 때에는 'ㅎ'을 밝혀 적는다.
> [붙임] 된소리되기는 표기에 반영하지 않는다.

15. 〈보기〉에 제시된 규정에 따를 때, 다음 중 로마자 표기법으로 적절하지 **않은** 것은?

① 좋고[조코] – joko
② 백마[뱅마] – Baengma
③ 해돋이[해도지] – haedodi
④ 왕십리[왕심니] – Wangsimni
⑤ 학여울[항녀울] – Hangnyeoul

16. 〈보기〉의 ⓐ에 해당하는 사례로 표기가 올바른 것은?

① 놓다 – nota   ② 묵호 – Mukho
③ 울산 – Ulsan   ④ 잡혀 – japyeo
⑤ 각호산 – Gakosan

▶ 어문 규범의 기본 원칙을 이해하는 활동

1. 다음은 어문 규범에 대한 설명이다. 빈칸에 들어갈 적절한 말을 써넣어 보자.

| 예시 답 |

> • 표준어는 '교양' 있는 사람들이 두루 쓰는 현대 서울말로 정함을 원칙으로 한다.
> • 한글 맞춤법은 표준어을/를 소리대로 적되, 어법에 맞도록 함을 원칙으로 한다.
> • 외래어의 받침 표기에는 'ㄱ, ㄴ, ㄹ, ㅁ, ㅂ, ㅅ, ㅇ'만을 쓴다.
> • 외래어의 파열음 표기에는 된소리을/를 쓰지 않는 것을 원칙으로 한다.
> • 국어의 로마자 표기법은 표준 발음법에 따라 적는 것을 원칙으로 한다.

▶ 표준어 규정을 통해 언어생활에서 혼동하기 쉬운 단어들을 탐구하는 활동

2. 다음의 표준어 규정을 참고하여 아래에 주어진 단어들이 표준어로 인정되는 이유가 무엇인지 말해 보자.

> 제12항 '웃–' 및 '윗–'은 명사 '위'에 맞추어 '윗–'으로 통일한다.
> 다만 1. 된소리나 거센소리 앞에서는 '위'로 한다.
> 다만 2. '아래, 위'의 대립이 없는 단어는 '웃–'으로 발음되는 형태를 표준어로 삼는다.

| 예시 답 |

• 윗니, 윗입술, 윗사람
'아랫니, 아랫입술, 아랫사람'이 존재하므로 '윗–'을 쓰는 것이 맞다.

• 위쪽, 위층, 위턱
'아래쪽, 아래층, 아래턱'이 존재하므로, '웃–'이 아닌 '윗–'으로 하는데 된소리나 거센소리 앞이므로 '위'로 쓰는 것이 맞다.

• 웃돈, 웃어른, 웃옷
'아랫돈, 아랫어른, 아랫옷'과 같은 말이 존재할 수 없으므로 '웃–'이 맞다.

▶ 표준 발음법의 사례를 탐구하는 활동

3. 다음을 표준 발음법에 따라 발음하여 보자.

| 예시 답 |

• 넓다 넓게 넓고 넓지 [널따 널께 널꼬 널찌]
• 밟다 밟게 밟고 밟지 [밥ː따 밥ː께 밥ː꼬 밥ː찌]
• 맑다 맑게 맑고 맑지 [막따 말께 말꼬 막찌]
• 놓다 놓소 놓는 놓아 [노타 노쏘 논는 노아]

▶ 표준어와 방언에 대해 이해하는 활동

4. 다음에서 같은 인물이 (가)에서는 표준어를, (나)에서는 지역 방언을 사용한 까닭을 생각하여 짝과 함께 의견을 교환해 보자.

| 예시 답 | 화자는 (가)처럼 공식적인 자리인 뉴스 진행자일 때는 표준어를 사용하고, (나)에서처럼 개인적인 친분이 있는 자리에서는 사투리를 사용하고 있다. 표준어와 사투리는 서로 대치되는 관계에 있는 것이 아니라 상호·보완 관계이다. 따라서 상황에 따라 사투리와 표준어를 사용하면, 듣는 이의 어려움도 해소할 수 있고 사투리와 표준어 사용 모두에 긍정적인 가치를 부여할 수 있다.

개념 ➕

표준 발음법

제10항 겹받침 'ㄳ', 'ㄵ', 'ㄼ, ㄽ, ㄾ', 'ㅄ'은 어말 또는 자음 앞에서 각각 [ㄱ, ㄴ, ㄹ, ㅂ]으로 발음한다. 다만, '밟–'은 자음 앞에서 [밥]으로 발음하고, '넓–'은 다음과 같은 경우에 [넙]으로 발음한다.

제11항 겹받침 'ㄺ, ㄻ, ㄿ'은 어말 또는 자음 앞에서 각각 [ㄱ, ㅁ, ㅂ]으로 발음한다. 다만, 용언의 어간 말음 'ㄺ'은 'ㄱ' 앞에서 [ㄹ]로 발음한다.

제12항 받침 'ㅎ'의 발음은 다음과 같다.
1. 'ㅎ(ㄶ, ㅀ)' 뒤에 'ㄱ, ㄷ, ㅈ'이 결합되는 경우에는, 뒤 음절 첫소리와 합쳐서 [ㅋ, ㅌ, ㅊ]으로 발음한다.
[붙임 1] 받침 'ㄱ(ㄺ), ㄷ, ㅂ(ㄼ), ㅈ(ㄵ)'이 뒤 음절 첫소리 'ㅎ'과 결합되는 경우에도, 역시 두 음을 합쳐서 [ㅋ, ㅌ, ㅍ, ㅊ]으로 발음한다.
[붙임 2] 규정에 따라 [ㄷ]으로 발음되는 'ㅅ, ㅈ, ㅊ, ㅌ'의 경우에도 이에 준한다.
2. 'ㅎ(ㄶ, ㅀ)' 뒤에 'ㅅ'이 결합되는 경우에는, 'ㅅ'을 [ㅆ]으로 발음한다.
3. 'ㅎ' 뒤에 'ㄴ'이 결합되는 경우에는, [ㄴ]으로 발음한다.
[붙임] 'ㄶ, ㅀ' 뒤에 'ㄴ'이 결합되는 경우에는, 'ㅎ'을 발음하지 않는다.
4. 'ㅎ(ㄶ, ㅀ)' 뒤에 모음으로 시작된 어미나 접미사가 결합되는 경우에는, 'ㅎ'을 발음하지 않는다.

▶잘못된 단어나 표기들을 맞춤법에 맞게 고쳐 보는 활동 🗨모둠

5. 다음 모둠 활동을 통해 자신의 국어 생활을 성찰하고 개선해 보자.

(1) 평소에 어렵거나 혼란스러웠던 맞춤법의 예를 적어서 친구들과 비교한 다음, 이를 다음과 같이 표로 정리해 보자.

맞춤법의 예	난이도	개선	
		정답	근거
먹어도 {되 / 돼}.	상	돼	(제35항 붙임 2) 'ㅚ' 뒤에 '-어, -었-'이 어울려 'ㅙ, ㅚ'으로 될 적에도 준 대로 적는다.
|예시 답| 수{돗 / 도}물	중	돗	(제30항 1) 순우리말과 한자어의 합성이고 [수돈물]로 발음되며 뒷말의 첫소리 'ㄴ, ㅁ' 앞에서 'ㄴ' 소리가 덧남.
미시{요 / 오}	중	오	(제15항 붙임 2) 종결형에서 사용되는 어미 '-오'는 '요'로 소리 나는 경우가 있더라도 그 원형을 밝혀 '오'로 적음.
{할께 / 할게}	중	할게	(제53항) 다음과 같은 어미는 예사소리로 적는다.
{뒤꿈치 / 뒷굼치}	중	뒤꿈치	(제54항) 다음과 같은 접미사는 된소리로 적는다.

(2) 다음은 맞춤법 규정에 관하여 국립국어원에 많은 문의가 달린 것들이다. 이 질문들에 관한 답을 써 보며 바른 맞춤법 규정을 알아보자.

\|예시 답\|

• '-에요'가 맞아요? '-예요'가 맞아요?

  ↳ 1. 받침이 없는 체언이 붙은 때 '-이에요', '-이어요'와 '-예요', '-여요'가 문법적으로 모두 가능함.
  2. 받침이 있는 체언에 붙을 때 '-이에요', '-이어요'의 형태만 붙음.
  3. '아니다' 용언에는 '-이에요', '이어요'가 결합하지 않고, 어간 '아니-' 뒤에 어미인 '-에요', '-어요'만 결합함.
  4. '-예요'는 '-이에요'가 줄어든 형태로 받침이 없는 체언에 붙을 때 '-예요'와 같이 쓰임.

• '-하다'는 띄어 써야 하나요? 붙여 써야 하나요?

  ↳ '-하다'의 띄어쓰기는 경우에 따라 다르다. 먼저 사전에 오른 '-하다'는 붙여 쓰고, 사전에 올라 있지 않더라도 체언의 뜻풀이 상 동작성/서술성이 있으면 접사 '-하다'를 결합하여 쓸 수 있으므로 붙여 쓴다. 이러한 경우가 아니라면 '하다'를 앞말과 띄어 쓴다. '하다'가 독립적인 동사면 띄어 쓴다.

• '한번'과 '한 번'은 어떻게 구분해야 하나요?

  ↳ '한 번'은 문맥에 따라 띄어쓰기도 하며 붙여쓰기도 한다. '번'이 차례나 일의 횟수를 나타내면 '한 번', '두 번', '세 번'과 같이 띄어 씁니다. 즉 '한번'을 '두 번', '세 번'으로 바꾸어 뜻이 통하면 '한 번'으로 띄어 쓴다는 것이다. 그러나 '지난 어느 때나 기회' 혹은 '기회 있는 어떤 때에'라는 뜻이면 '한번'으로 붙여 쓴다.

• '-로서'와 '-로써'의 용법은 어떻게 다른가요?

  ↳ 문맥에 따라 '(으)로써' 또는 '(으)로서'가 쓰이는데, 어떤 일의 수단이나 도구의 뜻을 나타내면 '(으)로써'를 쓰고, 지위나 신분, 자격의 뜻을 나타내면 '(으)로서'를 쓴다.

• '-오'와 '-요'는 언제 쓰는 건가요?

  ↳ '-오'는 어미로서, '이다'의 어간, 용언의 어간, 어미 '-시-' 뒤에 붙는다. 한편 '요'는 청자에게 존대의 뜻을 나타내는 보조사로서, 종결 어미 뒤에 붙어 쓰인다. 그래서 어미 '-오'는 어간이나 선어말 어미 '-시-' 뒤에 붙어 '하오체로' 문장을 종결하게 하는 일을 하며, 보조사 '-요'는 종결형에 대하여 존대의 뜻을 나타내는 종결형이 되게 하는 일을 한다.

• '안되다'와 '안 되다'는 뭐가 맞는 건가요?

  ↳ '안되다'는 '잘되다'의 반의어로, '일, 현상, 물건 따위가 좋게 이루어지지 않다.'의 뜻이고, 동사 '되다'를 부정하는 표현이 '안 되다'이다.

적용하기

▶ 외래어 표기의 규칙을 적용해 보는 활동

6. 다음 외래어의 올바른 표기에 ○ 표시를 하고, 그 이유를 말해 보자.

| vision | ···▶ | 비전(○) | 비젼( ) |
| pitcher | ···▶ | 피처(○) | 피쳐( ) |

| 예시 답 | 파찰음 표기에서는 '죠, 쟈, 쥬, 져, 쵸, 챠, 츄, 쳐'를 쓰지 않도록 되어 있다. 따라서 '죠지, 비젼, 피쳐, 쥬스'가 아니라 '조지, 비전, 피처, 주스'로 적어야 한다.

🔖 한글 표기를 발음했을 때 다르게 소리 나는지 확인해 본다.

▶ 일상생활에서 외래어의 표기를 탐색해 보는 활동 👥인성 👥모둠

7. 다음 활동을 통하여 모둠별로 우리 반에서 많이 쓰는 외래어를 조사하여 이에 관한 순화어를 만들어 보자.

(1) 〈보기〉의 내용으로 수행하고, 그 결과를 아래의 표로 작성해 보자.

> **보기**
>
> ① 모둠별로 친구들 사이에서 많이 사용되는 외래어의 목록을 작성한다.
> ② 외래어의 원어를 확인한다.
> ③ 외래어의 정확한 의미를 규정한다.
> ④ 친구들과 의논해서 순화어를 만들어 본다.

| 예시 답 |

①	②	③	④
뉘앙스	〈프랑스어〉 nuance	음색, 명도, 채도, 색상, 어감 따위의 미묘한 차이. 또는 그런 차이에서 오는 느낌이나 인상.	느낌, 말맛, 어감
씨지 (CG)	〈영어〉 Computer Graphics	컴퓨터를 이용해 영상 처리를 하는 방법.	컴퓨터 영상 처리
알바 (아르바이트)	〈독일어〉 Arbeit	본래의 직업이 아닌, 임시로 하는 일.	부업

(2) (1)의 결과를 참고하여 외래어 사용과 순화어 사용의 장단점을 비교하여 모둠별로 의견을 발표해 보자.

> | 예시 답 | 외래어는 이미 친구들이 많이 쓰고 있는 말, 즉 의사소통에 이용되고 있는 것이라는 장점이 있다. 반면에 그 뜻을 정확히 모를 때 혹은 그 외래어를 모르는 친구들의 경우 의미를 짐작하기 어려워 오히려 의사소통에 방해될 수 있다는 단점이 있다.
> 순화어는 우리말의 뜻을 조합하면 알 수 있는 말이어서 그 의미를 쉽게 짐작할 수 있다는 장점이 있으나 외래어와 순화어 사이에 어감의 차이가 있어서 기존에 쓰던 의미 맥락과 달라진다는 단점이 있을 수 있다. 또한, 때에 따라서는 말이 지나치게 길어지는 단점도 있을 수 있다.

개념 ⊕
영어의 표기
제1항 무성 파열음([p], [t], [k]): 1. 짧은 모음 다음의 어말 무성 파열음([p], [t], [k])은 받침으로 적는다. 2. 짧은 모음과 유음·비음([l], [r], [m], [n]) 이외의 자음 사이에 오는 무성 파열음([p], [t], [k])은 받침으로 적는다. 3. 위 경우 이외의 어말과 자음 앞의 [p], [t], [k]는 '으'를 붙여 적는다.
제2항 유성 파열음([b], [d], [g]): 어말과 모든 자음 앞에 오는 유성 파열음은 '으'를 붙여 적는다.
제3항 마찰음([s], [z], [f], [v], [θ], [ð], [ʃ], [ʒ]): 1. 어말 또는 자음 앞의 [s], [z], [f], [v], [θ], [ð]는 '으'를 붙여 적는다. 2. 어말의 [ʃ]는 '시'로 적고, 자음 앞의 [ʃ]는 '슈'로, 모음 앞의 [ʃ]는 뒤따르는 모음에 따라 '샤, 섀, 셔, 셰, 쇼, 슈, 시'로 적는다. 3. 어말 또는 자음 앞의 [ʒ]는 '지'로 적고, 모음 앞의 [ʒ]는 'ㅈ'으로 적는다.
제4항 파찰음([ts], [dz], [tʃ], [dʒ]): 1. 어말 또는 자음 앞의 [ts], [dz]는 '츠', '즈'로 적고, [tʃ], [dʒ]는 '치', '지'로 적는다. 2. 모음 앞의 [tʃ], [dʒ]는 'ㅊ', 'ㅈ'으로 적는다.
제5항 비음([m], [n], [ŋ]): 1. 어말 또는 자음 앞의 비음은 모두 받침으로 적는다. 2. 모음과 모음 사이의 [ŋ]은 앞 음절의 받침 'ㅇ'으로 적는다.
제6항 유음([l]): 1. 어말 또는 자음 앞의 [l]은 받침으로 적는다. 2. 어중의 [l]이 모음 앞에 오거나, 모음이 따르지 않는 비음([m], [n]) 앞에 올 때에는 'ㄹㄹ'로 적는다. 다만, 비음([m], [n]) 뒤의 [l]은 모음 앞에 오더라도 'ㄹ'로 적는다.

▶ 국어의 로마자 표기법을 적용해 보는 활동

8. 다음에 주어진 로마자 표기법 규정에 따라 우리말을 로마자 표기로 써 보자.

> • 음운 변화가 일어날 때에는 변화의 결과에 따라 적는다.

| 예시 답 |

백마	[뱅마]	자음 동화	Baengma
종로	[종노]		Jongno
신라	[실라]		Silla
알약	[알냑] → [알략]	'ㄴ' 첨가, 유음화	allyak
해돋이	[해도지] 구개음화		haedoji

개념 ⊕

• **자음 동화**: 음절 끝 자음이 그 뒤에 오는 자음과 만날 때, 어느 한쪽이 다른 쪽을 닮아서 그와 비슷하거나 같은 소리로 바뀌기도 하고, 양쪽이 서로 닮아서 두 소리가 다 바뀌기도 하는 현상.
• **'ㄴ' 첨가**: 앞말의 끝이 자음이고 뒷말의 첫음절 모음이 'ㅣ, ㅑ, ㅕ, ㅛ, ㅠ'인 경우에 'ㄴ'이 추가되는 현상.
• **유음화**: 'ㄴ'이 'ㄹ'의 앞이나 뒤에서 'ㄹ'로 변하는 현상.
• **구개음화**: 끝소리가 'ㄷ', 'ㅌ'인 형태소가 모음 'ㅣ'나 반모음 'ㅣ[j]'로 시작되는 형식 형태소와 만나면 그것이 구개음 'ㅈ', 'ㅊ'이 되거나, 'ㄷ' 뒤에 형식 형태소 '히'가 올 때 'ㅎ'과 결합하여 이루어진 'ㅌ'이 'ㅊ'이 되는 현상.

▶ 가상 공간과 현실에서 국어 생활에 대해 알아보고 성찰하는 활동 👤 인성 👥 모둠

9. 친구들끼리 주고받은 문자 메시지나 누리 소통망(SNS)에서 사용된 문자 언어를 대상으로 아래의 활동을 해 보고, 우리의 국어 생활을 성찰해 보자.

| 보기 |

> ① 친구와의 대화 내용을 표의 왼쪽에 옮겨 적는다.
> ② 정확하고 적절한 내용이 되도록 점검하고 수정한다.
> ㉠ 어문 규정에 어긋나는 부분을 바르게 수정한다.
> ㉡ 외래어, 속어, 줄임말 등을 바른 표현으로 순화한다.
> ㉢ 문장 구성이나 호응 관계 등에서 문제가 있으면 수정한다.
> ③ 수정 전과 후를 다양한 관점(표현 효과, 소통의 효율성 등)에서 비교·평가한다.
> ④ 결과를 충분히 고려하여 앞으로의 국어 생활에 대한 자신의 의견을 말해 본다.

| 예시 답 |

수정 전 대화	수정 후 대화
오늘언제집감?	오늘 언제 집에 가?
지금가고이씀	지금 가고 있어.
개빠름. 왤케빨리?	정말 빨리 가네. 왜 이렇게 빨리 가?
오늘아빠생파이써	오늘 아빠 생일 파티 있어.
웅~ 즐파~ 빠2~	응, 즐겁게 놀아 ~. 안녕~!

| 예시 답 | 문자 메시지나 누리 소통망을 통해 주고받은 문자 언어는 보통은 빠른 속도로, 압축된 표현을 이용하기 때문에 띄어쓰기하지 않거나 축약된 표현 등을 이용한다. 이러한 표현을 통한 의사소통은 의사소통 당사자가 서로 그 규칙을 알고 있으면 문제가 없겠지만, 어느 한쪽이 규칙을 잘 모르면 의사소통이 잘 안 된다는 문제가 있다. 또한, 종종 비속어가 쓰이기도 하는데 이는 언어가 정신에 미치는 영향을 고려할 때 바람직하지 않다. 따라서 정제된 표현으로, 서로 간에 오해가 없도록 언어 규범을 지켜서 소통하는 것이 바람직하다.

• 어문 규범
바르고 정확하게 글을 쓰기 위해 지켜야 할 규칙

표준어 규정	어떤 말을 쓰기의 대상으로 삼을 것인가 하는 표준어 사정의 문제 관해 통일된 지침을 제시
( )	단어의 발음을 표기에 어떻게 반영할 것인가 하는 맞춤법의 문제에 관해 통일된 지침을 제시
외래어 표기법	외래어를 한글로 표기하는 방법에 관한 규정
국어의 로마자 표기법	우리말을 로마자로 표기하는 방법에 관한 규정

• 올바른 국어 생활을 위한 방법

> • 각 규범 사이의 관계를 잘 이해하고, 각 규정이 담고 있는 규칙의 원리와 실제를 배워 국어 생활에 적용하는 능력을 갖추어야 함.
> • 자신을 둘러싼 언어 현실에 관심을 가지고 꾸준히 국어 생활을 성찰하고 개선하려는 태도를 보이는 것이 중요함.

↓

> 국어 규범에 기초한 (ⓒ   )와/과 사회·문화적 맥락과 언어적 맥락을 고려한 적절성을 갖추고 이를 실제 국어 생활에 창의적으로 적용하기 위해 노력해야 함.

1 표준어 규정

(ⓔ   ) 차이로 인해 원활한 의사소통을 방해할 수 있는 문제를 해소하기 위해 만들어짐.

제1부 표준어 사정 원칙	공식적인 국어 생활에서 사용되는 표준어를 사정함.
제2부 표준 발음법	공식적인 국어 생활에서 사용되는 표준어의 표준 (ⓔ)을/를 규정함.

• 총칙의 원칙
 – 교양 있는 사람들이 두루 쓰는 현대 서울말을 표준어로 정함.
 – 이 원칙 아래 모든 우리말 단어를 대상으로 표준어를 사정함.
• 표준 발음법 규정의 사례

발음 변화	• 깡충깡충(○) / 깡총깡총(×) • 강낭콩(○) / 강남콩(×) • 으레(○) / 으례(×) • 아궁이(○) / 아궁지(×)

어휘 선택의 변화	• 총각무(○) / 알타리무(×) • 안절부절못하다(○) / 안절부절하다(×) • 윗-니(○) / 웃-니(×) • 웃-돈(○) / 윗-돈(×)
복수 표준어	• 가엽다–가엾다 • 송이–송이버섯 • 신–신발 • 옥수수–강냉이 • 우레–천둥 • 고까–꼬까–때때 • 여쭈다–여쭙다

• 표준 발음법의 제정 이유
 – 표준 발음은 표준어의 (ⓓ   ) 발음을 따른 것이 때문에 큰 문제가 없지만, 자음, 모음, 준말, 단수 표준어, 복수 표준어 등에서 같은 단어를 서로 다르게 발음함으로써 생길 수 있음. ➡ 의사소통의 혼란을 없애기 위해 발음의 표준을 정함.
• 표준국어대사전 활용의 필요성

> 어떤 단어가 표준어인지, 그리고 그 표준어의 바른 발음이 무엇인지를 '표준어 규정'에서 모든 단어를 제시하고 있지는 않음.

↓

> 평소에 늘 (ⓔ   )을/를 활용하는 습관을 지니는 것이 좋음.

보충자료

표준 발음법 규정의 대표

모음 발음	제5항 'ㅑ ㅒ ㅕ ㅖ ㅘ ㅙ ㅛ ㅝ ㅞ ㅠ ㅢ'는 이중 모음으로 발음한다. 다만 1. 용언의 활용형에 나타나는 '져, 쪄, 쳐'는 [저, 쩌, 처]로 발음한다. 다만 2. '예, 례' 이외의 'ㅖ'는 [ㅔ]로도 발음한다. 다만 3. 자음을 첫소리로 가지고 있는 음절의 'ㅢ'는 [ㅣ]로 발음한다. 다만 4. 단어의 첫음절 이외의 '의'는 [ㅣ]로, 조사 '의'는 [ㅔ]로 발음함도 허용한다.
자음 발음	제8항 받침소리로는 'ㄱ, ㄴ, ㄷ, ㄹ, ㅁ, ㅂ, ㅇ'의 7개 자음만 발음한다. 제9항 받침 'ㄲ, ㅋ', 'ㅅ, ㅆ, ㅈ, ㅊ, ㅌ', 'ㅍ'은 어말 또는 자음 앞에서 각각 대표음 [ㄱ, ㄷ, ㅂ]으로 발음한다.
음의 길이	제6항 모음의 장단을 구별하여 발음하되, 단어의 첫음절에서만 긴소리가 나타나는 것을 원칙으로 한다. 제7항 긴소리를 가진 음절이라도, 다음과 같은 경우에는 짧게 발음한다.

2 한글 맞춤법

표준어를 한글로 적는 기준을 정하여 놓은 것으로, 크게 6장으로 구성됨.

제1장 총칙	한글 맞춤법의 원리와 띄어쓰기의 원칙, 외래어 표기의 원칙을 제시함.
제2장 자모	한글 자료의 순서와 이름을 정해 놓음.
제3~6장	소리에 관한 것, (ⓐ)에 관한 것, 띄어쓰기, 그 밖의 것으로 나누어 구체적인 맞춤법 규정을 설명함.

• 한글 맞춤법의 기본 원칙

> 제1항 한글 맞춤법은 표준어를 소리대로 적되, 어법에 맞도록 함을 원칙으로 한다.

– '소리대로': 표준어로 인정된 말은 그 발음 그대로 반영하는 것은 근본 원칙으로 함.
– '어법에 맞도록': 표준어이고 그 발음대로 적었더라도, (ⓒ   )을/를 고려하여 형태소나 단어의 본 모습을 찾아서 원래 형태에 맞게 적도록 해야 함.

• 형태 음소적 원리의 원리

> 소리대로 적는다는 원칙을 적용하기 어려운 경우가 있다.
> → 소리대로 적을 경우 단어의 의미가 쉽게 파악되지 않아 독서 능률이 떨어짐.

↑

의미	어법을 고려하여 형태소나 단어의 본 모습을 찾아서 적도록 규정
효과	의미를 쉽게 파악하고 독서의 능률을 높일 수 있음.

→ 여기에 끊어적기를 선택하면 이어적기를 했을 때보다 단어의 형태가 늘 일정하게 고정되는 장점이 있음.

• 띄어쓰기의 기본 원칙
– 총칙 제2항에서 '문장의 각 단어는 띄어 씀을 원칙으로 한다.'고 규정함.
– 어떤 단위가 단어인지 아닌지 모를 때는 표준국어대사전에 단어로 (ⓔ   )되어 있는지 확인하면 쉽게 해결할 수 있음.

3 외래어 표기법

• 외래어를 한글로 적는 데 대한 규정임.
• 하나의 단어를 표기할 때 (ⓕ   )을/를 기하기 위해 일정한 원칙에 따라 한 가지로 표기하도록 정함.

• 외래어 표기의 기본 원칙

> – 제1항 외래어는 국어의 현용 24 자모만으로 적음.
> – 제2항 외래어의 1 음운은 원칙적으로 1 기호로 적음.
> – 제3항 받침에는 'ㄱ, ㄴ, ㄹ, ㅁ, ㅂ, ㅅ, ㅇ'만을 씀. (다만, 'ㄷ' 소리가 나는 경우에는 'ㅅ'으로 적음.)
> – 제4항 파열음 표기에는 된소리를 쓰지 않는 것을 원칙으로 함.
> – 제5항 이미 굳어진 외래어는 관용을 존중하되, 그 범위와 용례는 따로 정함.

4 국어의 로마자 표기법

의미	우리말로 표기된 이명이나 지명 등의 고유 명사를 로마자로 어떻게 적을 것인지를 규정함.
원칙	• 한글 철자를 그대로 로마자로 적는 것이 아니라 표준 발음법에 따라 적음. • 로마자 이외의 부호는 되도록 사용하지 않음. • 같은 소리는 항상 하나의 로마자로 적음.

• 국어의 로마자 표기와 발음 대응의 어려움과 대응 방안
– 로마자는 우리말의 음운 체계를 고려하여 만들어진 문자가 아니기 때문임.
– 표기와 발음의 불일치를 어느 정도 인정하되, 우리 나름의 원칙에 따라 일관되게 표기하는 것이 중요함.
• 국어의 로마자 표기법의 인명 표기 방법
– 인명은 성과 이름의 순서로 띄어 씀.
– 이름은 한 단어처럼 표기하는 것을 원칙으로 함.
– (ⓖ   ) 사이에 붙임표(-)를 쓰는 것을 허용함.

> • 이름에서 일어나는 음운 변화는 표기에 반영하지 않음.
> • 성의 표기는 따로 정함.

답 ⓐ 한글 맞춤법, ⓒ 정확성, ⓒ 방언, ⓓ 발음, ⓔ 실제, ⓕ 국어사전,
ⓐ 형태, ⓒ 어법, ⓔ 등재, ⓖ 일관성, ⓕ 음절

소단원 적중 문제

[01~03] 다음 글을 읽고, 물음에 답하시오.

㉮ 지리적 차이 때문에 다르게 나타나는 말을 지역 방언, 사회적 차이 때문에 다르게 나타나는 말을 사회 방언이라 한다. 이러한 방언 차이는 원활한 의사소통을 방해할 수 있는데, 표준어 규정은 공식적인 국어 생활에서 사용되는 표준어를 사정하고 그 표준 발음을 규정함으로써 이러한 문제를 해소한다. 전자는 표준어 규정의 제1부 표준어 사정 원칙에서, 후자는 제2부 표준 발음법에서 다루고 있다.

㉯ 제1부 표준어 사정 원칙에서는 표준어를 사정하는 기본 원칙을 총칙에서 제시한 다음 이를 바탕으로 발음에 변화가 생겼거나 단순히 어떤 단어를 더 선호하게 되어서 어휘 선택에 변화가 생긴 경우 실제 표준어 사정의 예를 제시하고 있다.

㉰ 총칙에 제시된 원칙은 '교양 있는 사람들이 두루 쓰는 현대 서울말'을 표준어로 정한다는 것이다. 이러한 대원칙 아래 모든 우리말 단어를 대상으로 표준어를 사정하게 되는데, ㉠발음 변화에 따른 표준어 규정의 예로는 '깡총깡총'과 '으례'를 버리고 '깡충깡충'과 '으레'를 표준어로 삼은 것을 들 수 있고, 어휘 선택의 변화에 따른 표준어 규정의 예로는 '알타리무'와 '안절부절하다'를 버리고 '총각무'와 '안절부절못하다'를 표준어로 삼은 것 등을 들 수 있다. 일반적으로는 정해진 원칙에 따라 한 단어만을 표준어로 정하지만 더러는 둘 이상의 단어가 두루 쓰이고 있어 모두 표준어로 인정되는 예도 있다. 이를 복수 표준어라 하는데, '가엾다-가엾다, 고까-꼬까-때때, 송이-송이버섯, 신-신발, 여쭈다-여쭙다, 옥수수-강냉이, 우레-천둥' 등이 그 예이다.

㉱ '표준어 규정'에는 표준 발음법에 관한 규정도 포함되어 있는데, 같은 단어를 서로 다르게 발음함으로써 생길 수 있는 의사소통의 혼란을 없애기 위해 발음의 표준을 정하여 놓은 것이다. 표준 발음은 원칙적으로 표준어의 실제 발음을 따른 것이기 때문에 대체로 큰 문제가 없으나, ㉡모음의 경우 'ㅢ'의 발음이나 'ㅐ'와 'ㅔ'의 구별, 자음의 경우 음의 동화나 겹받침의 발음 등에서 어려움을 겪는 경우가 없지 않다. 또한 젊은 세대들은 '말[馬]'과 '말:[言]'을 구별하여 말하고 듣지 못하는 등 모음의 장단을 구별하지 못하는 문제도 있다.

㉲ 그런데 어떤 단어가 표준어인지, 그리고 그 표준어의 바른 발음이 무엇인지를 '표준어 규정'에서 일일이 제시하지는 않기 때문에, 실제 국어 생활에서는 국립국어원에서 편찬된 '표준국어대사전'을 활용하여 이를 확인하여야 한다.

01 윗글의 내용과 일치하는 것은?

① 표준어는 정해진 원칙에 따라 한 단어만을 규정한다.
② 표준어 규정은 일상생활에서 사용되는 언어를 사정하고 표준 발음을 규정하고 있다.
③ '서울말'을 표준어로 정하는 것은 지역 방언에 비해 우월성을 가지고 있기 때문이다.
④ 어떤 단어가 표준어인지 알기 위해서는 국어 전문가가 주로 쓰는 상황을 고려해야 한다.
⑤ 동일한 의미를 가진 서로 다른 단어 중 언중의 대부분이 사용하는 단어를 표준어로 규정한다.

02 다음 〈보기〉는 ㉠과 관련된 설명이다. 이를 바탕으로 할 때 ㉠의 예로 적절한 것은?

〈보기〉

어원에서 멀어진 형태로 굳어져서 널리 쓰이는 것은, 그것을 표준으로 삼는다. ⓔ 강낭콩, 사글세

① 빛   ② 옷   ③ 꽃
④ 노름   ⑤ 나뭇잎

03

<u>수능형</u> <u>고난도</u>

03 다음은 ㉡에 대한 맞춤법 자료이다. 〈보기〉를 고려할 때 표기가 잘못된 것은?

〈보기〉

제8항 '계, 례, 몌, 폐, 혜'의 'ㅖ'는 'ㅔ'로 소리 나는 경우가 있더라도 'ㅖ'로 적는다.
제9항 'ㅢ'나, 자음을 첫소리로 가지고 있는 음절의 'ㅢ'는 'ㅣ'로 소리 나는 경우가 있더라도 'ㅢ'로 적는다.

① 계집   ② 계수(桂樹)
③ 본의(本意)   ④ 닐리리
⑤ 하늬바람

<u>서술형</u>

04 윗글에서 표준국어대사전을 활용해야 하는 이유를 찾아 쓰시오.

[05~07] 다음 글을 읽고, 물음에 답하시오.

가 한글 맞춤법은 표준어를 한글로 적는 기준을 정하여 놓은 것으로, 크게 6장으로 구성되어 있다. 제1장 '총칙'에서는 한글 맞춤법의 원리와 띄어쓰기의 원칙, 그리고 외래어 표기의 원칙을 제시하였고, 제2장 '자모'에서는 한글 자모의 순서와 이름을 정해 놓았다. 이어지는 제3~6장에는 소리에 관한 것, 형태에 관한 것, 띄어쓰기, 그 밖의 것으로 나누어 구체적인 맞춤법 규정을 설명하고 있다.

나 '한글 맞춤법'의 대원칙은 총칙 제1항에 다음과 같이 명시되어 있다.

> 제1항 한글 맞춤법은 표준어를 소리대로 적되, 어법에 맞도록 함을 원칙으로 한다.

이에 따르면 한글 맞춤법은 표준어의 발음을 그대로 반영하는 표기 방식이 근본 원칙이 되고, 거기에 어법에 맞도록 한다는 원칙이 덧붙어 있는 것이 된다. '구름', '나무', '하늘' 등이 소리대로 적어서 올바른 표기가 되는 예이다.

다 그런데 소리대로 적는다는 원칙을 그대로 적용하기 어려운 때도 있다. 예를 들어, '꽃'이라는 단어를 소리대로 적는다면 쓰이는 환경에 따라 '꼳, 꼰나무, 꼬치'와 같이 다양하게 표기될 것인데, 이럴 때 단어의 의미가 쉽게 파악되지 않아 독서 능률이 현저히 떨어지게 되는 문제가 있다. 이런 문제를 해소하기 위해 소리대로 적는 것을 근본 원칙으로 하되 필요한 경우 어법을 고려하여 형태소나 단어의 본 모습을 찾아서 적도록 규정한 것이다. 이와 같은 맞춤법의 원리를 ㉠ 형태 음소적 원리(形態音素的 原理)라 한다. 형태 음소적 원리를 채택함으로써 의미를 쉽게 파악하고 독서의 능률을 높일 수 있는데, 여기에 더하여 끊어적기를 선택하면 더욱 효율적인 표기법이 된다. 즉 '구르미, 머거서'와 같이 이어적기를 했을 때보다 '구름이, 먹어서'와 같이 끊어적기를 했을 때 단어의 형태가 늘 일정하게 고정되는 장점이 있어 독서 능률이 높아진다는 것이다.

라 한글 맞춤법에는 띄어쓰기에 대한 기본 원칙은 총칙 ㉡ 제2항에서 '문장의 각 단어는 띄어 씀을 원칙으로 한다.'고 규정하고 있다. 실제 국어 생활에서의 띄어쓰기는 단어마다 띄어 쓰면 되고, 어떤 단위가 단어인지 아닌지 모를 때에는 표준국어대사전에 단어로 등재되어 있는지를 확인하면 쉽게 해결할 수 있다.

05 〈보기〉는 ㉠과 관련한 '한글 맞춤법'의 규정이다. ⓐ와 ⓑ에 들어갈 예로 적절하지 <u>않은</u> 것은?

> 제19항 어간에 '-이'나 '-음/-ㅁ'이 붙어서 명사로 된 것과 '-이'나 '-히'가 붙어서 부사로 된 것은 그 어간의 원형을 밝히어 적는다.
> 1. '-이'가 붙어서 명사로 된 것 예 [ⓐ]
> 2. '-음/-ㅁ'이 붙어서 명사로 된 것 예 걸음, 묶음
> 3. '-이'가 붙어서 부사로 된 것 예 같이, 굳이
> 4. '-히'가 붙어서 부사로 된 것 예 밝히, 익히
>
> 제20항 명사 뒤에 '-이'가 붙어서 된 말은 그 명사의 원형을 밝히어 적는다.
> 1. 부사로 된 것 예 낱낱이, 몫몫이
> 2. 명사로 된 것 예 [ⓑ]

	ⓐ	ⓑ
①	길이, 깊이	바둑이, 삼발이
②	많이, 깊이	육손이, 바둑이
③	먹이, 길이	육손이, 절뚝발이
④	다듬이, 달맞이	바둑이, 삼발이
⑤	달맞이, 미닫이	삼발이, 육손이

06 ㉡과 관련하여 띄어쓰기가 <u>잘못된</u> 것은?
① 조기 한 손
② 비가 올 듯하다.
③ 그가 올 듯도하다.
④ 아는 것이 힘이다.
⑤ 중거리 탄도 유도탄

07 다음 중 한글 맞춤법에 맞지 않게 선택한 것은?
① 미시[요 / 오].
② 그 물 먹어도 [되 / 돼].
③ 네 말대로 [할께 / 할게].
④ 추워서 수[돗 / 도]물도 차가워요.
⑤ 해어진 양말 [뒤꿈치 / 뒷꿈치]를 꿰매다.

서술형 학습 활동 적용

08 밑줄 친 부분을 표준어 규정에 맞게 바르게 고치시오.

> ㄱ. 나는 이번 수행평가를 <u>한번에</u> 끝냈다.
> ㄴ. 너는 <u>고등학생으로써</u> 단정한 옷차림을 해야 한다.

[09~12] 다음 글을 읽고, 물음에 답하시오.

㉮ '외래어 표기법'은 외래어를 한글로 적는 데 대한 규정이다. 하나의 단어를 '커피숍, 커피숖, 커피숍, 커피숖' 등으로 다양하게 쓰는 혼란을 피하기 위해 일정한 원칙에 따라 한 가지로 표기하도록 정한 것이다.

㉯ 외래어 표기의 기본 원칙은 다음의 총 다섯 항으로 제시되어 있다.

> 제1항 외래어는 국어의 현용 24 자모만으로 적는다.
> 제2항 외래어의 1 음운은 원칙적으로 1 기호로 적는다.
> 제3항 받침에는 'ㄱ, ㄴ, ㄹ, ㅁ, ㅂ, ㅅ, ㅇ'만을 쓴다.
> 제4항 파열음 표기에는 된소리를 쓰지 않는 것을 원칙으로 한다.
> 제5항 이미 굳어진 외래어는 관용을 존중하되, 그 범위와 용례는 따로 정한다.

㉰ 제1항은 외래어 표기를 위해 새로운 문자나 부호를 사용하지 않고 오직 현용 한글 자모만으로 적는다는 원칙이다.

제2항은 외국어의 한 소리를 늘 일정한 한글에 대응시켜 적는다는 원칙이다. 예를 들어, 'fighting'을 '화이팅', 'film'을 '필름'이라 하여 'f'를 'ㅎ'과 'ㅍ'으로 다르게 적지 않고 '파이팅'과 '필름'으로 적어 'f'를 일정하게 'ㅍ'으로 적도록 하는 것이다.

제3항은 외래어 받침의 소리는 실제 소리를 반영하여 일곱 개의 홑받침으로만 적는다는 원칙이다. 다만 'ㄷ' 소리가 나는 경우에는 'ㅅ'으로 적는데, 'chocolate'을 '초콜릳'이 아니라 '초콜릿'으로 적는 것이 그 예이다.

제4항은 파열음의 발음이 된소리에 가깝게 들리더라도 된소리로 적지 않는다는 원칙이다. '빠리' 대신 '파리', '뻐스' 대신 '버스'로 적는 것이 그 예이다.

제5항은 외래어 표기법의 원칙에 따른 표기가 관용 발음과 다른 경우에는 관용을 존중한다는 원칙이다. 'camera'를 '캐머러'로 표기하는 것이 원칙에 맞지만 이미 '카메라'로 굳어진 점을 존중하여 '카메라'로 표기하는 것이 그 예이다.

09 다음 중 외래어 표기법의 기본 원칙으로 적절하지 <u>않은</u> 것은?

① 외래어는 현재 우리가 사용하는 자음과 모음만을 사용하여 표기한다.
② 외래어는 우리말 오랫동안 사용되어 굳어진 발음의 경우 이를 표기에 반영한다.
③ 외래어는 우리말 음절의 끝소리에 발음되는 7개의 자음만을 종성으로 사용한다.
④ 외래어는 파열음의 발음이 된소리에 가깝게 들리더라도 된소리로 적지 않는다.
⑤ 외래어는 하나이던 소리가 둘 이상으로 발음되는 경우 두 가지 이상의 자모를 대응시킬 수 있다.

10 〈보기〉를 고려할 때, 표기가 바르지 <u>않은</u> 것은?

> 제3장 표기 세칙
> 제1절 제8항 중모음([ai], [au], [ei], [ɔi], [ou], [auə])은 각 단모음의 음가를 살려서 적되, [ou]는 '오'로, [auə]는 '아워'로 적는다.

① oil → 오일   ② time → 타임
③ tower → 타워   ④ boat → 보우트
⑤ house → 하우스

11 윗글을 참고할 때, 외래어 표기가 적절하지 <u>않은</u> 것은?

① cafe → 카페   ② juice → 주스
③ supermarket → 슈퍼마켇   ④ comedy → 코미디
⑤ accessory → 액세서리

서술형
12 〈보기〉와 같이 표기하는 이유는 무엇인지 서술하시오.

> 〈 보기 〉
> 'radio'는 '레이디오'로 본래 발음되지만, 우리나라에서는 '라디오'라고 외래어로 표기한다.

[13~15] 다음 글을 읽고, 물음에 답하시오.

가 우리말로 표기된 인명이나 지명 등의 고유 명사를 로마자로 어떻게 적을 것인지를 규정한 것이 '국어의 로마자 표기법'이다. 국어의 로마자 표기법은 한글 철자를 그대로 로마자로 적는 것이 아니라 표준 발음법에 따라 적는 것을 원칙으로 한다. 그리고 로마자 이외의 부호는 되도록 사용하지 않으며, 같은 소리는 항상 하나의 로마자로 적는 것을 원칙을 따른다.

나 로마자 표기법에서 국어의 자음과 모음은 다음과 같이 로마자로 표기하도록 규정하고 있다.

ㄱ	ㄲ	ㅋ	ㄷ	ㄸ	ㅌ	ㅂ	ㅃ	ㅍ	ㅈ
g, k	kk	k	d, t	tt	t	b, p	pp	p	j

ㅉ	ㅊ	ㅅ	ㅆ	ㅎ	ㄴ	ㅁ	ㅇ	ㄹ
jj	ch	s	ss	h	n	m	ng	r, l

ㅏ	ㅓ	ㅗ	ㅜ	ㅡ	ㅣ	ㅐ	ㅔ	ㅚ	ㅟ	ㅑ
a	eo	o	u	eu	i	ae	e	oe	wi	ya

ㅕ	ㅛ	ㅠ	ㅒ	ㅖ	ㅘ	ㅙ	ㅝ	ㅞ	ㅢ
yeo	yo	yu	yae	ye	wa	wae	wo	we	ui

다 그러나 로마자는 우리말의 음운 체계를 고려하여 만들어진 문자가 아니기 때문에 발음과 표기가 일치하는 로마자 표기법은 거의 불가능하다. 예를 들어 자음의 경우 로마자로 'ㄱ-ㄲ-ㅋ'과 같은 대립을 정확히 표기할 수 없는데, 현 규정은 위의 원칙에 따라 'g, k-kk-k'로 적는 방법을 따르기로 하였다. 모음의 경우에도 우리말의 단모음은 10개인데 로마자의 모음은 5개뿐이어서 'ㅓ, ㅡ, ㅔ, ㅚ, ㅟ' 등의 모음은 하나의 로마자로는 대응시킬 수 없으므로 두 개의 로마자를 합쳐서 대응하도록 만들었다. 따라서 국어의 로마자 표기법에서는 표기와 발음의 불일치를 어느 정도 인정하되, 우리 나름의 원칙에 따라 일관되게 표기하는 것이 중요하다.

라 우리나라 사람들의 성과 이름을 적을 때에는 우리 식으로 성과 이름의 순서로 적고, 이름은 한 단어처럼 표기하는 것을 원칙으로 한다. 예를 들어 '홍길동'의 경우 'Hong Gildong'으로 적는 것을 원칙으로 하되, 붙임표(-)를 쓴 'Hong Gil-dong'과 같은 표기도 허용한다.

고난도
13 다음은 나라 이름을 로마자로 쓴 것을 국어의 로마자 표기법에 맞춰 수정한 것이다. 수정한 내용을 고려할 때, 로마자 표기법의 내용으로 적절하지 **않은** 것은?

	나라 이름	수정 전	수정 후
㉠	고려[고려]	golyeo	Goryeo
㉡	발해[발해]	Parhae	Balhae
㉢	백제[백쩨]	Paegje	Baekje
㉣	신라[실라]	Silra	Silla
㉤	옥저[옥쩌]	okjjeo	Okjeo

① ㉠과 ㉤으로 보아 'ㄱ'은 'g'로 적어야 하는군.
② ㉢과 ㉤으로 보아 된소리되기로 발음된 것은 표기에 반영하지 않는군.
③ ㉠으로 보아 이중 모음 'ㅕ'는 'ㅣ'에 'ㅓ'가 붙은 것으로 적어야 하는군.
④ ㉠과 ㉡, ㉣로 보아 'ㄹ'은 모음 앞에서는 'r'로 적되, 'ㄹㄹ'은 'll'로 적어야 하는군.
⑤ ㉠~㉤으로 보아, 나라 이름과 같은 고유 명사의 첫 글자를 대명사로 적어야 하는군.

학습 활동 적용
14 〈보기〉를 고려할 때, 표기가 바르지 **않은** 것은?

> 제3장 제1항 음운 변화가 일어날 때에는 변화의 결과에 따라 다음 각 호와 같이 적는다.
> 1. 자음 사이에서 동화 작용이 일어나는 경우.
>   예 백마[뱅마] Baengma
> 2. 'ㄴ, ㄹ'이 덧나는 경우. 예 학여울[항녀울] Hangnyeoul
> 3. 구개음화가 되는 경우. 예 해돋이[해도지] haedoji
> 4. 'ㄱ, ㄷ, ㅂ, ㅈ'이 'ㅎ'과 합하면 거센소리로 소리 나는 경우. 예 좋고[조코] joko
>   다만 체언에서는 'ㄱ, ㄷ, ㅂ' 뒤에 'ㅎ'이 따를 때에는 'ㅎ'을 밝혀 적는다.

① 같이 → gachi
② 알약 → allyak
③ 별내 → Byeonae
④ 잡혀 → japyeo
⑤ 묵호 → Mukho

서술형
15 다음 〈보기〉와 같이 표기하는 이유는 무엇인지 서술하시오.

> 보기
> 'ㅓ'는 'eo'로, 'ㅡ'는 'eu'로, 'ㅟ'는 'wi'로 표기한다.

> 조건
> • 우리말과 로마자의 모음을 밝힐 것.
> • '~때문이다.'로 끝맺을 것.

[01~03] 다음 글을 읽고, 물음에 답하시오.

가 국어 자료를 만들 때 어떤 목적을 가지느냐에 따라 친교 및 정서 표현 자료, 정보 전달 자료, 설득적인 자료 등으로 나뉜다.

친교 및 정서를 표현한 국어 자료에는 글쓴이 자신의 경험과 감정이 직접 드러난 것과 상상력으로 꾸며 낸 것이 있다. 일기, 편지, 수필 등은 전자에 해당하고, 문학 작품과 같은 국어 자료가 후자에 해당한다.

〈예제 1〉
민세야, 살다가 보면 그렇게 잠 못 이루는 밤이 있단다. 잠 못 든 밤을 뒤척일 때 네 뒤척이는 소리를 듣는 사람이 있다는 것은 행복한 일이란다. 아버지는 네가 돌아눕는 그 아픔을 안다. 누군들 그런 밤을 지새우지 않았겠느냐. 나는 네가 가난하게 사는 것을 걱정하는 게 아니라 비인간적으로 비굴하게 살까 봐 걱정한다. 사람을 대하는 것은 사랑이 아니면 안 된다. 진심으로 사람을 사랑하거라.
　　　　　　　　　　　　　 – 김용택, 「마음을 따르면 된다」에서

위 글은 아버지가 자식에게 보내는 편지글로, 자신의 삶을 되돌아보며 자식에게 충고와 격려를 건넨다. 글쓴이인 아버지는 자신의 솔직한 생각과 감정을 대화하듯 써 내려가며, 독자에게 아름다운 정서를 전해 준다. 그래서 친교 및 정서 표현이 목적인 국어 자료는 일반적으로 글쓴이의 생각이나 느낌을 진술하게 드러내며, 구어적인 표현이 많이 쓰여 읽는 이가 공감대를 쉽게 형성할 수 있는 언어적 특성이 있다.

나 일반적으로 정보를 전달하는 국어 자료는 글쓴이가 어떤 대상에 대한 정보를 알리고 설명하려는 목적으로 만든 것이다. 따라서 쉽고 정확하며 신속하게 독자에게 필요한 정보를 전달하는 것을 중시한다.

〈예제 2〉
동메달이 은메달보다 행복한 이유
미국 코넬 대학교 심리학과 연구 팀은 1992년 하계 올림픽 메달 수상자들이 경기 종료 순간에 어떤 표정을 짓는지 분석하였다. 연구 팀은 실험 관찰자들에게 분석이 가능했던 23명의 은메달 수상자와 18명의 동메달 수상자의 얼굴 표정을 보고 이들의 감정이 '비통'에 가까운지 '환희'에 가까운지 10점 만점으로 평정하게 했다. [중략] 분석 결과, 경기가 종료되고 메달 색깔이 결정되는 순간 동메달 수상자의 행복 점수는 10점 만점에 7.1점으로 나타났다. 비통보다는 환희에 더 가까운 점수였다. 그러나 은메달 수상자의 행복 점수는 고작 4.8점으로 나타났다. 환희와는 거리가 먼 감정 표현이었다.
　　　　　　　　　　　　　 – 최인철, 「프레임」에서

위 글은 심리학적 주제를 일상에서 볼 수 있는 사례에 적용하여 알기 쉽고 흥미롭게 설명하고 있다. 이처럼 정보를 전달하기 위한 국어 자료는 객관성이 생명이므로 이를 확보하기 위해 정보를 체계적으로 정리하고, 과장된 내용이나 꾸민 부분은 배제하고 간결한 문장으로 표현하는 언어적 특성이 있다.

다 설득의 기능을 담고 있는 국어 자료는 글쓴이가 자신의 주장이나 의견을 독자에게 이해시키고, 나아가 그 주장대로 믿고 따르게 할 목적으로 만든 자료이다. 따라서 글쓴이는 자신의 주장과 함께 주장을 뒷받침할 근거를 제시해야 한다.

〈예제 3〉
우리가 기억해야 할 것은 갈등을 그 자체로 선도 악도 아니라는 사실이다. 갈등은 분열과 폭력의 도화선일 수도 있고, 발전과 통합의 씨앗일 수도 있다. 이 때문에 합의의 기술이 무엇보다 중요하다. 갈등으로 인해 낭비되는 비용을 줄이고, 분열된 사회를 합의의 기술로 잘 봉합해야 우리 경제도 다시 살아날 수 있다. 그렇다고 '합의'라는 결과만 강조하고 그 절차를 무시한다면 또 다른 억압을 동반할 수밖에 없다. 이제 과거에 우리가 머릿속에 갖고 있던 '합의'의 개념을 바꾸어야 한다. 합의의 문화, 갈등의 관리는 모든 이해 당사자들이 공평하게 자기 권리를 주장하는 것에서부터 시작되어야 한다.
　　　　　　 – 케이비에스(KBS) 명견만리 제작팀, 「1장 당신은 합의의 기술을 가졌는가」에서

위 글은 우리 사회에서 발생하는 갈등을 새로운 개념의 합의를 통해서 관리하고 해결해야 한다고 주장하고 있다. 설득을 위한 국어 자료는 정보를 전달하는 국어 자료와 마찬가지로, 문장이 간결하고 명료하다는 공통적인 특성이 있다. 그러나 설득을 위한 국어 자료는 반드시 글쓴이의 주장과 의견이 제시되기 때문에 자료의 구조나 표현이 일관적이고 논리적이라는 특성이 있다.

01 윗글을 통해 답할 수 있는 질문이 <u>아닌</u> 것은?
① 국어 자료는 생산 목적에 따라 어떻게 분류할 수 있는가?
② 편지, 일기와 같은 국어 자료의 언어적 특징은 무엇인가?
③ 설득을 위한 국어 자료를 만들 때, 논리성을 확보하는 방법은 무엇인가?
④ 정보를 전달하는 국어 자료와 설득을 위한 국어 자료의 공통점은 무엇인가?
⑤ 정보를 전달하는 국어 자료와 설득을 위한 국어 자료의 차이점은 무엇인가?

02 〈예제 2〉와 같은 글을 작성할 때, 글쓴이가 고려했을 사항으로 적절하지 <u>않은</u> 것은?

① 내용을 한눈에 알아볼 수 있도록 소제목을 삽입해야겠다.
② 주제를 이해시키기 위해 구체적 사례를 들어 설명해야겠다.
③ 독자의 공감대를 얻기 위해 구어적인 표현을 사용해야겠다.
④ 객관적인 내용이 될 수 있도록 과장된 내용을 사용하지 말아야겠다.
⑤ 전달하려는 정보의 신뢰성을 높이기 위해 신뢰할만한 기관의 자료를 인용해야겠다.

03 윗글을 바탕으로 할 때 〈보기〉에 해당하는 국어 자료로 적절한 것은?

┌─ 보기 ─────────────────────────┐
· 단계적이고 짜임새 있게 글을 전개한다.
· 문장이 간결하고 명료하다는 특징이 있다.
· 자료의 구조와 표현이 논리적이고 일관적이다.
· 필자의 의견을 뒷받침하는 근거가 사용된다.
└────────────────────────────────┘

① 〈예제 1〉과 같은 국어 자료
② 〈예제 2〉와 같은 국어 자료
③ 〈예제 3〉과 같은 국어 자료
④ 〈예제 1〉과 〈예제 2〉 같은 국어 자료
⑤ 〈예제 2〉와 〈예제 3〉 같은 국어 자료

[04~06] 다음 글을 읽고, 물음에 답하시오.

가 국어 자료를 이제 구체적인 갈래 층위에 따라 광고문, 기사문, 보도문, 공고문 등으로 분류하여 살펴보도록 한다.

〈예제 1〉

우선 광고문은 제품을 판매하거나 각종 정보나 자료를 널리 알리기 위하여 활용하는 국어 자료로, 표면적으로는 정보를 전달하는 것이지만 그 이면에는 독자를 설득하려는 의도가 담겨 있다. 또한 문자 언어에 국한하지 않고, 설득이나 홍보 등 광고 효과를 높이기 위해 다른 매체 언어를 이용하는 특성이 있다.

위 광고는 '스마트폰 사용 절제'에 대한 공익 광고이다. 위 광고에서 볼 수 있듯이 다양한 매체 언어와 함께 광고를 끌고 가는 문자 언어는, 짧은 시간 내에 최대한 효과적으로 주제를 보는 이에게 전달해야 하므로 표현이 간결하고 압축적인 특성을 보이고 있다.

나 반면 기사문이나 보도문은 실제 사건이나 상황이 전개되는 모습을 신문이나 방송과 같은 매체를 통해 독자에게 알려 주는 글로, 육하원칙에 의해 작성된다.

┌─ 〈예제 2〉 ─────────────────────────┐
사진 보고 따라 그렸을 뿐인데, 저작권법 위반이라고요?
　웹툰이나 디자인 업계에 '트레이싱' 주의보가 발효됐다. '흔적을 따라가다'는 뜻의 트레이싱은 그림이나 디자인을 할 때 사진이나 다른 그림의 윤곽선을 따라 그리는 걸 의미하기도 한다. 사실상 베껴 그리는 것이나 마찬가지라 본인이 직접 찍은 사진이 아닌 다른 사람 사진이나 그림을 트레이싱하는 것 자체가 원저작자의 저작권을 침해한다고 볼 수 있기 때문이다. [중략] 디지털콘텐츠창작학과 교수는 "아무리 좋은 아이디어라고 해도 출처를 밝히지 않고 남의 저작물을 복제한다면 저작권법 위반."이라면서 "법적 처벌도 필요하지만, 저작권법에 대한 느슨한 인식도 단단히 할 필요가 있다."라고 지적했다. — 『한국일보』, 2017년 9월 19일
└──────────────────────────────────────┘

위 기사문은 일상생활에서 저작권법을 위반한 사례를 가지고, 전문가의 의견과 함께 정보를 전달하고 있다. 기사문은 공정성과 정확성이 중요하기 때문에 기자 개인의 주관적 의견이나 추측을 포함하지 않아야 한다. 또한, 대부분 사건이나 상황은 기자가 직접 겪는 것이 아니므로 취재를 통해 다른 사람의 말을 인용하는 표현이나 피동 표현이 많은 것이 기사문의 특성이다.

다 공고문은 주로 기업이나 단체 등에서 공고할 정보를 널리 알리려는 의도로 만든 국어 자료이다. 공고문은 전달하고자 하는 조건적 정보를 항목별로 분류하여 제시한다. 또한 공고문의 특성상 해석에 혼동을 줄 수 있는 말은 피해야 하고, 정확하게 공고할 내용을 전달하기 위해 명사형 종결 표현을 쓰는 특성이 있다.

04 윗글을 통해 알 수 있는 내용으로 적절하지 <u>않은</u> 것은?

① 광고문이 지니는 언어적 특성
② 공고문에 나타나는 언어적 특성
③ 기사문이나 보도문이 지니는 언어적 특성
④ 국어 자료의 구체적인 갈래 층위에 따른 분류
⑤ 구체적 갈래 층위에 따른 국어 자료 이해의 필요성

05 〈보기〉의 국어 자료를 윗글을 바탕으로 설명할 때, 설명 내용으로 적절하지 <u>않은</u> 것은?

──〈 보기 〉──
△△구 청소년 복지 센터에서 봉사 활동 단원을 모집합니다. 봉사 활동에 관심 있는 학생들의 많은 지원 바랍니다.
• 모집 대상: △△구 지역 내 고등학생
• 신청 방법: 자기소개서를 작성하여 △△구 청소년 복지 센터 누리집에 기재된 이메일 주소로 제출
• 선발 방법: 자기소개서 및 면접

① 전달하고자 하는 조건적 정보를 항목별로 분류하여 제시하고 있다.
② 정확하게 공고할 내용을 전달하기 위해 명사형 종결 표현을 쓰고 있다.
③ 짧은 시간 내에 효과적으로 주제를 전달하기 위해 표현이 간결하고 압축적이다.
④ 단체 등에서 공고할 정보를 널리 알리려는 의도로 만든 국어 자료라 할 수 있다.
⑤ 국어 자료가 전달하려는 내용의 혼동을 막기 위해 명료한 의미의 단어를 사용하고 있다.

06 〈예제 2〉와 같은 국어 자료에 해당하는 설명으로 적절하게 묶인 것은?

──〈 보기 〉──
㉠ 신문이나 방송 매체를 통해 내용을 독자에게 전달하려는 목적에서 생산된 국어 자료이다.
㉡ 글쓴이의 주장이나 의견이 객관적 근거에 의해 뒷받침되는 형식의 국어 자료이다.
㉢ 자신이 직접 경험하지 않은 내용을 다른 사람들의 말을 인용하여 전달하는 국어 자료이다.
㉣ 표면적으로는 정보를 전달하지만, 이면적으로는 설득의 기능을 담고 있다.

① ㉠, ㉡   ② ㉠, ㉢
③ ㉠, ㉣   ④ ㉡, ㉢
⑤ ㉡, ㉣

[07-10] 다음 글을 읽고, 물음에 답하시오.

가 같은 내용이라도 사회·문화적인 차이에 따라 언어를 사용하는 양상이 다르며, 이에 따라 ㉠국어 자료도 상황에 따라 적절하게 만들어야 한다. 일반적으로 같은 언어를 사용하는 사람들이 서로 다른 지역에서 살게 되면서 언어가 변이된 말이 지역 방언이고, 연령, 성별, 계층, 문화 등에 의해 변이가 일어난 말을 사회 방언이라 한다. 그래서 넓게 보면 해외에서 생산된 국어 자료나 국어로 번역된 외국 자료도 다양한 사회·문화적 변이 요인을 가진 방언 자료에 속한다고 볼 수 있다.

〈예제 1〉
"웬늠으 잉어가 사람버덤 비싸다냐?"
내가 기가 막혀 두런거렸더니,
"보통 것은 아닐러먼그려. 밷어낸벤또(베토벤)라나 뭐라나를 틀어 주면 또 그 가락대루 따라서 허구, 차에코풀구싶어(차이코프스키)라나 뭐라나를 틀어 주면 또 그 가락대루 따라서 허구, 좌우간 곡을 틀어 주는 대루 못 추는 춤이 읎는 순전 딴따라 고기 닝께. 물고기두 꼬랑지 흔들어서 먹구 사는 물고기가 있다는 건 이번에 그 집에서 츰 봤구먼." ── 이문구, 「유자소전」에서

위 글은 지역 방언이 풍부하게 쓰인 작품이다. 이 지역의 방언에 익숙한 사람은 인물들의 말을 이해할 수 있겠지만, 잘 모르는 사람은 말 자체를 이해하기 어려울 수도 있다. 그래서 특정한 지역이나 계층의 사람끼리 방언을 사용하면 그만큼 친근감을 느낄 수 있다.

나 국어는 세대나 성별에 따라 언어를 사용하는 양상이 다르기 때문에 국어 자료를 만들 때도 이 점을 고려해야 한다. 성별에 따른 언어를 사용하는 양상으로는 여성의 경우 부가 의문문의 잦은 사용, 남성의 경우 확신적 표현이 두드러지는 모습 등이 있지만 과거와 비교하면 현재는 그 구분이 매우 약화되고 있는 게 현실이다. 반면 세대에 따라 언어를 사용하는 양상은 매체의 발달과 함께 세대별로 언어 사용을 달리하는 모습으로 많이 나타나고 있다.

〈예제 2〉
아버지: 철수야, 담임 선생님은 어떤 분이니?
철수: 지금까지 만난 분 중 가장 완소 선생님이에요. 정말 볼매예요!
아버지: '완소', '볼매'? 허허. 어떤 면에서 그런 생각을 했니?
철수: 선생님은 항상 친구같이 저희와 이야기를 나눠요. 어제는 제 누리 소통망에서 댓글 놀이도 했는걸요?
아버지: '댓글 놀이'는 무슨 놀이니? 그런데 아무리 편해도 선생

님께 무람없이 굴거나 허투루 말하면 안 된다. 알겠지?
철수: '무람없이'? '허투루'? 그게 무슨 말이에요?

위 대화에서 아버지는 철수가 사용하는 '완소', '볼매'라는 줄임말을 어색해하고, 철수는 아버지가 사용하는 '무람없다', '허투루'라는 말이 나오자 이전의 대화를 이어 가지 못하고 있다. 또한 '댓글 놀이'에서 새로운 문화에 당황하는 아버지의 모습도 볼 수 있는 등 세대에 따라 언어 사용의 모습이 다르다는 것을 알 수 있다.

07 윗글을 읽고 이해한 것으로 적절하지 <u>않은</u> 것은?

① 성별에 따른 언어 사용 양상의 차이는 과거에 비해 점차 심해지고 있다.
② 내용이 같더라도 사회·문화적 차이에 따라 언어를 사용하는 양상은 다르다.
③ 같은 언어가 언어 사용자들의 거주 지역에 따라서 변이된 것이 지역 방언이다.
④ 세대에 따른 언어 사용 양상은 매체의 발달과 함께 세대별로 달리 나타나고 있다.
⑤ 같은 언어가 언어 사용자들의 나이, 성별, 계층, 문화 등에 의해 변이된 것이 사회 방언이다.

08 (가)을 바탕으로 〈보기〉를 이해한 것으로 적절한 것은?

〈보기〉
할머니는 동네 대표로 부녀회에서 말하실 때는 표준 발음을 매우 잘 사용하신다. 그런데 가족끼리 있을 때는 그렇지 않다. 오늘 아침에도 할머니는 "에미야, 저녁에는 괴기 반찬이 댕기는 것 같구나."라고 하셨다. 어머니도 미소를 지으시며 '예.'라고 하셨다.

① 방언의 사용으로 의사소통의 어려움이 발생한 상황이다.
② 할머니는 방언을 표준어보다 우월한 것으로 여기고 있다.
③ 할머니는 의사소통의 상황에 따라 표준어와 방언을 사용하신다.
④ 어머니는 할머니의 방언 사용에 대해 표준어의 우월성을 인식하고 있다.
⑤ 공식적인 언어 상황과 비공식적인 언어 상황을 구분하는 것이 바람직함을 보여 준다.

09 〈예제 2〉와 같은 이유로 의사소통의 어려움이 발생하고 있는 사례로 적절한 것은?

① '옥수수'를 강원도에서는 '옥시기', 경북에서는 '옥수꾸', 제주도에서는 '강낭대죽'이라고 표현한다.
② 산삼을 캐는 것을 업으로 삼는 심마니들은 '산삼'을 '부리시리', '호랑이'를 '산개'라 한다.
③ 보호자: 선생님, 저는 언제 수술받으실 수 있습니까?
  의사: 아무래도 폐 생체 검사를 해 봐야 정확한 것을 알 수 있을 것 같습니다.
  보호자: 폐 생체 검사이요? 폐 생체 검사가 뭔가요?
④ 동호: 할아버지 안녕하세요?
  할아버지: 오, 자넨가? 어디 다녀오는가 보구먼. 일전에 조부께서 낙상하셨다더니 괜찮으신가?
  동호: 예? 아, 예! ('일전', '낙상'이 뭐지?)
⑤ 새봄: 안녕하세요? 저는 이새봄이라고 해요. 반가워요.
  명호: 안녕하십니까? 저는 박명호입니다. 처음 뵙겠습니다.

10 ㉠과 관련하여 국어 자료의 생산에 대해 생각해 보는 활동을 한 후 활동을 정리해 보았다. 적절하지 <u>않은</u> 것은?

〈보기〉
• 활동 목표: 상황에 따라 적절한 국어 자료의 생산하기
• 활동 내용: 상황에 따른 표준어와 방언의 선택 기준

• 활동 내용 정리:
ㄱ. 청자의 지역과 발화자의 지역이 같지 않을 경우 지역 방언을 사용하게 되면 의사소통에 장애가 생길 수 있으므로 유의해야 한다. ············· ①
ㄴ. 공식적이고 격식을 갖춘 자리에서 방언을 사용하면 경직된 분위기를 완화하는 데 이바지한다. ········· ②
ㄷ. 거리를 두어야 할 자리 또는 공식적인 자리에서는 표준어를 사용하는 것이 바람직하다. ················· ③
ㄹ. 또래 집단 사이에서 지역 방언의 사용은 서로의 거리를 가깝게 하고 유대감을 형성에 도움이 된다. ····· ④
ㅁ. 표준어와 방언의 선택 기준은 상황의 격식성과 친소 관계의 거리감 등에 영향을 받아 결정된다. ········· ⑤

[11-17] 다음 글을 읽고, 물음에 답하시오.

㉮ 통일된 표기법 없이 사람마다 다른 방식으로 적는다면, 문자 생활은 큰 혼란을 겪을 것이다. 어문 규범의 필요성이 여기에 있다. 바르고 정확하게 말을 하고 글을 쓰기 위해 지켜야 할 규칙을 어문 규범이라 한다. 우리말의 어문 규범에서는 어떤 말을 쓰기의 대상으로 삼을 것인가 하는 표준어 사정의 문제, 상황에 따라 달라지는 단어의 발음을 표기에 어떻게 반영할 것인가 하는 맞춤법의 문제 등에 관해 통일된 지침을 제시함으로써 이러한 혼란을 해소한다. 또한 외래어를 한글로 표기하는 방법과 우리말을 로마자로 표기하는 방법에 관해서도 규정하고 있다.

㉯ 표준어 규정은 공식적인 국어 생활에서 사용되는 표준어를 사정하고 그 표준 발음을 규정함으로써 이러한 문제를 해소한다. 전자는 표준어 규정의 제1부 표준어 사정 원칙에서, 후자는 제2부 표준 발음법에서 다루고 있다.

㉰ 제1부 표준어 사정 원칙에서는 표준어를 사정하는 기본 원칙을 총칙에서 제시한 다음 이를 바탕으로 발음에 변화가 생겼거나 단순히 어떤 단어를 더 선호하게 되어서 어휘 선택에 변화가 생긴 경우 실제 표준어 사정의 예를 제시하고 있다.

㉱ 총칙에 제시된 원칙은 '교양 있는 사람들이 두루 쓰는 현대 서울말'을 표준어로 정한다는 것이다. 이러한 대원칙 아래 모든 우리말 단어를 대상으로 표준어를 사정하게 되는데, ㉠발음 변화에 따른 표준어 규정의 예로는 '깡총깡총'과 '으례'를 버리고 '깡충깡충'과 '으레'를 표준어로 삼은 것을 들 수 있고, 어휘 선택의 변화에 따른 표준어 규정의 예로는 '알타리무'와 '안절부절하다'를 버리고 '총각무'와 '안절부절못하다'를 표준어로 삼은 것 등을 들 수 있다. 일반적으로는 정해진 원칙에 따라 한 단어만을 표준어로 정하지만 더러는 둘 이상의 단어가 두루 쓰이고 있어 모두 표준어로 인정되는 예도 있다. 이를 ㉡복수 표준어라 하는데, '가엾다-가엽다, 고까-꼬까-때때, 송이-송이버섯, 신-신발, 여쭈다-여쭙다, 옥수수-강냉이, 우레-천둥' 등이 그 예이다.

㉲ '표준어 규정'에는 표준 발음법에 관한 규정도 포함되어 있는데, 같은 단어를 서로 다르게 발음함으로써 생길 수 있는 의사소통의 혼란을 없애기 위해 발음의 표준을 정하여 놓은 것이다. 표준 발음은 원칙적으로 표준어의 실제 발음을 따른 것이기 때문에 대체로 큰 문제가 없으나, 모음의 경우 'ㅢ'의 발음이나 'ㅐ'와 'ㅔ'의 구별, 자음의 경우 음의 동화나 겹받침의 발음 등에서 어려움을 겪는 경우가 없지 않다.

㉳ 한글 맞춤법은 표준어를 한글로 적는 기준을 정하여 놓은 것으로, 크게 6장으로 구성되어 있다. 제1장 '총칙'에서는 한글 맞춤법의 원리와 띄어쓰기의 원칙, 그리고 외래어 표기의 원칙을 제시하였고, 제2장 '자모'에서는 한글 자모의 순서와 이름을 정해 놓았다. 이어지는 제3~6장에는 소리에 관한 것, 형태에 관한 것, 띄어쓰기, 그 밖의 것으로 나누어 구체적인 맞춤법 규정을 설명하고 있다.

㉴ '한글 맞춤법'의 대원칙은 총칙 제1항에 다음과 같이 명시되어 있다.

> 제항 한글 맞춤법은 표준어를 소리대로 적되, 어법에 맞도록 함을 원칙으로 한다.

이에 따르면 한글 맞춤법은 표준어의 발음을 그대로 반영하는 표기 방식이 근본 원칙이 되고, 거기에 어법에 맞도록 한다는 원칙이 덧붙어 있는 것이 된다. '구름', '나무', '하늘' 등이 소리대로 적어서 올바른 표기가 되는 예이다.

11 윗글을 바탕으로 이끌어낼 수 있는 것으로 적절하지 <u>않은</u> 것은?
① 통일된 표기법이 없으면 문자 생활은 큰 혼란을 겪을 것이다.
② 교양 있는 사람들이 두루 쓰는 현대 서울말을 표준어로 정한다.
③ 한글 맞춤법은 방언과 표준어를 한글로 적는 기준을 정하여 놓은 것이다.
④ 우리말의 어문 규범은 바르고 정확하게 말을 하고 글을 쓸 수 있는 지침을 제시하고 있다.
⑤ 표준어 규정은 공식적인 국어 생활에서 사용되는 표준어를 사정하고 그 표준 발음을 규정하고 있다.

12 윗글의 내용을 통해 알 수 <u>없는</u> 것은?
① 표준어의 개념
② 한글 맞춤법의 원칙
③ 한글 맞춤법의 구성
④ 표준어와 방언의 차이
⑤ 표준어 규정 제정 이유

13 윗글을 바탕으로 추론할 때 표준어를 제정한 궁극적인 이유로 가장 적절한 것은?

① 서울말의 우수성을 알리기 위해서
② 국민의 원활한 의사소통을 위해서
③ 옛말과 현대어의 차이를 없애기 위해서
④ 국민의 교양 있는 삶의 영위를 위해서
⑤ 국민의 대외적 자부심을 고취하기 위해서

<u>학습 활동 적용</u>
14 〈보기〉의 표준어 규정을 참고할 때, 바르게 표기된 것을 고른 것은?

┌─ 보기 ─
│ 제12항 '웃-' 및 '윗-'은 명사 '위'에 맞추어 '윗-'으로 통일한다.
│   다만 1. 된소리나 거센소리 앞에서는 '위'로 한다.
│   다만 2. '아래, 위'의 대립이 없는 단어는 '웃-'으로 발음
│   되는 형태를 표준어로 삼는다.
└─

① 나는 <u>윗몸일으키기</u>를 매우 잘한다.
② 이번에 세를 놓은 집이 <u>윗채</u>인가요?
③ 선생님께서 학생들에게 <u>윗어른</u>을 공경하라고 말씀하셨다.
④ 그는 펜을 꺼내기 위해 <u>웃도리</u>의 안주머니에 손을 넣었다.
⑤ 그녀는 밤중에 들어와서 <u>웃목</u>으로 가 쪼그리고 잠을 잤다.

<u>고난도</u>
15 〈보기〉는 ㉠과 관련된 표준어 규정이다. 이를 참고할 때 짝지어진 단어 중 밑줄 친 단어가 표준어로 적절한 것은?

┌─ 보기 ─
│ 제19항 'ㅣ' 역행 동화 현상에 의한 발음은 원칙적으로 표준
│   발음으로 인정하지 아니하되, 다만 다음 단어들은 그러
│   한 동화가 적용된 형태를 표준어로 삼는다.(ㄱ을 표준어
│   로 삼고, ㄴ을 버림.)
│
│ | ㄱ | ㄴ |
│ |---|---|
│ | -내기 | -나기 |
│ | 냄비 | 남비 |
│ | 동댕이-치다 | 동당이-치다 |
└─

① 에미 / <u>어미</u>
② 지팽이 / <u>지팡이</u>
③ <u>노랭이</u> / 노랑이
④ <u>손잽이</u> / 손잡이
⑤ <u>시골내기</u> / 시골나기

16 〈보기〉를 고려할 때, ㉡에 해당하지 <u>않는</u> 것은?

┌─ 보기 ─
│ 제19항 어감의 차이를 나타내는 단어 또는 발음이 비슷한
│   단어들이 다 같이 널리 쓰이는 경우에는, 그 모두를 표준
│   어로 삼는다.
│ 제26항 한 가지 의미를 나타내는 형태 몇 가지가 널리 쓰이
│   며 표준어 규정에 맞으면, 그 모두를 표준어로 삼는다.
└─

① 우레 - 천둥
② 가뭄 - 가물
③ 땔감 - 땔거리
④ 광주리 - 광우리
⑤ 거슴츠레하다 - 게슴츠레하다

<u>서술형</u>
17 표준어 규정을 제정하는 이유를 윗글에서 찾아 한 문장으로 서술하시오.

──────────

[18-22] 다음 글을 읽고, 물음에 답하시오.

㉮ '외래어 표기법'은 외래어를 한글로 적는 데 대한 규정이다. 외래어 표기의 기본 원칙은 다음의 총 다섯 항으로 제시되어 있다.

┌─
│ 제1항 외래어는 국어의 현용 24 자모만으로 적는다.
│ 제2항 외래어의 1 음운은 원칙적으로 1 기호로 적는다.
│ 제3항 받침에는 'ㄱ, ㄴ, ㄹ, ㅁ, ㅂ, ㅅ, ㅇ'만을 쓴다.
│ 제4항 파열음 표기에는 된소리를 쓰지 않는 것을 원칙으로 한다.
│ 제5항 이미 굳어진 외래어는 관용을 존중하되, 그 범위와 용례는 따로 정한다.
└─

㉯ 제1항은 외래어 표기를 위해 새로운 문자나 부호를 사용하지 않고 오직 현용 한글 자모만으로 적는다는 원칙이다.

제2항은 외국어의 한 소리를 늘 일정한 한글에 대응시켜 적는다는 원칙이다.

제3항은 외래어 받침의 소리는 실제 소리를 반영하여 일곱 개의 홑받침으로만 적는다는 원칙이다. 다만 'ㄷ' 소리가 나는 경우에는 'ㅅ'으로 적는다.

제4항은 파열음의 발음이 된소리에 가깝게 들리더라도 된소리로 적지 않는다는 원칙이다.

제5항은 외래어 표기법의 원칙에 따른 표기가 관용 발음과 다른 경우에는 관용을 존중한다는 원칙이다. 'camera'를 '캐머러'로 표기하는 것이 원칙에 맞지만 이미 '카메라'로 굳어진 점을 존중하여 '카메라'로 표기하는 것이 그 예이다.

다 우리말로 표기된 인명이나 지명 등의 고유 명사를 로마자로 어떻게 적을 것인지를 규정한 것이 '국어의 로마자 표기법'이다. 국어의 로마자 표기법은 한글 철자를 그대로 로마자로 적는 것이 아니라 표준 발음법에 따라 적는 것을 원칙으로 한다. 그리고 로마자 이외의 부호는 되도록 사용하지 않으며, 같은 소리는 항상 하나의 로마자로 적는 것을 원칙을 따른다.

ㄱ	ㄲ	ㅋ	ㄷ	ㄸ	ㅌ	ㅂ	ㅃ	ㅍ	ㅈ
g, k	kk	k	d, t	tt	t	b, p	pp	p	j

ㅉ	ㅊ	ㅅ	ㅆ	ㅎ	ㄴ	ㅁ	ㅇ	ㄹ
jj	ch	s	ss	h	n	m	ng	r, l

ㅏ	ㅓ	ㅗ	ㅜ	ㅡ	ㅣ	ㅐ	ㅔ	ㅚ	ㅟ	ㅑ
a	eo	o	u	eu	i	ae	e	oe	wi	ya

ㅕ	ㅛ	ㅠ	ㅒ	ㅖ	ㅘ	ㅙ	ㅝ	ㅞ	ㅢ
yeo	yo	yu	yae	ye	wa	wae	wo	we	ui

라 그러나 로마자는 우리말의 음운 체계를 고려하여 만들어진 문자가 아니기 때문에 발음과 표기가 일치하는 로마자 표기법은 거의 불가능하다. 예를 들어 자음의 경우 로마자로 'ㄱ-ㄲ-ㅋ'과 같은 대립을 정확히 표기할 수 없는데, 현 규정은 위의 원칙에 따라 'g, k-kk-k'로 적는 방법을 따르기로 하였다. 모음의 경우에도 우리말의 단모음은 10개인데 로마자의 모음은 5개뿐이어서 'ㅓ, ㅡ, ㅐ, ㅚ, ㅟ' 등의 모음은 하나의 로마자로는 대응시킬 수 없으므로 두 개의 로마자를 합쳐서 대응하도록 만들었다.

마 우리나라 사람들의 성과 이름을 적을 때에는 우리 식으로 성과 이름의 순서로 적고, 이름은 한 단어처럼 표기하는 것을 원칙으로 한다. ㉠예를 들어 '홍길동'의 경우 'Hong Gildong'으로 적는 것을 원칙으로 하되, 붙임표(-)를 쓴 'Hong Gil-dong'과 같은 표기도 허용한다.

18 윗글을 통해 알 수 있는 내용으로 적절한 것은?

① 외래어 표기법은 실제 발음과 일치하는 표기만을 인정하고 있다.
② 로마자 표기법에서 인명을 표기할 때 한글 표기에 맞게 표기하도록 하고 있다.
③ 외래어를 표기하기 위하여 새로운 기호나 부호를 따로 설정하지 않는 것을 원칙으로 하고 있다.
④ 외래어 표기법과 달리 로마자 표기법은 외국인이 우리말의 의미를 올바르게 이해하기 위한 규정이다.
⑤ 외래어 'camera'를 '캐머러'로 표기하지 않고 '카메라'로 표기하는 것은 사람들의 발음을 존중한 예이다.

19 윗글을 고려할 때 표기가 <u>잘못</u>된 것은?

① gang → 갱
② robot → 로보트
③ cognac → 코냑
④ frypan → 프라이팬
⑤ chocolate → 초콜릿

20 ㉠을 통해 한국 인명의 로마자 표기를 이해한 것으로 적절하지 <u>않은</u> 것은?

① 성과 이름의 순서로 띄어 쓴다.
② 음절 사이에 붙임표(-)를 쓸 수 있다.
③ 성과 이름의 첫 글자는 대문자로 쓴다.
④ 이름은 붙여 쓰는 것을 원칙으로 한다.
⑤ 음운의 변화를 표기에 반영하여 적는다.

21 윗글을 참고하여 〈보기〉에 제시된 외래어 표기의 특징의 ⓐ과 ⓑ에 들어갈 말을 쓰시오.

┌ 보기 ┐
• 플래시 – flash [flæʃ]
• 패션 – fashion [fæʃən]
• 리더십 – leadership [liːdərʃip]

단어 끝에 오는 [ʃ]는 '(ⓐ)'로 적고, 자음 앞의 [ʃ]는 '슈'로, (ⓑ) 앞의 [ʃ]는 모음에 따라 '샤, 섀, 셔, 셰, 쇼, 슈, 시'로 적는다.

22 윗글을 참고하여 제시된 단어를 로마자로 표기하시오.

ㄱ. 맏이:
ㄴ. 설악산:
ㄷ. 마라도:
ㄹ. 경복궁:

정답과 해설

고등학교 언어와 매체 자습서

Ⅰ. 언어, 매체, 삶

1. 언어와 국어의 이해

(1) 언어의 본질

핵심 다지기　　　　　　　　　　　　pp. 011~013

01. ④　02. ②　03. 다른 나라 언어에 '간장, 온돌, 부럼' 등을 가리키는 단어가 없는 이유는 그 언어 공동체에는 그 단어와 관련된 문화가 없기 때문이다.　04. ②　05. ⑤　06. 우리 문화에서는 '쌀'이 생산되는 땅이 중요했기 때문이다.

01. (다)를 보면 지역이 같더라도 연령, 성별, 사회 집단 등의 차이로 같은 뜻을 지닌 언어가 형태를 달리하는, 다양한 유형의 사회 방언이 존재함을 알 수 있다.
오답 풀이 ① (라)를 보면 언어는 그 자체로 문화적 산물인 동시에 한 문화를 반영하는 거울이라고 할 수 있다. ② (다)를 보면 언어는 사회와 유기적인 관계를 맺고 있다고 하였다. 즉, 언어는 사회를 반영하기 때문에 언어를 통해 사회의 모습을 이해할 수 있다. ③ (나)를 보면 언어가 있어야 사고할 수 있는 것인지, 사고가 있어야 언어를 사용할 수 있는 것인지 분명하지는 않다고 하였다. ⑤ (나)를 보면 인간은 언어를 도구로 하여 생각하여, 그 결과 사고력과 인지 능력이 점점 발달한다고 밝히고 있다.

02. 〈보기〉는 '팽이'를 지역에 따라 형태를 달리하여 부르고 있는 사례이므로, 이에 영향을 준 사회적 변이 요인은 '지역'이다.

03. (라)를 보면 언어는 그 사회의 문화를 나타낸다고 하였다. 따라서 어떤 언어든 그 언어를 사용하는 언어 공동체의 고유한 문화와 밀접하게 관련되어 있다.

평가 기준	
예시 답에 가까운 내용을 한 문장으로 알맞게 서술한 경우	5점
내용은 적절하나 한 문장으로 서술하지 않은 경우	3점

04. (바)에서 의미와 말소리 사이에는 필연적인 관계가 없다고 하였는데, 이를 언어의 자의성이라고 한다.

05 (사)를 보면 인간이 구별해서 사용할 수 있는 기호의 수는 제한되어 있지만, 인간은 이를 활용하여 무한한 표현을 생산하고 해석할 수 있다고 하였다. 이러한 인간의 고유한 특성을 '언어의 창조성'이라고 한다.

06. ㉠에 따르면, 우리말에는 벼농사를 짓는 땅만 특별히 '논'이라 하고 그 외엔 '밭'으로 구별하고 있다. 이는 '농사짓는 땅'과 관련해서 우리 문화에서는 '쌀'이 생산되는 땅이 중요했음

을 알 수 있다.

평가 기준	
우리 문화에서는 '쌀'이 생산되는 땅이 중요했음을 서술한 경우	5점
내용은 적절하나 한 문장으로 서술하지 않은 경우	3점

소단원 적중 문제　　　　　　　　　　　p. 017

01. ④　02. ⑤　03. ⑤　04. 언어에는 그 사회의 문화가 반영되어 있기 때문이다.

01. (가)에서 '언어는 지역이나 연령, 성별, 사회 집단에 따른 사회적 특성이 드러난다.'고 하였다. 이는 사회적 변이 요인에 따라 언어의 형태가 달라질 수 있음을 나타낸다.

02. 우리말에서 '어머니'라고 부르는 대상을 영어에서는 'mother', 독일어에서는 'mutter'라고 부르는 예는, 언어의 말소리와 의미 사이에 필연적인 관계가 없음을 보여 주는 사례이다. 이는 언어의 자의성과 관련된 사례로 적절하다.
오답 풀이 ① 언어의 창조성과 관련된 사례이다. ② 언어의 사회성과 관련된 사례이다. ③ 언어의 분절성과 관련된 사례이다. ④ 언어의 역사성과 관련된 사례이다.

03. '어여쁘다'는 과거에는 '불쌍하다'의 의미로 사용되었으나, 현재는 '예쁘다'의 의미로 사용되고 있다. '어리다'는 '어리석다'의 의미로 쓰이다가 현대에 이르러 '나이가 적다'의 의미로 변하였다.
오답 풀이 ①, ④ 과거에는 사용되었으나 현재는 사라진 말이다. ②, ③ 새로운 사물이나 문화가 나타나면서 새롭게 생겨난 말이다.

04. 몽골어의 경우, 유목 민족인 몽골인들에게는 말이 필수적인 가축이었기 때문에 관련된 어휘가 다양하게 세분된 것이고, 우리의 경우에는 쌀이라는 곡류가 우리 삶과 문화에서 차지하는 중요성이 언어에 반영된 것이라고 할 수 있다.

평가 기준	
예시 답에 가까운 내용을 한 문장으로 알맞게 서술한 경우	5점
내용은 적절하나 한 문장으로 서술하지 않은 경우	3점

(2) 국어의 특성과 위상

핵심 다지기　　　　　　　　　　　　　p. 020

01. ④　02. ①　03. 첫째, 자음과 모음을 가지고 있다. 둘째, 단어가 모여서 문장이 된다. 셋째, 주어와 서술어 같은 문장 성분이 있다.　04. ⑤

01. 우리말에서는 담화 상황에서 필요한 경우 주어나 목적어와 같은 필수적인 성분을 생략할 수 있는 특성이 있다.

02. 이 글에서 한국어는 한국인들만 사용하는 언어라고 설명한 부분을 찾을 수 없을뿐더러 한국어는 세계 곳곳에 있는 재외 교포와 외국인들이 사용하는 언어이다.

03. (나)에서 국어가 가지는 언어의 일반적인 특성을 확인할 수 있다.

평가 기준	
세 가지 모두 알맞게 서술한 경우	5점
내용은 적절하나 문장이 어색한 경우	3점

04. 주체 높임이 잘 표현되지 않는 것을 찾는 문제이다. 우리말에서 '부모님'은 높여야 할 대상이므로 '께서'를 붙이고 '-(으)시-'를 사용하여 '저희 부모님께서는 들일을 다니시거나 집안일을 하십니다.' 정도로 표현해야 한다.

소단원 적중 문제
p. 024

01. ③ **02.** ② **03.** ③ **04.** 우리말은 말하는 이의 질문이 긍정 질문이냐 부정 질문이냐에 따라 대답을 달리한다.

01. (다)에 따르면 영어는 중국어 등과 같이 '주어-서술어-목적어'의 기본 어순을 가지고 있으며, 이는 우리말과 구분되는 통사적 특징이다.

02. ②는 문장의 목적어인 '선생님'을 높이는 객체 높임법이 나타난 문장이다.

03. 조건 없이 최대한 많은 사람이 한국어를 쓰도록 권하는 태도는 바람직하지 않다. 한국어의 위상이 높아진 원인을 이해하고 이에 발맞춰 한국어 보급을 위해 노력하는 태도가 필요하다.

04. (라)에서 말하는 이의 질문이 긍정 질문이냐 부정 질문이냐에 따라 대답을 달리하는 점에서, 항상 일정하게 대답하는 영어와 구별되는 특성이 있는데, 이 또한 국어에서 나타나는 담화적 특성이라고 설명하고 있다.

평가 기준	
예시 답과 같은 내용을 알맞게 서술한 경우	5점
내용은 적절하나 한 문장으로 서술하지 못한 경우	3점

중단원 실전 문제
pp. 025~027

01. ③ **02.** ⑤ **03.** ② **04.** ㄱ. 자의성, ㄴ. 창조성 **05.** ② **06.** ⑤ **07.** ④ **08.** 한국어는 사용 인구로 볼 때 13위에 올라 있는 데다, 한국의 위상이 높아지고 있어 한국어에 대한 세계의 관심과 필요가 커지고 있다. **09.** ② **10.** ① **11.** ⑤ **12.** 언어의 자의성

01. 인간의 삶과 관련한 언어와 사고·사회·문화의 관계와 언어의 기호적·구조적 특성을 설명하고 있으므로, 전체를 아우를 만한 제목으로는 '언어의 본질'이 가장 적절하다.

02. 언어에서 '의미'는 전달하고자 하는 내용을 말한다. '꽃'이라는 문자나 [꼳]이라는 음성은 모두 언어의 형식에 해당한다.

03. 언어는 언어가 가진 일정한 구조들이 유지되도록 일정한 규칙의 적용을 받는데, 이를 언어의 규칙성이라 한다. 언어의 창조성은 체계성과 규칙성을 토대로 하고 있음을 (마)에서 설명하고 있다.

04. ㄱ은 말소리와 의미 사이에는 필연적인 관계가 없음을 보여 주는 사례로, 언어의 자의성과 관련 있다. ㄴ처럼 이미 알고 있는 어휘를 이용하여 새로운 문장을 무한히 만들어 낼 수 있는 것과 관련이 있는 언어의 특성은 창조성이다.

05. 이 글은 국어의 특성이 음운, 어휘, 문장, 담화 등 다양한 측면에서 나타남을 밝힌 뒤, 국어의 특성을 음운, 어휘, 문장(문법), 담화 등의 항목별로 나열하여 설명하고 있다.

06. (나)에서 확인할 수 있듯이 우리말의 어휘 체계는 고유어, 한자어, 외래어의 삼분 체계를 가진다.

07. 국어는 담화 상황에 따라 주어나 목적어와 같은 필수적인 성분을 생략할 수 있는 특성이 있는데, 이런 이유로 정확한 전달이 어렵다고 판단할 수는 없다. 필수적인 성분인 주어와 목적어를 생략해도 의미 전달에 문제가 없을 때 생략하기 때문이다.

08. 한국어는 대략 7천여 개에 달하는 세계의 언어 가운데 사용자 수가 13위로 높은 순위에 있으며, 높아지는 한국의 위상과 더불어 한국어에 대한 세계의 관심과 필요가 커지고 있음을 들 수 있다.

평가 기준	
사용 인구 순위와 한국어에 대한 세계의 관심과 필요가 커진다는 내용으로 서술한 경우	5점
둘 중 하나의 근거만 든 경우	3점

09. 자의성, 사회성, 역사성은 언어의 구조적 특성이 아니라 기호적 특성에 해당한다.

10. ①과 같이 언어는 연속적으로 이루어져 있는 세계를 불연속적인 것으로 끊어서 반영할 수 있는데, 이러한 특성을 언어의 분절성이라고 한다.

11. '감동(感動)'은 '크게 느끼어 마음이 움직임.'을 뜻하는 단어로, ⑤의 '느낌'과 바꾸어 쓰기에 적절하지 않다. 여기에는 '어떤 일이 일어나기 전에 암시적으로 또는 본능적으로 미리 느낌.'을 뜻하는 '예감(豫感)'으로 바꾸어 쓰는 것이 적절하다.

12. 같은 의미를 지닌 말을 언어마다 다르게 표현하는 것은 언어의 자의성을 보여 준다.

2. 매체와 매체 언어의 이해

(1) 매체의 본질

핵심 다지기
p. 032

01. ⑤ **02.** ⑤ **03.** ⑤ **04.** 매체 유형에 따라 정보 구성과 소통의 특성이 다르기 때문이다.

01. (다)를 보면 옛날보다 사회 규모가 커지고 생활 양식이 복잡해지면서 더 빨리 더 많은 사람에게 더 효과적으로 의사를 전달할 필요가 커지면서 생겨난 것이 매체라고 하였다.

02. 인터넷이나 이동 통신과 연결된 개방적이고 상호적인 복합 양식 매체를 전통적인 매체와 구별하여 뉴 미디어라고 하며, 이에 해당하는 매체의 종류에는 인터넷, 스마트폰, 누리 소통망(SNS) 등이 있다.

03. 문자, 그림, 동영상 등 다양한 양식의 매체 언어가 한 자료에서 통합되어 사용되는 복합 양식성은 인터넷이나 이동 통신과 연결된 뉴 미디어의 특성을 나타낸다.

04. 매체를 분류하는 이유는 매체 유형에 따라 정보를 구성하는 방식과 소통하는 방식이 다르기 때문이다.

평가 기준	
정보 구성과 소통의 특성이 다름을 모두 언급한 경우	5점
둘 중 하나만 서술한 경우	3점

소단원 적중 문제
p. 035

01. ⑤ **02.** ③ **03.** ② **04.** 인쇄술과 전기, 전자, 통신 기술이다.

01. 전신기는 전류나 전파를 이용하여 통신하는 기계로, 모스 신호 등으로 정보를 전달하던 초기의 정보 전달 형태이다. 인터넷, 이동 통신과 연결된 개방적이고 상호적인 복합 양식 매체로는 스마트폰, 누리 소통망(SNS)과 같은 것들이 있다.

02. 소통 양상에 따라 단방향 매체(인쇄 매체, 라디오, 텔레비전 등), 양방향 매체(전화, 인터넷, 스마트폰, 누리 소통망(SNS) 등)로 분류할 수 있다.

03. (가)에서 인쇄술의 발명으로 대량 인쇄가 가능해지고 그에 따라 인쇄 매체도 급속하게 늘어나기 시작했음을 알 수 있다.

04. (가)와 (나)에 따르면 매체의 발전에서 인쇄술의 발명은 가장 중요한 전환점이었고, 그다음으로 인간의 소통에 이바지한 것은 전기, 전자, 통신 기술이라고 하였다.

평가 기준	
인쇄술과 전기·전자·통신 기술을 모두 말한 경우	5점
하나 이상 누락시킨 경우	3점

(2) 매체 언어의 특성과 위상

핵심 다지기
p. 038

01. ④ **02.** ⑤ **03.** ④

01. (나)에 따르면 언어의 기호적·구조적 특성은 매체 언어에도 거의 적용되는데 갈래에 따라 어떤 특성이 강해지거나 약해지기도 하며 새로운 특성이 더해지기도 한다. 예를 들어 소리나 이미지에 중점을 두면 분절성은 약해진다.

02. (라)의 마지막 문단을 보면 정보 통신 기술에 힘입은 뉴 미디어는 복합적이고 개방적인 소통 현상을 낳았음을 설명하고 있다. 그 결과 인터넷 등을 통한 지식의 공유, 집단 지성의 발휘 등이 가능해졌다.

03. (다)에 따르면 음성 언어는 한번 말하면 사라지고 대화 상황에 따라 억양이나 표정, 몸짓 같은 준언어적, 비언어적 표현을 활용하여 의사를 전달하므로 상황 의존성이 높다. 반면 문자 언어의 상황 의존성은 낮다고 할 수 있다.

소단원 적중 문제
p. 042

01. ③ **02.** ④ **03.** 매체 언어 **04.** 첫째, 음성과 문자, 소리와 이미지, 동영상 등이 복합적으로 엮여 있다. 둘째, 다양한 전자 매체로 소통되는 경우가 많다. 셋째, 전파의 속도와 범위가 기술 발달에 함께 계속 늘 수 있다.

01. 매체가 같더라도 갈래에 따라 다르게 구성되고 소통된다. 예를 들어 텔레비전이라는 한 매체 안에서도 뉴스, 예능, 드라마 등의 구성 방식이 다르고, 같은 뉴스 범주 안에서도 신문 뉴스인지 텔레비전 뉴스인지 또는 인터넷 뉴스인지에 따라 구성과 소통 방식이 다르다.

02. a는 다큐멘터리로 정보 전달을 목적으로 하고 있다. 그리고 광고는 주로 설득을 목적으로 하는 만큼 b의 공익 광고 역시 설득을 목적으로 만들어졌다고 할 수 있다.

03. 매체 언어는 음성, 문자를 중심으로 소리, 이미지, 동영상 등을 활용하여 의미를 표현하고 전달한다.

04. (라)에서 뉴 미디어와 음성 언어·문자 언어의 대비되는 매체 언어의 특성을 확인할 수 있다.

평가 기준	
세 가지 모두 알맞게 서술한 경우	5점
내용은 적절하나 문장이 어색한 경우	3점

01. ④　**02.** ②　**03.** ①　**04.** 뉴 미디어는 신속성, 대량성, 양방향성, 복합 양식성, 연결성 등의 특성을 두루 지닌다.　**05.** ④　**06.** ⑤　**07.** ③　**08.** 심리적 거리도 줄어든다.　**09.** ②　**10.** ④　**11.** ④

01. 이 글의 (바)에서는 매체 자료가 시각이냐 청각이냐에 따라 정보의 구성과 소통의 특성이 다르다는 것을 설명하기 위해 시각 매체 정보와 청각 매체 정보를 해석하는 방법에 대해 비교 설명하고 있을 뿐이다.

02. 매체로서 텔레비전의 일반적인 소통 양상은 발신자에게서 수신자로 정보가 일방적으로 전달되는 단방향 매체이다.

03. (나)에서는 (가)의 인쇄술의 발명에 이어 인간의 소통에 기여한 기술을 설명하므로, ㉠에는 '그다음으로'가 적절하고, (라)의 ㉡에서는 소통 양상에 따른 매체 분류의 예를 들고 있으므로, '예를 들어'가 적절하다. 또한, ㉢에서는 (라)에서 설명한 매체들을 지시하므로, '이러한'이 적절하다.

04. (바)에서 매체 유형에 따라 정보 구성과 소통이 다름을 설명하고 있으며, 마지막 줄에 뉴 미디어의 특성을 말하고 있다.

평가 기준	
뉴 미디어의 5가지 특성을 모두 언급한 경우	5점
뉴 미디어의 특성을 3가지 이하만 언급한 경우	3점

05. (나)를 보면, 매체와 갈래에 따라 자료의 구성 방식과 소통 특성이 달라진다고 하였다.

06. 〈보기〉는 스마트폰의 영상 통화 장면을 보여 주고 있다. 스마트폰은 음성 언어나 문자 언어의 사용뿐만 아니라 영상 통화나 그림말(이모티콘)을 활용한 소통이 가능하므로 뉴 미디어로서의 특징을 보여 준다.

07. 정보 통신 기술의 발달은 매체 발달과 연결되며 현대 사회의 소통에 영향을 주었지만, 단일의 소통 생태계라 볼 수는 없다.

08. (라)를 보면 전통적인 매체로 소통한 경우와 비교하고 있는데, 현대 사회의 소통은 의사소통의 속도가 빠르다는 특성이 있음을 알 수 있다. 따라서 속도가 빨라지면 발신자와 수신자 사이의 심리적 거리도 줄어든다는 것을 유추할 수 있다.

09. 매체 언어는 음성, 문자를 중심으로 소리, 이미지, 동영상 등을 활용하여 의미를 표현하고 전달한다.

10. 음성 언어의 시공간 범위는 제한되는 반면, 문자 언어와 매체 언어는 그 범위가 제한되지 않는다. 음성 언어는 한번 말하면 사라지고 대화 상황에 따라 억양이나 표정, 몸짓 같은 준언어적, 비언어적 표현을 활용하여 의사를 전달하므로 상황 의존성이 높지만, 문자 언어의 상황 의존성은 낮다고 할 수 있다.

11. 매체를 활용해 멀리 있는 친구와도 실시간으로 대화를 나눌 수 있다면 그만큼 소통의 속도가 빨라져 발신자와 수신자 사이의 심리적 거리는 늘어나는 것이 아니라 줄어들 것이다.

Ⅱ 국어의 탐구와 활용

1. 음운

(1) 음운의 개념과 체계

01. ③　**02.** ②　**03.** 서로 다른 음운으로 인식된다.　**04.** ⑤　**05.** ④　**06.** ③　**07.** 조음 위치, 조음 방법　**08.** ②　**09.** ⑤　**10.** ①　**11.** ㅎ　**12.** ②　**13.** ③　**14.** ①　**15.** 발음하는 동안 입술의 모양과 혀의 위치가 변화하느냐의 여부에 따라 분류한다.

01. (가)에 의하면, 허파는 공기가 나오는 곳으로, 음운이 만들어지는 조음 기관은 아니다.

02. ⓑ는 초성 'ㅂ', 'ㅃ', 'ㅍ'에 따라 의미가 달라진다. 따라서 초성의 'ㅂ', 'ㅃ', 'ㅍ'은 의미를 변별하는 기능을 지닌 '음운'에 해당한다.
오답 풀이 ① ⓐ에서 'ㅏ'와 'ㅓ'는 의미를 변별하는 기능을 하고 있으므로 음운에 해당한다. ③, ④ ⓒ에서 첫음절의 'ㄱ[k]'과 둘째 음절의 'ㄱ[g]'은 하나의 음운으로, 추상적이고 관념적인 소리이다. ⑤ ⓒ의 두 'ㄱ'은 우리말에서 각각 'ㄱ[k]'과 'ㄱ[g]'으로 다르게 발음될 뿐 의미를 변별해 주고 있지는 않다. 따라서 'ㄱ[k]'과 'ㄱ[g]'은 의미 차이에 기여하지 못하는 변이음이다.

03. 〈보기 1〉에 의하면, 영어권에서는 울림소리와 안울림소리를 서로 다른 두 개의 음운으로 인식하지만, 국어에서는 울림소리와 안울림소리를 하나의 음운으로 인식한다.

평가 기준	
정답을 명확하게 서술한 경우	5점
불명확하게 서술하였으나 뜻이 통하는 경우	3점
맞춤법에 어긋난 경우	-1점

04. (다)에 의하면, 최소 대립쌍은 음운을 확인하는 기능을 하는 것으로, 음운과 최소 대립쌍은 상반된 기능을 하지 않는다.
오답 풀이 ① 음운이란 의미 구별에 사용되는 최소의 문법 단위를 말한다. ② 음운은 의미를 구별해 주는 기능을 한다. ③ 음운은 최소 대립쌍을 만들어 봄으로써 확인할 수 있다. ④ 음운에는 분절 음운과 비분절 음운이 있다.

05. 〈보기 1〉의 '소리'는 '음운'을 가리킨다. 이 글은 음운이 의미를 변별하는 기능이 있으며, 의미를 변별할 수 있게 하는 두 음운, 즉 최소 대립쌍을 만들어 봄으로써 이 같은 음운의 변별 기능을 확인할 수 있다고 하였다. ㄱ, ㄷ, ㄹ은 최소 대립

쌍을 보여 주고 있으므로 음운을 확인할 수 있다. 그러나 ㄴ은 이 같은 최소 대립쌍을 보여 주고 있지 않으므로 '음운'을 이해하기 위한 활동으로 적절하지 않다.

06. '발[足]'과 '절[寺]'은 'ㅂ'과 'ㅈ', 'ㅏ'와 'ㅓ'의 두 가지 요소에 의해 의미가 변별된다. 따라서 소리의 '길이'라는 비분절 음운에 의해 의미가 분화되고 있지 않다.

<u>오답 풀이</u> ① '말[馬]'과 '말[言]'은 소리의 길이라는 비분절 음운에 의해 의미가 분화된다. 즉 '말[馬]'은 짧은소리, '말[言]'은 긴소리로 발음되면서 의미가 구별된다. ② '뭄'과 '붐'은 단어를 구성하는 단 한 가지 요소, 즉 음절의 첫소리인 'ㅁ'과 'ㅂ'에 의해 의미 차이를 생성하고 있으므로 최소 대립쌍에 해당한다. ④ '밤'과 '봄'은 단어를 구성하는 단 하나의 요소 중 모음, 즉 'ㅏ'와 'ㅗ'에 의해 의미 차이를 생성하는 최소 대립쌍이다. ⑤ '물'과 '밀'은 소리마디의 경계가 분명히 그어지는 분절 음운, 즉 'ㅜ'와 'ㅣ'에 의해 의미 차이가 생성되는 최소 대립쌍이다.

07. (라)에서 자음은 조음 위치와 조음 방법에 따라 여러 가지 소리로 나뉜다고 하였다.

08. 이 글은 조음 위치와 조음 방법 등을 기준으로 자음을 분류하면서 그 체계를 설명하고 있다.

<u>오답 풀이</u> ① 자음의 개념 설명이 나타나 있지 않다. ③ 어떻게 자음이 분류된다는 것은 나타나 있으나, 이것이 글의 내용을 포괄할 수 있는 중심 내용은 아니다. ④ (마)에 '예사소리-된소리-거센소리', 그리고 '울림소리-안울림소리'라는 자음의 대립 관계가 나타나 있으나, 이것이 이 글의 내용을 포괄할 수 있는 중심 내용은 아니다. ⑤ (마)에 발음될 때의 발음 기관의 움직임 같은 자음의 음성적 특성이 나타나 있으나, 이것이 이 글의 내용을 포괄할 수 있는 중심 내용은 아니다.

09. (바)의 자음 체계표를 보면, ⓔ(목청 사이에서)에서 나오는 소리는 'ㅎ'으로, 마찰음에 해당한다. 그리고 (마)의 2문단을 보면, 마찰음은 공기가 나오는 조음 기관의 '공간을 좁혀' 마찰을 일으키면서 내는 소리라고 하였다. 그런데 ⑤에서는 공기가 나오는 공간에 '변화를 일으키지 않으면서' 마찰을 통해 소리를 낸다고 하였으므로 이는 적절하지 않다.

<u>오답 풀이</u> ① ⓐ에서 나는 소리는 파열음과 비음에 해당하므로 적절한 설명이다. ② ⓑ에서 나는 소리는 파열음과 마찰음, 유음, 비음에 해당한다. 그런데 혀끝이 윗잇몸에 완전히 닿았다가 떨어지면서 나는 것은 파열음이며, 혀끝이 윗잇몸에 완전히 닿지 않은 상태에서 나는 소리는 마찰음이다. 따라서 혀의 움직임에 따라 서로 다른 소리가 난다는 설명은 적절하다. ③ ⓒ에서 나는 소리는 파찰음이므로 적절한 설명이다. ④ ⓓ에서 나는 소리는 파열음과 비음에 해당하므로 적절한 설명이다.

10. 각 빈칸 뒤에 이어지는 설명을 참조할 때, ㉠에는 조음 위치, ㉡에는 조음 방법, ㉢에는 소리의 세기, ㉣에는 음운의 분류 기준으로 목청의 떨림 여부가 들어가야 한다.

11. (바)의 자음 체계표를 보면, 마찰음 중에서 예사소리와 된소리의 구분이 없는 안울림소리는 'ㅎ'이다.

12. ⓐ에는 전설 모음과 후설 모음의 분류 기준인 혀의 앞뒤 위치가, ⓑ에는 평순 모음과 원순 모음의 분류 기준인 입술 모양이, ⓒ에는 고모음, 중모음, 저모음의 분류 기준인 혀의 높이가 들어가야 한다.

13. ㉠은 혀의 앞쪽에서 발음되므로 전설 모음이고, 입술 모양이 둥글게 오므려서 발음되므로 원순 모음이며, 입이 조금만 벌려서 발음되므로 고모음이다. 이에 해당하는 모음은 'ㅟ'이다. ㉡은 혀의 뒤쪽에서 발음되므로 후설 모음이며, 입술 모양이 자연스럽게 펴지면서 발음되므로 평순 모음이며, 혀의 위치가 낮은 상태에서 발음되므로 저모음이다. 이에 해당하는 모음은 'ㅏ'이다.

14. 이 글에 따르면, 반모음은 혼자 스스로 음절을 이루지 못하고 다른 모음에 붙어서 쓰인다는 점에서 온전한 모음이 아니라고 하였다. 따라서 하나의 음운으로 취급될 수 없다.

<u>오답 풀이</u> ② 반모음의 기능으로 적절한 설명이다. ③ 반모음이 발음되는 양상으로 적절한 설명이다. ④ 자음은 모음과 달리 단독으로 음절을 이루지 못하므로 적절한 설명이다. ⑤ 온전한 모음은 아니지만, 음성의 성질은 모음과 비슷하다는 점에서 적절한 설명이다.

15. (사)의 1문단을 보면, 모음은 발음하는 동안 입술의 모양과 혀의 위치가 일정한 단모음(單母音)과 발음하는 동안 입술의 모양이나 혀의 위치가 달라지는 이중 모음(二重母音)으로 나뉜다고 하였다.

평가 기준	
입술의 모양과 혀의 위치를 모두 언급하여 서술한 경우	5점
입술의 모양과 혀의 위치 중 하나만을 언급하여 서술한 경우	3점
30자 내외의 한 문장으로 서술하지 못한 경우	-2점

소단원 적중 문제 pp. 070~072

01. ① **02.** ⑤ **03.** ④ **04.** 'ㄹ'의 두 실제 소리인 [r]과 [l]은 의미 차이에 기여하지 못하고 하나의 음운에 속하는 변이음이다. **05.** 영어에서는 'ㅂ'과 'ㅃ'의 의미를 변별하는 기능을 하지 않기 때문이다. **06.** ① **07.** ① **08.** ③ **09.** ④ **10.** 소리의 세기가 강해지면서 어감이 더 어둡게 느껴진다. **11.** ④ **12.** ③

01. 음운은 음성의 공통적인 요소만을 뽑아서 머릿속에서 같은 소리로 인식하는 추상적인 소리라고 하였다. 따라서 개인마다 차이가 있는 것은 음운이 아니라 음성이다.

<u>오답 풀이</u> ② (라)에서 분절 음운의 구체적인 목록과 체계 및 비분절 음운의 종류는 언어마다 차이가 있다고 하였다. ③, ④ (나)에서 확인할 수 있다. ⑤ (다)에서 확인할 수 있다.

02. ⓒ와 ⓓ는 비분절 음운(소리의 장단)에 의해 의미가 변별된

다. 따라서 소리마디의 경계가 분명히 그어지지 않는 음운적 특징을 지닌다.

오답 풀이 ①, ②, ③ ⓐ의 'ㅂ[p]'과 ⓑ의 'ㅂ[b]'은 변이음으로, 실제 발음에서 서로 다르게 실현되는 음성에 해당하며, 의미를 변별하는 기능을 갖지 못한다. 그리고 우리말에서는 하나의 음운으로 인식된다. ④ ⓒ는 '눈:(雪)−눈(眼)'과 같이 비분절 음운에 의해 의미 차이를 드러낸다.

03. '송아지'의 두 번째 음절인 '아'는 하나의 모음만으로 이루어진 음절에 해당한다. 따라서 '송아지'는 'ㅅ, ㅗ, ㅇ, ㅏ, ㅈ, ㅣ'라는 총 6개의 음운으로 이루어져 있는 단어이다.

04. (나)에서 의미 차이에 기여하지 못하고 하나의 음운에 속하는 소리를 변이음이라 하였다. '설악[서락]'과 '대관령[대괄령]'에서 유음 'ㄹ'은 실제 소리가 [r]과 [l]로 발음되는데, 이는 의미 차이에 기여하지 못하고 하나의 음운인 'ㄹ'에 해당하므로 변이음이다.

평가 기준	
정답 내용을 명확하게 서술한 경우	5점
정답 내용을 불명확하게 서술한 경우	3점
맞춤법에 어긋난 경우	−1점

05. 언어마다 분절 음운의 목록과 체계, 종류가 다르다. 우리말에서는 'ㅂ'과 'ㅃ'의 발음 차이가 의미를 구별하는 데 사용되지만, 외국어에서는 그렇지 않은 경우도 있다. 제시된 담화에서 외국인이 사용하는 언어의 경우에도 'ㅂ'과 'ㅃ'의 발음 차이가 의미를 구별하는 데 사용되지 않아 외국인이 'ㅂ'와 'ㅃ'의 발음을 구별하여 사용하지 못한 것이다.

평가 기준	
알맞은 내용을 한 문장으로 서술한 경우	5점
내용은 적절하나 한 문장으로 서술하지 않은 경우	3점

06. 구강음에는 파열음, 마찰음, 파찰음, 유음이 속하고, 비강음에는 비음이 속한다고 하였다.

07. ㉮는 '예사소리'와 '된소리'의 관계로, 소리의 세기에 따라 분류한 것이다. 'ㅅ'과 'ㅆ'은 모두 마찰음으로, 공기의 흐름에 장애가 일어나며 나는 소리이다.

오답 풀이 ② ㉯는 비강음과 구강음의 관계로, 'ㅁ'은 공기의 유출 통로로 '입'과 '코'를 함께 사용하여 소리를 내며, 'ㄹ'은 '입'만으로 소리를 낸다. ③ ㉰에서 'ㅁ'은 울림소리이고, 'ㅍ'은 안울림소리이므로 적절하다. ④ ㉱는 차례로 여린입천장소리, 잇몸소리, 입술소리, 센입천장소리에 해당하므로 조음 위치에 따라 분류한 것이다. ⑤ ㉲는 차례로 파열음, 파찰음, 마찰음, 비음, 유음에 해당하므로 조음 방법에 따라 분류한 것이다.

08. ㉠에는 입술소리, 잇몸소리, 여린입천장소리가 있다. 따라서 조음 위치는 ⓑ, ⓓ, ⓔ이다. ㉡에는 잇몸소리와 목청소리가 있다. 따라서 조음 위치는 ⓐ, ⓓ이다. ㉢에는 센입천장소리가 있다. 따라서 조음 위치는 ⓒ이다.

09. ㉣은 유성음화(울림소리되기)에 해당한다. 유성음화는 모음이나 울림소리 받침 'ㄴ, ㅁ, ㄹ, ㅇ'과 모음 사이에 있는 무성음(안울림소리) 'ㄱ, ㄷ, ㅂ, ㅈ'이 울림소리로 발음 나는 현상을 말한다. 따라서 ①, ②, ③, ⑤는 모두 울림소리되기 현상이 일어나는 예이다. 그런데 'ㅅ'은 이와 동일한 음운 환경에서도 울림소리되기가 일어나지 않는다.

10. 이 글에서 국어의 자음은 소리의 세기에 따라 예사소리, 된소리, 거센소리로 나눌 수 있다고 하였는데, 이는 의미를 변별하는 것이 아니라, 어감을 분화시키는 기능이 있다. 문제에 제시된 예의 경우 소리의 세기가 강해지면서 어감이 점점 더 어둡게 느껴진다.

평가 기준	
정답 내용을 명확하게 서술한 경우	5점
정답 내용을 불명확하게 서술한 경우	3점
맞춤법에 어긋난 경우	−1점

11. 'ㅣ'를 발음하면서 입을 서서히 벌리면 'ㅔ−ㅐ'의 소리를 차례로 낼 수 있으나 'ㅏ'는 후설 모음이므로 혀의 위치까지 이동시켜야 한다.

12. 'ㅔ'와 'ㅐ'는 모두 전설 모음이므로 ③은 부적절한 설명이다. 'ㅡ'와 'ㅓ' 역시 개구도(발음할 때 입을 벌리는 정도)가 비슷하므로 이와 같은 혼동이 생길 수 있다.

오답 풀이 ② 외래어 표기법상 [e] 또는 [ɛ]로 발음될 때 'ㅔ'로 표기하고, [æ]로 발음될 때 'ㅐ'로 표기한다. 따라서 'ㅔ'와 'ㅐ'가 잘 구별되지 않으면, 외래어 표기에서도 비슷한 혼란이 발생할 수 있다.

(2) 음운의 변동

핵심 다지기   pp. 074~080

01. ②   **02.** ③   **03.** ③   **04.** ⑤   **05.** ①   **06.** ⑤   **07.** ②
08. '서다'의 어간 '서−'에 어미 '−어'가 결합하면서 동음 탈락으로 '−어'가 탈락하였다.   **09.** ⑤   **10.** ①   **11.** ③   **12.** 두 개의 단어가 한 단어로 합쳐져 파생어가 되면서 앞말의 끝이 자음이고 뒷말의 첫음절 모음이 각각 'ㅛ', 'ㅣ'인 경우에 'ㄴ' 첨가 현상이 일어났다.

01. 〈보기〉의 ㉮는 'ㄱ'이 'ㅁ'의 영향을 받아 비음화됨으로써 음운 교체가 이루어진 예이며, ㉯는 받침의 'ㅎ'이 탈락한 예이다. 그리고 ㉰는 'ㄱ'과 'ㅎ'이 결합하여 하나의 음운인 'ㅋ'으로 축약된 예이며, ㉱는 합성어에서 'ㄴ'이 첨가된 예이다.

02. '맛있다'는 '맛+있다'로 구성된 말로, '맛'의 끝소리 'ㅅ'이 모음으로 시작되는 실질 형태소인 '있다'와 만나고 있으므로 음절의 끝소리가 7개의 대표음으로 발음되는 음절 끝소리 규칙이 적용되는 사례이다. 따라서 이는 '[맏있다→마딛따]'로 발음하는 것이 원칙이다.

다만, '맛있다'의 경우 사람들이 [마싣따]로 연음하여 발음을 많이 하므로 현실 발음을 인정하여 [마싣따]도 인정하고 있다. <u>오답 풀이</u> ①은 〈보기〉의 첫 번째 규정의 예이며, ②는 〈보기〉의 두 번째 규정의 예이다. ④는 〈보기〉의 다섯 번째 규정의 예이며, ⑤는 〈보기〉의 세 번째 규정의 예이다.

03. 받침 'ㄷ, ㅅ, ㅈ, ㅊ, ㅌ'은 모두 'ㄷ'으로 교체되어 소리가 난다.

04. ㉯는 음절 끝소리 규칙에 따라 받침 'ㅅ'이 'ㄷ'으로 발음되고, 받침 'ㄷ' 뒤에 연결되는 자음 'ㄱ'이 된소리되기에 의해 된소리로 발음되고 있는 예이다.
<u>오답 풀이</u> ① ㉮는 파열음 'ㄱ'이 비음 'ㄴ'에 동화됨으로써 비음 'ㅇ'으로 교체되어 발음되고 있는 예이다. ② ㉰는 비음 'ㄴ'이 유음 'ㄹ'에 동화됨으로써 유음 'ㄹ'로 교체되어 발음되고 있는 예이다. ③ ㉱는 후설 모음 'ㅏ'가 뒤에 오는 전설 모음 'ㅣ'에 동화됨으로써 전설 모음 'ㅐ'로 교체되어 발음되고 있는 예이다. ④ ㉲는 센입천장에 가까운 곳에서 발음되는 'ㅣ' 모음에 동화됨으로써 음절 끝소리 'ㅌ'이 센입천장소리 'ㅊ'으로 교체되어 발음되고 있는 예이다.

05. '밥물'은 [밤물]로 발음되므로 〈보기〉의 ㉮에 해당하며, '갚는'은 '[갑는](음절의 끝소리 규칙) → [감는](비음화)'의 과정을 거치며 발음되므로 ㉯에 해당한다. '종력'은 [중녁]으로 발음되므로 ㉰에 해당하며, '국력'은 '[국녁] → [궁녁]'의 과정을 거치며 발음되므로 ㉱에 해당한다.

06. 〈보기〉의 표준 발음법 제11항에 의하면, 겹받침 'ㄿ'은 어말 또는 자음 앞에서 [ㅂ]으로 발음된다고 하였다. 따라서 '읊지'는 [읍찌]로 발음해야 한다.
<u>오답 풀이</u> ①, ③은 표준 발음법 제11항에 따라, ②는 표준 발음법 제10항에 따라, ④는 표준 발음법 제11항의 예외 규정에 따라 각각 적절한 발음으로 볼 수 있다.

07. ⓐ는 [막따]로 발음되므로 자음군 단순화에 의한 음운 탈락에 해당하며, ⓑ는 [닫찌]로 발음되므로 된소리되기에 해당한다. ⓒ는 [실라]로 발음되므로 유음화에 해당하며, ⓓ는 [다텨→다쳐]의 과정을 통해 발음되므로 구개음화에 해당한다. 마지막으로 ⓔ는 '담그-+-아→담가'의 과정을 거쳐 발음되므로 음운 탈락('ㅡ' 탈락)에 해당한다. 따라서 ⓐ, ⓔ가 음운 탈락, 나머지는 음운 교체에 해당한다.

> **보충 자료**
>
> **된소리되기**
> 'ㄱ, ㄷ, ㅂ, ㅅ, ㅈ'과 같은 예사소리가 'ㄲ, ㄸ, ㅃ, ㅉ'과 같은 된소리로 바뀌어 소리 나는 현상을 말한다.

08. 문장 속에서 '서'는 동사 '서다'의 어간 '서-'에 어미 '-어'가 결합하면서 동음 탈락에 의해 '-어'가 탈락된 것이다.

평가 기준	
음운 환경을 바탕으로 음운 변동 현상을 명확하게 서술한 경우	5점
음운 환경을 언급하지 않고 음운 변동 현상만 서술한 경우	3점

맞춤법에 어긋난 경우	-1점

09. '첫인사'는 음절의 끝소리 규칙이 적용되어 [첟인사 → 처딘사]로 발음된다. 따라서 'ㄴ' 첨가 현상이 일어나지 않는다. ⑤를 제외한 나머지는 모두 'ㄴ' 첨가 현상이 일어난다.

10. '홑이불'과 '막일'은 모두 파생어에 해당하며, 각각 [혼니불], [망닐]로 발음되므로 'ㄴ' 첨가 현상이 일어나고 있다.
<u>오답 풀이</u> ② 두 단어 모두 합성어이다. ③ '밭이랑'은 합성어이며, 파생어 '많이'는 [마:니]로 발음되므로 'ㄴ' 첨가가 아니라 받침 'ㄴ'이 연음된 것이다. ④ '나뭇잎'은 합성어이며, 파생어 '군입'은 [군:닙]으로 발음되므로 'ㄴ' 첨가 현상에 해당한다. ⑤ '낮일'은 합성어이며, 파생어 '빛나가다'는 [빈나가다]로 발음되므로 'ㄴ' 첨가 현상이 아니라 비음화(교체)에 해당한다.

11. '하얗고'는 'ㅎ + ㄱ'에 의해 자음 축약이 이루어지는 예이므로 [하:야코]로 발음해야 한다.

12. (차)에서 첨가란 일정한 환경에서 없던 음운이 추가되는 음운 현상이라고 설명하였다. 〈보기〉의 단어들은 단어가 합쳐져서 파생어가 될 때 나타난 첨가 현상의 예이다.

평가 기준	
음운적 환경과 첨가 현상의 결과를 바르게 서술한 경우	5점
음운적 환경이 모호하게 서술된 경우	-1점

소단원 적중 문제 pp. 085~087

01. ⑤ **02.** ④ **03.** ③ **04.** ㄱ, ㅋ → [ㄱ] / ㄷ, ㅅ, ㅆ, ㅈ, ㅊ, (ㅎ) → [ㄷ] / ㅍ → [ㅂ] **05.** ② **06.** ④ **07.** ③ **08.** ② **09.** ④ **10.** ⑤ **11.** 자음과 모음 사이 **12.** ③ **13.** ⓐ 자음군 단순화, ⓑ 'ㄹ' 탈락

01. 음운 탈락의 예외 경우에 대한 설명은 나타나 있지 않다.

02. ⓐ에는 비음화에 의한 교체 현상이, ⓑ에는 유음화에 의한 교체 현상이 나타나 있다. '받는다'는 [반는다]로 발음되므로 비음화에 의한 교체 현상이, '속는다' 역시 [송는다]로 발음되므로 비음화에 의한 교체 현상이 나타나 있다.
<u>오답 풀이</u> 나머지 선지는 각각 [밤물], [칼랄] / [섬니], [철리] / [뱅노], [질리] / [임:진난], [광:할루]로 발음된다. 따라서 ⓐ, ⓑ의 추가적인 예로 적절하다.

03. '연못이'는 '연못'의 끝소리인 'ㅅ'이 다음에 오는 모음과 만나면서 연음되어 [연모시]로 발음된다. 따라서 음절의 끝소리 규칙이 적용되지 않는다.
<u>오답 풀이</u> ① '꽃'은 [꼳]으로 발음되므로 음절의 끝소리 규칙이 적용되었다. ② '낫과'는 [낟꽈]로 발음되므로 음절의 끝소리 규칙이 적용되었다. ④ '솥뚜껑'은 [솓뚜껑]으로 발음되므

로 음절의 끝소리 규칙이 적용되었다. ⑤ '덮기'는 [덥끼]로 발음되므로 음절의 끝소리 규칙이 적용되었다.

04. ㄴ은 'ㄱ, ㄴ, ㄷ, ㄹ, ㅁ, ㅂ, ㅇ'을 제외한 자음을 말한다. 음절의 끝소리에서 'ㄲ', 'ㅋ'은 [ㄱ]으로 발음되며, 'ㅌ', 'ㅅ', 'ㅆ', 'ㅈ', 'ㅊ'은 [ㄷ]으로 발음된다. 그리고 'ㅍ'은 [ㅂ]으로 발음되며, 'ㅎ'은 음절의 끝소리에서 발음되지 않는다. 단, '히읗'의 경우에만 예외적으로 [히은]으로 발음된다.

05. ㅂ에서 받침 'ㅅ, ㅆ, ㅊ'은 음절의 끝소리 규칙에 따라 'ㄱ, ㄷ, ㅂ' 중 하나인 'ㄷ'으로 교체되어 발음된다.

06. 'ㅡ' 탈락은 동사나 형용사의 어간 말 모음 'ㅡ'가 모음으로 시작하는 어미 앞에서 탈락하는 현상으로, 체언이라 진술한 것은 적절하지 않다.

07. '당기시오 → [당기시요]'에서는 앞의 'ㅣ' 모음의 영향을 받아 '오'가 '요'로 바뀌었으므로 'ㅣ' 모음 순행 동화에 해당한다.

08. 표준어 규정 제2장 9항에 의하면, '아지랑이'는 'ㅣ' 모음 역행 동화가 일어나기 전의 발음을 표준어로 인정한다고 하였다. **오답 풀이** ① '신출내기'는 '풋내기', '시골내기' 등과 함께 표준어로 인정한다고 하였다. ③ '미장이'와 같이 '-장이'(장인, 기술자)의 뜻을 가진 경우는 '-장이'가 붙은 형태를 표준어로 인정하되, 그 외의 뜻을 가진 경우는 '-쟁이'가 붙은 형태를 표준어로 인정한다고 하였다. ④, ⑤ '담쟁이넝쿨', '동댕이치다'를 표준어로 인정한다고 하였다.

09. 현대 국어의 구개음화는 실질 형태소 뒤에 형식 형태소가 연결되는 환경에서만 일어난다.

10. '없다'는 [업:따]로 발음되므로 자음군 단순화에 의한 음운 탈락에 해당한다. 그리고 이는 표기에 반영되지 않으므로 '없다'로 표기해야 한다. **오답 풀이** ① '따르-+-아→따라'로 쓰이며, 이때 'ㅡ' 탈락 현상이 일어난다. 이는 표기에 반영되므로 '따르아'가 아닌 '따라'로 표기해야 한다. ② '가-+-았-+-다→갔다'로 쓰이며, 이때 동음, 즉 'ㅏ'가 탈락한다. 이는 표기에 반영된다. ③ '날-+-는→나는'으로 쓰이며, 이때 'ㄹ'이 탈락한다. 이는 표기에 반영된다. ④ '좋-+-은→[조:은]'으로 발음되며, 이때 'ㅎ' 탈락 현상이 일어난다. 이는 표기에 반영되지 않는다.

11. '굳이 → [구지]'의 예에서 구개음화 현상은 자음 'ㄷ'과 모음 'ㅣ' 사이에서 일어난다. 이처럼 구개음화 현상은 자음과 모음 사이에서 일어난다. 이는 자음과 자음 사이에서 일어나는 자음 동화와 모음과 모음 사이에서 일어나는 모음 동화와 구별되는 점이다.

12. 자음군 단순화는 '음운 교체'에 해당하는 '음절의 끝소리 규칙'에 포함되는 것이 아니라 '음운 탈락'에 해당한다. **오답 풀이** ① 'ㅎ'은 발음할 때 음운 탈락이 일어나지만, 탈락된 발음이 표기에는 반영되지 않는다. ② 'ㄹ' 탈락과 'ㅡ' 탈락은 발음 나는 대로 표기할 수 있다. ④ 'ㅡ' 탈락은 동사나

형용사의 어간 말 모음 'ㅡ'가 모음으로 시작하는 어미 앞에서 탈락하는 현상이므로, 주로 용언의 활용 과정에서 일어난다. ⑤ 자음군 단순화는 발음이 표기에 반영되지 않는 음운 변동에 해당한다. 그런데 '널찍하다'는 '넓직하다'가 자음군 단순화에 의해 발음된 것이지만 그대로 표기할 수 있어 자음군 단순화가 표기에 반영된 예외적 사례로 볼 수 있다.(한글 맞춤법 제21항 참조)

13. ⓐ는 음절 말의 겹받침 가운데 하나가 탈락하고 하나만 발음되는 현상의 예이고, ⓑ는 동사나 형용사의 어간 말 자음 'ㄹ'이 몇몇 어미 앞에서 탈락하는 현상의 예이다.

중단원 실전 문제
pp. 088~093

01. ③ **02.** ① **03.** ② **04.** ② **05.** ② **06.** ④ **07.** ④ **08.** ④ **09.** ⑤ **10.** 발음하는 동안 입술 모양이나 혀의 위치가 일정하면 단모음이고, 달라지면 이중 모음이다. **11.** ④ **12.** 소리의 세기에 의해 의미가 변별되는 우리말과 달리 영어에서는 울림소리와 안울림소리에 의해 의미가 변별된다. 즉 미국인에게는 'ㅂ'과 'ㅃ'이 의미를 변별하는 기능을 하지 못하고 같은 소리로 들린다. **13.** ④ **14.** ④ **15.** ② **16.** ④ **17.** ⑤ **18.** ③ **19.** ③ **20.** ③ **21.** 조음 위치(여린입천장, 잇몸, 입술)는 그대로이고, 조음 방법은 파열음에서 비음으로 바뀐다. **22.** ⑤ **23.** ②

---

01. 혀의 위치는 모음을 구분하는 기준으로, 혀의 위치에 따라 전설 모음과 후설 모음으로 나누기도 하고 고모음, 중모음, 저모음으로 나누기도 한다.

02. 자음과 모음은 숨을 내쉬는 과정에서 공기의 흐름에 장애가 일어나는지 아닌지에 따라 발음되므로, 말을 하는 것은 숨을 내쉬는 것과 관련이 있다.

03. 'ㅁ'은 순음, 'ㅅ'은 치조음, 'ㅈ'은 경구개음, 'ㅇ'은 연구개음, 'ㅎ'은 후음이다. 따라서 ⓐ~ⓔ에서 조음 되는 자음이 바르게 연결된 것은 ②이다.

04. 이중 모음은 주로 반모음 뒤에 단모음이 결합되어 만들어진다. **오답 풀이** ①은 (다)의 첫 문장에서 확인할 수 있으며, ③은 표 '현대 국어의 단모음 체계'에서 확인할 수 있다. 그리고 ④, ⑤는 (다)의 마지막 문단에서 확인할 수 있다.

05. 소리의 길이에 따라 뜻의 차이가 생길 수 있는데, 이것을 '운소'라고 한다. 그러나 (다)에서는 이에 따른 모음의 명칭을 밝히고 있지는 않다.

06. 〈보기〉의 첫 번째 조건을 충족시키는 모음은 전설 모음이며, 두 번째 조건을 충족시키는 모음은 원순 모음이다. 그리고 세 번째 조건을 충족시키는 모음은 중모음이다. 이를 모두 충족시키는 모음을 표 '현대 국어의 단모음 체계'에서 찾으면 'ㅚ'이다.

07. 〈보기〉에 의하면, ⓐ의 '말'은 첫음절에서 긴소리로 발음되지만 '우리말'처럼 둘째 음절 이하에서는 짧게 발음된다. '군밤'의 '밤' 역시 첫음절에 올 때는 긴소리로 발음되지만 둘째 음절 이하에서는 짧게 발음된다. 따라서 ⓑ와 '군밤'의 '밤'은 소리의 길이가 동일하다.

오답 풀이 ① ⓐ는 첫음절에 있으므로 긴소리로, ⓑ는 둘째 음절 이하에 있으므로 짧은소리로 발음된다. ② ⓐ는 긴소리로 발음되고, ⓓ 역시 긴소리로 발음된다. ③ ⓑ는 짧은소리로 발음되고 '눈[眼]' 역시 짧은소리로 발음된다. ⑤ ⓒ는 짧은소리로 발음되면서 '밤[夜]'의 의미를 지니고 있으며, ⓓ는 긴소리로 발음되면서 '밤[栗]'의 의미를 지니고 있다. 따라서 ⓒ와 ⓓ는 소리의 길이(비분절 음운)를 통해 의미를 분화시킨다.

> 고난도 해결 포인트 〈보기〉에서 설명하고 있는 내용을 선지에 적용하여 문제를 해결하도록 한다. 국어 시험 문제는 항상 제시된 〈보기〉나 자료가 문제 해결의 힌트임을 잊지 않도록 한다. 이 문제의 경우는 두 가지 내용이 문제 해결의 핵심 포인트가 되고 있다. 첫째, 소리의 길이가 의미를 변별하는 기능을 갖는다는 점, 둘째, 첫음절에서 긴소리로 발음되는 말이 둘째 음절 이하에서는 짧은소리로 발음된다는 점이다.

08. '울림소리되기'란 울림소리인 유음과 비음, 그리고 모음 사이에 있는 안울림소리가 울림소리로 바뀌어 발음되는 현상을 말한다. 따라서 안울림소리인 'ㅎ'과 울림소리인 모음 사이에서는 '울림소리되기'가 일어나지 않는다.

09. 이중 모음 'ㅢ'는 앞에 오는 모음 'ㅡ'가 반모음인지, 뒤에 오는 모음 'ㅣ'가 반모음인지 판단이 어려울 정도로 실제 용례에서 발음의 변이가 심하게 나타난다.

오답 풀이 ① 반모음 'ㅣ'와 단모음 'ㅏ'가 결합하여 형성된 이중 모음이다. ② 반모음 'ㅣ'와 단모음 'ㅐ'가 결합하여 형성된 이중 모음이다. ③ 반모음 'ㅜ'와 단모음 'ㅓ'가 결합하여 형성된 이중 모음이다. ④ 반모음 'ㅗ'와 단모음 'ㅐ'가 결합하여 형성된 이중 모음이다.

10. 모음은 발음하는 동안 입술의 모양과 혀의 위치가 일정한 단모음과 발음하는 동안 입술의 모양이나 혀의 위치가 달라지는 이중 모음으로 나뉜다.

평가 기준	
알맞은 내용을 한 문장으로 서술한 경우	5점
내용은 적절하나 한 문장으로 서술하지 않은 경우	−1점

11. 표준 발음법 제4항에 단모음 중 'ㅚ'와 'ㅟ'는 이중 모음으로 발음할 수 있다고 하였다.

12. 우리말에서는 예사소리, 된소리, 거센소리가 의미를 변별하는 기능이 있으므로 분명히 구별하여 발음한다. 그러나 영어권에서는 예사소리, 된소리, 거센소리가 의미를 변별하는 기능을 하지 못하기 때문에 거의 같은 소리로 들리고, 따라서 분명히 구별하여 발음하지 못하는 것이다. 한편 우리말에서는 울림소리와 안울림소리가 의미를 변별하는 기능을 갖지 못하는 데 반해 영어권에서는 울림소리와 안울림소리가 의미를 변별하는 기능을 갖는다.

평가 기준	
우리말과 영어권의 언어를 비교하며 그 차이를 상세하게 서술한 경우	5점
영어권의 언어 중심으로 그 이유를 서술한 경우	3점
맞춤법에 어긋난 경우	−1점

13. '말'과 '풀'의 경우 차이가 나는 요소가 'ㅁ, ㅍ'뿐 아니라 'ㅏ, ㅜ'도 있으므로 이 둘은 최소 대립쌍으로 볼 수 없다.

14. 두 음운이 합쳐져서 하나의 음운이 되는 음운 현상을 축약이라고 한다.

15. ⓐ, ⓑ, ⓒ, ⓓ, ⓕ는 교체 현상을, ⓖ는 첨가 현상을 보여 주고 있는 예이며, ⓔ는 축약과 교체 현상(구개음화)을 함께 보여 주고 있는 예이다. 탈락 현상을 보여 주는 예는 나타나 있지 않다.

오답 풀이 ① ⓐ는 음절의 끝소리에서 'ㅎ'이 제 음가대로 발음되지 않고 음절의 끝소리 규칙에 따라 'ㄷ'으로 교체되어 발음되는 현상을 보여 주는 예이다. ③ ⓑ는 모음 동화 중 'ㅣ' 모음 역행 동화 현상을, ⓓ는 자음 동화 중 유음화 현상을, ⓕ는 자음 동화 중 비음화 현상을 보여 주는 예이다. ④ ⓒ와 ⓔ는 구개음화가 일어나면서 'ㅣ' 모음 앞에 있는 자음의 조음 위치가 '잇몸(ㅌ)'에서 '센입천장(ㅊ)'으로 바뀌는 현상을 보여 주는 예이다. ⑤ ⓔ는 두 음운 'ㄷ'과 'ㅎ'이 합쳐져서 하나가 될 때, ⓖ는 두 어근 '눈'과 '요기'가 합쳐져서 하나가 될 때 일어나는 현상을 보여 주는 예이다.

> 고난도 해결 포인트 〈보기〉에 제시된 용례에 나타난 음운 변동 양상을 분석하면서 선택지의 적절성을 판단해야 하는 문제 유형으로, 문제를 해결하는 데 시간이 오래 걸릴 수 있어 부담이 적잖은 문제라고 할 수 있다. 이러한 문제의 경우 먼저 선택지를 보면서 그 적절성을 판단하는 것이 시간을 줄일 수 있는 유효한 방법이 될 수 있다. 그리고 평소에 문제를 많이 접해 본다면 용례에 나타난 음운 변동 현상을 빨리 파악할 수 있다.

16. '같이', '해돋이', '피붙이', '팥이라서'는 모두 구개음화의 예에 해당하지만, '장미꽃이[장미꼬치]'는 'ㅊ'이 그대로 'ㅊ'으로 소리 나므로 구개음화의 에에 해당하지 않는다.

17. '먹다'는 단일어이며, '신여성'은 파생어이다. '먹다[먹따]'는 된소리되기 현상을 설명하는 데 활용 가능하다. '신여성[신녀성]'은 파생어로 〈보기〉의 ⓐ를 설명하는 데 활용할 수 있다.

오답 풀이 ① '헛일', '한여름'은 파생어로, 음운 환경이 'ㄴ' 첨가 현상과 관련된 ⓐ를 설명하는 데 활용할 수 있다. ② '산길', '촛불'은 합성어로, 음운 환경이 된소리되기에 의한 첨가 현상과 관련된 ⓑ를 설명하는 데 활용할 수 있다. ③ '빗물', '콧날'은 합성어로, 음운 환경이 'ㄴ' 첨가 현상과 관련된 ⓒ를 설명하는 데 활용할 수 있다. ④ '집일', '홋일'은 합성어로, 음운 환경이 'ㄴ' 첨가 현상과 관련된 ⓓ를 설명하는 데 활용할 수 있다.

18. '솜+이불 → 솜이불[솜:니불]', '꽃+잎 → 꽃잎[꼰닙]', '교육+열 → 교육열[교융녈]'로 발음되며, 모두 'ㄴ' 첨가 현상에 해당된다.

19. 음절의 끝소리 규칙에 따른 '교체' 현상이 일어나기 위한 음운 환경은 ㉠의 끝소리에 'ㄱ, ㄴ, ㄷ, ㄹ, ㅁ, ㅂ, ㅇ'을 제외한 자음이 들어가야 한다. 그런데 'ㄸ'과 'ㅉ'은 받침으로 쓰이지 않기 때문에 ㉠의 빈칸에 들어갈 수 있는 끝소리 자음으로 적절치 않다.

20. '내리다'는 '나리다'가 'ㅣ' 모음 역행 동화에 의해 '내리다'로 바뀌어 발음되는 예이다. 일반적으로 'ㅣ' 모음 역행 동화에 의한 발음은 표준 발음으로 인정되지 않는다. 그러나 '내리다'와 같이 완전히 굳어진 어형들은 예외적으로 표준 발음으로 인정되며, 굳어진 발음대로 표기할 수 있다.
오답 풀이 ① ㉠는 표준 발음으로 인정되지 않으므로 원형대로 읽고 표기해야 한다. ② ㉣는 언중에 의해 오래 사용되면서 완전히 어형이 굳어져 있으므로 표준 발음으로 인정되며, 발음 나는 대로 읽고 표기해야 한다. ④ ㉮, ㉯는 모음 동화 현상으로, '차비[채비]'를 보면 'ㅏ'(후설 모음)가 'ㅐ'(전설 모음)로 바뀌어 발음되면서 혀의 위치가 변화하고 있음을 알 수 있다. ⑤ ㉮, ㉯는 모음 동화 현상으로, '손잡이[손재비]'를 보면 'ㅏ'와 'ㅣ', 즉 모음과 모음 사이에서 음운 변동 현상이 일어남을 알 수 있다.

21. 비음화에 의해 'ㄱ'이 'ㅇ'으로, 'ㄷ'이 'ㄴ'으로, 'ㅂ'이 'ㅁ'으로 바뀌어 발음된다. 이때, 'ㄱ'과 'ㅇ'은 여린입천장소리이며, 'ㄷ'과 'ㄴ'은 잇몸소리이다. 그리고 'ㅂ'과 'ㅁ'은 입술소리이다. 조음 위치는 바뀌지 않고 그대로인 것이다. 한편, 비음화가 일어나기 전의 'ㄱ', 'ㄷ', 'ㅂ'은 파열음인데 비음화가 일어난 후의 'ㅇ', 'ㄴ', 'ㅁ'은 비음이다. 따라서 조음 방법은 파열음에서 비음으로 바뀌어 발음된다.

평가 기준	
조음 위치와 조음 방법의 변화 양상 두 가지를 모두 상세하게 서술한 경우	5점
조음 위치와 조음 방법의 변화 양상 중 한 가지만 맞게 서술한 경우	3점
맞춤법에 어긋난 경우	-1점

22. '뚫는'은 ㉯의 [붙임]에서 'ㅀ' 뒤에 오는 'ㄴ'은 'ㄹ'로 발음한다고 했으므로 [뚤른]이 된다.

23. '어미'를 [에미]로 발음하는 것은 'ㅣ' 모음 역행 동화가 일어난 경우인데, 이는 표준 발음에서는 인정되지 않는다.

2. 단어와 품사
(1) 단어의 품사와 특성

핵심 다지기   pp. 097~115

01. ④ **02.** ② **03.** (1) 6개, (2) 이다. **04.** ③ **05.** ⑤
06. ⑤ **07.** ⑤ **08.** 대명사와 서수사는 관형사의 꾸밈을 받을 수 없으나, 양수사는 관형사의 꾸밈을 받을 수 있다. **09.** ⑤
10. ② **11.** ① **12.** 주동사, 능동사 **13.** ④ **14.** ① **15.** ④
16. ③ **17.** ⑤ **18.** ① **19.** ① **20.** ㉮는 단어와 단어를 이어 주는 접속 부사이며, ㉯는 문장과 문장을 이어 주는 접속 부사이다. **21.** ② **22.** ② **23.** ㄱ은 앞에 오는 체언 '선생님'이 문장 속에서 주어가 되게 하는 주격 조사이며, ㄴ은 앞에 오는 체언 '인간'이 문장 속에서 보어가 되게 하는 보격 조사이다. **24.** 다른 조사는 형태가 고정된 불변어이지만, 서술격 조사 '이다'는 용언처럼 문장 속에서 활용하는 가변어이다. **25.** ⑤ **26.** ⑤
27. ④ **28.** ② **29.** ④ **30.** ④ **31.** '어이'는 항상 부르는 말로만 쓰이므로 감탄사로 분류하고, '학생!'은 부르는 말로만 쓰이지는 않으므로 명사로 분류하는 것이 타당하다.

01. ㄹ의 '에게'는 조사이므로 문장 속에서 형태가 변화하지 않는 불변어이며, 다른 성분과의 관계를 나타낸다. 용언을 수식하는 기능을 가진 품사는 부사이다.
오답 풀이 ① '새'는 관형사이며, 그 기능상 수식언에 해당한다. 문장 속에서 주로 체언을 수식한다. ② '철쭉꽃'은 체언으로, 형태가 변하지 않는 불변어이다. ③ '걷는다'는 대상의 움직임, 즉 동작을 나타내는 동사이며, 문장 속에서 주로 서술어로 쓰인다. ⑤ '아!'는 감탄사이며, 기능상 독립적 성분이다. 주로 말하는 사람의 놀람, 느낌, 부름 등을 나타낸다.

02. 체언은 조사와만 결합할 수 있으며, 관형사의 수식을 받을 수 있다.
오답 풀이 ① 체언은 단어의 형태가 고정된 불변어이다. ④ (나)의 '체언에는 명사(名詞), 대명사(代名詞), 수사(數詞)의 세 가지가 있다.'에서 확인할 수 있다. ③, ⑤ (가)의 3문단 '기능 기준에 따라 주로 주어, 목적어, 보어 등으로 쓰이는 체언'에서 확인할 수 있다.

03. (1) 용언과 서술격 조사를 제외한 모든 품사는 불변어이다. 제시된 문장에서 불변어는 '자연, 을, 사람, 이, 진짜, 시인'의 6개이다. (2) 불변어인 조사 중 서술격 조사 '이다'는 용언처럼 활용할 수 있으므로 가변어에 해당한다.

04. '것'은 의존 명사이며 반드시 그 앞에 꾸미는 말, 즉 관형어와 함께 있어야만 쓰일 수 있다. 관형어에는 '관형사' 외에도 '용언의 관형사형'도 있다. ㄴ의 '것'을 수식하는 말은 '보는'이라는 관형어인데, 이는 관형사가 아닌 용언의 관형사형이다.
오답 풀이 ① ㄱ의 '수지'는 '특정한 하나의 개체를 다른 개체와 구별하기 위해 붙인 이름'이므로 고유 명사이다. 반면, ㄴ의 '들판'은 '어떤 속성을 지닌 대상들에 두루 쓰이는 이름'

이므로 보통 명사이다. ② (다)에서 '반드시 그 앞에 꾸미는 말, 즉 관형어가 있어야만 쓰일 수 있는 명사를 의존 명사라고 하였으므로 ㄴ의 '것'은 의존 명사이며, 항상 다른 성분, 즉 관형어와 함께 쓰인다. ④ ㄷ의 '꽃'은 자립 명사이므로 반드시 관형어의 수식을 받아야만 쓰일 수 있는 것은 아니다. ⑤ (라)의 마지막 문단에서 '재귀 대명사라고도 하는 재귀칭에는 '저, 자기, 당신' 등이 있는데, 주로 3인칭 주어로 쓰인 명사나 명사구를 다시 가리키는 데에 쓰인다.'고 하였다. 그런데 ㄹ의 '자기'는 3인칭 주어로 쓰인 '진수'를 다시 가리키고 있다. 따라서 이는 재귀칭 대명사에 해당한다.

05. 부정칭 대명사는 정해지지 아니한 사람, 물건, 방향, 장소 등을 가리킨다. 즉 어떤 특정한 인물이나 사물 등을 가리키지 아니할 때 주로 사용된다. 따라서 ⓑ는 부정칭 대명사에 해당한다. 그러나 모르는 사물이나 사건을 가리키는 것은 부정칭이 아니라 미지칭 대명사이다.

오답 풀이 ① ⓐ는 문장 속에서 청자를 포함하고 있으나, ⓑ는 문장 속에서 청자를 배제하고 있다. ② ⓒ는 문장 속에서 1인칭 낮춤말이지만, ⓓ는 문장 속에서 '중'을 가리키는 재귀 대명사로, 3인칭 낮춤말에 해당한다. ③ ⓔ는 문장 속에서 2인칭 높임말이며, ⓕ는 문장 속에서 3인칭 높임말이다. ④ 미지칭 대명사는 대상의 이름이나 신분을 모를 때 쓰는 인칭 대명사로, 주로 의문문에 쓰인다. 따라서 ⓖ는 미지칭 대명사에 해당한다.

06. (바)에 의하면, 용언 가운데 주어의 움직임이나 작용을 나타내는 단어의 부류를 동사라고 하고, 주어의 성질이나 상태를 나타내는 단어의 부류를 형용사라고 한다고 하였다. 동사와 형용사는 의미상의 차이뿐만 아니라 시제에 따라서 연결되는 어미가 다르다.

오답 풀이 ① (바)의 2문단 '동사와 형용사는 의미상 차이가 있을 뿐만 아니라'에서 확인할 수 있다. ② (바)의 '문장의 주어를 서술하는 말을 용언이라고 한다.'에서 확인할 수 있다. ③, ④ (바)의 '용언 가운데 주어의 움직임이나 작용을 나타내는 단어의 부류를 동사라고 하고, 주어의 성질이나 상태를 나타내는 단어의 부류를 형용사라고 한다.'에서 확인할 수 있다.

07. ㄴ의 '밝다'는 주어인 '날'의 '작용'(주체의 의지에 의한 움직임이 아닌 자연적인 현상, 혹은 상태의 변화)에 해당하며, ㄷ의 '크다' 역시 '(키가) 자라다'의 의미로, 주체의 의지에 의한 움직임(동작)이 아닌 '작용'에 해당한다.

오답 풀이 ① ㄱ의 '밝다'와 ㄹ의 '크다'는 모두 의미 차원에서 주어의 상태를 나타내므로 형용사에 해당한다. ② ㄴ의 '밝다'와 ㄷ의 '크다'는 모두 의미 차원에서 주어의 작용을 나타내므로 동사에 해당한다. ③ ㅁ의 '달다'는 주어의 움직임(동작)을 나타내므로 동사이며, ㅂ의 '달다'는 주어의 성질을 나타내므로 형용사이다. ④ ㄱ의 '밝다'는 주어의 상태를 나타내는 형용사이며, ㅂ의 '달다'는 주어의 성질을 나타내는 형

용사이다.

08. 인칭 대명사 '너희'는 지시 관형사 '저'의 꾸밈을 받을 수 없으며, 서수사인 '첫째' 역시 지시 관형사 '저'의 꾸밈을 받을 수 없다. 반면, 양수사인 '둘'은 '저'라는 지시 관형사의 꾸밈을 받을 수 있다.

평점 기준	
대명사와 서수사의 특성과 양수사의 특성을 비교하여 조건에 맞게 서술한 경우	5점
대명사와 서수사의 특성과 양수사의 특성 중 한 가지만을 서술한 경우	3점
맞춤법에 어긋난 경우	-1점

09. 동작의 진행형인 '-고 있다.'의 결합이 가능한 품사는 형용사가 아닌 동사이다.

오답 풀이 ① 현재 시제 선어말 어미 '-ㄴ(는)-'의 결합이 가능한 품사는 동사이다. ② 현재 시제 관형사형 어미 '-(으)ㄴ'의 결합이 가능한 것은 형용사이며, 동사는 관형사형 어미 '-는'의 결합이 가능하다. ③ 의도나 목적의 어미 '-러', '-려'의 결합이 가능한 것은 동사이다. ④ 명령형 어미 '-어라', 청유형 어미 '-자'의 결합이 가능한 것은 동사이다.

10. ㉠에는 사동사가 들어가야 하며, ㉡에는 피동사가 들어가야 한다. '앉히다, 살리다, 입히다, 읽히다'는 사동사이며, '묻히다, 밀리다, 쫓기다, 들리다'는 피동사이다.

11. 문장 맥락에서 '소에게 사료를 먹이다.'의 경우는 '소를 먹이다.'로 쓰였으므로 사동사이지만, 이는 '소를 기르다.'의 의미이다. 따라서 여기서 '먹이다'는 사동 접미사를 붙인 사동사가 아니라 본래부터 '가축 따위를 기르다.'라는 의미를 지닌 타동사이다.

오답 풀이 ②~⑤의 서술어는 모두 사동 접미사가 쓰인 사동사이다.

12. 제시된 지문을 보면, 주동사와 사동사가 짝을 이루고 있고, 능동사와 피동사가 짝을 이루고 있다. 전자는 어떤 동작을 스스로 하느냐(주동사), 남에게 하게 하느냐(사동사)를 기준으로 나눌 수 있으며, 후자는 어떤 움직임이 제 힘으로 이루어지느냐(능동사), 남의 동작이나 행위에 의해 이루어지느냐(피동사)를 기준으로 나눌 수 있다. 따라서 빈칸 첫 번째는 사동사의 짝인 주동사가, 두 번째는 능동사가 들어가야 한다.

13. 명사형 전성 어미는 '-기', '-(으)ㅁ'이다. '-가'는 명사형 전성 어미에 붙은 조사이다.

오답 풀이 ① 동사 '떠나다'의 어간은 '떠나-'이다. ② 형용사 '향기롭다'의 어간은 '향기롭-'이며, 형용사 '싫다'의 어간은 '싫-'이다. ③ '흙냄새가 향기롭다.'와 '고향을 떠나기가 싫다.'를 연결하는 연결 어미는 어간 '향기롭-'에 붙은 '-어서'이다. ⑤ 용언 '싫었겠군'에는 과거 시제 선어말 어미 '-었-'과 추측 선어말 어미 '-겠-'이 함께 결합되어 있다.

14. '씻고'는 '씻-+-고'의 형태로 활용되므로 규칙 활용에 해당하며, '지어'는 '짓-+-어'가 활용되면서 어간 '짓-'이 '지-'

로 바뀐 불규칙 활용에 해당한다. '이르러'는 '이르−+−어'가 활용되면서 어미 '−어'가 '−러'로 바뀐 불규칙 활용에 해당하며, '파래'는 '파랗−+−아'가 활용되면서 어간 '파랗−'과 어미 '−아'가 함께 바뀌어 '파래'로 활용된 불규칙 활용에 해당한다.

15. ㄷ에서 '한'은 의존 명사 '개' 앞에서 사과의 순서가 아닌 수량을 나타내는 수 관형사이다.
오답 풀이 ① ㄱ에서 '헌'은 '책'의 상태를 나타내는 성상 관형사이다. ② ㄱ에서 지시 관형사 '저'는 성상 관형사 '헌' 앞에 위치하고 있다. ③ ㄴ에서 지시 관형사 '이'는 화자와 대상(사람) 간의 거리가 가까움을 나타내고, 지시 관형사 '그'는 청자와 대상(사람) 간의 거리가 가까움을 나타낸다. 그리고 지시 관형사 '저'는 화자와 대상(사람), 청자와 대상(사람) 간의 거리가 멂을 나타낸다. ⑤ ㄹ에서 수 관형사 '모든'과 자립 명사 '사건' 사이에는 '나쁜'이라는 말이 끼어 있다.

16. 〈보기 1〉에서 ㉠은 품사가 관형사이며, ㉡은 '다르다'의 관형사형으로, 품사는 형용사이다. ⓑ와 ⓓ는 각각 '가구'와 '세상'을 꾸며주는 수식 기능만을 지닌 관형사이다. 반면, ⓐ와 ⓒ는 각각 '(금액이) 적다'와 '(얼굴이) 예쁘다'라는 용언의 관형사형으로, '금액', '얼굴'과 같은 비교 항목이 나타나 있으며, '적다', '예쁘다'와 같은 서술어의 기능도 지니고 있다. 따라서 ⓐ와 ⓒ의 품사는 형용사이다.

17. (파)를 보면 성분 부사는 그 의미에 따라서, '어떻게'라는 방식으로 용언 등을 꾸미는 성상 부사, '이리, 그리, 저리'와 같이 특정 내용을 가리키는 지시 부사, '못, 아니/안'과 같이 부정의 뜻을 가진 부정 부사로 나뉘며, 성상 부사 가운데 사물의 소리나 모양을 흉내 내는 부사들을 의성 부사, 의태 부사라고 하였다. 이는 성분 부사는 문장의 한 성분을 꾸미는 부사이며, 어떻게 꾸미느냐, 즉 꾸미는 방식에 따라 세 가지로 나눌 수 있음을 알 수 있다. 따라서 성분 부사는 꾸밈을 받는 말에 따라 세 가지로 분류된다는 설명은 적절하지 않다.
오답 풀이 ① "이리, 그리, 저리'와 같이 특정 내용을 가리키는 지시 부사'에서 확인할 수 있다. ② '성상 부사 가운데 '아삭아삭, 사뿐사뿐'과 같이 사물의 소리나 모양을 흉내 내는 부사들을 의성 부사, 의태 부사라고 한다.'에서 확인할 수 있다. ③ "바로, 못, 간절히'는 문장의 어느 한 성분만을 수식하므로 성분 부사라고 하며'에서 확인할 수 있다. ④ '성분 부사는 ~ '이리, 그리, 저리'와 같이 특정 내용을 가리키는 지시 부사, '못, 아니/안'과 같이 부정의 뜻을 가진 부정 부사로 나뉠 수 있다.'에서 확인할 수 있다.

18. (파)를 보면 성상 부사는 '어떻게'라는 방식으로 용언 등을 꾸미는 부사를 말한다고 하였다. ⓑ는 성상 부사가 아니라 지시 부사에 해당한다.
오답 풀이 ② ⓑ는 서술어를, ⓒ는 부사어를 각각 수식하고 있다. ③ ⓓ는 문장 전체를 수식하는 문장 부사로, 말하는 이의 심리적 태도를 나타내는 양태 부사이다. ④ ⓔ는 앞뒤 문장을 서로 이어 주는 접속 부사이다. ⑤ ⓓ와 ⓔ는 모두 문문장 부사에 속한다.

19. ㉠은 용언 등을 '어떻게'의 방식으로 꾸미는 부사이다. 즉 ② '새가 훨훨 날아간다.', ③ '그는 매우 부지런하다.', ④'시간이 천천히 흐른다.', ⑤ '버스가 갑자기 멈춘다.' 등에서 '훨훨', '매우', '천천히', '갑자기'가 성상 부사에 해당한다. ①의 '저리'는 지시 부사이다.

20. 접속 부사는 앞의 체언이나 문장의 뜻을 뒤의 체언이나 문장에 이어 주면서 뒤의 말을 꾸미는 부사이다.

평가 기준	
두 문장에 나타난 접속 부사의 차이를 조건에 맞게 서술한 경우	5점
두 문장 중 하나의 문장에 나타난 접속 부사의 기능만 서술한 경우	3점
맞춤법에 어긋난 경우	−1점

21. 이 글에는 조사의 개념, 종류, 기능(역할), 분류 기준과 종류 등이 잘 나타나 있다. 그러나 조사의 형성 방법에 대한 언급은 나타나 있지 않다.

22. ㉮는 앞에 오는 체언 '학교'를 문장 속에서 부사어가 되게 하는 격 조사(부사격 조사)이며, ㉯는 '커피'와 '샌드위치'라는 두 단어를 연결해 주는 접속 조사이다. 그리고 ㉰는 '이'라는 주격 조사 대신 '균일'의 의미를 더해 주는 보조사이다.

23. 보격 조사는 서술어가 '되다', 혹은 '아니다'가 올 때 이루어진다.

24. 〈보기〉는 서술격 조사 '이다'가 문장 속에서 다양하게 활용되는 양상을 보여 주는 예들이다.

평가 기준	
서술격 조사와 다른 조사의 차이를 조건에 맞게 서술한 경우	5점
서술격 조사의 기능과 다른 조사의 기능 중 한 가지만 맞게 서술한 경우	3점
맞춤법에 어긋난 경우	−1점

25. '너조차 그런 터무니 없는~'에서 '조차'는 주격 조사 '가' 대신 앞말에 특별한 뜻, 즉 '첨가'의 뜻을 더해 주는 보조사이다.
오답 풀이 ① '보다'는 '비교'의 의미를 지닌 부사격 조사이다. ② '이시여'는 호격 조사이다. ③ '께서'는 '높임'의 뜻을 지닌 주격 조사이다. ④ '과'는 '공동'의 의미를 지닌 부사격 조사이다.

26. ㄱ의 '랑'은 '구두'와 '모자'와 '원피스'를 동등한 자격으로 이어 주는 접속 조사로 기능하고 있으며, ㄴ의 '랑'은 철수와 '영희'와 '영수'를 동등한 자격으로 이어 주는 접속 조사로 기능하고 있다. ⑤는 '랑'이 격 조사로 사용되는 경우에 대한 설명으로, ㄱ과 ㄴ의 사례에는 해당하지 않는다.
오답 풀이 ①, ②, ④ ㄱ의 '랑'은 '와' 대신에 쓰는 말로, 주로 구어체에서 쓰인다고 하였다. 문장 속에서 두 단어를 동등하게 이어 주는 역할을 하고 있다. ③ ㄱ과 ㄴ의 '랑'은 주로 구어에서 사용하는 말로, 같은 구어에서 '하고'와 대체하여 사용할 수 있다.

27. ㉣의 조사 '요'는 할머니에 대한 존경을 표시하기 위해 사용된 것이 아니라, 청자인 상대방에 대한 높임을 표시하기 위해 쓰인 것으로, '상대 높임'의 뜻을 더해 주는 보조사이다.

28. ⓑ는 제 뜻을 다시 강조하거나 고집할 때 쓰는 말로, 상대방을 의식하며 화자가 자기 생각을 드러내고 있는 의지 감탄사이다.
<u>오답 풀이</u> ① ⓐ는 뜻밖에 놀라운 일 또는 딱한 일을 보거나 들었을 때 하는 말로, 상대방을 의식하지 않고 화자가 자신의 감정을 드러내고 있는 감정 감탄사이다. ③, ④ ⓒ와 ⓓ는 대답과 부름을 나타내는 감탄사이다. ⑤ 입버릇이 반영된 감탄사로는 '아, 뭐, 그, 저, 응' 등이 있다.

29. 감탄사는 다른 성분과 연관성을 갖지 않고 독립적으로 쓰인다.
<u>오답 풀이</u> ①은 ㄴ을 통해, ②는 ㄷ을 통해, ③은 ㄱ을 통해, ⑤는 ㄹ을 통해 각각 확인할 수 있다.

30. '그렇지!'는 화자의 의지가 반영된 의지 감탄사이다.
<u>오답 풀이</u> ① '명사+호격 조사'의 형태로 이루어져 있으므로 감탄사로 볼 수 없다. ② '부사+보조사'의 형태로 이루어져 있으므로 감탄사로 볼 수 없다. ③ '용언의 어간+감탄형 어미'의 형태로 이루어져 있으므로 감탄사로 볼 수 없다. ⑤ 문장의 첫머리에 놓인 표제어이므로 감탄사로 볼 수 없다.

31. '어이'는 다른 성분에 비하여 독립성이 있는 감탄사에 속한다. '학생'은 부르는 말로만 쓰이는 단어가 아니므로, 감탄사가 아니라 명사이다.

평가 기준	
품사 분류를 명확하게 서술한 경우	5점
내용은 적절하나 조건을 맞추지 못한 경우	3점

소단원 적중 문제
pp. 121~125

01. ③ **02.** ① **03.** ① **04.** 명사: 이념, 진리, 정의 / 대명사: 우리 / 수사: 첫째, 둘째 **05.** ④ **06.** 같은 형태의 '열'이라도 조사가 붙어 있는 ㄱ은 수사이고, 명사 '길'을 수식하는 ㄴ은 조사가 붙을 수 없으므로 수 관형사이다. **07.** ② **08.** ① **09** ③ **10.** ① **11.** ⓐ는 움직임이 주어인 '진수'에게 미치고 있기 때문에 자동사이고, ⓑ는 움직임이 주어 이외의 목적어인 '책'에도 미치고 있기 때문에 타동사이다. **12.** ⑤ **13.** ③ **14.** ④ **15.** ③ **16.** ③ **17.** ④ **18.** 주격 조사로서, 앞말 '학교'가 문장 속에서 주어의 자격을 가지도록 해 준다. **19.** 문장 속에서 문장 부사는 자리를 자유롭게 옮길 수 있으나, 성분 부사는 자리를 옮길 수 없다. **20.** ①

01. (가)에서 '체언'의 개념을 설명하고, 종류를 대략 설명하고, (나)~(라)에서 체언의 종류인 명사, 대명사, 수사에 대해 자세히 설명하고 있다. 따라서 '(가)－[(나)/(다)/(라)]'의 문단 관계로 이루어져 있다.

02. ㉠ 미지칭 대명사는 모르는 사물이나 사건을 가리키는 대명사로, 대상의 이름이나 신분을 모를 때 사용하며, 주로 의문문에 쓰인다. ㄱ의 '누구'는 모르는 사람을 가리키므로 미지칭 대명사에 해당한다. ㉡ 부정칭 대명사는 정해지지 아니한 사람, 물건, 방향, 장소 등을 가리키는 대명사로, 어떤 특정한 인물이나 사물 등을 가리키지 아니할 때 주로 사용된다. ㄴ의 '아무'는 어떤 특정한 말을 가리키지 않고 있으므로 부정칭 대명사에 해당한다. ㉢ 재귀칭 대명사는 앞에 한 번 나온 체언을 다시 나타내는 대명사로, 주로 3인칭 주어로 쓰인 명사나 명사구를 다시 가리키는 데에 쓰인다. ㄷ의 '자기'는 앞에 나온 '혜지'를 다시 가리키고 있으므로 재귀칭 대명사에 해당한다.

03. ⓐ로 보아, 대명사는 조사가 없어도 품사의 성격에는 변화가 없다.
<u>오답 풀이</u> ② ⓑ에서 수사 '셋'은 문장 속에서 '저'라는 지시 관형사의 꾸밈을 받고 있다. ③ ⓑ의 '셋'은 '수량'을 나타내는 수사이며, ⓓ의 '첫째', '둘째'는 '순서'를 나타내는 수사이다. ④ ⓒ에서 '하나'는 목적격 조사 '를'을 붙이지 않아도 수사의 성격을 띤다는 것을 알 수 있다. ⑤ ⓓ의 '－째'는 수사에 붙은 접미사이다.

04. '이념, 진리, 정의'는 구체적인 대상의 이름을 나타내는 말이고, '우리'는 말하는 이가 자기와 듣는 이, 또는 자기와 듣는 이를 포함한 여러 사람을 가리키는 말이며, '첫째, 둘째'는 사물의 순서를 가리킬 때 쓰이는 말이다.

05. '실력뿐이다'의 '뿐'은 '그것만이고 더는 없음' 또는 '오직 그렇게 하거나 그러하다는 것'을 나타내는 보조사이다.

06. ㄱ의 '열'은 수사이며, '이'라는 조사가 붙을 수 있다. 반면, '길'을 수식하는 수 관형사 '열'에는 조사가 붙을 수 없다.

07. 제시된 지문의 2문단을 보면, 동사의 종류가 나타나 있다. 그러나 제시된 지문에는 형용사의 종류는 나타나 있지 않다.
<u>오답 풀이</u> ①은 (가)에서, ③은 (라)에서, ④는 (다)에서, ⑤는 (라), (마)에서 각각 확인할 수 있다.

08. ㉮에는 사동사가 들어가야 하며, ㉯에는 피동사가 들어가야 한다. '먹이다, 살리다, 앉히다, 입히다, 읽히다'는 사동사이며, '잡히다, 묻히다, 밀리다, 쫓기다, 들리다'는 피동사이다.

09. ⓒ는 앞 문장을 뒤 문장에 종속시키는 종속적 연결 어미이다. 그리고 ⓓ는 '먹다'라는 본용언과 '버리다'라는 보조 용언을 연결해 주는 보조적 연결 어미이다.
<u>오답 풀이</u> ① ⓐ와 ⓑ는 앞 문장과 뒤 문장을 대등하게 연결해 주는 대등적 연결 어미이다. ② ⓒ는 종속적 연결 어미이며, ⓑ는 대등적 연결 어미이다. ④ ⓒ는 종속적 연결 어미이므로 앞 문장이 뒤 문장에 종속된다. 반면, ⓓ는 보조적 연결 어미이므로 문장과 문장을 연결하는 기능을 하지 않는다. ⑤ ⓓ는 본용언인 '먹다'와 보조 용언인 '버리다'를 연결해 주는 보조적 연결 어미이다.

10. ⓐ의 '-기'는 동사 '처리하다'의 서술 기능을 명사형으로 전성시켜 주는 기능을 하므로 ㉠에 해당한다. ⓑ의 '-는'은 동사 '공부하다'의 서술 기능을 관형사형으로 전성시켜 주는 기능을 하므로 ㉡에 해당한다. ⓒ의 '-게'는 형용사 '포근하다'의 서술 기능을 부사형으로 전성시켜 주는 기능을 하므로 ㉢에 해당한다.

11. ⓑ를 보면, '뛰다, 걷다, 가다, 놀다, 끙끙대다'처럼 움직임이 그 주어에만 관련되는 자동사와 '끌다, 누르다, 건지다, 태우다'처럼 움직임이 다른 대상, 즉 목적어에 미치는 타동사로 분류할 수 있다고 하였다. 〈보기〉의 ⓐ는 움직임이 주어에만 미치고 있으나, ⓑ는 움직임이 주어 이외에 목적어에도 미치고 있다. 따라서 ⓐ는 자동사이며, ⓑ는 타동사이다.

평가 기준	
ⓐ와 ⓑ에 나타난 동사의 종류와 그 이유를 밝혀 서술한 경우	5점
ⓐ와 ⓑ에 나타난 동사의 종류 중 한 가지만 그 이유를 밝혀 서술한 경우	3점
맞춤법에 어긋난 경우	-1점

12. ⓓ와 ⓔ를 비교해 보면 청유나 진행의 의미를 나타내는 어미의 결합 여부는 동사냐 형용사냐에 따라 결정됨을 알 수 있다.

13. ⓑ를 수식하고 있는 '그'는 관형사이다. ⓑ는 체언으로 관형사의 수식을 받는다.

14. '싶다'는 앞의 용언 '가다'가 가리키는 행동을 하고자 하는 마음을 표현하는 역할, 즉 본용언의 뜻을 보충하는 역할을 하고 있으므로 보조 용언이다.

15. (다)는 보조사와 접속 조사의 개념과 그 예를 설명하고 있을 뿐 그 차이점을 설명하고 있지는 않다.
오답 풀이 ① (가)는 조사의 개념과 그 종류를 설명하고 있다. ② (나)는 격 조사의 개념과 그 종류를 설명하고 있다. ④ (라)는 부사의 종류를 문장 속의 역할에 따라 분류하고 있다. ⑤ (마)는 성분 부사의 종류를 그 의미에 따라 분류하고 있다.

16. ⓑ는 부사격 조사, ⓒ는 호격 조사로, 이들은 ㉮에 해당한다. ⓓ는 '붓'과 '먹'을, ⓕ는 '과일'과 '커피'를 동등하게 접속하는 접속 조사로, 이들은 ㉯에 해당한다. ⓐ는 여러 가지 중에서 어느 것을 선택해도 상관없음을 나타내는 보조사, ⓔ는 상대 높임을 나타내는 보조사로, 이들은 ㉰에 해당한다.

17. ⓓ의 '만을'은 '만(보조사)+을(격 조사)'로 이루어져 있다.
오답 풀이 ① ⓐ의 '는'은 용언의 어미 '-지'에 붙은 보조사이다. ② ⓑ의 '도'는 부사 '너무'에 붙은 보조사이다. ③ ⓒ의 '가'는 문장 '어떤 방법으로 해결하느냐'에 붙은 격 조사이다. ⑤ ⓔ의 '마저도'는 '마저(보조사)+도(보조사)'로 이루어져 있다.

18. 앞에 오는 체언이 '단체'일 때 주격 조사는 '에서'를 사용한다.

평가 기준	
내용을 명확하게 서술한 경우	5점
내용을 불명확하게 서술한 경우	3점
맞춤법에 어긋난 경우	-1점

19. 제시된 용례를 보면, 문장 부사 '다행히'는 자리를 자유롭게 바꿀 수 있으나, 성분 부사 '잘'은 자리를 자유롭게 바꿀 수 없다.

평가 기준	
문장 부사와 성분 부사의 차이를 모두 밝혀 서술한 경우	5점
문장 부사와 성분 부사 중 한 가지만 그 특성을 밝혀 서술한 경우	3점
맞춤법에 어긋난 경우	-1점

20. '서'는 '혼자, 둘이, 셋이' 따위 사람의 수를 나타내는, 받침 없는 체언 뒤에 붙어 그 말이 주어임을 나타내는 격 조사이다.

(2) 단어의 짜임과 새말 형성

핵심 다지기   pp. 127~135

01. ⑤ **02.** ② **03.** ③ **04.** ④ **05.** ① **06.** 새-/파랗다 **07.** ② **08.** ② **09.** ③ **10.** ③ **11.** ④ **12.** ⑤ **13.** ② **14.** '높이'는 형용사의 어근 '높-'에 접미사 '-이'가 붙어 명사 또는 부사로 품사가 바뀜으로써 문법적인 변화를 일으키고 있다. **15.** ⑤ **16.** ④ **17.** ① **18.** ①, ③ **19.** 첫째, 우리말의 단어 형성법에 맞는 새말을 만들어야 한다. 둘째, 차용어는 되도록 우리말로 만들어 써야 한다.

01. (다)에 따르면. '의존 형태소는 앞이나 뒤에 적어도 하나의 형태소가 연결되어야만 문장에 쓰일 수 있다.'고 하였다.

02. 어절을 자립하여 쓰일 수 있는 부분과 조사로 분석하였을 때, 분석된 각각을 단어라고 하였다. 따라서 〈보기〉를 단어로 분석하면 '나/의/백골/이/한/방/에/누웠다'이다. 여기서 형태소로 분석한 부분과 일치하는 것은 '나, 의, 이, 한, 방, 에'이다.

03. 〈보기〉의 문장에서 단어는 '나', '의', '삶', '은', '내', '가', '만든다'로 7개이다.
오답 풀이 ① 문장 종결 표지가 하나이므로 문장의 개수는 1개이다. ② 어절은 띄어쓰기 단위와 일치하므로 4개이다. ④ 음절은 완성된 발음의 최소 단위이며, 낱글자의 개수와 일치하므로 9개이다. ⑤ 형식 형태소는 어미, 조사, 접사이다. '의(격 조사)', '삶'의 '-ㅁ(명사 파생 접미사)', '은(보조사)', '가(격 조사)', '만든다'의 '-ㄴ-(현재형 어미)', '-다(종결 어미)' 등 모두 6개이다.

04. (마)에서 접두사는 어근 앞에 붙어서 그 뜻을 제한한다고 하였다. 그러나 어근의 앞에 붙어 문장 성분을 바꾸는 것은 아니다.
오답 풀이 ① (마)에서 단어를 이루는 형태소 가운데 실질적인 의미를 나타내는 중심 부분을 어근이라 하였다. ② (바)에서 합성어인 '놀이터'의 직접 구성 성분이 '놀이'와 '터'이므로 '놀이터'라는 단어는 어근과 어근이 합쳐져서 만들어진 단어라고 하였다. ③ (마)에서 단어를 이루는 형태소 가운데 실질적인 의미를 나타내는 중심 부분을 어근이라 하고, 어근에 붙어 그 뜻을 제한하는 주변 부분을 접사라고 하였다. 이를 통해 두 형태소인 어근과 접사가 결합하여 단어를 형성함을 알 수 있다. ⑤ (마)에서 어근 앞에 붙을 때는 접두사라고 하고, 어근 뒤에 붙을 때는 접미사라고 하였다. 이를 통해 접사는 어근의 앞에 위치하기도 하고 뒤에 위치하기도 함을 알 수 있다.

05. '손수건'은 '손+수건'으로 이루어진 단어이다.
오답 풀이 체언, 수식언, 독립언으로 분류되는 형태소들은 자립 형태소이고, 용언의 어간과 어미, 조사, 접사로 분류되는 형태소들은 의존 형태소이다. 또 체언, 수식언, 독립언, 용언의 어근으로 분류되는 형태소는 실질 형태소라 할 수 있다. 체언이나 용언에 연결되어 문법적 의미를 표시하는 조사나 어미, 그리고 단어 형성에 참여하는 접사는 형식 형태소이다. 따라서 제시된 문장에서 '진주, 나, 손, 수건'은 자립 형태소이고, '는, 에게, 을, 주-, -었-, -다'는 의존 형태소이다. 그리고 '진주, 나, 손, 수건, 주-'는 실질 형태소이고, '는, 에게, 을, -었-, -다'는 형식 형태소이다.

06. (바)을 보면, 한 번만 나누어 나온 구성 요소를 직접 구성 성분이라고 하였다. 이는 합성어의 경우 '어근+어근', 파생어의 경우 '어근+접사'의 형태로 직접 구성 성분을 나눌 수 있다. '새-(파생 접사)+파랗다(어근)'로 분석된다.

> **보충자료**
> • 굴절 접사: 굴곡 어미. 조사와 어미를 이르는 말.
> • 파생 접사: 접두사, 접미사 따위의 접사를 굴곡 접사에 상대하여 이르는 말.

07. (사)에서 합성어는 '어근+어근'의 결합으로 이루어진다고 하였다. 그런데 합성어를 이루는 어근은 실질 형태소이다(용언의 경우 어근은 실질 형태소이지만, 자립 형태소는 아니므로). 따라서 합성어는 둘 이상의 어근(실질 형태소)이 결합하여 이루어진 단어이다.

08. '덧버선'은 접두사 '덧-'과 어근 '버선'이 결합한 파생어이다.
오답 풀이 ①, ②, ④, ⑤는 모두 어근과 어근이 결합한 합성어이다.

09. ⓑ '저녁'은 어근이 하나인 단일어이다.
오답 풀이 ⓐ '부슬비'와 ⓒ '함박눈'은 합성어, ⓓ '대낮'과 ⓔ '한밤'은 파생어이다.

10. '높푸르다'는 '높다'와 '푸르다'의 결합에 의해 만들어진 합성어이다. 그런데 두 단어가 결합할 때 앞 용언의 어간에 연결 어미가 생략된 채 뒤에 오는 용언과 결합하고 있기 때문에

우리말의 일반적인 단어 배열법에 어긋난다. 따라서 이는 비통사적 합성어이다.
오답 풀이 ① '날아가다'는 '용언의 어간(어근)+연결 어미+용언'의 형태로 합성이 이루어지고 있어 우리말의 일반적인 단어 배열법과 일치한다. 따라서 이는 통사적 합성어이다. ② '젊은이'는 '젊-(용언의 어간, 어근)+-은(관형사형 전성 어미)+이(어근)'로 결합되어 우리말의 일반적인 단어 배열법과 일치한다. 따라서 이는 통사적 합성어이다. ④ '힘들다'는 '힘(주어)+들다(서술어)'의 형태로 결합되어 일반적인 문장 구조에서 확인되는 배열법과 같은 방식으로 이루어져 있다. 따라서 이는 통사적 합성어이다. ⑤ '앞서다'는 '앞(부사어)+서다(서술어)'의 형태로 결합되어 일반적인 문장 구조에서 확인되는 배열법과 같은 방식으로 이루어져 있다. 따라서 이는 통사적 합성어이다.

11. (아)에서 접두사는 어근의 의미를 제한함으로써 어근과 파생어의 의미에 차이를 만드는 기능을 한다고 하였다. 따라서 접두사와 어근이 결합할 때 어근의 의미가 제한된다.
오답 풀이 ①, ② 어근은 어근과 결합하여 합성어를 만들고, 접사와 결합하여 파생어를 만든다. ③ 복합어는 합성어와 파생어를 말한다. 이들은 모두 어근이 의미의 중심이 되어 만들어진 단어들이다. ⑤ 접미사는 접두사와 마찬가지로 어근의 의미를 제한하기도 하지만 문법적인 변화를 일으키기도 한다.

12. '늦추다'는 형용사 어근 '늦-'에 접미사 '-추-'가 결합하여 형성된 파생어이다. 이때 품사는 형용사에서 동사로 변화하였다.
오답 풀이 ① '관형사+명사'의 형태로 결합한 합성어이다. ② '의태 부사+명사'의 형태로 결합한 합성어이다. ③ '용언의 어간+명사'의 형태로 결합한 합성어이다. ④ '주어+서술어'의 형태로 결합한 합성어이다.

13. 합성어의 품사를 결정하는 것은 합성어를 직접 구성 성분으로 나누었을 때 뒤쪽의 어근이다.
오답 풀이 ① (라)에서 접미사는 어근과 함께 파생어를 이루면서 문법적인 변화를 일으키는 경우도 있다고 하였다. ③ (나)에서 합성어와 파생어는 모두 둘 이상의 형태소로 이루어진 복합어라고 하였다. ④ (가)에서 접사는 그 위치에 따라 어근 앞에 붙는 것을 접두사라고 하고, 어근 뒤에 붙는 것을 접미사라고 한다고 하였다. ⑤ (다)에서 어근과 어근의 연결이 문장에서와 같은 방식으로 이루어진 것을 통사적 합성어라고 하고, 단어 형성에서만 나타나는 방식으로 이루어진 것을 비통사적 합성어라고 한다고 하였다. 즉, 비통사적 합성어는 문장에서 국어 단어의 일반적인 배열법을 벗어난 경우라고 볼 수 있다.

14. 접미사는 어근의 의미를 제한함으로써 어근과 파생어의 의미 차이를 만드는 기능을 하기도 하지만, 품사를 바꾸는 문법적인 변화를 일으키기도 한다.

평가 기준	
접미사가 지닌 두 가지 기능을 구체적인 예를 통해 상세하게 서술한 경우	5점
접미사가 지닌 두 가지 기능 중 한 가지 기능만을 구체적인 예를 들어 서술한 경우	3점
맞춤법에 어긋난 경우	-1점

15. 이 글은 새말 만들기와 관련된 내용을 중심으로 글을 전개하고 있으며, 새말의 사회·문화적 기능에 대해서는 언급하고 있지 않다.
오답 풀이 ①은 2, 3문단에서, ②는 1문단에서, ③은 3문단에서, ④는 4문단에서 각각 확인할 수 있다.

16. 기존의 단어인 '나'와 '홀로'를 결합시키고 접미사 '-족'을 붙여 새로운 단어를 만드는 방식을 사용하고 있다.

17. '새벗'은 '관형사+명사'로, '해마루'는 '명사+명사'로 합성된 말로, 우리말의 단어 형성법에 맞게 지어진 새말에 해당한다.
오답 풀이 ② '뇌섹남'은 '뇌가 섹시한 남자'를 줄여서 쓴 말이다. ③ '지못미'는 '지켜주지 못해 미안해'의 축약어이다. 이는 '강퇴'나 '맛저'와 같은 방법으로 지어진 말이다. ④ '핵꿀잼'에서 '핵'은 한자어, '꿀, 재미'는 고유어인 합성어이다. ⑤ '리플', '네티즌' 등은 외국말을 그대로 빌려 쓴 차용어로, 제시된 지문에서 이러한 말들은 되도록 우리말로 만들어 쓰는 것이 좋다고 하였다.

18. '베댓'은 '베스트 댓글', '볼매남'은 '볼수록 매력 있는 남자'의 각 어절의 앞글자만을 따서 축약하여 만든 말이다.

19. (자)의 마지막 문단을 보면, 새말을 만들 때는 우리말의 단어 형성법에 맞도록 해야 하고, 차용어는 되도록 우리말로 만들어 쓰는 것이 좋다고 설명하고 있다.

평가 기준	
두 가지를 모두 적절하게 서술한 경우	5점
두 가지 중 한 가지만을 서술한 경우	3점
맞춤법에 어긋난 경우	-1점

---

01. ①   **02.** ③   **03.** ③   **04.** 형태소는 의미를 가진 것 가운데 가장 작은 말의 단위이므로, 각각 '쉬다'와 '배우다'라는 의미를 지니는 한자어 '휴학(休學)'은 '휴(休)'와 '학(學)'으로 한 번 더 나눌 수 있다.   **05.** ⑤   **06.** ⑤   **07.** ④   **08.** ①   **09.** 합성어는 실질 형태소와 실질 형태소가 결합하여 이루어지며, 파생어는 실질 형태소와 형식 형태소가 결합하여 이루어진다.   **10.** ③   **11.** ③   **12.** 합성어는 직접 구성 성분이 어근과 어근끼리의 결합으로 이루어진 단어이고, 파생어는 직접 구성 성분이 어근과 접사가 결합되어 이루어진 단어이다.   **13.** ①   **14.** ①   **15.** ④   **16.** ④   **17.** ①   **18.** ⑤   **19.** ④   **20.** ⑤   **21.** 기존의 단어인 '나'와 '홀로'를 결합하고 접미사 '-족'을 붙여 새로운 단어를 만들었다.

01. 〈보기〉의 형태소 분석 내용을 보면, 관형사형 어미 '-ㄴ'이 하나의 형태소를 이루고 있다. 따라서 형태소를 이루는 최소의 단위는 음절이 아님을 알 수 있다.
오답 풀이 ② '찾-'과 '-아', '-오-'와 '-ㄴ', '만-'을 통해 확인할 수 있다. ③ (가)에서 의미를 가진 것 가운데 가장 작은 언어 단위를 형태소(形態素)라고 하였다. ④ 조사 '이'와 '에'를 통해 확인할 수 있다. ⑤ (가)의 표에서 용언의 어간 '찾-'에 어미 '-아'가 붙어 하나의 단어가 형성되어 쓰이고 있음을 확인할 수 있다.

02. 단어는 조사를 제외하고는 자립하여 쓸 수 있는 의미 있는 말의 단위이고, 형태소는 의미를 가진 것으로는 더 이상 분석할 수 없는 최소의 단위이다. 따라서 단어와 형태소는 모두 의미(실질적 의미와 문법적 의미)를 가진 말의 단위이며, 그중 형태소는 의미를 가진 말의 단위 중에서 더 이상 쪼갤 수 없는 최소 단위임을 알 수 있다.
오답 풀이 ①은 조사를 제외한 단어, ②는 형식 형태소, ④는 실질 형태소, ⑤는 형태소에 관한 설명이다.

03. (나)를 보면, '체언, 수식언, 독립언으로 분류되는 형태소들은 자립 형태소이고'라고 하였으며, '체언, 수식언, 독립언, 용언의 어근으로 분류되는 형태소는 실질 형태소라 할 수 있고'라고 하였다. 따라서 수식언인 부사 '매우'는 자립 형태소이자 실질 형태소이다.
오답 풀이 ① (나)에서 체언은 자립 형태소이자 실질 형태소라고 하였다. ② (나)에서 조사는 의존 형태소이자 형식 형태소임을 확인할 수 있다. ④ (나)에서 용언의 어간은 의존 형태소이자 실질 형태소라고 하였다. ⑤ (나)에서 용언의 어미(선어말 어미 포함)는 의존 형태소이자 형식 형태소라고 하였다.

04. 한자어의 형태소를 분석할 때 가장 먼저 생각해야 할 점은 한자어는 음절 하나하나가 모두 뜻을 지닌 뜻글자라는 사실이다. 제시된 지문에서 형태소란 의미를 지닌 가장 작은 말의 단위라고 하였으므로, '휴학(休學)'이라는 한자어는 자립 형태소이자 실질 형태소인 두 개의 형태소로 구성되어 있음을 알 수 있다.

평가 기준	
형태소의 개념과 한자어의 특징을 바탕으로 형태소 분석을 상세하게 서술한 경우	5점
형태소의 개념과 한자어의 특징 중 한 가지 특징만을 참조하여 간략하게 서술한 경우	3점
맞춤법에 어긋난 경우	-1점

05. 독립언은 다른 성분과 관계없이 독립적으로 쓰이는 성분으로, 감탄사가 이에 속한다.

06. (가)에 따르면 어근은 단어를 이루는 형태소 가운데 실질적인 의미를 나타내는 중심 부분임을 알 수 있다. 어근에 붙어그 뜻을 제한하는 주변 부분은 접사라고 한다.

07. '나무꾼'은 명사 '나무'에 접미사 '-꾼'이 결합된 명사이다. 따라서 문법적 변화(품사의 전성)를 일으키지 않았다.
오답 풀이 ① 접두사 '덧-'은 어근 '버선'의 의미를 제한하는역할을 하고 있다. ② 접미사 '-뜨리-'는 어근의 의미를 강조함으로써 어근의 뜻과 차이를 만든다. ③ 접미사 '-다랗-'은 '그 정도가 꽤 뚜렷함'의 뜻을 더하는 접미사로 어근의 의미를 제한하는 역할을 하고 있다. ⑤ 접미사 '-거리-'는 의태 부사 '출렁'에 붙어 부사를 동사로 전성시킴으로써 문법적변화를 일으키는 역할을 하고 있다.

08. '새해'는 '새(관형사) + 해(명사)'의 형태로 결합된 합성어로, 국어의 일반적인 문장 연결 형태와 일치하는 통사적 합성어이다.
오답 풀이 ② '산들(부사)+바람(명사)'으로 결합된 합성어로, 국어의 일반적인 문장 연결 형태인 '부사 + 용언'의 형태로결합되어 있지 않으므로 비통사적 합성어이다. ③ '정(주어)+들다(서술어)'의 형태로 결합됨으로써 국어의 일반적인문장 연결 형태와 일치하고 있으므로 통사적 합성어이다. ④'접-(용언의 어간)+칼(명사)'의 형태로 결합되면서 '용언의어간 + (관형사형 전성 어미)+명사'의 형태로 결합되지 않음으로써, 어근과 어근의 결합이 문장에서와 같은 방식으로이루어져 있지 않은 비통사적 합성어이다. ⑤ '스미-(용언의어간)+어(연결 어미)+들다(용언)'의 형태로 결합됨으로써어근과 어근의 결합이 문장에서와 같은 방식으로 이루어진통사적 합성어이다.

09. 제시된 예와 같이 합성어는 '어근+어근'의 결합에 의해 형성된다. 이는 실질 형태소와 실질 형태소의 결합에 해당한다. 반면, 파생어는 '어근+접사'의 결합에 의해 형성된다. 이는실질 형태소와 형식 형태소의 결합에 해당한다.

평가 기준	
합성어와 파생어의 결합 방식을 모두 맞게 서술한 경우	5점
합성어와 파생어의 결합 방식 중 한 가지만을 맞게 서술한 경우	3점
맞춤법에 어긋난 경우	-1점

10. 〈보기〉에서 용언의 활용은 '어간+어미'의 형태로 이루어진다고 하였으므로 '깨끗하다'라는 용언이 활용하려면 '깨끗하-(어간)+-다(어미)'의 형태로 활용된다.

오답 풀이 ① '사랑하다'는 '사랑(어근)+-하-(파생 접사)+-다(굴절 접사, 혹은 어미)'의 형태로 분석된다. 활용할 때는 '사랑하-(어간)+-다(어미)'의 형태로 이루어진다. ②'사랑하다'의 어근 '사랑'은 품사가 분명하므로 규칙적 어근이며, '깨끗하다'의 어근 '깨끗'은 품사가 분명하지 않으므로 불규칙적 어근이다. ④ '씻기다'는 '씻다'의 피동사이자 사동사로, '-기-'는 '씻다'를 피동형과 사동형으로 만드는 파생 접사이다. ⑤ '사랑하다'는 '사랑(어근)+-하-(파생 접사)+-다(굴절 접사, 혹은 어미)'의 형태로 분석된다.

11. '돌아가다'는 '죽다'의 의미와 '돌아서 가다'의 의미인 경우 모두 한 단어로 굳어진 것으로 보아 합성어로 처리하고 있다.

12. 합성어는 '어근+어근'의 형태로, 파생어는 '어근+접사 혹은접사+어근'의 형태로 결합하여 형성된다.

평가 기준	
합성어와 파생어의 차이를 명확하게 정리하여 서술한 경우	5점
합성어와 파생어 중 한 가지만 결합 조건을 명확히 서술한 경우	3점
맞춤법에 어긋난 경우	-1점

13. '뛰놀다'는 '뛰다'와 '놀다'가 대등하게 본래의 뜻을 유지하며결합된 합성어이다. '나가다'는 '(안에서 밖으로) 나와서 가다'라는 의미를 지닌 말로, '나다'가 '가다'에 종속되며 결합된합성어이다. '밤낮'은 '밤'과 '낮'의 본래의 의미를 잃고 '늘'이라는 새로운 의미로 쓰이게 된 합성어이다.

14. 지배적 접사에 의해 품사가 바뀐 단어는 '놀이[놀-(동사)+-이(접사)]', '덮개[덮-(동사)+-개(접사)]', '학생답다[학생(명사)+-답다(접사)]', '많이[많-(형용사)+-이(접사)]'를 들수 있다.
오답 풀이 접두사는 모두 한정적 접사이며, 접미사는 한정적접사와 지배적 접사가 있다. ② '벌이'는 '벌-(동사)+-이(접사)'의 형태로 결합된 말로, 동사에서 명사로 품사가 바뀌었다. ④ '지우개'는 '지우-(동사)+-개(접사)'의 형태로 결합된 말로, 동사에서 명사로 품사가 바뀌었다. ⑤ '출렁거리다'는 '출렁(부사)+-거리다(접사)'의 형태로 결합된 말로, 부사에서 동사로 품사가 바뀌었다. 또 '마주'는 '맞-(동사)+-우(접사)'의 형태로 결합된 말로, 동사에서 부사로 품사가 바뀌었다.

15. '치솟다'는 접두사 '치-'가 어근 '솟다'와 결합하여 만들어진파생어이다.

16. 접두사는 어근의 의미를 제한하지만 문장 성분을 변화시키지는 않는다.

17. '군밤'은 '굽다'라는 어근과 '밤'이라는 어근이 합쳐진 합성어이고, '군말, 군불, 군식구, 군더더기'는 접두사 '군-'이 결합한 파생어이다.

18. (다)를 보면, 외국에서 만들어진 개념이나 사물을 들여올 때에는 외국말을 그대로 빌려 쓰는 차용어가 활용되기도 한다고 설명하고 있다.

오답 풀이 ①, ③, ④는 (라)에서, ②는 (가)에서 각각 확인할 수 있다.

19. '외상값'은 외상이라는 거래 방식의 결과 발생한 물건의 값을 의미한다. 한편 '나잇값'은 '나이'의 크기에 어울리는 행동이나 말을 뜻한다.

20. 〈보기〉에 의하면, '댓글'은 차용어인 '리플'의 순화어라고 하였으며, '누리꾼'은 '네티즌'의 순화어라고 하였으므로 차용어를 우리말로 바꾸어 쓰려는 노력이 전혀 보이지 않는다는 반응은 적절하지 않다.
오답 풀이 ① 〈보기〉에 나타나 있는 것처럼 많은 새말이 만들어져 사용되고 있다는 사실을 통해 현재 국어의 변화가 빠르게 진행되고 있음을 알 수 있다. ② 〈보기〉를 보면, 무슨 말인지 전혀 알 수 없는 새말들이 만들어져 사용되고 있다는 사실을 통해 누구나 쉽게 알 수 있는 새말을 만들어 써야 한다는 반응을 이끌어낼 수 있다. ③ 〈보기〉의 '댓글'은 '대답하다'의 '대'와 '글'이 결합한 말이라고 하였는데, 이는 '용언의 일부 음절+명사'의 형태로 만들어진 합성어이다. 이는 '용언의 어간+관형사형 어미+명사'의 형태로 합성되는 통사적 합성법과 일치하지 않으므로 비통사적 합성어이다. ④ 〈보기〉에 나타난 새말들 중에는 외국에서 들어온 말들이 많은 양을 차지하고 있음을 일 수 있다. 따라서 외국어의 활용 빈도가 높아져 우리말의 훼손이 우려된다는 반응은 적절하다.

21. '나홀로족'은 기존의 단어를 결합하고 접미사를 붙여 만드는 방식으로 새말을 만든 예이다.

(3) 단어의 의미 관계와 어휘 사용

핵심 다지기   pp. 145~149

01. ③ **02.** ① **03.** 다의어는 의미적 유연성이 있으나, 동음이의어는 단어의 형태는 일치하면서도 의미적 유연성은 없다. **04.** ①
05. ② **06.** ③ **07.** ① **08.** ④ **09.** ① **10.** 상대적

01. '손⁰¹'과 '손⁰²'는 의미적 유연성이 전혀 존재하지 않는 동음이의어 관계에 있기 때문에 '손⁰²-1, 2, 3'은 '손⁰¹'에서 확장된 의미로 볼 수 없다.
오답 풀이 ① '손⁰¹'과 '손⁰²'는 의미적 유연성이 전혀 없는 동음이의어 관계에 있다. ② '손⁰¹-1, 2, 3'은 다의어 관계로 의미적 유연성이 존재한다. ④ 〈보기〉에 제시된 '손⁰¹'과 '손⁰²'는 각각 세 가지씩의 의미를 지닌 다의어이다. ⑤ 사전에서 첫 번째 의미가 중심적 의미이고, 두 번째 이하는 중심적 의미가 확장된 주변적 의미이다. 따라서 〈보기〉의 '손⁰¹-1'은 중심적 의미이며, '손⁰¹-2, 3'은 주변적 의미이다.

02. 중심적 의미는 가장 기본적이고 핵심적인 의미이다. '쓰다'의 중심적 의미는 '붓, 펜, 연필과 같이 선을 그을 수 있는 도구로 종이 따위에 획을 그어서 일정한 글자의 모양이 이루어지

게 하다.'이다. ①에서 방명록에 이름을 쓰는 것은 중심적 의미에 해당한다.

03. 다의어는 중심적 의미로부터 확장되어 형성된 의미이기 때문에 의미적 유연성이 존재한다. 반면, 동음이의어는 어휘의 형태만 동일할 뿐, 의미는 전혀 다르기 때문에 의미적 유연성이 존재하지 않는다.

평가 기준	
다의어와 동음이의어의 차이를 의미적 유연성의 측면에서 제대로 서술한 경우	5점
다의어와 동음이의어 중에서 한 가지만 제대로 서술한 경우	3점
맞춤법에 어긋난 경우	-1점

04. ㄱ은 신체의 일부인 '머리'(사전적 의미)에서 의미가 확장되어, '어떤 때가 시작될 무렵'을 비유적으로 이르는 말이다.
오답 풀이 ② ㄴ에서 '4층'은 원래의 뜻과 상관없이 '죽음'과 같은 부정적인 의미를 떠올리게 하고 있으므로 반사적 의미에 해당한다. ③ ㄷ은 오늘날 '계집'이라는 어휘가 여자를 낮잡아 이르는 말로 쓰이는 데서 빚어진 상황을 나타내고 있으므로 사회적 의미에 해당한다. ④ ㄹ의 '시원하시겠네요!'는 음성적 변조를 통해 '비꼼'의 의미를 드러내고 있다. 이는 말하는 이의 감정이나 심리가 반영된 의미로 볼 수 있으므로 정서적 의미에 해당한다. ⑤ ㅁ에서 '절대로'라는 말을 강조하여 화자가 특별히 드러내고자 하는 의도를 반영하기 위한 것이므로 주제적 의미에 해당한다.

05. 제시된 '다리'는 첫 번째 용례가 중심적 의미, 두 번째와 세 번째 용례가 중심적 의미에서 확장된 주변적 의미를 지니고 있다. 따라서 용례에 나타난 '다리'는 다의어이다.

06. '서생원'은 '쥐'라는 금기어에 대한 완곡어로 만들어진 말이다.
오답 풀이 ① 외래어의 유입에 따라 유의 관계가 형성된 예이다. ② 한자어의 사용과 높임법의 발달에 따라 유의 관계가 형성된 예이다. ④ 동일한 의미를 지닌 고유어로서 유의 관계를 이루고 있는 예이다. ⑤ 감각어의 발달에 따라 유의 관계가 형성된 예이다.

07. 이 글은 단어들의 의미 관계를 설명하고 있는 글로, 단어들의 의미 유형에 대한 내용과는 관련이 없다.
오답 풀이 ② (아)를 보면, 상하 관계를 형성하는 단어들은 상위어일수록 일반적이고 포괄적인 의미를 지니며, 하위어일수록 개별적이고 한정적인 의미를 지닌다고 하였다. ③ 둘 이상의 단어가 의미상 서로 짝을 이루어 대립하는 경우를 반의 관계(反義關係)라고 한다고 하였으며, 한쪽이 의미상 다른 쪽을 포함하거나 다른 쪽에 포함되는 의미 관계를 상하 관계(上下關係)라고 한다고 하였다. ④ 오직 한 개의 의미 요소만 다르고 나머지 요소들은 모두 공통될 때 반의 관계가 성립될 수 있다고 하였다. ⑤ 의미를 중심으로 한 단어들의 관계로 (사)에서는 반의 관계와 (아)에서는 상하 관계에 대해 설명하고 있다.

정답과 해설 **019**

08. '소년'은 [+인간][+남성][−성인][+젊음][−결혼]으로 성분 분석을 할 수 있으며, '소녀'는 [+인간][−남성][−성인][+젊음][−결혼]으로 성분 분석을 할 수 있다. 결국 '소년 : 소녀'의 의미 관계는 '성(性)'이라는 단 하나의 의미 요소(자질)만 다르므로 반의 관계가 성립된다.

09. ㉮와 ㉯는 상하 관계에 있는 단어들로, ⓐ가 하위어라면 ⓑ는 상위어이다. '자두'와 '과일' 역시 상하 관계를 이루고 있는 단어들로, 전자가 하위어, 후자가 상위어에 속한다.
오답 풀이 ②는 유의 관계에 있으며, ③은 반의 관계에 있다. ④는 전체와 부분의 관계에 있으며, ⑤는 동위(同位) 관계에 있다.

10. 제시된 예를 보면, '포유류'는 '동물'의 하위어이면서 '인간'의 상위어이다. 이를 통해 상하 관계에서 상위어와 하위어는 상대적인 개념임을 알 수 있다.

소단원 적중 문제   pp. 153~155

01. ⑤ **02.** ⑤ **03.** ⑤ **04.** ③ **05.** ④ **06.** ④ **07.** ① **08.** ④ **09.** ㉮는 상하 관계에 있고, ㉯는 전체와 부분의 관계에 있다. **10.** ① **11.** ① **12.** ④ **13.** ① **14.** ④

01. (바)를 보면, 주제적 의미는 화자가 특별히 드러내고자 하는 의미라고 하였다. 청자의 뜻이 더 강조되어 반영된 의미라는 진술은 적절하지 않다.
오답 풀이 ①은 (다)에서, ②와 ③은 (나)에서, ④는 (마)에서 확인할 수 있다.

02. '먹다'의 중심 의미는 '음식 따위를 입을 통하여 배 속에 들여보내다.'이다. ⑤의 '먹었다'는 도시락에 있는 '음식을 먹었다.'라는 의미로 쓰였으므로 중심적 의미로 사용된 것이다.

03. ㉮~㉰의 예를 볼 때, 중심적 의미는 하나이고 주변적 의미는 둘이므로 두 의미의 관계는 일대다(多)의 대응 관계를 이루고 있다.
오답 풀이 ① ㉮는 중심적 의미이며, ㉯와 ㉰는 ㉮에서 확장된 주변적 의미이다. ② ㉮, ㉯, ㉰에 나타난 '발'은 유사한 의미가 문맥에 따라 다르게 쓰이는 다의어이다. ③ '장지문에 발[簾]이 걸려 있다.'의 '발'은 ㉮에서 확장된 의미로 볼 수 없는, 전혀 다른 의미이므로 ㉮의 '발'과는 다의어가 아닌 동음이의어 관계이다. ④ ㉯와 ㉰는 비유에 의한 관용적 표현이다. 즉 ㉯는 '알맞은 조치를 신속히 취하다.'라는 의미를 지닌 관용구이며, ㉰는 '오가지 않거나 관계를 끊다.'라는 의미를 지닌 관용구이다. 따라서 ㉮의 사전적 의미는 ㉯, ㉰에서 비유에 의해 함축성을 지니면서 그 의미 범위가 확장되고 있다.

04. ①, ②, ④, ⑤는 함축적 의미로 사용되었고, ③은 사전적 의미로 사용된 예이다.

05. 엄마는 혜은이의 목소리, 즉 어조를 통해 혜은이의 말 속에 담긴 심미 상태를 찾아내고 있으므로 엄마가 파악한 의미는 정서적 의미이다.

06. ㉠과 ㉡은 (가)에서 확인할 수 있다. ㉢은 (나)의 '반의 관계에 있는 ~ 모두 공통된다.'라는 언급을 통해 알 수 있다.
오답 풀이 ㉣ 상위어는 일반적이고 포괄적인 의미를 지니고, 하위어는 개별적이고 한정적인 의미를 지닌다고 하였다. 상위어는 하위어보다 단어를 이루는 의미 요소가 적다. 예를 들면, '남자−총각'의 상하 관계에서 상위어인 '남자'를 이루는 의미 요소는 '[+사람], [+남성]'이지만, 하위어인 '총각'을 이루는 의미 요소는 '[+사람], [+남성], [+성인], [+미혼]'이다.

07. '(마음을) 담다'의 유의어는 '나타내다'가 맞지만 이에 대한 반의어는 '감추다'이다.

08. '벗다'는 '(인형을) 안다'의 반의어로 볼 수 없다.
오답 풀이 '벗다'의 반의어는 문맥에 따라 다양하게 나타날 수 있다. ⓐ, ⓑ, ⓒ, ⓔ는 문맥에 따라 나타날 수 있는 '벗다'의 반의어이다.

09. ㉮는 상위어가 하위어를 포함하는 상하 관계이다. 반면, ㉯는 '전체'와 '전체를 이루는 부분'의 관계이다.

평가 기준	
상하 관계와 전체와 부분의 관계를 모두 맞게 서술한 경우	5점
상하 관계와 전체와 부분의 관계 한 가지만 맞게 서술한 경우	3점
맞춤법에 어긋난 경우	−1점

10. '총각'과 '처녀'는 '미혼'이고 '성인'이라는 의미 요소를 공통으로 가지고 있으면서 '성별'에서만 대립을 이룬다.
오답 풀이 ② '형'과 '여동생'은 '나이' 혹은 '서열'뿐 아니라 '성별'에서도 의미 대립이 생겨 반의 관계가 성립할 수 없다. ③ '길이'의 요소에 따라 반의 관계가 성립하는 것은 '길다'와 '짧다'이다. '넓다'와 반의 관계에 있는 단어는 '좁다'이다. ④ '손녀'와 '할아버지'는 '나이'뿐 아니라 '성별'도 다르므로 서로 대립하는 의미 요소가 둘 이상이라 반의 관계가 성립하지 않는다. ⑤ '아줌마'와 '총각'은 '성별'과 '기혼 여부'라는 의미 요소에서 대립되므로 '나이'에서 대립된다고 한 진술도 틀리고, 대립 요소가 하나가 아니므로 반의 관계가 성립하지도 않는다.

11. '작다'는 '길이, 넓이, 부피 따위가 비교 대상이나 보통보다 덜하다.'라는 뜻이고, '적다'는 '수효나 분량, 정도가 일정한 기준에 미치지 못하다.'라는 뜻이다.

12. "그녀는 가난한 집 딸이었다."에서 '집'은 '가정을 이루고 생활하는 집안'의 뜻으로, '집'의 주변적 의미로 쓰였다.

13. ①의 '가다'는 '치우치다, 기울다'의 의미이고, 반의어는 '똑바르다, 균형이 맞다' 등이다. '편벽되다'는 '한쪽으로 치우쳐 공평하지 못하다'의 의미로 쓰인다.

14. '등을 밀다'와 '김 후보를 밀다'의 '밀다'는 의미상 연관성이 있으므로 다의어로 볼 수 있다.

01. ⑤   **02.** ⑤   **03.** ③   **04.** ㈎의 ㉠은 관형어의 수식을 받는 의존 명사이고, ㉡은 명사에 붙어 문법적 의미를 더하는 조사이다. 그리고 ㈏의 ㉠은 조사와 연결되는 명사이고, ㉡은 명사를 수식하는 관형사이다.   **05.** ⑤   **06.** ⑤   **07.** ⑤   **08.** ⑤   **09.** ④   **10.** ⓐ 관형사형 전성 어미의 사용 ⓑ 용언의 어간에 붙은 연결 어미의 사용   **11.** ②   **12.** ③   **13.** ①   **14.** 유의어는 서로 자유롭게 대체하여 사용할 수 없다.

01. (라)를 보면, 다른 성분을 수식하는 역할을 하는 품사는 관형사와 부사이다.

<u>오답 풀이</u> ①, ②는 (라)에서, ③은 (나)에서, ④는 (바)에서 각각 확인할 수 있다.

02. ㅁ의 '에게'는 조사이므로 문장 속에서 형태가 변하지 않는 불변어이다.

<u>오답 풀이</u> ① '몹시'는 부사이므로 불변어이다. ② 명사는 기능 기준에 따라 분류할 때 체언에 속한다. ③ 용언은 주어를 서술하는 기능을 지닌 품사이다. ④ 감탄사는 다른 문장 성분에 얽매이지 않는 독립언이다.

03. '파릇한, 마른'은 각각 '파릇하다, 마르다'라는 용언의 관형사형으로, '마른'은 동사, '파릇한'은 형용사이다. 따라서 이 두 단어는 용언으로 분류된다.

<u>오답 풀이</u> ① 명사는 그 기능상 체언에 속한다. ② 동사는 그 기능상 용언에 속한다. ④ 감탄사는 그 기능상 독립언에 속한다. ⑤ 조사는 그 기능상 관계언에 속한다.

> 고난도 <u>해결 포인트</u> 우선 제시된 지문 중에서 문제와 관련된 부분을 찾아 그 내용을 명확히 이해한 후 선택지에 적용하여 적절성을 판단하도록 한다. 이때 〈보기〉에 제시된 밑줄 친 어휘를 기능 기준에 따라 분류할 때 체언에 속하는지 용언에 속하는지 등을 먼저 이해해야 한다.

04. '만큼'은 그 쓰임에 따라 의존 명사가 되거나, 조사가 된다. ㉠은 관형어 '주는'의 수식을 받고 있으므로 의존 명사이며, ㉡은 체언인 '당신'에 붙어 문법적 의미를 더하고 있으므로 조사이다. '~적'의 형태를 지닌 말 역시 그 쓰임에 따라 명사가 되거나, 관형사가 된다. ㉠은 뒤에 조사 '으로'가 붙어 있으므로 명사이며, ㉡은 명사 '교감'을 수식하고 있으므로 관형사이다.

평가 기준	
㉠과 ㉡ 모두 동일한 형태를 지닌 두 어휘의 품사 차이를 제대로 설명한 경우	5점
㉠과 ㉡ 중 한 가지만 동일한 형태를 지닌 두 어휘의 품사 차이를 제대로 설명한 경우	3점
맞춤법에 어긋난 경우	−1점

05. '아서라', '천만에' 등 말하는 사람을 의식하면서 자기 생각을 드러내는 의지 감탄사도 있다.

<u>오답 풀이</u> ② 감탄사는 동일한 형태가 다른 품사로 쓰이는 경우도 있다. '거시기, 빌어먹을, 왜'는 각각 대명사, 관형사, 부사로 쓰이기도 한다.

06. 어근의 의미를 제한하기도 하면서 문법적인 변화를 일으키는 것은 접두사가 아닌 접미사이다.

07. '더욱이'는 부사 '더욱'에 접미사 '-이'가 결합하여 형성된 파생어이다. 이때 품사는 변화하지 않으며 의미만 변화한다. '더욱'은 '정도나 수준 따위가 한층 심하거나 높게'라는 의미를 지니고 있으며, '더욱이'는 '그러한 데다가 더'라는 의미를 지니고 있다.

<u>오답 풀이</u> ① '부사+부사'의 형태로 결합한 합성어이다. ② '관형사+명사'의 형태로 결합한 합성어이다. ③ '용언의 어간+명사'의 형태로 결합한 합성어이다. ④ '용언의 어간+용언'의 형태로 결합한 합성어이다.

08. 'ㄴ'은 관형어의 수식을 받고 있으며, 서술성이 없다. 'ㄷ' 역시 서술성이 없다. 따라서 두 단어는 ㉮에 해당한다. 'ㄱ'은 부사어의 수식을 받고 있으며, 서술성이 있다. 'ㄹ' 역시 선어말 어미 '-았-'이 쓰였으며, 서술성이 있다. 따라서 두 단어는 ㉯에 해당한다.

> 고난도 <u>해결 포인트</u> 제시된 지문에 나타난 '파생 접사'와 '전성 어미'를 구별하는 유형의 문제이다. 문장 속에서 파생 접사가 붙은 어휘와 전성 어미가 붙은 말을 구분하기가 어려울 때가 있기 때문에 이를 구분할 줄 아는 능력을 묻는 문제가 자주 출제된다. 이 유형의 문제를 해결하기 위해서는 문장의 맥락을 통해 서술성이 있는지 없는지를 판단하는 것이 필요하다. 서술성이 있으면 전성 어미가 붙은 어휘이며, 서술성이 없으면 파생 접사가 붙은 어휘이다.

09. '{밀-(어근)+닫-(어근)}+-이(접미사), {절름-(어근)+발(어근)}+-이(접미사)'이다.

10. '큰집'은 '크-(용언의 어간)+-ㄴ(관형사형 전성 어미)+집(체언)'의 형태로 합성되었으며, '덮밥'은 '덮-(용언의 어간)+밥(체언)'의 형태로 합성되었다. 이 두 용례를 비교할 때 통사 규칙에 부합하는 방식으로 합성어가 만들어졌는지는 관형사형 전성 어미의 사용 여부에 달려 있다. 또 '돌아가다'는 '돌-(용언의 어간)+-아-(연결 어미)+가다(용언)'의 형태로 합성되었으며, '여닫다'는 '열-(용언의 어간, 'ㄹ' 탈락)+닫다(용언)'의 형태로 합성되었다. 이 두 용례를 비교할 때 통사 규칙에 부합하는 방식으로 합성어가 만들어졌는지는 용언의 어간에 붙은 연결 어미의 사용 여부에 달려 있다.

평가 기준	
ⓐ와 ⓑ를 모두 맞게 쓴 경우	5점
ⓐ와 ⓑ 중 하나만 맞게 쓴 경우	3점

11. 제시된 문장에 나타난 '길'은 중심적 의미로서, '사람이나 동물 또는 자동차 따위가 지나갈 수 있게 땅 위에 낸 일정한 너비의 공간'을 말한다. 그런데 ②에 나타난 '길'은 '어떤 일에 익숙하게 된 솜씨'를 의미하는 것으로, 제시된 문장에 나타난 '길'의 중심적 의미와 아무런 유연성이 없다. 따라서 두 어휘는 다의적 관계가 아니라 동음이의어 관계에 있다.

<u>오답 풀이</u> ① '길'은 '시간의 흐름에 따라 개인의 삶이나 사회적·역사적 발전 따위가 전개되는 과정'을 의미하는 것으로, 제시된 문장에 나타난 '길'의 중심적 의미에서 확장된 의미를 담고 있다. ③ '길'은 '어떤 자격이나 신분으로서 주어진 도리나 임무'를 의미하는 것으로, 제시된 문장에 나타난 '길'의 중심적 의미에서 확장된 의미를 담고 있다. ④ '길'은 '사람이 삶을 살아가거나 사회가 발전해 가는 데에 지향하는 방향, 지침, 목적이나 전문 분야'를 의미하는 것으로, 제시된 문장에 나타난 '길'의 중심적 의미에서 확장된 의미를 담고 있다. ⑤ '길'은 '어떠한 일을 하는 도중이나 기회'를 의미하는 것으로, 제시된 문장에 나타난 '길'의 중심적 의미에서 확장된 의미를 담고 있다.

12. 〈보기〉의 '밥-진지-메-수라'는 유의 관계에 있는 단어이다. 그런데 '가다-오다-이동하다'는 유의 관계에 있지 않다.

<u>오답 풀이</u> 나머지 선지는 모두 유의 관계에 있는 단어끼리 짝을 이루고 있다.

13. 제시된 세 단어는 말의 형태는 동일하나 의미는 다른 동음이의어이다. 그러나 ①에 나타난 '쓰다'는 유의어이다. '(붓글씨를) 쓰다'는 '쓰다'의 중심적 의미로서, '붓, 펜, 연필과 같이 선을 그을 수 있는 도구로 종이 따위에 획을 그어서 일정한 글자의 모양이 이루어지게 하다.'의 의미를 지니고 있다. 그리고 '(시를) 쓰다'는 중심적 의미에서 확장된 주변적 의미로서, '머릿속의 생각을 종이 혹은 이와 유사한 대상 따위에 글로 나타내다.'의 의미를 지니고 있다.

<u>오답 풀이</u> ② '밤[夜]-밤[栗]'의 관계로, 두 단어는 동음이의어이다. ③ '연기, 안개, 구름 따위가 한곳에 모여 나타나다-나이가 적다'의 관계로, 두 단어는 동음이의어이다. ④ '사리를 분별할 수 있는 힘-금속 원소'의 관계로, 두 단어는 동음이의어이다. ⑤ '스며들거나 스며 나오다-배 속에 아이나 새끼를 가지다'의 관계로, 두 단어는 동음이의어이다.

14. 제시된 예에서 '@에는 '근원', '근간'은 사용할 수 없으며, ⓑ에는 '근본', '근간'은 사용할 수 없다. 또 ⓒ에는 '근본', '근원'은 사용할 수 없다.'고 하였다. '근원', '근본', '근간'은 유의어이지만 서로 대체하여 사용할 수 없다는 것이다. 이를 통해 〈보기〉의 빈칸에는 '유의어는 서로 자유롭게 대체하여 사용할 수 없다.'라는 문장이 들어가야 한다.

평가 기준	
'대체'라는 말을 써서 분명하게 서술한 경우	5점
다소 불분명하나 의미는 통하게 쓴 경우	3점
맞춤법에 어긋난 경우	−1점

3 문장과 문법 요소

(1) 문장의 성분

핵심 다지기
pp. 163~166

01. ⑤ **02.** ② **03.** ④ **04.** 서술어는 주어의 동작, 상태, 성질 등을 설명하는 기능을 하는 문장 성분이다. **05.** ⑤ **06.** ③ **07.** ④ **08.** ③ **09.** 문장과 문장을 이어 주는 기능을 한다.

01. 독립어는 다른 문장 성분과는 직접적인 관련이 없는 성분이다.

02. '사업가가'만 보어이고, 나머지는 모두 주어이다. 보어와 주어는 모두 '이/가'를 격 조사로 사용하므로 혼동하기 쉽다. 보어는 서술어 '되다, 아니다'가 필수적으로 요구하는 문장 성분이므로 주어와 보어를 구분하려면 서술어가 '되다/아니다'인지 확인하도록 한다.

03. ㄴ에서 '서예도'는 목적격 조사 대신에 보조사 '도'가 붙은 목적어이므로 목적어가 생략되었다는 설명은 적절하지 않다.

<u>오답 풀이</u> ① 목적어가 ㄱ에는 문장의 앞에, ㄹ에는 문장의 뒷부분에 위치하므로 목적어의 위치는 고정적이지 않다는 탐구 내용은 적절하다. ② ㄱ에는 목적격 조사 '을'이, ㄹ에는 '를'이 사용되었고 이는 앞말의 받침 유무와 관계된 것이므로 목적격 조사의 형태가 앞말과 관계있다는 탐구 내용은 적절하다. ③ ㄱ은 '보았다', ㄹ은 '좋아하다'의 동작을 나타내는 대상으로 사용되었다. ⑤ ㄷ에는 목적어가 사용되지 않았으므로 적절한 탐구이다. 목적어는 타동사가 서술어로 쓰일 때만 필요하다.

04. 〈보기〉의 밑줄 친 서술어는 '먹는다'(동작), '귀엽다'(상태), '포유류이다'(성질) 등을 설명하고 있다.

평가 기준	
ㄱ~ㄷ을 바탕으로 주어의 동작, 상태, 성질 등을 설명하는 서술어의 기능을 바르게 서술한 경우	5점
주어의 동작, 상태, 성질에 대한 언급 없이 주어를 설명한다는 기능만 간단하게 서술한 경우	2점
맞춤법에 어긋난 경우	−1점

05. '모든'은 관형사가 관형어로 쓰인 경우이다.

06. ⓑ '너그러워지는'과 ⓒ '동그란'은 용언의 관형사형으로 체언인 '마음'을 꾸미고, ⓔ '위로의'는 체언＋관형격 조사 '의'가 결합하여 '선물'을 꾸미는 관형어이다.
<u>오답 풀이</u> ⓐ '조금'과 ⓓ '활짝'은 뒤에 오는 용언을 꾸미는 부사어이다.

07. 관형어는 보조사와 결합할 수 없으나, '빨리도', '예쁘게만' 등과 같이 부사어는 보조사와 결합할 수 있다.
<u>오답 풀이</u> ① 관형어는 '예뻤던 친구', '꿈꿨던 일' 등에서 볼 수 있는 것처럼 과거 등 시간 표현이 가능하나 부사어는 불가능하다. ② 관형어는 단독으로 문장을 형성할 수 없으나, "어서!", "빨리!" 등과 같이 부사어는 단독으로 문장을 형성할 수 있다. ③ 관형어는 문장 수식 기능이 없으나, 부사어 중 문장 부사어는 문장 전체를 수식할 수 있다. ⑤ 관형격 조사는 '의' 하나뿐이지만, 부사격 조사는 의미에 따라 '에, 에서, 에게, 로, 보다' 등으로 다양하다.

08. '철수야'는 명사인 '철수'에 호격 조사 '야'가 붙은 형태인 독립어이다.

09. '고로'와 '그러나'는 문장과 문장을 이어 주는 기능을 하는 접속 부사어이다.

평가 기준	
문장과 문장을 이어 주는 접속 부사어의 기능을 바르게 서술한 경우	5점
접속 부사어만 밝히고 기능 서술은 하지 못한 경우	1점
맞춤법에 어긋난 경우	−1점

소단원 적중 문제
pp. 169~171

01. ② **02.** ② **03.** ⑤ **04.** ① **05.** ① **06.** ② **07.** ④ **08.** 문장 안에서 체언을 꾸며 주는 역할을 하는 관형어이다. **09.** ④ **10.** ③ **11.** ② **12.** ② **13.** ② **14.** '주다'는 주어, 목적어, 부사어의 세 가지 성분을 필수적으로 요구하는 서술어이기 때문이다. **15.** ③

01. 서술어로 쓰일 때 목적어를 필요로 하는 것은 타동사이다.

02. '친구와'는 부사어로 주로 용언을 수식하는 문장 성분이다.

03. '청춘'은 제시어로 독립어에 해당한다.
<u>오답 풀이</u> ① 주어(철수가), 보어(선생님이), 서술어(되었다)의 주성분만으로 이루어진 문장이다. ② 목적어는 목적격 조사 '을/를' 대신에 특정한 의미를 더하여 주는 보조사가 붙기도 한다. ③ '우리'는 '형'을 수식하는 관형어이다. ④ '설마'는 문장 전체를 수식하고 있다. 문장 부사는 '설마, 확실히, 과연, 부디' 등과 같이 말하는 사람의 심리적 태도를 나타내는 부사들이 주가 된다.

04. ⓐ의 '흰'은 관형사가 관형어가 된 경우가 아니라 용언 '희다'의 어간 '희–'에 관형사형 어미 'ㄴ'이 붙은 것이다.

05. '어머니께서 김밥을 싸 주셨다'에서 '께서'는 주체 높임의 기능을 하는 주격 조사로서 서술어의 자릿수와는 관계가 없다.

06. '그 책을 여기 놓아라.'에서 '여기'는 부사격 조사 '에'가 생략된 부사어이지만, '여기 아주 고요하고 아름답지?'의 '여기'는 주격 조사가 생략된 주어이므로 문장 성분이 다르다.

07. ㉠은 용언인 '웃어 주는'을 수식하는 부사어이다. 그러나 ④의 '오랜'은 뒤에 오는 체언인 '친구'를 수식하는 관형어이므로 문장 성분이 서로 다르다.

08. ⓐ, ⓑ는 용언의 관형사형으로 체언인 '마음'을 꾸미고, ⓒ는 체언에 관형격 조사 '의'가 결합하여 체언인 '선물'을 꾸며 주는 관형어이다.

평가 기준	
문장 성분을 밝히고 문법적 기능을 올바르게 서술한 경우	5점
문장 성분만 밝힌 경우	2점

09. ①, ②, ③, ⑤의 경우는 부사어를 목적어로 바꾸어도 문법적인 문장이 되지만, ④는 '나에게'를 '나를'로 바꾸면 문법적으로 어색한 문장이 된다.

10. 체언 '친구'에게 관형격 조사 '의'가 생략된 경우이다.

11. ②의 '진희가'는 둘 다 주어에 해당한다.
<u>오답 풀이</u> ① ㄱ의 '노랗게'는 '물들었다'를 수식하는 부사어, ㄴ의 '노란'은 '은행잎'을 수식하는 관형어이다. ③ ㄱ의 '등산만'은 보조사가 붙은 목적어, ㄴ의 '등산만'은 보조사가 붙은 주어이다. ④ ㄱ의 '가수가'는 보어, ㄴ의 '가수가'는 주어이다. ⑤ ㄱ의 '저런'은 독립어, ㄴ의 '저런'은 뒤에 오는 '사람'을 수식하는 관형어이다.

12. '것'은 수식하는 말, 즉 관형어를 필요로 하는 의존 명사이므로 '오래된'이 생략될 수 없는 경우이다.
<u>오답 풀이</u> ① ㄱ에서 필수적인 문장 성분은 '주어(형이)'와 '서술어(잔다)'의 두 개다. ③ ㄷ의 '부르다'는 '주어' 외에 '목적어'를 필요로 하는 서술어이다. ④ ㄹ에서 '요리사가'는 '보어'이다. '주어'는 '정우가'이다. ⑤ ㅁ에 사용된 문장 성분은 '주어(토끼가), 거북이보다(부사어), 늦게(부사어), 도착했다(서술어)'이다.

13. ②의 '꼭'만 용언을 수식하고, 나머지는 모두 체언을 수식하고 있다.

14. '주다'는 주어, 목적어, 부사어의 세 가지 성분을 필수적으로 요구하는 서술어이다. 이 성분 중의 하나라도 빠져 있으면 문법적으로 정확하지 못한 문장이 되므로 그 성분을 보충하여야 한다.

평가 기준	
서술어를 필요로 하는 문장 성분을 모두 구체적으로 밝혀 서술한 경우	5점
맞춤법에 어긋난 경우 등	−1점

15. 밑줄 친 문장 성분 중 (가)는 관형어, (나)는 부사어이다. 관형어는 '소녀의'에서처럼 체언에 관형격 조사를 취해 관형어로 실현될 수가 있다. 부사어도 '양자로'에서처럼 체언에 부사격 조사가 붙어 부사어로 실현될 수가 있으므로 ③의 탐구 결과는 적절하지 않다.

오답 풀이 ① 관형어는 체언을 수식하나, 부사어는 부사어, 관형어, 용언 등을 수식한다. ② 관형어는 바로 뒤의 성분을 수식하나, 부사어는 '아무쪼록'에서처럼 문장 전체를 수식하기도 한다. ④ '아주 헌'에서처럼 부사어 '아주'가 관형어 '새'를 수식하는 경우가 있다. ⑤ 부사어 중에는 '양자로'에서처럼 문장에서 필수적으로 요구하는 '필수적 부사어'가 있다.

(2) 문장의 짜임

핵심 다지기   pp. 173~179

01. ④   02. ④   03. ③   04. 명사절은 '자식들이 행복하기'이며 문장 속에서 목적어 기능을 한다.   05. ⑤   06. ①   07. ③   08. ③   09. 모두 관형사형 어미 '-는'이 붙어서 만들어진 관형절로 뒤에 오는 체언을 수식하는 관형어 역할을 한다.   10. ②   11. ③   12. ⑤   13. ⓐ 자기 방, ⓑ 주겠느냐고   14. ⑤   15 종속적으로 연결된 이어진문장이다. 앞 절과 뒤 절이 원인의 의미 관계를 갖는 '-(어)서'로 연결되어 있기 때문이다.   16. ⑤   17. ①

01. 홑문장은 주어와 서술어의 관계가 한 번만 나타난다.

02. ㄷ의 안긴문장인 '기린의 목이 더 길기'는 명사형 어미 '-기'가 붙어서 만들어진 명사절이다.

오답 풀이 ① ㄱ은 서술절을 안고 있는 겹문장으로 주어와 서술어의 관계가 두 번 나타난다. '기린은(주어)+[목이(주어)+길다(서술어)](서술어) ② ㄴ은 앞 절과 뒤 절이 대등하게 연결된 이어진문장이다. ③ ㄴ의 앞 절에서 '길고'의 주어는 '목이'이고, 뒤 절에서 '길다'의 주어는 '다리'이다. ⑤ ㄷ은 주어와 서술어의 관계가 두 번 나타나는 안은문장이다.

03. ③의 '책을 읽기'는 명사절로 부사격 조사 '에'가 붙어 부사어 기능을 한다.

오답 풀이 ① '색깔이 희기'는 명사절로 주어의 기능을 한다. ② '그가 돌아오기'는 명사절로 목적어 기능을 한다. ④ '꽃이 피는'은 '남쪽'을 꾸미는 관형절로 관형어 기능을 한다. ⑤ '장미꽃이 아름답다는'은 뒤에 오는 의존 명사 '것'을 꾸미는 관형절로 관형어 기능을 한다.

04. '자식들이 행복하기'는 명사형 어미 '-기'가 붙어 명사절로 안긴문장으로 목적격 조사 '을'이 붙어 목적어 기능을 한다.

평가 기준	
명사절을 찾고 문장 안에서의 기능을 바르게 서술한 경우	5점
명사절을 찾기만 하고 문장 안에서의 기능은 서술하지 못한 경우	2점

05. '-(으)ㅁ'은 명사절을 만드는 어미이다.

06. ①의 '보기 좋은'은 뒤에 오는 '떡'을 수식하는 관형절이다.

오답 풀이 ② 부사절 '소리도 없이'를 안고 있다. ③ '영수는 아프다'와 '영수는 병원에 갔다'라는 홑문장이 종속적으로 연결된 이어진문장이다. ④ 명사절 '농사가 잘되기'를 안고 있다. ⑤ 인용절 '철수의 말이 옳다'를 안고 있다.

07. ③은 관형절이고, 나머지는 모두 부사절이다.

08. ⓒ의 '고운 무지개'는 '무지개가 곱다'라는 문장이 관형절로 안긴 것이다.

오답 풀이 ① '발이 시리도록'은 뒤에 오는 서술어 '차가웠다'를 수식하는 부사절이다. ② '쥐를 잡은'은 뒤에 오는 체언 '고양이'를 수식하는 관형절이다. ④ '남의 도움 없이'는 뒤에 부사화 접미사 '-이'가 붙어 부사절로 사용되었다. ⑤ '내가 산책하던'은 관형사형 어미 '-던'이 붙어 만들어진 관형절은 과거 시제를 표현한다.

09. ㄱ에는 '네가 좋아하는', ㄴ에는 '지금 듣는', ㄷ에는 '영수가 귀국한다는'이 관형절로 안겨 있다. 이들은 모두 뒤에 오는 체언을 수식하는 관형어 역할을 하며, 관형사형 어미 '-는'이 붙어 관형절로 만들어졌다는 공통점이 있다.

평가 기준	
관형절의 공통점을 형식과 기능 면에서 모두 찾고 그 이유를 적절하게 서술한 경우	5점
관형절의 공통점을 형식이나 기능 중 하나만 찾고 그 이유를 서술한 경우	3점

10. 〈보기〉의 밑줄 친 부분인 '코가 길다'는 서술절이다. 서술절은 절임을 알려 주는 표지가 따로 없으므로 서술격 조사 '이다'가 붙어 절을 이룬다고 이해한 것은 적절하지 않다.

11. ③은 두 개의 홑문장이 종속적으로 연결된 이어진문장이므로 '땅이 질다'는 안긴문장이 아니다.

오답 풀이 ①, ②, ④, ⑤ 나머지는 모두 서술절로 안겨 서술어 역할을 하는 안긴문장이다.

12. 〈보기〉에는 '나에게 빨리 가라'가 인용절로 안겨 있다. 이와 같은 인용절을 가진 문장은 ⑤로, '저 집에 누가 사느냐'가 인용절이다.

13. 동생이 형이 한 말을 간접적으로 전하는 것이므로 동생의 입장에서 지시 표현이나 인용 표현을 바꾸어 써야 한다.

14. '-거나'는 대조의 의미 관계를 나타내는 대등적 연결 어미이다.

15. '발이 너무 시리다.'가 '나는 냇물을 건너지 못했다.'가 원인의 의미 관계를 나타내는 종속적 연결 어미 '-(어)서'로 이어진문장이다.

평가 기준	
문장의 유형, 앞 절과 뒤 절의 의미 관계, 종속적 연결 어미 등을 언급하여 적절하게 서술한 경우	5점
문장의 유형만 언급하고 이유를 서술하지 못한 경우	2점

16. ⑤는 앞 절과 뒤 절이 대조 관계를 나타내는 대등적 연결 어미 '나'로 이어져 있으므로 대등적으로 연결된 이어진문장이다.
오답 풀이 앞 절과 뒤 절이 ①은 원인, ②는 의도, ③은 양보, ④는 조건의 의미 관계로 연결된, 종속적으로 연결된 이어진문장이다.

17. ㄱ은 앞 절과 뒤 절이 '의도'의 의미 관계를 나타내는 종속적 연결 어미로 연결되었으므로 종속적으로 연결된 이어진문장이다.

소단원 적중 문제

pp. 183~185

01. ③ **02.** ② **03.** ③ **04.** ⑤ **05.** ④ **06.** ⑤ **07.** ⓐ: 명사절인 '집에 가기'가 부사어 기능을 하고 있다. ⓑ: 부사절 '땀이 나게'가 부사어 기능을 하고 있다. **08.** ⑤ **09.** ⑤ **10.** '-려면'이라는 '조건'의 의미 관계를 나타내는 종속적 연결 어미로 이어져 있다. **11.** ② **12.** ② **13.** ① **14.** ④ **15.** ② **16.** ⓐ: '꽃이 피어서는' 뒤에 이어지는 절 '마음이 흥겹다'와 원인 관계를 갖는 종속절로 기능한다. ⓑ: '꽃이 피어서'는 부사절로 안겨 서술어를 수식하는 기능을 한다.

---

01. 인용절은 문장에서 부사어의 기능을 한다.

02. ②의 '소리도 없이'는 서술어를 수식하는 부사절이다.
오답 풀이 ① '그가 정당했음'이 명사절로 목적어 역할을 하고 있다. ③ '집에 가기'가 명사절로 부사어 역할을 하고 있다. ④ '여름에 겨울옷을 준비하기'가 명사절로 주어 역할을 하고 있다. ⑤ '그 어려운 일을 해냈음'이 명사절로 목적어 역할을 하고 있다.

03. '이 강은 물이 매우 깊을 것이다'에서 밑줄 친 부분은 관형사형 어미 '-(으)ㄹ'이 붙어 관형절로 기능하지만, 시제를 나타내는 것이 아니라 추측의 의미를 더하고 있으므로 ⓛ의 예로 사용하기에 적절하지 않다.
오답 풀이 ① '공을 차던'에서 '-던'은 과거 시제를 표현한다. ② '밥을 먹는'에서 '-는'은 현재 시제를 표현한다. ④ '내가 본'에서 '-ㄴ'은 과거 시제를 표현한다. ⑤ '영희가 할'에서 '-ㄹ'은 미래 시제를 표현한다.

04. ⓔ의 안긴문장 '말도 없이'는 부사절로서 서술어 '가 버렸다'를 수식하는 기능을 한다.

05. ④의 '유정이는 학교까지 걸어갈'은 뒤에 이어지는 체언 '생각'을 수식하는 관형절이다.

06. ⑤는 '철수가 책임지고 준비한 행사이다.'가 '행사가 무사히 끝났다.'에 관형절로 안겨 있는 문장이다. 안긴문장의 주어는 '철수가'이므로 관형절로 안기는 과정에서 생략되지 않았다.
오답 풀이 ① '꽃이 어제 피었다'가 관형절로 안기면서 주어인 '꽃이'가 생략되었다. ② '동생이 공원에 가다'가 관형절로 안

기면서 주어인 '동생이'가 생략되었다. ③ '누나가 간호사가 되었다'가 관형절로 안기면서 주어인 '누나가'가 생략되었다. ④ '현수와 진수가 산에 가다'가 관형절로 안기면서 주어인 '현수와 진수가'가 생략되었다.

07. ⓐ: '지금은 이른 시간이다'와 '집에 가다'라는 문장이 합쳐진 겹문장이다. '집에 가다'는 주어가 생략된 문장으로 명사형 어미 '-기'가 붙어 명사절이 되면서 부사격 조사 '에'와 결합하여 부사어로 기능하고 있다.
ⓑ: '철수는 뛰었다.'와 '발에 땀이 나다'라는 문장이 합쳐진 겹문장이다. '발에 땀이 나다'는 부사형 전성 어미 '-게'가 붙어 부사절이 되면서 부사어로 기능하고 있다.

평가 기준	
ⓐ와 ⓑ 모두 절의 종류와 기능을 바르게 서술한 경우	5점
ⓐ와 ⓑ 중 하나만 절의 종류와 기능을 바르게 서술한 경우	2점
맞춤법에 어긋난 경우	-1점

08. ⑤는 앞 절과 뒤 절이 대조의 의미 관계를 갖는 대등적 연결 어미 '-지만'으로 연결된 대등적으로 연결된 이어진문장이다. 나머지는 모두 종속적으로 연결된 이어진문장이다.

09. '양보'(ⓐ)의 의미 관계를 갖는 종속적 연결 어미는 '-(으)ㄹ지라도'이다.
오답 풀이 ① '-으니'는 원인, ② '-면'은 조건, ③ '-려고'는 의도, ④ '-(으)니까'는 원인을 나타내는 연결 어미이다.

10. '-려면'은 '어떤 가상의 일이 사실로 실현되기 위해서는'이라는 조건의 뜻을 나타내는 연결 어미이다.

평가 기준	
절과 절을 이어 주는 요소를 찾고, 의미 관계를 구체적으로 서술한 경우	5점
절과 절을 이어 주는 요소만 찾고 의미 관계를 구체적으로 서술하지 못한 경우	2점
맞춤법에 어긋난 경우	-1점

11. 문장의 호흡이 짧아지면서 사건의 흐름과 인물의 감정이 좀 더 효과적으로 전달된다.

12. '산타 할아버지가 자전거를 선물하였다.'가 관형절로 안긴 문장이다. 이는 '관형어+주어+목적어+서술어'로 구성된 문장이므로 이 문장 안에 다시 종속절이 들어 있다는 설명은 옳지 않다.

13. 전체 문장에는 ⓐ의 '새가'가 생략되었으므로 ①이 적절한 설명이다.

14. ㄱ은 '관형어+주어+서술어[서술절(주어+부사어+서술어)]'로 이루어져 있고, ㄴ은 '주어+부사어+보어+서술어'로 이루어져 있다. 따라서 ㄱ은 주어와 서술어의 관계가 두 번 나타난다.

15. '해가 뜨기'는 명사절로 목적어 기능을 하고 있다.

16. 현재 문법에서는 부사절의 위치가 전체 문장의 주어와 서술어의 사이에 들어 있으면 안은문장으로 처리하고 있다.

- 꽃이 피어서 마음이 흥겹다. →종속적으로 연결된 이어진 문장
- 마음이 꽃이 피어서 흥겹다. →부사절을 가진 안은문장

평가 기준	
ⓐ와 ⓑ 모두 '꽃이 피어서'의 문법적 역할을 바르게 서술한 경우	5점
ⓐ와 ⓑ 중 하나만 '꽃이 피어서의' 문법적 역할을 바르게 서술한 경우	3점
맞춤법에 어긋난 경우	-1점

(3) 문법 요소

pp. 187~203

핵심 다지기

01. ④ **02.** ⑤ **03.** ② **04.** 문장의 끝을 높인다. **05.** ③ **06.** ② **07.** ④ **08.** 환절기에는 감기에 걸리지 않도록 조심합시다. **09.** ④ **10.** ⑤ **11.** ③ **12.** '있으십니다'를 '있습니다'로 고쳐야 한다. '있으십니다'는 '매장'을 높이는 표현이므로 높임의 대상이 적절하지 않다. **13.** ④ **14.** ④ **15.** ⑤ **16.** 부사격 조사 '께', '드리다' **17.** ③ **18.** ⑤ **19.** ③ **20.** ② **21.** ② **22.** ① **23.** ② **24.** ⑤ **25.** ⑤ **26.** ④ **27.** ⑤ **28.** 파생적 사동문: ㄱ, ㄴ, ㄹ, ㅁ / 통사적 사동문: ㄷ **29.** ④ **30.** ④ **31.** ⑤ **32.** ㄱ. 영화가 어제 자기는 오늘 여기에서 과제를 할 거라고 말했다. ㄴ. 어제는 누나가 영수의 방을 보더니 "내일 손님이 올 것이니 깨끗하게 치워라."라고 말했다.

01. 화자가 청자에게 어떤 행동을 함께하기를 요청하는 문장은 청유문이다.

02. 상황에 따라 청유의 내용을 포함할 수 있어도 ⑤의 종결 표현 방식은 의문문이다.

03. 일정한 설명이나 구체적인 정보를 요구하는 설명 의문문에 해당하는 것은 ㉠이다. ㉠은 여름 여행을 갈 시기와 장소에 대한 구체적인 답을 원하고 있기 때문이다. 명령의 효과를 내는 수사 의문문에 해당하는 것은 ㉢이다. 상황상 할머니에게 자리를 양보하라는 명령의 의미를 담고 있기 때문이다.

오답 풀이 ㉡ 감탄의 의미를 담고 있는 의문문이므로 자세한 설명을 요구하거나 명령의 의미를 담고 있다고 보기 어렵다. ㉣ 동생에게 떡볶이를 사 올 수 있느냐는 질문이므로 긍정이나 부정의 대답을 요구하는 판정 의문문에 해당한다.

04. 말할 때 무엇인가를 묻는 의문의 뜻을 나타낼 때는 문장의 끝을 올린다.

평가 기준	
문장의 끝을 올려서 발음한다는 내용을 서술한 경우	5점
맞춤법에 어긋난 경우	-1점

05. 높임 표현은 화자와 청자가 한 공간에 없더라도 편지나 메시지 등 다양한 장면에서 사용할 수 있다.

06. 격식체는 격식을 맞추어 말해야 하는 자리, 즉 공적인 자리에서 주로 사용한다. 사적인 장소에서 사용되는 것은 비격식체이다.

07. 할머니가 아빠에게 격식체인 '하게체'를 사용한 것은 맞다. 그러나 '밥을 먹으러 같이 가자'고 청유법으로 말한 것이 아니라 '애비도 어서 오라'고 명령법으로 말하고 있다.

오답 풀이 ① 동생은 누나보다 나이가 어리지만, 가족이고 남매라는 친밀감이 있으므로 '해체'를 사용한다고 보는 것은 적절하다. ② 누나는 사적인 공간인 집이므로 엄마에게 해요체를 써서 높이고 있다. ③ 어머니는 '진지', '드시다' 등의 높임 어휘를 쓰고 종결 표현으로 '해요체'를 써서 상대이자 주체인 어머니를 높이고 있다. ⑤ 아빠는 '가셨습니까'와 같이 '하십시오체'의 의문법으로 말하고 있다.

08. 격식을 갖춘 상황이며 청자를 보통으로 높인다고 하였으므로 격식체 중 상대를 보통으로 높이는 '하오체'를 사용해야 한다. 또한 청유법으로 써야 한다고 했으므로 '~ㅂ시다'를 어미로 쓰면 된다.

평가 기준	
격식체 중 '하오체'를 청유법으로 고쳐 쓴 경우	5점
격식체 중 '하오체'를 사용했으나 청유법으로 고치지 못한 경우	3점
맞춤법에 어긋난 경우	-1점

09. '께'는 부사격 조사 '에/에게' 대신 사용하여 객체를 높이는 조사이다. 주격 조사 '이/가' 대신 높임을 표현하는 조사는 '께서'이다.

10. '저'는 자신을 낮춰 상대를 높이는 표현이다.

11. 할머니의 신체의 일부인 '귀'를 높이는 표현 '밝으십니다'를 사용한 것은 간접 높임에 해당한다.

오답 풀이 ① 주격 조사 '께서', 선어말 어미 '-시-'를 사용하여 주체인 어머니를 높이는 직접 높임이 사용되었다. ② '선생님, 진지, 잡수시다' 등의 어휘를 사용하여 주체를 높이는 직접 높임이 사용되었다. ④ 주격 조사 '께서는', '주무시는' 등의 높임 표현으로 주체를 높이는 직접 높임이 사용되었다. ⑤ 주격 조사 '께서', 선어말 어미 '-시-'를 사용하여 아버지를 직접 높이고 있다.

12. 높여야 할 대상은 '고객'인데 '매장'을 높이는 표현이 되었으므로 높임법이 잘못된 표현이다.

평가 기준	
높임법이 잘못된 부분을 찾아 바르게 고치고, 그 이유도 바르게 서술한 경우	5점
높임법이 잘못된 부분을 찾아 바르게 고쳤으나 그 이유 서술이 적절하지 못한 경우	3점

13. 목적어가 부사어가 지시하는 대상(㉣), 즉 서술의 객체를 높이는 객체 높임에서는 부사격 조사 '께'(㉠), '모시다', '뵙다', '여쭈다' 등의 특수한 어휘를 사용(㉢)해서 높임을 표현한다.

오답 풀이 ㉡ 어미를 사용하는 것은 주체 높임법이다. ㉤ 화자가 상대를 높이는 표현을 쓰는 것은 상대 높임법에 해당한다.

14. 문장에서 목적어나 부사어에 해당하는 객체가 있는지 먼저 찾고, 이를 높이는 특수한 어휘가 사용되었는지 확인한다. ②에는 목적어인 '어머니'를 높이는 표현인 '모시고'가 사용되었다.

15. 사건이 일어난 시점이 말을 하는 시점보다 앞서 있으므로 과거 시제이다.

16. 부사격 조사 '에게' 대신 '께'를, 서술어 '주다' 대신 '드리다'를 사용하여 '아저씨'를 높이고 있다.

17. 관형사형 어미 '-(으)ㄴ'의 경우 동사 어간에 붙을 때만 과거 시제이고, 형용사 어간이나 서술격 조사에 붙으면 현재 시제가 된다.

18. ⑤의 '부르는'은 관형사형 어미 '-는'을 사용한 현재 시제이다.

19. 현재 시제를 나타낼 때 형용사와 서술격 조사에서는 선어말 어미는 쓰지 않고 관형사형의 경우 어미 '-(으)ㄴ'을 사용한다.

20. 선어말 어미 '-더-'와 동사에서 관형사형 어미 '-(으)ㄴ'은 과거 시제를 표현할 때 사용한다.

21. ②는 선어말 어미 '-겠-' 외에 '내일'이라는 시간 부사어가 있어 미래 시제임이 분명히 드러난다.
<u>오답 풀이</u> ①과 ③은 추측, ④와 ⑤는 의지를 표현하는 '겠'이다.

22. 동작상은 발화시를 기준으로 동작이 일어나는 모습을 표현하는 것이다.

23. 능동문이 피동문으로 바뀔 때 능동문의 주어는 피동문의 부사어가 되고, 능동문의 목적어는 피동문의 주어가 된다.

24. '간드러지다'는 '목소리나 맵시 따위가 마음을 녹일 듯이 예쁘고 애교가 있으며, 멋들어지게 보드랍고 가늘다.'의 뜻을 지닌 형용사이다. '-어지다'가 붙어 피동의 형태로 변한 것이 아니라 원래 단어의 모습 그대로 형용사로 사용된 경우이다.
<u>오답 풀이</u> ① 능동사 '물다'에 피동 접미사 '-리-'가 붙어 '물리다'라는 피동사가 되었다. ② 능동사 '긁다'에 피동 접미사 '-히-'가 붙어 '긁히다'라는 피동사가 되었다. ④ 능동사 '바꾸다'에 피동 접미사 '-이-'가 붙어 '바뀌다'라는 피동사가 되었다. ⑤ 능동사 '사용하다'에 피동 접미사 '-되다'가 붙어 '사용되다'라는 피동사가 되었다.

25. ⑤의 '형성되었다'는 체언 '형성'에 '접미사 '-되다'가 붙어 피동사로 파생된 경우이므로 파생적 피동문에 해당한다.
<u>오답 풀이</u> ①, ②, ③ '깨+어지다', '어두우+어지다', '풀+어지다'는 모두 용언의 어간에 '-어지다'가 붙어 피동이 만들어진 통사적 피동문이다.
④ '떨게 되었다'는 동사의 어간 '떨-'에 '-게 되다'가 붙어 피동이 만들어진 통사적 피동문이다.

26. 주동문이 사동문으로 바뀔 때 주동사가 형용사나 자동사일 때 주동문의 주어가 사동문의 목적어가 되고, 주동사가 타동사일 때 주동문의 목적어는 그대로 사동문의 목적어가 된다.

27. 부정 부사 '못'을 사용한 짧은 부정문이나 부정 용언 '못하다'를 사용한 긴 부정문은 모두 언어 내용의 의미를 부정하는 문법 기능을 수행할 뿐이다. 어느 것을 사용하느냐에 따라 의미 차이가 생기지는 않는다.

28. 사동 접미사에 의해 만들어지면 파생적 사동, '-게 하다'에 의해 만들어진 사동문은 통사적 사동문이다.
[파생적 사동]
ㄱ: '태우다'는 '타+이+우+다'로 사동 접미사 '-이-'와 '-우-' 두 개가 붙어 사동사로 만들어졌다.
ㄴ: '읽히셨다'는 '읽+히+시+었+다'로 사동 접미사 '-히-'가 붙어 사동사로 만들어졌다. '-시-'는 높임 선어말 어미, '-었-'은 과거 시제 선어말 어미이다.
ㄹ: '숨겼다'는 '숨+기+었+다'로 사동 접미사 '-기-'가 붙어 사동사로 만들어졌다.
ㅁ: '교육시켰다'는 사동 접미사 '-시키다'가 붙어 사동사로 만들어졌다.
[통사적 사동]
ㄷ: '부르게 했다'와 같이 '-게 하다'가 붙어 만들어진 사동문이다.

29. 인용 조사는 직접 인용절 다음에 '라고'를, 간접 인용절 다음에 '고'를 쓴다.

30. 직접 인용은 다른 사람의 말이나 글을 원래의 형식과 내용을 그대로 유지한 채 인용하지만, 간접 인용은 내용만 끌어다가 자신의 말로 바꾸어 표현하는 것이다. 따라서 직접 인용 표현을 자신의 말로 바꾸다 보면 지시 표현이나 높임 표현, 시간 표현, 문장 종결 표현 등이 달라질 수 있으므로 유의해야 한다. 그러나 부정 표현은 간접 인용으로 바꾼다고 해도 달라질 점이 없으므로 유의할 점이라고 보기 어렵다.

> (예) 누나가 어제 나에게 "내일은 내 옷을 <u>못 입으니</u> 너희 동네 세탁소에 <u>가져다줘!</u>"라고 말했다.
> → 누나가 어제 나에게 오늘은 자기 옷을 입지 못하니 우리 동네 세탁소에 가져다주라고 했다.
> ⇒ 짧은 부정 표현을 긴 부정 표현으로 바꾸어도 의미 차이는 거의 없다.

31. ⑤의 "오늘은 밥을 남기지 마라!"는 시간상으로 '어제' 말한 것이므로 간접 인용으로 바꿀 때 '오늘은'은 '어제는(어저께는)'으로 바꿔 주어야 한다.

32. 시간 표현, 지시 표현, 인용 조사 표현에 유의하여 바꿔야 한다.

01. ③   **02.** ①   **03.** ②   **04.** · 고친 문장: "할머니께서 혼자 일하시겠다고 말씀하셨어요." · 고친 이유: 주체 높임법이므로 주체인 할머니를 높이는 주격 조사 '께서'를 사용하고, 용언의 어간에는 선어말 어미 '–시–'를 붙였다. 또한 남의 말을 높여 이를 때 사용하는 표현인 '말씀'으로 바꾸었다.   **05.** ①   **06.** ③   **07.** ③   **08.** ⑤   **09.** ⑤   **10.** ⓐ는 철수가 조카에게 과자를 직접 먹여 주는 행위를 뜻하고, ⓑ는 직접 먹여 주지는 않고 간접적으로 먹으라고 지시하거나 과자를 준비해 주는 등의 행위를 의미한다.   **11.** ⑤

01. ©은 아저씨가 어디 계신지 알려 달라는 질문이므로 설명 의문문이다.

02. ㄱ은 간접 높임이 사용된 표현이다. 아버님의 '말씀'을 높임으로써 '아버님'을 높이고 있다.

   오답 풀이 ② ㄴ의 '않았어요'는 말을 듣는 상대를 높인 것이지 '누나'를 높인 표현이 아니다. ③ ㄷ의 '뵙다'는 문장의 객체, 즉 목적어인 '할아버지'를 높인 표현이다. ④ ㄹ의 '먹었습니다'는 상대인 청자를 높인 상대 높임법 중 격식체이다. ⑤ ㅁ의 '진지', '잡수시다'은 주체인 '할머니'를 높인 표현이다. 상대를 높인 표현은 문장 종결 표현인 '~대요'에 드러나 있다.

03. ②의 '여쭈다'는 객체 높임을 표현하는 어휘에 해당한다.

   오답 풀이 ① 주격 조사 '께서', '잡수신다' 등은 주체인 '할아버지'를 높이는 표현이다. ③ 주격 조사 '께서', '피곤하신지', '주무신다' 등은 모두 주체인 '아버지'를 높이는 표현이다. ④ '보신', '모르신다' 등은 주체인 '할머니'를 높인 표현이다. ⑤ '께서', '만드신', '주셨다' 등은 주체인 '어머니'를 높인 표현이다.

04. 주체를 높이려면 주격 조사 '께서', 선어말 어미 '–시–' 등을 활용한다.

평가 기준	
'께서', '일하시겠다고', '말씀하셨어요'가 들어가게 고치고, 고친 이유를 적절하게 서술한 경우	5점
알맞게 고쳤으나 고친 이유를 적절하게 서술하지 못한 경우	3점
맞춤법에 어긋난 경우	–1점

05. 보편적인 사실을 나타낼 때는 현재 시제를 사용한다. 따라서 ①의 시제 선어말 어미가 사용되지 않는다는 탐구 결과는 적절하지 않다.

   오답 풀이 ② 관형사형 어미 '–(으)ㄴ'은 동사 어간에 붙을 때는 과거 시제를 나타내지만, 형용사와 서술격 조사에 사용될 때는 현재 시제를 표현한다.

> 예 · 그 사람은 <u>잊은</u> 지 오래되었어.
>   (동사 '잊다'에 붙음. ⇒ 과거)
> · 아기가 <u>큰</u> 옷을 입는다.
>   (형용사 '크다'에 붙음. ⇒ 현재 옷이 큼.)

06. 선어말 어미 '–겠–'이 ㉠은 미래, ㉡은 가능성이나 능력, ㉢은 의지, ㉣은 추측의 의미로 사용되었다.

07. 염소가 밭의 채소를 먹는 행동이 진행 중이므로 동작이 진행되고 있음을 나타내는 것은 ③이다.

08. 피동사에 의한 피동문을 파생적 피동문이라 한다. 피동사는 능동사의 어간에 파생 접미사 '–이–, –히–, –리–, –기–'가 붙거나, 서술성을 가진 일부 체언에 '–되다'가 붙어서 만들어진다. 그러나 ⑤의 서술어 '만나다'는 피동 접미사가 붙을 수 없다. '만나지다', '만나게 되었다.'와 같이 '–어지다'나 '–게 되다'를 붙여서만 피동 표현이 만들어지므로 통사적 피동문으로만 바꿀 수 있다.

09. ㅁ에는 부사어가 '소년에게'와 '천천히'가 사용되었는데, 이들의 위치를 바꾸어도 의미에는 변화가 없다. 따라서 사동문에서는 부사어의 위치가 고정되어 있다는 ⑤의 탐구 결과는 적절하지 않다.

   오답 풀이 ① ㄱ은 접미사 '–시키다'를 붙인 사동사에 의한 사동문이므로 파생적 사동문에 해당한다. ② ㄴ에서 형용사 '높다'는 사동 접미사 '–이–'를 붙여 '높이다'라는 사동사를 만들었다. ③ ㄷ의 '재우다'는 '자다'에 사동 접미사 '–이–'와 '–우–' 2개가 붙어 사동사가 된 경우이다. ④ ㄹ의 '먹이다'는 '음식을 먹게 하다'의 의미에서 확장되어 '가축 따위를 기르다'의 의미를 갖게 되었다.

10. 파생적 사동문은 통사적 사동문과 비교하면 좀 더 직접적인 의미를 가진다.

평가 기준	
직접 사동과 간접 사동의 개념과 연결하여 ⓐ와 ⓑ를 행위의 의미를 적절하게 서술한 경우	5점
ⓐ와 ⓑ를 행위의 의미만을 서술한 경우	3점
맞춤법에 어긋난 경우	–1점

11. 간접 인용 표현에서 자신의 말로 바꾸어 인용할 수 있다는 것은 형식은 유지하지 않고 내용만 끌어다 쓴다는 것을 뜻한다. 즉, 화자의 상황에 맞게 지시 표현이나 높임 표현, 시간 표현, 문장 종결 표현 등을 적절히 바꾼다는 것일 뿐 내용을 다르게 바꿀 수는 없다.

③ '–ㄹ'은 관형사절로 안길 때 미래 시제를 나타내기도 하지만, 특정한 시제의 의미가 없이 앞말이 관형어 구실을 하게 하는 어미인 관형사형 어미로 사용되기도 한다. ©는 문맥상 '학교에 갈 때'와 '눈이 내렸다'가 동일한 시각임을 알 수 있고, '내렸다'에 이미 과거 시제로 규정되고 있다. 따라서 앞에 사용된 관형사형 어미 '–ㄹ'은 시제의 의미가 없이 사용된 것임을 알 수 있다. ④ ⓓ의 서술어 '했다'에 사용된 시제 '–았–'은 과거를 나타내는 시제 표현이 아니라 아직 이루어지지 않은 사건에 대한 확신을 나타내는 표현이다. ⑤ '–았었–/–었었–'은 아주 오래전에 일어난 일이나 현재는 그렇지 않은 상태임을 표현하고자 할 때 사용한다.

pp. 212~215

01. ④ **02.** ⑤ **03.** ④ **04.** ② **05.** ③ **06.** ③ **07.** ⓐ
와 ⓑ는 모두 두 홑문장이 의미 관계가 대등하게 연결된 이어진문
장이다. ⓐ처럼 연결 어미 '-고'로 연결될 때는 앞 절과 뒤 절이 나
열의 의미 관계를 맺고, ⓑ처럼 연결 어미 '-지만'으로 연결될 때는
앞 절과 뒤 절이 대조의 의미 관계를 맺는다. **08.** ② **09.** ⑤
10. ⑤ **11.** ③ **12.** ② **13.** ③ **14.** ③ **15.** ③ **16.** ④
17. ⑤

01. ⓐ는 주어, ⓑ는 관형어, ⓒ는 부사어, ⓓ는 부사어, ⓔ는 서
술어이다. 주성분에는 주어, 서술어, 목적어, 보어가 들어가
므로 ⓐ와 ⓔ가 해당되고, 부속 성분에는 관형어, 부사어가
들어가므로 ⓑ, ⓒ, ⓓ가 해당된다.

02. ㅁ의 서술어 '달린다'는 주어만 있어도 되는 한 자리 서술어
이다.

03. ㄱ에는 '나무가 거의 없다'가 서술절로 안겨 있으므로 주어와
서술어의 관계가 두 번 나타난다.
  오답 풀이 ① ㄱ은 '관형어, 주어, 서술절(주어, 부사어, 서술
어)'의 성분으로 이루어진 문장이지만, ㄴ은 '주어, 부사어,
보어, 서술어'의 성분으로 이루어져 있다. ② ㅁ에는 명사절
'바람이 불기'에 목적격 조사 '를'이 붙어 목적어 기능을 하고
있다. ③ 부사어가 ㄴ에는 '벌써', ㄷ에는 '어제', '크게' 등이
있지만, ㄹ과 ㅁ에는 없다. ⑤ ㄹ은 대등하게 연결된 이어진
문장이고, ㅁ은 명사절을 가진 안은문장이다.

04. ㄴ의 부사어 중 '정말'은 문장 부사어, '분야에서'는 성분 부
사어이다.

05. ㄷ의 안긴문장 '동생과 달리'는 부사절로 서술어 '좋아한다'를
수식하는 기능을 한다.

06. 〈보기〉에서 설명하는 절은 '서술절'이다. ③에서 '웃음이 많
으시다'가 서술절로 안겨 주어인 '큰어머니께서는'의 서술어
기능을 하고 있다.
  오답 풀이 ① 두 개의 홑문장이 종속적으로 연결된 이어진문
장이다. ② '내가 보던'이 관형절로 안겨 있다. ④ '눈이 부시
게'가 부사절로 안겨 있다. ⑤ '그가 돌아오기'가 명사절로 안
겨 목적어 기능을 하고 있다.

07. 〈보기〉에는 두 개의 홑문장이 나열, 대조의 의미 관계를 갖
는 대등적 연결 어미로 이어지고 있다.

평가 기준	
문장 유형의 개념과 연결 어미에 따른 앞 절과 뒤 절의 의미 관계를 적절하게 서술한 경우	5점
문장 유형의 개념만 서술하거나 연결 어미에 따른 앞 절과 뒤 절의 의미 관계만 서술한 경우	3점
맞춤법에 어긋난 경우	-1점

08. ㄴ '장날에는 <u>모두</u> <u>같이</u> <u>물건을</u> <u>팔러</u> <u>갔다.</u>'
         부사어 부사어 목적어 서술어

위의 문장은 '주어'가 생략된 홑문장이다. 여기에서 '같이'는
'함께'라는 의미로 쓰였으며 이를 '모여'로 바꾸면
    '<u>장날에는</u> <u>모두</u> <u>모여</u> <u>물건을</u> <u>팔러 갔다.</u>'
        부사어   부사어 서술어 목적어 서술어
로 되면서 주어와 서술어의 관계가 두 번 나타나는 종속적으
로 연결된 이어진문장, 즉 겹문장이 된다.
  오답 풀이 ① ㄱ은 조건의 의미 관계로 이어진 겹문장이다. ③
ㄷ에는 '꽃이 피는', '봄이 돌아오면', '님이 오실' 등 주어와
서술어의 관계가 세 번 나타난다. ④ ㄹ에서 '영희가 요리했
음'이라는 명사절이 목적어 역할을 하고 있다. ⑤ ㅁ은 서술
절을 안고 있는 두 절이 대등하게 연결된 이어진문장이다.

09. 직접 인용절을 간접 인용절로 바꿀 때 인용절 뒤에 오는 조
사는 '고'를 사용한다. 따라서 ⑤는 '그는 별이 정말 아름답다
고 말했다.'라고 바꿔야 한다.

10. 〈보기〉의 밑줄 친 부분 '동생도 모르게'는 서술어를 수식하는
부사절이다. ⑤의 '신이 다 닳도록'도 서술어 '돌아다닌다'를
수식하는 부사절이다.
  오답 풀이 ① 관형절 '내가 읽던'을 가진 문장이다. ② 주어 기
능을 하는 명사절 '이 문제는 해결하기'를 가진 문장이다. ③
인용절 '저녁을 먹겠다'를 가진 문장이다. ④ 목적어 기능을
하는 명사절 '아랫물이 맑기'를 가진 문장이다.

11. ③은 '노래를 잘 부르는 영희가 좋다'라는 서술절을 안은 문
장이다. 그런데 이 서술절에는 '노래를 잘 부르는'이라는 관
형절이 안겨 있다.
  오답 풀이 ①, ⑤ 관형절이 서술절에 안겨 있지 않고 주어를
수식하고 있다. ② 부사절을 안고 있다. ④ 종속적으로 연결
된 이어진문장이다.

12. ②의 ⓐ는 엄마가 아이에게 옷을 입히려는 상황이므로 '입자'
는 '아이', 즉 '청자'만 행하기를 바라는 말이다. ⓑ는 자신은
잠을 더 자고 싶으니 조용히 하라는 의도로 한 말이다. 따라
서 '잡시다'는 화자만 행하려는 행동임을 알 수 있다.
  오답 풀이 ① ⓐ는 회의 시간이므로 발표를 하자는 것은 화자
와 청자 모두 행하기를 바라는 상황이다. ⓑ 역시 전시회에
같이 가자는 말로 미루어 볼 때 화자와 청자 모두가 행하기
를 바라는 상황이다. ③ ⓐ에서 '이 닦고 자자'는 청자와 화
자 모두 행하기를 바라는 것이고, ⓑ는 청자만 행하기를 바
라는 행동을 나타낸다. ④ ⓐ와 ⓑ 모두 청자만이 행하기를
바란다. ⑤ ⓐ에서 '이야기하자'는 청자와 화자 모두 행하기
를 바라는 것이고, ⓑ는 청자만 행하기를 바라는 행동을 나
타낸다.

13. 할머니의 '머리'를 높이는 것은 주체와 밀접하게 관련된 대상
을 높임으로써 주체를 간접적으로 높이는 간접 높임법에 해
당한다.
  오답 풀이 ① '계시다'는 주체 높임을 나타내는 어휘이다. ②
ⓑ는 말을 듣는 상대인 아들에게 한 말이다. '-게', '-구먼'은
격식체 중에서 상대를 낮추어 말하는 상대 높임법의 표현에

해당한다. ④ '드리다'는 객체를 높이는 어휘이다. ⑤ 객체 높임법에서는 부사격 조사 '에게' 대신 '께'를 사용하여 객체를 높인다.

14. ③의 ⓐ는 이모의 '병'을 '있으시다'로 높임으로써 이모를 높이는 간접 높임에 해당하고, ⓑ는 '드시다'라는 높임 어휘를 사용하여 주체인 이모를 높인 직접 높임에 해당한다.

15. '-아 있다'는 동작이 완료된 상태임을 나타내는 동작 완료상이다.

16. ㄷ을 능동문으로 바꾸면 '눈이 온 세상을 덮었다.'이므로 서술어의 동작 대상, 즉 목적어는 '세상'이 된다.

17. ㉠은 단순한 부정, ㉡, ㉢은 상황이 적절하지 못해 어떤 행위를 할 수 없을 때의 부정이다. ㉢의 '안'은 자신의 의지에 의한 부정을 나타내고, ㉣은 능력이 부족할 때에 사용된 것이다.

4. 담화
(1) 담화의 개념과 특징

핵심 다지기   pp. 219~222

01. ①   02. ④   03. 환경 보호의 중요성, 환경 오염의 위험성 등
04. ②   05. ⑤   06. 지시 표현: ⓓ, ⓔ / 대용 표현: ⓐ, ⓑ, ⓒ   07. 동일 어휘의 반복, 대용 표현, 접속 표현 사용

01. 담화는 발화들이 모여서 이루어진 구조체이므로, 하나가 아닌 둘 이상의 발화가 모여야 한다.

02. (나)를 보면 담화 내의 발화들이 하나의 주제 아래 유기적으로 모여 있어야 한다는 것을 확인할 수 있다.

03. 제시된 발화들은 모두 환경 오염으로 인한 문제점을 내용으로 삼고 있다. 따라서 발화들을 하나로 묶을 수 있는 주제를 설정하는 것이 적절하다.

04. 특정 대상과 청자와의 멀고 가까운 거리에 따라 다르게 사용하는 것은 지시 표현이다.

05. 각 발화는 국제 대회에서 우리나라 선수들이 성과를 내는 것에 대한 감탄과 그 이유를 분석한 내용으로, 발화 상황들 사이에 시간적 순서를 드러내고 있지는 않다.
<u>오답 풀이</u> ① '우리나라', '성과' 등의 어휘가 반복되고 있다. ② '또한'이라는 접속 표현이 사용되었다. ③ '이런', '이는' 등의 대용 표현이 사용되었다. ④ '우리나라 선수들이 국제 대회에서 성과를 내는 이유'를 주제로 각 발화가 연결되고 있다.

06. 가리키는 내용이 앞에서 언급되었다면 대용 표현이고, 언급

된 적이 없으면 지시 표현이다.

07. '산책로'라는 어휘의 반복, '그곳'이라는 대용 표현의 사용, '그러나'라는 접속 표현의 사용으로 응집성을 높이고 있다.

평가 기준	
동일 어휘의 반복, 대용 표현, 접속 표현 등의 세 가지 요소 모두 찾은 경우	5점
세 가지 요소 중 두 개를 찾은 경우	3점
맞춤법에 어긋난 경우 등	−1점

소단원 적중 문제   pp. 225~227

01. ②   02. ④   03. 사람들이 자신의 건강을 지키는 방법을 발표하는 상황(사람들이 자신의 운동 방법을 이야기하는 상황)
04. ⑤   05. ③   06. ①   07. ②   08. ③   09. ②   10. ②

01. 통일성을 높이기 위해서는 발화들이 주제와 긴밀하게 연결되어 있어야 한다. 일정한 상황 속에서 발화가 이루어져야 통일성을 높일 수 있는 것은 아니다.

02. 〈보기〉에 제시된 사람들은 역경을 이기고 일궈 낸 성공의 대가로 부와 명성 및 사람들의 존경을 얻었다.

03. 〈보기〉에 나타난 발화를 통해 각 사람은 운동법을 알 수 있으므로 담화의 상황을 운동 방법, 또는 건강을 지키는 방법을 이야기하는 상황으로 보면 하나의 통일된 주제로 연결하여 적절한 담화가 될 수 있다.

04. ⓔ의 앞부분은 경험보다 지식과 기술에 의존하며 이 최고의 진리라 믿고 살아간다는 내용이며, 뒷부분은 직접 체험한 것 즉 경험이 더 진실하다는 것을 자각한다는 내용으로 전개되고 있다. 앞뒤가 상반된 내용의 흐름이므로 ⓔ에는 '그러나'와 같은 역접 관계를 나타내는 접속 표현이 들어가는 것이 적절하다.

05. 대용 표현과 지시 표현은 모두 '이'와 '그' 계통의 대명사 모두 사용한다.

06. ⓐ는 뒤에 오는 담화 내용(요즘 유행하는 노래에 다 같이 맞춰서 춤을 추는 것)을 가리키는 대용 표현이다.

07. 1연에서는 서른다섯 될 때까지 애기똥풀을 모르고 살았던 화자와 그런 화자를 해마다 쳐다보았을 애기똥풀의 모습이 대조되고 있으므로 ⓑ에는 역접 관계를 드러내는 접속어를 넣는 것이 자연스럽다.

08. 동일한 어휘 또는 표현을 반복하는 방법으로 응집성을 드러낼 수도 있다.

09. 〈보기〉의 주제는 '지게의 순박함'인데, ⓑ에 '보자기'에 관한 이야기가 나와서 글의 통일성을 해치고 있다.

10. 예를 들어, '딸기', '떡', '빵'을 넣었을 때 대화로 바꾸면,

> 아이: 아빠, 나 ⓐ 이거(딸기) 먹어도 돼?
> 아빠: 안 돼. ⓑ 그건(딸기) 할머니 드릴 거야. ⓒ 그거(딸기) 말고, ⓓ 이거(떡) 먹어.
> 아이: 싫어. ⓔ 그건(떡) 맛없단 말이야. 차라리 ⓕ저걸(빵) 먹을래.
> 아빠: 그래 그럼 ⓖ 그거(빵) 먹어. ⓗ 그건(빵) 누나 간식인데. 누나는 ⓘ 이거(떡) 주지 뭐.

처럼 바꿀 수 있다.

(2) 담화의 맥락과 효과적인 국어생활

핵심 다지기   pp. 229~232
> **01.** ④   **02.** ⑤   **03.** 담화의 언어적 맥락과 비언어적 맥락을 살핀다.   **04.** ⑤   **05.** ⑤   **06.** 담화가 이루어지는 상황 맥락을 정확히 고려하지 않아, 발화의 정확한 의미를 파악하지 못했기 때문이다.

01. (나)에 따르면, 담화에서 앞 발화에서 언급된 경우 바로 이어진 뒤 발화에서 생략되어도 그 의미가 제대로 전달될 수 있다고 설명하고 있다.

02. 철수는 순희가 어떤 영화를 보는지 모르는 상태이므로, 순희가 볼 영화가 재미있다고 표현하는 것은 적절하지 않다.

03. (가)에서 확인할 수 있다.

평가 기준	
언어적 맥락과 비언어적 맥락을 모두 서술한 경우	5점
둘 중 하나만 서술한 경우	3점

04. 지시 표현, 높임 표현, 생략 표현 등이 나타내는 의미나 화자의 심리적 태도는 담화 맥락과 상황에 의존하는 바가 크다.

05. ⑤의 "괜찮습니다."에 담긴 화자의 의도는 겸손히 사양하는 것으로 해석할 수도 있다. 즉 제안을 거부한다는 의미라기보다 한 번쯤 거절하는 우리 언어 공동체의 사회·문화적 맥락에서 비롯된 발화로 볼 수 있다.

06. 청자는 담화가 이루어지는 상황 맥락을 고려하여 화자의 발화 의도를 추측해야 의미를 정확히 파악할 수 있다.

평가 기준	
알맞은 내용으로 서술한 경우	5점
내용은 적절하나 맞춤법이 어긋난 경우	3점

소단원 적중 문제   pp. 236~237
> **01.** ③   **02.** 저는 철수를 못 봤는데요.   **03.** ④   **04.** ②   **05.** ④
> **06.** ①

01. 담화에서는 언어적 맥락과 상황 맥락 모두가 중요하며, 둘 중 어느 하나가 더 중요하다는 것은 (가)에서 찾을 수 없고 사실과도 다르다.

02. 담화의 언어적 맥락의 보았을 때 주어 '저는'과 목적어 '철수를'이 생략되어 있다.

03. 〈보기〉의 시는 임이 가지 못하도록 실제로 매일 비가 오기를 기원하는 시적 화자의 마음이 담긴 시이다. 따라서 '내 마음에' 비가 내린다는 은유적인 표현은 적절하지 않다.
오답 풀이 ① '나리오소서'의 주체는 '비이므로 '비가' 생략되었다고 볼 수 있다. ② '나리오소서' 앞에 화자의 간절한 마음을 더하는 부사 '부디'를 넣을 수도 있다. ③ 앞에 쓰인 '나리오소서'로 볼 때 용언 '오소서' 앞에 어근 '나리–'가 생략된 것으로 볼 수 있다. ⑤ 화자가 비가 계속 오기를 바라는 것은 '임이 가지 못하게' 하려는 의도 때문이다.

04. ②는 특별한 상황 맥락을 고려하지 않은 단순 진술에 해당한다. 나머지의 예는 모두 상대방에 대한 담화의 맥락 이해 요청의 의미를 담고 있다.

05. ㉣의 경우 정확한 시간을 말하지 않더라도 "아직 시간이 남았어. 천천히 해." 등과 같이 상황 맥락을 고려한 대답을 하였다면 의사소통상에 문제가 발생하지 않을 것이다.

06. 〈보기〉의 상황은 '인간관계'에 대한 관념의 차이를 보여 주고 있지 않다.

중단원 실전 문제   pp. 238~241
> **01.** ⑤   **02.** ⑤   **03.** ④   **04.** ⑤   **05.** ①   **06.** 대용 표현은 화자 또는 청자의 말에서 언급된 것을 다시 가리킬 때 쓰인다는 점에서 지시 표현과 구별된다.   **07.** ②   **08.** ⑤   **09.** ③   **10.** ㉮는 인사를 대신하여 표현한 발화이고, ㉯는 몸은 괜찮은지(또는 병원 생활이 불편하지는 않은지)를 묻는 표현이다.   **11.** ⑤   **12.** ①   **13.** ⑤

01. 담화의 의미를 바르게 파악하기 위해서는 언어적 맥락은 물론 비언어적 맥락을 모두 고려해야 한다고 하였다. 언어적 맥락이 주 요소가 되고 비언어적 맥락이 부차적 요소가 된다는 말은 나타나 있지 않다.

02. 남편이 집으로 퇴근해 들어오며 방의 바닥이 차다고 말하는 상황으로 볼 때 아내에게 보일러를 켜서 방의 온도를 올리라는 요청의 의도로 말한 것임을 알 수 있다.

03. ④는 부모가 어린 동생의 아이스크림을 빼앗은 형을 질책하는 의미가 있는 발화이다.
<u>오답 풀이</u> ①, ②, ③, ⑤는 실제 청자의 연령을 묻는 발화이다.

04. 이 글에서 담화 내의 대용 표현에 사용되는 대명사는 지시 표현에 사용되는 대명사 가운데 주로 '이'와 '그' 계통의 것들이 사용되기 때문에 형식상으로 잘 구별되지 않는다고 하였다.

05. ⓐ의 밑줄 친 '첫째, 둘째, 셋째'는 발화들을 하나로 묶어 주는 접속 표현으로, 발화의 시간적 순서가 아니라 논리적 순서를 나타낸다.

06. (라)에서 화자와 청자로부터의 멀고 가까움에 따라 특정한 대상을 가리키는 지시 표현과 어떠한 구별점이 있는지 확인할 수 있다.

평가 기준	
알맞은 내용으로 서술한 경우	5점
맞춤법에 어긋난 경우	−1점

07. 화제를 앞의 내용과 관련시키면서 다른 방향으로 이끌어 나가고 있으므로 '그런데'가 적절하다.

08. 발화 ⓔ에는 자신도 학교에 늦게 되어 지각할 것 같아 어머니의 부탁을 들어줄 수 없다는 의미가 담겨 있다. 따라서 상황 맥락에 맞는 적절한 발화이다.

09. 〈보기〉의 대화에서 두 사람의 의사소통이 원활하게 이루어지지 않은 것은 차린 게 많은데도 이를 두고 겸손이나 겸양의 의미로 차린 게 없다고 말하는 한국의 사회·문화적 맥락을 외국인이 이해하지 못해서이다. 따라서 의사소통이 원활하게 이루어지기 위해서는 대화를 둘러싼 사회·문화적 맥락을 고려하는 것이 필요하다는 사실을 알 수 있다.

10. 같은 내용의 발화라 할지라도 발화 상황과 화자의 의도에 따라 다른 기능을 수행할 수 있으므로 상황 맥락을 고려하여 문장의 의미를 해석해야 한다.

평가 기준	
알맞은 내용으로 서술한 경우	5점
맞춤법에 어긋난 경우	−1점

11. 담화의 통일성은 내용적 측면에 해당하고, 담화의 응집성은 형식적 측면에 해당한다.

12. "배고파 죽겠어."는 1인칭 주어의 상태를 과장하거나 3인칭 주어의 상태를 추측하는 표현이다.

13. 한 담화 안에서 앞의 발화 내용을 통해 뒤의 발화에서 생략된 성분을 이해하는 것은 사회·문화적 맥락이 아닌 언어적 맥락에 의한 것이다.

III. 매체 언어의 탐구와 활용

1 매체 언어의 특성
(1) 정보의 구성과 유통 방식

핵심 다지기　　　　　　　　　　pp. 247~251

01. ①　**02.** ②　**03.** ⑤　**04.** (가)에 비해 (나)는 정보 생산사와 수용자 사이의 직접적이고 즉각적인 소통이 가능하다. / (가)에 비해 (나)는 빨리 많은 사람에게 정보를 전달할 수 있게 하여 소통의 대상을 쉽게 확대할 수 있다.　**05.** ①　**06.** ④　**07.** 뉴스는 사회적으로 큰 쟁점이 될 수 있는 것부터 먼저 배치하기 때문에, '선플' 뉴스는 구성 순서 중 세 번째로 중요한 뉴스거리이다.　**08.** ⑤

01. (가)는 문자를 중심으로 스매시에 대해 설명하고 있으며, 스매시 동작에 대한 시각 자료를 제시하여 독자의 이해를 돕고 있다. (나) 역시 문자를 통해 스매시를 하는 방법을 설명하고 있으며, 댓글을 쓰는 사람을 표현하기 위해 프로필 이미지를 사용하고 있다.
<u>오답 풀이</u> (가)는 인쇄 매체인 책이므로 음성이나 동영상을 사용할 수가 없다.

02. (가)는 두 번째 문단에서, (나)는 '스매시를 하는 방법은 ~'에서 스매시를 하는 방법을 설명하고 있다.
<u>오답 풀이</u> ① 스매시의 개념은 (가)에만 언급되어 있다. ③ 스매시의 공격 조건은 (가)에만 언급되어 있다. ④ 스매시의 장단점은 (가)에만 언급되어 있다. ⑤ 스매시를 해야 하는 상황은 (가)에만 언급되어 있다.

03. (가)는 인쇄 매체로 아날로그 매체에 속하고, (나)는 인터넷 매체로 디지털 매체에 속한다. 디지털 매체의 특성상 일반인들도 쉽게 정보의 제공자가 될 수 있을 정도로 접근이 쉽다. 따라서 접근성이 아날로그 매체보다 약하다는 진술은 적절하지 않다.
<u>오답 풀이</u> ① 인터넷 매체인 (나)가 인쇄 매체인 (가)보다 정보를 신속하게 대량으로 전달할 수 있다. ②, ④ (나)는 (가)에 비해 정보를 제공하는 주체의 범위가 넓고 접근만 한다면 누구나 정보 제공자가 될 수 있어서 그만큼 신뢰성이 약하다. ③ 인터넷 매체인 (나)는 디지털 매체의 형태로 보존되므로, 대량 복제와 배포가 상대적으로 쉽다.

04. (가), (나) 모두 매체를 통해 정보 생산자와 수용자 사이의 의사소통이 이루어지지만, 그 소통 양상에 차이가 있다. (나)

매체에만 있는 '댓글 달기', '공유하기' 등의 기능을 보면, 정보 생산자와 수용자 사이의 직접적이고 즉각적인 소통을 가능하게 하며, 빨리 많은 사람에게 정보를 전달할 수 있게 함으로써 소통의 대상을 쉽게 확대할 수 있다는 점이 특징이다.

평가 기준	
인쇄 매체와 인터넷 매체의 소통 양상을 비교하여 그 차이를 한 가지 이상 서술한 경우	5점
내용은 적절하지만, 맞춤법이 어긋난 경우	−1점

05. 이 신문 기사에서는 '선플 달기 운동'의 사례와 경과, 그리고 효과 등을 설명하고 있을 뿐, '선플 달기 운동'을 시작한 계기에 대한 내용은 찾을 수 없다.
<u>오답 풀이</u> ② 기사 본문의 두 번째 문단을 보면 '선플 달기 운동'으로 인해 학생들의 언어 습관이 달라지고, 결과적으로 학교 폭력 역시 줄어들었다고 설명하고 있다. ③ 언어 습관의 개선, 학교 폭력의 감소 등은 '선플 달기 운동'의 긍정적 효과로 볼 수 있다. ④ 기사 본문의 마지막 문단에서 봉사 활동 시간과 상으로 보상을 얻을 수 있음을 언급하고 있다. ⑤ 기사 본문의 첫 번째 문단에서 '선플 달기 운동'의 성공 사례를 제시하고 있다.

06. 인터뷰 내용이 모두 제시되지는 않았지만, 뉴스의 제목인 '아름다운 댓글, '선플'로 사랑을'과 고등학생의 '아름다운 말과 아름다운 글과 아름다운 행동으로'를 보면 맥락상 선플 운동을 긍정적으로 바라보는 뉴스의 시각과 일치하는 입장임을 짐작할 수 있다.
<u>오답 풀이</u> ① 아나운서는 뉴스 첫머리에서 선플과 관련된 개괄적 정보를 제시하고 있다. ② 기자는 선플과 관련된 활동이 이루어지는 현장에 직접 찾아가 그 내용을 구체적으로 전달하고 있다. ③ 기자의 말을 통해서 교육부 조사 결과가 통계 자료로 제시되고 있다. ⑤ 뉴스 화면을 보면 아랫부분에 주요 내용을 자막을 통해 제시하고 있음을 알 수 있다.

07. 방송 뉴스는 특성상 각 뉴스거리가 차례대로 제시되기 때문에 수용자는 선택적으로 수용하기 어렵다. 따라서 쟁점이 큰 정보일수록 뉴스의 앞부분에 배치하는 것이 효과적이기 때문에 구성 순서에 반영된다.

평가 기준	
편성 순서와 중요도의 상관성과 ㉠의 경우를 모두 설명한 경우	5점
내용은 적절하지만, 한 문장 이상인 경우	3점

08. 신문은 인쇄 후 독자들에게 배포되므로 생산자와 수용자 사이의 즉각적인 상호 소통은 불가능하다.
<u>오답 풀이</u> ① 텔레비전은 동영상 매체를 사용하기 때문에 신문과 비교하면 정보의 실재감이 높다. ② 신문은 인쇄된 다양한 기사가 지면에 배치되어 있으므로, 이 중 독자가 원하는 정보를 선택적으로 수용할 수 있다. ③ 텔레비전은 정해진 시간 안에서 보도가 이루어져야 해서 신문보다 시간적 제약성이 있다. ④ 텔레비전은 즉각적인 방송 송출이 가능하므로 신문보다 정보 전달의 속도가 빠르다.

(2) 표현의 창의성과 심미적 가치

핵심 다지기

pp. 253~255

01. ④ **02.** ③ **03.** ③ **04.** ④

01. (가)는 증강 현실이라는 기술을 이용하여 사람들에게 가상의 상황을 실제로 착각하게 함으로써 신선한 충격을 선사하고 있다.
<u>오답 풀이</u> ① 불특정 다수를 대상으로 한 실험의 성격을 갖긴 하지만 인간의 습성을 드러내고 있다는 진술은 적절하지 않다. ② 증강 현실을 통해 호랑이를 등장시킨 건 사람들에게 신선한 충격을 주기 위한 것이지 삶의 위험성을 경고하고 있는 것은 아니다. ③, ⑤ 호랑이가 도심에 출현하는 것은 일상에 있을 법한 상황이 아니며, 현대인의 현실을 보여 주는 것도 아니다.

02. (나)의 인쇄 매체인 공익 광고는, 전하려는 메시지가 '종이'와 관련되었고 '폐지를 재활용하자.'고 설득하고 있다. 하지만 문자 없이 사진만으로 찢긴 느낌을 준다면, 정확하게 '폐지 재활용'을 연상하기란 쉽지 않다. 따라서 문자를 지우더라도 전하려는 메시지가 전달될 것이라는 진술은 적절하지 않다.
<u>오답 풀이</u> ① (나)는 인쇄 매체로 전달된 광고이다. ② (나)는 공익 광고로, 공익 광고는 공중에게 이익이 되는 내용을 바탕으로 한다. ④ 찢어진 종이가 시작되는 부분이 자동차의 배기관 부분이고, 광고 문구 역시 CO_2 배출에 대한 것이므로 이와 같은 진술은 적절하다.

03. 딸을 구하기 위해 별에 구멍을 뚫어 별을 메마르게 하는 아버지의 모습(장면 ①)을 통해 자연을 파괴하는 인간의 이기심을 엿볼 수 있다.
<u>오답 풀이</u> ① 장면 ⑧과 ⑨에서 생명의 별로 변하는 모습이 제시되지만, 자연의 아름다움을 예찬한다고 보기에는 무리가 있다. ② 전체 맥락상 인간이 자연을 정복했다는 것은 적절하지 않다. ④ 아버지는 딸을 위해 별에 구멍을 뚫고 있으므로, 인간과 자연의 평화로운 공존이라는 주제와는 거리가 멀다. ⑤ 제시된 장면에서는 자연으로 돌아가고자 하는 노력을 했는지는 알 수 없다.

04. 이 작품은 인물의 대사 없이 배경 음악과 인물의 행동만으로 서사가 진행되므로, ④와 같은 진술은 적절하지 않다.
<u>오답 풀이</u> ① 작품 후반부의 따뜻한 색감은 상황의 긍정적인 변화를 효과적으로 드러내고 있다. ② 대사가 없는 이 애니메이션에서 배경 음악은 인물의 정서를 드러내는 데 중요한 역할을 한다. ③ 별에 구멍을 뚫는 아버지의 행동에서 작품의 주제 중 하나인 자연을 파괴하는 인간의 이기심을 엿볼 수 있다. ⑤ 대사가 없는 가운데 인물의 표정은 인물의 심리를 보여 주는 중요한 도구가 된다.

01. (가)와 (나) 모두 배드민턴 기술 중 스매시에 관한 기본적인 정보를 문자 언어를 중심으로 설명하고 있다.

오답 풀이 ① 동영상 자료는 (나)에만 나타나 있다. ③ 사진 자료를 활용하여 설명한 것은 (가)이다. ④ 하이퍼링크는 (나)에만 나타나 있다. ⑤ 통계 자료는 (가)와 (나) 모두에 나타나 있지 않다.

02. 정보 제공자의 범위는 인쇄 매체인 (가)보다 인터넷 매체인 (나)가 더 개방적이고 넓다.

오답 풀이 ① 인쇄 매체인 (가)보다 인터넷 매체인 (나)가 대량 복제와 배포가 용이하다. ③ (나)는 누구나 정보 제공자가 될 수 있어, 정보 제공자의 범위가 폐쇄적인 (가)에 비해 정보 제공자의 신뢰성이 떨어진다. ④ 정보 제공의 속도는 인터넷 매체가 가장 빠르다. ⑤ (가)는 인쇄 매체이고, (나)는 디지털 정보 매체이다.

03. (나)의 게시글 밑에 '댓글' 기능은 정보 생산자와 수용자 사이의 직접적이고 즉각적인 소통을 가능하게 한다.

04. (가)를 보면 '선플 달기 운동' 후 비속어를 일상어처럼 쓰던 학생들의 언어 습관이 달라졌음을 알 수 있다.

오답 풀이 ① (나)의 아나운서의 언급에서 알 수 있다. ② (나)의 선플 자원 봉사단을 통해 확인할 수 있다. ③ (가)와 (나)에서 언급하고 있는 통계 자료를 통해 확인할 수 있다. ④ (나)에서 기자의 말을 통해 확인할 수 있다.

05. 신문의 경우 방송과 달리 전체 내용을 미리 개관하거나 독자가 원하는 기사를 취사선택하여 원하는 정보만을 선별적으로 수용할 수 있다.

오답 풀이 ① 표제와 부제는 신문 기사에서 핵심 정보를 담고 있는 요소이다. ③ 통계 수치를 기사문으로만 표현하는 것보다 (가)처럼 그래프를 이용한다면 정보 전달의 효과가 높아진다. ④ 신문 기사와 같은 인쇄 매체 자료에서는 필요에 따라 글자의 크기와 모양, 색 등을 다르게 하여 정보의 중요도를 표현할 수 있다. (가)에서도 표제와 부제, 본문의 글자 크기와 모양이 다름을 찾을 수 있다. ⑤ 기사의 경우 전체 신문에 실린 면이 몇 번째 면인지, 또 기사가 차지하는 크기가 어느 정도인지에 따라 그 중요도가 변별된다. 1면에 실린 기사일수록, 차지하는 면적이 클수록 중요한 기사라고 볼 수 있다.

06. 텔레비전 뉴스는 제한된 시간 내에서 정보를 전달해야 하므로 그에 따라 한 꼭지의 뉴스에서 다룰 수 있는 정보의 분량에서도 제한을 받는다.

오답 풀이 ① (나)는 '선플 봉사단 발대식'과 같은 현장 화면을 이용하여 정보의 실재감을 높이고 있다. ② (나)와 같은 텔레비전 뉴스는 동영상과 아나운서의 음성을 중심으로 정보를 전달하면서 핵심 정보는 자막에서 문자로 한 번 더 강조하는 방법을 사용하고 있다. ④ 인터넷과 비교하여 텔레비전 뉴스는 정보 제공자가 방송국에 소속되어 있는 뉴스 제작자로 한정되어 있고, 인터넷보다는 그 신뢰도가 높다고 볼 수 있다. ⑤ 텔레비전의 뉴스가 여러 주제의 뉴스로 구성되어 있다는 점을 고려해 보면, (나)의 뉴스가 전체 뉴스에서 나오는 순서나 차지하는 분량에 따라 정보의 중요도를 짐작할 수 있다.

07. 신문 기사는 문자를 중심으로 그림이나 사진 등 보충하여 정보를 구성한다. 반면, 방송 뉴스는 정보의 성격에 따라 음성, 문자, 사진, 그림, 동영상 등 복합적인 매체 언어를 활용하여 실재감이 높다. 또한, 신문 기사는 인쇄 매체이고, 방송 뉴스는 전파를 통해 전달되기 때문에 정보 전달의 속도는 방송 뉴스가 우위에 있다.

평가 기준	
실재감이 방송 뉴스가 더 높고, 정보 전달의 속도도 방송 뉴스가 빠르다고 서술한 경우	5점
내용은 적절하나 문장이 어색한 경우	3점

08. (가), (나) 모두 광고에 속하지만, 특정 상품을 판매하려는 목적은 드러나지 않는다.

오답 풀이 ① 도시에 호랑이가 출몰하는 것은 일상생활에서 일어나기 어려운 일인데, (가)에서는 이를 증강 현실을 통해 구현하고 있다. ② (가)는 상황을 모르는 일반인들을 대상으로 하여 그 반응을 살피는 방식으로 촬영된 것이다. ③ 문자 언어가 쓰인 여백 부분이 마치 찢어진 종이처럼 되어 있는데, 이것이 왼쪽 사진의 차의 배기가스가 나오는 부분과 연결되어 있어, 둘 사이의 연관성을 재치 있게 보여 주고 있다. ④ (나)는 사진의 이미지와 문자 매체를 통해 전달하고자 하는 바를 효과적으로 전달하고 있다.

09. 광고의 내용이 일상에서 벌어지기 힘든 상황을 연출함으로써 사람들에게 신선한 충격을 주는 것이므로, 이와 같은 진술은 적절하다.

오답 풀이 ① 사람들의 일상이 권태로운지 알 수 없으며, 광고에서 연출한 상황이 실제 벌어질 수 있는 것도 아니기에 경각심을 불러일으킨다는 진술은 적절하지 않다. ③ 광고를 통해 사람들에게 제공되는 이익은 없다. ④ 아름다운 자연을 보여주기 위해 호랑이를 등장시킨 것은 아니다. ⑤ 도시에 호랑이가 출몰하는 것이 우리가 꿈꾸던 미래는 아니므로, 이와 같은 진술은 적절하지 않다.

10. (나)는 찢어진 종이와 배기가스의 유사성을, 〈보기〉는 화분과 종이를 포개놓은 형상의 유사성을 부각하고 있다.

오답 풀이 ① 둘 다 포스터 광고로 인쇄 매체를 활용한 것이다. ② (나)는 폐지 재활용을, 〈보기〉는 폐지를 포함한 자원의 재활용을 주제로 하고 있다. ③ (나)에는 화물차에 실린 목재와 찢어진 종이를, 〈보기〉는 신문지와 나무를 소재로 하고 있다. ⑤ (나)는 종이를 함부로 사용하는 것은 배기가스를 내뿜는 것과 같다는 부정적 메시지를 중심으로, 〈보기〉는 재활용을 하는 것이 자연 사랑의 밑거름이 된다는 긍정적 메시지를 중심으로 내용을 전달하고 있다.

11. 땅 위에 엎어진 어항 속 물고기는 별을 다시 살아나게 한다는 점에서 인물들에게 희망을 상징하는 것이지 인물들의 좌절을 표현한 것이 아니다.
오답 풀이 ① 메마른 땅이었던 별에 새싹이 돋아나 그것이 온 별을 덮은 모습은 다시 살아나는 별의 생명력을 보여주는 것이다. ② 알 수 없는 병에 걸린 딸을 살리기 위해 별에 구멍을 파는 아버지의 굳은 얼굴은 딸에 대한 근심을 보여주는 것이다. ③ 어항이 비어 있다는 것은 생명의 상징인 물이 없다는 것이고, 아버지의 거친 행동은 각박한 현실을 보여주는 것이므로, 이와 같은 진술은 적절하다. ④ 황폐한 별의 이미지를 묘사하는 전반부는 차갑고 어두운 색감이 사용되고 있고, 별에 생명력이 생겨난 후반부에는 따뜻하고 밝은 색감의 이미지가 사용되어 있다.

12. 친구에게서 오랜만에 온 문자를 받고 반가움을 느낀 것은 상황 맥락에서 오는 감정이지, 매체 언어의 심미적 가치가 구현된 사례로 보기는 어렵다.

13. ⓒ 매체 언어의 심미적 가치를 이해하고 향유한다면 매체 자료에 구성되는 자료와 의미들의 상징이나 패러디 등도 이해할 수 있다. 이는 결국 매체 자료에 담긴 의미를 더욱 풍부하게 이해할 수 있도록 해 준다. ⓔ 매체 언어의 심미적 가치는 매체 언어가 수용자들의 정서를 자극하여 감동을 준 것으로 이해할 수 있다. 따라서 매체 언어를 창의적으로 표현하는 것은 수용자들에게 전달 효과를 높이는 행위로 매체 언어의 심미적 가치를 구현하는 데에 도움을 줄 수 있다.

2. 매체 자료의 수용과 생산

(1) 매체로 만나는 너와 나

핵심 다지기

01. ①   02. ②   03. ④   04. ③   05. 한 번 더 상대의 입장이 되어 소통한다. / 상대를 배려하고 존중하는 자세를 지녀야 한다. 06. ④   07. ④   08. ⑤   09. ④

01. (가)~(다)는 모두 친교적 매체 자료로서 매체를 매개로 한 소통을 통해 친밀한 감정과 정서를 공유할 목적을 갖는다.
오답 풀이 ② (가)와 (나)는 대화 당사자가 지정한 대상과 소통을 한다. ③ (가)는 (나), (다)에 비해 시공간의 제약이 따를 수 있다. ④ (가)는 (나), (다)에 비해 메시지가 전달되는 데

시간이 오래 걸린다. ⑤ (가)는 디지털 매체 기기가 아니더라도 생산할 수 있다.

02. (다)는 누리 소통망(SNS)으로, 원하는 시간에 언제든 신속하고 편하게 접근할 수 있으며, 인터넷으로 누구나 쉽게 접근할 수 있는 특징이 있다.

03. 온라인 친목 카페는 같은 관심사를 가진 사람들끼리 정보를 공유하고 친목을 다지기 위한 것이다. 따라서 고양이 친목 카페에 가입한 사람들은 고양이의 좋아하는 면을 공유하고 공감하며 다른 고양이의 모습도 보면서 카페 구성원들 사이의 친목을 도모하고, 고양이 관련 정보를 공유하기 위해 가입한 것이라 볼 수 있다. 그러므로 고양이를 싫어하는 사람들을 설득하기 위해서 가입했다고 보는 것은 적절하지 않다.

04. 인터넷 친목 카페는 비슷한 관심사를 가지고 모인 사람들이 정보나 정서를 공유하는 목적의 온라인 장소이다. 또 온라인의 특성상 자유롭게 의사소통을 할 수 있으나 그것이 인터넷 친목 카페의 목적이라 볼 수는 없으며, 본문의 고양이 친목 카페처럼 정해진 규칙이 있다.
오답 풀이 ① 인터넷 친목 카페는 가상 세계에 있는 장소이다. ② 온라인 매체의 특성상 시간과 공간의 제약이 없다. ④ 인터넷 친목 카페는 비슷한 관심사를 가진 사람들이 모이기 때문에 관심사에 대한 정보를 주고받기 쉽다. ⑤ 제시된 카페를 보면 가명을 사용하는 것이 허용됨을 유추할 수 있다.

05. (3)의 게시글 화면을 보면, 카페 가입 목적을 상기시킨 후 인터넷 친목 카페에서 활동할 때의 바람직한 자세를 말하고 있다.

평가 기준	
(3)의 사례에 적절하게 구체적으로 한 번 더 상대의 입장이 되어 소통하자는 것을 서술한 경우	5점
포괄적으로 상대를 배려하고 존중하는 자세를 지녀야 한다고 서술한 경우	3점

06. 누리 소통망은 때로는 공적인 기능으로 사용되기도 하지만, 일반적으로 친교적 표현 매체로 활용되고 있다.
오답 풀이 ① 누리 소통망은 온라인 네트워크를 기반으로 하기 때문에 시공간적 제약을 거의 받지 않는다. ② 누리 소통망은 온라인으로 연결되어 있어서 즉각적으로 정보가 전달되어 정보 전달 속도가 대로로 빠르다. ③, ⑤ 디지털 매체에서 글이나 사진과 같은 파일의 복제와 유통은 비교적 자유롭고, 그렇기에 많은 사람과 내용을 공유할 수 있어 그 파급력이 크다.

07. 여행에 관심을 둔 친목 카페에서 해외 여행지의 위험한 곳에 대한 정보를 공유하는 것은 사이버 불링에 해당하지 않는다. 이는 해당 지역을 여행하는 사람이나 계획을 세운 사람에게 참고될 수 있는 정보 전달 텍스트의 역할도 수행하기 때문이다.
오답 풀이 ①, ②, ③, ⑤ 사이버 불링은 온라인 공간에서 발생하는 불특정 다수의 집단 괴롭힘으로 특정인의 개인 정보나 거짓 정보를 유포하거나 언어폭력, 악성 소문 생산 등의 행위가 모두 포함된다.

08. 영상 편지를 받을 수신자에 대한 분석이나 다른 영상 편지의 구성은 참조할 수 있지만, 다른 사람의 반응을 조사하는 것은 제작 과정에 넣을 필요가 없다.

오답 풀이 ①, ②, ③, ④ 영상 편지를 제작하기 위해서는 먼저 영상 편지의 수신자와 주제를 선정하고, 영상 편지의 대본을 작성한 후, 대본을 바탕으로 영상을 촬영한다. 마지막으로 영상과 대본에 어울리는 음악이나 자막 등을 삽입하여 영상을 편집한다.

09. 기존의 영상 제작물을 참고할 수는 있으나 그것을 똑같이 흉내 내는 것은 매체 자료를 생산하는 태도로 적절하지 않다.

오답 풀이 ① 영상 편지는 영상 편지를 보내는 주제나 목적에 맞게 제작하는 것이 적절하다. ② 상대에게 정서적으로 공감을 얻고, 감동을 주기 위해서는 창의적이고 재미있게 내용을 구성하는 것이 좋다. ③ 친교적 목적을 가진 것이므로 수신자와의 정서적 교감은 가장 중요하다. ⑤ 영상을 도와주는 다양한 매체 효과는 내용을 효과적으로 전달하기 위한 것이므로 반드시 내용과 어울리는 것이어야 한다.

(2) 매체로 주고받는 정보

핵심 다지기   pp. 272~277

01. ④   **02.** ②   **03.** ②   **04.** ⑤   **05.** ③   **06.** 공정성, 정확성
07. ⑤   **08.** ⑤

01. (가)와 같은 신문 기사에 제시된 사실과 더불어 기자의 해석이나 의견을 덧붙일 수는 있지만 제시된 사실 자체를 수정하는 것은 매우 부적절하다.

오답 풀이 ① 표제는 기사 전체 내용을 축약하여 제시해야 한다. ② 표제로 충분히 제시되지 않는 내용은 부제를 통해 보충할 수 있다. ③ 기사의 전체 내용을 몇 문장으로 요약하여 본문을 읽지 않고도 그 내용을 가늠할 수 있게 하는 것을 전문이라고 한다. ⑤ 통계 자료나 전문가의 인터뷰는 기사의 정보가 갖는 신뢰성을 확보할 수 있게 하는 근거가 된다.

02. (가)는 모기가 사라진 이유에 관한 신문 기사이고, (나)는 승선교의 과학적인 아름다움을 소개하는 다큐멘터리, (다)는 요리 방법을 소개하는 인터넷 블로그로 모두 독자들에게 유용한 정보를 전달하고자 하는 목적을 갖는다.

03. (가)와 (다)는 모두 문자 텍스트를 중심으로 정보를 전달한다.

오답 풀이 ① (가)는 문자 텍스트를 중심으로, (나)는 동영상을 중심으로 정보를 전달한다. ③ (나)는 동영상, 문자, 이미지 등 다양한 매체 활용이 가능하지만, (가)는 문자와 이미지 정도만 활용할 수 있다. ④ 인터넷 블로그인 (다)는 '공유하기' 기능을 사용하여 손쉽게 해당 정보를 전달할 수 있다. ⑤ (다)는 시공간적 제약을 거의 받지 않지만 (나)는 시공간적 제약을 어느 정도 받는다.

04. 정보의 수용은 수용자 자신에게 유용한지에 대한 판단을 통해서 이루어지는 것이지 다른 사람에게 유용한 것인지를 판단할 필요는 없다.

오답 풀이 ① 정보가 정확한 것인지 확인하기 위해서는 정보의 출처를 파악하는 일이 중요하다. ② 정보 수용에 있어 가장 중요한 것은 수용자에게 정보가 유용한 것인지 여부이다. ③ 정보의 유용성은 곧 현실에서 활용 가능한지와 연관된 것이다. ④ 주어진 정보가 거짓인지, 혹은 한쪽으로 치우쳐진 내용을 담고 있는지 판단하는 일은 바른 정보를 수용하는 데 있어 중요하다.

05. 버섯의 구분은 탐방객이 아닌 단속반의 인터뷰를 통해서 이루어지고 있다.

오답 풀이 ① 방송 뉴스에서 아나운서는 뉴스의 핵심 정보를 전달하는 역할을 한다. ② 자막은 뉴스에서 제공되는 핵심 정보를 시청자들에게 전달하거나 강조하는 기능을 한다. ④ 세 번째 화면에서 버섯의 사진을 통해 독버섯과 식용 버섯의 차이를 보여주고 있다. ⑤ 기자는 버섯을 무단 채취해 섭취하면 위험하다는 것을 언급하고 있다.

06. 활동 (4)에서 뉴스와 같이 시청자에게 정보를 전달하는 매체 자료에서 중시되어야 하는 요건은 공정성과 정확성이라고 설명하고 있다.

07. 맞벌이 가정에서 육아하는 방법은 학생에게 유용한 정보가 아니므로 학급 신문에 들어갈 내용으로 적절하지 않다.

오답 풀이 ①, ③ 입시나 진로, 적성과 관련된 정보는 고등학교 학생들에게 매우 유용한 정보이므로, 학급 신문에 들어갈 내용으로 적절하다. ② 학급 친구들의 생일을 축하하는 내용은 학급 신문에 들어갈 유용한 정보이다. ④ 학급 운영의 주체로서 담임 선생님의 학급 운영 방침에 대한 정보는 학급 구성원들에게 매우 중요한 것이므로 학급 신문에 들어갈 내용으로 적절하다.

08. 정보 전달을 목적으로 한 학급 신문에서는 예상 독자에게 유용한 정보인지, 얼마나 효과적으로 전달할 수 있는지가 중요시되어야 한다. 이전에 보지 못했던 창의적인 내용으로만 구성한다면 예상 독자에게 유용하지 못한 정보를 줄 수 있다.

오답 풀이 ① 자료를 무단으로 사용하는 것은 보도 윤리에 어긋나는 것이므로 반드시 출처를 밝혀야 한다. ② 신문을 제작하는 목적에 따라 기사의 내용과 구성이 이루어져야 한다. ③ 신문에서 기사를 효과적으로 전달하기 위해서는 정보의 배치가 잘 이루어져야 하고 자료의 제공 역시 적절하게 이루어져야 한다. ④ 기사의 유용성은 수용자에 의해 판단되는 것이므로, 학급 신문의 수용자인 학급 구성원에게 유용한 정보를 다루었는지는 평가의 주요한 항목이 된다.

(3) 매체로 설득하다

01. ②   **02.** ⑤   **03.** ①   **04.** ④   **05.** ⑤   **06.** ⑤   **07.** ①
08. ②   **09.** ⑤   **10.** ②

01. 필자는 예습보다 복습을 선호하고 있으므로, 복습의 단점을 들고 있다고 보는 것은 적절하지 않다.
오답 풀이 ① 어린 시절 자신이 배운 내용이나 자신의 공부 체험을 제시하고 있다. ③ 복습의 장점으로 자신이 배운 것을 더 잘 이해하고, 배운 것을 자꾸만 되새김질하면서 새로운 아이디어를 얻기도 하는 것을 들고 있다. ④ 예습이 집단적인 선행 학습으로 확장되는 현상을 사회적 문제로 보고 있다. ⑤ 마지막 부분에서 질문의 방식으로 통해 독자의 공감을 끌어내고 있다.

02. (가)는 시사 평론이고, (나)는 공익 광고이다. 이들의 공통점은 자신의 주장을 상대방에게 전달하여 설득하는 데 있다.
오답 풀이 ① (가)~(나) 모두 미적인 아름다움을 고려할 수는 있으나 그것이 주된 목적은 아니다. ② (나)는 부분적으로 정서적 교감을 염두에 둘 수는 있으나 기본적으로 상대를 설득하는 데 주된 목적이 있다. ③ (가)~(나)가 담고 있는 내용이 수용자들에게 유용한 정보일 수는 있으나 생산자의 주관적 의견이 들어 있는 것이므로, 객관적이라고 하기는 어렵다. ④ (가)~(나)의 내용이 다양한 시각을 가지고 있지 않으므로, 이와 같은 진술은 적절하지 않다.

03. 화면에 등장하는 인물들은 도움에 대한 감사를 담고 있는 것이므로 문제의 심각성을 보여 주는 것은 아니다.
오답 풀이 ② 동영상과 자막, 음성 등 다양한 매체 언어를 사용하여 모금을 권장하는 발신자의 의견을 전달하고 있다. ③ 마지막 내레이션을 통해 전달하고자 하는 내용을 직접적으로 간명하게 제시하고 있다. ④ 감사 인사를 전하는 어린이와 어르신의 모습 등을 제시하여 우리가 도울 구체적인 대상을 알려주는 것이다. ⑤ 화면 앞으로 다가와 감사 인사를 하는 것은 인사를 받는 대상으로 시청자를 설정하고 있음을 보여주는 것이다.

04. 제시된 자막은 '취약 계층 맞춤형 지원', '의료 소외 계층 지원', '긴급 재난 구호'로 이는 모금된 기금으로 사용될 분야를 보여 주고 있다.
오답 풀이 ① 모금 운동에 참여할 수 있는 방법은 제시되지 않았다. ②, ⑤ 모금 운동을 해야 하는 이유와 감사 인사는 내레이션을 통해 제시되고 있다. ③ 모금 운동 참여를 촉구하는 표어는 제시되지 않았다.

05. '청양고추 할인 경품 행사'를 통해 어떤 행사가 있는지 구체적으로 알 수 있다. 하지만 '먹거리, 즐길 거리'에 무엇이 있는지 구체적으로 언급하지는 않고 있다.

06. (나)는 감사의 표현을 반복적으로 제시하고 있고, (다)는 축제 명칭과 '가자, 청양으로!'라는 표현을 반복적으로 제시하고 있다.
오답 풀이 ① (나)와 (다)에는 특별히 유머가 느껴지는 표현은 나타나지 않는다. ② (나)와 (다)에는 전문가의 평가가 제시되어 있지 않다. ③ (나)에 등장하는 배우가 유명인일 수는 있지만 (다)에는 유명인의 이미지가 제시되지 않았다. ④ (다)에는 시각적 이미지가 사용되지 않았다.

07. 마지막 장면(⑩)에서 짐작할 수 있듯이 이 광고는 자원 재활용의 중요성을 강조하고 참여를 독려하고 있다.
오답 풀이 ② 이 광고에서 자연 파괴와 관련된 장면은 나타나지 않는다. ③, ⑤ 도움이 이 광고의 핵심 내용은 아니다. ④ 자원 재활용 역시 넓은 의미에서 자원을 낭비하지 말자는 취지와 연결되겠지만, 이 광고의 내용이 자원을 낭비하는 행위에 대한 것은 아니므로, 이와 같은 진술은 적절하지 않다.

08. 이 광고에서 제시하고 있는 자막은 상황에 대한 시청자의 이해를 돕기 위한 역할을 하고 있을 뿐, 깊은 인상을 심어주거나 시청자의 감각을 자극하고 있지 않다.

09. 사건·사고는 부정적인 내용으로, 홍보에 포함될 내용으로는 적절하지 않다.
오답 풀이 ①, ②, ③, ④ 학교의 우수한 교육 시설이나, 면학 분위기, 대학 입학 실적, 다양한 활동 프로그램 등은 학교의 장점을 부각할 수 있는 내용이므로 학교 홍보에 포함되기에 적절하다.

10. 학교 홍보 대상이 교내 구성원이 아니라 학교에 관심을 두고 있는 외부인들이므로, 그들이 볼 수 있는 인쇄된 포스터 광고가 가장 적절한 매체가 될 것이다.
오답 풀이 ①, ③, ⑤ 학교 신문이나 학급 인터넷 카페, 교내 방송은 주로 학교 구성원들이 접하는 매체이므로 외부인들에 대한 홍보 매체로는 적절하지 않다. ④ 라디오 광고는 불특정 다수가 청취하기 때문에, 학교 홍보는 될 수 있어도 〈보기〉의 대상과 목적에 가장 효과적인 매체는 아니다.

(4) 매체로 빚은 예술

01. ②   **02.** ④   **03.** ⑤   **04.** ②   **05.** ③   **06.** ③   **07.** ③
08. ②

01. 웹툰은 매체 특성상 독자와의 빠르고 직접적인 소통이 가능하지만, 친교에 목적을 두고 있지는 않다.
오답 풀이 ① 주로 만화의 이미지와 문자를 중심으로 내용을 전달한다. ③ 온라인 매체의 특성을 고려할 때 필요에 따라 동영상이나 음성, 음향 효과 등을 사용할 수 있다. ④ 웹툰은 웹(Web), 즉 인터넷을 기반으로 만화를 인터넷 공간에 올리는 방식으로 작품을 배포하며, (가) 작품에 표시된 회차처럼 일정 기간 꾸준한 업데이트를 통해 연재한다. ⑤ 인터넷상에 작품을 올리고, 독자와 소통을 하므로 즉각적으로 독자가 참여하고, 작가는 이를 반영하여 다시 작품을 만드는 쌍방향적 소통의 특징을 갖는다.

02. 인쇄 매체로 접할 때는 문자를 통한 시각적 이미지로만 시를 감상하게 되지만, (나)와 같은 동영상과 듣기 자료인 경우 시각과 청각 등 다양한 감각을 통해 작품을 감상할 수 있다.
오답 풀이 ① 매체를 달리한다고 해서 시적 변용이 더 잘 나타나는 것은 아니다. ② 매체를 달리했다고 해서 시를 더 잘 이해할 수 있는 것은 아니다. ③ 시가 지닌 의미가 풍부해지는 것은 다양한 경험이나 이미지의 연관을 통해서 이루어지는 것이지 매체를 달리했다는 것만으로 시의 의미가 풍부해졌다고 말하기는 어렵다. ⑤ 인쇄 매체는 문자로만 되어 있으므로 상상력은 인쇄 매체로 감상하는 것이 더 요구된다고 할 수 있다.

03. (다)의 작가가 마블링 아트 작품을 만드는 과정을 누리 소통망(SNS)에 올리며 수용자와 소통하고는 있지만, 작품을 작가와 수용자가 함께 만든 것은 아니므로, 이와 같은 진술은 적절하지 않다.
오답 풀이 ① 작품 자체가 고흐의 작품을 다른 기법으로 그려낸 것이기 때문에 고흐의 작품과 비슷한 느낌을 느낄 수 있다. ② 에브루 기법 자체가 물 위에 기름 성질의 형형색색 물감을 뿌려놓은 것이어서, 그렇게 창작된 작품에서 환상적인 느낌이 들 수 있다. ③, ④ 작가가 작품 및 작품을 창작하는 과정을 누리 소통망(SNS)에 올린 것을 보면 작가가 다른 사람들과 작품을 공유하고자 함을 알 수 있으며, 그 과정 역시 심미적으로 느낄 수 있다.

04. (가)는 웹툰, (나)는 시 낭송 영상 자료와 듣기 자료, 그리고 (다)는 마블링 아트 비디오로 이들 세 작품은 심미적 가치를 추구하는 매체 자료이므로, 아름다움을 통한 정서적 고양이나 공감을 일으키는 것을 목적으로 한다.
오답 풀이 ① 부분적으로 정보가 전달될 수는 있으나 그 자체가 창작의 목적은 아니다. ③ 작품 속에 작가의 의견이나 주장이 들어 있을 수 있지만, 그 자체가 창작의 목적은 아니다. ④ 예술 작품의 창작 목적으로 일상생활의 편리함 제공은 어울리지 않는다. ⑤ 예술 작품을 통한 정서적 공감은 생산자와 수용자 사이의 친밀한 교감을 가져올 수는 있지만, 그 자체가 창작의 목적은 아니다.

05. 제시된 장면은 가장 살고 싶은 순간으로 아름이 소소한 일상의 장면들을 떠올리는 것으로, 작품의 제목인 「두근두근 내 인생」이라는 제목은 일상의 소소한 순간들에서 두근두근함을 느끼는, 그래서 그 순간들을 소중하게 느끼는 삶이 될 것이다.
오답 풀이 ① 제시된 장면에 가족에 관한 내용이 있기는 하지만 가족에 대한 내용으로 모든 장면이 수렴되는 것은 아니므로 이와 같은 진술은 적절하지 않다. ② 제시된 장면은 특별

한 일이기보다는 일상의 평범하고 소소한 일들이므로, 이와 같은 진술은 적절하지 않다. ④ '운명 같은 사람'은 제시된 장면과 연관성이 적다. ⑤ 제시된 장면에서는 긴장된 순간이 나타나 있지 않다.

06. 이 작품은 작고 소소한 일상의 소중함, 그리고 가족의 사랑을 다루고 있는 작품으로, 작고 소소한 것일지라도 생명이 있는 것의 소중함은 이 작품에서 말하고자 하는 내용과 거리가 멀다.
오답 풀이 ① 제시 장면 중 엄마, 아빠 그리고 손주를 부르는 할머니의 소리라고 말한 부분을 보면 아름이 가족을 소중히 생각하는 것을 알 수 있다. ② 일상생활에서 쉽게 접할 수 있는 순간들을 나열함으로써 누군가에겐 그 일상이 소중한 것임을 다시 생각하게 하고 있다. ④ 제시된 영화 첫 장면에서 서하의 물음과 이어지는 아름의 모습에서 유추할 수 있다. ⑤ 서하의 물음에 아름이 대답하는 장면 이후부터 아름의 대상에 맞추어 회상 장면을 나열하여 살고 싶어지는 때를 보여주고 있다.

07. 심미적 매체 자료는 다른 사람과 공감을 끌어내는 것이 중요하기 때문에, 수용자가 받아들이기 어려운 내용은 적절하지 않다.
오답 풀이 ① 랩은 라임과 플로를 통해 리듬감을 만들어 내는 장르이기 때문에 이를 살리기 위해 각운을 활용하는 것은 적절하다. ② 활동의 주제가 일상생활에서의 경험이므로, 이를 구체적으로 가사에 반영하는 것은 적절하다. ④ 가사를 쓰는 것은 결국 랩을 만들기 위한 것이므로, 가사를 만들 때 미리 활용할 비트를 염두에 두는 것이 효율적이다. ⑤ 심미적 매체 자료는 생산자와 수용자의 정서적인 교감을 중시하므로 적절한 진술이다.

08. 스토리보드는 주요 흐름과 내용을 그림이나 사진 등으로 쉽게 이해할 수 있도록 정리한 것이므로, 주요 흐름보다 배경이나 소품을 자세히 적는다는 진술은 적절하지 않다.
오답 풀이 ①, ④, ⑤ 스토리보드는 뮤직비디오가 전체적으로 어떻게 흘러가는지를 보여주는 계획표이므로 뮤직비디오에 어떤 소리나 대사를 삽입할 것인지, 해당 장면을 어떻게 촬영할 것인지에 대해 표시해 놓아야 한다. ③ 기본적으로 스토리보드는 뮤직비디오의 전체적 흐름을 스케치로 보여주는 것이다.

01. ⑤   **02.** ④   **03.** ①   **04.** ③   **05.** ⑤   **06.** ⑤   **07.** ⑤
08. (다)에서 독버섯과 식용 버섯의 사진을 비교해 보여줌으로써 시각적으로 두 버섯을 구분하기 어렵다는 사실을 뒷받침하고 있다.
09. ⑤   **10.** ⑤   **11.** ④   **12.** ②   **13.** (나)는 공익적 목적으로 생산된 광고임에 비해, 〈보기〉는 상업적 목적으로 생산된 광고이다.
14. ②   **15.** ⑤   **16.** ⑤

01. (가)는 손 편지로 편지의 수신자인 엄마와, (나)는 누리 소통망(SNS)으로 공통의 관심사를 지닌 불특정 다수와, 그리고 (다)는 고양이라는 공통의 관심사를 지닌 회원들과 친밀한 감정을 공유하기 위해 작성된 것이다.
<u>오답 풀이</u> ① (나)와 (다)는 인터넷을 기반으로 한 것이므로 비교적 시공간적 제한이 없으나 (가)는 시공간적 제한이 많다. ② (나)는 누리 소통망(SNS)에 찾아오는 불특정 다수와 내용을 공유한다. ③ (가)는 이에 해당하지 않는다. ④ (가)는 전자 매체를 사용하지 않는다.

02. '카페 가입하기'는 카페에 가입한 사람들만이 내용을 공유할 수 있음을 보여 주는 것이므로, 불특정 다수가 내용을 제한 없이 공유할 수 있음을 보여 주는 것이 아니다.
<u>오답 풀이</u> ① 편지를 읽을 대상을 '우리 엄마'로 지정하고 있다. ② 해시태그는 게시글의 핵심어나 주제 분류를 나타내는 것으로, 이를 통해 게시글의 성격이나 내용이 어떻게 분류될지 파악할 수 있다. ③ 그림말(이모티콘)은 문자 언어로 전달이 잘 안 되는 감정과 느낌을 표현한다. ⑤ ㉥은 자신의 관심사나 특성을 중심으로 설정한다.

03. 〈보기〉의 내용은 다른 사람의 게시글에 험담이나 비방을 담은 글을 자제하자는 공지를 담고 있으므로, 이를 통해 카페에 글을 쓸 때는 구성원들을 배려하고 존중하는 태도를 보여야 함을 알 수 있다.
<u>오답 풀이</u> ② 자신의 솔직한 느낌을 적되, 그것이 상대를 불쾌하게 해서는 안 된다. ③ 다른 사람의 글에 대해 문제를 제기할 수는 있지만, 그 경우라도 최대한 예의를 갖추어 하는 태도가 필요하다. ④ 지속적이고 반복적으로 글을 올리는 일을 일명 '도배'라고 하는데, 〈보기〉의 관리자는 이를 자제해 달라고 요청하고 있다. ⑤ 예의를 갖춘다면 카페의 활동은 활발하게 하는 것이 좋다.

04. 누리 소통망(SNS)은 기본적으로 인터넷을 기반으로 하는 서비스이므로 오프라인에서의 친교적 기능을 강화한다는 진술은 적절하지 않다.
<u>오답 풀이</u> ①, ② 인터넷을 기반으로 하므로 시공간의 제한이 없어 인간관계의 확장에 기여할 수 있다. ④ 인터넷 공간의 가장 큰 폐해 중 익명성은 누리 소통망(SNS) 사용에서도 문제가 될 수 있다. ⑤ 인터넷을 기반으로 하기 때문에 글이나 이미지 등을 통한 매체 정보가 급속하게 퍼질 수 있다.

05. 누리 소통망(SNS)에 게시한다는 것은 다수에게 공개하겠다는 의미이므로, 일대일로 의사소통이 이루어지도록 해야 한다는 내용은 적절하지 않다.
<u>오답 풀이</u> ① 영상으로 제작하는 것이기 때문에 음악이나 자막, 영상 등을 활용할 수 있다. ② 영상 편지 제작에 있어 가장 중요한 것은 제작의 목적과 주제에 부합하도록 하는 것이다. ③ 윤리적 차원에서 다른 사람의 창작물을 모방하는 것은 절대 해서는 안 된다. ④ 창의적이고 재치 있는 내용 구성은 수용자의 흥미를 끌기에 효과적이다.

06. (가)와 (나)는 선택적으로 정보를 수용할 수 있으나, (다)의 경우에는 정보를 자유롭게 고르고 선택하기 어렵다.
<u>오답 풀이</u> ① (가)는 사진 자료를, (나)는 도표를 활용해 수용자의 이해를 돕고 있다. ② 인터넷 매체와 방송 매체는 동영상 매체를 활용할 수 있다. ③ 신문 기사와 방송 뉴스는 사회적 이슈에 대한 공적 정보를 담고 있다. ④ (가)~(다)는 모두 수용자에게 정보를 전달하는 기능을 수행한다.

07. 이상 기온이 지속되면 모기의 개체 수가 줄어드는 것은 사실이지만 모기 수가 줄어든다고 해서 이상 기온이 지속될 가능성이 크다는 것은 사실이 아니다.
<u>오답 풀이</u> ① 도표를 보면 평년보다 올여름 모기 수가 급감했음을 알 수 있다. ② 세 번째 문단의 내용을 통해 확인할 수 있다. ③ 네 번째 문단의 내용을 통해 확인할 수 있다. ④ 마지막 문단의 내용을 통해 확인할 수 있다.

08. (다)의 기자의 설명 '식용 버섯과 구별하기 어려운 독버섯들'과 함께 사진 자료들이기 때문에, 실제 구분이 어려운 버섯의 사진 자료를 제시하여 시청자들에게 정보를 제시하는 것이다.

평가 기준	
독버섯과 식용 버섯을 비교하여 두 버섯을 구분하기 어렵다는 사실을 뒷받침해 줌을 설명한 경우	5점
독버섯과 식용 버섯을 비교했다는 단순 사실만 제시한 경우	3점

09. (다)의 뉴스가 무단 버섯 채취의 위험성에 대한 정보를 담고 있으므로, 실제 산에서 버섯을 무단 채취했던 사람들에게 이 정보는 유용한 것이다.
<u>오답 풀이</u> ① 뉴스에서 독버섯의 분포와 생태는 다루고 있지 않다. ② 독버섯과 식용 버섯을 구분하는 방법은 (다)에서 언급되지 않았다. ③ 독버섯의 해독 방법은 (다)에 언급되지 않았다. ④ 버섯을 무단 채취하면 안 된다는 내용을 담고 있으므로, 무단 채취를 단속하는 사람들에게는 그다지 유용한 정보가 아니다.

10. (나)와 (다)는 모두 이성보다 감성을 동원하여 내용을 전달하고 있다.
<u>오답 풀이</u> ① (가)~(다)가 설득적 매체이긴 하지만 기본적으로 상대에게 전달할 정보를 바탕으로 하고 있다. ② (가)는 예습, 복습에 대한 자신의 의견이나 주장을, (나)는 모금의 중요성을, (다)는 축제 참여를 독려하는 내용을 통해 상대방

에게 자신의 주장이나 의견을 전달하고 있다. ③ (가)에는 특별한 심미적 표현 전략이 사용되지 않았지만 (나)의 경우 수용자의 정서를 자극해야 하므로, 심미적 표현 전략이 어느 정도 사용되었다. ④ (나)는 동영상 매체를 사용하므로 인쇄 매체인 (가)나 라디오 매체인 (다)에 비해 사용할 수 있는 매체 언어가 다양하다.

11. (가)에 인용된 의견은 학부모의 것뿐이므로, 전문가의 의견을 인용했다는 진술은 적절하지 않다.
오답 풀이 ① 어린 시절 자신의 공부 체험을 바탕으로 논의를 시작하고 있다. ② '예습이 중요한가? 복습이 중요한가?'라는 논쟁점에 대해 예습보다 복습이 중요하다는 필자의 입장을 분명하게 제시하고 있다. ③ 예습과 복습이라는 대조적인 학습 방법을 통해 논쟁점을 분명하게 제시하고 있다. ⑤ 글의 마지막 부분을 통해 확인할 수 있다.

12. (나)는 '고맙습니다'의 표현을 반복적으로 제시하고 있고, (다)는 축제의 일시와 '가자, 청양으로!'라는 구절을 반복하고 있다.
오답 풀이 ①, ④ (다)는 라디오 매체이기 때문에 시각적 이미지나 문자 언어가 사용되지 않았다. ③ (나)와 (다)는 모두 일상적 기대와 다른 상황 설정이 나타나지 않는다. ⑤ (나)는 전달하는 내용을 고려할 때 흥미를 자극하거나 흥을 돋우는 어조가 사용되지 않았다.

13. 〈보기〉는 해당 제품을 뿌리면 유리에 김이 서리지 않는다는 것을 보여준 광고이다. (나)와 〈보기〉 모두 광고이지만, (나)는 공익적인 목적으로 한 광고이고 〈보기〉는 상업적인 목적으로 제작한 광고이다.

평가 기준	
'공익적', '상업적' 목적이 대조적으로 제시된 경우	5점
맞춤법에 어긋난 경우	-1점

14. (가)~(다)는 심미적 매체 자료로 모두 수용자의 정서적 공감을 끌어내기 위해 생산된 것이다.
오답 풀이 ① (가)~(다)가 모두 정서적 공감을 목적으로 한 자료이지만 표현한 정서는 각각 모두 다른 것이다. ③ (가), (나)는 비교적 즉각적인 소통이 가능하지만, (다)는 그렇지 않다. ④ 심미적 매체 자료의 의미는 소통을 통해서 다양하게 형성되는 것이지 작가의 의도가 곧 작품의 의미는 아니다. ⑤ (나)의 경우 시각적 이미지만을 사용하고 있다.

15. 고흐의 그림을 매체적으로 변용한 것이므로, 문학 작품을 변용한 것이라는 진술은 적절하지 않다.
오답 풀이 ① (나)는 심미적 매체 자료에 속한다고 볼 수 있으므로, 심미를 통해 수용자의 정서적 고양이나 공감을 일으킬 수 있다. ② 고흐의 그림을 작가가 에브루 기법으로 재해석한 것이다. ③ 작품을 창작하는 과정을 자신의 누리 소통망(SNS)에 공개한 것으로 볼 때, 그 과정 자체도 작품 일부로 볼 수 있다. ④ 에브루 기법은 터키의 전통적인 기법으로 가리 아이는 이를 현대적으로 변용하여 사용하고 있다.

16. 영화 「두근두근 내 인생」이라는 제목을 통해 사랑하는 사람들과 함께 하는 인생의 순간순간은 두근거림을 느낄 수 있는 소중한 것이라는 메시지를 전달하고 있다.

3 생활 속의 매체
(1) 매체와 사회·문화

핵심 다지기   pp. 305~307

01. ④ **02.** ③ **03.** ⑤ **04.** 일부 국한되었던 향유층이 폭넓게 일반 대중들에게 널리 유통되며 대중문화의 형성과 발전이 활성화되었기 때문이다. **05.** 대량 **06.** 기술의 발달로 스마트폰과 같은 새로운 대중 매체가 등장하면서 콘텐츠가 세분화되었기 때문이다.

01. (가)를 보면 자신이 알고 있던 사람들을 기반으로 연계망을 형성하는 것은 기존의 누리 소통망(SNS)이고, 최근에 생긴 사진 위주의 누리 소통망(SNS)은 나의 관심사를 기반으로 새로운 연계망을 형성한다고 하였다.
오답 풀이 ①, ② (나)의 기자의 발언을 통해 확인할 수 있다. ③, ⑤ (가)의 두 번째 문단에서 확인할 수 있다.

02. 매체 언어를 사용한 의사소통은 자칫 익명성 등에 가려 타인에게 폭력적이거나 위협적일 수 있으므로 타인을 존중하고 배려하는 태도를 갖추는 것이 매우 중요하다.
오답 풀이 ① 매체를 통해 얻은 정보가 가치 있고, 진실된 것인지를 판별하고, 또 저작권을 침해하는 것은 아닌지를 고려한 후 선별적으로 전파해야 한다. ② 매체 문화의 단점은 개선하고 극복해야 하는 것이지, 수용의 대상은 아니다. ④ 익명성에 기대어 감정을 분출하는 것은 자칫 타인에게 해가 될 수 있으므로 자제하는 것이 좋다. ⑤ 자극적인 내용은 대중에게 해로운 것이므로 피해야 한다.

03. 공연자와 관객의 직접적인 대면을 통해 공연이 이루어지는 것은 (가)의 특징이다.

04. (나)와 같은 대중 매체는 특성상 동시에 여러 사람에게 대량으로 전파할 수 있어 사람들에게 미치는 영향력이 크다. 기존에 일부 국한되었던 향유층이 급속도로 확대되면서, 대중문화가 형성되고 발전하는 데 큰 원동력을 제공하였다고 볼 수 있다.

평가 기준	
'향유층 넓어져 대중들에게 유통'되어 '대중문화의 형성과 발전이 활성화'되었음을 서술한 경우	5점
내용은 적절하나 한 문장으로 서술하지 못한 경우	3점

05. 대중문화는 새로운 대중 매체에 의해 그 소비 방식이 변하기도 하고 새로운 체계를 형성하기도 하는데, 이는 대중문화가

대중 매체에 의해 대량으로 생산된 문화 혹은 다수의 사람이 누리는 문화이기 때문이다.

06. 이 신문 기사에서는 기술의 발달로 매체 환경의 변화가 대중 매체를 수용하는 방식에 차이를 가져왔고, 특히 스마트폰과 같은 새로운 매체의 등장으로 연령대별 콘텐츠가 세분화된 것이라 하고 있다. 그 영향으로 수동적으로 매체를 수용하던 과거에 비해 적극적으로 콘텐츠를 소비하는 방식이 나타났다는 것이다.

평가 기준	
'새로운 대중 매체의 등장'으로 '콘텐츠가 세분화'되었음을 서술한 경우	5점
내용은 적절하나 한 문장으로 서술하지 못한 경우	3점

(2) 매체 생활의 성찰

핵심 다지기   pp. 309~312

01. ④   **02.** ④   **03.** ㉠ 언어, ㉡ 의사소통   **04.** ④   **05.** ④
06. ④   **07.** ②

01. [A]에는 간접 광고에 관한 내용은 찾아볼 수 없으며, 간접 광고를 포함하는 것이 대중문화의 부정적 측면으로 연결되는 것은 부적절하다. 글쓴이는 무조건적 비판보다 문화적 성취가 높은 것과 그렇지 않은 것을 가려낼 수 있는 안목을 길러야 한다고 말하고 있다.
오답 풀이 ①, ②, ③ 대중문화는 상업적 측면을 가지고 있어, 대중을 자극하기 위해 저급한 언어를 사용하거나 폭력적이거나 선정적인 장면을 포함하기도 한다. ⑤ '최근에는 인터넷이나~사회적 문제가 되고 있기도 하다.'에서 알 수 있다.

02. 대중문화 자체에는 긍정적인 요소와 부정적인 요소가 혼재해 있으므로, 이를 비판적인 태도로 가려내고 선택적으로 향유할 수 있는 안목이 필요하다.
오답 풀이 ① 대중문화를 무조건 호의적으로 바라보기보다는 비판적 태도로 수용할 것과 버려야 할 것을 구분할 필요가 있다. ② 대중 매체의 긍정적 기능이 있으므로 대중 매체를 무조건 배제하는 것은 적절하지 못하다. ③ 대중문화를 많이 접하는 것이 대중문화에 대한 고정관념에서 벗어날 방법은 아니다. ⑤ 전문가의 추천에 맹목적으로 의존하기보다는 스스로 선별할 수 있는 안목이 필요하다.

03. 매체 언어가 인간관계와 사회생활에 영향을 끼치는 이유는, 매체 언어도 일종의 언어이기 때문에 사람 간의 의사소통 매개체가 되기 때문이다.

04. 사이버 불링의 원인을 짐작할 수 있지만, 이러한 원인에 대해 분석적으로 접근하지는 않고 있다.

05. 개인의 지적 재산권은 법으로 보호되어야 하므로, 이를 자유

롭게 공유한다는 것은 적절한 태도가 아니다.
오답 풀이 ① 게시판에 글을 쓸 때는 필요한 내용만 명확하고 간결하게 쓰는 것이 좋다. ② 온라인상에서 글을 쓸 때는 타인을 존중하고 배려하는 태도가 필요하다. ③ 글을 쓸 때는 항상 어문규정을 준수하는 것이 좋다. ⑤ 개인 정보는 보호되어야 하므로 이를 함부로 공개하거나 전파해서는 안 된다.

06. 사이버 불링은 인터넷상에서 이루어지는 행위이므로 교실 공간에서 벌어지는 행위는 이에 해당하지 않는다.
오답 풀이 ①, ② 사이버 불링은 인터넷 공간에서 특정인을 괴롭히는 행위로, 그 행위는 인터넷 공간에서 벌어지지만 현실 공간에 영향을 미친다는 점에서 문제가 된다. ③ 사이버 불링이 만연하는 이유는 그것이 범죄 행위임을 인식하지 못한 채 장난이나 재미로 여기는 경우가 많기 때문이다. ⑤ 타인의 원치 않는 사진을 유포하는 것도 괴롭힘의 일종이므로, 이에 해당한다.

07. 인터넷에서 묻고 답하는 것은 누구나 할 수 있지, 전문가만이 반드시 해야 하는 것이 아니다.

중단원 실전 문제   pp. 315~317

01. ①   **02.** ⑤   **03.** ③   **04.** ⑤   **05.** ②   **06.** 대중문화의 상업적 속성을 이해하고, 비판적인 안목으로 유익한 것과 그렇지 않은 것을 가려내는 자세가 필요하다.   **07.** ②   **08.** ①   **09.** ②

01. (가)는 누리 소통망(SNS)이 개인의 '인맥'에서 '관심사'로 연계 방식이 변화하고 있음을, (나)는 매체 환경의 변화를 통해서 1인 방송이 유행하는 새로운 매체 문화가 형성되고 있음을 설명하고 있다.
오답 풀이 ② 1인 방송은 국경의 제한 없이 사용된다. ③ 누리 소통망을 이용하는 세대가 이동했다는 정보는 나와 있지 않다. ④ 누리 소통망과 1인 방송의 매체가 같은지 다른지는 (가)와 (나)를 통해 확인할 수 없으며, 분화되었다는 설명도 찾을 수 없다. ⑤ (나)에서 기자는 선정적인 내용 등으로 사회적 지탄을 받기도 하지만 앞으로도 1인 방송은 더욱 다양하게 나타날 것으로 예상하고 있다.

02. 개인 방송 콘텐츠(㉢)가 우리나라에서 처음 만들어졌는지는 확인할 수 없다.
오답 풀이 ① 기존의 누리 소통망이 알고 있던 사람들(㉠), 즉 개인의 인맥으로 연계망을 형성한다는 것은 사적인 관계에서 소통된다는 의미이다. ② 핵심어(㉡)는 주로 해시태그를 통해서 제시되는데, 이를 보면 게시자의 관심사를 알 수 있다. ③ 여행이나 음식(㉢)이 젊은 세대의 마음을 사로잡을 수 있다는 언급을 통해 알 수 있다. ④ 1인 방송에서 선정적인 내용(㉣)을 다루는 이유는 많은 사람에게 관심을 받아 조회 수를 올리기 위해서이다.

03. 새로운 대중 매체인 스마트폰이 등장하면서, 대중문화는 수동적인 향유에서 능동적인 향유로 변화하였음을 확인할 수 있다.

오답 풀이 ① 2문단에서 부모 세대는 텔레비전을 그저 보기만 하지만 자녀 세대는 적극적으로 텔레비전 프로그램에 참여한다고 하였다. ② 대중문화가 세대를 통합하는 것이 아니라 기술의 발달로 세대별로 대중문화를 향유하는 방식이 달라졌다고 하였다. ④ 텔레비전이 가족을 한자리에 모이게 하는 것은 과거의 일이므로 이 글에서 말하고자 하는 핵심적인 내용은 아니다. ⑤ 텔레비전 등 콘텐츠 소비 방식의 변화를 설명하고 있지만, 방송 매체의 발전에 대한 언급은 찾을 수 없다.

04. 과거의 가요 프로그램(㉠)은 한 방향으로 수동적인 면이 강했지만, 최근의 가수 선발 프로그램(㉡)은 쌍방향 소통을 기반으로 시청자가 참여하여 프로그램의 방향을 바꾸고 있다는 것을 확인할 수 있다.

오답 풀이 ① ㉠은 세대에 상관없이 모든 연령층을 대상으로 한 콘텐츠이다. ② ㉠과 ㉡이 세대별로 콘텐츠를 즐기는 방식을 다르게 하는 것이 아니라 ㉠에서 ㉡으로의 변화를 통해 그 현상을 확인할 수 있다. ③ 스마트폰이나 인터넷으로 실시간 투표에는 참여할 수 있지만, 3문단에서 '텔레비전을 보는 방식도~'라는 부분을 통해 ㉡ 역시 텔레비전을 중심으로 소비됨을 알 수 있다. ④ ㉠은 과거의 텔레비전 프로그램을 대표하는 것이므로 현재의 장년층이 향유했던 콘텐츠일 수는 있으나, 그 당시에는 '가족들이 텔레비전 앞에 둘러앉아'라는 표현처럼 장년층과 젊은 층이 함께 향유하던 콘텐츠였음을 확인할 수 있다.

05. 대중문화의 문화적 성취는 대중의 선호도가 아닌 그 자체의 가치로 결정되는 것이며, 그렇기에 대중은 이를 잘 선별하여 바람직한 대중문화를 향유할 수 있는 안목을 길러야 한다.

오답 풀이 ① 대중문화는 다수의 사람, 즉 대중이 누리는 문화이기 때문에 대중의 관심을 끌기 위한 측면이 강하다. ③, ④ 대중문화는 다수의 사람이 향유하기 때문에, 상업적인 목적에 의한 간접 광고의 과열도 나타나는 것이고, 지나치게 폭력적이거나 선정적인 장면으로 대중의 관심을 끌기도 한다고 하였다. ⑤ (나)에서 대중문화는 대중에게 유익한 정보를 주거나 바람직한 가치관을 심어주는 콘텐츠도 많이 있음을 설명하고 있다.

06. (가)의 마지막 문장 '이제는 다른 인식을 해야 할 때가 아닌가 하는~'과 (나)의 마지막 문장 '대중문화 가운데에서도 문화적 성취가 높은 것과 그렇지 않은 것을 가려낼 수 있는 안목을~'을 종합하면, 대중문화의 속성을 이해하고 비판적으로 문화적 성취가 높은 것을 가려내며 대중문화를 수용하는 자세가 필요함을 알 수 있다.

평가 기준	
'상업적 속성에 대한 이해'와 '유익한 것'과 '그렇지 않은 것'을 선별적으로 수용할 수 있는 안목을 길러야 한다는 내용을 모두 언급한 경우	5점
둘 중 한 가지 내용만 언급한 경우	3점

07. (가)를 보면 상표가 노출되면 광고라고 인식되어 이를 철저하게 막았던 것은 종래의 방송 관행이라고 설명하고 있다. 또 간접 광고는 지정된 범위 안에서 합법화되었다고 하였기 때문에, ②번은 적절하지 않다.

오답 풀이 ①, ③, ④ 간판의 확대, 티셔츠의 큰 상표 등은 일상생활에서 사용되는 상품을 보이면서 광고하는 형태의 간접 광고라 할 수 있는데, 종래의 방송 관행에 익숙한 사람들은 이를 불편해할 수 있다. ⑤ 대중 매체인 텔레비전에서 방영하는 드라마는 다수의 사람이 향유하는 대중문화의 하나로, 상업적 속성을 지니기도 하지만 일상에서 흔히 경험할 수 있는 일들을 통해 시청자에게 자신의 삶에 대해 돌아보게 할 수 있다.

08. (가)에서는 인터넷상에서 무분별하게 남을 괴롭히는 행위가, (나)에서는 남의 저작물을 함부로 유통하는 행위가 타인에게 피해를 줄 수 있음을 언급하고 있다.

오답 풀이 ② 온라인 예절은 (가)에서만 언급되어 있다. ③ 지적 재산권과 관련된 언급은 (나)에만 나타난다. ④ 매체의 유용성 판별에 대한 언급은 (가)와 (나) 모두에 언급되어 있지 않다. ⑤ (가)와 (나)는 모두 매체의 부정적 사용에 대한 통제 방법을 기술의 발전과 연관 지어 언급하고 있지 않다.

09. 댓글을 올리는 것 자체가 문제가 되는 것은 아니지만, 댓글을 쓸 때 타인에 대한 존중과 배려하는 태도를 보이는 것이 중요하다.

오답 풀이 ① 게시판에 글을 쓸 때는 필요한 내용만 분명하고 간결하게 쓰는 것이 좋다. ③ 익명성에 기대어 남을 비방하거나 욕설을 하는 것은 타인에게 피해를 주는 일이므로 삼가야 한다. ④ 매체 사용에 있어 타인의 지적 재산권을 존중하는 일이 필요하다. ⑤ 개인 정보를 공개하고 유통하는 일은 범죄이기 때문에, 절대 함부로 하지 않는다.

IV. 국어의 역사와 문화

1. 국어의 역사

(1) 고대 국어

핵심 다지기　　　　　　　　　　　　　　pp. 323~325

01. ③　**02.** ③　**03.** 중국의 한자음에 된소리가 있음에도 우리나라의 한자음에는 된소리 계열이 거의 없기 때문이다.　**04.** ⑤
05. ⑤　**06.** ④

01. 중국과의 교류가 확대되기는 하였으나, 중국어의 영향을 받아 된소리가 더 많이 사용되게 된 것은 아니다. 또한 (나)를 통해 고대 국어 시기에는 우리말에 된소리가 없었음을 알 수 있다. 추정된다고 설명하였다.
오답 풀이 ① (가)를 통해 현대 국어의 기초가 형성되는 계기를 마련하였음을 알 수 있다. ②, ④, ⑤ 알타이 어족에서 분화되어 발전하던 언어가 신라의 삼국 통일로 신라어를 중심으로 한반도 남동쪽 경주로 국어의 중심지가 이동되었다.

02. 고유 명사 차자 표기에서는 음독(音讀)과 석독(釋讀) 두 가지를 모두 사용했다.

03. 중국의 한자와 한자음을 받아들였던 시기였음을 고려할 때, 중국의 한자음에는 된소리가 있음에도 우리나라의 한자음에 된소리 계열이 거의 없어서, 우리말에 된소리가 없었을 것으로 추정한 것이다.

평가 기준	
'중국 한자음에 된소리가 있다'는 점과 '우리나라의 한자음에는 된소리 계열이 거의 없다'는 점을 비교하여 한 문장으로 서술한 경우	5점
'중국 한자음에 된소리가 있다'는 점만 서술한 경우	3점

04. ㉠의 표기법은 한자의 소리나 뜻을 빌려 고유 명사를 표기한 것으로, 이러한 표기법은 이후 구결과 이두, 향찰로 발전하였으며 향찰은 통일 신라 이후 사라졌으나, 이두와 구결은 조선 시대까지 그 쓰임이 이어졌다.
오답 풀이 ① '거칠'을 '荒'으로 표기한 것은 '거칠 황'에서 알 수 있듯이 뜻을 이용하여 표기한 것이다. ② '거칠'은 음독했으므로 당시의 소리가 '거칠'과 유사했을 것이고, 이를 석독한 것이 '황'이므로 '荒'은 '거칠'을 한자를 빌려 표기한 것이라 할 수 있다. ③ (마)를 통해 '거칠부'와 '황종'을 동일 인물임을 알 수 있다. ④ '居柒(있을 거, 일곱 칠)'을 '거칠'로 표기한 것은 뜻을 버리고 소리를 취한 음독에 해당한다.

05. 이두는 단어를 우리말 어순에 맞게 바꾸었으며, 향찰 또한 어순을 우리말에 맞도록 배열하여 표기하였다.
오답 풀이 ① 이두의 경우 어순까지 우리말에 맞도록 재배열하였기 때문에 형식 형태소 표기를 빼도 온전한 한문이 되지 않는다. ② 향찰은 통일 신라 시대까지만 사용되고 사라졌다. ③ 향찰은 여러 가지를 한자 차용 표기법에 따라 표기하다 보니 읽기 쓰기의 방식이 복잡해지는 문제가 생겼다. ④ 향찰도 조사나 어미와 같은 형식 형태소를 한자로 표기하였다.

06. 한글은 구결에 사용된 차자 표기처럼 한자를 이용하여 창제한 것이 아니다.
오답 풀이 ①, ②, ③ '厓, 伊, 爲尼' 등은 한문 표기에서 우리말 '에, 이, 하니' 등 형식 형태소를 추가하여 표기한 것이고, 어순은 한문과 같다. ⑤ 이두는 우리말 어순에 맞도록 재배열하였기 때문에 구결과 차이를 보인다.

소단원 적중 문제　　　　　　　　　　　　p. 329

01. ④　**02.** ④　**03.** 음독은 한자의 뜻을 버리고 소리만 이용하는 것이고, 석독은 한자의 소리를 버리고 뜻만 이용하는 것이다.

01. 구결은 이두와 달리 구결 글자를 빼면 그대로 한문이 된다. 이두는 우리말 어순에 따라 한자를 차용했지만 구결은 한문 원문은 두고 조사, 어미에 해당하는 형식 형태소만을 한자를 차용하여 표기하였다.
오답 풀이 ① 고대 국어 시기에는 우리말을 표기할 수 있는 우리 글자가 없던 때여서 한자를 빌려 표기하였다. ② (나)를 통해 한자 차용 원리는 소리를 버리고 뜻을 취하는 석독과 뜻을 버리고 소리를 취하는 음독이 있음을 알 수 있다. ③ (다)를 통해 한자 차용 표기법은 한자로 표기하기 어려운 우리말 고유 명사의 표기에서 시작되었음을 알 수 있다. ⑤ (라)에서 향찰은 신라의 향가를 표기하는 데 사용된 표기법으로, 어순을 우리말에 맞도록 배열하고 조사나 어미와 같은 형식 형태소를 한자로 표기할 뿐 아니라 명사나 동사 등의 실질 형태소와 단어들까지 한자로 표기하였다고 제시하고 있다.

02. ⓐ '今自', ⓑ '大罪得'은 형식 형태소와 실질 형태소 모두를 한자로 표기한 것이 아니다. '今自'의 '自'는 '~로부터'로 해석되는 조사로 형식 형태소이고, '大罪得'의 '得'은 '얻다'의 의미를 지닌 단어일 뿐 어미를 나타내는 글자가 없으므로 실질 형태소를 표기한 것이 아니다. (라)에서도 이두는 형식 형태소를 표기하였다고 하였다. 따라서 형식 형태소와 실질 형태소를 모두 한자를 빌려 표기했다는 것은 적절하지 않다.
오답 풀이 ① '今自'을 '지금으로부터'라고 해석한 것은 우리말 어순에 따라 표기했음을 보여 준다. ② '大罪得'을 '큰 죄를 얻을 것이라고'로 해석한 것은 '얻다'를 나타내는 '得'을 문맥에 맞게 해석한 것일 뿐 한자 차용 표기에 '얻을 것이다'라는 의미가 담겨 있는 것은 아니므로 우리말을 완벽하게 표기하지는 못했다고 할 수 있다. ③ 〈보기〉는 이두 표기로 구결과 가장 다른 점은 우리말 어순에 따라 표기했다는 점이다. ⑤ (라)에서 이두는 한문 문장의 문맥을 파악하기 쉽도록 어순을 우리말 어순에 따라 형식 형태소를 더하여 표기한 것이라고 설명하고 있다.

03. 예를 들어, '古(옛 고)' 자를 그 뜻과 상관없이 단순히 '고'라는 소리를 표기하기 위해 사용한다면 음독이고, '水(물 수)' 자를 써놓고 '물'이라고 읽는다면 그것이 석독이다.

평가 기준	
'음독', '석독'의 개념을 한 문장으로 알맞게 서술한 경우	5점
'음독', '석독'의 개념은 적절하나 한 문장으로 서술하지 않은 경우	3점

(2) 중세 국어

핵심 다지기   pp. 331~335

01. ③ **02.** ⑤ **03.** ⑤ **04.** 〈보기〉는 모음 조화에 의한 교체 형태를 나타내며, 현대 국어와 달리 중세 국어에서는 모음 조화를 엄격하게 지켰다. **05.** ⑤ **06.** ⑤ **07.** ① **08.** 고유어만 있던 우리말 어휘 체계에 한자어가 유입되면서 고유어와 한자어의 이원 체계를 이루게 되었다. **09.** ② **10.** ② **11.** -샤-라는 선어말 어미를 통해 주체를 높이고 있는데, 如來(여래)를 높이고 있다.

01. 모음 'ㆍ'는 후기 중세 국어 시기부터 변화하였는데, 16세기에는 둘째 음절 이하의 'ㆍ'가 주로 'ㅡ'로 변하고, 이후 근대 국어 시기에 이르러 첫째 음절의 'ㆍ'가 주로 'ㅏ'로 변하면서 소멸되었다.

02. '믜'는 글자 왼쪽에 점이 없으므로 평성이며, 낮은 소리이다.

03. '모ᄅᆞ다〉모르다'는 'ㆍ'의 1단계 소실 과정만 보여 준다.
오답 풀이 ① ᄀᆞ물〉ᄀᆞ믈〉가물 ② ᄯᆞ룸〉ᄯᆞ름〉따름 ③ ᄀᆞᄅᆞ치다〉ᄀᆞ르치다〉가르치다 ④ ᄲᆞᄅᆞ다〉ᄲᆞ르다〉빠르다

04. 중세 국어 시기에는 조사나 어미에는 모음 조화에 의한 교체 형태를 갖추고 있어서, 〈보기〉와 같이 1인칭 대명사 '나'와 2인칭 대명사 '너'는 모음 조화에 따라 '나ᄂᆞᆫ, 나ᄅᆞᆯ'과 '너는, 너를' 등으로 나타났고, 동사 '막-'과 '먹-'은 '마가, 마ᄀᆞᆫ, 마ᄀᆞᆯ'과 '머거, 머근, 머글' 등으로 나타났다.

평가 기준	
'모음 조화', '현대 국어와 달리 엄격하게 지킨' 점을 모두 적절하게 서술한 경우	5점
내용은 적절하나 한 문장으로 서술하지 않은 경우	3점

05. 중세 국어 시기에 같은 의미가 있는 한자어가 유입되면서, 고유어와 대립 관계를 형성하였다. 이러한 대립 관계 속에서 고유어는 원래의 의미 영역 가운데 큰 부분을 한자어에 넘겨

주고 자기의 의미 영역을 축소하면서 살아남거나 완전히 소멸되는 길을 가게 되었다.
오답 풀이 ① 중세 국어 시기에는 한자어와 몽골어 등의 유입이 있었기 때문에 일원 체계를 갖추고 있다는 진술은 적절하지 않다. ② (사)의 마지막 문장을 보면 '고려 광종 때 시행한 과거 시험에 한자가 포함되면서 한자어의 침투와 확산이 급격하게 진행되었다.'라고 하였다. 이는 나라 차원에서 고유어를 지키는 모습과는 거리가 멀다. ③ 한자어가 유입된 후 시간이 흐르면서 어휘 체계 안에서 차지하는 고유어의 비중은 기존보다 작아지고 한자어의 비중은 높아지는 변화가 지속해서 진행되었다. ④ 13~14세기에 들어온 몽골어는 대부분 한동안 사용되었다가 사라졌지만, 일부는 현대 국어에까지 남은 것도 있다.

06. '즈믄'은 '천(千)'의 의미에 해당한다. '백(百)'과 같은 의미인 고유어는 '온'이다.

07. '말씀'은 과거에는 일반적인 '말'의 뜻으로 쓰였으나, 지금은 남의 말을 높여 이르는 말로 의미가 축소되었다.
오답 풀이 ② '문장'은 원래 '한문, 한자'를 의미했으나, 지금은 일반적인 글자를 뜻하게 되었으므로 의미가 확대된 예에 해당한다. ③ '어리다'는 '어리석다'의 의미에서 '나이가 어리다'는 뜻으로 의미가 이동한 경우이다. ④ '하다'는 '많다'의 뜻으로 쓰였던 단어로 지금은 쓰이지 않는다. 지금 쓰고 있는 '하다'는 'ᄒᆞ다'에서 온 것으로, 중세 국어의 '하다'와는 관계가 없다. ⑤ '어엿브다'는 '불쌍하다'의 의미에서 '예쁘다'는 뜻으로 의미가 이동한 경우이다.

08. 한자가 들어오기 전까지는 우리말에 고유어만 있었을 것이다. 그러다가 한자가 유입되면서 우리말 단어는 고유어와 한자어의 이원 체계로 바뀌게 되었다.

평가 기준	
고유어와 한자어를 언급하고, 이원 체계를 이루었음을 드러낸 경우	5점
고유어와 한자어에 대해 언급하였지만 '이원 체계'가 분명히 제시되지 않은 경우	3점

09. ㉡은 실제 발음을 중심으로 각 음절을 표기에 정확히 반영하는 방법을 사용하였다.
오답 풀이 ①, ⑤ 주격 조사 'ㅣ'는 자음으로 끝난 체언의 뒤에서는 '이'를, 'ㅣ' 이외의 모음으로 끝난 체언 뒤에서는 'ㅣ'를 사용하였으며, 'ㅣ' 모음으로 끝난 체언 뒤에서는 표기하지 않았다. ①의 '불휘'는 체언이 'ㅣ' 모음으로 끝나서 아무런 형태가 나타나지 않으며, ⑤는 '누'의 'ㅜ' 모음으로 끝났기 때문에 'ㅣ'가 사용되었다.

10. 중세 국어에서 동사의 경우 과거 시제는 아무런 선어말 어미를 쓰지 않거나 선어말 어미 '-더-'를 써서 표현하였다. ②의 '셔쇼라'에는 시제를 나타내는 선어말 어미가 없다.
오답 풀이 ①, ⑤ 서술어에 선어말 어미 '-ᄂᆞ-'가 들어 있는 것으로 보아 현재 시제로 볼 수 있다. ③, ④ 서술어에 선어말 어미 '-리-'가 들어 있는 것으로 보아 미래 시제를 표현

하고 있다.

11. 밑줄 친 부분 '오샤'는 '오셔서'로 해석되며, 주체 높임의 선어말 어미 '-시-'가 사용되었다.

평가 기준	
주체 높임의 선어말 어미 '-시-'가 사용된 문장임을 언급하고, 높임의 대상을 정확히 찾아 서술한 경우	5점
높임의 대상을 정확히 찾았지만, 주체 높임의 선어말 어미 '-시-'가 사용됨을 서술하지 못한 경우	3점

소단원 적중 문제

pp. 340~341

01. ① **02.** ① **03.** 현대 국어와 달리 중세 국어에서는 모음 조화가 철저히 지켜졌다. **04.** ④ **05.** ④ **06.** ⓐ: 서술어의 주체임을 나타내는 격 조사의 경우 현대 국어와 다르게 사용되었다. ⓑ: 현대 국어에는 사용하지 않는 객체 높임의 선어말 어미가 사용되었다.

01. (나)의 '성조는 글자 왼쪽에 방점을 찍어 표시하였'다는 내용과 '소리의 높낮이인 성조를 이용해서 단어의 뜻을 구별'하였다는 내용으로 미루어 볼 때, 방점은 소리의 장단을 구별하기 위한 것이 아니라 소리의 높낮이를 구별하기 위하여 사용되었음을 알 수 있다.

<u>오답 풀이</u> ② (나)의 '1인칭 대명사 '나'와 2인칭 대명사 '너'는 모음 조화에 따라 '나ᄂᆞᆫ, 나를'과 '너는, 너를' 등으로 나타났'다는 내용을 볼 때 모음의 형태에 따라 조사의 형태가 달랐음을 알 수 있다. ③ (나)의 '소리의 높낮이인 성조를 이용해서 단어의 뜻을 구별'하였다는 내용을 볼 때 적절하다. ④ (나)의 '중세 국어의 음운적 특징으로는, 된소리 계열이 생겨난' 것을 거론한 점으로 볼 때, 중세 국어 이전에는 된소리 계열이 없는 '예사소리-거센소리' 대립 체계였음을 알 수 있다. ⑤ (가)의 '중세 국어는 훈민정음이 창제되어 한글로 기록된 문헌 자료가 많이 나온 시기를 기점으로 전기 중세 국어와 후기 중세 국어로 구분한다'는 점을 통해, 한글 창제가 국어사에서 큰 전환기를 마련한 사건임을 알 수 있다.

02. (나)의 '모음 'ᆞ'는 후기 중세 국어 때부터 변화되었는데 16세기에는 둘째 음절 이하의 'ᆞ'가 주로 'ᅳ'로 변하고, 이후 근대 국어 시기에 이르러 첫째 음절의 'ᆞ'가 주로 'ᅡ'로 변하면서, 모음 'ᆞ'는 완전히 소멸되었다.'로 미루어 볼 때, 'ᆞ'가 첫째 음절에서 소멸되는 양상과 둘째 음절에서 소멸되는 양상이 달랐음을 알 수 있다.

<u>오답 풀이</u> ② ㄱ의 'ᄆᆞᆺ'과 ㄴ의 'ᄀᆞᆯ'은 각각 'ᄆᆞᅀᆞᆯ', 'ᄀᆞᅀᆞᆯ'의 다음에 위치하므로 'ᅀ'이 사라진 이후에 나타난 어휘이며, 둘째 음절의 'ᆞ'가 사라지기 이전의 상태이므로 16세기 이전의 어휘임을 알 수 있다. ③ 'ᄆᆞᅀᆞᆯ'의 'ᅀ'과 '더ᄫᅥ'의 'ᄫ'은 중세 국어만 사용된 음운이라 할 수 있다. ④ ㄴ은 어간 '덥-'에 어미 '-어'가 결합하였고, ㄷ은 어간 '곱-'에 어미 '-아', 어간 '굽-'에 어미 '-어'가 결합한 것으로 볼 때 양성 모음 다음에는 어미 '-아', 음성 모음 다음에는 어미 '-어'가

결합한 것을 알 수 있다. 이런 점에서 볼 때 중세 국어의 모음 조화가 철저했음을 알 수 있다. ⑤ ㄴ의 '덥-+어'의 현대 국어가 '더워'라는 점을 고려할 때, '더ᄫᅥ'는 훗날 '더워'가 되었을 것으로 추측할 수 있다.

03. '겨스레', 'ᄒᆞᆯ', '죽을', 'ᄒᆞ더라'의 현대어 풀이가 '겨울에, 옷을, 하루, 하더라'에 해당하는 데, 이들을 비교하면 현대 국어와 달리 중세 국어에서는 모음 조화가 지켜졌음을 알 수 있다.

평가 기준	
모음 조화가 지켜졌음을 드러내고, 〈조건〉에 따라 서술한 경우	5점
모음 조화가 지켜졌음을 드러냈지만, 〈조건〉을 반영하지 못한 경우	2점

04. (다)에서 '한글 창제 이후 한글 표기법의 원리로 채택된 것은 음소적 원리와 음절적 원리였다'는 내용으로 볼 때, 중세 국어는 음소적 원리와 음절적 원리를 표기 원리로 사용한 것이지, 음소적 원리에서 음절적 원리로 표기 양상이 변화한 것은 아니다.

<u>오답 풀이</u> ① (가)의 '새로운 개념이나 사물이 들어오면서 한자어가 같이 유입되어 적절한 고유어가 없는 공백을 자연스럽게 메웠을 뿐 아니라, 다른 한편으로 이미 고유어가 존재해도 같은 의미가 있는 한자어가 유입되어 고유어와 한자어의 대립 관계가 형성되었다.'를 통해 확인할 수 있다. ② (가)의 '13세기와 14세기에 고려가 원(元)과 밀접한 관계가 되면서 한자어와는 구별되는 몽골어가 많이 들어' 왔다는 내용을 통해 확인할 수 있다. ③ (나)의 "-(으)시-'에 의한 주체 높임법'을 통해 확인할 수 있다. ⑤ (다)의 '사ᄅᆞᆷ이'를 '사ᄅᆞᆷ이'로 표기한 것을 통해 할 수 있다.

05. '닐오리라'를 발음하면 [니로리라]가 되지만 '닐오리라'로 표기하고 있으므로 음절적 원리는 사용되지 않았다는 것을 알 수 있다.

<u>오답 풀이</u> ① (나)의 '중세 국어 시기에는 주격 조사에 '가'는 없고 '이'만 있어서 앞말의 받침 유무에 상관없이 '이'가 쓰였다'는 내용과 함께, ㄱ의 '아ᄃᆞᆯ들ᄒᆞ+ㅣ', ㄴ의 '하ᄂᆞᆯᄒᆞ+ㅣ', ㄷ의 '나+ㅣ'로 보아 주격 조사로는 '이(ㅣ)'가 사용되었음을 알 수 있다. 그러나 주격 조사 '가'가 사용된 예는 나타나지 않는다. ② ㄱ의 '죽다'(죽었다)로 보아 중세 국어에는 과거 시제 선어말 어미가 따로 나타나지 않는 것을 알 수 있다. ③ ㄴ의 'ᄒᆞᄂᆞ니라'의 경우 'ᄒᆞ-+-ᄂᆞ-+-니라'로 분석되며, 현대어로는 '한다'의 의미이므로, 선어말 어미 'ᄂᆞ'는 현재 시제로 사용되었음을 알 수 있다. ⑤ '닐오리라'의 현대어가 '말하겠다'의 의미이며, '닐오다'가 '말하다'의 의미를 갖는다면, '-리-'는 미래 시제 선어말 어미 '-겠-'과 대응됨을 알 수 있다. 따라서 '-리-'는 미래 시제를 나타내는 선어말 어미라고 추론할 수 있다.

06. ⓐ의 현대어는 '부모가'이나, 중세 국어는 '父母(부모)+ㅣ'로 사용되고 있다. 이를 통해 중세 국어에서는 주격 조사로 '이'가 사용되었음을 알 수 있다. ⓑ의 '드리ᄫᅵ시니'는 객체 높이

선어말 어미 '-슿-'이 사용된 것으로 현대 국어와 달리 객체 높임 선어말 어미가 사용되었음을 알 수 있다.

평가 기준	
ⓐ, ⓑ 모두 적절하게 설명한 경우	5점
두 개 중 하나만 적절하게 설명한 경우	3점
내용을 적절하지만, 현대 국어와 비교하는 내용이 제시되지 않은 경우	1점

(3) 근대 국어

핵심 다지기

pp. 343~345

01. ③ **02.** ⑤ **03.** ⑤ **04.** ① **05.** ②

01. ㄱ의 '됴코'의 현대어 풀이가 '좋고'이고, ㄴ의 '죠흐료'의 현대어 풀이가 '좋을까'임을 알 수 있다. 이를 통해 ㄱ, ㄴ 모두 '좋다'가 기본형임을 알 수 있다. 따라서 ㄱ에서의 '됴코'에는 구개음화가 사용되지 않았음을 알 수 있다.
오답 풀이 ① '셔블'이 '서울'로 변한 것에서 'ㅸ'이 'ㅜ'로 변했음을 알 수 있다. ② 'ᄆᆞᅀᆞᆷ'이 'ᄆᆞᅌᆞᆷ'으로 변했으므로 'ㅿ'이 소멸하여 그 자리에 (형식적인) 'ㅇ'이 쓰인 것이므로 소멸되었음을 알 수 있다. ④, ⑤ ㄱ의 'ᄆᆞᅀᆞᆯ'과 ㄴ의 'ᄆᆞᅀᆞᆯ'을 통해 'ㆍ'가 근대 국어에도 여전히 쓰였음을 알 수 있고, 'ㆍ'가 '마을'로 변한 것을 통해 'ㆍ'가 'ㅏ'나 'ㅡ'로 바뀌었음을 알 수 있다.

02. '릭년〉래년(來年)'으로 바뀐 것은 'ㆍ'의 소실에 따른 결과이다. 'ㆍ'가 소실되면서 'ㅖ'가 'ㅐ'로 바뀌었는데, 'ㅐ'(당시에는 이중 모음)가 새로 생겨난 것은 아니다.
오답 풀이 ① 'ㆍ'의 변화는 둘째 음절에서 'ㆍ'가 'ㅡ'로 변화하는 것이 먼저 나타났다고 (다)에서 설명하고 있다. ② 16세기 말에 나타난 'ㆍ'의 변화임을 알 수 있다. ③ 'ㆍ'의 2단계 소실은 첫째 음절에서 나타났으며 18세기 근대 국어 시기에 일어났다. ④ 'ㆍ'는 양성 모음으로, 'ㅡ'는 음성 모음으로 대립의 짝을 이루면서 중요한 역할을 했는데, 'ㆍ'의 소실로 모음 조화가 깨어지면서 한 단어 안에 양성 모음과 음성 모음이 공존하는 현상이 나타났다.

03. (아)를 통해 근대 국어 시기의 경우 한 문헌 안에서도 이어적기, 거듭적기, 끊어적기가 섞여서 표기법의 혼란이 심해졌음을 알 수 있다. 따라서 표기법이 체계화되었다는 진술은 적절하지 않다.
오답 풀이 ① 근대 국어 시기에는 서양의 새로운 지식이 중국을 통해 유입되는 과정에서 새로운 단어가 유입되었다. ② 현대의 어휘 체계는 고유어, 한자어, 외래어의 삼중 체계인데, 이러한 체계가 확립된 것은 근대 국어 시기의 외래어 유입이 증가하면서 나타나게 되었으며 현재까지 이어지고 있다. ③ 근대 국어 문법에 나타난 변화는 주격 조사 '가'의 등장이다. 따라서 근대 국어 이전 시기에는 주격 조사 '가'가 쓰이지 않았을 것으로 추정할 수 있다. ④ 과거 시제 선어말 어미 '-았-/-었-'은 근대 국어 시기에 확립되었다.

04. 〈보기〉는 근대 국어의 특징을 보여 주는 자료이다. 띄어쓰기에 대한 언급은 '귀절을 쎄여 쓴'다는 데서 알 수 있는데, 이는 오늘날의 띄어쓰기가 어절 단위인 것과 다르다.
오답 풀이 ② 『독립신문』 창간사의 내용으로 보아 국문으로만 쓴 이유는 '샹하귀쳔이 다보게 홈'이라고 되어 있다. ③ '우리 신문이', '샹하귀쳔이'에서 주격 조사 '이'가 쓰이고 있고, '보기가'에서 '가'가 쓰이고 있음을 알 수 있다. ④ 명사형 어미가 쓰인 단어는 '홈이라', '흠이라', '보기가'에서 '-옴/-움'과 명사형 어미 '-기'가 사용되고 있음을 알 수 있다. ⑤ [보기]에는 '쓰는거슨', '이러케'에서 이어적기가 '홈이라', '흠이라'에서 끊어적기가 나타나고 있다.

05. 이어쓰기가 적용된 표기는 ⓐ, ⓔ, ⓕ이다. ⓐ는 '말씀+이', ⓔ는 '쁟+을', ⓕ는 '놈+이'로 분석된다.

소단원 적중 문제

pp. 349~350

01. ① **02.** ⑤ **03.** ⑤ **04.** '셔울'은 중세 국어에서 'ㅸ'이 사용되어 '셔블'으로, '죠흐료'는 구개음화가 적용되지 않아 '됴흐료'로 나타났을 것이다. **05.** ② **06.** ② **07.** ③ **08.** 지베, 집에, 집베

01. (가)에서 현대 국어의 특징이라 할 만한 것 가운데에는 근대 국어 시기의 변화에서 비롯된 것이 적지 않다고 하였다. 근대 국어와 현대 국어의 공통점이 많았다고 추정할 수 있다.
오답 풀이 ② 근대 국어가 중세 국어의 특징을 현대 국어에 이어 주는 역할을 한 것이 아니라 중세 국어와 현대 국어의 차이를 설명해 주는 위치에 근대 국어가 자리하고 있어서 차이를 이어 주는 중요한 고리 역할을 한다고 하였다. ③ 'ㆍ'는 16세기 말부터 둘째 음절에서 먼저 변화하여 'ㅡ'로, 그리고 근대 국어 시기에 첫째 음절은 'ㅏ'로 변화하였다. ④ 'ㆍ'의 소멸은 모음 조화 현상을 혼란스럽게 하고 약화시켰다. ⑤ 구개음화는 'ㅣ' 모음 앞에서 일어났으며 '부텨〉부쳐〉부처'로 반모음 'ㅣ' 앞에서 'ㅌ → ㅊ'으로 변화한 다음 'ㅕ → ㅓ'로 변화하였다.

02. 'ㆍ'가 소멸하면서 한 단어에서 양성 모음과 음성 모음이 공존하는 모음 조화 파괴 현상이 일어나게 되었다.
오답 풀이 ① 'ㅿ'의 소멸로 'ᄆᆞᅀᆞᆷ〉ᄆᆞᅌᆞᆷ'으로 변화가 나타났다. ② 'ㅸ'의 소멸로 '더버〉더워'의 변화가 나타났으며 'ㅸ'은 'ㅜ[w]'로 변화하였다. ③ 'ㆍ'의 둘째 음절에서의 변화는 'ㅡ'로 변하였으며, 이 변화는 이미 16세기 말(중세 국어 시기)에 나타나고 있었다. ④ 첫째 음절의 'ㆍ'는 18세기에 'ㅏ'로 변화하였다.

03. '디다>지다[落], 티다>치다[打], 부텨>부처[佛]'에서 보는 것처럼 근대 국어의 구개음화는 한 음절 안에서 일어나기도 하였고 '굳+이→구지', '같+이→가치'처럼 형태소와 형태소의 경계에서도 일어났다. 형태소와 형태소의 경계에서 일어나는 경우에도 실질 형태소와 형식 형태소의 결합에서 일어났다.

오답 풀이 ① 구개음화는 근대 국어에서 활발하게 일어난 음운의 변화로 그 이전 시기에는 'ㅣ' 모음 앞에서 'ㄷ, ㅌ'으로 소리 났었다. ② 근대 국어에서는 '디다>지다[落], 티다>치다[打], 부텨>부처[佛]'처럼 한 음절 안에서도 구개음화가 일어났다. ③, ④ 현대 국어에서 구개음화는 '미닫+이→[미다지]', '해+돋+이→[해도지]'처럼 표기에는 반영되지 않고, 소리에서만 나타난 형태소와 형태소가 만날 때 구개음화가 일어난다.

04. 중세 국어의 자음 'ㅸ'은 소멸되어 근대 국어에서 'ㅜ'로 쓰였고, '됴흐료'는 구개음화가 사용되지 않아 'ㅈ'으로 쓰였다.

평가 기준	
중세 국어에서는 'ㅸ'과 구개음화가 사용되었음을 밝히고, '셔볼, 됴흐료'로 표기를 쓴 경우	5점
'셔볼, 됴흐료'라고 표기만 밝히고 이유를 구체적으로 제시하지 못한 경우	3점

05. 과거 시제 선어말 어미는 중세 국어 시기에서는 없었던 것으로 근대 국어 시기에 나타난 중요한 특징이다.

오답 풀이 ① (나)의 1문단에서 주격 조사 '가'는 근대 국어에 나타나서 자음 아래에서는 '이', 모음 아래에서는 '가'가 나타나는 양상을 보였다고 하였다. ③ (나)의 2문단에서 명사형 어미 '기'가 널리 사용된 것도 근대 국어 시기의 주요한 특징이라고 하였다. ④ (가)의 1문단에서 국어의 어휘 체계가 고유어, 한자어에 더하여 외래어의 유입이 증가하는 경향이 나타났다고 되어 있다. ⑤ (다)의 2문단에서 한 문헌 안에서도 이어적기, 거듭적기, 끊어적기가 섞여서 표기법 혼란이 심해졌다 하였다.

06. '말쏨미'가 거듭적기(중철) 표기에 해당한다. '말쏨미'는 '말쏨+이'의 결합으로 이어적기하면 '말쏘미', 끊어적기하면 '말쏨이'가 된다.

오답 풀이 ① '붉은'은 끊어적기한 표기이다. ③, ④ '눈을, 황홀이' 등은 모두 모음으로 시작하는 조사와 접사가 붙었으나 이어적기하지 않고 끊어적기하고 있다. ⑤ '것+은'을 '거슨'으로 표기한 것이 이어적기한 것이다.

07. ⓒ에는 이 시기에 나타나는 띄어쓰기가 언급되어 있다. 하지만 구절 단위로 띄어쓰기하였다는 내용이며 '쓴즉'은 구절 단위 띄어쓰기를 보여 준다. 어절 단위라면 '쓴 즉'이라고 표기했을 것이다.

오답 풀이 ① '신문'은 신문물에 해당하는 것으로, 근대 국어 시기에 신문물을 지칭하는 언어가 들어와 사용된 모습을 보여 주는 것이라 할 수 있다. ② '쓰는거슨'에서 '거슨'은 '것+은'을 이어적기한 것이다. ④ ⓓ는 명사형 어미 '기'와 주격

조사 '가'의 쓰임이 '보기+가'에 나타난다. ⑤ '알어'는 '알(양성 모음)'이므로 양성 모음의 연결 어미가 와야 한다. 그런데 '어(음성 모음)'가 왔으므로 모음 조화 파괴 현상이 나타난 것으로 볼 수 있다.

08. 이어적기는 뒤에 이어지는 모음 형태소에 앞 음절의 종성을 옮겨 적는 것이고, 끊어적기는 뒤에 모음으로 시작되는 형태소가 와도 각각 그 원형을 밝혀 적는 것이다. 그리고 거듭적기는 앞 음절의 종성을 뒤에 이어지는 형태소의 첫음절에서 한 번 더 적는 것이다.

중단원 실전 문제

pp. 351~355

01. ④ **02.** ⑤ **03.** ② **04.** 우리말의 옛 모습을 엿볼 수 있게 해 준다. **05.** 실질 형태소도 한자 차용 표기를 사용한다.
06. ③ **07.** ② **08.** 'ㆍ'가 16세기에 둘째 음절에서, 근대 국어 시기에 첫째 음절에서 소실되므로 어형 변화는 차례로 'ᄆᆞᅀᆞᆯ 〉 마을'이 된다. **09.** ② **10.** ⑤ **11.** ⑤ **12.** ② **13.** ② **14.** ④
15. ⑤ **16.** ①

01. 구결은 한문 문장의 문맥을 파악하기 쉽도록 우리말 조사나 어미를 한자로 표기하는 방법이고, 이두는 단어를 우리말 어순에 맞게 바꾸고 조사나 어미도 한자로 표기하는 방법이다. 그러므로 '우리말 어순에 따라 표기'하였다는 설명은 이두와 관련한 설명이다.

02. (나)를 보면 "왕'이라는 한자어 명칭이 정식으로 사용되고, 순우리말로 되어 있던 지명이 한자어 지명으로 바뀌는 등 한자어 어휘가 일상으로 들어와서 쓰임이 확대되는 일'이라고 하였고, 〈보기〉를 고려할 때 적절한 반응이다.

오답 풀이 ① ㄱ에서 '永同'과 '吉同'은 동일한 지명을 표기한 것으로, '영동군'을 본래 '길동군'으로 불렸음을 알 수 있다. ② ㄴ은 동일한 사람의 이름을 서로 다른 방식으로 표기하는 것이지, 동일한 사람이 여러 이름을 갖는 경우가 아니다. 그러므로 '居柒夫'와 '荒宗'은 동일 인명에 대한 두 가지 표기이기 때문에 표기가 달라도 똑같이 읽어야 한다. ③ '荒宗'의 '荒'을 '황'이라는 한자음이 아니라 '거칠-'이라는 뜻으로 읽으면, 즉 음독이 아니라 석독을 하면 '居柒夫'의 '居柒'과 같은 방식으로 읽게 되는 것이다. ④ ㄴ에서는 '혹은'을 '或云'이라고 하여 조사를 표기하고 있다. 이러한 점으로 볼 때 ㄱ보다 ㄴ이 우리말의 형식적 특징을 살려서 표기하였다.

03. '矣(어조사 의)'는 조사 '의'를 나타낸 한자이고 '乙(새 을)'은 조사 '을'을 한자로 표현한 것이다.

오답 풀이 ① 향찰은 이두와 같이 우리말의 어순으로 배치하였다. ③, ④ '夜(밤 야), 抱(안다 포), 去(가다 거)'는 '밤'이라는 단어, '안-', '가-'의 어간을 한자로 표현한 것이다. 그러므로 실질 형태소에 해당하며, 뜻에 따라 읽는 '석독'의 방법

을 사용해야 한다. ⑤ '卯(토끼 묘)'는 부사 '몰래'의 '모-'에 해당하므로 실질 형태소이며, 음독의 방법으로 읽어야 한다.

04. (다)에서 고대 국어 시기에는 우리말을 표기할 수 있는 우리 글자가 없던 때였는데, 한자 차용 표기법을 사용한 자료들에서 부분적으로나마 우리말의 옛 모습을 엿볼 수 있게 해 주어 귀중한 자료들이라 하였다.

평가 기준	
우리말의 옛 모습을 엿볼 수 있는 자료라는 점을 서술한 경우	5점
우리말을 표기한 것 등만으로 의의를 서술한 경우	3점

05. 향찰은 우리말 어순으로 배열하고 조사나 어미와 같은 형식 형태소를 한자로 표기할 뿐만 아니라 명사나 동사 등의 실질 형태소와 단어까지 한자로 표기하였다.

평가 기준	
실질 형태소도 한자 차용 표기를 사용한다고 한 문장으로 서술한 경우	5점
내용은 적절하되 한 문장 이상으로 서술한 경우	3점

06. (가)의 첫 문단에서 'ㆍ'가 소멸되기 시작하고 모음 조화가 잘 지켜진 점을 중세 국어의 음운적 특징 중 하나로 들고 있다.

07. (라)에서 '평성과 거성은 짧은소리로, 상성은 긴소리로 바뀌어 현대 국어의 장단 체계를 가지게' 되었다는 내용으로 보아, 현대 국어에서 평성과 거성에 해당하는 어휘를 구별하기는 어려우나, 장음으로 발음되는 어휘는 상성이었음을 알 수 있다. 따라서 ⓑ [눈:]과 ⓒ [굴:]은 장음으로 발음되는 단어이기 때문에 중세 국어 시기에는 상성임을 엿볼 수 있다.

08. 'ㆍ'는 16세기에 둘째 음절 이하에서 'ㅡ'로 변하고, 근대 국어 시기에 이르러 첫째 음절에서 주로 'ㅏ'로 변하였다.

평가 기준	
빈칸에 들어갈 알맞은 단어의 제시와 선행된 순서를 정확하게 설명한 경우	5점
빈칸에 들어갈 알맞은 단어를 제시했지만, 선행된 순서를 정확하게 설명하지 못한 경우	3점

09. 밑줄 친 부분은 우리말과 한자어의 경쟁 관계 속에서 우리말의 영역이 축소되거나 소멸하는 경우를 의미한다. 이런 점에서 볼 때 ②가 적절한 사례라 할 수 있다.
오답 풀이 ① 불교가 유입되면서 쓰이지 않던 한자어가 유입되어 사용되는 경우이다. ③ '세수'는 한자어 '洗手'를 의미하며, '세수'의 의미 영역이 축소되는 것을 설명하고 있다. 그러나 이는 '세수'의 의미 영역이 축소되는 것이지, 우리말과의 경쟁 관계 속에서 이루어지는 것은 아니다. ④ '얼골'이라는 우리말의 의미 영역이 축소되는 사례에 속하지만, 이것이 한자어와의 대립 관계 속에서 이루어졌다고 보기 어렵다. ⑤ 우리말의 의미가 바뀐 경우에 해당하는 것이다. 그러나 이것이 한자어와의 대립 관계 속에서 변화된 것이라고 보기 어렵다.

10. (나)에 따르면 상대 높임법 또한 선어말 어미에 의해 표현되던 체계는 사라지고 현대에 와서는 어말 어미에 의해 표현된다고 설명하고 있다.

11. 중세 국어에서 동사의 경우 현재 시제는 선어말 어미 '-ᄂᆞ-'를 써서 표현하였다. ⑤의 'ᄒᆞᄂᆞ니라'에 선어말 어미 '-ᄂᆞ-'가 포함되어 있다.
오답 풀이 ①, ② 서술어에 시제를 나타내는 선어말 어미가 없으므로 과거 시제로 볼 수 있다. ③ '닐오리라'에 선어말 어미 '-리-'가 들어 있는 것으로 보아 미래 시제를 표현하고 있다. ④ 'ᄃᆞ외더라'에 선어말 어미 '-더-'가 들어 있는 것으로 보아 과거 시제를 표현하고 있다.

12. '내'가 주격으로 쓰였음을 알 수 있고, '내'가 '나+ㅣ'로 분석되므로 'ㅣ'가 주격 조사로 쓰였음을 알 수 있다.

13. 근대 국어 시기로 들어오면서 'ㅸ, ㅿ'이 소멸된 것은 적절하지만, 이것이 '모음 조화를 지키지 못하는 양상'의 원인이 된 것은 아니다. 모음 조화가 혼란해지기 시작한 것은 'ㆍ'의 소멸 때문이었다.
오답 풀이 ① 근대 국어 시기로 들어오면서 구개음화 현상이 나타나기 시작하였으며, 주격 조사가 '이' 이외에 '가'가 사용되기 시작하였다. ③ 'ㆍ'의 경우, 16세기 말 둘째 음절 이하에서 'ㅡ'로 변하였고, 근대 국어 시기에 들어오면서 첫째 음절에서 'ㅏ'로 변하였다. ④ 음소적 원리와 음절적 원리로 표기되던 중세 국어 시기와 달리 근대 국어 시기에는 이어적기, 끊어적기, 거듭적기가 섞여 표기되면서 혼란한 양상을 띠게 되었다. ⑤ 서양의 새로운 지식과 문물이 유입되는 과정에서 일본어, 서양어가 유입되는 등 새로운 어휘가 사용되기 시작했다.

14. 'ㄷ, ㅌ'이 'ㅣ' 모음과 결합하여 'ㅈ, ㅊ'으로 발음되는 현상은 구개음화에 해당한다.

15. '거슨'으로 볼 때 근대 국어 시기에도 여전히 이어적기가 사용되었음을 알 수 있다. 〈보기〉에 제시된 글은 끊어적기와 이어적기가 혼재된 양상을 보임을 알 수 있다.
오답 풀이 ① 〈보기〉의 '보기가'를 보면 명사형 어미 '-기'가 쓰인 것을 알 수 있다. ② '쓰ᄂᆞ거슨'을 통해 알 수 있다. ③ '보기가'에서 주격 조사 '가'가 사용되었음을 알 수 있다. ④ 중세 국어와 달리 띄어쓰기가 나타나고 있지만, 일정한 규칙이 있다기보다는 글쓴이의 호흡에 따라 결정되는 양상을 보인다.

16. '고바>고와'에서는 'ㅸ'이 [w]로 바뀌어 이중 모음 'ㅘ'를 형성하고 있는 반면, '셔ᄫᅳᆯ>셔을'에서는 'ㅸ'이 흔적 없이 사라졌다.
오답 풀이 ② 'ᄆᆞᅀᆞᆷ>ᄆᆞ음'과 '지ᅀᅥ>지어'는 모두 'ㅿ'이 소멸되었다. ③ '셔울>서울'과 '둏다>좋다'는 모두 이중 모음이 단모음화되고 있다. ④ 'ᄆᆞ음>ᄆᆞ음>마음'은 'ㆍ'의 소멸로 나타난 변화 양상이고, '둏다>좋다'는 구개음화 현상이다. ⑤ ⓒ는 구개음화 현상으로 ⓐ, ⓑ에 나타나는 음운 변동과는 관련이 없다.

2. 국어 생활과 문화

(1) 국어 자료의 다양성과 국어 문화

핵심 다지기   pp. 359~367

01. ④ **02.** ② **03.** ① 독자에게 아름다운 정서를 전해 준다. / ② 글쓴이의 생각이나 느낌을 진술하게 드러낸다. / ③ 읽는 이가 공감대를 쉽게 형성할 수 있다. **04.** ④ **05.** ⑤ **06.** ⑤ **07.** ⑤ **08.** ② **09.** ① 해석에 혼동을 줄 수 있는 말은 피한다. / ② 명사형 종결 표현을 쓴다. **10.** ① **11.** ① **12.** 아들이 줄임말이나 새로운 문화를 반영한 용어를 사용하였기 때문이다. **13.** ③ **14.** ⑤ **15.** ② **16.** 교통과 매체의 발달로 인해 다른 나라 사람이 한국 문화를, 우리가 다른 나라의 문화를 더욱 쉽게 접할 수 있게 되었기 때문이다.

01. 친교 및 정서 표현의 국어 자료인 편지는 구어적 표현을 많이 쓰며 읽는 이가 공감대를 쉽게 형성할 수 있는 언어적 특성을 보인다. '문어적 표현'은 일상 대화에서는 쓰이지 않고 글에서만 쓰이는 표현을 말한다. 친교 및 정서 표현의 글인 편지에서는 읽는 이와의 정서적 교감이 중요하므로 구어적 표현이 많이 쓰인다.
오답 풀이 ① (나)에 문학 작품은 상상력을 바탕으로 꾸며 낸 국어 자료라고 제시되어 있다. ② (나)에 국어 자료 중 친교 및 정서 표현을 위한 국어 자료의 종류가 드러나 있다. ③ (다)에서 친교 및 정서 표현이 목적인 국어 자료의 일반적 특징이 소개되고 있다. ⑤ (가)에 국어 자료의 생산 목적에 따른 분류가 나와 있다.

02. '폄하'라는 말은 '어떤 것의 가치를 깎아내리다'의 의미로 쓰인다. [A]에서 아버지인 '나'는 아들이 고민으로 잠 못 들고 뒤척이는 일에 대해 누구라도 그런 밤이 있다고 위로하고 있다.
오답 풀이 ① [보기]는 아버지가 고민으로 잠 못 들고 있는 아들에게 보내는 편지글이다. 민세는 그 편지를 받는 사람으로 구체적 대상이다. ③ 잠 못 드는 아들에게 그런 밤이 있음을 인정하는 아버지의 말로 공감하고 있음을 드러낸다. ④ 아버지인 '나'는 아들의 고민을 이해하면서 그 고민이 비인간적이고 비굴하게 사는 삶이 되지 않기를 바라고 있다. ⑤ 아버지인 '나'와 아들인 '민세' 사이에 전해진 편지글을 다른 사람이 읽게 된다면 필자인 아버지의 아들을 사랑하는 마음과 진심 어린 충고를 느낄 수 있다.

03. (다)에서 친교 및 정서 표현의 목적을 가진 국어 자료의 언어적 특성을 설명하고 있다.

평가 기준	
두 가지 이상 서술한 경우	5점
한 가지 이상 서술한 경우	3점

04. '세계 문화유산'의 보존에 힘써야 한다는 내용은 객관적인 사실이 아니라 필자의 견해에 해당한다. 이를 강조하는 것은 설명문보다 논설문에 적합한 내용이다.
오답 풀이 ① 정보를 전달하는 글을 쓰기 위해서는 객관성을 위해 관련 자료를 수집하는 것이 선행되어야 한다. ② 세계 문화유산으로 선정되는 기준에 대해 체계적으로 정리해야 간결하고 명확한 글을 쓸 수 있다. ③ 설명하는 글쓰기에서는 무엇보다 명료한 표현으로 오해가 발생하지 않도록 하는 것이 중요하다. ⑤ 문화유산의 역사를 설명하는 것은 시간의 경과를 바탕으로 하는 것이므로 시간의 순서에 따라 설명하는 것이 적절하다.

05. 설득의 기능을 담고 있는 국어 자료는 독자가 공감할 수 있는 어떤 사실이나 현상, 가치 등에 대해 자신의 주장을 논리적으로 쓴 국어 자료이다. 전문적인 내용을 추상적인 근거에 따라 전달하는 글이라는 ⑤의 언급은 적절하지 않다.
오답 풀이 ① 설득의 기능을 담고 있는 국어 자료는 문장이 명료하고 간결해야 한다. ② 설득의 기능을 담고 있는 국어 자료는 논설문으로 짜임새 있게 쓴 체계적인 글이다. ③ 사실이나 현상에 대해 주장을 논리적으로 쓴 글이다. ④ 주장을 담은 글에는 명확한 개념과 표현을 사용해야 한다. 그래야 오해나 왜곡이 발생하지 않는다.

06. [A]는 정보 전달을 위한 국어 자료의 예시이고 [B]는 설득을 위한 국어 자료의 예시이다. 두 경우 모두 객관적인 내용을 전달하거나 객관적인 근거를 제시하는 국어 자료에 해당한다. 그런데 과장이나 비유를 통한 꾸밈이 허용된다는 ⑤의 진술은 적절하지 않다.
오답 풀이 ① [A]와 [B]는 모두 생산 목적에 따라 분류한 목적 층위의 국어 자료에 해당한다. ② [A]와 [B]는 문장이 간결하다는 공통적 특징이 있다. ③ [A]는 정보 전달을 위한 국어 자료의 예시이고, [B]는 글쓴이의 주장을 이해시키고 따르게 하려는 국어 자료의 예시이다. ④ [A]는 정보 전달을 위한 국어 자료이고, [B]는 설득적인 국어 자료이다. [B]가 주장을 일관되고 논리적으로 전개하는 언어적 특성을 보인다.

07. 사진과 함께 문안을 제시한 것은 적절한 설명이지만, 동음이의어를 사용하여 전달하려는 바를 전달하고 있다는 언급은 적절하지 않다. 또한 [A]에는 동음이의어가 쓰이지 않았다.
오답 풀이 ① [A]는 광고물에 해당하므로 독자를 설득하려는 의도를 지닌다고 할 수 있다. ② 문자 언어뿐만 아니라 사진이라는 매체 언어도 사용하고 있다. ③ 스마트폰을 줄로 묶어 자린고비 이야기를 떠올리게 하는 장면을 광고 사진으로 제시하여 독자에게 강한 인상을 심어주는 효과를 거두고 있다. ④ '밥 한 번, 스마트폰 한 번'이라는 표현은, 구두쇠 자린고비 이야기를 스마트폰 사용과 연상시켜 스마트폰 사용 절제를 촉구하는 내용을 전달하고 있다. 짧은 문구로 주제를 효과적으로 전달하고 있다는 점에서 간결하고 압축적인 광고문의 언어적 특성이 잘 드러나 있다.

08. 기사문의 생명은 공정성과 정확성이 중요하기 때문에 기자 개인의 주관적 의견이나 추측을 포함해서는 안 된다. 따라서 아직 발생하지 않은 사건을 상상력을 동원해서 기사문을 작성해서는 안 된다.
오답 풀이 ① 사실의 왜곡이나 축소가 있어서는 안 된다. ② 기사문은 함축적이고 장황한 수식보다 간결하고 명료한 표현으로 작성해야 한다. ④ 전문적인 내용의 기사문의 경우 전문가의 의견과 함께 정보를 전달하기도 한다. ⑤ 기사문의 내용은 기자가 직접 경험하지 않은 경우가 많아 취재를 통해 다른 사람의 말을 인용하거나 피동 표현이 많이 쓰인다.

09. 공고문은 특성상 해석에 혼동을 줄 수 있는 말은 피해야 하고, 정확하게 공고할 내용을 전달하기 위해 명사형 종결 표현을 쓰는 언어적 특성이 있다.

평가 기준	
두 가지 이상 서술한 경우	5점
한 가지 이상 서술한 경우	3점

10. (카)를 보면 성별에 따른 언어 사용 양상은 과거와 비교하면 현재는 그 구분이 매우 약화되고 있는 게 현실이라고 설명하고 있다.

11. 전문직에 종사하는 사람들이 직업적으로 사용하는 언어도 일종의 사회 방언이다.
오답 풀이 ② 사회 방언이 전문적인 일에 종사하는 사람들 사이의 의사소통을 위한 것이라 하더라도 의사소통에 영향을 미치므로 주의 깊게 살펴보아야 한다. ③ 사회 방언의 언어 차이도 의사소통에 많은 영향을 주기 때문에 잘 살펴보아야 한다. ④ 부추, 정구지, 솔, 졸, 푸추 등은 지역 방언에 속한다. 지역의 차이로 나타나는 방언은 지역 방언이다. ⑤ 경상도와 전라도의 언어 사용의 차이는 지역 방언의 차이로 의사소통의 어려움을 겪는 경우가 있다.

12. 아버지가 아들의 말을 이해하지 못한 이유는 아버지 세대가 사용하는 언어와 달리 아들 세대는 줄임말이나 새로운 문화를 반영하는 말을 사용하였기 때문이다.

평가 기준	
조건을 다 만족하여 알맞게 서술한 경우	5점
내용은 적절하거나 문장이 어색한 경우	3점

13. 이 글에서 국어로 번역되는 외국 자료의 양이 많아지고 있다는 점과 특징은 설명하고 있지만, 어떤 분야의 자료가 많은 지는 찾을 수 없다.

14. '여행 중 빠른 의사소통'에 해당하는 것은 위치, 장소, 방향, 출구 등 일부에 국한된다. 〈보기〉는 지역을 방문한 것을 환

영한다는 메시지를 해당 언어 사용자에게 전달하려고 생산한 국어 자료로, 정보의 나열만으로는 환영한다는 메시지를 정확하게 전달하기 어렵다.
오답 풀이 ① 〈보기〉는 해외에서 생산한 국어 자료로, 해외를 방문한 한국인을 위해 만들어진 자료이다. ② 우리말 어순에 따라 '센다이에 오신 것을 환영합니다.' 정도로 수정하는 것이 알맞은 표현이 된다. ③, ④ 국어의 언어문화를 고려하지 않고 기계적으로 번역한 표현이다.

15. [A]는 국어로 번역된 외국 자료이다. 이러한 종류의 자료는 외국의 문화를 기반으로 하고 있지만, 우리의 언어문화에 알맞게 번역하는 것이 특징이다.
오답 풀이 ① [A]에서 두 인물은 모두 상대 높임 표현을 쓰고 있다. ③ 국어로 번역된 외국 자료는 우리나라 사람들이 이해하기 쉽도록 우리말로 번역하며 우리의 언어문화에 알맞게 번역하고 있다. ④, ⑤ 국어로 번역된 외국 자료는 원문의 이야기는 최대한 훼손하지 않으며 우리의 언어문화에 맞게 번역하고, 우리의 언어문화에는 없지만, 원문에 있는 새로운 용어 등은 표기법에만 맞춰 그대로 사용한다.

16. (타)에서 교통과 매체의 발달로 인해 세계와 교류가 쉬워져 다른 나라의 사람이 한국 문화를 접하거나 반대로 우리가 다른 나라의 문화를 접하기가 쉬워졌고, 그에 따라 해외에서 생산되는 국어 자료나 국어로 번역되는 외국 자료의 양도 많아지고 있다고 하였다.

평가 기준	
'교통과 매체의 발달'과 '쉽게 접할 수 있게 되었'다는 요소를 모두 넣어 서술한 경우	5점
'교통과 매체의 발달'이나 '쉽게 접할 수 있게 되었'다는 요소 중 하나를 넣어 서술한 경우	3점

소단원 적중 문제   pp. 372~373

01. ④ **02.** ③ **03.** ·친교 및 정서를 표현한다. ·구어적인 표현이 많이 쓰인다. **04.** ③ **05.** ② **06.** ①

01. (가)는 친교와 정서 표현을 위한 국어 자료, (나)는 정보 전달 자료, (다)는 설득적인 자료의 설명에 해당한다. (나)와 (다)는 간결하고 명료한 문장으로 이루어진다는 공통점이 있지만 (가)는 생각이나 느낌을 진솔하게 드러내며, 구어적 표현이 많이 쓰이는 국어 자료이다. 객관성을 확보하는 것이 중요한 것은 (나)의 국어 자료가 더 강하다.
오답 풀이 ① (다)의 '설득을 위한 국어 자료는 정보를 전달하는 국어 자료와 마찬가지로, 문장이 간결하고 명료하다는 공통적인 특징이 있다.'를 통해 알 수 있다. ③ (나)는 정보를 전달하는 국어 자료에 대해 설명하고 있다. ⑤ (가)에 나와 있는 것처럼 "글쓴이 자신의 경험과 감정이 직접 드러난 것과 상상력으로 꾸며 낸 것이 있다."고 하였다.

02. 〈예제 2〉의 국어 자료는 정보 전달을 목적으로 하는 국어 자료이다. 이러한 국어 자료를 생산할 때는 객관성을 높여야 하는데, 이때 인용하는 자료는 최근의 자료부터 검토하는 것이 바람직하다. 정보를 전달하는 자료의 경우 최근의 자료가 아니고 오래된 자료인 경우 최근의 연구로 오류가 수정되거나 오류로 밝혀졌을 가능성도 있기 때문이다.
오답 풀이 ① 〈예제 2〉의 국어 자료는 정보를 전달하기 위해 일상생활의 사례를 연구한 연구 자료를 인용하고 있다. 구체적 사례를 통해 국어 자료의 생산 목적인 정보 전달의 기능을 수행해 내고 있다. ② 〈예제 2〉의 국어 자료는 객관성이 중요하므로 과장된 내용이나 꾸민 부분이 배제되는 것이 좋다. ④ 〈예제 2〉와 같은 국어 자료에 사용되는 언어적 특성은 간결하고 명료하다. ⑤ 〈예제 2〉와 같이 정보를 전달하는 국어 자료를 생산할 때는 무엇보다 정보가 객관적이어야 하므로 공신력 있는 기관의 자료를 사용할 수 있어야 한다.

03. (다)의 마지막 문단에서 확인할 수 있다.

평가 기준	
친교 및 정서 표현 국어 자료의 목적과 언어적 특성을 적절하게 서술한 경우	5점
친교 및 정서 표현 국어 자료의 목적이나 언어적 특성 중 하나만 서술한 경우	3점

04. 한국 사회에서는 "밥은 먹었어?"와 같은 표현이 단순한 인사말로 자주 쓰인다. 그러므로 외국인이 그 의미를 이해하지 못한 이유는 한국인의 문화적 관습을 이해하지 못했기 때문이다.

05. ㉠은 세대에 따라 의사소통이 어려운 상황이므로 사회 방언 중 세대에 따른 변이에 해당한다. ㉡은 제주도 지역의 언어적 특성을 반영하고 있으므로 지역 방언에 속한다. ㉢은 남자들이 쓰는 말과 여자들이 쓰는 말이 개인적 차이에도 불구하고 성별에 따른 차이가 나타난다고 언급하고 있으므로 사회 방언에 속한다. ㉣은 지역에 따라 동일한 사물에 대한 이름이 달라지는 것이므로 지역 방언에 속한다. 따라서 성격이 같은 것끼리 묶인 것은 ㉠, ㉢ 혹은 ㉡, ㉣이다. 이중의 선택지에 있는 것은 ㉠, ㉢의 짝인 ②번이다.

06. ① ⓐ '완소'는 '완전 소중한'이라는 구의 줄임말이다. ⓑ '볼매'는 '볼수록 매력적인'을 줄여 이르는 말로 아버지 세대는 알아듣지 못하는 것으로 보아 세대를 가리지 않고 유행하는 것은 아니다.
오답 풀이 ② ⓒ의 댓글 놀이는 인터넷의 발달과 댓글 쓰기라는 문화가 등장하면서 나타난 놀이이다. 따라서 새로운 매체의 등장으로 나타난 신조어이다. ③, ④ ⓓ의 '무람없이'는 '예의를 지키지 않으며 삼가고 조심하는 것이 없이'라는 의미이고, ⓔ의 '허투루'는 '아무렇게나 되는 대로'라는 의미로 둘 다 표준어이며 사전에 등재되어 있다. ⑤ ⓒ 댓글 놀이는 '대(對)＋ㅅ＋글＝댓글'에 '놀이'가 더해져서 만들어진 합성어이자 신조어이다.

(2) 국어 규범과 국어 생활의 성찰

핵심 다지기 pp. 375~383

01. ④ **02.** ③ **03.** 방언 차이로 인해 원활한 의사소통을 방해하는 문제를 해결하기 위해 **04.** ④ **05.** ② **06.** 같은 단어를 서로 다르게 발음함으로써 생길 수 있는 의사소통의 혼란을 없애기 위해서이다. **07.** ③ **08.** ① **09.** ③ **10.** 소리대로만 '낟, 낫, 낮, 낱'을 모두 '낟'으로 표기하자면 의미가 쉽게 파악되지 않아, 그 뜻을 파악하기 쉽도록 형태소의 원형을 밝혀 적는 것이 '형태 음소적 원리'이다. **11.** ① **12.** ② **13.** ③ **14.** ⑤ **15.** ③ **16.** ②

01. (가)의 마지막 문단을 보면 자신을 둘러싼 언어 현실에 관심을 가지고 꾸준히 국어 생활을 성찰하고 개선하려는 태도를 보이는 것이 중요하다고 하였다. 그리고 국어 규범에 기초한 정확성을 설명한 부분으로 유추할 때 선호하는 규범을 우선하여 국어 생활에 적용한다는 것은 적절하지 않음을 알 수 있다.

02. '총각무'는 어휘 선택의 변화에 따른 표준어 규정에 따라 표준어로 인정된 단어이고, '옥수수'는 복수 표준어로 인정된 단어이다.
오답 풀이 '깡충깡충', '발가숭이', '으레', '안절부절못하다'가 표준어 규정에서 인정한 표준어이다.

03. (나)의 '방언 차이는 원활한 의사소통을 방해할 수 있는데, 표준어 규정은 공식적인 국어 생활에서 사용되는 표준어를 사정하고 그 표준 발음을 규정함으로써 이러한 문제를 해소한다.'고 하였다.

평가 기준	
조건을 모두 만족하여 서술한 경우	5점
조건 중 하나만 만족한 경우	3점

04. (라)의 두 번째 문단을 보면 어떤 단어가 표준어인지, 그리고 그 표준어의 바른 발음이 무엇인지를 '표준어 규정'에서 일일이 제시하지는 않는다고 하였다.

05. ㉠은 표음주의에 해당하는 것으로, 표기가 발음과 동일하게 나타난다. ⓑ '지붕[지붕]', ⓒ '마개[마개]'가 이에 해당한다. 반면 ㉡은 표의 주의에 해당하는 것으로 발음과 상관없이 원래의 형태를 밝혀 적는 방법이다. ⓐ '앞마당[압마당→암마당]', ⓓ '협의[혀븨/혀비]', ⓔ '해돋이[해도지]'가 이에 해당한다. 그러므로 ②가 적절한 답이다.

06. (라)의 첫 문단에서 우리말 발음의 표준을 정하여 놓은 이유를 설명하고 있다.

평가 기준	
같은 단어를 서로 다르게 발음함으로써 생길 수 있는 의사소통의 혼란을 없애기 위해서라고 과정을 명료하게 서술한 경우	5점
다르게 발음하거나 의사소통의 혼란 때문이라고만 서술한 경우	3점

07. (바)에 따르면 형태 음소적 원리로 맞춤법에 적용하는 것에 더하여 끊어적기를 선택하면 더욱 효율적인 표기법이 된다고 설명하고 있다. 이어적기를 선택한다는 진술은 적절하지 않다.

08. '믿음'은 [미듬]으로 소리 난다. [미듬]을 '믿음'으로 적는 것은 형태소의 원형을 밝혀 적은 것으로, '어법에 맞도록 한다'는 조건을 따른 것이다.

09. '예상했던'은 '예상하-+-었-+-ㄴ'으로 분석할 수 있으며, '-ㄴ'은 관형사형 어미에 해당한다. 그러므로 '예상했던'은 '대로'를 수식하는 관형어이며, '대'는 의존 명사, '-로'는 조사에 해당한다. 따라서 '예상했던∨대로∨문제는∨어려웠다.'로 띄어 쓴 ③이 가장 적절하다.
오답 풀이 ① '좋아할'은 '좋아하-+-ㄹ'로 분석되는 관형어이므로 '뿐'은 의존 명사에 해당한다. 따라서 '좋아할뿐이다.'는 '좋아할∨뿐이다.'로 띄어 써야 한다. ② '들릴만큼'은 '듣-+-리-+-ㄹ'로 분석되는 관형어이다. 그러므로 '만큼'은 의존 명사에 해당한다. 따라서 '들릴∨만큼'으로 띄어 써야 한다. ④ '부모님'은 체언(명사)에 해당하므로 '만큼'은 조사이다. 따라서 '부모님만큼'으로 붙여 써야 한다. ⑤ '할수있다고'의 '할'은 '하-+-ㄹ'의 관형어이며, '수'는 의존 명사에 해당한다. 따라서 '할∨수∨있다고'로 띄어 써야 한다.

10. 소리대로 표기하는 것(음소적 원리)에 따르면 '낟, 낫, 낮, 낱'은 실제 소리를 반영하여 모두 '낟' 한 가지로 표기해야 한다. 그런데 이렇게 하면 각 형태소의 의미가 변별되지 않는다. 형태 음소적 원리에 따라 형태소의 원형을 고정하여 항상 동일한 형태로 표기하면 그 의미를 파악하기가 쉬워진다.

평가 기준	
〈보기〉를 활용하여 〈조건〉에 맞게 '형태 음소적 원리'의 개념을 알맞게 서술한 경우	5점
'형태 음소적 원리'의 개념은 알맞게 서술하였으나 〈조건〉을 충족시키지 못하고 〈보기〉를 잘 활용하지 못한 경우	3점

11. 로마자 표기는 국어의 표준 발음법에 따라 적는 것을 원칙으로 한다. 즉 음운 변화가 일어날 때는 변화의 결과에 따라 적는다.
오답 풀이 ② 로마자 표기 시 로마자 이외의 부호는 '되도록' 사용하지 않는다. 그러나 발음상 혼동의 우려가 있을 때는 음절 사이에 붙임표(-)를 사용할 수 있다. ③ 외래어 표기 시 파열음 표기에는 된소리를 적지 않는 것을 원칙으로 한다. 그러나 우리나라에 들어온 지 오래되어서 표기가 굳어진 외래어나 베트남어, 타이어는 예외적으로 허용한다. 그러므로 '전혀' 사용하지 않는다는 설명은 적절하지 않다. ④ 외래어 표기 시 종성은 'ㄱ, ㄴ, ㄹ, ㅁ, ㅂ, ㅅ, ㅇ' 등 일곱 개 자음을 쓴다. 그러나 이 종성 끝소리 규칙에 사용되는 일곱 개 자음은 'ㄱ, ㄴ, ㄷ, ㄹ, ㅁ, ㅂ, ㅇ'이다. 그러므로 외래어 표기의 'ㅅ'과 끝소리 규칙의 'ㄷ'이 서로 다르다. ⑤ 외래어 표기 시 사용되는 현용 모음 10자는 'ㅏ, ㅑ, ㅓ, ㅕ, ㅗ,

ㅛ, ㅜ, ㅠ, ㅡ, ㅣ'이다. 그러나 'ㅐ'나 'ㅟ' 등은 기본 자모들을 두 개 또는 세 개씩 합쳐서 만든 글자이므로 표에서 제시하고 있지 않을 뿐, 표에 없다고 이들이 쓰일 수 없다는 것은 아니다.

12. 〈보기〉는 'f'의 경우 'ㅎ'과 'ㅍ'으로 모두 적을 수 있지만, 그로 인한 혼란을 막기 위해 'ㅍ'으로 고정하여 쓴다는 것이다. 이것은 (아)에서 설명한 제2항과 관련이 있다.

13. (아)에서 외래어를 적을 때 받침 글자는 'ㄱ, ㄴ, ㄹ, ㅁ, ㅂ, ㅅ, ㅇ'의 일곱 개 자음만을 쓴다고 하였다. 따라서 ③의 '케이크'가 외래어 표기법에 맞는다.

14. (카)에서 '자음의 경우 로마자로 'ㄱ-ㄲ-ㅋ'과 같은 대립을 정확히 표기할 수 없는데, 현 규정은 위의 원칙에 따라 'g, k-kk-k'로 적는 방법을 따르기로 하였다.'를 통해 정확히 표기할 수는 없으나 'ㄱ'이 환경에 따라 'g'나 'k'로 구분하여 표기하는 것임을 추론할 수 있다.

15. '해돋이'의 'ㄷ'이 'ㅣ' 모음 앞에서 'ㅈ'으로 변한 것이 구개음화이다. 이 음운 변화 결과에 따라 '해돋이'는 'haedodi'가 아니라 'haedoji'로 적어야 한다.
오답 풀이 ① '좋고'가 [조코]로 발음되는 것은 축약 현상으로, '4'의 예에 해당한다. ② '백마'는 'ㅁ' 앞의 'ㄱ'이 'ㅇ'으로 소리 나므로 '1'의 예에 해당한다. ③ '왕십리'는 [왕심니]로 발음된다. 'ㄴ' 앞의 'ㅂ'이 'ㅁ'으로 소리 나므로 '1'의 예에 해당한다. ⑤ '학여울'은 [항녀울]로 발음된다. 'ㄴ'이 덧나는 경우이므로, '2'의 예에 해당한다.

16. ② '묵호'와 ⑤ '각호산'이 체언에 속하면서 'ㄱ' 뒤에 'ㅎ'이 따르므로 ⓑ의 적용을 받는다. 그런데 이때에는 'ㅎ'을 밝혀 적어야 하므로 ②의 표기가 옳고, ⑤는 'Gakhosan'으로 적어야 한다.
오답 풀이 ①, ④는 용언으로, '4'에 따라 바르게 표기하였다.

소단원 적중 문제

pp. 390~393

01. ⑤ **02.** ④ **03.** ④ **04.** 표준어 규정에는 표준어와 그 표준어의 바른 발음이 일일이 제시되지 않기 때문이다. **05.** ② **06.** ③ **07.** ③ **08.** ㄱ: 한 번, ㄴ: 고등학생으로서 **09.** ③ **10.** ④ **11.** ③ **12.** 외래어 표기법의 원칙에 따른 표기가 관용 발음과 다른 경우에는 관용을 존중한다는 원칙을 따랐기 때문이다. **13.** ① **14.** ③ **15.** 우리말의 단모음은 10개인데 로마자의 모음은 5개뿐이어서 모음은 하나의 로마자로는 대응시킬 수 없기 때문이다.

---

01. (다)에서 표준어 규정 총칙을 보면 '모든 우리말 단어를 대상으로' '두루 쓰는' 말을 표준어로 규정하고 있다고 하였다. 그리고 (나)을 보면 '어떤 단어를 더 선호하게 되어서 어휘 선택에 변화가 생긴 경우'를 표준어로 규정한다는 것을 알 수

있다.

　<u>오답 풀이</u> ① 일반적으로는 정해진 원칙에 따라 한 단어만을 표준어로 정하지만 더러는 둘 이상의 단어가 두루 쓰이고 있어 모두 표준어로 인정하는 경우도 있다. ② (가)에서 '표준어 규정은 공식적인 국어 생활에서 사용되는 표준어를 사정하고 그 표준 발음을 규정'한다고 하였으므로 적절하지 않은 설명이다. ③ 서울말이 표준어 사정의 기준이 된 것은 단지 서울이 수도이기 때문이지 서울말이 다른 지역 말보다 우월하기 때문은 아니다. ④ (마)의 '어떤 단어가 표준어인지, 그리고 그 표준어의 바른 발음이 무엇인지를 '표준어 규정'에서 일일이 제시하지는 않기 때문에, 실제 국어 생활에서는 국립국어원에서 편찬된 '표준국어대사전'을 활용하여 이를 확인하여야 한다.'는 내용으로 보아 적절하지 않은 설명이다.

02. ㉠은 발음의 변화에 따라 표준어를 규정하는 경우이다. ④의 '노름'은 어간 '놀-'에 명사형 접미사 '-음'이 붙었지만, 원래의 의미와 멀어지면서 발음의 변화에 따라 표준어로 규정한 경우이다.

　<u>오답 풀이</u> ① '빛'은 [빋]으로 발음되지만, 단어의 의미를 밝혀 적기 위하여 '빛'으로 규정한 단어이다. ② '옷'은 [옫]으로 발음되지만, 단어의 의미를 밝혀 적기 위하여 '옷'으로 규정한 경우이다. ③ '꽃'은 [꼳]으로 발음되지만, 단어의 의미를 밝혀 적기 위하여 '꽃'으로 규정한 경우이다. ⑤ '나뭇잎'은 [나문닙]으로 발음되지만, '나무'와 '잎'이라는 의미를 드러내기 위하여 '나뭇잎'으로 규정한 경우이다.

03. '닐리리'는 'ㄴ'이라는 자음을 첫소리로 가지고 있는 음절에 해당하므로 '늴리리'라고 적어야 한다.

04. 어떤 단어가 표준어인지, 그리고 그 표준어의 바른 발음이 무엇인지를 '표준어 규정'에서 일일이 제시하지는 않기 때문에, 실제 국어 생활에서는 국립국어원에서 편찬된 '표준국어대사전'을 활용하여 이를 확인하여야 한다고 설명하고 있다.

평가 기준	
표준어와 그 표준어의 바른 발음이 일일이 제시되지 않기 때문임을 서술한 경우	5점
표준어의 바른 발음을 찾기 위해서 등으로 서술한 경우	3점

05. '많이'는 '-이'가 붙어 부사로 된 것으로 '제19항 3'에 해당하므로 적절하지 않다.

06. 한글 맞춤법 제47항을 보면 '보조 용언은 띄어 씀을 원칙으로 하되, 경우에 따라 붙여 쓸 수 있다.'고 하였다. 그러나 예외적으로 '앞말에 조사가 붙거나 앞말이 합성 동사인 경우, 그리고 중간에 조사가 들어갈 적에는 그 뒤에 오는 보조 용언은 띄어 쓴다'. 따라서 ③의 '듯도하다'는 '듯도∨하다'와 같이 띄어 써야 한다.

　<u>오답 풀이</u> ① 단위를 나타내는 명사는 띄어 쓴다. ② 보조 용언은 띄어 쓰는 것을 원칙으로 한다. ④ 의존 명사는 띄어 쓴다. ⑤ 전문 용어는 단어별로 띄어 씀을 원칙으로 한다.

07. 한글 맞춤법 제53항에 의하면 '-(으)게'와 같은 어미는 예사

소리로 적는다고 하였다. 따라서 '네 말대로 할게.'가 알맞은 표기이다.

08. <u>오답 풀이</u> ㄱ의 '한 번'은 문맥에 따라 띄어쓰기도 하며 붙여쓰기도 한다. '번'이 차례나 일의 횟수를 나타내면 '한 번', '두 번', '세 번'과 같이 띄어 쓴다. 즉 '한번'을 '두 번', '세 번'으로 바꾸어 뜻이 통하면 '한 번'으로 띄어 쓴다는 것이다. 그러나 '지난 어느 때나 기회' 혹은 '기회 있는 어떤 때에'라는 뜻이면 '한번'으로 붙여 쓴다. ㄴ은 문맥에 따라 '(으)로써' 또는 '(으)로서'가 쓰이는데, 어떤 일의 수단이나 도구의 뜻을 나타내면 '(으)로써'를 쓰고, 지위나 신분, 자격의 뜻을 나타내면 '(으)로서'를 쓴다.

평가 기준	
ㄱ과 ㄴ 모두 바르게 고친 경우	5점
ㄱ과 ㄴ 중 하나만 바르게 고친 경우	3점

09. 음절의 끝소리에 발음되는 종성은 'ㄱ, ㄴ, ㄷ, ㄹ, ㅁ, ㅂ, ㅇ'이다. 그러나 외래어의 받침에 사용하는 자음은 'ㄱ, ㄴ, ㄹ, ㅁ, ㅂ, ㅅ, ㅇ'만을 사용한다. 그러므로 적절하지 않은 설명이다.

　<u>오답 풀이</u> ① 제1항에 해당하는 설명이다. ② 제5항에 해당하는 설명이다. ④ 제4항에 해당하는 설명이다. ⑤ 제2항의 예외적 설명으로, 영어의 [t]의 경우 '테이블(table), 숏(shot)'처럼 'ㅌ'과 'ㅅ'으로 표기할 수 있다.

10. 'boat'는 [bout]로 발음하므로 '보트'라고 표기해야 한다.

　<u>오답 풀이</u> ① [ɔil]로 발음하므로 '오일'이라고 표기한다. ② [taim]으로 '타임'으로 표기한다. ③ [tauɔ]로 발음하므로 '타워'로 표기한다. ⑤ [haus]로 발음하므로 '하우스'로 표기한다.

11. supermarket은 '슈퍼마켙'으로 표기되어야 하지만, 음절의 끝소리 규칙을 적용하고 있으므로 '슈퍼마켓'이 적절하다.

　<u>오답 풀이</u> ① 외래어는 된소리를 쓰지 않는 것을 원칙으로 하므로 '까페'라고 하지 않고 '카페'라고 표기한다. ② 'juice [ʤuːs]'는 "-쟈, 져, 죠, 쥬, 챠, 쳐, 쵸, 츄'는 사용하지 않는다'는 규칙에 따라 '주스'라고 표기한다. ④ 'comedy[ˈkɜmi-di]'는 현지인의 발음을 고려하여 '코미디'라고 표기한다. 많은 사람이 '코메디'라고 표현하지만, 아직 관용어로 인정되지 않아 '코미디'라고 표기해야 한다. ⑤ 'accessory'는 복장에 딸려서 그 조화를 꾀하는 장식을 가리키는 말로, 발음은 [ækǽsəri]이다. 발음을 옮기면 '악세서리'가 아니라 '액세서리'가 된다. '장식물', '노리개', '치렛감' 등으로 순화하기를 표준국어사전에서는 제안한다.

12. 외래어 표기법 제5항에 따라 'radio'는 이미 '라디오'로 굳어진 점을 존중하여 '라디오'로 표기하는 것이다.

평가 기준	
외래어 표기법 제5항의 원칙을 제대로 서술한 경우	5점
'라디오'로 굳어져서 표기된다는 등으로 서술한 경우	3점

13. ㉠으로 보아 'ㄱ, ㄷ, ㅂ'은 'g, d, b'로 표기함을 알 수 있다.

그러나 ⓜ '옥저'의 경우 'ㄱ'을 'k'로 기록한 것으로 볼 때, 'ㄱ'은 모음 앞에서는 'g'로, 자음 앞에서는 'k'로 적어야 함을 알 수 있다.

오답 풀이 ② ⓒ과 ⓜ에서 [쩨], [쩌]와 같이 된소리 발음이 되지만 로마자 표기는 'j'로 표기하는 것으로 보아 적절한 설명이다. ③ ⓐ의 'ㅕ'를 'y+eo'로 표기한 것으로 보아 'ㅕ'는 'ㅣ'에 'ㅓ'가 붙은 것으로 파악하고 있음을 알 수 있다. ④ ⓐ과 ⓑ의 'ㄹ'은 모음 앞에 위치하는 것으로 'r'로 표기하고 있으나, ⓔ [ㄹㄹ]의 경우는 'l'로 표기한 점으로 보아 적절한 설명이다. ⑤ ⓐ~ⓜ은 모두 대문자로 표기한다는 점에서 적절한 설명이다.

14. '별내'는 'ㄴ'이 앞의 'ㄹ'과 동화 작용을 이루어 'ㄹ'로 바뀌어 [별래]로 발음된다. 그러므로 제3장 제1항 1에 따라 'Byeollae'로 표기해야 한다.

오답 풀이 ① '같이'는 구개음화 현상에 의해 [가치]로 발음되므로 'gachi'로 표기해야 한다. ② '알약'은 'ㄹ'이 덧나는 2항에 해당하므로 'allyak'으로 표기해야 한다. ③ '잡혀'는 'ㅂ'이 'ㅎ'과 합하여 거센소리가 나는 4에 해당하므로 'japyeo'로 표기해야 한다. ⑤ '묵호'는 체언에서 'ㄱ' 뒤에 'ㅎ'이 따르는 경우로, 'ㅎ'을 밝혀 적는 4의 '다만'에 해당한다. 그리고 고유 명사는 대문자로 써야 하므로 'Mukho'로 표기해야 한다.

15. (다)에서 두 개의 로마자를 합쳐서 대응하는 때를 설명하고 있다.

평가 기준	
조건을 다 만족하여 서술한 경우	5점
조건 중 하나를 만족하지 못한 경우	3점

중단원 실전 문제
pp. 394~400

01. ③ **02.** ③ **03.** ③ **04.** ⑤ **05.** ③ **06.** ③ **07.** ①
08. ③ **09.** ④ **10.** ② **11.** ③ **12.** ④ **13.** ③ **14.** ①
15. ⑤ **16.** ④ **17.** 공식적인 국어 생활에서 사용되는 표준어를 사정하고 그 표준 발음을 규정함으로써, 의사소통에서 발생할 수 있는 혼란을 방지하기 위해서이다. **18.** ③ **19.** ④ **20.** ⑤
21. ⓐ '시', ⓑ 모음 **22.** (가) maji, (나) Seoraksan, (다) Marado, (라) Gyeongbokgung

01. 이 글에는 설득을 위한 국어 자료에 논리성을 더하려는 방안은 나와 있지 않다.

오답 풀이 ① (가)의 첫 문단에서 생산 목적에 따른 국어 자료의 분류가 나와 있다. ② (가)의 마지막 문장 "친교 및 정서 표현이 목적인 국어 자료는 구어적인 표현이 많이 쓰여 읽는 이가 공감대를 쉽게 형성할 수 있는 언어적 특성이 있다."고 나와 있다. ④, ⑤ 정보를 전달하는 국어 자료와 설득을 위한 국어 자료의 공통점과 차이점이 (나)와 (다)에서 언급되고 있다.

02. (나)는 정보를 전달하는 국어 자료이다. (나)에 따르면 정보를 전달하는 국어 자료는 객관성이 생명이므로 과장된 내용이나 꾸민 부분은 배제하고 간결한 문장으로 표현하는 언어적 특성이 있다. 구어적인 표현은 (가)와 같은 친교 및 정서 표현이 목적인 국어 자료의 언어적 특성이다.

오답 풀이 ① 〈예제〉는 '동메달이 은메달보다 행복한 이유'라는 소제목으로 내용을 한눈에 알아볼 수 있도록 배려하고 있다. ② 〈예제〉는 주제를 알아보기 쉽도록 구체적인 예를 들어 설명하고 있다. 정보를 전달하는 목적의 국어 자료 생산에서는 구체적 사례를 들어 내용을 알기 쉽게 전달하는 것이 중요하다. ④ 〈예제〉는 정보 전달의 글이므로 과장된 내용이나 꾸민 부분은 배제해야 한다. ⑤ 〈예제〉에서는 코넬 대학교 연구팀이라는 대학 연구팀의 연구 자료를 바탕으로 글을 전개하고 있다. 따라서 신뢰할 만한 기관의 자료를 인용하는 것도 정보를 전달하는 국어 자료 생산에서 중요한 고려 사항이다.

03. (다)의 국어 자료 〈예제 3〉은 설득력이 있는 국어 자료이다. 〈보기〉에서 설명하는 국어 자료의 특성은 설득의 기능을 하는 논설문에 대한 설명이다. 따라서 〈보기〉에 해당하는 국어 자료는 〈예제 3〉과 같은 국어 자료이다.

04. 이 글에는 국어 자료의 구체적인 갈래 층위의 분류가 소개되고 있다. 광고문, 기사문, 보도문, 공고문을 예로 들어 소개하고 있는데 각각의 국어 자료에 나타나는 언어적 특성을 소개하고 있지만, 이러한 구체적인 갈래 층위를 왜 이해해야 하는지는 언급되어 있지 않다.

오답 풀이 ① (가)에서 소개되고 있다. ② (다)에 설명하고 있다. ③ (나)에서 설명하고 있다. ④ (가)의 첫 문장에 나와 있다.

05. 짧은 시간 내에 효과적으로 주제를 전달하기 위해 표현이 간결하고 압축적인 특성을 보이는 것은 광고문과 같은 국어 자료에 해당한다. 공고문은 전달하고자 하는 조건적 정보를 정확히 전달해야 하며, 공고되는 내용을 읽는 독자는 정보를 빨리 전달받는 것보다는 정확히 전달받기를 원한다.

오답 풀이 ① 〈보기〉의 공고문은 모집 대상, 신청 방법, 선발 방법 등의 조건적 정보를 항목별로 제시하고 있다. ② 조건적 정보를 전달할 때, 명사형 종결을 사용하고 있다. ④ 〈보기〉의 자료는 공고문이다. 공고문의 정의는 (다)에 '기업이나 단체에서 공고할 정보를 널리 알리려는 의도로 만든 국어 자료'라고 나와 있다. ⑤ 공고문은 전달하려는 내용이 조건적 정보이므로 해석의 혼동을 유발하는 표현은 공고문에서 배제되어야 한다.

06. (나)의 〈예제 2〉는 기사문이다. 기사문, 보도문에 대한 설명으로 적절한 것은 ⓐ과 ⓒ이다.

오답 풀이 ⓑ 설득을 목적으로 생산된 국어 자료에 대한 설명으로 기사문이나 보도문에서는 '기자 개인의 주관적 의견이나 추측을 포함하지 않아야 한다.'고 언급되어 있다. ⓔ 광고문과 같은 국어 자료의 특성이다.

07. 성별에 따른 언어 사용 양상의 차이는 과거와 비교하면 현재는 그 구분이 매우 약화되고 있다.

08. 〈보기〉의 상황에서 할머니는 의사소통의 상황에 따라 표준어와 방언을 사용하고 있다.
오답 풀이 ① 방언의 사용으로 의사소통의 어려움이 발생하고 있는 것은 아니다. ② 할머니의 방언 사용은 친밀감의 표현일 수 있으나 그것으로 더 우월하게 여기고 있다는 증거로 삼기에는 적절하지 않다. ④ 어머니의 반응은 할머니의 요구에 대해 긍정하고 있는 반응이다. 그러나 이것으로 어머니가 표준어의 우월성을 인식하였다는 근거로 삼기에는 적절하지 않다. ⑤ 〈보기〉의 할머니가 공식적인 언어 상황에서는 표준어를 사용하고 비공식적인 언어 상황에서는 방언을 사용하는 것은 할머니의 언어 습관이거나 친밀감을 표현하는 방식일 수 있다. 그러나 이러한 행위를 바람직한 것으로 판단할 근거는 없다.

09. (나)의 〈예제 2〉는 세대별 언어 사용 양상의 차이에서 온 의사소통의 어려움을 나타낸 사례이다. 이와 같은 이유로 의사소통의 어려움이 발생하고 있는 것은 ④번의 경우이다. 동호는 '일전', '낙상' 등과 같이 자신의 세대는 쓰지 않는 어휘를 쓰는 할아버지로 인해 의사소통에 어려움을 겪고 있다.
오답 풀이 ① 지역에 따라 같은 사물을 지칭하는 어휘가 다름을 보여 준다. 따라서 지역 방언으로 인한 의사소통의 어려움을 의미한다. ② 사회 방언 중 직업에 따라 전문적으로 사용하는 어휘로 인해 의사소통의 어려움이 나타난 사례이다. ③ 환자와 의사 사이에 의사소통의 어려움이 나타난 경우인데 의사가 사용하는 어휘가 사회 방언으로 작용하면서 의사소통에 어려움이 나타나고 있다. ⑤ 성별에 따라 사용하는 언어의 차이를 낳은 것이다. 남성은 '하십시오체'를 주로 사용하고 있는 데 비해 여성은 '해요체'를 주로 사용하고 있다. 하지만 이로 인해 의사소통의 어려움이 나타나고 있지는 않다.

10. 공식적인 자리 혹은 격식을 갖춘 자리에는 특정 지역의 사람들만이 참석하는 것이 아니므로 의사소통의 혼란을 줄이기 위해서라도 표준어를 사용하는 것이 바람직하다.
오답 풀이 ① 화자와 청자의 출신 지역이 같다면 지역 방언의 사용은 친근감 형성에 기여한다. ③ 공식적인 자리에서는 표준어를 사용하는 것이 바람직하다. ④ 또래 집단에서는 지역 방언의 사용이 거리를 가깝게 하고 유대감을 형성하는데 기여한다. ⑤ 표준어와 방언의 선택은 공식적이고 격식을 강조하는 자리에서는 표준어가 선택되고, 친밀한 관계이거나 또래 집단, 같은 지역 출신끼리 만나는 자리에서는 방언이 선택된다. 선택의 기준이 공식적이고 격식을 갖추었는가와 얼마나 가까운 관계이냐 등에 의해 선택이 이루어지는 것이다.

11. (바)에 따르면 한글 맞춤법은 표준어를 한글로 적는 기준을 정하여 놓은 것이라고 하였다.

12. 표준어와 방언의 차이에 대한 언급은 나타나지 않는다.
오답 풀이 ① (라)에서 표준어 사정의 총칙에 제시된 원칙을 언급하면서 표준어의 개념을 '교양 있는 사람들이 두루 쓰는 현대 서울말'이라고 규정하고 있다. ② (사)에서 '한글 맞춤법은 표준어를 소리대로 적되, 어법에 맞도록 함을 원칙으로 한다.'고 규정하고 있다. ③ (바)에서 언급하고 있다. ⑤ (가)의 '통일된 표기법 없이 사람마다 다른 방식으로 적는다면, 문자 생활은 큰 혼란을 겪을 것'이며, (나)에서 이러한 혼란을 해소하기 위하여 표준어 규정을 제정한다고 밝히고 있다.

13. (가)를 보면 의사소통의 혼란을 해소하기 위해 어문 규범을 만들었다고 하였고, (나)에서는 공식적인 국어 생활에서 사용되는 표준어를 사정하기 위해 표준어 규정이 만들어졌음을 알 수 있다. 이 글의 내용을 종합해 볼 때 표준어를 제정한 궁극적인 이유는 의사소통의 혼란을 줄이고 국민의 원활한 의사소통을 이루기 위해서라고 볼 수 있다.

14. '윗몸'은 '몸에서, 허리 위의 부분'으로 명사 '위'에 맞추어 '윗-'을 사용하는 경우이므로 적절한 표기이다.
오답 풀이 ② '여러 채가 있는 집에서 위쪽에 위치하고 있는 부분'을 가리키며, 거센소리 '채' 앞에 나타나는 단어는 '윗채'가 아니라 '위채'가 적절한 표기이다. ③ '어른'은 '아래, 위'의 대립이 없는 단어이므로 '웃-'으로 표기하여야 한다. 그러므로 '윗어른'이 아니라 '웃어른'으로 표기하여야 한다. ④ '윗몸에 입는 옷'을 가리키는 단어는 '윗도리'이다. 몸의 아랫부분에 입는 옷을 '아랫도리'라고 한다는 점을 참고한다면, '아래, 위'의 대립이 있는 단어이므로 '웃-'을 사용할 수 없다. ⑤ '온돌방 바닥에서 위쪽 부분'을 가리키는 말은 '윗목'이다. '아래쪽 부분'을 가리키는 말을 '아랫목'이라고 하는 데서 알 수 있듯이 '아래, 위'의 대립이 있는 단어이므로 '웃-'을 사용할 수 없다.

15. '-내기'는 'ㅣ' 모음 역행 동화가 적용된 형태를 표준어로 삼으므로 '시골내기'가 표준어이다.
오답 풀이 ①~④의 밑줄 친 단어는 'ㅣ' 모음 역행 동화가 일어난 형태가 표준어로 인정되지 않는다.

16. '광주리-광우리'는 '의미가 똑같은 형태가 몇 가지 있을 경우, 그 중 어느 하나가 압도적으로 널리 쓰이면, 그 단어만을 표준어로 삼는 경우로, '광주리'는 표준어이나 '광우리'는 비표준어에 해당한다.
오답 풀이 ①, ②, ③은 '제26항'에 해당하며, ⑤는 '제19항'에 해당하는 복수 표준어이다.

17. 공식적인 국어 생활에서 사용되는 표준어를 사정하고 그 표준 발음을 규정함으로써, 의사소통에서 발생할 수 있는 혼란을 방지하기 위해서이다.

평가 기준	
'의사소통'과 '혼란'을 언급한 경우	5점
'의사소통'과 '혼란' 중 하나만 맞힌 경우	3점
맞춤법에 어긋난 경우 등	-1점

18. 외래어 표기법 제1항에서 확인할 수 있다.

<u>오답 풀이</u> ① 로마자 표기법 제3항의 경우 'ㄷ' 소리가 나더라도 'ㅅ'으로 적게 되어 있으며, 제4항의 경우 파열음의 발음이 된소리에 가깝게 들리더라도 된소리로 적지 않는다는 원칙이다. 이런 점에서 볼 때 국어의 로마자 표기법은 표기와 발음의 불일치를 어느 정도 인정하되, 우리 나름의 원칙에 따라 일관되게 표기하도록 하고 있다는 것을 알 수 있다. 그러므로 '실제 발음과 일치하는 표기만을 인정'한다는 설명은 적절하지 않다. ② 로마자 표기법은 한글 철자를 그대로 로마자로 적는 것이 아니라 표준 발음법에 따라 적는 것을 원칙으로 한다. 그러므로 한글 표기에 맞게 표기하는 것이 아니라, 발음에 맞게 적는 것이 원칙이다. ④ 로마자 표기법은 우리말로 표기된 인명이나 지명 등의 고유 명사를 로마자로 표기하는 규정으로, 외국인에게 우리말을 바르게 발음할 수 있도록 하는 것이다. 이는 외국인이 우리나라에서의 발음의 편의성을 위한 규정이지, 우리말의 의미를 올바르게 이해하기 위한 규정이 아니다. 예를 들어 '개'의 의미를 올바르게 이해하기 위해서라면 'dog'으로 표기해야 할 것이다. 그러나 로마자 표기법에 따르면 'gae'로 표기한다. 그러므로 ④는 적절하지 않은 설명이다. ⑤ 외래어 'camera'를 '카메라'로 표기하는 것은 표기가 실제 발음과 다르더라도 관용을 존중한 경우이지, 사람들의 발음을 존중한 경우가 아니다.

19. '받침에는 'ㄱ, ㄴ, ㄷ, ㄹ, ㅁ, ㅂ, ㅅ, ㅇ'만을 쓴다.'는 외래어 표기의 기본 원칙 [제3항]에 따라 'robot'은 대표음 'ㅅ'이 받침으로 쓰인 '로봇'이 바른 표기이다.

<u>오답 풀이</u> ① '파열음의 발음이 된소리에 가깝게 들리더라도 된소리로 적지 않는다'는 외래어 표기의 기본 원칙 [제4항]에 따라 'gang'은 '갱'이라고 표기하는 것이 바른 표기이다. ③ 'cognac'의 실제 발음은 [kóunjæk]으로 'k'는 'ㅋ'으로 써야 한다. 그러므로 '코냑'은 적절한 표기이다. ④ 'frypan'의 경우 외래어 표기의 기본 원칙 [제2항]의 '외래어의 1 음운은 원칙적으로 1 기호로 적는다.'에 따라 'f'는 'ㅎ'이 아닌 'ㅍ'으로 표기한다. 그러므로 '후라이팬'이 아니라 '프라이팬'으로 표기해야 한다. ⑤ 'chocolate'은 외래어 표기의 기본 원칙 [제3항]의 '받침에는 'ㄱ, ㄴ, ㄹ, ㅁ, ㅂ, ㅅ, ㅇ'만을 쓴다'에 따라 '초콜릿'으로 표기해야 한다.

20. '홍길동'을 발음하면 된소리되기가 되어 [홍길똥]으로 발음하게 된다. 그럼에도 불구하고 'Hong Gildong' 또는 'Hong Gil-dong'으로 표기한다는 것은 음운의 변화를 표기에 반영하지 않는 것을 의미한다.

<u>오답 풀이</u> ① 'Hong Gildog' 또는 'Hong Gil-dong'으로 표기함으로써 성과 이름의 순서로 띄어 쓴다는 것을 알 수 있다. ② '붙임표(-)를 쓴 'Hong Gil-dong'과 같은 표기도 허용한다'는 설명을 통해 확인할 수 있다. ③ 'Hong Gildong' 또는 'Hong Gil-dong'으로 표기하는 것으로 보아 성과 이름의 첫 글자는 대문자로 쓴다는 것을 확인할 수 있다. ④ ㉠의 설명

을 그대로 반영한 내용이다.

21. 'flash'를 보면 [ʃ]가 단어 끝에 오므로 '플래시'라고 표기하고 있음을 알 수 있다. 따라서 ⓐ에는 '시'가 제시되어야 한다. 그리고 'leadership'에서 [ʃ]가 모음 앞에 오므로 '리더십'이라고 표기하고 있음을 알 수 있으므로 ⓑ에는 '모음'이 제시되어야 한다.

22. <u>오답 풀이</u> (가) '맏이'는 구개음화가 일어나서 [마지]로 발음된다. 그러므로 'maji'로 표기해야 한다. (나)는 'ㄹ'이 모음 앞에 위치하므로 'r'로 표기해야 하며, 고유 명사이므로 대문자로 시작한다. 그러므로 'Seoraksan'이라고 표기한다. (다)는 'ㄹ'이 모음 'ㅏ' 앞에 오며, 고유 명사이므로 대문자로 시작한다. 그러므로 'Marado'라고 표기한다. (라) '경복궁'은 문화재이며, 인공 축조물의 이름이므로 붙임표(-)를 사용하지 않고 붙여 쓴다. 그러므로 'Gyeongbokgung'이라고 표기한다.

평가 기준	
ㄱ~ㄹ을 모두 맞힌 경우	5점
ㄱ~ㄹ 중 4개 맞힌 경우	4점
ㄱ~ㄹ 중 3개 맞힌 경우	3점
ㄱ~ㄹ 중 2개 맞힌 경우	2점